Europe
à la carte

Un voyage culinaire

André Dominé · Joachim Römer · Michael Ditter (éditeurs)

Günter Beer (photos)

Peter Feierabend (mise en page)

Christine Westphal (rédaction)

KÖNEMANN

Abréviations et données quantitatives

1 g	= 1 gramme = $1/1000$ kilogramme
1 kg	= 1 kilogramme = 1000 grammes
1 l	= 1 litre = 1000 millilitres
1 ml	= 1 millilitre = $1/1000$ litre
1/8 l	= 125 millilitres = environ 8 cuillères à soupe
1 cuil. à soupe	= 1 cuillère à soupe = 15 à 20 grammes pour les ingrédients secs (selon le poids) = 15 millilitres pour les ingrédients liquides
1 cuil. à café	= 1 cuillère à café = 3 à 5 grammes pour les ingrédients secs (selon le poids) = 5 millilitres pour les ingrédients liquides
1 verre à liqueur	= 20 millilitres = 2 cuillères à café
1 verre	= 100 à 125 millilitres
1 tasse	= 100 à 150 grammes ou millilitres (selon les ingrédients)

Pour les ingrédients secs, les données en cuillère se rapportent à la marchandise traitée brute. Nous dirons, par exemple, 1 cuil. à soupe d'oignons, mais 1 oignon pelé et haché.

Les indications de quantités dans les recettes
Excepté les quantités de boissons, données par personne, et les plats à buffet, donnés pour un nombre de personnes indéterminé, lorsqu'aucune autre indication n'est spécifiée, les recettes sont calculées pour quatre personnes. Pour faciliter la lecture et éviter les malentendus, le nombre de personnes est toutefois indiqué quand plusieurs recettes se trouvent sur une page.

© 1999 Könemann Verlagsgesellschaft mbH
Bonner Str. 126, D-50968 Cologne

Cet ouvrage est basé sur le titre *Culinaria – Spécialités européennes* paru en deux tomes, © 1995 Könemann Verlagsgesellschaft mbH

Idée et conception :	Ludwig Könemann
Photos en studio :	Food Foto, Brigitte et Stefan Krauth
Collaboration aux recettes :	Uschi Stender-Barbieri
Recherche iconographique :	Sally Bald, Ruth Correia, Regine Ermert
Traduction de l'allemand :	Annick Yaiche, Francis Journet, Catherine Métais-Bührendt, Marie-Anne Trémeau-Böhm
Révision :	Thérèse Chatelain-Südkamp, Francis Journet, Jean-Luc Lesouëf, Michèle Schreyer
Reproductions :	Columbia Offset Group, Singapour
Chef de fabrication :	Detlev Schaper
Impression et reliure :	Neue Stalling, Oldenburg

Imprimé en Allemagne
ISBN 3-8290-2847-4

10 9 8 7 6 5 4 3 2 1

Sommaire

Abréviations et indications de quantités   **4**

Préface d'André Dominé   **9**

L'Angleterre   **10**

Le petit déjeuner anglais • Le thé - beaucoup plus qu'une boisson • Dégustation du thé suivant les règles de l'art • Marmelades • Roastbeef et pouding du Yorkshire - plat national anglais • Les morceaux les plus importants du bœuf • Spécialité anglaise : diversité dans la préparation de la viande • Terrines, tourtes et pâtés en croûte • Sauces - l'aventure anglaise des goûts • Un peuple d'amateurs de sauces • Pickles et Picalilli • Le curry, qu'est-ce que c'est ? • Cheddar, Stilton & Cie • Piqueniques ; inventaire d'un pique-nique classique • Fish and Chips • Huntin', Schootin' and Fishin' • Le coq de bruyère • Les bières de l'Angleterre, Ale et Stout, bières du type ale • Cidre - vin de pommes • Merry Christmas

L'Ecosse   **42**

Le whisky : histoire, procédé de fabrication, variétés de whisky écossais ; marques connues de scotch, boissons à base de scotch • Le Haggis • Spécialités écossaises • Avoine à tout vent • Spécialités pâtissières

L'Irlande   **54**

La pomme de terre - indispensable à l'alimentation • La cuisson des pommes de terre à la manière de la ménagère irlandaise • Le boxty • Viande • Bœuf et porc • Plats irlandais avec viande de porc • Plats irlandais à la viande de bœuf • Comment les moutons devinrent agneaux • Cockles and Mussels • Halloween • Brack, une pâtisserie très symbolique • Guinness - la bière noire • Whiskey, différence à la lettre • Midleton, capitale du whiskey irlandais • Variétés de whiskey • Bailey's, une liqueur de célébrité mondiale • Lait, fromage, beurre - la viande blanche • Fromages d'Irlande • Pâtisserie et desserts • Soda Bread, le pain poêlé • Gurr Cake, le gâteau préféré des écoliers • Poudings, la douce tentation

Le Danemark   **74**

Le hareng fumé - une saveur de Bornholm • Spécialités danoises de hareng • L'anguille - autrefois nourriture populaire, aujourd'hui mets de choix • Le porc - de loin la viande favorite • Smørrebrød - presque une philosophie • La bière - une tradition qui remonte aux Vikings • Les feuilletés - le pain viennois de Copenhague

La Norvège   **90**

Le saumon - un poisson noble s'est vulgarisé • Gravet Laks (Gravlaks), une spécialité scandinave • Le cabillaud - l'aliment de base du Norvégien • Poissons, poissons, poissons • Savoir acheter et préparer le poisson • Aquavit - l'alcool qui fait le tour du monde • L'élevage des rennes - l'héritage des nomades • L'élan, symbole de l'Europe du Nord • Fromages - des alpages au cercle polaire

La Suède   **104**

Le smörgåsbord - une institution • Hareng ; une spécialité pour connaisseurs : le surströmming • Poissons et viandes • Desserts • Des pâtisseries fraîches que l'on déguste avec un café • Les spiritueux - l'Etat, l'alcool et le vin • Knäckebrod ou pain suédois • Céréales, l'énergie du grain complet • Les fibres cellulosiques • Faire soi-même des pains suédois

La Finlande   **114**

Le sauna - au centre de la vie des Finlandais ; rituels du sauna finlandais • Ecrevisses - plaisir finlandais ; cuisson des écrevisses • La truite saumonée - passion de pêcheur à la ligne • Les œufs de poisson - le raffinement • Poissons finlandais dont on consomme les œufs • Le Kalakukko - un pain au poisson et à la viande • Champignons et baies • Agneau enterré • Le pain - base de l'alimentation finlandaise

La Russie et ses voisins   **126**

Sakouska - le rituel russe • Sakouski aux œufs • Sakouski aux champignons • Pirojki - preuve du savoir-faire de la maîtresse de maison • Pelmieni - raviolis sibériens • L'esturgeon - un poisson noble apprécié des tsars • Caviar - un régal qui a son prix • Les différentes qualités de caviar • Comment on mange le caviar • Blinis et caviar : les petits soleils • Choux et raves • Soupes - savoureuses et nourrissantes • Solianka - « Mélange » russe • Plats de viande - du bœuf « Stroganoff » au rôti familial • Pain • Kvas - la boisson nationale russe • Krimskoïe - le vin mousseux de Crimée • Desserts - pas seulement pour les fêtes • Thé - le cadeau du Khan mongol • Le samovar - symbole du rituel russe du thé • Vodka - la « magie blanche » • Les différentes sortes de vodka russe • Liqueurs à base de vodka

La Pologne   152

Champignons - gourmandises des forêts polonaises • Kacha - un plat polonais traditionnel • Chou - le roi des légumes • Plats de viande - copieux, substantiels, riches • Saucisses de Cracovie - les célèbres saucisses polonaises • Hydromel - une boisson médiévale

La République tchèque
et la Slovaquie   166

Jambon de Prague - immortel dans sa croûte de pain • Carpe - la reine des cuisines de Bohême • Fromage de brebis - mets slovaques • La bière de Pilsen - Plzensky Prazdroj : la vraie

La Hongrie   178

Sandre - le maître du Balaton • Bouillabaisse hongroise : halászlé • Foie gras - pour les gourmets hongrois et étrangers • Pörkölt - il y a goulache et goulache • Paprika - rien de plus typique • Palacsinta - crêpes fines • Tokay - le secret du vin de liqueur

L'Autriche   192

Le café viennois - mythe et légende • Spécialités de café • La viande de bœuf - la découpe très spéciale • Escalope viennoise - souvent copiée, jamais égalée • Le veau • Le gibier - l'Autriche, paradis des chasseurs • Saisons de chasse en Autriche pour les principales sortes de gibier • Plats de gibier • Le vin - sur la voie du prestige mondial • Le vignoble autrichien • Heuriger - jeune vin et vieille hospitalité • Les mets à base de farine - tout ce qui est bon fait grossir • Les boulettes - un plaisir voluptueux • Voyage aux pays des boulettes • Salzburger Nockerln - la montagne meringuée • Krapfen - encore une pâtisserie sacrée • Alcools nobles autrichiens - fruits liquides • Les abricots de la Wachau • Sachertorte - le gâteau royal

La Suisse   214

Les fromages suisses - le fin du fin • La fondue au fromage - typiquement suisse, chaque canton a la sienne • La raclette ou le plaisir du fromage fondu • Les Rösti - pommes de terre râpées et leurs variations • Les poissons - les torrents et lacs de montagne • La viande séchée des Grisons - du grand air des montagnes • Les Leckerli de Bâle - une douceur, au millimètre près • Spécialités gourmandes • Le chocolat - au bon lait des Alpes : de la fève au cacao ; les pralinés, les rois des chocolats • Les cigares

L'Allemagne   232

Pains et petits pains • Types de pains allemands • Préparer une pâte fermentée • Préparer des Brötchen • Cuisine à base de pain • Variétés de pains et de boulangerie fine • Le porc - l'animal préféré des Allemands • La charcuterie, qualité et diversité • Variétés de saucisses • Plats de viande régionaux • Sprats de Kiel : des spécialités de renommée mondiale • Poissons de la mer du Nord et de la Baltique vendus sur les marchés • Spécialités de poisson - de l'intérieur des terres à la côte • La pomme de terre - le légume universel aux qualités multiples • Les choux • Choux allemands • Le banquet de la confrérie des cambusiers • Les légumes - diversité de la cuisine « verte » • Les asperges - légumes saisonniers • Spaetzle - les pâtes allemandes • Spaetzle au fromage • Les fruits - les vitamines du jardin • L'Allemagne, le pays des pommes • Les petites pâtisseries - un vrai petit bonheur • Gâteaux de fêtes - avec de la crème s'il vous plaît • Lebkuchen et Printen • Pâte d'amandes de Lübeck • Le vin : l'Allemagne, patrie du Riesling ; vin allemand et appellations ; vignobles allemands • Ebbelwoi - le cidre de Sachsenhausen • La bière allemande - qualité et pureté ; composantes de la bière et procédés de brasserie ; coutumes régionales pour accompagner la bière

Les Pays-Bas   280

Les fromages de Hollande - connus dans le monde entier ; procédés de fabrication ; masse sèche et matières grasses • Les potées - copieuses et rustiques • Poffert - le Kugelhof hollandais • Les crêpes • Matjes - rien ne se perd • Les moules - une ressource naturelle de la mer • Vlaai du Limbourg - les tartelettes • Réglisse et gingembre - la douce passion des Hollandais • Spéculos - le biscuit de la Saint-Nicolas • Genièvre et liqueurs - Alcools de l'intérieur des terres

La Belgique   302

Waterzoï • Anguilles au vert • Les frites • Le stoemp • Les moules • Les endives • Les choux de Bruxelles et les pousses de houblon • Les volailles • Le jambon des Ardennes • Le gibier des Ardennes • La cuisine à la bière • Les bières belges • Le lambic et la gueuze • Les trappistes • Les brasseries des trappistes • Herve • Le fromage • Les gaufres de Liège • Le sirop • Les pralines

La France   330

La baguette • Le beurre de lait cru • Le pain et les pâtisseries légères • Le croissant • Le pastis • Apéritifs traditionnels • La crème de cassis • Les escargots de Bourgogne • Le homard ; quelques recettes • Les huîtres : variétés, écaillage, taille, espèces courantes en Europe • Les fruits de mer • Le poisson • Poissons et crustacés : plats pour les palais gourmands • La bouillabaisse • Les anchois • Les soupes • La truffe • Le Périgord, pays de la truffe noire • Pâtés et terrines • Le foie gras • Remarques sur la qualité du foie gras • La volaille de Bresse • La volaille • La volaille cuisinée • Le traiteur et ses plats cuisinés • La charcuterie • Le bœuf • La découpe bovine en France • Comment traiter la viande bovine de qualité supérieure • Les races bovines • Plats de viande de bœuf • Le porc et le mouton • Les races porcines • Les races ovines • La choucroute • Assortiment de charcuterie accompagnant la choucroute • Les légumes et les pommes de terre • Les crudités • Les plats de pommes de terre • Les salades, l'huile et le vinaigre • Les variétés d'huile • Les variétés de vinaigre • Les herbes de Provence • La moutarde de Dijon • Les variétés de moutarde • La quiche lorraine • Le fromage • Le fromage frais • Le Camembert • Les fromages à croûte fleurie • Le Vacherin du Mont d'Or • Les fromages à croûte lavée • Le Roquefort • Le chèvre • Les fromages à pâte pressée non cuite • Les fromages à pâte pressée cuite • Récapitulatif des fromages français • Le vin • Les catégories de vin • La forme des bouteilles • Le Bordeaux ; les cépages de Bordeaux ; le Sud-Ouest de la France ; le Bourgogne ; le Beaujolais ; les cépages de Bourgogne ; les Côtes du Rhône ; la Provence ; la Corse ; le Languedoc-Roussillon ; les cépages du sud de la France ; la Loire ; l'Alsace ; le Jura et la Savoie ; les cépages de la Loire • Le Champagne ; petit glossaire du Champagne ; les marques de Champagne connues • Le Cognac ; les catégories de Cognac ; les Cognacs réputés • L'Armagnac • La Fine • Le Marc • Les eaux-de-vie • Baies, baies sauvages et fruits employés dans l'eau-de-vie • Petit glossaire des eaux-de-vie de fruits • Les régions • Le cidre • Les desserts aux pommes • Symphonie autour d'une pomme • Le Calvados • Les entremets • Les crêpes • La pâtisserie • Les principales crèmes de pâtissier • Le chocolat de Lyon • La mousse au chocolat • Le nougat • La confiserie classique

L'Espagne   440

Les tapas • Les variétés de Sherry • Le Brandy de Jerez • Le jambon ibérique • La charcuterie • Variétés de saucisses • Le gazpacho • La viande • Petit lexique de la viande • Potages et soupes épaisses • Les œufs • Les tortillas les plus courantes • Le poisson • Les fruits de mer • Le riz – variétés et qualités • La paëlla • Le safran • L'huile d'olive • L'aioli • Les légumes • Les variétés de fromage • Les fruits • Desserts, confiseries et pâtisseries • Le Rioja • Classements qualitatifs • Le vin ; les cépages importants ; les régions vinicoles • Le Cava • Le Sidra

Le Portugal   486

Petiscos et salgados • Salgados – pâtés et beignets • Petiscos – amuse-gueule • Caldo verde • Petit glossaire des légumes • Soupes et les potages • Sardines • Bacalhau • Poissons et crustacés • Poissons et fruits de mer des eaux portugaises • La viande • Les races animales portu-gaises titulaires du label de qualité Denominação de Origem (DO) • Petit glossaire des termes de viande • Le saucisson et le jambon • Le pain • L'huile d'olive • Piri-piri et autres épices • Les variétés de fromage • La pâtisserie et la confiserie • Les fruits et les noix • Les noix et autres friandises • Le miel • Vinho verde • Les crus portugais ; catégories de vins • Le Porto • Le Madeire

L'Italie   516

Spécialités de pain • La pizza • Prosciutto di Parma • Prosciutto di San Daniele • Antipasti • Pasta secca • Les sauces de pâtes • Pasta fresca • La confection des raviolis • La confection des tortellinis • Gnocchi • Polenta • Parmigiano Reggiano • Pecorino • Gorgonzola • Les variétés de fromages • Les soupes • Les tripes • Les variétés de riz • Salumi • Salami • Les porcins italiens • La viande • La découpe italienne du bœuf • Petit glossaire de la viande • Les plats de viande • La volaille • Petit lexique de la volaille • Le gibier • Les poissons et les fruits de mer • Petit lexique des poissons et des fruits de mer • Les légumes • Bagna caôda – fondue aux légumes • La frittata • Les bolets • Les truffes • L'huile d'olive • Insalata – la salade • Les dolci • Les pâtisseries les plus appréciées • Le panettone • Gelati, la glace italienne et ses parfums • Aceto balsamico • Le vin ; cépages importants ; régions vinicoles • Brunello di Montalcino • Vin Santo • La grappa • Le Campari • Apéritifs et spiritueux • L'espresso

La Grèce   588

Mezédes • Les soupes • Píta et fíllo • Les légumes • Moussakás – soufflé d'aubergines • Le poisson et les fruits de mer • Les différentes cuissons du poisson • La viande • Le gyros • Le fromage • Les Pâques grecques • L'Oúzo • Les digestifs • Retsina – le résiné • La culture de la vigne • Les vins de liqueur • Encépagements, vins et régions vinicoles • Les entremets • Les gâteaux préférés

La Turquie   610

Le pain • Meze • Hors-d'œuvre typiquement turcs • Yufka, Bulgur et riz • Le raki • Les légumes • Le poisson • Poissons des trois mers • La viande • Le yaourt et le fromage • Variétés de fromage • Les sucreries • Les hauts fiefs des sucreries et des desserts • Le thé et les salons de thé

Glossaire   630

Bibliographie   631

Remerciements • Traductions •

Crédits photographiques   632

Index   634

L'Europe est une mosaïque fascinante de paysages et de climats, de peuples et de civilisations, de passions et d'arts de vivre. Mais que ce soit en Norvège, en Grèce, en Irlande, en Hongrie ou dans tous les autres pays qui se sont formés sur notre vieux continent, il est un sujet quotidien inépuisable et jamais ennuyeux : la cuisine. Même de nos jours. Les spécificités d'un pays et d'un peuple ont trouvé leur expression dans les spécialités culinaires, les plats et boissons et font partie intégrante de leur civilisation. Il est bon que tous les pays d'Europe se soient résolument associés et que les frontières autrefois rigides se soient assouplies.

Aucune région n'accueille autant de visiteurs que l'Europe et jamais les Européens ne se sont aussi bien compris qu'aujourd'hui. Les échanges et la coopération, dans quelque domaine que ce soit, n'ont jamais connu une telle dimension. Cela a, logiquement, permis d'élargir notre horizon culinaire et par conséquent l'offre en fruits et légumes, fromages et charcuterie, vins et alcools. Tandis que nous goûtons aux plaisirs culinaires dans toute leur variété au logis ou en voyage, nous courons cependant le risque d'assister à une uniformisation des produits, une internationalisation et une banalisation du goût. Cet ouvrage volumineux et opulent met, lui, en valeur les spécificités gourmandes de chaque pays. Il présente les spécialités authentiques qui figurent au menu quotidien tout comme celles qui sont réservées aux grandes occasions et repas de fête. Le photographe et les auteurs sont partis à la recherche de délicieux plats authentiques réalisés selon une tradition toujours présente, avec des ingrédients de qualité et dans les règles de l'art culinaire. C'est ainsi dans des fermes, chez des bergers, au fournil, chez les pâtissiers, dans les cuisines ou les caves qu'ils ont recueilli le secret de réussite de chaque mets. Car il faut connaître ces secrets pour en apprécier la valeur et savoir distinguer les petits détails qui confèrent au plat toute sa saveur. C'est ainsi qu'a vu le jour tout une encyclopédie des meilleures spécialités européennes, à laquelle chefs cuisiniers et cordons bleus ont participé en nous confiant leurs meilleures recettes. L'Europe devient ainsi l'objet de découvertes étonnantes. Avec ses images fascinantes et ses impressions, ses explications détaillées et l'atmosphère qu'il évoque, *L'Europe à la carte – un voyage culinaire* souhaite avant tout créer un lien entre ceux qui pratiquent l'art culinaire et ceux qui le cultivent dans la dégustation. C'est la seule façon de préserver la richesse et la variété que reflète ce livre.

Préface
d'André Dominé

Honor Moore

L'Angleterre

Ne dit-on pas qu'en Angleterre tout est à contre-courant. Chez nos voisins insulaires, les traditions défendent une position inexpugnable, qui ne s'exprime pas seulement dans la persévérance de la conduite à gauche, mais aussi dans les habitudes alimentaires des Britanniques, sevrés pendant des siècles de l'évolution sur le continent européen. Depuis 1066, l'Angleterre n'a plus été conquise par les armes, mais, au fil du temps, les ressortissants d'autres nations y ont transporté leurs pénates. Nonobstant l'attachement aux traditions, l'Empire britannique il y a cent ans encore souverain de la moitié du monde, n'hésitait pas à adopter idées ou habitudes étrangères et à les intégrer dans la vie courante. A l'occasion, les officiers de l'administration coloniale britannique rapportaient au pays des habitudes alimentaires, des recettes de plats exotiques et parfois même leur cuisinier indien ou chinois. Plus tard, lorsque l'empire mondial s'est transformé en *Commonwealth*, Africains, Asiatiques, Américains et Australiens sont venus nombreux s'implanter en Angleterre. Tous avaient dans leurs bagages des menus divers et ont ainsi contribué à l'éclectisme de la cuisine anglaise.

L'Angleterre n'en a pas moins deux plats nationaux : *le roastbeef* avec le *Yorkshire pudding et fish and chips*. Le roastbeef est considéré comme la nourriture typique des officiers et se retrouve au menu de tous les clubs. Il a même donné son nom à une profession : les piquets de garde veillant devant le Tower sur les bijoux de la Couronne sont appelés *beefeater* ou « mangeurs de roastbeef ». L'autre plat national *fish and chips*, ou poisson-frites, a nourri des générations de dockers et on y voit la nourriture populaire par excellence. Chose curieuse, c'est aujourd'hui un menu très en vogue chez les « yuppies », à ceci près que le poisson est d'une excellente qualité, qu'il est servi dans une porcelaine fine et accompagné par de très nobles vins français. Malgré toutes les péripéties de la mode culinaire, une chose n'a absolument pas changé. C'est le pub anglais. Boire sa bière le soir en compagnie d'autres habitués et lamper patiemment jusqu'à l'heure de la fermeture, aussi constante que fatidique, est un mode de vie résistant avec succès à une américanisation tenace qui a mis le siège devant les us et coutumes culinaires des sujets de Sa Gracieuse Majesté.

L'équipe de Fortnum & Mason, l'une des premières adresses londoniennes pour les victuailles de luxe.

Le petit déjeuner anglais

Le célèbre écrivain britannique Somerset Maugham a dit un jour: «Le meilleur moyen de se nourrir en Angleterre consiste à prendre un petit déjeuner trois fois par jour.» Effectivement, le petit déjeuner anglais est une affaire solide qui s'est fait beaucoup d'amis dans le monde. Les bâtisseurs de l'Empire britannique sont considérés comme les inventeurs de ce petit déjeuner pas

comme les autres, mais en fait, depuis des siècles, il était déjà coutume, dans tous les coins de l'Angleterre, de se sustenter solidement le matin, avant de s'attaquer à l'œuvre quotidienne.

Sans aucun doute, le petit déjeuner anglais a écrit des pages de l'Histoire culinaire dont il est inexpugnable, au même titre que le croissant français ou le petit pain allemand tartiné de confiture. Il n'est aujourd'hui aucun hôtel digne de ce nom qui puisse se permettre de ne pas offrir ce petit déjeuner. Le cadre extérieur du buffet où chacun se sert n'est que la forme moderne d'une cérémonie classique structurée comme une revue théâtrale en plusieurs tableaux.

Premier tableau

Un véritable petit déjeuner anglais débute par un verre de jus d'orange ou un demi-pamplemousse, coupé en segments, saupoudré de sucre et mangé à la petite cuillère. Celui qui le désire peut aussi commencer par des prunes au jus ou en compote.

Deuxième tableau

Viennent ensuite le porridge ou les céréales. On les mange après les avoir arrosées de lait, avant qu'elles n'aient absorbé tout le liquide. Les amateurs, les enfants surtout, jouent à saisir l'instant propice où les *cornflakes* sont encore croustillants. Mais rien ne saurait davantage charmer l'amateur de petit déjeuner anglais qu'un porridge fraîchement préparé, rien qu'avec de l'eau, des flocons d'avoine et une prise de sel. On le verse dans l'assiette, on ajoute un peu de beurre, du sucre roux et du lait chaud.

Troisième tableau

C'est l'entrée du plat principal : des œufs, de préférence au plat, avec du jambon poêlé (*bacon and eggs*). Certains les préfèrent parfois brouillés (*scrambled eggs*). On aime aussi les accompagner de tomates, de champignons, de petites saucisses à cocktail ou de saucisse à griller normale.

Et si l'on veut sortir de l'ordinaire, on remplace les œufs frits par un œuf poché (*poached egg*).

Quatrième tableau

Si vous craignez d'être à court d'énergie, c'est le moment d'un petit supplément, viande ou poisson. Les amateurs de poisson aiment bien le *kipper*, le hareng fumé sortant juste de la poêle. D'autres ne jurent que par les *devilled kidneys*, les rognons d'agneau sauce piquante ou bien le *kedgeree*, du poisson poché, au curry.

Cinquième tableau

Inéluctable conclusion : marmelades et pain grillé accompagnés maintenant – et pas avant – par une cafetière ou théière, selon les goûts, avec du lait.

Préparation du *ham and eggs*

- Dans une lourde poêle en fonte, mettre un peu de graisse et du lard maigre coupé en tranches fines. Laisser rôtir des deux côtés.
- Casser un œuf contre le bord de la poêle et le déposer sur le lard. Assaisonner avec sel et poivre et laisser cuire jusqu'à ce que les bords soient croustillants. (On peut aussi cuire le lard et les œufs au four.)
- Servir avec des tranches de pain blanc rôties au beurre.

Kedgeree
Poisson au curry

250 g de riz à grain long
500 g de turbot, de cabillaud ou de saumon
50 g de beurre
1 cuil. à soupe de curry, 1 pincée de poivre de Cayenne
4 œufs durs, coupés en tranches
2 cuil. à soupe de persil

Cuire le riz dans de l'eau salée, de telle sorte que les grains se détachent bien. Couvrir d'eau à hauteur le poisson, porter à ébullition et cuire au frisson 10 minutes. Retirer, couper en gros dés, enlever les arêtes. Réserver. Faire fondre le beurre, ajouter curry et poivre, laisser suer une minute. Incorporer le riz, puis ajouter le poisson en soulevant. Chauffer une minute à petit feu et incorporer prudemment les tranches d'œuf en soulevant. Servir aussitôt, garni de persil et accompagné de toasts beurrés.

Devilled Kidneys
Rognons d'agneau à la diable

8 rognons entiers d'agneau ou de mouton, pelés et dégraissés
2 cuil. à café de mango-chutney
1 cuil. à soupe de moutarde,
1 1/2 cuil. à café de moutarde en poudre, forte
2 cuil. à café de jus de citron
1/4 cuil. à café de sel, 1 pincée de poivre de Cayenne

Ouvrir les rognons en long sans séparer totalement. Bien mélanger chutney, moutarde, poudre de moutarde, jus de citron, sel et poivre. Laisser mariner les rognons 60 minutes dans ce mélange. Graisser le gril du four et choisir la température la plus forte. Placer les rognons sur le gril, face ouverte vers le haut et griller trois minutes. Retourner et griller trois minutes. Tartiner des tranches de pain blanc avec la marinade, y déposer les rognons par couple et servir aussitôt.

Crème (s)

Les Anglais sont célèbres pour leur amour de la crème fraîche dont ils affectionnent divers types, souvent très consistants et riches en matières grasses.

Single Cream

C'est une crème liquide qui a au moins 18 % de matières grasses et une certaine ressemblance avec un lait entier crémeux. On la verse sur les poudings et les tartes aux fruits.

Whipping Cream

Cette crème à fouetter a une teneur en corps gras comprise entre 30 et 60 %. Simplement battue, elle prend presque la consistance d'une *Double Cream*, sauf qu'elle est bien plus mousseuse.

Double Cream

Crème liquide épaisse d'environ 48 % de matières grasses qui se laisse très bien fouetter. On l'utilise surtout pour améliorer ou affiner des plats cuisinés.

Clotted Cream

Originaire des Cornouailles, la *Cornish clotted cream*, ou crème caillée, est une spécialité anglaise. Jaune, d'une consistance proche de celle du beurre, elle a plus de 55 % de matières grasses. On la sert pour accompagner les *scones*, les petits pains pour le thé, avec de la confiture de fraises ou bien des fruits pochés. Existant uniquement en Angleterre, ce type de crème peut être remplacé sur le continent par de la crème fraîche de bonne qualité.

Les Baked Beans, les haricots cuisinés, font partie intégrante de chaque petit déjeuner. Ils se dégustent avec du pain de mie, comme en-cas, mais aussi à d'autres repas.

Spécialités pour le petit déjeuner

Backed Beans - haricots cuisinés

Il a dix ans, le leader parmi les fabricants de haricots cuisinés avait lancé une publicité télévisée porteuse du slogan :
« A million housewives everyday
Pick up a tin of beans and say,
Beans means Heinz »
librement traduit en français, cela veut dire qu'un million de ménagères anglaises prennent chaque jour une boîte de haricots cuisinés et s'exclament: « le haricot cuisiné, c'est Heinz » référence à la marque. En anglais, le slogan joue sur la confusion entre le s marque du pluriel ou de la troisième personne du verbe et le z qui termine le nom du fabricant.

En réalité, il y a au moins six autres fabricants de ce type de haricots, ce qui permet d'estimer que plusieurs millions de portions de ces haricots roses brillants sont réchauffées tous les jours avec un bon paquet de ketchup et consommées, soit tartinées sur du pain grillé, soit avec des saucisses, des œufs ou du jambon, comme élément du petit déjeuner, ou bien en accompagnement du repas de midi, de la pause thé ou du repas du soir. Comme on sait depuis quelque temps que les haricots sont très sains parce que riches en protéines tout en favorisant le transit intestinal, ils n'en ont que plus d'amateurs.

Kippers

On appelle *kippers* des harengs vidés et fumés sur un feu de bois. Ils sont fort prisés au petit déjeuner. Pour les préparer à la consommation, le plus simple consiste à remplir d'abord d'eau chaude un récipient mince et haut, pour le réchauffer. Après avoir jeté cette première eau, on introduit les harengs, tête en bas, puis on les recouvre d'eau bouillante. Le récipient bien fermé se conserve ensuite au chaud pendant 8 à 10 minutes. Après quoi, bien égouttés, les harengs sont servis avec du pain grillé et du beurre.

Le thé

Le *butler*, cet inimitable valet de chambre des lords, a une première tache matinale très importante, celle de servir le *early morning tea*. La procédure a valeur de rite :

Il frappe à la porte de la chambre et entre, apportant sur un tableau d'acajou et d'argent ciselé du thé tout juste préparé et le *Times*, à la bouche la formule de salutation consacrée « Good Morning Sir », que l'homme soit seul au lit ou en galante compagie. Un *butler* anglais digne de ce nom s'interdit de même pressentir la présence d'une dame en négligé, tant il se refuse à la voir.

Les Anglais ont conservé la tradition du *early morning tea*, bien que les butlers aient au fil du temps de plus en plus disparu. Tous les visiteurs de l'île britannique jouissent de ce privilège. Les hôtels d'un certain standing offrent le service, même s'il s'agit de plus en plus d'une version automatisée : dans les chambres, on dispose d'un *water kettle*, y compris couverts, porcelaine et sachets de thé, sucre et lait. Le matin, il suffit d'appuyer sur un bouton pour que l'eau soit portée à ébullition. Dans une autre variante, une *tea machine* servocommandée par un chronorupteur se met en action sans aucune intervention du dormeur et annonce par un son de cloche que le thé est servi (ou presque).

Sans aucun doute, le thé est la boisson la plus anglaise et il est surprenant d'apprendre qu'il ait été d'abord à la mode au Portugal, avant d'arriver à Londres. Bien que l'on ait, à l'époque déjà, prisé les vertus thérapeutiques de la boisson dans le traitement de diverses affections (maux de tête, épilepsie, calculs biliaires, léthargie et même phtisie galopante), les premiers petits envois venus de Hollande avaient été reçus avec beaucoup de défiance. C'est à Catherine de Bragance, l'épouse du roi Charles II (1660-1685), originaire du Portugal, que l'on doit d'avoir introduit à la cour d'Angleterre le culte de la théière.

A l'époque, on préparait le Ch'a ou le T'e en faisant bouillir dans l'eau quelques feuilles de thé parfois une demi-heure pour faire ressortir le goût. Assez vite, on a pris l'habitude d'ajouter un peu de sucre pour que la boisson ne soit pas trop amère. On faisait d'ailleurs souvent de même pour adoucir le vin et il était courant de prendre en boisson chaude et sucrée un punch ou une liqueur de fruit. Mais il fallut attendre près d'un siècle pour que l'on ait l'idée d'ajouter du lait.

Dans les cafés où la gent masculine anglaise pouvait se délecter de cette nouvelle boisson, la compagnie des dames n'était pas souhaitée, ce qui allait bien dans la ligne des clubs anglais de l'époque. C'est pourquoi Thomas Twining a ouvert en 1717 le premier salon de thé pour dames, ce qui fut aussitôt un succès. Aujourd'hui encore, le nom

La cérémonie anglaise du thé exige que l'on sache préparer celui-ci comme il se doit. En fait, il n'existe qu'une seule méthode correcte.
En Angleterre comme ailleurs, la question a été soulevée longtemps : que met-on d'abord dans la tasse, le thé ou le lait ? Il semble que le problème soit résolu, c'est le lait, et il doit être froid, le lait chaud détruit l'arome du thé.

- On remplit une bouilloire d'eau fraîche et on la fait chauffer.
- Quand l'eau est en ébullition, on en verse un peu dans la théière pour la réchauffer (on jettera cette eau plus tard).

- On dépose dans la théière réchauffée un nombre de cuillères de thé correspondant au nombre de tasses que l'on désire plus une cuillère *for the pot*.

- C'est la théière qui va à la bouilloire, et jamais l'inverse, sinon l'eau refroidirait trop ! Mais, il ne faut pas non plus faire bouillir l'eau trop longtemps avant de la verser sur le thé.
- On laisse infuser cinq minutes, car les aromes se développent le mieux pendant ce temps sans que le thé devienne amer, et on remue avant de verser dans les tasses.

de Twining est symbole d'une excellente qualité de thé, plus particulièrement pour la variété Earl Grey, un thé aromatisé à l'essence de bergamotte, ce qui lui donne son goût typique.

Dans les villes d'une certaine importance, on a ouvert par la suite des salons luxueux, disposant souvent d'une location de livres, ainsi que des cafés-jardins où l'on prenait le thé en admirant des feux d'artifice. Le thé faisait alors partie des choses chères, parce c'était un luxe grevé de fortes taxes. C'est aussi pourquoi, à l'instar du brandy ou du vin, il existait une contrebande du thé, depuis le continent. Certains commerçants peu honnêtes allaient même jusqu'à mélanger du thé frais avec du thé qui avait déjà servi et, pour mieux colorer, ils ajoutaient des feuilles d'églantier, de frêne ou de prunellier. Bien que tout cela n'ait certainement pas beaucoup amélioré le goût du thé, ces indélicatesses étaient heureusement inoffensives. Il était beaucoup plus difficile de tricher avec les grains de café, de sorte que son prix restait élevé. Une série de mauvaises récoltes d'orge a fait monter le prix de la bière, et du même coup la consommation de thé. Bientôt, le thé ne fut presque plus taxé. Alors, les voiliers anglais qui se ravitaillaient en thé en Chine se mirent à lutter à qui ramènerait le plus vite les premiers produits de la récolte nouvelle. Vers 1830, partie de la Chine, la culture du thé s'est implantée en Inde, et de là jusqu'à l'actuel Sri Lanka. Bientôt, le Kenya, lui aussi, devint fournisseur de thé.

Le thé accompagne un Anglais toute la journée, à commencer par le *early morning tea*. Chez les salariés, il existe un avantage social auquel on s'accroche dur : c'est la pause thé à quatre heures.

Dans le monde, le thé de cinq heures, le *Five o'clock* est plus ancré dans les esprits. Effectivement, c'est ici que le cérémoniel de la délectation britannique du thé atteint son apogée. De lourds mais beaux instruments d'argent dans le style victorien le plus pur reçoivent le thé, le lait et le sucre, alors que les tasses évasées faites main, en fine porcelaine biscuit, attendent les invités.

Le *Five o' clock* est une occasion excellente de prendre une petite collation entre les repas, ce qui explique l'accompagnement par pâtisserie, biscuits et marmelade de fraises. Dans les occasions particulières, la ménagère anglaise offre en plus des sandwiches à la pâte de crabe, plus des rondelles de tomates et fromage râpé ou des petits pains au jambon. Jamais, il ne manquera les spécialités pâtissières, le plus souvent écossaises : Tea Scones, Dundee Cake ou Shortbread.

Pour en savoir davantage sur le thé

Il n'y a de thé que le thé noir ou vert provenant du théier, tout le reste est tisane ou infusion, même si certaines langues, comme l'allemand, ne font pas la différence et se prêtent à toutes les compromissions décoctées dans de l'eau chaude. Le thé, lui est la décoction dans l'eau chaude des feuilles séchées et quasi-fermentées d'un arbuste appelé théier dont les origines remontent au moins aux cours impériales chinoises d'il y a 5.000 ans. Cet arbuste fait des fleurs couleur d'ivoire et des fruits qui ont l'apparence de noisettes. La taille régulière forme en culture des arbustes touffus d'un mètre de haut, dont les jeunes pousses sont récoltées à intervalles réguliers suivant un schéma de cueillette bien déterminé. On ramasse seulement les pointes et les premières deux à trois feuilles, qui sont ensuite coupées menu, soumises à l'action de diastases particulières, puis torréfiées pour obtenir le produit commercialisé.

Les variétés de thé portent souvent de longues appellations aux consonances étrangères : Darjeeling Flowery Orange Pekoe ou Ceylon Broken Orange Pekoe. Ces appellations reprennent les deux caractères distinctifs essentiels : l'origine géographique et la taille de la feuille.

Pays d'origine

Un thé particulièrement aromatique nous vient du Darjeeling, district de l'Inde du Nord accroché aux flancs de l'Himalaya. Ces thés sont relativement clairs et d'un goût tendre.

Au Nord également, dans la province d'Assam, on cultive un thé noir d'un goût puissant et corsé laissant en bouche un arôme très typique. Le thé Assam est si puissant qu'il peut être préparé avec n'importe quelle eau sans perdre du goût. En raison de cette propriété, il entre dans la composition de nombreux mélanges (*Blends*).

Le thé aromatique dit de Ceylan (ancien nom du Sri Lanka) a un goût plutôt rêche. En termes de couleur, il est entre le Darjeeling et l'Assam.

Ces dernières années, les thés africains se sont fait une place sur les marchés. Le Kenya récolte les meilleures qualités en période de sécheresse.

Le thé vert provient du même arbuste que l'autre et s'en distingue seulement par le fait que les feuilles n'ont pas subi de transformation chimique. Dans les pays de l'Est asiatique, on préfère ce type de thé, à la base, par exemple, du *chanoyu*, la cérémonie du thé au Japon. En termes de coloris, le thé Oolong serait noir-vert, puisqu'il est vert à l'intérieur et fermenté à l'extérieur.

Affaire de goût : le thé aromatisé

Le thé peut être aromatisé de multiples façons. L'incorporation de petits morceaux de fruit ou de fleur, d'épices et d'aromates, offre un grand choix. Le thé le plus aromatisé est le Earl Grey, fabriqué depuis le 19e siècle et nommé d'après un ministre britannique des Affaires étrangères qui en a communiqué la recette. Ce thé comporte de l'essence de bergamote, qui lui donne son goût à la fois fleuri et corsé. Il existe d'autres marques aromatisées célèbres où l'on retrouve divers arômes.

Catégories et taille des feuilles

Il n'y a pas que les régions de culture et, le cas échéant, les aromes, qui caractérisent un type déterminé de goût et d'odeur pour un thé, mais aussi le tri à la cueillette et le degré de feuillage. La commercialisation du thé distingue : feuilles, brisures (broken-tea), fanning et dust, la distinction entre feuilles et brisures n'ayant presque plus d'importance aujourd'hui, du fait que la plupart des thés sont importés sous forme de brisures de feuilles. Les variétés dites « fannings » et « dust » sont obtenues par tamisage des feuilles non encore coupées et sont constituées en fait de tout petits morceaux, ce qui les prédestine à l'emploi dans des sachets. Le type « dust », lui aussi utilisé pour les sachets correspond aux plus petites particules, presque de la « poussière ».

Pour ce qui concerne la qualité de la feuille, il existe également des différences importantes. Les notions Pekoe Tip ou Flowery Pekoe concernent les thés ne renfermant que les plus jeunes pousses. La catégorie Orange Pekoe provient des feuilles tendres qui viennent immédiatement en dessous du bourgeon terminal. Par Pekoe, on comprend des thés obtenus avec les feuilles de second ou troisième étage sous le bourgeon terminal. Le thé Souchong first est fait de troisièmes feuilles, lorsque celles-ci sont plus allongées et relativement grossières. Souchong tout seul correspond à d'autres grandes feuilles. A ce titre, la désignation Orange Pekoe ne correspond pas à la désignation d'une variété ou d'un choix, mais à celle d'un degré de feuillage.

Tea Scones
Petits pains à thé

Pour environ 12 petits pains

300 g de farine
2 cuil. à café de levure chimique
1 pincée de sel
50 g de sucre
80 g de flocons de beurre froid
1 œuf, 1 jaune d'œuf, 1 blanc d'œuf
1/8 l de lait
Sucre pilé

Préchauffer le four à 225 °C. Graisser une tôle à pâtisserie et la mettre de côté ; dans une bassine, mélanger la farine, la levure, le sel et le sucre. Ajouter les flocons de beurre et pétrir du bout des doigts jusqu'à ce que l'on obtienne un mélange grumeleux. Bien fouetter l'œuf entier et le jaune d'œuf, diluer avec le lait et ajouter le tout dans la bassine contenant la pâte sablée. Travailler la pâte pour en faire un gros bloc que l'on étale ensuite sur une plaque de travail bien farinée, jusqu'à 2 cm d'épaisseur. Avec une forme à découper ou un verre, faire des ronds de 5 cm de diamètre environ que l'on dépose sur la plaque graissée, à 3 cm les uns des autres.
Battre le blanc d'œuf à la fourchette, en badigeonner la surface des ronds, poser quelques morceaux de sucre pilé et cuire 15 à 20 minutes à l'étage médian du four. Servir aussitôt.
On accompagne ces petits pains de beurre, de crème épaisse et de confiture.

Eccles Cakes
Petits gâteaux fourrés

Pour environ 14 petits gateaux

450 g de pâte feuilletée dégelée
175 g de raisins de Corinthe
25 g de beurre ramolli
40 g de sucre roux clair
25 g de citron et d'orange confits
1 prise de noix de muscade, 1 prise de piment
1 blanc d'œuf
Sucre semoule

Etendre la pâte prudemment au rouleau et découper des ronds d'environ 10 cm de diamètre. Graisser une plaque à pâtisserie et préchauffer le four à 220 °C. Bien mélanger ensemble tous les autres ingrédients, sauf le blanc d'œuf et le sucre semoule. En déposer une cuil. à café sur chacune des galettes. Relever les bords et presser au milieu. Retourner et étendre prudemment au rouleau de pâtisserie, jusqu'à ce que les raisins de Corinthe émergent un peu.
Avec un couteau bien affûté, inciser deux fois au centre et poser les galettes sur la tôle.
Enduire les galettes de blanc d'œuf fouetté, puis mettre un peu de sucre semoule par dessus. Faire dorer pendant 20 minutes à l'étage médian du four.

Dégustation du thé suivant les règles de l'art

Dans les plantations comme chez les grands distributeurs, on emploie des *tea tasters*, dont la tâche consiste à juger la qualité des différentes récoltes et à préparer des mélanges qui correspondent au mieux au style de l'entreprise. La dégustation est une procédure réglée comme du papier à musique.

1. On étale l'échantillon de thé sur un papier blanc pour que le produit puisse être jugé d'abord à la vue et à l'odeur.

2. Dans un récipient spécial, le *tea tasters' pot*, on place une quantité toujours la même de thé, soit 2,6 g, une quantité pesée traditionnellement avec une pièce de *sixpence*.

3. Après exactement cinq minutes d'infusion, le thé se verse dans une tasse sans anse. Les feuilles elles-mêmes restent sur le couvercle renversé de la théière à dégustation, pour que le dégustateur puisse observer et sentir le produit infusé.

4. Ensuite, avec une grande cuillère, le dégustateur prend du thé dans la tasse, le goûte, puis le recrache (comme dans une dégustation de vin).

Grâce à cette dégustation normalisée, il devient possible de composer les « blends », les mélanges. C'est ainsi que les grandes maisons parviennent à mettre sur le marché des thés de qualité constante ayant toujours le même goût, indépendamment des influences qu'ont pu avoir le climat ou les conditions de culture dans les pays producteurs.

Des *tea tasters* (à gauche) garantissent une qualité optimale.

Pour goûter le thé, on ébouillante toujours une quantité de thé bien définie (2,86 g).

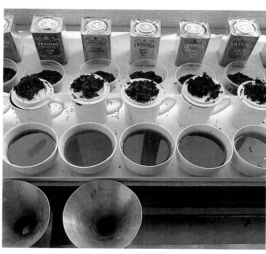

On laisse le thé infuser cinq minutes et le verse ensuite dans un récipient appelé *tea taster's pot*. Pour l'expertise, la feuille de thé est déposée à l'intérieur du couvercle.

Glossaire des abréviations

Les appellations et caractéristiques du thé sont généralement indiquées sur les emballages par une série de lettres et de chiffres. Voici les codes les plus fréquents et leur signification :

Notions de base

Tippy : la pointe claire des feuilles de thé

Golden : signale des pointes de feuille dorées

Flowery : arome particulièrement fleuri

Orange Pekoe : feuilles très tendres, sous le bourgeon terminal un « degré de feuillage » (voir explications en page de gauche)

Catégories feuille

SFTGFOP : Special Fine Tippy Golden Flowery Orange Pekoe

FTGFOP : Fine Tippy Golden Flowery Orange Pekoe

TGFOP : Tippy Golden Flowery Orange Pekoe

GFOP : Golden Flowery Orange Pekoe

FOP : Flowery Orange Pekoe

OP : Orange Pekoe

Broken-Teas (brisures)

BPS : Broken Pekoe Souchong

TGFBOP : Tippy Golden Flowery Broken Orange Pekoe

GFBOP : Golden Flowery Broken Orange Pekoe

GBOP : Golden Broken Orange Pekoe

FBOP : Flowery Broken Orange Pekoe

BOP : Broken Orange Pekoe

FBOPF : Flowery Broken Orange Pekoe Fannings (n'est toutefois pas un fanning !)

BT : Broken Tea

Fannings

BOPF : Broken Orange Pekoe Fannings

TGFOF : Tippy Golden Flowery Orange Fannings

GFOF : Golden Flowery Orange Fannings

FOF : Flowery Orange Fannings

OF : Orange Fannings

PF : Pekoe Fannings

Thés groupés en famille

Thé noir

Assam, Inde
sombre, aromatique

Ceylan (Sri Lanka)
clair, tendre, délicat

Darjeeling, Inde
teinte dorée, épicé

Keemum (Kemun),
Chine
Arôme fumé

Thés aromatisés
par ex. Earl Grey

Thés Oolong

Formosa Oolong,
Formose
Arôme de pêche, fruité

Souchong,
Chine
Base des thés au jasmin

Thés verts

Gunpowder,
Chine
Vert-jaune, un peu amer

Gyokuro,
Japon (« Pearl Dew »)
clair, arôme vert

Matcha,
Japon

Spécial pour *chanoyu*,
la cérémonie du thé. Gyokuro séché naturellement, en poudre

Little Scarlet
Strawberry Jam
(fraises).

Gooseberry Jam
(groseilles
à maquereau).

Raspberry Jam
(framboises).

English Breakfast
Orange
Marmalade
(orange amère).

Marmelades

D'innombrables haies traversent l'Angleterre en tous sens. Elles servent à borner les propriétés, à clôturer les pâturages de manière infranchissable pour le bétail et ont également pour objectif de lutter contre l'érosion des sols par les eaux et par le vent. Mais elles ont un autre avantage pratique, car elles produisent une foule de fruits et de baies que l'on peut cueillir et déguster avec plaisir au cours d'une promenade dominicale à la campagne. On en fait aussi d'excellentes confitures, marmelades ou gelées.

Quand ils emploient le mot *marmalade*, les Anglais parlent exclusivement de la préparation des agrumes. Le reste s'appelle *jam* quand il contient la pulpe des fruits, ou alors *jelly* lorsqu'il s'agit d'un jus sucré gélifié. D'ailleurs, une directive de l'Union européenne a repris les mêmes catégories dans ses textes.

Les fruits du sureau, de l'aubépine et la prunelle se prêtent à la confection de produits distillés plus ou moins nobles.

Comment Mrs. Keller découvrit
la confiture d'oranges

Rien n'est plus anglais qu'un verre de confiture d'oranges, bien que ses origines soient en fait écossaises. L'original s'appelle « Dundee Marmalade » et fut inventé à Dundee, port écossais tout à l'est du pays, au nord d'Edimbourg.

On y a pour la première fois fabriqué en 1770 de la *marmalade* de bigarades, les oranges amères. Avant cette date, on appelait *marmalade* une préparation sucrée réalisée avec des coings du pays ou des coings importés du Portugal, les *marmelos*. Un épicier de Dundee découvre un jour dans le port une cargaison d'oranges vendues à bas prix. Espérant les écouler dans son magasin, il les achète. Il constate alors qu'il a acheté des bigarades, oranges amères difficiles à avaler. Dans son désarroi, il en apporte quelques-unes chez lui. Sa femme a l'idée de les travailler comme des *marmelos*. C'était la naissance d'un produit que des millions d'amateurs tartinent régulièrement dans le monde.

L'entreprise Keller, à Dundee, fabrique encore des confitures de ce type, et notamment la célèbre « Black Dundee Marmalade » dans laquelle intervient du sucre roux ou parfois un sirop de sucre caramélisé. Entre-temps, il existe une foule de confitures d'oranges, avec des morceaux de peau plus ou moins grands, parfumées au whisky, au Grand-Marnier ou au gingembre, faites uniquement avec des oranges amères ou avec différents agrumes. On laisse mûrir les confitures d'un certain « millésime » pour obtenir un bouquet plus arrondi. Il existe des douzaines de recettes, mais toutes ont leur origine dans la foi imperturbable de Mrs. Keller dans la vertu d'un bon commerçant pour qui rien ne se jette par les fenêtres, ni l'argent ni les oranges.

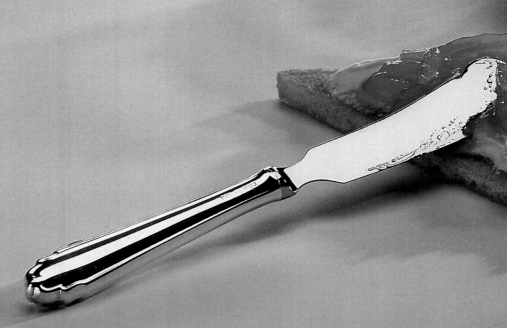

La confiture d'oranges est un produit qui n'a pas suivi la voie normale menant de la production individuelle à la fabrication en usine. L'inverse s'est produit dans ce cas. Le produit commercial fut le premier, mais aujourd'hui, en Grande-Bretagne, une foule de ménagères préparent cette confiture elles-mêmes, à partir soit d'oranges amères fraîches, soit d'un concentré d'oranges distribué en boîtes.

Lime
Marmalade
(citrons).

Blood Orange
Marmalade
(oranges
sanguines).

Rose Petal
Jelly
(pétales de
rose en gelée).

Pink Grapefruit
Marmalade
(pamplemousses
roses).

1 Blackberry (mûres de ronces)
Avec des mûres, on prépare confitures et liqueur. La tarte aux mûres et pommes est un des joyaux de la cuisine anglaise. Consistant et sucré, le mélange de fruits est recouvert de pâte sablée à la Chantilly ou d'une crème-sauce à la vanille.

2 Blackthorn (prunelles)
On récolte les prunelles mures après les premières gelées car leur goût est alors moins âpre. On peut en faire du vin ou de l'alcool et on utilise aussi les fruits pour colorer et aromatiser le gin. Cuites avec du sucre et un peu de vinaigre, les prunelles donnent une très bonne compote.

3 Berberis (épine-vinette)
Les baies rouges de l'épine-vinette ont un agréable goût acidulé. Avec des fruits sucrés, ces baies se prêtent à la préparation de confitures, gelées ou jus.

4 Elder (baies de sureau)
Les petites baies noires en ombelle du sureau servent à faire des gelées, du sirop, de la confiture et un vin. Avec les fleurs, on prépare des tisanes sudatives.

5 Hawthorn (églantier)
Très riches en vitamine C, les fruits de l'églantier servent à préparer des gelées, du jus, du vinaigre et de la liqueur.

6 Mulberry (mûres du mûrier)
Presque noirs quand ils sont murs, possédant un goût mixte à la fois sucré et acidulé, ces fruits peuvent être consommés tels quels ou bien comme garniture de tartes.

7 Quince (coing)
Crus, les coings sont pratiquement immangeables, mais on en fait des gelées

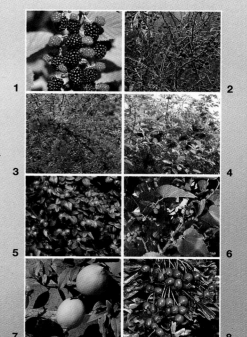

délicieuses. L'une des spécialités de l'Ouest anglais est une pâte de coing, pratiquement de la confiture cuite jusqu'à ce qu'elle se coupe au couteau, que l'on accompagne au dessert de *clotted cream*, une crème très épaisse.

8 Whitethorn (aubépine)
Les petits baies rouges de l'aubépine, qui ont un goût sucré acidulé se prêtent bien à la confection de compotes ou de gelées mais donnent aussi un excellent brandy.

Pour fabriquer la plus classique de toutes les confitures anglaises, on concasse des bigarades entières et on ajoute du sucre.

On fait ensuite bouillir le mélange en lui ajoutant un peu de beurre.

Il faut mesurer avec précision le taux de sucre.

Ensuite, le mélange cuit est introduit dans des verres stérilisés, avec un contrôle de sortie aux rayons UV.

Roastbeef et pouding du Yorkshire

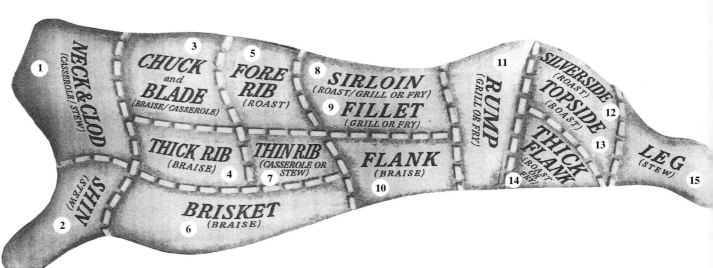

Les Anglais sont de gros consommateurs de viande de bœuf. La meilleure vient le plus souvent d'Ecosse, avec une prédilection pour la race Angus, élevée dans la région d'Aberdeen. Cette viande a un goût typique, particulièrement agréable et son persillé, c'est-à-dire les fines inclusions de graisse, la rend très tendre et juteuse. Malheureusement, un petit morceau de viande détaché de l'os ne peut jamais avoir le goût intensif d'un gros morceau. C'est pourquoi le *beef trolley*, le chariot à viande, fait partie des attributs d'un restaurant de classe qui charment les amateurs, comme au « Simson's-in-the-Strand » à Londres. Ce chariot sert à transporter jusqu'au client d'immenses rôtis, en général tout un aloyau, dont on découpe un *steak* devant lui.

Le roastbeef est souvent au centre d'un menu dominical. C'est généralement le père de famille qui coupe le rôti, partant de la belle croûte brune jusqu'au milieu qui doit être maigre, rose et juteux. C'est cette partie de la viande que le connaisseur préfère, alors que les enfants sont plus friands des tranches extérieures, plus cuites et brunes.

Le roastbeef se cuit ordinairement au four, tout comme le pouding du Yorkshire, qui l'accompagne normalement. Il ne s'agit pas d'un mets sucré. C'est une pâte épaisse faite avec de la farine, du lait et des œufs, que l'on fait frire dans du blanc de bœuf ou du saindoux jusqu'à ce qu'elle lève et soit bien croustillante. Depuis les années 80, le bétail anglais est menacé d'une épizootie probablement consécutive à une alimentation incorrecte, l'encéphalopathie spongiforme bovine ou ESB. Entretemps, la transmission à l'homme n'est pas exclue. Pourtant, le bœuf anglais, surtout celui venant des troupeaux d'Angus écossais, demeure un mets recherché pour son goût et la salle aux admirables boiseries du Simpson's-in-the-Strand, où dîne depuis 150 ans l'Angleterre huppée, demeure comble.

Les morceaux les plus importants
(coupe anglaise)

1 *Neck and Clod* – collier et talon de collier pour daubes et braisés

2 *Shin* – gîte pour ragoûts, grillades

3 *Chuck and Blade* – gîte à la noix et train de côtes pour pièces braisées ou sautées

4 *Thick Rib* – plat de côtes épais pour pièces rôties

5 *Fore Rib* – entrecôte et côtes couvertes pour grillades

6 *Brisket* – tendron pour ragoûts

7 *Thin Rib* – plat de côtes mince pour daubes et braisés

8 *Sirloin* – faux-filet, pour bifstecks poêlés, roastbeef, grillades

9 *Fillet* – filet pour grillades et châteaubriands

10 *Flank* – flanchet, pour pot-au-feu ou pièces braisées

11 *Rump* – romsteck et tranche grasse, pour grillades et poêlés rapides

12 *Silverside* – gîte à la noix, pour braisés et poêlés rapides

13 *Topside* – culotte, pour poêlés rapides

14 *Thick Flank* – tranche noire pour grillades et poêlés rapides

15 *Leg* – gîte-gîte pour ragoûts

La meilleure des viandes pour le roastbeef anglais typique vient d'Ecosse. C'est la patrie de la race Angus d'Aberdeen, une race connue pour la qualité de sa viande.

Le célèbre restaurant Simpson-in-the-Strand, à Londres, s'est spécialisé dans la viande de bœuf. On y découpe le *roastbeef* directement devant le client, à partir d'un chariot spécial, le *beef trolley* où l'on maintient au chaud tout un aloyau.

Le *roastbeef* est cuit au four. Grâce à la partie grasse recouvrant la viande - on la retire sur l'assiette - cette dernière demeure tendre et juteuse. A l'extérieur brune et croustillante, elle doit être encore rose à l'intérieur.

Typique pour une viande Angus de première qualité : le persillé très fin.

Spécialité anglaise : Diversité dans la préparation de la viande

Beef Roll
Pâté de viande à l'anglaise : mélange de hachis de bœuf et de jambon cuit dans un moule, puis renversé.

Boiled Beef and Carrots with Dumplings
Plat de côtes de bœuf salé bouilli, servi avec des carottes et des boulettes (p.d.t. ou semoule).

Devilled Beef Bones
Côtes de bœuf restes d'un roastbeef, remaniées dans une sauce diable à base de curry et de piment.

Oxtail Stew
Ragoût de queue de bœuf où l'on sert avec les os la queue de bœuf braisée.

Pork and Apple Pie
Viande de porc, oignons et pommes enrobés de purée de pommes de terre, le tout passé au four.

Potted Pork
Viande de porc cuite lentement dans une daubière fermée, puis écrasée en pâte et mangée froide avec du pain grillé.

Roastbeef et pouding du Yorkshire

Toad in the Hole
Petites saucisses de porc dans de la pâte à crêpe.

Hot Pot
Ragoût de mouton

Pour 6 personnes
1 kg de pommes de terre

6 rognons de mouton,
pelés et dégraissés

250 g de champignons de Paris

3 oignons

6 tranches épaisses (2 cm)
d'épaule de mouton

sel, poivre noir

6 huîtres sorties de la coquille

2 cuil. à soupe de flocons de beurre

1 cuil. à soupe de persil haché

Eplucher les pommes de terre et les
couper en tranches fines. Couper
également les rognons et les champignons de Paris en tranches et les oignons en rondelles. Préchauffer le
four à 175 ºC. Graisser soigneusement un ramequin haut et y déposer
un tiers des rondelles de p.d.t. Poser
là-dessus trois tranches de mouton,
saler et poivrer à convenance. Epandre maintenant la moitié des rognons,
des champignons et des oignons,
ainsi que trois huîtres. Recouvrir avec
un tiers des p.d.t. Poser là-dessus les
trois autres tranches de mouton et
assaisonner, puis déposer le reste
des rognons, des champignons, des
huîtres et terminer par la troisième
couche de p.d.t.
Ajouter $1/2$ l d'eau et répartir les flocons de beurre sur les p.d.t. Couvrir
et faire cuire 90 minutes à l'étage médian du four. Après quoi, enlever le
couvercle et continuer la cuisson 30
minutes environ, jusqu'à ce que les
pommes de terre soient bien dorées.
Epandre le persil haché.

Terrines, tour-tes et pâtés en croûte

L'approche de l'anglais culinaire comporte deux termes parfois difficiles à bien saisir, ceux de *pies* et de *puddings*. Il faut notamment se garder de prendre tous les *puddings* pour les mets sucrés du même nom. Certains sont des pâtés. Voici de quoi s'y mieux retrouver :

1) Les *pies* sont préparés dans des moules ou tourtières qui ont très rarement plus de 6 cm de hauteur. Les *puddings* se cuisent dans des terrines plus profondes qui ont au moins le double de hauteur.

2) La pâte destinée aux *pies* est faite avec une farine simple ou *plain flour*, un corps gras, du sel, du poivre et de l'eau froide. Dans les pâtes pour *puddings*, on remplace le corps gras ordinaire par du blanc de bœuf et on choisit une farine dite *self-raising flour*, c'est-à-dire une farine qui contient un produit levant.

3) Les *pies* se cuisent au four alors que les *puddings* se cuisent le plus souvent à la vapeur.

Steak and Kidney Pudding
Bifteck et rognons en croûte
(Illustration)

Pâte

400 g de farine autolevante
ou 400 g de farine de blé
avec 1 cuil. à café de levure chimique
sel et poivre noir,
1/2 cuil. à café de chaque
200 g de blanc de bœuf, haché menu

Masse à pâté

1 kg de romsteck
250 g de rognons de veau
sel, poivre noir
2 cuil. à soupe de farine
4 cuil. à soupe d'échalotes
et d'oignons hachés
1/8 l de porto ou de bière Ale forte
1/8 l de bouillon de bœuf
2 cuil. à café de sauce Worcester

Pour la préparation de la pâte, mélanger la farine avec le sel, le poivre et le blanc de bœuf avec un peu d'eau et pétrir pour obtenir un bloc bien souple que l'on étend ensuite en plaque.

Graisser un moule haut en terre cuite allant au four et le foncer de pâte en gardant suffisamment de pâte pour un couvercle. Introduire les morceaux de rognons et de bifteck, les échalotes dans le moule. Mélanger le porto, le bouillon et la sauce Worcester et en arroser la viande du moule. Couvrir avec le reste de pâte, pincer les bords afin que la pâte enrobe bien la masse intérieure et ne dégage pas de vapeur à la cuisson.
Envelopper le moule et le pâté dans un linge et cuire à la vapeur d'un bain-marie pendant 3 à 4 heures. A la fin de cette cuisson, la croûte doit paraître légèrement humide. Ce *pudding* se sert de préférence avec une bière Ale puissante.

A gauche : un Hot Pot, photo prise au Riverhouse Hotel, près de Blackpool.

Sauces

« Il existe en Angleterre plus de 60 sectes, mais une seule sauce ». C'est à Francesco Caraccioli que l'on attribue ce mot, à cet amiral qui fut pendu au mât de son navire, en 1799, sur ordre de Nelson. De toute évidence il se trompait, puisqu'on connaissait et connaît encore en Angleterre une foule de condiments sous forme de sauces. L'affection portée par les Anglais à la viande bouillie ou grillée génère pratiquement le besoin de sauce puisque l'une et l'autre des deux préparations ne donnent aucun fonds. Outre les sauces à base de raifort ou de moutarde, il existe toute une série de chutneys et de ketchups relevés. A l'origine, dans les cuisines paysannes et celles des riches bourgeois, on préparait et conservait ainsi les excédents de fruits et de légumes. Aujourd'hui, il s'agit plutôt de produits agro-industriels.

La sauce moutarde, la préférée des Anglais

La sauce la plus répandue est à base de moutarde, la *mustard sauce*. Depuis des temps immémoriaux, la moutarde sauvage poussait un peu partout sur les îles britanniques, mais c'est aux Romains que revient le mérite d'avoir exploité cette richesse. Ils mélangeaient la moutarde en herbe à d'autres condiments et du vin, et utilisaient ce mélange pour assaisonner la viande cuite à la broche. Cet amour de la moutarde a prévalu après la chute de l'empire romain. Ce condiment facile à préparer permettait d'arrondir en hiver le goût des viandes et du poisson salés, lorsqu'on ne disposait guère d'autres accompagnements.

La demande en moutarde se développant, on a commencé à réduire en poudre (avec des boulets de canon) les graines de moutarde, puis on mélangeait cette poudre grossière avec du raifort afin d'obtenir un produit plus relevé. Ensuite, on humidifiait le mélange et on le roulait pour obtenir des boules plus faciles à transporter. Dans les cuisines, on fabriquait une sauce avec ce produit, en ajoutant du vinaigre, du cidre ou du jus de pommes et de cerises.

La poudre de moutarde que nous connaissons aujourd'hui est très probablement l'invention d'une certaine Mrs. Clements. Elle a eu l'idée géniale de moudre les graines de moutarde pilées dans un moulin, puis de les tamiser soigneusement. Le résultat de son intervention devint rapidement un succès commercial remarquable sous le nom de *Durham mustard*.

L'entreprise londonienne Keens, à Garlick Hill, alla un peu plus loin, préparant une moutarde en pots de verre pour les restaurateurs de la ville. Le successeur de cette entreprise, Jeremiah Colman, était un minotier de Norwich. Ses affaires marchant très bien, il se consacra entièrement, en 1814, au commerce de la moutarde. Un mélange de grains clairs et sombres, soigneusement étudié, auquel on ajoutait du curcuma, un rhizome indien dont on tire une poudre jaune, donnait une moutarde bien relevée qui existe encore aujourd'hui sous l'appellation *English mustard*.

Au fil du temps, on a vu naître une foule de moutardes très différentes les unes des autres. On connaît aujourd'hui des moutardes douces, moyennes ou fortes, certaines contenant des fines herbes, et des graines seules permettant de se préparer sa propre moutarde. A Norwich, les Colman's ont un grand magasin et un musée de la moutarde, qui sont tous les deux des attractions touristiques. Entre-temps, il existe aussi des fabricants de spécialités à base de moutarde, comme la maison Wilshire Tracklements. L'entreprise a commencé très petit puisque le premier pot de moutarde s'est vendu au détail dans le bistrot local. Aujourd'hui, on fabrique quatre variétés de moutarde à gros grain : une, forte, pour le jambon, les saucisses et les pâtés. Une autre est aromatisée et « noire », une autre encore contient beaucoup d'estragon et la dernière est enrichie au miel.

La sauce Worcester a débuté par une catastrophe

L'une des plus célèbres sauces anglaises, la sauce Worcester, est née à l'époque coloniale. Elle n'est pas un accompagnement, mais un condiment que l'on utilise pendant la cuisson. Son histoire mérite

A gauche :
Pour la fabrication de la poudre de moutarde, on broie deux variétés différentes de graines en veillant à ce que la température reste faible, puis on sépare par tamisage la poudre de l'enveloppe des graines.

A gauche :
La poudre terminée a une belle couleur jaune lumineuse. C'est sous cette forme que l'on utilise le plus souvent la moutarde en Angleterre.

La poudre de moutarde est conditionnée dans des boîtes. Avant de s'en servir, on fait soi-même le mélange avec un peu d'eau ou de vinaigre.

d'être contée. Sous le règne de la reine Victoria, Lord Sandys, qui était en poste de gouverneur au Bengale, prisait la cuisine locale. Il a convaincu son cuisinier personnel de lui donner la recette de cette sauce « magique » qu'il utilisait si fréquemment. Revenu en Angleterre, Lord Sandys a demandé à deux droguistes, John Lea et William Perrin, de Worcester, de lui préparer la même sauce. Ils ont suivi exactement les indications, mais lorsqu'ils ont goûté le résultat avec leur commanditaire, ils ont dû constater que c'était tout simplement immangeable.

Les deux droguistes ont alors mis les fûts au rencart dans un coin et il les ont oubliés. Plusieurs années plus tard, mettant de l'ordre, ils ont redécouvert les fûts et ont goûté le produit par curiosité. Quelle ne fut pas leur surprise de constater que la sauce s'était transformée avec le temps en un admirable condiment. Ils ont aussitôt décidé de lancer une fabrication industrielle.

Cela se passait en 1837. La sauce Worcester se fabrique encore aujourd'hui d'après la recette d'origine et elle est expédiée dans le monde entier pour donner à divers mets une touche relevée, mais très agréable. Evidemment, la recette demeure secrète, mais on sait entre-temps qu'elle comporte vinaigre de malt et de vin, une mélasse de sucre, du sel, des anchois, l'écorce de tamarin, des échalotes, du piment, de la sauce de soja et de l'ail. Aujourd'hui, la sauce Worcester mûrit trois ans.

Un peuple d'amateurs de sauces

Les préparations anglaises classiques pour le poisson et la viande, à savoir la grillade et la cuisson dans l'eau, ne donnent pas de fonds dont on pourrait tirer une sauce. Des ménagères et des cuisiniers inventifs ont donc élaboré une foule de sauces, à côté des condiments plus classiques, la sauce Worcester et la sauce-moutarde.

Caper Sauce
Sauce faite à partir de câpres, de beurre, de farine et, suivant le plat, un fond de mouton, de bœuf ou de poisson. Assaisonne viandes et poissons bouillis.

Cheese Sauce
Spécialité à partir de fromage du pays de Galles. Il accompagne les poireaux bouillis et gratinés, un plat national.

Cream Sauce
Crème, farine et beurre. Des crevettes garnies de cette sauce, couvertes de parmesan et gratinées, sont un des plats favoris de la cuisine galloise.

Cumberland Sauce
Elle contient peaux d'orange et de citron, poudre de moutarde et de gingembre, vin rouge réduit, porto et gelée de groseilles. Accompagne le gibier, le jambon et la volaille froide.

Horseradish Sauce
Raifort, vinaigre, sucre, poudre de moutarde, crème, sel et poivre. Accompagne le rosbif et les poissons, notamment : truite fumée, anguille ou saumon fumé.

Lemon Butter Sauce
Sauce au beurre aromatisée à la cuisson avec du jus de citron frais, puis épaissie à la fécule de pomme de terre. Servie avec du brochet au court-bouillon, surtout sur la côte du Devon.

Mint Sauce
Sucre, vinaigre dilué, de malt ou de vin, et feuilles de menthe fraîches finement hachées. Servie avec l'agneau.

Onion Sauce
Faite d'oignons sautés au beurre et de beaucoup de crème. Accompagne en particulier une épaule de mouton farcie, une spécialité londonienne.

Orange and Port Wine Sauce
Faite avec du jus d'orange et du Porto, épaissis à la fécule de pomme de terre. Pour volailles sautées ou grillées.

Raisin and Celery Sauce
Sauce liée de céleri-branche haché et de raisins secs, agrémentée de cidre sec. Servie avec du jambon frais au court-bouillon.

Sauce rhubarbe
A Bristol, elle accompagne le maquereau. C'est pourquoi elle ne renferme pas de sucre mais du cidre sec et du jus de citron, ce qui lui confère une note piquante et rêche.

A gauche :
Parmi les principaux ingrédients de la sauce Worcester, les piments de Chili. On y ajoute du vinaigre de malt et de vin, de la mélasse, des anchois, du tamarinde, des échalotes, de la sauce de soja et de l'ail.

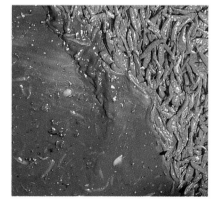

A gauche :
On laisse macérer jusqu'à trois ans les piments. Ensuite, on filtre le liquide que l'on met en bouteilles.

La sauce Worcester de Lea & Perrins s'utilise dans toutes les cuisines du monde. On s'en sert le plus souvent pour rehausser le goût des sauces blanches ou du ragoût fin, plus rarement comme condiment à table.

Pickles et Picalilli

La fabrication des pickles a une longue tradition en Angleterre, car il fallait bien faire passer l'hiver à tout ce que le jardin produisait en été. La conservation au vinaigre était un procédé idéal. Aujourd'hui, il existe dans le commerce anglais une foule de ces produits et, à côté des petits oignons blancs au vinaigre, on trouve la famille des *relishs*, des légumes coupés menu dans un mélange de vinaigre et de sucre, et tous les *chutneys*, mélanges de fruits ou légumes préparés sous forme de sauce épaisse.

Mais l'ancêtre de tous les pickles est le *picalilli*. On le fabriquait déjà en 1690, sur la base d'une recette indienne. Divers légumes, notamment chou-fleur, petits oignons blancs, carottes et cornichons sont cuits avec un mélange comprenant vinaigre, grains de moutarde, sucre, ail et épices. Le *picalilli* se sert habituellement avec la viande froide et, à la campagne, on trouve parfois des produits faits maison sur certains marchés.

Ce sont les officiers de la Compagnie des Indes orientales qui ont ramené en Angleterre le curry et le chutney. Ces deux produits s'harmonisent bien aux goûts anglais et donnent à une cuisine assez harmonieuse un petit côté exotique et relevé.

Le curry, un apport de la cuisine indienne

Le curry n'est pas un condiment à proprement parler, mais plutôt un mélange de préparations pour viandes et poissons qui a ses origines en Inde. Comme l'on utilise pour la préparation «curry» d'un poulet, d'un poisson ou d'une viande une poudre caractéristique, le mot curry a perdu avec le temps sa signification première de mode de préparation, pour s'étendre au mélange d'épices utilisé dans celle-ci.

Signalons en passant que les ménagères et les cuisiniers anglais du siècle précédent acceptaient d'autant plus volontiers le goût persistant et pimenté de la poudre pour couvrir celui de viandes ou de poissons qui n'étaient plus de première fraîcheur. Il faut croire que l'estomac d'un officier colonial anglais avait un sacré répondant.

Ingrédients de base du curry

Poivre noir (black pepper)

Cumin (cumin)

Poudre de curry (curry powder)

Curcuma (curcuma)

Graines de moutarde (mustard)

Gingembre (ginger)

Feuilles de l'arbre curry (curry leafs)

Piments séchés

Coriandre (coriander)

Ingrédients facultatifs

Cannelle (cinnamon)

Clous de girofle (cloves)

Graines de fenouil (fennel seeds)

Poivre de Cayenne (pepper of cayenne)

Laurier (laurel)

Fleurs de muscadier (blossom of nutmeg)

Le curry, qu'est-ce que c'est ?

Chaque ménagère ou cuisinier vous dira qu'il n'y a meilleur curry que celui qu'ils utilisent. Cela explique pourquoi il y a tant de goûts différents.

Le passé impérial de l'Angleterre est incontestable. Très tôt, on importait en grandes quantités des colonies une foule d'épices – qui ont même été causes de guerre dans le passé. Le commerce en épices est encore aujourd'hui très florissant. La photo de droite a été prise dans l'entrepôt du grossiste en épices Kiriana House à Hydock.

Piccalilli	**Tikka Paste**	**Tomato Salsa**	**Pickled Cabbage**	**Pickled Onions**	**Poacher's Relish**	**Onion Relish**	**Hot Gooseberry Chutney**	**Mango Chutney**	**Cashmere Chutney**
Célèbres pickles à partir de légumes	Mélange de condiments de l'Inde	Purée de tomates à l'italienne	Chou au vinaigre	Oignons au vinaigre	Légumes à l'aigre-doux	Oignons à l'aigre-doux	Compote épicée de groseilles à maquereau	Petits morceaux de mangue à l'aigre-doux	Spécialité venant du Nord de l'Inde

Lime & Chilli Chutney	**Apricot Chutney**	**Minted Apple Chutney**	**Mixed Fruit Chutney**	**Tropical Fruit Chutney**	**Aubergine Pickle**	**Ginger Pickle**	**Lime Pickle in Oil**	**Mixed Pickle**	**Branston Pickle**
Préparation relevée à base de limettes et de piment	Compote d'abricot à l'aigre-doux	Fait avec des pommes acidulées	Fait avec plusieurs fruits	Préparation à base de fruits exotiques	Aubergines au vinaigre	Gingembre au vinaigre	Limettes à l'huile	Divers légumes	Spécialité pour un repas costaud à la campagne

Hot Mustard Pickle
Moutarde légume forte

500 g de rosettes de chou-fleur
250 g de tomates vertes
500 g d'oignons blancs 250 g de jaunes
250 g + 1 cuil. à café de sel
500 g de petits cornichons pelés
1 cuil. à café de câpres,
1/2 cuil. à café de graines de céleri
125 g de beurre, 25 g de farine
1/2 l de vinaigre de malt
100 g de sucre
1 cuil. à soupe de curcuma,
2 cuil. à soupe de moutarde en poudre

Dans une marmite, verser 4 l d'eau, 250 g de sel et les légumes. Laisser 24 h au frais, puis jeter l'eau. Ajouter cornichons, câpres et graines de céleri, 1 cuil. à café de sel et porter à ébullition dans 1 l d'eau. Cuire dix minutes, puis jeter l'eau. Mettre les légumes dans une bassine. Préparer un roux blond avec farine et beurre, l'étendre avec le vinaigre et laisser mijoter trois minutes. Ajouter sucre, curcuma et moutarde. Verser sur les légumes la moitié du liquide, laisser 24 heures à température ambiante, puis incorporer le reste de marinade en soulevant.

Apple Chutney
Chutney de pommes

1 1/2 kg de pommes vertes à cuire
500 g d'oignons
400 g de raisins secs
400 g de sucre roux
350 g de vinaigre de malt
1 cuil. à soupe de grains de moutarde pilés
1 1/2 cuil. à café de mixed-pickle
1/2 cuil. à café de gingembre moulu
1/2 cuil. à café de poivre de Cayenne moulu

Eplucher les pommes, enlever les pépins et couper la chair en gros dés. Hacher grossièrement les oignons. Mettre tous les ingrédients dans un faitout et porter à ébullition. Laisser mijoter pendant deux heures à petit feu, sans couvercle, en remuant souvent. Mettre dans des pots stérilisés à couvercle hermétique et garder au frais.

Pickled Red Cabbage
Salade de chou rouge

1 chou rouge (1 kg env.) passé à la mandoline
3 cuil. à soupe de gros sel
600 ml de vinaigre de malt
1 cuil. à soupe de sucre
1 cuil. à soupe de mixed-pickle

Mettre le chou rouge dans une marmite en acier inoxydable ou émaillée, saler et laisser reposer toute la nuit. Jeter le jus et bien exprimer le chou.
Faire cuire le vinaigre avec l'assaisonnement et le sucre. Au bout de dix minutes, laisser refroidir, puis verser sur le chou. Remplir ensuite des pots, couvrir de jus et laisser mariner au réfrigérateur pendant cinq jours au moins, pot fermé.

Pickled Onions
Oignons au vinaigre

1 kg d'oignons blancs
125 g de sel
1 l de vinaigre de malt
100 g d sucre
2 cuil. à soupe d'aromates pour mixed-pickle
5 clous de girofle
10 grains de poivre noir

Peler les oignons, les saler et les laisser ainsi toute la nuit. Verser le jus, rincer à l'eau courante et bien sécher.
Faire cuire cinq minutes les ingrédients restant, ajouter les oignons, poursuivre la cuisson dix minutes, marmite ouverte. Verser les oignons dans des pots de verre, recouvrir de liquide et laisser reposer au moins deux semaines.

Cheddar, Stilton & Cie

Les moines cisterciens anglais venus dans les vallées du Yorkshire après l'invasion normande sont considérés comme les fondateurs de la tradition fromagère anglaise. A partir de débuts très modestes, toute une culture fromagère s'est développée, avec une foule de variétés dont la renommée ne dépasse guère les frontières régionales. Contrairement aux fromages français, les fromages anglais n'ont pu se répandre dans le monde, à l'exception du stilton.

Le stilton, le seul fromage anglais qui ait conquis le monde, est fabriqué seulement dans les trois régions de Leicester, Nothingham et Derby. La marque Blue Stilton, un fromage à moisissure bleue qui se présente en grandes meules cylindriques, est une appellation protégée. Il est persillé régulièrement par les veines bleu-vert formées par le champignon *penicillium roquefortii*. Le stilton blanc est friable et tendre, sans inclusions bleutées, mais possède cependant un goût bien à lui. La guilde des maîtres fromagers de Stilton regroupe sept membres dont l'un, Colston Bassett, est le seul à fabriquer un stilton pasteurisé.

Le fromage le plus fréquent en Angleterre est le cheddar, originaire des gorges du Cheddar, dans le comté de Somerset. C'est un fromage dur qui a un goût fort caractéristique et a besoin d'un à deux ans pour atteindre son plein arome. Le cheddar doux se vend déjà au bout de trois mois de stockage. Plus il vieillit, et plus s'affirment son goût et sa couleur.

La fabrication du cheddar est aussi exceptionnelle que son goût. Le *chedarring* est un mode d'élaboration au cours duquel le caillé est empilé en « gâteaux » pour que la coagulation acide se poursuive. Le procédé apparaît particulièrement sur le *sage derby*, fromage pour lequel on utilise un jus de sauge vert pour aromatiser ces gâteaux, ce qui confère au fromage un aspect marbré remarquable. Ce fromage se mange plus particulièrement durant les période des fêtes de fin d'année.

Bien que la majeure partie du fromage soit aujourd'hui fabriquée en usine, il existe encore en Angleterre vingt-quatre fermes où l'on fait du cheddar suivant la méthode traditionnelle et dans certains cas, même, avec du lait non pasteurisé.

La vaste gamme des fromages anglais commence par le *crowdie*, un fromage tendre, non serré, que l'on fabrique avec du lait aigri ou du petit lait et se poursuit par des pâtes demi-tendres, la plupart des fromages bleus, les pâtes demi-dures, parmi lesquelles le wensleydale ou bien le caerphilly du Pays de Galles (que l'on fabrique aujourd'hui dans de nombreuses parties de l'Ouest anglais), jusqu'aux pâtes dures. Dans ce groupe, outre le cheddar, il convient de citer le plus connu, le cheshire

Les meilleurs Farmhouse Cheeses

Cheshire

Double Gloucester

Creamery Goat's Curd

Cheddar

Harbourne Blue

Caerphilly

Lancashire

Beenleigh Blue

(faussement appelé chester sur le continent), le leicester et le double gloucester. La plupart de ces fromages sont faits avec du lait de vache, mais il existe entre-temps beaucoup de variantes régionales préparées avec du lait de chèvre ou de brebis.

A la campagne, la tradition fromagère des moines cisterciens s'est en partie maintenue. Les paysans l'ont poursuivie après la disparition des couvents et des cloîtres. Un certain nombre d'entreprises rurales travaillent encore suivant les méthode des moines, fabriquant ainsi des variétés hors du commun, comme le swaledale ou le danbydale.

Mais le plat de fromages anglais offre encore d'autres spécialités, comme les fromages aux fines her-bes, les fromages fumés, les fromages marbrés au vin de sureau (red windsor), certains à l'ail, au paprika ou aux pickles doux, des fromages roulés dans de l'avoine pilée (scottish caboc) ou bien dans de la cendre.

Un régal : du stilton au porto

C'est un petit village, entre Londres et York, qui a donné son nom au stilton. On estime que c'est le meilleur de tous les fromages bleus anglais et, sur les plateaux du monde, il a sa place à côté du roquefort ou du gorgonzola. Le stilton est un fromage blanc légèrement ivoirin avec des veines puissantes d'un beau vert-bleu. La croûte est sombre et ridée, et le goût bien corsé. L'amateur l'accompagne d'un verre de bon porto.

Les maîtres-fromagers anglais s'accordent à dire qu'on ne doit jamais utiliser une cuiller pour prélever un peu de stilton. Il est préférable de couper de petits morceaux triangulaires, ce qui assure que la consistance demeure la même jusqu'au bout. Si on le creuse à la gouge, il risque au contraire de sécher. Certains amateurs luttent contre ce dessèchement en versant du porto dans le vide. Les fabricants, par contre, affirment que ce n'est pas une bonne méthode, car elle mouille le fromage, le décolore et le rend moins appétissant. La règle d'or serait du porto, oui, mais avec le fromage, et pas dedans.

Stilton

Pearoche

Les tomes de fromage finies sont d'abord « plâtrées » avant entreposage avec du caillé, pour leur donner une surface bien régulière.

On plante de longs clous d'acier dans les tomes. Les trous qui se forment ainsi servent à garantir une bonne répartition de la moisissure à l'intérieur.

Stilton à point, prêt à la vente, dans sa forme cylindrique caractéristique.

Pique-niques

A peine les Anglais ont-ils abandonné la vie rurale, au 19e siècle, pour s'installer dans des villes, qu'ils ont eu la nostalgie de leur campagne et c'est ainsi que le pique-nique est devenu tellement en vogue. Il existe en Angleterre deux variantes de pique-nique. La variante classique et formelle se déroule en accompagnement de manifestations intellectuelles ou sportives : pendant l'entracte d'une représentation théâtrale à Glyndebourne ou entre les actes d'une représentation de Shakespeare au Regent's Park ou Polesden Lacey, lors du tournoi de tennis à Wimbledon, des courses d'Ascot, d'une rencontre de cricket à Lords ou bien du Derby d'Epsom. La variante informelle, plutôt spontanée, accompagne tout déplacement festif à la mer ou à la campagne.

Le pique-nique formel se prépare avec beaucoup de soin et de rigueur en emballant dans une corbeille appropriée tout ce qui fait partie du pique-nique, avant de placer la dite corbeille dans la malle de la Rolls. Les victuailles doivent être d'une exquise qualité, par exemple du saumon fumé, des fraises fraîches de Kent, un peu de faisan froid, du beurre et du pain bis coupé en très fines tranches. Quelques bouteilles de champagne contribuent à l'ambiance festive, même si l'on assiste à la défaite de l'équipe que l'on soutient ou si l'opéra semble ne devoir jamais finir.

Pour un pique-nique informel, on entasse le ravitaillement dans des sacs plastiques que l'on dépose sur la banquette arrière d'un véhicule plus roturier : du poulet froid, des tartines, des tartes aux fruits, du fromage (auquel on ajoute volontiers des pommes dans le Nord) et quelques thermos de thé bien fort. Formel ou non, il vaut mieux ne pas oublier le sel.

Inventaire d'un pique-nique classique

1 Fraises et crème
2 Fruits frais
3 Saumon fumé
4 Fromage
5 Salade fraîche
6 Champagne
7 Sandwiches
8 Une corbeille à pique-nique équipée : assiettes, couverts, verres, tasses, ouvre-boîte, sel et poivre, bouteille thermos et récipients à fermeture hermétique.

Il ne faut pas oublier une couverture, ainsi qu'un jeu de croquet.

L'imagination a évidemment libre cours et, si le site le permet, on peut aussi prévoir une grillade au barbecue.

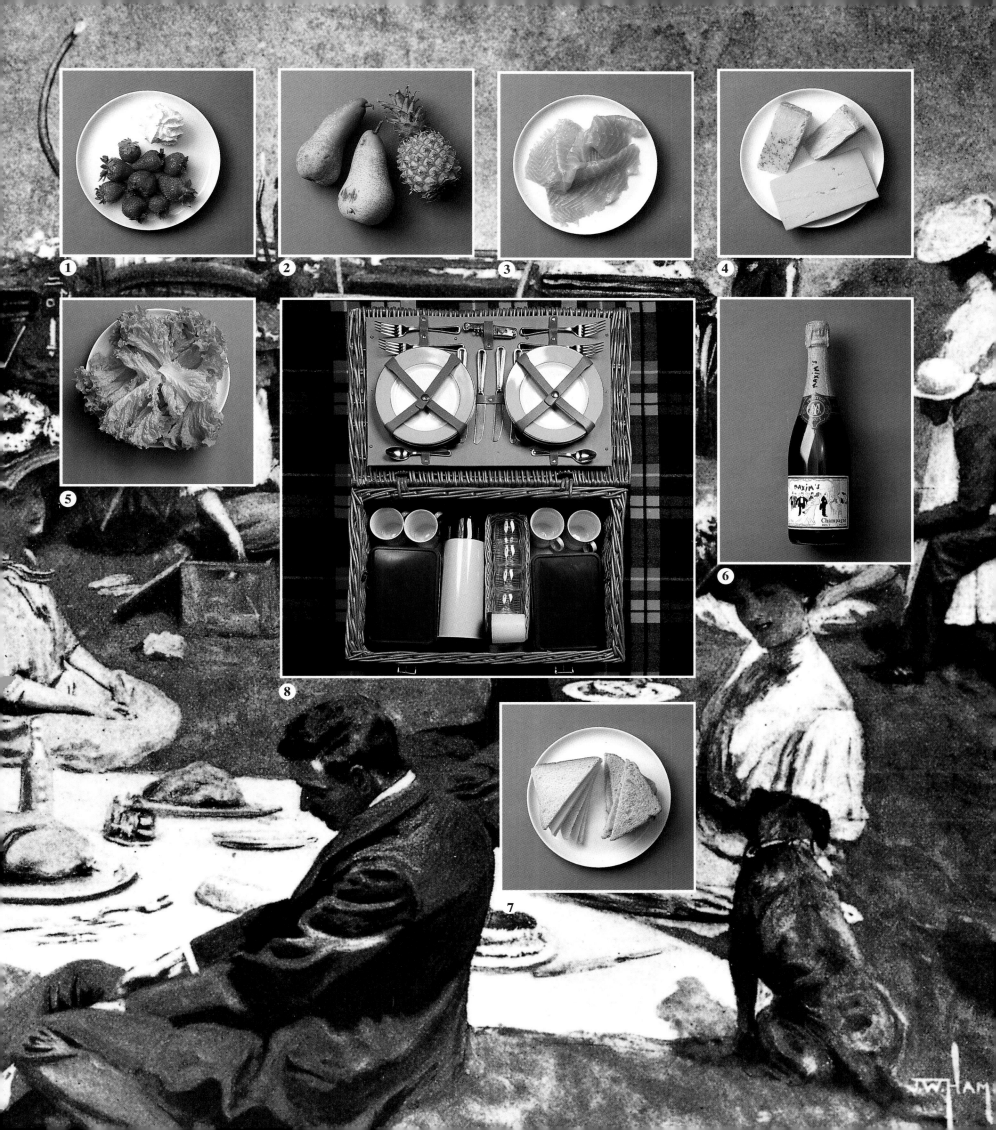

Fish and Chips

Le *Fish and Chips*, autrement dit « poisson-frites », est pour ainsi dire le plat national de l'homme de la rue et une spécialité typiquement anglaise que l'on achète au kiosque du coin jadis enveloppé dans du papier journal, dans la variante populaire classique.

Morue ou églefin sont à la base du poisson-frites, mais on peut aussi les remplacer par le lieu noir, la limande ou même les soles. Ce qui est plus caractéristique, c'est la pâte à beignets bien épaisse qui gonfle dans la friteuse en formant des cloques et que l'on assaisonne de sel et de vinaigre avant de manger.

Les vendeurs de poisson-frites ont leurs origines dans la révolution industrielle, qui a pris ses débuts en Angleterre à la fin du 18e. Ils offraient aux ouvriers d'usine une nourriture consistante et pas chère, pouvant être préparée rapidement. L'accompagnement avec des pommes de terre frites s'imposait presque automatiquement : l'huile était déjà chaude pour frire le poisson et la pomme de terre était bon marché.

Aujourd'hui, l'Angleterre est couverte d'un véritable réseau de vendeurs de poisson-frites. Certes, le papier-journal n'est plus en vogue, mais on mange généralement ce plat servi dans un papier alimentaire, debout ou contre de petites tables en formica. Dans les grandes villes, où le service est plus distingué, on peut même commander, pour mieux faire glisser, un verre de vin blanc français.

En principe, toutes les variétés de pommes de terre conviennent à la préparation de frites, mais la plupart des chefs préfèrent les variétés farineuses demeurant fermes à la cuisson. Quand on rince les frites crues une demi-heure avant la cuisson, on élimine l'amidon et on obtient des frites croustillantes qui ne collent pas.

Fish and Chips
Poisson-frites

Pour 4 personnes

Pâte à beignets

200 g de farine, 1 cuil. à soupe de sucre
4 cuil. à soupe de bière
1/4 cuil. à café de sel, 2 jaunes d'œuf
6 cuil. à soupe de lait, autant d'eau
2 blancs d'œuf

Verser la farine dans une bassine en la tamisant, ajouter le sucre et mélanger le tout. Faire une fontaine au milieu et y ajouter la bière, le sel et le jaune d'œuf. Bien malaxer le tout. Mélanger le lait et l'eau et ajouter progressivement jusqu'à obtenir une pâte liquide épaisse bien lisse. Laisser reposer 30 minutes, puis battre le blanc en neige et l'incorporer en soulevant.

Pommes frites

1 kg de pommes de terre
huile pour friteuse

Peler les p.d.t., les couper en carrelets de 1 cm et les rincer abondamment. Remplir la friteuse d'huile et porter à 160 °C. Sortir les frites de l'eau, bien les sécher dans un linge et verser dans l'huile chaude. Porter la température à 180 °C et frire jusqu'à ce que les frites soient croustillantes et bien dorées. Les sortir de l'huile, les égoutter sur du papier crêpe et saler.

Poisson

1 kg de filets de morue bien blancs, sans arêtes coupés en portions
Sauce Worcester, jus de citron, moutarde forte, farine

Rincer le poisson, le sécher dans un linge, l'assaisonner et le saupoudrer de farine. Plonger pièce par pièce dans la pâte à beignets et cuire dans la friteuse après les pommes frites. Laisser frire et dorer quatre à cinq minutes, retirer de l'huile et saler. Servir aussitôt le poisson et les pommes frites. Pour affiner l'assaisonnement, accompagner de vinaigre de malt.

Huntin' Shootin' and Fishin'

Aux 18e et 19e siècles, lorsque les riches et puissants propriétaires terriens se sont appropriés en Angleterre d'immenses territoires, les pauvres gens ont perdu le droit de chasser (et de pêcher) sur les terres qui relevaient jusque-là de ce que l'on appelle en France les communs, de ce fait accessibles à tous. La chasse et dans une certaine mesure la pêche devinrent alors le passe-temps favori de la noblesse rurale, dont l'habitude en parlant est de manger le «g» des infinitifs de sorte que *hintin', schootin' et fishin'* est devenu comme un terme générique global pour les loisirs des couches sociales dominantes.

Il existe aujourd'hui en Angleterre quelque 825 000 chasseurs qui se procurent régulièrement par le fusil leur rôti dominical, principalement sous la forme de faisans, de perdreaux, de lapins, de pigeons et de lièvres. La chasse au chevreuil est réservée aux chasseurs qui ont suivi une formation spéciale. En fait, la majorité de la viande de chevreuil servie dans les restaurants ou vendue par la grande distribution provient d'élevages.

Le coq des bruyères (grouse ou lagopède)

Le gibier le plus recherché demeure le lagopède, ou coq de bruyère, que l'on peut voir dans les marais du Yorkshire ou les terres humides du Nord-Ouest. Les propriétaires terriens locaux vendent ou cèdent en location leurs droits de chasse à des sociétés de chasse organisées, qui dépensent beaucoup d'argent pour une chasse à courre, avec rabatteurs et chiens, ainsi qu'à des chasseurs du coin qui vont peut-être payer une journée d'affût avec une simple bouteille de whisky.

La chasse au coq de bruyère ouvre toujours le 12 août, pour le *Glorius Twelfth*, et ferme le 10 décembre. Le 12 août se déroule une course dont l'objectif est de transporter le plus rapidement possible le coq de bruyère jusqu'aux restaurants et hôtels londoniens. Jets privés ou hélicoptères entrent en lice, mais il existe aussi des compétiteurs aimant la tradition qui se lancent à cheval depuis le Yorkshire, avec, toutefois, un changement de cheval organisé à l'avance, à quelques kilomètres du départ.

Les chefs du Savoy, du Claridge ou du Dorchester ne sont pas particulièrement enchantés de devoir cuisiner un coq de bruyère que l'on vient de tuer il y a à peine quelques heures. En effet, le gibier à plume devrait faisander deux à trois jours, le lagopède, une dizaine de jours afin que la chair devienne tendre et que l'arome puisse pleinement s'élaborer. Mais les chefs se soumettent au désir de la clientèle, de sorte que, tous les 12 août que Dieu fait, ils inscrivent la grouse à leur menu.

Comme tout autre gibier à plumes, le coq de bruyère se compte en *braces*, en paires, de sorte qu'à la campagne on ne dit pas deux poules, mais « un couple de poules ».

Le coq de bruyère est trop craintif pour être élevé avec succès. Comme il se nourrit surtout d'herbes aromatiques, sa chair est particulièrement goûteuse. La chasse à ce gibier très recherché n'est donc pas seulement un événement, aujourd'hui, pour de simples raisons liées à la tradition.

A l'arrière-plan : chasse au coq de bruyère dans le comté de Norfolk, à la fin du siècle dernier.

Grouse in Red Wine Sauce
Coq de bruyère au vin

Pour 6 personnes

3 grouses plumées, vidées
125 g de beurre
2 carottes
1 gros oignon
2 gousses d'ail
$^1/_4$ l de vin rouge
400 ml de bouillon de viande
1 cuil. à café de thym
sel, poivre noir
250 g de petits champignons de Paris
1 cuil. à soupe de farine

Couper les coqs de bruyère en portions et faire rissoler de tous côtés dans du beurre. Sortir du poêlon et réserver. Eplucher les carottes, les oignons et l'ail, hacher menu et faire suer dans le beurre où a rissolé la viande. Ajouter le vin, le bouillon de viande, le thym et l'assaisonnement. Remettre les morceaux de coq dans le bouillon et cuire environ 20 minutes à feux doux.

Entre-temps, nettoyer les champignons et les sauter dans le reste de beurre.

Enlever les morceaux de viande de la sauce et les désosser. Réduire la sauce tout en tournant, la passer et l'épaissir avec la farine. Remettre la viande et les champignons dans la sauce et laisser mijoter cinq minutes environ.

Servir avec des tranches fines de pain rôties au beurre et garnies de persil haché.

Endroits poissonneux

Les meilleurs poissons d'eau douce anglais sont le saumon et la truite. La truite arc-en-ciel, grasse et produit d'élevage d'un goût plutôt fade, n'est considérée que comme un produit de substitution insuffisant. Parmi les cours d'eau les plus intéressants pour la pêche, il y a la Test, dans le Hampshire, une rivière coulant sur du calcaire et riche en truites *fario*, la Lunn, dans le Lancashire, où l'on peut pêcher le saumon mais qui est souvent visitée par les braconniers, et les rivières Tovey et Lyd, dans le Devon. On trouve aussi des saumons et des truites dans beaucoup de cours d'eau du Pays de Galles. L'omble chevalier, parent souvent oublié de la truite et du saumon, vit dans la Wharfe, au Yorkshire, et la Wye, au Derbyshire, où il est fort prisé des pêcheurs dans la propriété de Chatsworth, qui appartient au duc de Devonshire. La truite et le saumon sont de plus en plus sujets d'un élevage intensif dans d'immenses fermes piscicoles sur la côte. On doit avouer que les poissons d'élevage n'ont vraiment pas le goût du poisson sauvage.

Les bières de l'Angleterre

Ale et Stout

Burton-upon-Trent, dans les Midlands, est considérée comme la capitale de la bière britannique. C'est là que se trouvent les centrales de deux brasseries importantes, Bass et Ind Coope, ainsi que plusieurs brasseurs de moindre taille.

Tout a commencé par l'ale, bière brassée d'abord en Ecosse, à Edimbourg. C'est une bière plus douce et moins relevée que la bière ordinaire que nous connaissons et elle se boit souvent directement après un whisky, un peu pour se « rincer le gosier ». Avant l'apparition du thé et du café, on assouvissait sa soif dans les régions rurales en buvant une ale que l'on brassait soi-même, ou une bière peu alcoolisée dont on pensait, de bon droit d'ailleurs, qu'elle était moins dangereuse que l'eau distribuée dans les villes par le réseau d'eau courante.

Lorsqu'il devint possible de faire de la bière additionnée de houblon et d'autres ingrédients, les clients furent au début sceptiques en face de cette amertume, nouvelle pour eux. Mais, bientôt, la bière nouvelle a conquis ses adeptes. Le paysage anglais de la bière ressemble à un véritable patchwork régi par un principe général : plus on va vers le Nord, plus la bière est forte. Ce qu'on prise le plus, c'est une bière amère, une bière forte relativement alcoolisée, que l'on boit à la température de la cave, mais jamais froide. Les Anglais affirment qu'ainsi seulement, l'arôme se développe au mieux. Ils ne sont pas davantage amateurs de mousse et préfèrent au faux-col un verre rempli à ras bord.

Suite du texte en page 38

1   2   3

Un choix de bières anglaises du type ale

1 Thomas Hardy's Ale : ale du millésime en cours
2 The Bishop's Tipple : un *Barley Wine*, une ale forte pour l'hiver
3 Bass Pale Ale : ale à goût discret et peu d'alcool
4 Royal Oak Ale : ale bien en chair et relevée
5 Strong Pale Ale : ale puissante très houblonnée
6 Stonehenge Exhibition : ale forte, de chez Wiltshire
7 Stonehenge Ginger Beer : bière exotique au gingembre
8 Whitbread Best Bitter : bière brune puissante
9 John Smith's Bitter : peu de gaz et beaucoup d'alcool

Ci-dessous : les pubs *(public houses)* sont les lieux publics qui ont une licence pour distribuer suivant des horaires déterminés des boissons alcooliques. Ils sont ainsi devenus des lieux de rencontre sociale dont on ne pourrait plus concevoir la disparition. C'est ici que l'on boit entre-deux ou après le travail un verre d'ale, que l'on mange sur le pouce et, surtout, que l'on s'entretient avec le voisin. Le visiteur étranger est très surpris par la rigueur des interdits en matière d'horaires qui obligent à quitter le zinc relativement tôt (23 h) dans une comparaison internationale.

On boit sa bière essentiellement dans un pub, une véritable institution en Angleterre. Il comporte généralement trois pièces. Devant, dans la première, on s'accoude au bar sans aucune obligation vestimentaire. La deuxième pièce, aménagée avec des tables, permet de prendre un repas, pendant que la troisième, la pièce des dames, est exclusivement réservée aux personnes en compagnie de dames. Depuis peu, sous le signe de l'émancipation croissante, on y voit aussi des dames seules. Les Anglais s'étant obstinément refusés au système métrique, il faut commander une pinte (*pint*) ou un quart (*quarter*). La pinte est la ration normale et correspond à peu près au demi-litre (0,568 l) et se sert le plus souvent dans une chope en verre munie d'une anse. On tire la bière depuis la cave au moyen du levier basculant caractéristique.

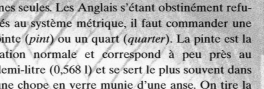

Les variétés anglaises de bière

Ale
La bière à fermentation haute appelée ale est l'un des types de bière les plus anciens et les plus connus en Angleterre. La meilleure bière de ce type est la « Real Ale ». On lui ajoute un peu de sucre après la fermentation, afin que cette bière puisse poursuivre un peu sa fermentation en fût et développer à fond son arôme particulier. L'orge dont elle a besoin ne pousse que dans le nord de l'Angleterre. Mais, derrière l'appellation générique « ale », se cache toute une famille aux membres très divers.

Barley Wine
Ce « vin d'orge » désigne une bière ale forte, destinée à être bue en hiver. Chacune des différentes bières porte le nom d'un évêque. Elles s'appellent par exemple Ridley's Bishops Ale ou The Bishop's Tipple. Les noms rappellent une époque où beaucoup de brasseries appartenaient au clergé.

Bitter
La bitter est la bière la plus bue en Angleterre et la plus connue. D'une couleur ambrée claire, elle a une forte teneur en houblon. Son goût est prononcé et elle a moins de gaz carbonique que la bière française ou allemande, mais davantage d'alcool.

Bombardier Ale
Lourde et d'une consistance crémeuse avec un goût prononcé de malt, cette bière d'origine galloise est prisée dans toute l'Angleterre.

Brown Ale
Cette célèbre ale brune provient de Newcastle. La « Newcastle Brown », bière sèche d'un beau brun rouge, est disponible partout en Angleterre.

Mild
Une bière ale qui a la goût de son nom : discret, du fait d'une faible teneur en houblon et en alcool. Bière très prisée dans les Midlands, où Burton-upon-Trent est considérée comme la capitale de la brasserie anglaise pour les bières Mild et Bitter. L'une des marques de Mild les plus connues est l'Indian Pale Ale, ainsi nommée parce que, à l'origine, destinée aux colonies. Très relevée et préparée au départ avec une forte teneur de houblon, elle devait pouvoir mieux supporter le transport. Si en Asie elle n'a pas été très bien accueillie, elle n'en a que des amateurs plus convaincus dans son pays.

Old Peculier
Une ale sombre forte, douce et d'un goût corsé qui est meilleure quand elle est soutirée de frais.

Yorkshire Stingo
Spécialité régionale du nord-ouest de l'Angleterre, particulièrement sèche et presque noire.

Porter
Un type de bière londonienne presque oublié, aujourd'hui brassé surtout en Irlande, qui connaît depuis quelques années un come-back comme variante du type stout. La porter a un goût sucré.

Stout
La stout est une bière brune maltée, la plus brune et la plus forte en bouche qui soit brassée en Grande-Bretagne. Elle compte parmi les plus alcoolisées. Au niveau du goût, on distingue entre Sweef et Dry Stout. Sweet Stout est un bon tranquillisant. L'une des stouts les plus célèbres est certainement la Guinness irlandaise.

Vin de pommes

Cidre

L'automne est en Angleterre la saison où l'on récolte une variété de pommes qui n'ont pas tellement de goût, mais se prêtent très bien à la fabrication de jus. Le cidre brut qui est le produit de sa fermentation peut avoir jusqu'à huit degrés d'alcool.

En règle générale, le cidre provient des grands vergers de l'Ouest. Après avoir été coupées en morceaux, les pommes sont pressées. Le jus et la pulpe sont ensuite dirigés vers des cuves de réserve, puis dans de grands fûts où les corps solides se déposent au fond. On laisse fermenter jusqu'à trois semaines. Afin d'assurer une certaine constance de la qualité, on coupe les différents résultats de fermentation avant de mettre le produit commercial dans des bouteilles qui ressemblent à des bouteilles de champagne. Dans un pub anglais, il y a toujours un fût de cidre en perce.

L'histoire du cidre remonterait au premier siècle de notre ère. Après la mort de Jésus, Joseph d'Arimathie, celui qui lui avait prêté son tombeau, serait venu en Angleterre. Il aurait fondé un cloître chrétien dont on visite aujourd'hui les ruines, près de Glastonbury, dans le Somerset. Dans la chanson du Roi Arthur, ce lieu porte un nom mythique: Avalon, qui signifie en fait «île des pommes». La légende prétend que Joseph était un jour en train de manger une pomme alors qu'il se trouvait sur une colline des environs de Glastonbury. Il aurait craché les pépins et là où ils sont tombés auraient poussé des pommiers.

En réalité, ce sont les Romains qui ont apporté la pomme en Grande-Bretagne, des variétés qui ont donné naissance à la plupart des pommes à cidre d'aujourd'hui. Elles ont pour nom French Longtail, White Swan ou Slack My Girdle. La particularité des pommes à cidre est leur «vie intérieure». Elles ont certes un jus sucré, mais une chair acidulée, ce qui est très important pour l'arôme un peu rêche du cidre et sa teneur correcte en acides.

Aujourd'hui encore, certains paysans fabriquent eux-mêmes leur cidre. Le gros de la production provient par contre de fabriques. Le cidre traditionnel s'appelle à l'Ouest *scrumpy*, une variété dont la richesse en alcool en a déjà trompé plus d'un.

Le cidre – du moût de pommes fermenté – est très populaire en Angleterre et on le tire à la pression dans presque chaque pub. On le boit dans de lourdes chopes de verre.

Merry Christmas

En Angleterre, c'est à la campagne que l'on a tout intérêt à passer Noël. Les traditions festives y sont encore entretenues et les spécialités culinaires de la plus grande des fêtes sont à l'occasion remises en honneur. Dans les siècles passés, une grosse tête de sanglier couronnée de lauriers était au centre de la table vraisemblablement une réminiscence de l'époque romaine. Le sanglier a dû abandonner sa place au *turkey*, à la dinde venue du Nouveau Monde. Et, pour être digne des fêtes, la dinde ne doit être ni rôtie ni bouillie mais braisée, conformément à ce vieil adage :

Turkey boiled is turkey spoiled
And turkey roast is turkey lost.
But for turkey braised
The Lord be praised.

Dinde bouillie, dinde avilie,
Et dinde rôtie, dinde partie.
Mais dinde braisée,
Le Seigneur soit prisé.

L'apogée de tout repas de Noël anglais, c'est le *plum pudding*, un lourd gâteau de fruits que l'on prépare avec des mois d'avance et que l'on porte jusqu'à la table avec le respect qui lui est dû, frémissant encore des flammes du cognac avec lequel il est flambé. Pour beaucoup d'Anglais, ce gâteau est à tel point lié à Noël qu'ils lui ont donné le nom de *Christmas Pudding*.

La recette a ses origines dans celle d'un porridge aux prunes qui ressemblait toutefois beaucoup plus à une soupe. On le préparait avec du bouillon de viande, auquel on ajoutait prunes et raisins secs, épices et vin, et que l'on épaississait ensuite avec de la chapelure. Au fil du temps, le *plum porridge* devint de plus en plus épais, la viande disparaissant presque totalement, à l'exception du blanc de bœuf. La consistance croissant, on a commencé à cuire le porridge dans un linge. Après l'avoir cuit plusieurs heures, on le laissait accroché quelque part pour qu'il s'affine quelques mois.

Le jour de Noël, on le sortait de son linge et on piquait à l'intérieur des talismans, une pièce de *sixpence* qui devait attirer les richesses, un fer à cheval porte-bonheur, un bouton pour un célibataire ou une vieille fille, parmi tant d'autres. Ensuite, on remettait le tout à cuire pour quelques heures. Aujourd'hui, pour l'ordinaire, on cuit le *Christmas Pudding* au bain-marie dans un moule et le blanc de bœuf, dernier vestige de la viande d'antan, est le plus souvent remplacé par du beurre ou de la margarine.

Quand aux *mince pies*, autres accompagnateurs de la Noël, on pense que ces pâtés, du genre des friands français, sont bien plus vieux que le *Christmas Pudding*. Ils étaient à l'origine rectangulaires, faits d'une pâte enrobant des petits morceaux de viande épicés et des fruits secs. Après que les Croisés soient revenus de la Terre Sainte, on a pris l'habitude de décorer ces pâtés d'un petit Christ et de les servir à Noël.

Olivier Cromwell et les puritains ont interdit non seulement toutes les festivités, comme la danse autour de l'arbre du 1er mai ou les feux de joie pour Halloween, mais aussi la Noël et les *mince pies*. Après que Charles II soit monté sur le trône, en 1660, la fête de Noël fut rétablie dans ses droits anciens et on retrouva les *mince pies*, sauf que c'était désormais de petits pâtés ronds fourrés de fruits secs, de peau de citron confite, de blanc de bœuf coupé en menus morceaux, d'épices, de sucre et de brandy.

On sert le *Christmas Pudding* et les *mince pies* avec du beurre au brandy ou de la *hard sauce*, une sauce au beurre crémeuse dont on affine le goût avec du jus de citron, du brandy ou du whisky. Parfois, reprenant une tradition du Moyen Age, on y mêle aussi des amandes émincées.

A l'arrière-plan : un repas de Noël en Angleterre n'a rien à voir avec le réveillon de Noël solennel et recueilli que l'on connaît en Europe continentale, comme le prouvent les cotillons.

Traditional Braised Turkey
Dinde braisée

1 dinde prête à passer au four (6 kg environ)
1 portion de farce
175 g de beurre
sel, poivre noir
250 g de lard maigre en tranches
2 cuil. à café de fécule
2 à 3 cuil. à soupe de fond de volaille
Feuille à four extra-large

Préchauffer le four à 220 °C. Introduire la farce dans la dinde. Placer en croix sur la tôle du four deux longueurs de feuille à four et y déposer la dinde. Frotter de beurre de tous côtés, saler et poivrer. Poser les tranches de lard sur la poitrine de la volaille.
Envelopper la dinde dans la feuille protectrice, bien fermer sans toutefois trop serrer contre la volaille. Faire cuire 40 minutes à l'étage inférieur du four. Ensuite, ramener la température à 170 °C et poursuivre la cuisson pendant trois heures un quart.
Ouvrir maintenant la feuille, enlever le lard, afin que la peau se colore et devienne croustillante. Faire monter la température à 200 °C et laisser encore au four pendant 45 minutes. Arroser plusieurs fois la dinde avec son jus. Vérifier le degré de cuisson avec une pointe de brochette. Mettre la dinde sur un plateau préchauffé et laisser reposer 30 à 60 minutes dans un endroit chaud, avant de découper la volaille.
Verser le jus de cuisson et la graisse dans un poêlon, enlever la graisse excédentaire. Faire mijoter à feu doux, incorporer le fond de volaille et la fécule, réduire jusqu'à ce que la sauce soit bien onctueuse.

Pork, Sage and Onion Stuffing
Farce à la sauge et aux oignons

4 cuil. à café bien pleines de miettes de pain blanc
1 cuil. à café bien pleine de sauge séchée
1 gros oignon haché menu
1 kg de chair à saucisse
sel, poivre noir
2 cuil. à café de moutarde, moyenne

Dans une bassine, mélanger les miettes de pain, la sauge et l'oignon, y ajouter un peu d'eau chaude et bien malaxer. Incorporer la chair à saucisse et bien assaisonner.

Chestnut and Apple Stuffing
Farce aux marrons et aux pommes

1 boîte de purée de marrons (450 g, sans sucre)
700 g de chair à saucisse
450 g de pommes à cuire, pelées, épépinées et coupées en petits dés
1 œuf entier battu
sel, poivre noir

Mélanger tous les ingrédients. Incorporer l'œuf en dernier, goûter et rectifier l'assaisonnement.

Christmas Pudding

Pour 8 à 10 personnes

100 g de blanc de bœuf
orange et citron confits, 50 g de chaque
100 g de cerises confites
100 g d'amandes
raisins de Smyrne et de Corinthe, 150 g de chaque
100 g de farine
150 g de chapelure
100 g de sucre roux
zeste râpé et jus d'un citron non traité
cannelle, clous de girofle et piment, 1 pincée de chaque
1/2 cuil. à café de sel
1 orange pressée
1 petite tasse de lait
3 œufs
3 cuil. à soupe de cognac

Hacher menu blanc de bœuf, citron, orange et cerises confits, ainsi que les amandes. Laver à chaud les raisins secs. Dans une bassine, mélanger les fruits et les amandes, puis incorporer le blanc de bœuf, la farine, la chapelure, le sucre, le zeste de citron, les épices et le sel et bien malaxer le tout. Incorporer le jus de citron et le lait, puis battre les œufs avec le cognac et ajouter au reste dans la bassine, en remuant. Pour le bain-marie, porter une grande marmite d'eau à ébullition. Graisser un moule à charlotte et le garnir de la masse en lissant au moins 5 cm jusqu'au bord supérieur. Envelopper le moule avec une feuille à pâtisserie graissée puis une feuille d'aluminium et fixer les feuilles tout autour avec une ficelle à rôti. Mettre le moule dans le bain-marie de telle sorte qu'il y plonge toujours pour les deux-tiers dans l'eau bouillante. Poser le couvercle sur la marmite et laisser cuire à la vapeur pendant quatre heures. Ensuite, laisser refroidir et renverser. Envelopper le gâteau dans un linge imbibé de brandy et dans une feuille d'aluminium et garder au réfrigérateur au moins quatre semaines. Avant de servir, remettre le *Christmas Pudding* dans le moule et le passer encore trois heures au bain-marie. Servir avec un beurre au brandy.

Honor Moore

L'ÉCOSSE

Un adage écossais affirme *S mairg a ni tarcuis air biadh*, que Rabelais aurait traduit par « Fol est celui qui la table desdaigne ». Les habitants de ce pays peu fertile constituant le nord de la Grande-Bretagne ont appris à tirer au mieux parti de ce que leur offre une nature parcimonieuse. Peuple de montagnards et de paysans obstinés, les Ecossais entretiennent leurs traditions. Se serrer les coudes est ici un point d'honneur et les *clans*, une forme typique de la grande famille, se transmettent les recettes de génération en génération. Les éleveurs écossais sont devenus célèbres avec la race bovine Angus d'Aberdeen, dont les connaisseurs du monde entier s'accordent à dire qu'elle fournit la meilleure des viandes. C'est par contre au voisin anglais que revient la gloire d'en avoir fait un plat national, sous le nom roastbeef. Plus modestes et se contentant d'un animal de moindre taille, les Ecossais honorent comme plat national les *haggis* légendaires, une panse de brebis farcie avec la fressure de l'animal. Les distillateurs écossais ont pour eux l'immense mérite d'avoir créé, puis amélioré sans cesse le whisky, au point qu'il suffit d'évoquer cette boisson pour l'associer avec l'Ecosse. Les connaisseurs apprécient particulièrement le *Single Malt Whisky*, dont il existe une incroyable foule de versions aromatiques différentes, sans parler des nombreux cocktails de whisky.

Un peu partout dans le pays, les huttes couvertes de tourbe rappellent le *crofting*, forme d'exploitation agricole dominante sur ces terres pauvres. Les *crofter*, petits agriculteurs au statut de métayer, cultivaient surtout de l'avoine, de l'orge et quelques légumes-racines, tout en élevant un peu de bétail : des vaches, des chèvres et des brebis. La nourriture était simple, mais faite de plats consistants d'un goût agréable. Au menu s'inscrivaient le *porridge* et les petits gâteaux d'avoine, de la viande de mouton et du poisson salés, de temps à autre du saumon et des crevettes. De nombreux plats traditionnels, dont certains ont conquis de fidèles amateurs en dehors des *Highlands* reposent sur l'art culinaire des paysannes écossaises. L'art de faire à partir de l'avoine le délicieux *porridge* doit être porté au crédit de leur talent inventif, tout comme la grande tradition pâtissière du pays ou l'immense savoir-faire dans la préparation de fromages.

John Milroy, propriétaire d'un magasin de whisky offrant toutes les marques.

Le whisky

Histoire

Ecossais et Irlandais, frères par leurs origines celtes, ne cessent de se disputer pour savoir auquel de ces deux peuples revient l'antériorité dans l'invention du whisky. Nombreux sont les arguments qui plaident pour l'Irlande : vers l'an 430, sans doute en 432, Saint Patrick est venu en Irlande comme missionnaire. Il y a construit des cloîtres qui devinrent vite, dans le monde de l'époque, des pôles du spirituel et des centres d'activités temporelles sous formes diverses : écoles, hôpitaux, nœuds d'échanges commerciaux et aussi des pharmacies. Dans les pharmacies, on utilisait alors un appareil bizarre, la cornue de distillation. C'est ainsi que l'on distillait la *uisge beatha*, plus simplement l'eau-de-vie, considérée alors comme un médicament. Il ne fallut pas attendre longtemps pour que l'eau-de-vie devienne monnaie courante en Ecosse, où l'on disposait également de tous les ingrédients nécessaires à l'élaboration du médicament : l'orge comme élément de base, de l'eau claire pour la trempe du grain, et un climat froid permettant au whisky de mûrir comme il faut. Mais c'est en 1494 seulement que l'on retrouve la notion de whisky dans un document, des rôles fiscaux écossais. Un peu plus tard, en 1505, c'est la guilde des chirurgiens, à Edimbourg, qui se voit concéder le monopole exclusif de la distillation du whisky, conformément à l'affectation essentiellement thérapeutique du produit. Mais, entre-temps, l'art de la distillation avait largement pénétré les vallées des hauts-plateaux écossais où les gens se souciaient fort peu des autorités. En dépit de la forte pression fiscale

Variétés de whisky écossais

Single Malt Whisky

Les « malts », un peu comme les vins AOC, proviennent de zones parfaitement délimitées dans les « Lowlands », les « Highlands » ou les îles écossaises. Les différents types se distinguent par la couleur (du jaune pâle au brun foncé) tout comme par l'arôme, frais pour les uns, corsé pour les autres, avec un fumé prononcé. Les meilleurs vieillissent de huit à douze ans. Le groupe « United Destillers », regroupant une cinquantaine de distilleries, distribue ses six meilleurs produits sous l'appellation générique de « Classic Malts », offrant un bel aperçu de la pluralité des saveurs et des arômes.

Grain Whisky

Le « Grain Whisky » est obtenu à partir d'un mélange de céréales non maltées et d'orge maltée. On ne fait pas de séchage au-dessus d'une tourbe qui se carbonise ; la distillation ne fait pas appel aux cornues de cuivre et se réalise en continu dans des colonnes pour distillation fractionnée. Les distillats ont un degré d'alcool plus fort et le vieillissement est plus court. On ne trouve guère aujourd'hui le « grain whisky » dans le commerce et il est utilisé principalement dans les blends.

Blended Whisky

Le blend est un mélange de malts et de « grains » d'origines et de millésimes divers. Les blends ont un goût caractéristique et immuable pour chacune des marques. Un blend se compose généralement d'une quarantaine de whiskies différents, la proportion de malt pouvant aller de 5 à 70 %. Les « Luxe Blends » sont les meilleurs produits des fabricants de blend. Ils ont une proportion plus importante de vieux whiskies et de malt (au moins 35 %). Ils ont donc un goût plus doux et plus rond que les produits standard.

Malts présénte chez Milryo à Londres.

vite mise en place, la fin du 17ᵉ siècle enregistrait en Ecosse beaucoup de distilleries officielles, à côté d'une foule de bouilleurs de cru parfaitement illégaux. En 1777, sur les 408 distillateurs dénombrés dans la seule ville d'Edimbourg, on ne comptait que huit concessions légales. C'est après l'adoption d'une nouvelle législation fiscale, en 1823, que se sont établies les grandes maisons. De ce temps date aussi la montée en flèche du « Scotch Whisky », favorisée certes par la furieuse attaque de phylloxera qui a dévasté à la même époque le vignoble français. Le vin français devenu rare, les produits de sa distillation se faisaient rares également, et les amateurs d'alcool ont cherché des solutions de remplacement. A l'époque déjà, les discussions allaient bon train pour savoir lequel des deux était le meilleur : du « Single Malt » Whisky ou du « Blended Whisky ». La différence est profonde : le Single Malt est fabriqué à partir d'orge germée et séchée à la fumée de tourbe. Le Single Malt est pur en ce sens qu'il est le résultat du mélange de plusieurs millésimes d'une seule et même distillerie. La distillation doit se faire dans une cornue de cuivre, méthode dispendieuse qui exige beaucoup de soin. Pour sa part, le Blended Whisky de fabrication industrielle est un mélange de divers whiskies de malt et de « Grain Whisky », obtenu pour l'essentiel à partir de céréales non maltées (seigle, maïs, avoine, orge) et d'orge maltée. Comme les composants d'un whisky de mélange sont par définition variés, tout l'art du maître de chais consiste à recomposer pour chaque lot l'arôme typique d'un whisky déterminé

Procédé de fabrication

L'orge doit être d'abord nettoyée, puis trempée dans l'eau pendant deux jours environ. Après égouttage, on la dépose en couche de 30 cm d'épaisseur environ dans un germoir. La germination dure entre sept et dix jours. Trois fois par jour, il faut retourner l'orge pour éviter l'échauffement exagéré et la formation de moisissures.

Dès que l'amidon s'est transformé en sucre, il faut sécher l'orge : c'est le maltage. Epandue sur un filet à mailles fines, l'orge est mise à sécher au-dessus d'un lit de tourbe qui se consume lentement.

Après maltage, l'orge est refroidie, puis concassée pour obtenir une mouture à grains grossiers appelée *grist.* On lui ajoute l'eau de la distillerie, portée auparavant à 60 °C. Au cours de cette opération, on dissout les particules contenant du sucre. La bouillie ainsi obtenue, appelée *mash,* est introduite dans de grands foudres pouvant contenir de 9 000 à 36 000 litres. Là, on sépare le liquide sucré du reste, pour obtenir le *wort,* ou moût. Ce liquide est ensuite pompé dans des cuves de réfrigération où on ramène sa température à 22 °C.

La fermentation, qui va transformer le sucre en alcool et en gaz carbonique, s'effectue dans des *washbacks,* espèces de larges cuves en bois ou en acier inoxydable. Pour lancer la fermentation, on ajoute un peu de levure au moût. La réaction dure deux

Dans la fabrication du whisky, on concasse d'abord l'orge maltée, livrée directement en sacs.

A partir de l'orge maltée, on obtient après plusieurs opérations le moût, base de la fermentation.

Au terme de chacune des fractions de distillation, on mesure le degré d'alcool.

D'abord clair, l'alcool distillé prend sa couleur dorée au cours du vieillissement en fût.

jours environ, pendant lesquels il faut brasser constamment le moût bouillonnant.

La distillation s'effectue dans des cornues de cuivre, les *pot stills.* L'alcool est obtenu en deux phases. D'abord, on dirige le moût fermenté dans une première cornue, de grandes dimensions, que l'on chauffe lentement par le bas. Dès que le point d'évaporation est atteint, les vapeurs d'alcool montent dans le chapiteau de la cornue et s'y déposent par condensation. On obtient ainsi un alcool brut qui doit subir une repasse, une deuxième distillation, pour donner l'alcool fin. En fait, cette repasse s'opère sur trois fractions de distillation : tête, cœur et queue. C'est avec une grande précision que le maître-distillateur récupère le produit de cœur, la meilleure fraction, en excluant les produits indésirables qui passent en tête (les premiers) ou en queue de distillation (les derniers). Ce cœur contient environ 75 % d'alcool et doit vieillir quelques années dans des fûts de bois, charbonnés à l'intérieur, ce qui donne au whisky la belle couleur qu'il aura plus tard.

En général, un « malt » porte sur l'étiquette l'indication de l'âge, le plus souvent dix ou douze ans, mais il en existe également qui ont 15 ou 21 ans.

C'est au moment de la mise en bouteilles que se décide le sort du whisky – « single malt » ou « blend ». Les malts demeurent non coupés et se distinguent les uns les autres par une foule de nuances aromatiques. Le blend est en fait un mélange de plusieurs alcools. Pour reprendre un terme de vinification, c'est une « cuvée ». Généralement, le whisky mixé reste encore un an en fût avant d'être embouteillé. Lorsque l'étiquette porte une indication d'âge, elle concerne le plus jeune des alcools du mélange.

La teneur en alcool de tous les whiskies, blend ou malt, est ramenée par addition d'eau à une valeur correspondant au standard international de 43°. Quand il se verse un whisky, le connaisseur y ajoute de l'eau claire froide, pour ramener la teneur à 33° environ. Les arômes subtils ainsi libérés, la dégustation est alors parfaite. En fait, c'est aussi la méthode du maître de chai lorsqu'il sélectionne les alcools qui entrent dans ses compositions.

Beaucoup d'Ecossais – surtout quand il s'agit de malt – boivent leur whisky sans le couper, à la température de la pièce, mais ils ont un verre d'eau à côté. Après chaque gorgée de whisky, ils prennent un peu d'eau et font le mélange en bouche. Le verre à whisky classique est le « tumbler », un verre cylindrique trapu dans lequel on verse deux doigts de whisky, dilué avec un peu d'eau claire, évidemment venue autant que possible des hautplateaux écossais. Celui qui boit son whisky pur peut très bien utiliser un verre tulipe ou un verre dit à cognac, celui-là même que l'on appelle aussi « menteur » en Charente, le pays du cognac.

Boissons à base de scotch

Scotch Sour

40 ml de scotch
glace
jus d'un 1/2 citron
1 cuil. à café de sucre
soda

Mettre un peu de glace dans un shaker, ajouter le whisky, le jus de citron et le sucre ; mixer, filtrer dans un tumbler et remplir de soda.

Club 21

15 ml de scotch
15 ml de grenadine
champagne
tranche d'orange en garniture

Mélanger le whisky et la grenadine, remplir de champagne et garnir avec une rondelle d'orange.

Thistle

1/3 de vermouth doux
2/3 de scotch
1 cerise Maraschino

Mélanger le vermouth et le whisky dans un verre à cocktail. Ajouter une cerise sur une pique.

Des drinks plus exotiques

Des recettes ménagères que l'on utilisait surtout dans les périodes froides pour des raisons de santé et le solide gosier des hommes dans les régiments de « Highlanders » sont à l'origine de ces recettes.

Uld Man's Milk
Le lait de l'homme âgé

6 œufs
sucre à volonté
1/2 l de lait
1/2 l de crème
1/4 l de scotch
noix de muscade râpée

Séparer le blanc et le jaune d'œuf. Ajouter au jaune du sucre, le lait et la crème, mélanger, puis ajouter le whisky. Ajouter prudemment le blanc battu en neige, puis épicer la boisson avec un peu de muscade. Un lait fort prisé pour entamer la journée et se mettre en forme.

White Caudle

2 cuil. à soupe de flocons d'avoine
1 cuil. à soupe de sucre
2 l de scotch
noix de muscade râpée

Mélanger les flocons d'avoine à 1/4 l d'eau et laisser gonfler 2 heures. Passer la masse au tamis et faire bouillir le liquide obtenu. Ajouter le sucre et attendre jusqu'à ce qu'il soit bien dissous, puis ajouter le whisky et plus ou moins de muscade râpée suivant les goûts.

Highland Cordial

250 g de groseilles blanches
écorce d'un citron non traité
1 cuil. à café de jus de gingembre fraîchement pressé
1 bouteille de whisky
400 g de sucre

Egrener les groseilles et laisser tremper 48 h dans du whisky avec l'écorce de citron et le jus de gingembre. Passer au tamis, puis ajouter le sucre. Laisser reposer jusqu'à dissolution totale du sucre (24 h environ). Mettre en bouteille et boucher. La liqueur peut être bue après trois mois de repos et se conserve alors encore plusieurs semaines.

Toddy
(Illustration page de droite)

3 cuil. à café de sucre
200 ml de scotch
clous de girofle

Préchauffer un « tumbler » à l'eau chaude. Verser le sucre dans le verre et ajouter 250 ml d'eau bouillante. Lorsque le sucre est dissous, ajouter le whisky et bien remuer. Pour aromatiser le tout, ajouter quelques clous de girofle. Quand on le boit bien chaud, le toddy est excellent contre les refroidissements et leurs suites.

Het Pint

2 bouteilles de bière
noix de muscade râpée
1 cuil. à soupe de sucre
1 œuf battu
200 ml de whisky

Epicer la bière avec de la noix muscade, suivant les goûts, puis faire chauffer dans une cocotte (ne pas arriver à ébullition). Dissoudre le sucre dans la bière chaude, puis introduire lentement l'œuf battu. Ajouter le whisky et verser la boisson dans des chopes à bière préchauffées. En Ecosse, le « Het Pint » se boit volontiers la nuit de la Saint-Sylvestre.

Rob Roy

$^2/_3$ de scotch
$^1/_3$ de vermouth doux
1 pointe d'angustura
1 zeste de citron non traité

Mélanger dans un verre le whisky et le vermouth, relever avec un peu d'angustura ; ajouter un zeste de citron.

Whisky Collins

30 ml de scotch
1 cuil. à café de sucre
jus de citron
soda

Bien mélanger de whisky, le sucre et le jus de citron. Verser dans un verre et remplir de soda.

Scotch Flip

5 ml de scotch
15 ml de madère
1 jaune d'œuf
1 cuil. à café de sirop de sucre de canne

Bien mixer les ingrédients dans un shaker et filtrer dans un verre à cocktail.

Toddy

Le Haggis

Le haggis est considéré comme le plat national écossais. A leurs hôtes étrangers, les Ecossais racontent volontiers qu'il s'agissait à l'origine d'un animal légendaire qui vivait dans les forêts et qui était extrêmement difficile à chasser, car il n'arrêtait pas de jouer des tours pendables aux chasseurs. En réalité, ce n'est rien d'autre qu'une panse de brebis farcie.

Dans tout le pays, le haggis est vendu en boucherie toute l'année. Toutefois, l'époque principale se situe à l'occasion de deux jours de fête : le *hoghmanay*, c'est-à-dire la Saint-Sylvestre, ou le *Burns' Night*, le 25 janvier, la célèbre nuit qui célèbre Robert Burns – à côté de Walter Scott, l'un des plus grands poètes écossais. Le 25 janvier est son anniversaire et son « Ode au Haggis » (voir à la colonne de droite) est partie intégrante d'une grande cérémonie festive. Accompagné de joueurs de cornemuse, le porteur du haggis, suivi du porteur de whisky, entre solennellement dans la salle à manger pour présenter aux invités le haggis sur un grand plat en argent. A l'aide de ce long couteau que les Ecossais portent généralement glissé dans l'une de leurs chaussettes, le maître de céans tranche le haggis et déclame, pour le célébrer, l'ode de Robert Burns. Après quoi, le haggis retourne en cuisine, toujours accompagné à la cornemuse, où on le dresse dans des assiettes, garni de beurre et de *clapshot*, une purée de rutabaga et de pomme de terre. Le tout s'accompagne à table de whisky, bu dans de petits verres.

Haggis

1 panse de brebis
fressure de mouton (foie, cœur, poumons)
250 g de rognons de mouton
sel, poivre noir
3 oignons
500 g de farine d'avoine, grosse mouture

Laver soigneusement la panse de brebis, la retourner comme un gant et gratter proprement l'intérieur. Laisser ensuite tremper toute une nuit dans de l'eau salée. Laver la fressure et le gras, plonger dans de l'eau bouillante salée et laisser cuire à petit feu pendant deux heures. Retirer de l'eau, enlever les cartilages et la trachée-artère, puis hacher le tout menu au couteau ou bien passer au hachoir ménager.
Eplucher les oignons, les faire blanchir dans de l'eau bouillante et les passer aussi au hachoir. Réserver l'eau de cuisson. Dans une poêle, griller lentement la farine d'avoine jusqu'à ce qu'elle soit bien croustillante. La mélanger avec les autres ingrédients, ajouter un peu de l'eau de cuisson des oignons et pétrir le tout en masse consistante, mais souple. Introduire cette farce dans la panse de brebis pour la remplir aux deux-tiers environ. Bien évacuer l'air et, le cas échéant, ficeler au milieu. Piquer plusieurs fois à l'aiguille pour que la panse n'éclate pas à la cuisson. Faire cuire doucement pendant 3 à 4 heures dans une marmite d'eau bouillante, couvercle fermé. Réserver ensuite au chaud et retirer les ficelles. Servir en tranches bien garnies de beurre et de *clapshot*, une purée de rutabaga et de pomme de terre.

Les bouchers préparent du haggis toute l'année, mais ils ont un vrai coup de feu pour la Saint-Sylvestre et la Nuit de Burns, le 25 janvier.

Principaux ingrédients du haggis : foie, cœur, poumons et suif de brebis. On en fait un hachis fin, au couteau ou au hachoir mécanique.

Enrichie d'oignons hachés et d'épices et liée avec de la semoule d'avoine grillée, la farce est introduite dans une panse de brebis.

Le haggis est un spécialité délicate très prisée des Ecossais. On le sert chaud, en tranches avec beaucoup de beurre et du *clapshot*, purée de rutabaga et de pomme de terre.

To a Haggis

Fair fa' your honest, sonsie face,
Great Chieftan o' the Puddin'-race!
Aboon them a'ye tak your place,
      Painch, tripe, or thairm:
Weel are ye wordy of a *grace*
      As lang's my arm.

The groaning trencher there ye' fill,
Your hurdies like a distant hill
Your *pin* wad help to mend a mill
      In time o' need,
While thro' your pores the dews distil
      Like amber bead.

His knife see Rustic-labour dight,
An' cut you up wi' ready slight,
Trenching your gushing entrails bright
      Like onie ditch;
And then, O what a glorious sight,
      Warm-reekin, rich!

Then, horn for horn they stretch an' strive
Deil tak the hindmost, on the drive,
Till a'their weel-swall'd kytes belyve
      Are bent like drums;
Then auld Guidman, maist like to rive,
      Bethankit hums.

Is there that owre his French *ragout*,
Or *olio* that wad staw a sow,
Or *fricassee* wad mak her spew
      Wi' perfect sconner,
Looks down wi' sneering, scornfu' view
      On sic a dinner?

Poor devil! see him owre his trash,
As feckless as a wither'd rash,
His spindle shank a guid whip-lash,
      His nieve a nit;
Thro' bluidy flood or field to dash,
      O how unfit!

But mark the Rustic, *haggis-fed*,
The trembling earth resounds his tread,
Clap in his walie nieve a blade,
      He'll mak it whissle;
An' legs, an' arms, an' heads will sned
      Like traps o'thrissle.

Ye Pow'rs wha mak mankind your care,
And dish them out their bill o'fare,
Auld Scotland wants nae skinking ware
      That jaups in luggies;
But, if ye wish her gratefu' pray'r,
      Gie her a *Haggis!*

Robert Burns (1759–1796)

Page de droite : les ingrédients du haggis – la fressure de brebis, de la semoule d'avoine et des oignons. Certaines recettes (comme sur cette image) ajoutent un peu de ventre et un morceau de haut-de-côtelettes.

Spécialités écossaises

Hotch Potch –
Soupe de légumes à l'agneau.

Howtowdie –
Poulet farci.

Lady Tillypronie's Scotch Broth
Soupe de légumes à l'agneau

Pour 4 personnes

750g de poitrine d'agneau
4 oignons épluchés, en tranches
3 navets blancs épluchés, en tranches
2 carottes en rondelles
8 grains de poivre
2 petits poireaux, coupés en rondelles
1 tige de céleri en branche, coupée en dés
3 cuil. à soupe de semoule

Mettre dans un faitout la viande d'agneau, deux-tiers des légumes (oignons, carottes, navets) et les grains de poivre. Mouiller d'un bon litre d'eau, saler, porter à ébullition et laisser cuire ensuite à feu doux 3 à 4 heures, faitout fermé.
Laisser refroidir et dégraisser. Réserver le bouillon. Désosser la viande et la couper en dés, jeter la graisse et les légumes. Rincer le faitout. Y remettre le bouillon, le reste de légumes et la semoule. Cuire à petit feu, couvercle fermé, pendant 45 minutes. Ajouter alors la viande d'agneau et la réchauffer 5 minutes dans la soupe.
(Cette recette a été consignée vers 1880 par Lady Clark of Tillypronie. A partir de 1841 – sa famille hébergeant régulièrement des exilés français qui fuyaient la révolution – elle a collectionné des milliers de recettes. En 1851, elle épouse un diplomate et découvre dans ses voyages la cuisine de nombreux pays européens.)

Ham and Haddock
Jambon et morue

1 grosse morue fumée
2 cuil. à soupe de beurre
2 belles tranches de jambon d'York
poivre noir

Faire cuire le poisson juste recouvert d'eau pendant 5 minutes comptées après départ de l'ébullition, tourner une fois entre-temps. Sortir de l'eau, enlever la peau et les arêtes. Faire fondre le beurre dans la poêle et y faire dorer le jambon des deux côtés. Disposer ensuite le poisson sur le jambon, poivrer, couvrir et maintenir à feu doux encore 5 minutes.

Fish Tobermory
Filets de poisson sur lit d'épinards
(illustration ci-contre, à droite)

500 g d'épinards blanchis
2 cuil. à soupe de beurre
sel, poivre noir
noix de muscade râpée
500 g de filets de poisson
350 ml de lait
350 ml de fond de poisson

Sauce

3 cuil. à soupe de beurre
3 cuil. à soupe de farine
100 g de fromage râpé
flocons de beurre

Porter le four à 200 °C. Exprimer les épinards dans un linge, puis les hacher. Dans une sauteuse, mettre le beurre, saler, ajouter poivre et noix de muscade, puis faire lentement revenir les épinards jusqu'à ce qu'ils soient bien secs.
Placer le poisson dans un moule à soufflé peu profond, ajouter lait et fond de poisson juste à niveau, couvrir le moule d'une feuille d'aluminium graissée. Cuire au four 15 minutes, puis retirer le poisson du moule. Passer le bouillon et le réserver.
Nettoyer le moule et le graisser, y placer les épinards, puis répartir le poisson sur le lit d'épinards. Mettre au chaud dans le four, moule couvert.
Avec la farine et un peu de beurre, préparer un fond de sauce blanche, mouiller avec le bouillon réservé et laisser bouillir 5 minutes. Introduire la moitié du fromage et l'incorporer en remuant à la spatule. Verser la sauce sur le poisson, répartir en surface le reste de fromage et quelques flocons de beurre. Placer sous le gril du four, jusqu'à ce que le fromage ait fondu.

Hotch Potch
Soupe de légumes à l'agneau
(illustration de gauche)

1 kg de haut-de-côtelettes d'agneau
10 grains de poivre blanc
3 grains de piment
2 feuilles de laurier
1 tige de céleri en branches
4 carottes
4 rutabagas
6 oignons nouveaux
1 chou-fleur
1 cuil. à soupe de persil haché
1 cuil. à soupe de fines rondelles de ciboulette

Mettre à cuire la viande d'agneau dans 3 l d'eau froide salée avec les épices, marmite couverte, jusqu'à ce que la viande se détache bien des os. Retirer, désosser et couper la viande en petits morceaux. Réserver.
Passer le bouillon. Nettoyer les légumes, les couper en dés et les faire cuire dans le bouillon. Avant de servir, réchauffer la viande dans la soupe. Servir en décorant avec un peu de persil et de ciboulette hachés.

Fish Tobermory –
Filets de poisson
sur lit d'épinards.

Howtowdie
Poulet farci
(illustration au centre)

Farce
2 tasses de chapelure ou de pain rassis râpé
lait
1 oignon haché
2 cuil. à café de persil
sel, poivre noir

1 beau poulet (1,5 – 2 kg)
2 cuil. à soupe de beurre
6 oignons coupés en rondelles
350 ml de bouillon de poule
2 clous de girofle
6 grains de poivre noir
1 pincée de muscade râpée
1 kg d'épinards bien rincés
foie du poulet
2 cuil. à soupe de crème
sel, poivre noir

Porter le four à 200 ºC. Pour la farce, ramollir la chapelure dans un peu de lait, puis mélanger avec les autres ingrédients et affiner le goût.
Bourrer le poulet avec la farce, refermer d'abord avec une brochette, puis recoudre au fil de cuisine. Faire fondre une cuillerée de beurre dans une cocotte et y faire dorer les oignons. Introduire le poulet dans la cocotte et le faire cuire au four pendant 20 minutes jusqu'à ce qu'il soit bien brun (retourner plusieurs fois). Ajouter ensuite le bouillon et les épices, couvrir et poursuivre la cuisson à 200 ºC pendant 40 minutes environ.
Faire cuire les épinards et les conserver au chaud. Passer le bouillon au chinois. Hacher le foie de poulet, l'ajouter au bouillon et laisser bouillir pendant 5 minutes sur le feu, après quoi bien écraser le foie. Ajouter la crème et le reste de beurre pour faire une sauce et remettre sur le feu sans porter à ébullition. Saler et poivrer à la demande. Disposer le poulet sur un plat chaud, garnir d'épinards tout autour et napper de sauce.

Poacher's Pot
Potée de braconnier

Pour 12 personnes

1 lapereau (1 kg env.), découpé en morceaux
2 pigeons partagés en deux
2 faisans, coupés en morceaux
50 g de farine
2 gros oignons hachés
2 navets blancs coupés en dés
3 grosses carottes en rondelles
1 kg de jambon fumé (une seule pièce)
sauge, thym et persil, 4 branchettes de chaque
1 cuil. à café de sel, 1 cuil. à café de poivre noir
1 gros chou cabus, coupé en quatre
300 ml de vin rouge

Saupoudrez de farine les morceaux de lapin et de gibier. Mettre les oignons, les navets et les carottes dans une grande sauteuse, puis y déposer alternativement les différentes viandes et en dernier lieu le jambon. Ajouter les fines herbes, le sel et le poivre et couvrir le tout d'eau. Faire partir jusqu'à ébullition et continuer à feu doux pendant 2 h ½. Retourner de temps en temps. Après 2 h de cuisson, ajouter le vin et le chou et affiner le goût.
Lorsque tout est bien cuit, retirer le jambon, le débiter en belles tranches que l'on coupe en deux avant de les remettre dans la sauteuse. Servir cette potée avec du pain de campagne frais, si possible fait maison, avec lequel on pourra déguster le jus des viandes.

Cock-a-Leekie
Poule au pot aux poireaux

1 poule (1,5 kg env.)
sel, poivre noir
2 petits oignons hachés menu
5 poireaux, coupés en rondelles
1 cuil. à soupe de persil haché

Rincer la poule et la faire partir jusqu'à ébullition dans 2 l et demi d'eau froide environ. Ecumer, puis saler le bouillon. Cuire à petit feu pendant 2 heures, marmite à demi couverte, jusqu'à ce que la viande se détache bien des os.
Sortir la poule et la laisser refroidir. Récupérer la graisse du bouillon, puis passer celui-ci au chinois. Dans le gras, faire glacer prudemment les oignons, puis ajouter les poireaux en rondelles et laisser ressuer pendant 5 minutes. Enlever la peau de la poule et couper la viande en petits morceaux. Remettre ensuite la viande et le mélange oignons/poireaux dans la marmite avec le bouillon et mitonner encore quelques minutes. Saler et poivrer à la demande. Servir garni de persil.

Avoine à tout vent

Dans la froidure des hauts-plateaux écossais, l'avoine est la seule céréale qui vienne bien parce que pas exigeante. Préparé avec une farine d'avoine de mouture grossière, de l'eau et du sel, le *porridge* se mange au petit déjeuner. Les bergers écossais avaient l'habitude de préparer d'un coup tout le porridge consommé en une semaine et de placer cette réserve dans un tiroir spécial, le *porridge drawer*, où la bouillie durcissait. On en découpait alors des tranches, des *caulders* que l'on passait à la poêle ou au gril, ce qui donnait un solide casse-croûte remplissant bien l'estomac quand on suivait les bêtes toute la journée sur les pâturages. Avec le temps, la préparation du porridge s'est ritualisée : par exemple, le porridge doit toujours être travaillé de la main droite et tourné dans le sens des aiguilles d'une montre. On utilise pour cela le *spurtle*, un bâton taillé en pointe. Il faut parler au porridge en utilisant le « vous », c'est-à-dire le *they* en anglais. D'ailleurs, quiconque respecte les coutumes ne le mange que debout – selon une coutume du Moyen Age, époque où les Highlanders avaient peu de scrupules à se plonger réciproquement un poignard dans le dos. Le porridge était traditionnellement dégusté dans une écuelle de bouleau avec une grosse cuiller de corne et accompagné de lait froid ou de crème et d'un peu de sucre, parfois aussi, tout simplement, d'un peu de sel.

Spécialités pâtissières

On prétend volontiers que la ménagère écossaise naît avec un rouleau de pâtisserie sous le bras, car il semble que sa passion pour la pâtisserie soit sans bornes. La farine d'avoine permet de faire un pain et des gâteaux excellents. Les *oatcakes* sont de petits gâteaux bien croquants aussi caractéristiques du savoir-faire culinaire écossais que le sont les *scones*, comparables à des petits pains au beurre et qui ne sauraient manquer à l'accompagnement du thé vespéral.

Tout comme le solide *shortbread* au goût inoubliable, qu'il doit à l'emploi généreux du beurre et du sucre. Et pour que le petit déjeuner soit parfait, il ne faut pas oublier d'y joindre les *bannocks*, de petits pains plats aux raisins de Corinthe. Aujourd'hui, par contre, on a tendance à remplacer de plus en plus la farine d'avoine par de la farine de blé, plus fine et plus claire.

1

2

3

4

Porridge
Bouillie d'avoine

125 g de farine d'avoine moyenne mouture ou 200 g de flocons d'avoine
sel
beurre
sucre roux
lait ou crème

Faire bouillir environ 1 1/4 l d'eau et y verser progressivement la farine ou les flocons d'avoine sans cesser de remuer (la quantité est fonction de la consistance souhaitée). Saler à la demande. Baisser la flamme et poursuivre la cuisson à feu doux pendant une trentaine de minutes jusqu'à ce que la masse se soit épaissie. Donner un dernier coup de feu, puis retirer du feu et remuer avec force. Servir dans des coupelles ou des assiettes creuses, placer une noisette de beurre sur la bouillie et saupoudrer de sucre à la demande. Dans une coupelle séparée, servir du lait froid ou de la crème.

Ci-dessus : le **shortbread** est un gâteau très consistant, fait de sucre, de beurre et de farine, une règle approximative disant que les proportions respectives sont 2/4/6. Le terme *short* caractérise pratiquement tout ce qui est croustillant et un peu granuleux, alors que *bread* ne signifie plus ici pain, mais gâteau. Cela peut paraître passer à côté de la logique, mais provient en fait d'une habitude linguistique vieille de quelques siècles. A l'époque, un morceau de pain découpé dans une miche était appelé *cake of bread*, mot à mot un « gâteau de pain ». Les Ecossais ont maintenu la tradition, ce qui explique qu'ils aient choisi d'appeler cette préparation *shortbread* et non *shortcake*, comme on aurait pu s'y attendre.

Shortbread
Galette au beurre

***Pour une galette
de 18 cm de diamètre***

50 g de sucre
125 g de beurre
175 g de farine
sel
sucre en semoule

Porter le four à 120 °C. Malaxer beurre et sucre, puis ajouter la farine et le sel et pétrir jusqu'à obtenir une pâte pas trop ferme (1). Etaler cette pâte au rouleau sur 2 à 3 cm d'épaisseur (2) et introduire dans un moule à fond amovible bien graissé de 18 cm de diamètre (3). Piquer plusieurs fois à la fourchette et repérer prudemment les morceaux. Mettre au four pour 40 minutes, jusqu'à ce que le gâteau soit bien doré (4). Après refroidissement, saupoudrer de sucre.

Oatcakes
Biscuits d'avoine

100 g de farine d'avoine, mouture moyenne
1 pincée de sel
2 cuil.à café de graisse de lardons
2 à 3 cuil. à soupe d'eau chaude

Mélanger la farine et le sel dans une terrine, y déposer la graisse. Mélanger les ingrédients et ajouter autant d'eau qu'il faut pour faire une pâte consistante. Sur une table de travail bien farinée, pétrir la pâte à fond (1), puis l'étendre sur l'épaisseur d'un doigt. Ensuite, découper des ronds (2), puis les diviser en 4, 6 ou 8 segments (3) et saupoudrer de farine d'avoine. Faire cuire ces gâteaux sur une plaque chaude ou dans une lourde poêle – sans les retourner – jusqu'à ce qu'ils se mettent en cloche. Manger froid ou chaud avec du beurre non salé ou du *crowde*, une espèce de fromage maigre écossais, ou tout autre fromage frais.

1

2

A gauche : traditionnellement, le **porridge** se mange à partir d'une grande assiette creuse en prenant avec une forte cuiller une « bouchée » de bouillie (1), puis en prenant dans une seconde coupelle, avec la même cuiller, un peu de lait froid ou de crème (2).

A droite : les ingrédients classiques des **oatcakes** sont la farine d'avoine, un corps gras – traditionnellement de la graisse de lardons ou du saindoux, mais ni beurre ni huile, comme le disent certaines recettes « modernes » – et un peu de sel, le tout malaxé pour former une pâte que l'on étend au rouleau. On découpe dans cette pâte des ronds que l'on divise ensuite en quatre (ou plusieurs segments) et que l'on fait frire dans une poêle chaude. Comme on ne les retourne pas, ces galettes ont une forme caractéristique en cloche, ce qui ne facilite d'ailleurs pas l'emballage.

1

2

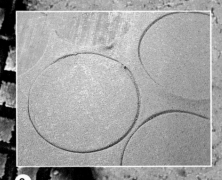

3

4

Honor Moore

L'Irlande

L'Irlande est une terre qui a vu passer de nombreux peuples. Tous ont contribué à leur manière à forger l'histoire et la culture du pays. C'est à eux, notamment, que l'on peut faire remonter les multiples facettes de l'art culinaire irlandais, auquel les Vikings n'ont pas été les derniers à apporter une contribution conséquente. Il est même assez surprenant de constater que la technique moderne du barbecue ne diffère que très peu de la manière qu'avaient les Celtes de faire rôtir sur un grand feu tout un gigantesque élan ou l'un des grands cerfs roux dont ils étaient friands. Le fromage, jadis élément essentiel de l'alimentation, disparut vite de la table à l'époque d'Oliver Cromwell, vers le milieu du 17e siècle. Dans le cadre d'une colonisation menée tambour battant par les Anglais, le dit Oliver Cromwell a chassé les Irlandais de leurs terres fertiles à l'Est pour les envoyer, comme il disait, « au diable ou à Connaught ». Cette province de l'Ouest caractérisait des terres si pauvres qu'elles ne pouvaient nourrir du bétail. D'ailleurs, la plupart des bêtes avaient été réquisitionnées par les armées anglaises. Alors, les Irlandais refoulés par les Anglais ont d'abord dû rendre le sol un peu cultivable et apprendre à se nourrir de pommes de terre. Le sol était jonché de rocailles qui paraissaient y pousser littéralement. Après les avoir sorties, les pierres étaient entassées en murets qui protégeaient des vents, forts dans la région. Un paysage typique s'est ainsi formé qui, aujourd'hui encore, fascine et surprend le visiteur.

C'est dans ces époques de disette et de pauvreté qu'est apparue l'attitude de pénitence par rapport aux plaisirs de la table (pas ceux de la boisson), les jours de fêtes religieuses de la Noël et de Pâques étant les seules exceptions. Les jeûnes étaient strictement observés, mais on se montrait toujours hospitalier vis-à-vis des voyageurs. Grâce à la pomme de terre, on pouvait se le permettre, que l'on soit riche ou pauvre. La famille et le foyer avaient dans la vie quotidienne un grand rôle. Bien que les maisons irlandaises n'aient presque plus aujourd'hui de cheminée à feu ouvert, la cuisine demeure le centre de la vie familiale. Dans une cuisine irlandaise, on discute de ce que l'on va faire dans la journée, on reçoit des amis, on fait de la musique ou raconte des histoires. En un mot, on y recrée en harmonie l'ordre du monde.

On a fait frire ici sur une griddle, une plaque de fonte, la spécialité potato apple cakes (voir p. 62-63). Photo prise à Omagh, capitale du comté de Tyrone, au nord de l'Irlande.

La pomme de terre

La pomme de terre occupe une position privilégiée dans l'alimentation humaine. En Irlande, on a reconnu sa valeur alimentaire plus tôt que partout ailleurs en Europe. On attribue à Sir Walter Raleigh, ancien pirate et plus tard amiral, l'introduction de la pomme de terre en Irlande, vers 1585. Les habitudes nutritives des Irlandais ont alors changé du tout au tout. Leur menu, jusque-là, se composait essentiellement de bouillie d'avoine. Il a été vite supplanté par le tubercule brunâtre venu d'Amérique.

Plusieurs raisons expliquent que la pomme de terre soit prédestinée comme culture de base en Irlande. Le climat humide et froid favorise la croissance de la plante et la protège contre les maladies à virus. Peu exigeante, la pomme de terre vient bien dans tous les sols et donne des récoltes intéressantes, même sur de petites parcelles. Pour les nutritionnistes, c'est un très bon aliment, avec des quantités importantes de glucides et de minéraux, ainsi que de la vitamine C, substances indispensables à la santé. C'est la pomme de terre qui a permis à la population irlandaise de survivre dans les années difficiles du Moyen Age. Au siècle dernier, l'Irlandais moyen mangeait en moyenne 3 kg de pommes de terre par jour. Les statistiques prouvent ce qui nous paraît aujourd'hui à peine concevable. Mais il n'y avait pratiquement rien d'autre, et cette quantité suffisait tout juste à couvrir les besoins en énergie. Depuis le 17e siècle, le repas quotidien d'une famille irlandaise normale se composait de lait et de pommes de terre, avec un peu de jambon, du poisson ou des œufs. Grâce à cette alimentation de toute évidence très saine, la population a pu doubler entre 1780 et 1840, et atteindre bientôt huit millions de personnes. Mais en 1845, la récolte de pommes de terre est presque entièrement détruite par une maladie et cette situation se poursuit dans les années qui suivent. Famine, maladies et une vague énorme d'émigration font repasser la population à quatre millions environ. De nos jours, les pommes de terre sont toujours l'aliment essentiel des Irlandais et s'inscrivent au menu au moins une fois par jour. La ménagère choisit ses pommes de terre avec beaucoup d'attention et elle est très sensible aux variations de la qualité. On accorde la préférence à des variétés à chair rose, plutôt farineuses, que l'on fait cuire en robe des champs, dans leur peau, pour les peler ensuite à table, au couteau, en les saisissant avec la fourchette. C'est d'ailleurs un comportement surprenant pour les visiteurs anglais, qui doivent d'abord apprendre à manier ainsi la fourchette et le couteau.

La culture de la pomme de terre a une longue tradition en Irlande : au siècle dernier, la consommation moyenne d'un Irlandais était de 3 kg par jour.

Anna.

Record.

La cuisson des pommes de terre à la manière de la ménagère irlandaise

Les pommes de terre nouvelles se cuisent dans beaucoup d'eau bouillante, salée.

Les pommes de terre plus vieilles seront mises à cuire à l'eau froide, en utilisant un faitout muni d'un couvercle.

Dans tous les cas, une fois l'eau de cuisson vidée, il faut que les pommes de terre soient mises à ressuer, pour éliminer la vapeur. On placera une serviette sur le faitout avant de remettre sur le feu où on laisse les tubercules « sécher » quelques minutes. Essayez donc une fois des pommes de terre nouvelles à la menthe ; c'est un délice. On lave d'abord les tubercules, ou on se contente de les brosser, puis on les plonge dans un mélange chaud et salé d'eau et de lait en parts égales dans lequel trempe un bouquet de menthe, puis on poursuit la cuisson à feu doux. Dans un poêlon, faites revenir un peu de beurre et roulez-y les pommes de terre une fois cuites. Servez-les ensuite agrémentées de persil finement ciselé.

King Edward.

La série de photos de droite montre comment on fait des *boxty pancakes* sur une plaque chaude. Il faut à peu près cinq minutes pour que la pâte faite avec du lait et de la pomme de terre crue soit bien dorée.

Le boxty

Boxty, c'est le nom générique donné aux mets à base de pomme de terre que l'on consomme traditionnellement en Irlande. Cela peut prendre la forme de pain, de galettes grillées, de boulettes, de crêpes ou de poudings à consistance plus ou moins épaisse. Toujours, la matière de base est de la pomme de terre crue, râpée.

Toutes les mamans Irlandaises ont un jour chanté à leur enfant : « *Boxty on the griddle … Boxty in the pan … If you don't eat your boxty … You'll never get a man* », soit à peu près : Boxty bien râpé, boxty bien pané, mange-le ma chérie, pour avoir plus tard un mari.

Apparenté au *rösti* de la Suisse, le boxty vit aujourd'hui sa renaissance. A Dublin, un restaurateur a eu l'idée d'une véritable « boxterie » qui offre à ses clients la possibilité de composer un menu comportant plusieurs de ces spécialités, sucrées ou relevées.

Boxty Pancakes
Galettes de pomme de terre

500 g de pommes de terre
20 g de farine
1 cuil. à café de levure
1/2 cuil. à café de sel
15 cl de lait

Peler les pommes de terre, les râper sur une serviette propre. En prenant les quatre coins de la serviette, faire une poche que l'on serre pour exprimer la fécule dans un récipient.

Déposer dans un plat creux les pommes de terre râpées, ajouter la farine, le sel et la levure. Reprendre le récipient où on a récupéré la fécule, vider l'eau pour ne garder que la partie blanchâtre qui est de l'amidon. Ajouter à l'appareil précédent. En additionnant le lait, lier une pâte liquide avec laquelle on fera ensuite des crêpes, avec un léger appoint de corps gras, soit dans une poêle, soit directement sur une plaque chauffante (ci-contre). Laisser cuire des deux côtés 5 minutes environ, jusqu'à ce que l'on obtienne une crêpe bien dorée que l'on sert ensuite bien beurrée et sucrée, ou accompagnée de fruits, ou bien avec du lard grillé ou encore une garniture de viande, de poisson, ou de légumes.

Boxty Bread
Pain de pomme de terre

250 g de p.d.t. pelées, crues
250 g de p.d.t. pelées, cuites
sel
50 g de farine

Râper les pommes de terre crues et en exprimer le jus comme décrit dans la première recette. Mettre de côté dans une terrine et couvrir pour éviter le noircissement. Bien écraser les p.d.t. cuites. Mélanger avec les p.d.t. crues. Ajouter l'amidon blanc provenant du jus récupéré auparavant. Saler et bien remuer le tout, incorporer la farine.

Avec la pâte obtenue, former une grosse galette que l'on fera cuire dans une poêle en fonte jusqu'à ce qu'elle soit bien dorée des deux côtés. Couper en tranches et servir.

Viande

Bœuf et porc

Le porc est le plus ancien des animaux domestiques d'Irlande. Au Moyen Age, quand on tuait le cochon, les meilleurs morceaux étaient pour leurs seigneuries. Les villageois se partageaient ainsi le reste : tête, queue et pieds allaient au forgeron ; le cou était pour le boucher, deux petites côtelettes allaient au tailleur, le foie était pour le menuisier. Dans un pays où les morceaux les moins nobles prenaient une telle importance, il n'est pas étonnant que l'on ait élaboré bientôt de nombreuses spécialités charcutières. Les saucisses maison demeurent fort prisées en Irlande. Tous les ans, d'ailleurs, les bouchers-charcutiers entrent en compétition pour un prix très envié, décerné à celui qui a fait les meilleures saucisses. Et pourtant, rares sont ceux qui offrent parmi leurs cochonnailles les fameuses *enison sausages*, d'excellentes saucisses de venaison faites à partir de gibier et de ventrèche de porc.

Le *Dublin Coddle* est un célèbre menu irlandais souvent proposé aux touristes étrangers. Il réunit lard, saucisses, pommes de terre, oignons et pommes. Jadis, c'était à Dublin le menu que l'on servait traditionnellement au père de famille le samedi soir.

A gauche : parmi les nombreuses spécialités de charcuterie irlandaises, les saucisses maison sont particulièrement populaires Par principe, on distingue entre saucisses crues, bouillies ou cuites, selon la fabrication et le remplissage. Sur notre photo : petites saucisses fumées, rôties et bouillies – la fierté de toute charcuterie qui se respecte.

Dublin Coddle
Plat national irlandais

Pour 4 personnes

2 gros oignons coupés en tranches
2 pommes évidées et coupées en dés
250 g de ventrèche en tranches
6 grosses saucisses demi-sèches coupées en morceaux
750 g de p.d.t. coupées en tranches
sel, poivre noir
2 cuil. à soupe de persil haché

Mettre les oignons, les pommes, le lard, les saucisses et les tranches de p.d.t. dans une marmite, et mélanger. Epicer selon le goût personnel et ajouter une cuillerée de persil. Mouiller avec environ 300 ml d'eau et porter à ébullition, puis laisser réduire à feu doux jusqu'à ce que l'eau soit évaporée.
Ajouter alors le reste de persil et servir.

Irish Oxtail Stew
Queue de bœuf en ragoût

Pour 4 personnes

1 grosse queue de bœuf, coupée en morceaux de 4 cm de long environ
50 g de farine
1 gros oignon, en fines tranches
2 grosses carottes, coupées en rondelles
2 cuil. à soupe de purée de tomates
1 bouquet garni (thym, persil, laurier)
1 pointe de fleurs de muscade
1 pointe de piment
600 ml de bouillon de viande
sel, poivre noir
2 cuil. à soupe de persil

Fariner les morceaux de queue de bœuf et faire frire de tous côtés dans de la graisse bien chaude. Ajouter oignons et carottes et laisser cuire quelques minutes. Ajouter ensuite la purée de tomates, le bouquet garni et les épices.

Mouiller avec le bouillon de viande, porter à ébullition, puis laisser cuire à feu doux, marmite couverte, pendant 2 1/2 à 3 heures. Retirer le bouquet garni et la graisse en excédent. Rectifier l'assaisonnement et servir décoré de persil ciselé.

Plats irlandais avec viande de porc

Black Pudding – Putóga Fola
Mélange de sang, de graisse et de lait, rempli et cuit dans de la tripe de porc, et servi froid ou chaud.

Fried Liver and Bacon
Ae Agus bagún friochta
Foie et lard grillés. Appelé aussi grillade irlandaise.

Kidneys in their Jacket – Duáin sa tsaili
Rognons dans leur peau, coupés en forme d'éventail et cuits au four.

Limerick Ham – Liamhás Luimneach
Jambon fumé sur copeaux de chêne et baies de genièvre. Spécialité de Limerick qui se mange bouillie, découpée en tranches, ou bien braisée, garnie d'une sauce au persil.

Porc Ciste – Ciste muiceola
Le mot *ciste* signifie gâteau et se rapporte à cette épaisse croûte d'un rôti de porc qui le maintient tendre et juteux.

Stuffed Pork fillets – Filleád eanna muiceola
Filets mignons farcis de pain, d'oignons et d'aromates. Très prisés pour le repas dominical ou d'autres occasions festives.

Plats irlandais à la viande de bœuf

Corned Beef with Dumplings and Cabbage
Mets très estimé par les Irlandais pour Pâques et pour la fête de Saint-Patrick (17 mars).

Gaelic Steaks
Juteux rôtis de bœuf à la poêle, le jus de cuisson étant à la fin déglacé avec un peu de whiskey (recette ci-dessous).

Spiced Beef
Vieille recette intégrant une foule d'ingrédients. Ce plat est plus particulièrement servi à Noël (recette ci-contre).

Irish Stew –
Potée d'agneau aux légumes.

Irish Stew

Potée d'agneau aux légumes
(Illustration ci-contre)

Pour 4–6 personnes

1,5 kg de collet ou d'épaule d'agneau
1 navet
4 oignons
4 carottes
3 poireaux
1 bouquet garni (thym, persil, feuille de laurier)
sel, poivre noir
6 pommes de terre
100 g de chou blanc
sauce Worcester
persil haché (1 bouquet entier)

Dégraisser et désosser la viande, la couper en morceaux. Conserver les os. Placer la viande dans un faitout en couvrant d'eau froide salée et faire partir jusqu'à ébullition, puis sortir la viande et la rincer.

Eplucher navet, oignons, carottes et poireaux et couper le tout en gros dés. Mettre dans un autre faitout avec la viande, les os et le bouquet garni, assaisonner. Couvrir les ingrédients d'eau et cuire à petit feu pendant 60 minutes. Ecumer régulièrement.

Peler les pommes de terre et les couper en morceaux. Ajouter au reste et poursuivre la cuisson 30 minutes à petit feu. Nettoyer le chou blanc, le passer à la mandoline pour en faire de fins copeaux. Ajouter au ragoût dans les dernières cinq minutes de cuisson. Retirer les os et le bouquet garni, rectifier l'assaisonnement avec un peu de sauce Worcester et ajouter le persil haché dans la masse.

Comment les moutons devinrent agneaux

Celui qui parcourt aujourd'hui les terres d'Irlande n'a pas de mal à compter des moutons. Ils occupent les pâturages tout comme les maigres terrains de rocaille. A croire qu'ils ont un don d'ubiquité : ils sont littéralement partout.

A l'origine, on élevait des moutons essentiellement pour la laine et c'est seulement sous l'influence anglaise que l'on s'est intéressé à la vente du lait et de la viande à grande échelle. Jusque-là, on estimait que le bétail avait trop de valeur pour aller à la boucherie.

La consommation de la viande d'agneau est devenue à la mode il y a quelques dizaines d'années, lorsqu'on a constaté que les animaux élevés en bord de mer, sur des pâturages salés par les embruns, avaient un goût délicieux. Ces agneaux sont d'ailleurs dénommés prés-salés, certification de leurs origines. La génération de nos pères consommait surtout la viande de mouton adulte, qui a un goût assez prononcé. On lui préfère aujourd'hui l'agneau et la demande est tellement forte qu'on a désormais beaucoup de mal à trouver du mouton chez les bouchers.

Irish Stew, le plat national irlandais

Le plat national des Irlandais est connu dans le monde entier. Il existe beaucoup de variantes dans les recettes, et l'emploi de la viande de mouton, prévu dans la recette d'origine, tend à disparaître. On s'en rapproche le plus en choisissant le *hogget*, un agneau d'un an qui a déjà brouté de l'herbe, et qui est disponible au printemps ou au début de l'été.

Egalement pour ce qui est des autres ingrédients, les opinions sont très partagées. Par exemple, l'incorporation de carottes se discute. La recette d'origine prescrit la viande de mouton, les pommes de terre et les oignons et ses adeptes affirment que les carottes, la semoule ou tout autre ingrédient altèrent trop le goût. La forme plus moderne et plus légère de l'irish stew autorise même l'incorporation de légumes, ce qui est pour les traditionalistes une épouvantable vision. En tout cas, un bon irish stew doit avoir une consistance assez épaisse et jamais liquide.

Lamb's Kidneys with Mustard Sauce

Rognons d'agneau sauce moutarde

Pour 4 personnes

12 rognons d'agneau
2 verres de vin blanc
2 cuil. à café de fines herbes hachées (thym, persil, romarin, ciboulette)
2 gousses d'ail pelé et haché
1 cuil. à soupe de crème fraîche
1 cuil. à soupe de moutarde de Dijon
sel, poivre noir

Enlever la peau des rognons, les couper en deux en long et retirer la graisse et les artères. Rincer soigneusement, puis sécher en tapotant avec un linge ou du papier de cuisine. Frire au beurre à la poêle, à flamme moyenne, jusqu'à ce que les rognons soient cuits. Retirer et réserver.

Verser le vin, les aromates et l'ail dans la poêle et laisser réduire de 1/3 à petit feu. Ajouter la crème fraîche, puis la moutarde (en dernier lieu), bien lier et assaisonner au besoin.

Remettre les rognons dans la poêle et faire chauffer avec prudence dans la sauce, sans bouillir. Servir aussitôt. Les rognons s'accommodent très bien de riz et de laitue.

Cockles and Mussels

Poissons et fruits de mer jouent un rôle important chez tous les insulaires et l'Irlande n'échappe pas à cette règle. Depuis toujours, tout au long des rivages irlandais, les menus basés sur les produits de la mer constituent l'essentiel de l'alimentation. Viennent s'y ajouter également les poissons qui vivent dans les eaux intérieures, célèbres pour leurs fraîcheur et limpidité. Il n'en fallait pas plus pour agrémenter une nourriture pour le reste assez frugale, dans laquelle la viande demeurait exception. Avant l'apparition des techniques de conservation modernes, on se contentait de conserver les aliments par l'un des trois moyens traditionnels : salage, fumage ou séchage.

Et comme les coquillages étaient disponibles sans qu'il soit pour cela nécessaire de braver la colère des mers, ils ont été vite prisés par les riverains sous l'appellation générique *cockles and mussels*, qui désigne en fait les coques et les moules. Il existe même une chanson populaire chantant la beauté des filles de Dublin et surtout de l'une d'entre elles, une douce Molly Malone qui vendait coques et moules à la criée en soulignant qu'elles étaient, comme elle, bien vivantes. En voici le texte original :

In Dublin's fair city,
Where the girls are so pretty,
I first set my eyes on sweet Molly Malone.

She wheeled her wheelbarrow
Though streets broad and narrow,
Crying « Cockles and mussels alive, alive, oh ! »

Dans les eaux basses le long des côtes, les moules se trouvaient presque partout. En raison de leur bon goût, elles étaient également fort prisées à l'intérieur des terres où elles étaient livrées en barils. Leur bas prix les rendait accessibles aux pauvres gens. Aujourd'hui, les moules proviennent généralement de cultures.

Les coques, elles aussi, se ramassent à la main. Et il n'est même pas nécessaire de mettre un pied dans l'eau, car il suffit d'attendre le reflux. On les trouve alors dans le sable encore humide, dont on les extrait avec une spatule ou une petite pelle. Un vieux dicton affirme qu'il ne faut pas ramasser de coques tant qu'elles n'ont pas connu trois marées en avril : « la coque doit avoir bu trois fois les eaux d'avril. »

Jadis, pendant les mois d'été, on pouvait observer le long des côtes des femmes et des enfants, armés de petits seaux, qui ramassaient des coques. Souvent, les coques n'étaient pas seulement ramassées pour se nourrir, mais aussi comme moyen de payement. On les troquait contre d'autres marchandi-

Le varech a beaucoup d'utilisations. Bouilli, on peut aussi le servir sur des toasts.

ses : farine, avoine, ou même parfois des vêtements. Aujourd'hui encore, il est très amusant de déterrer les coquillages dans les plages de sable blanc. Il vaut mieux par contre ne pas ramasser les coques qui sont en surface, signe qu'elles sont déjà mortes.

L'huître est un autre fruit de mer irlandais très estimé lui aussi, que l'on cultive aujourd'hui dans des parcs, pour l'exportation également. Les huîtres irlandaises sont petites mais particulièrement goûteuses et on les apprécie volontiers avec un verre de Guinness.

Le varech aux multiples emplois

Une particularité : le ramassage et la transformation du varech, ce légume de la mer. On utilise certaines espèces comme engrais, d'autres servent à la préparation de médicaments, d'autres encore à la fabrication de produits alimentaires. Enfin, la célèbre bière Guinness doit au varech le beau faux-col de mousse qu'elle forme quand elle est soutirée à la pression.

Le plus connu des légumes de mer est le *carrageen*, appelé aussi « mousse irlandaise ». Utilisé comme gélifiant dans les sauces et les desserts, il aurait, paraît-il des vertus thérapeutiques : contre les troubles digestifs, ceux de la circulation, le rhume des foins et l'obésité et, mélangé à l'ail, il permettrait de lutter contre la toux. On lui prête également des vertus aphrodisiaques.

Cod's Roe Ramekin
Soufflé aux œufs de merlu

Pour 8 personnes

250 g d'œufs de merlu, bouillis et dégagés de leur poche
100 g de chapelure
1 prise de muscade, 1 prise de paprika
Sel, poivre noir
2 cuil. à soupe de persil
3 cuil. à soupe de jus de citron
1 jaune d'œuf, 1 blanc
150 ml de crème

Graisser trois ramequins. Hacher les œufs de merlu et mélanger avec la chapelure, les épices, le persil et le jus de citron. Battre le jaune d'œuf avec la crème fraîche et en napper le mélange. Laisser reposer dix minutes. Préchauffer le four à 200 ºC.
Battre le blanc en neige et l'incorporer prudemment à l'appareil précédent. Mettre la masse dans les ramequins et passer au four jusqu'à ce qu'elle monte et prenne une belle couleur brun-doré (env. 15 minutes).

Cockles and Bacon Rashers
Coques au lard

Pour 2 personnes

20 coques
4 belles tranches de lard salé et fumé, sans couenne
100 g de beurre
poivre noir
2 cuil. à soupe de persil haché

Brosser les coques à l'eau courante. Jeter celles qui sont ouvertes. Dans une grande marmite, mettre assez d'eau salée pour que le fond soit couvert et porter à ébullition. Verser les coques dans la marmite et les faire cuire à la vapeur cinq minutes environ, jusqu'à ce qu'elles soient ouvertes. Les sortir de leur coquille.
Faire rissoler le lard dans le beurre jusqu'à ce qu'il soit bien croustillant. Retirer de la poêle et réserver. Mettre la chair des coques dans la poêle avec le reste de beurre, mélanger et laisser chauffer à feu doux pendant quelques minutes. Saupoudrer de poivre et de persil et servir sur un plat préchauffé avec le lard en garniture.

Mussels in Wine Sauce
Moules sauce au vin

Pour 4 personnes

48 belles moules
150 g de beurre
2 gros oignons épluchés et finement hachés
4 gousses d'ail, pelées et écrasées
2 poireaux coupés en rondelles fines
600 ml de vin blanc sec
300 ml d'eau (ou de fond de poisson)
50 g de farine
sel, poivre noir
4 cuil. à soupe de persil haché

Bien gratter les moules à l'eau courante, enlever le byssus et jeter toutes les moules ouvertes. Faire chauffer 100 g de beurre dans un gros poêlon, y faire juste blondir les oignons, l'ail et le poireau.

Jeter les moules dans le poêlon, avec le vin blanc, l'eau (ou le fond de poisson), porter à ébullition et laisser cuire cinq à huit minutes, poêlon couvert, jusqu'à ce que les moules soient ouvertes.

Retirer les moules, les répartir sur quatre assiettes creuses et réserver. Mélanger la farine et le reste de beurre et ajouter progressivement, tout en tournant, dans le bouillon des moules. Rectifier le goût et garnir de persil haché. Verser la sauce sur les moules et servir avec du pain.

Dublin Lawyer
Homard mode Dublin

Pour 2 personnes

1 homard (1 kg environ)
50 g de beurre
4 cuil. à soupe de whiskey irlandais
150 ml de crème double
1 cuil. à café de jus de citron
1 cuil. à café de moutarde
sel, poivre noir

Plonger le homard vivant, tête d'abord, dans l'eau bouillante et l'y maintenir deux minutes environ (attention aux éclaboussures d'eau bouillante !).

Retirer le crustacé et le passer à l'eau froide. Séparer la queue et couper en tranches. Coupez la carcasse en deux dans le sens de la longueur, enlever le système digestif, estomac et intestin, décortiquer la viande et la couper en dés, conserver la carapace. Casser les pinces et retirer leur viande. Détacher le cartilage médian et couper cette viande en dés.

Faire chauffer du beurre dans une grande poêle et y faire revenir les morceaux de homard. Il faut qu'ils soient cuits, sans avoir toutefois pris de la couleur. Flamber la viande de homard au whiskey. Ajouter ensuite la crème double, le jus de citron et la moutarde. Assaisonner et faire partir quelques instants à forte flamme.

Retirer les morceaux de homard de la poêle et les placer dans les carcasses préchauffées. Laisser réduire un peu la sauce et en napper les homards. Servir aussitôt. Le terme *lawyer* signifie avocat, et la recette tire son nom du fait que ce menu dispendieux exigeait pour le moins la bourse d'un avocat.

Oysters and Guinness
Huîtres à la bière Guinness
(Illustration ci-contre)

Pour 2 personnes

12 huîtres fraîches
1 citron coupé en quartiers
poivre de Cayenne
pain blanc, beurre
bière Guinness

Rincer et bien brosser les huîtres, puis les ouvrir. Les disposer dans un plat sur un lit de glace pilée, garnir des quartiers de citron et servir accompagné de pain, de beurre et de bière Guinness.

Oysters and Guinness –
Huîtres à la Guinness.

Halloween

Pour les Irlandais, aucune autre fête n'a l'importance de celle qui marque, chaque année, la fin des récoltes, le 31 octobre. De son vrai nom *All Hallows Eve*, la fête de tous les saints est plus connue sous l'abréviation *Halloween*. Pendant plusieurs siècles, elle est restée un jour de jeûne où toute consommation de viande était interdite. Cela explique pourquoi les recettes traditionnelles consacrées à cette journée ne contiennent aucun ingrédient comptant parmi les viandes. Ce jour là, on mange des gâteaux de pommes et de pommes de terre, des boulettes de p.d.t. et un pouding à base aussi de p.d.t., ou bien du *colcannon*, du *barm brack*, et des tartelettes aux myrtilles, les *blackberry pies*.

Qu'importe le choix, une alliance est toujours dans le coup. Soigneusement emballée dans du papier sulfurisé, cette alliance est cachée dans le plat. Jadis, on utilisait aussi d'autres souvenirs, comme une piécette d'argent, un bouton ou un dé à coudre. Celui qui retrouvait la chose dans son assiette savait ce qui l'attendait dans l'année : un mariage, s'il avait trouvé l'anneau, puissance et influence quand il trouvait la pièce. Un célibataire trouvant le bouton ou une jeune fille trouvant le dé à coudre n'avaient aucune chance de passer dans l'autre camp avant expiration des douze mois.

Brack, une pâtisserie très symbolique

Le *brack* est certainement la plus irlandaise de toutes les pâtisseries de ce pays. Le nom de ce cake à petit déjeuner vient de *breac* qui signifie moucheté. On distingue deux types de recettes, suivant que l'on emploie de la levure de boulanger (*barm brack*) ou de la levure chimique (*tea brack*). Dans ce dernier cas, les fruits secs utilisés sont mis auparavant à tremper dans du thé froid.

Le *barm brack* est l'une des principales pâtisseries de Halloween, bien qu'elle soit confectionnée aussi en d'autres occasions festives. Les *tea bracks* sont disponibles toute l'année, comme d'autres gâteaux.

Traditional Barm Brack
Cake du petit déjeuner

500 g de farine
1 pincée de sel
50 g de beurre
175 g de raisins secs, trempés auparavant 30 minutes dans de l'eau froide
50 g de fruits confits
50g et 2 cuil. à soupe de sucre
20 g de levure de boulanger
300 ml d'eau tiède
2 œufs battus

Malaxer farine, sel et beurre pour en faire une masse sablonneuse, puis y incorporer les raisins bien exprimés, les fruits confits et 50 g de sucre. Bien mélanger. Dissoudre la levure de boulanger dans de l'eau tiède.

Ingrédients pour le *Barm Brack* : farine, œufs, beurre, sucre, raisins secs trempés, citron et orange confits.

Les raisins secs doivent tremper 30 minutes dans l'eau froide, avant d'être mis en œuvre.

La pâte est cuite traditionnellement dans un chaudron de fonte, en mettant des braises sur son couvercle.

Le *Barm Brack* est une espèce de cake consistant, voire lourd, que l'on mange traditionnellement pour Halloween. On cache dans la pâte une alliance et celui qui la trouve va se marier bientôt, dit-on.

Faire un puits au milieu du mélange farine et fruits, y mettre les œufs battus et la levure. Bien malaxer le tout pour obtenir une pâte que l'on pétrira ensuite pendant dix minutes sur une table appropriée, saupoudrée de farine. Laisser lever dans un endroit chaud jusqu'à ce que le volume ait doublé.

Diviser ensuite la pâte en deux et pétrir chaque moitié quelques minutes avant d'en faire des ronds de 20 cm de diamètre environ. Déposer sur une tôle à pâtisserie bien graissée, puis laisser encore lever 60 minutes dans un endroit chaud.

Préchauffer le four à 200 ºC et faire cuire les bracks 30 minutes.

Dissoudre les deux cuillerées à soupe de sucre restantes dans autant d'eau et enduire les bracks de cette solution dès leur sortie du four. Pour sécher, remettre au four pour deux à trois minutes.

Colcannon
Chou dans une purée de pommes de terre

500 g de chou (blanc ou cabus)
500 g de pommes de terre
1 botte d'oignons nouveaux
180 ml de crème
sel, poivre noir
1 anneau enveloppé de papier sulfurisé
100 g de beurre fondu

Nettoyer le chou et le couper en lanières. Cuire dans très peu d'eau et laisser bien sécher. Cuire les pommes de terre en robe des champs, les peler et faire de la purée. Entre-temps, nettoyer les oignons et les couper en fines rondelles. Les faire doucement revenir pendant cinq minutes dans la crème. Après quoi, introduire peu à peu la crème mêlée d'oignon dans la purée, puis mélanger le chou en soulevant la purée, assaisonner au besoin et cacher l'anneau au milieu du mélange. Au moment de servir, faire une petite cuvette au centre et y verser le beurre fondu.

Potato Apple Cake
Gâteau de pommes et de pommes de terre
(Illustration à droite)

500 g de pommes de terre en robe des champs fraîches
1 bonne pincée de sel
30 g de beurre fondu
100 g de farine, environ
2 à 3 pommes d'une variété acidulée
flocons de beurre
sucre en semoule

Peler les p.d.t. et en faire une purée. Ajouter sel et beurre et malaxer ce qu'il faut de farine pour obtenir une pâte onctueuse, mais ferme. L'étendre sous forme d'une grosse galette ronde que l'on coupe en quatre.

Peler les pommes, les épépiner et les couper en tranches fines. Etendre les tranches de pommes sur deux quartiers de la galette, puis recouvrir avec les deux autres quartiers. Pincer les bords pour former des poches.

Cuire ensuite ces poches dans une poêle en fonte à feu doux, 10 minutes de chaque côté. Ensuite, soulever prudemment les couvercles de poches et couvrir les pommes de flocons de beurre et de sucre suivant le goût personnel. Remettre le couvercle sur les poches et repasser à la poêle pour que le sucre et le beurre s'amalgament en fondant. Servir sans tarder.

La bière noire

Guinness

L'Irlande est le berceau de l'une des boissons les plus connues dans le monde, la bière noire Guinness. En 1759, Arthur Guinness achetait une petite brasserie qui avait fermé ses portes, fondant ainsi une entreprise dont la production devait plus tard immortaliser le nom des Guinness. Arthur avait commencé comme brasseur d'une bière courante, du type «ale». Plus tard s'y ajoute une bière plus forte, appelée «Porter», du nom de ceux qui constituaient sa principale clientèle, les «forts» des halles londoniennes. Guinness introduit cette bière en Irlande en 1799. Afin de rester sans concurrence, il se met plus tard à brasser une bière encore plus forte, appelée «Extra Stout». Elle est fabriquée avec de l'orge maltée, du houblon, de la levure et la plus pure des eaux de Dublin. C'est ainsi que commence un extraordinaire essor puisque Guinness est déjà la plus grande brasserie d'Irlande en 1833. L'attribut *stout* (fort) devient une véritable appellation de catégorie. Aujourd'hui, l'entreprise de la Porte St-Jame à Dublin est l'une des plus grandes brasseries du monde. Le visiteur peut suivre l'histoire de Guinness dans le musée qui lui est consacré. Aujourd'hui, certes, on brasse de la Guinness à Londres, au Canada, en Australie, au Ghana, au Nigéria, en Sierra Léone, en Malaisie ou en Jamaïque, mais les gens de Dublin sont prêts à jurer que c'est seulement dans leur pub que l'on peut boire de la vraie Guinness, là où on la soutire avec tout le respect qui lui est dû pour qu'elle développe pleinement son beau faux-col crémeux. (Réservée jadis à la pression, cette bière est également distribuée en boîtes, aujourd'hui.)

Jadis aussi, les chevaux de brasserie et les radeaux chargés de fûts de Guinness flottant sur le Liffey étaient une image courante. Elle n'existe plus de nos jours. Mais, bien que l'entreprise de Dublin appartienne désormais à un consortium international de la boisson et que l'on boive tous les jours, de par le monde, dix millions de verres de Guinness, il y a toujours un membre de la famille fondatrice au directoire de l'entreprise.

A la maison-mère du St Jame's Gate, on brasse actuellement 2,6 millions d'hectolitres. La seconde grande brasserie Guinness est celle de Dundalk, Harp Lager Brewery, dont la capacité a été portée à 1,4 million d'hectolitres. Harp brasse une bière de garde à fermentation basse, une bière claire allant du type normal à la bière de luxe, qui a commencé seulement ces derniè-

res années à réussir une percée en Irlande. Dundalk abrite également la filiale Guinness Marcardle Moore, une brasserie d'ale. Egalement membre de la famille Guinness, la brasserie E. Smithwick & Sons Ltd., à Kilkenny, a une capacité de 1 million d'hectolitres. Guinness est concurrencé dans son propre pays par Beamish & Crawford à Cork, qui a derrière elle le groupe canadien Molson, et la Murphy Brewery Ireland, implantée aussi à Cork, qui appartient au groupe néerlandais Heineken. Un phénomène typiquement irlandais veut que plus de 80 % de la bière consommée en Irlande le soit dans les pubs. La consommation annuelle moyenne de l'Irlandais se situe actuellement autour de 123 litres, un chiffre relativement constant depuis 1990. Dans l'Union européenne, l'Irlande vient ainsi en troisième position après l'Allemagne et le Danemark.

Contrairement à l'ale anglaise, on soutire la Guinness en laissant se former une belle couronne.

Les Irlandais aiment bien se retrouver et 80 % de la bière se consomme dans des pubs.

L'illustration formant décor de scène montre un pub de Dublin recevant l'une des dernières livraisons de bière par un chariot à cheval.

Les indispensables ingrédients pour une bière Guinness : malt et houblon.

On mélange malt et eau dans d'immenses poêles pour l'empâtage. Le houblon donne l'arôme.

La teneur en sucre est mesurée avec un aréomètre.

Après la fermentation alcoolique, qui se réalise en fût, on goûte la bière pas encore filtrée.

Whiskey, différence à la lettre

De toute évidence, en insérant un *e* dans le nom de la boisson, les Irlandais veulent marquer la différence avec tout ce que l'on appelle ailleurs plus simplement whisky. A vrai dire, ils peuvent affirmer que l'art de cette distillation a vu le jour dans leur pays, dans les cloîtres établis alors que l'on passait de l'Antiquité au Moyen Age.

Henry II régnait alors sur l'ouest de la France et avait hérité de sa mère l'Angleterre et la Normandie. Lorsque ce roi, qui avait fait décapiter Thomas Beckett en 1170, partit à la conquête de l'Irlande, en 1171, ses soldats y ont découvert l'eau-de-vie, la *uisge beatha*. Ils étaient fortement impressionnés par l'énorme combativité de ceux de leurs adversaires qui prenaient avant le combat une bonne lampée de ce breuvage. Comme son nom était pour eux extrêmement difficile à prononcer, ils en on fait *uisce*, forme qui donna plus tard whiskey.

C'est donc à Henry II que l'on peut faire remonter la conquête de l'Angleterre par le whiskey irlandais, car ses soldats ont évidemment ramené la boisson dans leur pays. Plus tard, lorsque les échanges maritimes entre l'Irlande et l'Angleterre furent développés, il y avait toujours, à bord des bateaux, quelques fûts de whiskey.

C'est vers la fin du 18e siècle que le whiskey irlandais connut son apogée. A l'époque, la vie artistique et spirituelle de Dublin n'avait rien à envier à celle de Londres ou de Paris. On dénombrait officiellement plus de 2.000 distilleries de whiskey, et le bouilleur de cru clandestin était déjà connu.

On considère que la plus ancienne des distilleries est celle de Old Bushmills, implantée en Irlande du Nord aujourd'hui rattachée à l'Angleterre. Cette distillerie a obtenu sa licence de fabrication de whiskey en 1608. En 1780 fut fondée à Dublin la distillerie John Jameson et, en 1791, s'y ajoutait John Power. Les deux maisons mettaient et mettent encore l'accent sur la qualité. Leur nom a été longtemps le symbole même du whiskey irlandais.

Dans la foulée de la vague d'émigration, vers le milieu du 19e siècle, le whiskey fit son entrée en Amérique du Nord. A New York, le Murphy's Bar était le rendez-vous des Irlandais qui avaient la nostalgie du pays et le whis-key y coulait à flots, jusqu'à ce que s'installe la fameuse prohibition qui interdisait dans toute l'Amérique la consommation de l'alcool. Ayant de sérieux problèmes dans leur patrie, les Irlandais n'avaient pas la possibilité de créer comme les Ecossais de véritables structures de contrebande, de sorte qu'en Amérique, le whiskey irlandais s'est vite trouvé sur la touche. Lorsque le président Roosevelt met fin à la prohibition, en 1933, les Irlandais avaient, comme on dit, loupé le coche. Ils ne disposaient pas des stocks qui leur auraient permis d'exporter. Le whiskey irlandais dut alors subir longtemps les lois de la récession : en 1973, il n'existait plus que cinq distilleries. Elles se sont alors groupées pour constituer un consortium : Irish Distillers Group. Aujourd'hui, le whiskey irlandais n'est plus fabriqué qu'à deux endroits : à Midleton et par la Old Bushmills, en Irlande du Nord. A Dublin, toutefois, la culture du whiskey est suivie et entretenue au Irish Whiskey Corner, un musée accompagné d'un bar.

Midleton, capitale du whiskey irlandais

Midleton, dans le comté de Cork, est certainement le complexe de distillerie le plus moderne qui soit au monde. C'est ici que sont préparées les grandes marques de whiskey irlandais : Jameson, Power's, Tullamore Dew et Paddy, ainsi que le célèbre Midleton Very Rare. Dans les régions rurales plus isolées vit encore la tradition des bouilleurs de cru fabriquant du *poteen*, un whiskey fort en degrés, qui peut être exquis ou mortel. Mais, lorsque la police locale *(garda)* découvre l'un de ces ateliers, elle détruit autant les alcools que ses outils de fabrication !

Dans de grandes cuves, on mélange en remuant sans cesse de l'orge maltée concassée à grosse mouture et de l'eau. Les particules de sucre sont ainsi détachées du reste. C'est ainsi que l'on obtient un produit empâté que l'on dirige sur des fûts de fermentation. Avec l'aide de la levure, le sucre est transformé en alcool et gaz carbonique. Ensuite se fait la distillation. Avant d'embouteiller le whiskey (en bas), la teneur en alcool est ramenée à 43 % par addition d'eau.

Traditionnellement, le whiskey irlandais vieillit en fûts de chêne pendant plusieurs années (on voit en fonds d'image les stocks de Bushmill, au nord de l'Irlande), ce qui lui donne la couleur dorée et le goût particulier.

Variétés de whiskey

Sur la page ci-contre, de gauche à droite : Green Spot – Tullamore Dew : un léger whiskey doux en bouche – Paddy : très prisé des jeunes – Power's : le plus vendu en Irlande – Hewitts Nut : doux, arôme de noisette – Bushmill's Malt : le premier whiskey irlandais au malt, 10 ans d'âge – Jameson 1780 : un whiskey extraordinairement doux 12 ans d'âge – Redbreast : produit en quantité limitée, 12 ans d'âge – Midleton.

Bailey's –
une liqueur de célébrité mondiale

On prétend que, si vous demandez à un comité irlandais de dessiner un cheval, il en sortira tout au
plus un chameau. Lorsque les directeurs de la société R & A Bailey & Cie. se réunirent avec l'intention de créer une nouvelle boisson, qui sait
donc ce qui aurait pu sortir de cet aréopage. Heureusement, l'un des membres, Mr. David Dand
avait au passage dérobé un baiser à la muse et il
mélangea pour la première fois du whiskey, de la
crème, du cacao et quelques autres ingrédients de
son cru. Ainsi vint au monde Bailey's Original
Cream Liqueur.

Vingt ans ont passé depuis ce jour mémorable et
ce délice est aujourd'hui apprécié dans le monde
par plus de 40 millions d'amateurs. Et, comme si
cela ne suffisait pas, on a créé en 1992 une nouvelle liqueur, dénommée Sheridans, et conditionnée
dans une bouteille double versant d'un côté de la
crème solidement coupée de whiskey, et de l'autre
un mélange de café et de chocolat. Quand on verse lentement la boisson dans le verre, le résultat
est optiquement fort proche du café irlandais, le
cousin corsé du *capuccino*.

Irish Fruit Delight
Pouding rouge au Bailey's

Pour 4 personnes

250 g de cassis
250 g et 100 g de groseilles rouges
250 g et 200 g de framboises
120 g de sucre
60 g de fécule
Bailey's Irish Cream
boudoirs

Dans 3/4 l d'eau, faire cuire le cassis, 250 g de groseilles
rouges et autant de framboises avec le sucre, jusqu'à
pouvoir les passer en purée avec une passoire fine. Réserver et laisser un peu refroidir. Lier le jus obtenu avec la
fécule de pomme de terre. Alors que la masse est encore
tiède, y incorporer en soulevant le reste de groseilles rouges et de framboises, exceptées quelques baies qui ser-
viront à la décoration. Remplir la masse dans des coupes
à dessert ou des verres pansus et garder au froid. Avant
de servir, verser une couche d'env. 1 cm de Bailey's Irish
Cream sur le pouding rouge et décorer avec les boudoirs
et les quelques baies conservées.

Sucre, crème, whiskey irlandais, vanille et fèves de cacao
sont les ingrédients de la liqueur Bailey's Original.

Des ingrédients tels que le whiskey et la crème sont intimement mélangés sous haute pression.

On apprécie cette liqueur soit pure, soit servie sur des
glaçons. Elle est l'une des liqueurs les plus célèbres.

Irish Whiskey Trifle

(Illustration ci-dessous)

Pour 4–6 personnes

500 ml de lait
1 gousse de vanille, ouverte en long
3 œufs
25 g de sucre
1 fond de génoise
marmelade de framboises
150 ml de whiskey irlandais
500 g de fruits (par exemple bananes et poires)
300 ml de crème

Pour la décoration

Cerises à cocktail
Amandes émondées en copeaux

Pour la préparation d'une crème, faire bouillir le lait avec la gousse de vanille, puis retirer du feu et laisser un peu refroidir.

Battre les œufs et le sucre. Retirer la gousse de vanille du lait et incorporer peu a peu les œufs.

Nettoyer à l'eau froide le récipient où l'on a fait bouillir le lait et y reverser le mélange œufs et lait. Remettre sur une flamme très réduite et tourner aussi longtemps qu'il faut pour que la crème épaississe. Réserver en tournant de temps en temps pour éviter la formation d'une peau. Partager la génoise en deux dans le sens de la longueur, garnir un côté de marmelade de framboise, puis recouvrir avec l'autre partie. Découper le tout en tranches avec lesquelles on garnira le fond et les côtés de grandes coupes, si possible en verre. Mouiller avec les deux tiers du whiskey. Peler les fruits, les couper en tranches et les placer sur la génoise. Verser la crème par dessus. Garder les coupes au froid quelques heures. Servir avec de la crème fouettée sur la crème anglaise et décorer d'une cerise à cocktail et de copeaux d'amandes émondées.

Irish Coffee

Par personne

1 verre à liqueur (20 ml env.) de whiskey irlandais
sucre à volonté
café noir bien fort
1 cuil. à soupe de crème fouettée ou de crème double

Chauffer le whiskey et le sucre dans un verre à pied, au-dessus d'une flamme. Remplir de café brûlant jusqu'à un cm du bord.

Verser ensuite la crème sur le café en opérant comme illustré ci-dessous. La crème ne doit pas se mélanger avec le café-whiskey (donc il ne faut pas remuer). On déguste pratiquement le café chaud au travers de la crème froide.

Whiskey Punch

Par personne

1 forte tranche de citron coupée en deux
3 clous de girofle
50 ml de whiskey
1 à 2 cuil. à café de sucre roux

Piquer les clous de girofle dans le citron. Mettre dans un grand verre à pied et y ajouter le whiskey et le sucre. Placer une cuillère à café dans le verre, pour éviter que la chaleur ne le brise et verser de l'eau bouillante sur les ingrédients. Décorer suivant le goût personnel d'une tranche de citron piquée d'une cerise. Bien remuer et boire chaud.

Irish Whiskey Trifle
dans un verre dit « à portion ».

La viande blanche

Lait, froma-ge, beurre

Orale ou écrite, la tradition des premiers âges de l'Irlande parle fréquemment de la banbhianna, la viande « blanche » que les gens de l'époque prisaient par-dessus tout. Le bétail était alors signe de richesse et les bêtes avaient trop de valeur pour qu'on les abatte à des fins de boucherie. Le lait, par contre, permettait de préparer une foule d'aliments.

Les anciens manuscrits font état de lait doux, de lait caillé, de petit lait, de beurre et d'une bonne vingtaine de fromages. Le savoir-faire fromager des anciens est en partie enfoui dans le passé. Il faisait partie de ces nombreux domaines de la civilisation gaélique détruite aux 16e et 17e siècles par la démolition économique de l'Irlande qui accompagnait la conquête par les Anglais.

Mais, plus récemment, une nouvelle économie fromagère s'est développée, avec des produits supportant très bien la concurrence des fromages importés. Les Irlandais sont en train de redécouvrir leur amour de la « viande blanche », qui comprend aussi le beurre. Un peu partout dans le pays, on peut voir désormais des fromageries partant pour l'essentiel du lait de vache, mais d'autres aussi qui transforment le lait de brebis ou le lait de chèvre. La plupart des restaurants irlandais peuvent déjà offrir un plateau composé uniquement de fromages du cru. On les accompagne de beurre fermier frais ou du beurre de la marque Kerrygold, exprimant ses origines du comté de Kerry, dans le sud-ouest du pays, du pain bis frais et des crackers, de petites galettes rondes salées.

Des vaches de Kerry patûrant les prairies salées de la région de Kerry – véritable image d'Epinal – un horizon de montagnes bleues, des sables couleur d'or et des rivières aux eaux lumineuses.

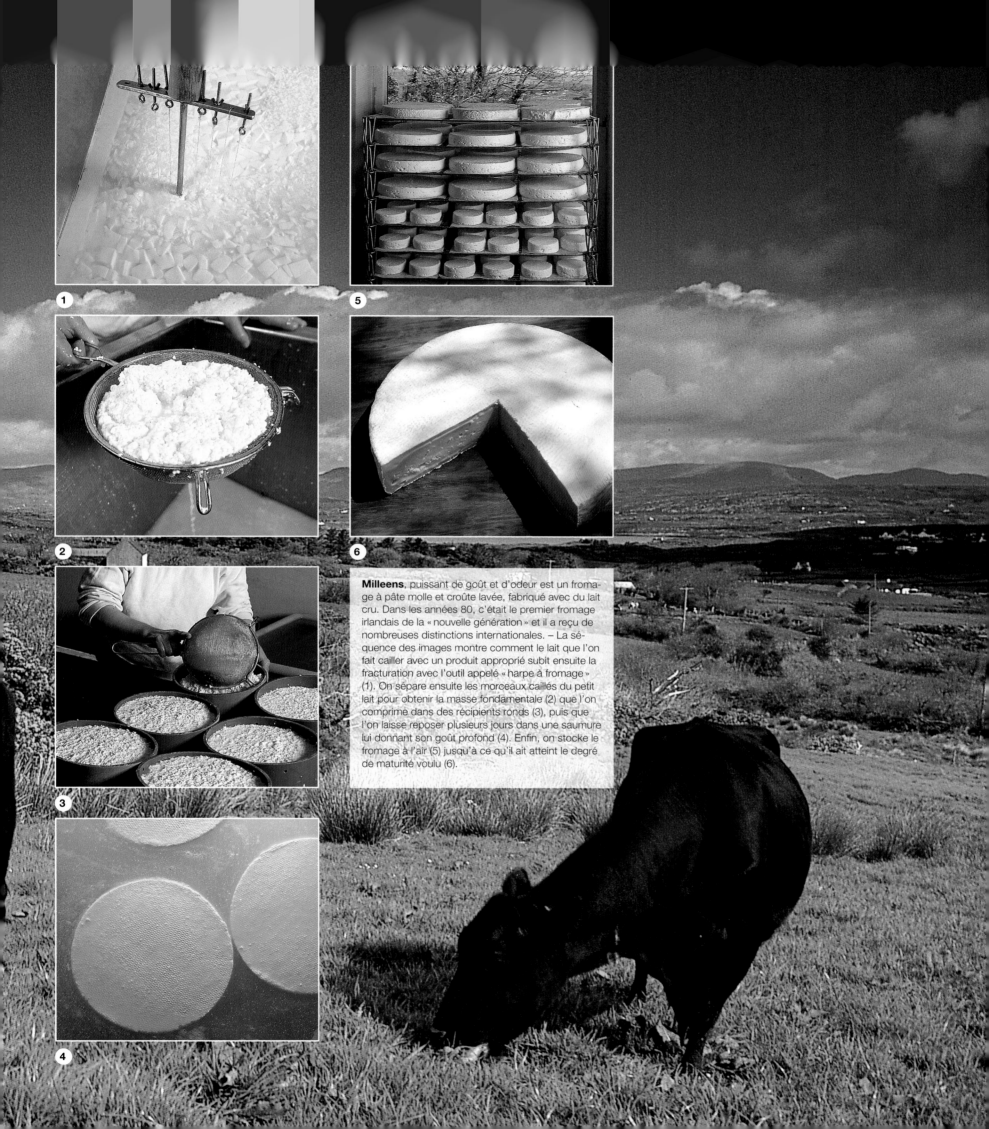

1

5

2

6

Milleens, puissant de goût et d'odeur est un fromage à pâte molle et croûte lavée, fabriqué avec du lait cru. Dans les années 80, c'était le premier fromage irlandais de la « nouvelle génération » et il a reçu de nombreuses distinctions internationales. – La séquence des images montre comment le lait que l'on fait cailler avec un produit approprié subit ensuite la fracturation avec l'outil appelé « harpe à fromage » (1). On sépare ensuite les morceaux caillés du petit lait pour obtenir la masse fondamentale (2) que l'on comprime dans des récipients ronds (3), puis que l'on laisse reposer plusieurs jours dans une saumure lui donnant son goût profond (4). Enfin, on stocke le fromage à l'air (5) jusqu'à ce qu'il ait atteint le degré de maturité voulu (6).

3

4

Fromages d'Irlande

Coolea.

Cratloe Hills.

Cahill's Irish Porter.

Cashel Irish Blue.

Gubbeen.

Wexford Irish Brie.

Cooleeney.

Milleens.

Le **Gabriel** est un fromage dur et doux semblable au Gruyère suisse. Il est fait avec du lait de brebis paissant en petits troupeaux entre le mont Gabriel et le rivage.

Le **Desmond** est un fromage de brebis. Comme le Gabriel, il est fabriqué par Bill Hogan, dont la production très personnelle s'est entre temps taillé une célébrité de légende.

Le **Cashel Irish Blue** est le seul fromage irlandais à moisissure fabriqué avec du lait cru. Il est extrêmement peu salé. On l'apprécie à sa juste valeur en le laissant vieillir jusqu'à ce qu'il coule presque.

Pâtisserie et desserts

Soda Bread – le pain poêlé

La farine irlandaise se prête mal à la panification. C'est ce qui explique pourquoi s'est développé le *soda bread*, un pain dont la pâte est levée au moyen d'une levure chimique. Jusqu'à l'électrification des zones rurales, on cuisait ce type de pain sur des plaques de fonte, appelées *griddless*, au-dessus d'un feu de tourbe. La qualité du pain ne dépendait pas seulement de la main du boulanger, car la cuisson doit se faire très vite, mais aussi de son aptitude à maintenir la flamme vive.

Gurr Cake – le gâteau préféré des écoliers

Pâtisserie peu coûteuse inventée par les boulangers-pâtissiers de Dublin au siècle dernier pour apaiser l'appétit des enfants « on the gurr », c.-à.-d. faisaient l'école buissonnière. Leur gurr cake se faisait avec les invendus de la boulangerie, auxquels on ajoutait du sucre et des fruits secs (on pouvait utiliser aussi des restes de gâteau, sans ajouter alors des fruits secs). La masse obtenue était ensuite disposée entre plusieurs couches de pâte. Jadis un morceau de *gurr cake* coûtait seulement un demi-penny. Comme pour beaucoup de plats anciens, on assiste aujourd'hui à une renaissance du gurr cake. On le réalise désormais avec une pâte et une garniture plus riches et, au lieu de prendre des restes de boulangerie ou de pâtisserie, on utilise des matières plus nobles. Les restaurants de Dublin servent aujourd'hui du *gurr cake* en dessert avec une portion de crème fouettée.

Poudings – la douce tentation

Il est en Irlande inconcevable de ne pas terminer un repas sur un pouding ou un autre dessert. Les baies sauvages, fruits et noix sont généralement transformés et additionnés de miel et de crème pour en faire des tartelettes. Le miel et le lait ont une grande importance dans la préparation des poudings, au point que les poètes chantent l'Irlande comme le pays où coulent à flots le miel et le lait. Autre ingrédient important, la pomme, apportée en Irlande vers le 12e siècle par les Normands.
Beaucoup de desserts ont la forme de poudings au lait, traditionnellement préparés avec de la farine d'avoine, de la semoule ou du riz. C'est seulement dans les fermes plus riches, les big houses, que l'on ajoutait de la crème, réservée exclusivement, ailleurs, à la fabrication du beurre. Lorsqu'une recette annonce une importante proportion de crème, c'est à coup sûr le signe qu'il s'agit d'une recette plus moderne.

Irish soda bread
Pain irlandais à la levure

500 g de farine de blé complet
1 1/2 cuil. à café de sel
1 1/2 cuil. à café de levure chimique
500 ml de petit lait

Préchauffer le four à 200 ºC. Mixer dans une terrine la farine, le sel et la levure, puis incorporer le petit lait. Malaxer pour obtenir une pâte sablonneuse, puis pétrir légèrement mais rapidement sur une planche de travail farinée. Former une miche avec la pâte, la poser sur une plaque à pâtisserie et en pressant, ramener la hauteur à 5 cm environ. Au couteau, tracer une croix profonde.
Cuire au four 30 à 35 minutes, jusqu'à ce que la miche de pain ait bien levé et pris une belle couleur brune. Laisser refroidir. Servir frais avec du beurre et de la confiture.

Gurr Cake
Gâteau de pain

8 tranches de pain rassis sans croûte
3 cuil. à soupe de farine
1/2 cuil. à café de levure chimique
2 cuil. à café d'arôme de boulanger
100 g de sucre roux
2 cuil. à soupe de beurre
175 g de raisins de Corinthe ou de fruits secs
1 œuf complet battu
4 cuil. à soupe de lait
250 g de pâte sablée (recette page 20, la moitié)
sucre semoule

Laisser tremper le pain 60 minutes dans un peu d'eau, puis exprimer l'eau. Mélanger avec la farine, la levure, l'arôme, le sucre, le beurre, les raisins de Corinthe, l'œuf et le lait. Bien amalgamer cette masse.
Avec la moitié de la pâte sablée, garnir un moule carré d'environ 22 cm de côté, mettre la masse à l'intérieur et recouvrir avec le reste de pâte. Inciser cette pâte plusieurs fois.
Faire cuire 60 minutes environ au four à 190°. Saupoudrer de sucre et laisser refroidir dans le moule. Découper le gâteau en 24 petits rectangles. Un tel morceau coûtait un demi-penny il y a cent ans.

Blackberry Mousse
Pouding aux mûres

Pour 4 personnes

250 g de mûres
50 g de sucre
jus de 1/2 citron
8 g de gélatine en poudre
70 ml de crème
1 blanc d'œuf

Rincer les mûres. Les chauffer à faible flamme pendant dix minutes, avec le sucre et le jus de citron. Laisser refroidir et passer au travers d'une passoire fine dans une terrine. Dissoudre la gélatine dans une tasse avec deux cuil. à soupe d'eau et la laisser gonfler cinq minutes. Chauffer ensuite au bain-marie jusqu'à ce que la gélatine soit fondue, puis la mélanger lentement avec les mûres en tournant sans arrêt. Fouetter séparément la crème et le blanc d'œuf. Lorsque la purée de mûres commence à prendre, incorporer, en soulevant, la crème fouettée, puis le blanc en neige. Remplir des coupes à dessert et laisser au réfrigérateur quelques heures. Garnir ensuite avec un peu de crème Chantilly surmontée d'une mûre.

Jørgen Fakstorp

Le Danemark

Par sa situation géographique, le Danemark ressemble à une passerelle tendue entre l'Allemagne et la Scandinavie qui sépare aussi la mer du Nord de la Baltique. Ce royaume, indépendant depuis plus d'un millénaire, présente une grande homogénéité ethnique, historique et linguistique. C'est au 11e et 12e siècle, à l'époque où il tenait l'Angleterre et la Norvège sous sa dépendance, qu'il fut à l'apogée de son influence politique ; et même l'Estonie fut à maintes reprises sous la suzeraineté danoise. En 1389, la reine du Danemark et de la Norvège, Margarete, ajouta la Suède à sa couronne. Puis, au 19e siècle commença le déclin du Danemark qui vint alors se ranger parmi les petits Etats. De tous les peuples scandinaves, les Danois ont la réputation d'être les plus généreux et les plus hospitaliers. Ceci n'a rien d'étonnant, car, bien que très nordique, le Danemark est un véritable pays de Cocagne aux eaux poissonneuses et aux terres fertiles. Nulle part ailleurs en Europe, l'agriculture n'est aussi intensive qu'au Danemark. L'élevage joue aussi un rôle important dans l'économie du pays, à tel titre qu'on y recense deux fois plus de porcs que d'habitants. Les Danois exportent la majeure partie des produits de la pêche, soit environ 1,5 million de tonnes de poisson par an; pourtant, c'est un pays où l'on a plutôt tendance à consommer beaucoup de viande, surtout de porc.

La cuisine danoise s'est élaborée sur la base d'une coutume ancestrale, celle de conserver les aliments. Le poisson et la viande étaient salés ou fumés, les légumes et le pain séchés. Comme le pays n'est pas très étendu, les menus ne présentent guère de particularismes régionaux et de nombreux plats traditionnels ont résisté au temps, comme le *Floekesteg*, le rôti de porc à la danoise ; le *rødgrød med fløde*, une sorte de gelée de fruits rouges nappée de crème ; ou *l'oeblekage*, un gâteau aux pommes. Crevettes et harengs, anguilles fumées et saumons de la Baltique comptent parmi les produits de la mer favoris. Mais la préférence des Danois va aux *smørrebrød* – ou pains beurrés dans la traduction littérale – garnis de charcuterie, de fromage ou de poisson et décorés avec goût.

Une pâtisserie à Copenhague. Deux pâtissiers présentent fièrement leur *kransekage*, ce gâteau réalisé seulement pour les grandes occasions et les mariages est traditionnellement orné d'un drapeau en papier. Parfois, on monte les couronnes de gâteaux autour d'une bouteille de Champagne.

Les harengs salés sont rangés deux par deux, on glisse la tête de l'un dans les branchies de l'autre.

Puis on aligne les poissons sur des perches en vérifiant qu'ils sont égaux en taille et en poids.

La préparation des harengs pour la fumaison se fait mètre par mètre.

La qualité et la quantité des poissons destinés à l'exportation sont très décisives.

Une saveur de Bornholm

Le hareng fumé

Pour de nombreux Danois, le hareng fumé est tout simplement un *Bornholmer*. L'île de Bornholm, située entre la côte sud de la Suède et la Pologne, a la réputation d'être la «patrie» du hareng fumé. Pourtant, les cheminées des fumoirs, signes caractéristiques des villes côtières de l'île, ne sont plus qu'une attraction touristique, car il n'existe plus guère de petites entreprises privées.

La fumaison a lieu de mai à octobre avec quelques éventuelles interruptions si le hareng ne répond pas aux exigences quantitatives et qualitatives. Le hareng de Bornholm est de petite taille et possède une chair tendre. Les poissons sont vidés sans qu'on leur ôte la tête, puis légèrement salés. Ils absorbent le sel pendant une nuit; le lendemain, on les assemble deux par deux en glissant la tête de l'un dans les branchies de l'autre avant de les aligner sur de longues perches placées au-dessus d'un feu de copeaux d'aulnes. Le hareng fumé, le *roget*

sild, se mange en entier, bien que certains préfèrent le fileter et le présenter assaisonné d'oignons, de ciboulette, de radis et d'un jaune d'œuf cru – Il prend alors une note poétique et s'appelle *sol over Gudhjem,* «soleil sur Gudhjem».

A droite : les grand fumoirs industriels, qui entre-temps ont remplacé les entreprises familiales, procurent un emploi à bien des insulaires. Ici, on vide un hareng pour le préparer à la fumaison.

Spécialités danoises de hareng

Bornholmsk Biksemad
Ce plat vite fait consiste en quelque sorte à accommoder les restes. C'est un mélange de hareng fumé, d'oignons rôtis, de pommes de terres cuites, de cornichons et de tomates, le tout réchauffé à la poêle.

Kogt Sild
Hareng vidé mais conservant ses arêtes, cuit dans un court-bouillon à base de vinaigre, d'oignons hachés et d'épices, où il marine pendant une nuit. Se mange froid.

Ristet Saltsild
Harengs grillés sur la braise jusqu'à ce que leur peau croustille et prenne une belle couleur brune.

Rullemops
Les rollmops de Bornholm sont préparés à partir de harengs cuits non salés. Les filets sont ensuite roulés dans une marinade au vinaigre et aux épices.

Roget Sild
Les harengs fumés sont de véritables merveilles quand on les déguste encore chauds tout juste sortis du fumoir, avec un peu de sel et du pain frais.

Saltstegt Sild
Hareng salé (en vérité *stegt saltsild*) roulé dans la farine et revenu à la poêle. Se sert avec du pain tartiné de saindoux, de la moutarde et des betteraves rouges.

Sildebøf
Croquette de hareng faite à partir de filets de hareng hachés, de farine, sel et poivre, puis poêlée. Les croquettes de hareng sont présentées avec une sauce aux oignons.

Spegesild
A Bornholm, les harengs salés s'appellent *saltsild* comme autrefois, mais le danois correct veut que l'on dise *spegesild*. Ce sont de jeunes harengs qui lâchent leur laitance en automne.

Vindtørret Sild
Harengs salés séchés au soleil et au vent, revenus à la poêle et servis avec de la moutarde.

A droite : à Bornholm, les insulaires mangent les harengs fumés encore chauds, tout juste sortis du fumoir, car ils considèrent que le poisson perd tout son goût quelques heures après la fumaison.

Vue sur les cheminées traditionnelles des fumoirs de l'île de Bornholm.

Les harengs sont fumés au-dessus des braises d'un feu de copeaux d'aulne.

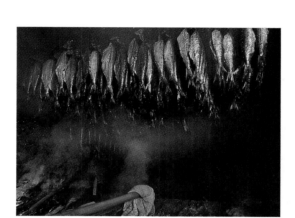

Pendant la fumaison, la chaleur et la fumée dégagée doivent rester constantes.

Les harengs sont prêts dès qu'ils ont une belle couleur brun-doré.

Ål i Karrysovs – Anguille au curry

Autrefois nourriture populaire, aujourd'hui mets de choix

L'anguille

Jadis, les Danois vivaient très chichement, mais comme le poisson abondait dans les régions côtières et dans les îles du Limfjord, l'anguille faisait partie du menu quotidien des pêcheurs et journaliers, tout comme des paysans et propriétaires terriens. C'était un poisson peu onéreux et, souvent, on concluait une sorte de marché pour fixer le prix de la pêche qui aurait lieu une certaine nuit. A l'époque, des anguilles d'un kilo venaient se prendre par centaines dans les filets. Certes, aujourd'hui encore, on pêche toujours des anguilles dans le Limfjord, mais en quantités réduites, car les filets modernes détruisent les alevins.

Autrefois plat populaire, l'anguille est maintenant un mets de choix en dépit des sentiments mitigés qu'elle évoque encore chez de nombreuses personnes. Pochée, poêlée ou fumée, c'est un poisson exquis, mais son aspect qui évoque le serpent provoque encore une certaine répulsion. Considérée longtemps comme vénéneuse, on croyait même qu'elle dévorait le corps des marins noyés. En réalité, le sang de l'anguille contient une substance proche du venin des serpents, mais celle-ci est détruite à la cuisson. Les anguilles jouent un rôle important dans les légendes danoises.

Quant aux véritables amateurs d'anguilles, ils sont prêts à faire quelques sacrifices pour satisfaire leur passion, car l'anguille compte parmi les poissons les plus chers. C'est l'anguille fumée qui a la préférence, on la déguste à peine revenue à la poêle, après avoir ôté la peau et les arêtes, en canapés, avec un œuf brouillé et du pain de seigle, ou sur une salade verte assaisonnée d'une sauce

composée d'huile, de vinaigre, de moutarde et avec un jaune d'œuf cru.

L'ålekage (gâteau aux anguilles) et *l'ålebrød* (pain aux anguilles) illustrent bien la diversité des spécialités danoises à base d'anguilles. On cuisinait assez rarement ces merveilleux petits plats, ou à l'occasion, pour profiter du moment où l'on chauffait le grand four pour y cuire le pain noir et le pain gris destiné à être conservé pendant quelque temps. Alors, on salait une anguille fraîche que l'on roulait en spirale sur une galette de pâte à pain gris au levain, on la pressait dans la pâte puis elle était enfournée. Comme l'anguille est riche en graisses, il est inutile d'y ajouter du beurre ou de la crème, contrairement à ce que l'on trouve dans certaines recettes. Parmi les suggestions les plus originales, il faut citer les *åleæggekage*, une sorte d'omelette au lait garnie de morceaux d'anguille frite ou les *røget ål i øl*, l'anguille fumée en sauce à la bière.

Ål i Karrysovs
Anguille au curry
(Illustration à gauche)

4 anguilles
sel, sucre
4 gros oignons épluchés et coupés en rondelles
1 cuil. à soupe de curry, 1 cuil. à café de paprika
3 pommes épluchées, coupées en tranches
2 tomates pelées et écrasées
1 bouteille de vin blanc
1 cuil. à soupe de persil haché

Nettoyer les anguilles, ôter les arêtes et rincer. Couper les poissons en morceaux d'environ 3 cm, saler, sucrer et mettre au frais pendant 60 min. Prendre une poêle et y faire revenir les oignons avec le curry et le paprika dans le beurre. Rouler le poisson dans de la farine et l'ajouter aux oignons, compléter avec les tomates et arroser de vin blanc. Laisser frémir pendant 30 min. Sortir le poisson de la poêle, rectifier l'assaisonnement de la sauce et garnir de persil. Servir avec des pommes de terre en robe des champs et du pain de seigle.

Rulleål
Rouleau d'anguille
(Illustration ci-dessous)

1 anguille (env. 1 kg)
oignons hachés, persil haché
sel, poivre noir
1 feuille de laurier, vinaigre

Nettoyer l'anguille, ôter les arêtes, rincer le poisson et l'ouvrir en deux. Couper le morceau près de la queue et le hacher fin. Garnir l'intérieur de l'anguille de hachis de poisson, d'oignons et de persil, saler, poivrer. Rouler l'anguille en partant de la queue et l'attacher avec de la ficelle à brider tout en faisant attention à ne pas trop serrer le poisson qui se raidit à la cuisson. Préparer un court-bouillon aromatisé de laurier et de vinaigre et y faire cuire l'anguille dans l'eau frémissante pendant 15 minutes. Laisser refroidir dans le court-bouillon. Oter la ficelle et découper l'anguille. Servir en entrée avec une salade verte. Autre variante : rouleau d'anguille en gelée. Suivre la recette précédente et ajouter un peu de gélatine au court-bouillon presque refroidi.

Rulleål – Rouleau d'anguille.

79

De loin la viande favorite

Le porc

L'agriculture et l'élevage ont une importance primordiale au Danemark, ce qui étonne quand on sait que ce pays compte parmi les nations européennes qui pêchent les plus grandes quantités de poissons. Mais, quoi qu'il en soit, les Danois affichent une certaine prédilection pour le porc, prédilection que confirment les statistiques puisque chaque citoyen danois consomme 70 kilos de cette viande par an. Jadis, même les paysans qui ne possédaient qu'un petit lopin de terre s'offraient le luxe d'élever un porc et, aujourd'hui, on compte au Danemark davantage de ces animaux que d'habitants. Par ailleurs, l'oie fait également partie des viandes très appréciées, tandis que le bœuf et le mouton sont pratiquement absents des menus.

Autrefois, seuls les aristocrates pouvaient servir de la viande fraîche en dehors des périodes d'abattage. Le «petit peuple» n'en jouissait que de la mi-novembre à Noël; le reste du temps, il devait se contenter de viande salée ou fumée. Quand, vers 1860, les cuisines danoises commencèrent à s'équiper de fourneaux, il fut enfin possible de préparer des morceaux de viande de bonne taille, même au four, alors qu'auparavant, la viande était bouillie ou coupée en petits morceaux et passée à la poêle. A titre d'exemple, seul le boulanger était en mesure de faire cuire le rôti des fêtes dans son four. Les ménagères danoises qui possédaient leur propre fourneau pouvaient désormais servir ce rôti à la couenne dorée et croustillante qui devint le plat de fête préféré.

Au début, le rôti de porc était un mets onéreux que l'on ne pouvait s'offrir qu'une ou deux fois

Saucisse grillée en manteau de lard et au ketchup.

Saucisse au curry à la moutarde et au ketchup.

Hot-dogs à la moutarde et au ketchup.

l'an. Aujourd'hui, c'est une viande bon marché, mais, tout comme au temps jadis, cette couenne chaude et croquante fait le plaisir de tous.

On conservait, autrefois, la viande et le lard dans la saumure ou en les fumant, si bien que, dès le printemps, et surtout en été, la viande était rance et ne se consommait plus que bouillie dans une épaisse soupe de pois cassés. Toutes les viandes étaient bouillies, même le lard et les saucisses qui finissaient dans une soupe de grains d'orge et de chou vert. Le chou vert, ce légume résistant aux frimas de l'hiver constituait la principale source de vitamines C des Européens du Nord. On relevait ces plats rustiques avec de la moutarde, du vinaigre, du vin, du miel, des épices ou des conserves de fruits à noyaux. La tradition d'accompagner les viandes fumées et grasses de sucré, d'acide et de salé s'est maintenue jusqu'à nos jours.

Comme par le passé, les pois au lard et à la saucisse ont la préférence en hiver. Ce lard et ces saucisses légèrement salés mijotent dans des potées faites de carottes, de poireaux et de pommes de terre, copieusement assaisonnées de thym. La version de luxe contient de l'oie ou du canard salé.

En matière de charcuterie et de saucisses, le Danemark ne saurait rivaliser avec ses voisins d'Europe centrale. La seule et véritable spécialité danoise est une saucisse grillée vendue dans les kiosques, que l'on trouve à tous les coins de rue et qui symbolisent un mode de vie. Ces petites roulottes, qui font fonction de restauration rapide sont des lieux très fréquentés, car, dans ce pays, on mange vite et bon marché. On y sert toutes sortes de saucisses chaudes avec des garnitures variées.

Flæskesteg med Svær
Rôti de porc à la couenne
(Illustration à droite)

¹/₂ jambon frais et désossé (environ 3 kg)	
gros sel, poivre noir	

Chauffer le four à 150 °C. Entailler la couenne et le gras du jambon tous les centimètres, en croix, saler et poivrer dans les entailles. Déposer le rôti sur la grille du four au dessus de la lèchefrite et laisser cuire pendant environ quatre heures. Ne pas arroser, car la couenne doit rester croquante. Une fois le rôti cuit, le sortir du four, le laisser reposer quelques instants et découper. Servir un morceau de couenne avec chaque tranche de viande et présenter du chou rouge et des pommes de terre à vapeur. Dégraisser les sucs de cuisson et servir en saucière.

A gauche : on trouve ces kiosques où l'on vend des saucisses presque à chaque coin de rue, les passants pressés peuvent y consommer plusieurs variétés de *pølser*, des saucisses chaudes.

A droite : *Flaeskesteg med svaer*, ou rôti de porc à la couenne, l'un des plats favoris des Danois qui sont les plus gros mangeurs de porc d'Europe.

Anguille fumée et œuf brouillé.

Presque une philosophie

Smørrebrød

Une critique culinaire new-yorkaise influente écrivait un jour dans sa revue : « Les Danois mangent des tartines au petit déjeuner, des tartines au déjeuner et au dîner. Et, pour s'assurer qu'ils n'auront pas faim entre-temps, ils en mangent encore quelques-unes entre les repas. »

Ceci, de toute évidence, est une exagération, mais néanmoins, il s'avère que les Danois consomment davantage de *smørrebrød* que tout autre peuple. Une ou deux tranches de pain avec de la charcuterie, du fromage ou du poisson, et voilà le repas le plus rapide à préparer que l'on puisse imaginer.

Pourtant, ils ont élevé ce rite de la tartine au niveau d'un art autant culinaire que visuel.

Au Danemark, on parle de *et stykke mad* (un morceau à manger), ce qui signifie une tranche de pain, le plus souvent de seigle, tartinée de beurre ou de saindoux et garnie. Or cette garniture peut être frugale ou bien une vraie petite merveille, se composer d'une simple rondelle de pomme de terre en robe des champs avec de la ciboulette et du gros sel, mais aussi d'un magret de canard rôti orné de pruneaux, de chou rouge et de cornichons, le tout couronné d'un quartier d'orange. En vérité, il existe des centaines de déclinaisons du *smørrebrød*.

Ces *smørrebrød* gourmands où s'empilent toutes sortes de choses peuvent être qualifiés d'« opulents » et sortent souvent des cuisines de spécialistes ayant reçu une formation particulière comme les cuisiniers, les pâtissiers ou les bouchers. Les traiteurs et les épiceries fines qui vendent les *smørrebrød* tout prêts ont un choix immense. Néanmoins, ces *smørrebrød* « opulents » sont une invention relativement récente qui date de la Pre-

mière Guerre mondiale, à l'époque où l'on essayait de faire croire à une certaine aisance en mettant l'accent sur l'effet visuel d'une garniture souvent rustique.

Une véritable culture du *smørrebrød* des fêtes s'est développée, avec ses services bien définis et toute une terminologie ; ainsi aime-t-on présenter les canapés danois en respectant l'ordre suivant : hareng/canapés salés/viande/fromage. On servira par exemple :

• des harengs marinés,
• des filets de poisson chauds avec une rémoulade,
• du travers de porc aux cornichons et au chou rouge,
• du fromage sur un canapé au saindoux, orné de gelée et relevé de quelques gouttes de rhum,
• un fromage fait main et bien fort, sur un canapé au saindoux.

Avec les *smørrebrød*, on ne sert pas de vin, mais de la bière et du *sildesnaps*. Deux verres d'alcool au minimum, l'un avec le hareng et l'autre avec le

Jambon fumé, œuf et oignon.

Saumon fumé avec asperges vertes.

fromage. Les *smørrebrød* arrosés de bière et d'alcool blanc peuvent être une épreuve pour l'estomac, il est donc sage de ne prévoir ce type de repas qu'aux moments où l'on n'exige pas trop de concentration intellectuelle de la part des convives. L'amour que les Danois portent à leurs *smørrebrød* se reflète dans les noms qu'ils ont donnés à leurs préférés.

• *Dyrloegens natmad* : « dîner du vétérinaire » ou une tranche de pain de seigle tartinée de saindoux que l'on garnit de pâté de foie, de viande salée, de rondelles d'oignon rouge ou blanc et de gelée.

• *Sol over Gudhjem* : le « Soleil sur Gudhjem », tiré du nom d'une ville de Bornholm, est un filet de hareng fumé chaud que l'on décore d'oignon, de ciboulette, de radis et d'un jaune d'œuf cru.

• *Løvemad*, ou le « repas du lion » désigne, pour les initiés, un tartare aux câpres, oignons, betteraves rouges, raifort et jaune d'œuf cru.

Les créateurs de *smørrebrød* accordent beaucoup d'importance aux contrastes. On aime les garnitures à base d'ingrédients forts en goût, aigre-doux tels que les cornichons à la russe, les câpres, les oignons, la moutarde, les betteraves marinées ou le raifort. Le hareng est surtout servi salé ou mariné dans des sauces épicées.

On comprendra aisément que les garnitures « molles » ne conviennent guère à ces sandwiches simples, mais copieux que l'on prend pendant une pause et qui sont, au fond, la forme habituelle et quotidienne du *smørrebrød*. Pour le panier déjeuner traditionnel que les Danois préparent à la maison et emportent au travail ou à l'école, ils n'utilisent que des garnitures adéquates. Et, là encore, l'humour populaire a trouvé des expressions savoureuses, ainsi appelle-t-on les simples sandwiches au salami *Roskilde landevej*, ou la « route de Roskilde » en référence au motif que dessinent la viande et le lard d'une tranche de salami danois et qui ressemble fort aux pavés, aujourd'hui disparus, de cette grande artère qui relie Copenhague au centre de la Seelande.

Dyrlaegens natmad – « Dîner du vétérinaire »
Tranches de jambon de bœuf salé et cuit sur du pâté de foie garni de gelée et de rondelles d'oignon.

Fiskefilet med remoulade – Filet de poisson en rémoulade
Filet de carrelet pané et frit sur une tranche de pain noir avec une sauce rémoulade et du citron.

Fricandeau
Fricandeau présenté en tranches avec une salade de concombre aigre-douce et du pain noir.

Gammel ost – Fromage fait
Fromage corsé et très fait sur une tranche de pain tartinée de saindoux, orné de dés de gelée et arrosé de rhum.

Gravlaks med raevesauce – Saumon mariné en sauce moutarde
Saumon mariné et pain blanc, la sauce moutarde est servie séparément.

Kogt oksebryst – Poitrine de bœuf
Poitrine de bœuf cuite avec raifort râpé et petits légumes marinés à la moutarde sur tranche de pain noir.

Kryddersild – Hareng aux herbes
Hareng mariné dans une préparation aigre-douce aux herbes, agrémenté de crème fraîche, de câpres, d'oignons hachés et d'aneth, sur tranche de pain noir.

Leverpostej – Pâté de foie
Pâté de foie avec gelée et cornichon au vinaigre.

Marineret sild pa fedtebroed – Hareng mariné et pain au saindoux
Hareng mariné aigre-doux avec oignons roses hachés, sur une tranche de pain au saindoux.

Rejesalat – Salade de crevettes
Crevettes cuites sur lit de mayonnaise, œuf dur, aneth et citron sur pain blanc.

Ribbenssteg med roekal – Rôti de porc au chou rouge
Tranches de rôti de porc sur pain noir, agrémenté de chou rouge cuit, de cornichons aigre-doux et de pruneaux.

Anguille fumée et œuf brouillé (à droite)
Pain noir beurré avec tranches d'anguille fumée, œuf brouillé et ciboulette.

Roget laks – Saumon fumé
Saumon fumé assaisonné de poivre noir et garni d'une tranche de citron sur pain blanc.

**Roeget sild (sol over Gudhjem) –
Hareng fumé (« Soleil sur Gudhjem »)**
Filet de hareng fumé avec jaune d'œuf au nid dans des rondelles d'oignon, radis hachés et ciboulette sur pain noir.

Rullepoelse – Galantine
Galantine garnie de doigts de gelée et de rondelles d'oignon sur pain noir.

Russisk salat – Salade russe
Salade de hareng à la russe (oignons, betterave rouge, hareng aigre-doux écrasé) et œuf dur sur pain noir.

**Skinke med italiensk salat –
Jambon à la salade italienne**
Jambon de Paris avec salade à l'italienne (petits pois, carottes et mayonnaise) sur pain blanc.

Tartar med garniture – Tartare garni
Filet de bœuf haché avec jaune d'œuf, oignons hachés, betteraves rouge, câpres et raifort râpé sur pain noir.

Une tradition qui remonte aux Vikings

La bière

La bière, øl en danois, que l'on prononce « oel », ainsi que l'hydromel sont connus au Danemark depuis l'époque des Vikings, notamment depuis les 10e et 11e siècle. Si le miel constitue la base de l'hydromel, la bière est issue de céréales. Elle commença à l'emporter sur l'hydromel quand des moines introduisirent le houblon au Danemark pendant la seconde moitié du 13e siècle; depuis, elle occupe toujours la première place.

Les Danois consomment environ 130 litres de bière par an et par habitant en dépit des taxes considérables qui augmentent fortement le prix des alcools. En vérité, de toute la Communauté européenne, seuls les Allemands les dépassent, avec 140 litres par habitant et par an. Au Moyen Age et pendant la Renaissance, une consommation quotidienne de huit à dix litres par personne n'avait rien d'exceptionnel, or il faut dire que l'alimentation riche en produits salés et fumés n'y était pas pour rien. Mais, à l'inverse d'aujourd'hui, cette bière était légère et peu alcoolisée, c'était une bière de haute fermentation et de conservation limitée.

En 1845, le brasseur J.C. Jacobsen rapporta de la levure bavaroise d'un voyage et commença dès 1847 à brasser selon le procédé de fermentation basse, produisant ainsi la première bière « bavaroise » à stocker. Il appela son entreprise Gamle Carlsberg, lui donnant le nom de son fils et du site de la brasserie. En 1871, Carl Jacobsen introduisit la production de pils dans une autre brasserie que son père louait. Puis, après une querelle avec son père, il fonda la Ny Carlsberg en 1880, la première brasserie industrielle du Danemark qu'il fit ériger avec le concours d'architectes fameux et d'artistes de renom. Cette usine et sa brasserie monumentale comptent aujourd'hui encore parmi les sites qui méritent une visite et illustrent les ambitions culturelles de l'entreprise.

Avec le temps, cette bière bavaroise perdit de son intérêt et dut céder la place à la pils, pourtant, en langage populaire, on appelle toujours une bouteille de bière *bajer*.

La pils danoise est fabriquée à base d'orge, d'amidon de riz ou de maïs et de houblon, autant de produits qui donnent une bière blonde, légère et souple comme un vin. On a essayé récemment d'introduire au Danemark une pils brassée à la manière allemande, c'est-à-dire uniquement à base de malt et de houblon. Les ventes semblent prometteuses.

La bière se boit aux repas, surtout avec les *smørre-brød* et autres plats froids. En réalité, ce breuvage fait partie du mode de vie danois: il est présent à l'apéritif, en rafraîchissement pendant la journée et aux grandes occasions. N'importe quel match

Les brasseries danoises utilisent les ingrédients suivants : orge, houblon et amidon de maïs.

La brasserie Carlsberg de Copenhague compte parmi les plus grandes au monde.

Des spécialistes aux papilles gustatives extrêmement sensibles goûtent la bière et vérifient sa qualité.

de football, concert de rock ou meeting politique en plein air seraient impensable sans que la bière coule à flots. En ces occasions, on consomme surtout des bières fortes : de l'export, de la *guldbajere* et une autre bière forte appelée Elephant, en référence au célèbre portail aux éléphants de la brasserie Carlsberg. Cette marque produit également une porter qui ressemble à la *stout* anglaise.

A la suite de rachats et de fusions, avec Tuborg par exemple, Carlsberg domine l'ensemble du marché danois bien que quelques brasseries indépendantes subsistent encore. Quant aux marques étrangères, elles ne sont guère distribuées au Danemark.

En 1887, J.C. Jacobsen légua la brasserie Gamle Carlsberg à la fondation Carlsberg qu'il avait créée en 1876. Cette institution subventionne la recherche en mathématiques, philosophie, histoire ainsi qu'en sciences naturelles et en linguistique. En 1901, Carl Jacobsen reprenait le flambeau et cédait sa brasserie à la fondation, lui donnant pour mission de soutenir les arts au Danemark.

La fondation Carlsberg finance le laboratoire du même nom, un institut de recherche indépendant de réputation internationale, ainsi que le musée Frederiksborg, où sont conservées les collections historiques dans l'ancien château royal de Hillerød au nord de la Seelande. De plus, elle attribue des sommes importantes à la recherche, subventionne des projets et accorde des bourses d'étude. La demeure cossue de J.C. Jacobsen, érigée dans un magnifique parc, sert aujourd'hui de maison de retraite à des chercheurs danois méritants.

La nouvelle fondation Carlsberg, créée par Carl Jacobsen est l'organisme qui gère la Ny Carlsberg Glyptothek de Copenhague. Les fonds servent à soutenir les arts et l'histoire de l'art, elle subventionne l'achat d'œuvres pour les musées danois. La Glyptothek possède une collection unique d'antiquités grecques et romaines ainsi que des œuvres impressionnistes.

Donc, chaque fois qu'un Danois boit une bière, il peut le faire avec bonne conscience, car il soutient ainsi l'art et la culture.

Ci-contre : les marques de bière courantes produites par la brasserie Carlsberg . De gauche à droite, bière forte Elephant, bière brune Porter, Pils et bière ordinaire. Au Danemark les bouteilles de bière ont été standardisées dès le 19e siècle, ce qui permet de réutiliser les bouteilles consignées. Une bouteille de bière danoise parcourt une trentaine de fois le cycle qui va de la brasserie au client : c'est peut-être un record.

A gauche : le moût cuit dans cette cuve, on y ajoute le houblon jusqu'à obtention de la concentration souhaitée. La photo a été prise à la brasserie Carlsberg de Copenhague.

Le pain viennois de Copenhague

Les feuilletés

Le « pain viennois », appelé en danois « Wiener-broed », est un terme ignoré dans les cafés et pâtisseries de Vienne, en revanche on le connaît un peu partout dans le monde sous le nom de *Danish Pastry*. Pourtant tout ce qui s'appelle *Danish Pastry* n'a pas obligatoirement à voir avec les feuilletés danois. On raconte que ce gâteau aurait été créé en 1860 par un boulanger viennois embauché au Danemark où l'on manquait de compagnons après l'abolition des corporations.

Kopenhagener, tel est leur nom habituel. On les réalise à partir d'une pâte levée abaissée plusieurs fois et feuilletée au beurre. Cette procédure est répétée plusieurs fois comme pour faire une pâte feuilletée, toutefois, la pâte feuilletée traditionnelle ne contient pas de levure. A vrai dire, les *Kopenhagener* se rapprocheraient plutôt du croissant français, mais celui-ci contient beaucoup moins de beurre. Autre différence, les feuilletés danois sont presque toujours fourrés, par exemple avec une

Les produits de boulangerie fine faits à base de pâte feuilletée danoise portent tous des noms pleins de charme, comme la *hanekam* (crêtes de coq), *tretant* (tricorne), les *skrubbe* (chausson), *spandauer*, *chokoladebolle* (pains au chocolat), *wienerhorn* (croissants viennois).

Aux anniversaires, on sert des *kringle* fourrés à la crème de macarons, aux raisins secs et à la sukkade, garnis d'amandes concassées et saupoudrés de sucre. Le *borgmesterstrang* (flûte de maire), une

Le kransekage, le gâteau des fêtes

Cette sorte de pièce montée est par excellence le gâteau des grandes occasions. Il est fait à partir d'une pâte riche en œufs et en beurre, qui contient du sucre glace et de la pâte d'amandes et avec laquelle on forme des couronnes de plus en plus petites.

Une fois cuites, ces couronnes sont décorées d'un glaçage au sucre, puis montées en ordre décroissant pour obtenir une tour que l'on orne selon la circonstance, soit d'un petit drapeau (illustration p. 74-75), soit de fleurs en papier ou de bonbons ; pour les mariages, il est bien sûr surmonté de figurines représentant un couple. Les livres de cuisine danois du 17e siècle donnaient déjà des recettes de gâteaux à base de pâte d'amande. A l'époque où les routes étaient encore pavées et plutôt cahoteuses, on préférait transporter le *kransekage* à pied. Les garçons pâtissiers se nouaient une sangle sur les épaules et portaient un gâteau de chaque côté pour que ces chefs-d'œuvre arrivent sans encombre chez leur destinataire.

crème au sucre, aux amandes, à la pâte d'amandes, aux macarons, à la crème au beurre mais aussi à la confiture, aux amandes hachées, raisins secs ou à la *sukkade* (écorces de fruits confites). On utilise la pâte à « pain viennois » que l'on connaît aussi sous l'appellation pâte feuilletée danoise pour réaliser de la boulangerie fine et le *smørkage*, un gâteau riche en calories, couvert de crème au beurre, de pâte d'amandes et garni de raisins secs et de *sukka-de* que l'on recouvre d'un glaçage après la cuisson.

tresse à la pâte d'amandes est également très appréciée.

On déguste les *kopenhagener* dans les cafés et les pâtisseries, au restaurant, à la cantine, au bureau et à la maison accompagnés d'un café, d'un thé ou d'un chocolat chaud, ou même tout simplement dehors, sur un banc public, sur le pouce. Les initiés disent que la meilleure heure pour les *kopenhage-ner* est entre onze heures et midi parce qu'il sont encore croustillants et tièdes.

Ci-dessus : le *borgmesterstrang*, ou littéralement « Flûte de maire » fait partie de ces célèbres pâtisseries à base de pâte à la viennoise. C'est une tresse à la pâte d'amandes décorée d'amandes. La pâte est divisée en trois parties qui servent à former trois boudins d'environ 50 cm de long. Ils sont ensuite tressés et les extrémités sont refermées.

Page de droite : les strates que dessine cette pâte à la viennoise, soit une pâte levée feuilletée abaissée plusieurs fois, sont un véritable chef-d'œuvre dont la structure rappelle les cercles annuels des arbres. La pâte sert à faire de délicieux feuilletés célèbres dans le monde entier, comme les *kopenhagener*. Les *kopenhagener* se déclinent de plusieurs manières et portent des noms pleins de charme. L'agrandissement de la photo montre bien les couches de pâte qui constituent le feuilletage.

Wienerbrødsdej

(Pâte à pain viennoise ou pâte feuilletée danoise
pour les Kopenhagener)

pâte levée
(cf. recette du vetelängt,
tresse suédoise, p. 110)
250 g de beurre en tranches fines

Quand la pâte est montée, l'abaisser au rouleau pour obtenir un rectangle d'environ 0,5 cm d'épaisseur. Couvrir la
moitié de la pâte de beurre et recouvrir avec l'autre moitié
et abaisser de nouveau.
Recommencer l'opération jusqu'à ce que tout le beurre
soit utilisé.

1. Les chaussons carrés de « pain viennois » ou pâte
feuilletée danoise s'appellent *spandauer*, (on ignore aujourd'hui l'origine de ce nom). Ces chaussons peuvent
être fourrés à la confiture, à la crème à la vanille, on les
décore d'amandes effilées ou de noisettes concassées et
parfois même d'un glaçage au chocolat.

2. Réalisation des non moins célèbres *hanekamme* ou
crêtes de coq de forme allongée que l'on fourre de pâte
d'amandes et de compote de pommes. Dans certaines
recettes, on utilise une pâte aux amandes ou aux noisettes moulues. Dès que le gâteau est cuit, on le nappe d'un
glaçage au sucre ou on le saupoudre de sucre cristallisé.

3. D'aspect, le *Wienerhorn*, ou croissant viennois ressemble au croissant français, mais il contient davantage de
beurre et est fourré à la pâte d'amandes ou à la noisette.
On roule les triangles de pâte en partant de la base pour
remonter vers la pointe en enfermant bien la garniture.

1

2

3

Jørgen Fakstorp

La Norvège

Les aliments du nord de l'Europe ont conservé toutes leurs saveurs naturelles, celles de la mer, du terroir, des montagnes, de l'épicéa et du bouleau. Les Vikings, qui savaient cultiver les traditions, l'hospitalité et servaient des plats simples et chaleureux, du renne au Nord et du mouton au Sud, des saumons des torrents de montagne, des aiglefins, harengs et maquereaux de l'Atlantique ainsi que des champignons frais et des baies sauvages des forêts et des campagnes, ont beaucoup inspiré les menus scandinaves.

Le royaume de Norvège n'a acquis son indépendance qu'en 1905. Pendant la période comprise entre 1380 et 1814, il dépendait de la double monarchie de Dane-mark-Norvège, puis, à partir de 1815, il fut rattaché à la Suède. En dépit de conditions de transports rendues difficiles par la configuration géographique du pays, la cuisine norvégienne ne présente guère de grandes différences régionales. Dans les ports, les échanges commerciaux avec l'Europe ont laissé certaines traces ; Bergen, par exemple, est sans doute la seule ville scandi-nave où l'on sert de la *polenta*. De même, les rôtis de porc à la choucroute et aux pois russes dévoilent certaines influences étrangères, même si la choucroute norvégienne est brune et relevée au cumin. A Bergen, le plat national, le *får i kål* (potée d'agneau au chou) contient des carottes, des pommes de terre et des navets, tandis que les Norvégiens de l'Est prétendent qu'on ne peut préparer cette recette qu'à base d'agneau et de chou, les pommes de terre devant être présentées à part. Une tradition empruntée à l'économie montagnarde, le lait de vache ou de chèvre est immédiatement conservé sous forme de lait caillé ou de crème aigre que l'on appelle *rømme* en norvégien.

Les conditions de vie difficiles du Grand Nord n'ont jamais empêché ses habitants de prendre plaisir à boire et à manger. Ils aiment la fête. Et, dès que l'occasion se présente, ils mettent sur la table tout ce que les champs, les forêts et la mer peuvent offrir. On fête, savoure et boit jusqu'au petit matin, à l'heure de la bouillie d'avoine à la crème aigre et du *dravle*, une boisson reconstituante à base de lait caillé et de sirop. Mais le petit déjeuner le plus prisé est indéniablement le *rømmegrøt*, une bouillie typique d'avoine à la crème aigre et au lait chaud nappée de beurre fondu.

Dans une ferme aquacole où l'on élève le poisson dans d'immenses cages de filets.

Un poisson noble s'est vulgarisé

Le saumon

Le saumon ne vit pas seulement en mer, il naît à proximité des sources des cours d'eau et redescend ensuite vers l'océan où il reste jusqu'à l'âge où il doit frayer. Alors, il remonte les rivières et retourne vers son lieu de naissance pour y pondre ses œufs.

Les amateurs de pêche sportive qui, de juin à août, attendent sur les berges des rivières avec les appâts sophistiqués que seuls les initiés peuvent identifier tentent de capturer les saumons prêts à frayer qui reviennent vers le lieu où ils sont nés. Ces pêcheurs-là sont en quête d'un poisson de choix. En effet, le saumon possède une chair goûteuse et ferme à ce moment de sa vie, une chair qui est le fruit de sa lutte incessante contre le courant. Mais ils ne sont pas faciles à prendre vivants, ces saumons de rivière en train de remonter vers les montagnes (le saumon d'eau douce s'appelle *salm*), car ils savent ruser. La manière de les attirer fait l'objet d'interminables discussions entre pêcheurs. Quant aux étrangers qui pratiquent ce sport, ils doivent payer très cher l'autorisation de pêcher dans une rivière à saumons. En effet, des réglementations très strictes visent à limiter le zèle des pêcheurs. Celui qui utilise une ligne n'a droit qu'à un seul spécimen de bonne taille par jour et aux plus petits poissons sortis de l'eau qu'il pourra déguster en pleine nature. Les autres devront être vendus à la population locale.

Les pêcheurs de saumon préparent leurs prises en toute simplicité. Ils vident le poisson, l'écaillent de la queue vers la tête, le font cuire à la poêle qu'ils déglacent ensuite avec une copieuse ration de

Gravet Laks (Gravlaks) – Une spécialité scandinave

Selon l'avis des connaisseurs, et pas seulement ceux des pays scandinaves, le *Gravet Laks* est la recette qui convient le mieux à ce poisson noble. Son nom rappelle une ancienne méthode de conservation, celle du salage, séchage. Le poisson était salé, sucré, poivré, recouvert d'aneth puis enterré (*gravet*) dans le sol pendant plusieurs semaines, la pression de la terre qui le recouvrait faisant pénétrer les épices dans la chair.

A la maison, nous recommandons d'utiliser une assiette ou une épaisse planche de bois que l'on alourdira en y posant des boîtes de conserves pleines pour augmenter la pression sur le poisson.

Pêcheurs à la ligne attendant un banc de saumons en train de remonter la rivière en direction de la frayère.

te sa délicatesse. Autrefois, à l'époque où l'on ignorait encore les procédés de congélation et autres moyens de réfrigération, on conservait le saumon et les truites sauvages grâce à l'action des ferments lactés générés par le salage du poisson. Ce produit que l'on appelle *rakørret* en norvégien n'a pas l'odeur pénétrante qui fait hésiter certains d'entre nous devant un *surströmming*, le hareng salé fermenté suédois. Quand, au moment du référendum sur l'adhésion de la Norvège à la Communauté européenne, la rumeur se répandit que l'on n'aurait plus le droit de produire du *rakørret* si la Norvège entrait dans l'Union, les inconditionnels de cette préparation se sont immédiatement mobilisés contre la CEE.

Actuellement, la plupart des saumons du commerce sont des animaux d'élevage. Les fermes piscicoles se sont implantées dans les fjords et on y élève des saumons, des truites saumonées et des truites arc-en-ciel dans d'immenses cages en filets où ils sont nourris jusqu'à ce qu'ils atteignent leur taille de commercialisation. On leur donne surtout des harengs et des capelans, un poisson qui abonde dans l'océan Arctique. Normalement, la truite arc-en-ciel compte parmi les poissons d'eau douce à chair blanche. Mais, grâce à ce mode d'élevage, les Norvégiens ont réussi à les faire rosir et à leur donner la taille des truites saumonées. Mais, hélas, cet élevage intensif a contribué à décimer la faune sauvage atteinte de maladies transmises par des animaux d'élevage qui s'étaient échappés. En revanche, la réussite de ce mode de production permet d'avoir du saumon toute l'année et nettement moins cher. Aujourd'hui, le saumon n'est plus un luxe comme il y a encore une dizaine d'années seulement, il est même parfois meilleur marché que le cabillaud.

Ainsi donc, le saumon qui était autrefois un poisson noble, recherché et onéreux que tout le monde

rømme, cette crème aigre qu'on emploie dans presque tous les plats norvégiens.

Après avoir été vidés et nettoyés, les gros saumons sont cuits au court-bouillon, servis entiers avec du beurre fondu et, éventuellement, un peu de vinaigre et de crème aigre. Traditionnellement, les Norvégiens l'accompagnent d'une salade de corni-

chons aigres-doux, tandis que, selon l'usage international, on le nappe d'une sauce hollandaise. Les darnes de saumon ou les filets se cuisent à la poêle ou au four, on les présente avec du beurre fondu, du citron et du raifort.

Le saumon fumé avec des œufs brouillés, des épinards à l'étuvée ou autres légumes développe tou-

ne pouvait pas s'offrir retrouve presque le statut qu'il avait au cours des siècles passés; en effet, ils étaient si nombreux sur la côte norvégienne que les domestiques et autres personnels de maison exigeaient qu'on leur atteste qu'ils n'en mangeraient pas plus de deux fois par semaine.

1

1

1

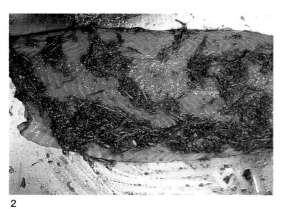

2

2

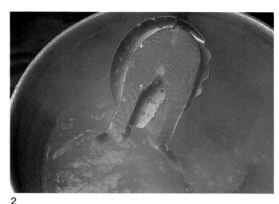

2

3

3

3

Gravet Laks
(Illustrations 1–3, ci-dessus)

1,5 kg de saumon frais (morceau du milieu), écaillé
2 bouquets d'aneth, lavé et coupé grossièrement
2 cuil. à soupe de gros sel
1 cuil. à soupe de sucre
1 cuil. à soupe de poivre blanc

Sauce à la moutarde

6 jaunes d'œuf battus
1 cuil. à soupe d'huile
1 cuil. à soupe de sucre
1/2 cuil. à soupe de vinaigre
2 cuil. à café de poivre blanc
2 cuil. à café de sel
1 cuil. à soupe de moutarde
2 cuil. à soupe d'aneth haché fin

Diviser le saumon préparé en deux (1) et ôter l'arête centrale. Rincer brièvement et essuyer. Déposer un filet dans un plat en mettant la peau au fond et garnir d'aneth. Mélanger sel, poivre et sucre et les répartir sur le poisson (2). Recouvrir avec l'autre filet de poisson, la peau tournée vers le haut, comme pour le reconstituer. Couvrir d'une feuille d'aluminium et alourdir avec une assiette chargée de poids, par exemple des boîtes de conserve.

Laisser au réfrigérateur pendant 24 heures, puis laisser mariner pendant 3–4 jours en retournant le poisson plusieurs fois par jour et en l'arrosant de son jus.
Préparer la sauce.
Sortir le saumon de la marinade, ôter l'aneth et les épices et essuyer. Découper de fines tranches en diagonale, servir avec la sauce (3) et présenter avec des toasts grillés et une salade verte.

Ristet Laks
Saumon grillé
(Illustrations 1–2, milieu)

4 filets de saumon avec la peau (env. 4 cm d'épaisseur)
sel
huile et/ou beurre

Rincer les filets de poisson et les essuyer. Entailler les filets jusqu'à la peau sans les séparer complètement. Les replier avec la peau à l'intérieur (2). Saler légèrement le poisson, l'enduire d'huile et le poser sur le gril ou sur la grille du four. On peut également le préparer à la poêle, au beurre ou à l'huile. Servir avec du brocoli et des légumes variés (3).

Koks Laks
Saumon poché
(Illustrations 1–3, ci-dessus)

4 darnes de saumon avec la peau et l'arête centrale

Court bouillon

1 oignon épluché et coupé en rondelles
1 carotte nettoyée et coupée en rondelles
1 bouquet garni (persil, aneth, thym)
5–6 grains de poivre gris

Préparer le court-bouillon dans une grande casserole. Porter de l'eau salée et les ingrédients à ébullition, réduire le feu et laisser frémir pendant env. dix minutes. Porter une deuxième fois à ébullition, plonger les darnes de poisson dans le court bouillon (2) et baisser immédiatement le feu (l'eau ne doit plus bouillir), pocher le poisson pendant 5–10 minutes. Sortir le saumon du court-bouillon et servir aussitôt. Présenter avec des pommes de terre en robe des champs, de la crème aigre, une salade de concombres ou du chou-fleur (3).

93

L'aliment de base du Norvégien

Le cabillaud

La côte norvégienne qui s'étire du Skagerrak, en mer du Nord, à la mer de Barents dans l'océan Arctique est l'une des principales frayères de cabillauds (avant la maturité sexuelle, on les appelle aiglefins) et d'autres poissons de la même famille. Bien que la flotte de pêche norvégienne exporte 90 pour cent de ses prises, les Norvégiens mangent davantage de cabillaud que tout autre peuple.

un petit saumon de l'Arctique dont le cabillaud est très friand. Les 190 km de côtes montagneuses des îles Lofoten, au nord du pays, sont le véritable centre de cette pêche. Certes, les effectifs se sont considérablement réduits au cours des dernières années; pourtant, d'autres variétés de cabillauds d'excellente qualité, mais que l'on n'appréciait guère autrefois, par exemple le *sei*, le *lange* et le *bloelaenge*, gagnent de plus en plus d'importance. Les mareyeurs jugent le cabillaud à sa couleur qui peut varier du gris au brun, et du vert au rouge. Leurs teintes indiquent les fonds marins où ils vivent. Les Norvégiens de l'Ouest préfèrent le cabillaud sombre venant de fonds riches en algues

des champs et des carottes cuites en même temps que le poisson, une tranche de citron et un ramequin de *eggesaus*, une sauce norvégienne aux œufs préparée à base d'un fumet de poisson.

Morue et morue salée

Le cabillaud frais est le meilleur, mais les Norvégiens l'apprécient également séché. Cette coutume de sécher le poisson remonte au moins à un millénaire et le procédé n'a guère changé depuis.
Dès que les bateaux de pêche jettent l'ancre, on étête les poissons, puis on les vide, ils ne sont ni découpés ni salés, mais attachés deux par deux par la queue et suspendus à des claies de bois en plein

1   2   3   4

La Norvège possède l'une des plus importantes flottes de pêche du monde. On pêche le cabillaud avec de gros

chalutiers (1). Dès que les bateaux sont à quai, le poisson est étêté et transformé en morue séchée (ci-dessus), on les attache par la queue pour les faire sécher en plein air

(page de droite). Pour la préparation n'utilisant que le morceau du milieu (2), on fait tremper la morue (3), puis elle est pochée ou cuite à la poêle et servie avec des pommes de terre en robe des champs et des légumes du type carottes, navets etc. (4).

Dans les régions côtières, il entre si souvent au menu que certains le considèrent davantage comme une plaie que comme une bénédiction.
On distingue le cabillaud de pleine mer de son frère côtier, bien que tous deux appartiennent à l'espèce appelée *gadus morrhua*. Le cabillaud de pleine mer que les Norvégiens nomment *skrei* représente certainement la variété typiquement norvégienne et arctique. Au sens strict du terme, seul ce poisson mérite l'appellation de cabillaud. Il peut atteindre jusqu'à 180 cm et peser 70 kg.
En Atlantique Nord, la pêche au cabillaud a surtout lieu au printemps quand le poisson est à la recherche d'une frayère le long des côtes. Souvent, il pourchasse de grands bancs de *lodde* ou capelans,

brunes ou vertes, et ceux du Sud, les poissons plus clairs des fonds rocheux ou sableux.
Autre critère non négligeable : le mode de pêche. A croire les connaisseurs, le cabillaud de ligne est le meilleur. Il est tué et saigné immédiatement après avoir été pris, tandis que les poissons pêchés au chalut, la méthode la plus courante, ont souvent une qualité moindre parce qu'ils sont asphyxiés dans les filets.
Préparer le cabillaud est une affaire simple. On le poche dans l'eau salée ou dans un court-bouillon à ébullition et, dès que l'eau s'apprête à bouillir de nouveau, on retire la casserole du feu et on laisse le poisson cuire pendant cinq à sept minutes. Il se sert au naturel, avec des pommes de terre en robe

air. Le vent froid de l'Arctique les sèche lentement. Au bout de six à douze semaines, ils sont aussi raides et durs qu'une planche de bois. Ils peuvent alors être empilés comme des bûches et conservés pendant des années. Ils s'appellent désormais *Tørrfisk* ou *stokkfisk* et sont souvent exportés dans les pays lointains et même outre-mer. L'autre variante est le *klippfisk*. C'est une morue séparée en deux à partir de l'arête centrale, dont on a ôté les arêtes principales et qui a été préalablement salée avant d'être suspendue pour le séchage. Son nom rappelle que, jadis, on la faisait sécher sur les falaises. (*Klipp* = falaise).
La manière la plus courante de préparer la morue séchée est le *lutefisk*. *Lute* signifie eau sodée. On

fabrique une sorte de saumure à base de cendres de bouleaux et on y laisse tremper le poisson pendant des journées entières. Curieusement, il ne perd que peu de son goût et ses qualités nutritives restent intactes. Le *lutefisk* n'est pas l'affaire de tout le monde, et certains Norvégiens s'insurgent et déclarent même que ce type de préparation serait la honte nationale. Toutefois, cette procédure longue et compliquée tend à disparaître, car on vend du *lutefisk* prêt à la consommation sur les marchés et dans les poissonneries de Norvège. Le lutefisk surgelé est considéré dans le monde entier, et même en Amérique, comme une spécialité typiquement scandinave.

Lutefisk

1 kg de poisson séché
(soit environ 2 1/2 à 3 kg de poisson)
2 1/2 cuil. de soude (en pharmacie)
sel

Laisser tremper le poisson pendant une semaine dans un grand récipient plein d'eau en changeant l'eau une fois par jour. Dissoudre la soude dans sept litres d'eau dans un récipient en verre ou en grès. Sortir le poisson de l'eau et le laisser dans la solution de soude pendant 2–3 jours, puis finir le trempage 2–3 jours durant dans de l'eau claire. Saler le poisson, l'envelopper dans une feuille d'aluminium et le mettre au four à 200 ºC pendant environ 20 min. Vider le jus de cuisson et servir immédiatement.

Klippfiskegratin
Gratin de *Klippfisk*

500 g de klippfisk
3 cuil. à soupe de beurre
3 cuil. à soupe de farine
350 ml de lait
2 œufs battus
poivre
1 pincée de muscade

Faire tremper le klippfisk pendant un à deux jours en changeant régulièrement l'eau. Sortir le poisson de l'eau et le couper en gros dés ; préchauffer le four à 180 ºC. Préparer une béchamel à base de beurre, farine et lait, laisser frémir pendant quatre minutes et ôter du feu. Ajouter les œufs en remuant constamment, saler, poivrer, saupoudrer de muscade et rectifier l'assaisonnement. Mettre les morceaux de poisson et la sauce dans un plat allant au four et préalablement beurré, laisser cuire pendant 35 minutes, servir avec du beurre fondu.

Torsketunge
Langue de cabillaud

Au nord de la Norvège, et particulièrement dans les îles Lofoten où la pêche à la morue est la principale activité économique, la langue de cabillaud est considérée comme un mets de choix. On la coupe de la tête du poisson qui, elle, sert à fabriquer de la farine de poisson pour l'élevage du bétail. Les langues de cabillaud doivent être de première fraîcheur, sinon elles perdent tout leur parfum.
On les prépare aussi simplement que le cabillaud frais, au court-bouillon, au beurre fondu ou avec une sauce béchamel aromatisée au curry. Les langues de cabillaud peuvent aussi être panées à la chapelure, cuites à la poêle dans du beurre et servies avec du citron.

Ci-dessous : les morues sont disposées sur ces structures de bois et sèchent en plein air.

Poissons, poissons, poissons

La Norvège est l'une des nations européennes où la pêche joue un rôle prédominant, car ce secteur emploie plus de 50 000 personnes et traite plus de trois millions de tonnes de poisson par an. Cette tradition remonte à des temps très lointains, probablement à la période antérieure aux Vikings. Le poisson a toujours été considéré comme un aliment très sain, riche en protéines et en sels minéraux. De nombreuses espèces vivent dans les zones de pêche norvégiennes, ce qui permet de varier les menus. Mais, curieusement, les populations côtières n'apportent guère de raffinement dans leurs préparations ; elles le font cuire au court-bouillon, à la poêle ou sur le gril. Mais, au fond, il n'y a rien d'étonnant à cela, car, frais, le poisson offre toute la délicatesse de son goût et n'a jamais cette fameuse odeur âcre de poisson qui coupe l'appétit à tant de continentaux, une odeur qui signale le manque de fraîcheur du produit. Or, on la chercherait en vain sur les marchés de Norvège. Poissons frais et légumes forment un mariage parfait ; carottes et salade de concombres comptent parmi les accompagnements favoris, tout comme les poireaux, les haricots verts, le chou-fleur, le brocoli et les petits pois. Quelques navets à l'étuvée et une choucroute aigre-douce, par exemple, s'allieront très bien avec un hareng frais. Pendant des années, on pensait que le beurre brun ou fondu était la meilleure manière d'accommoder un poisson, mais, de nos jours, on préfère les sauces plus légères et plus raffinées ; cuit au court-bouillon, on le sert avec un fumet de poisson, des foies en purée et du jus de citron.

Ål – Anguille
(mâle jusqu'à 50 cm, femelle jusqu'à 100 cm).

Skrubbe – Limande
(jusqu'à 50 cm).

Piggvar – Turbot
(jusqu'à 100 cm).

Rødspette – Carrelet
(jusqu'à 95 cm).

Tunge – Sole
(jusqu'à 60 cm).

St. Peterfisk –
Saint-Pierre
(jusqu'à 60 cm).

Knurr – Grondin
(jusqu'à 45 cm).

Hyse – Aiglefin
(jusqu'à 100 cm).

Mulle – Rouget barbet
(jusqu'à 40 cm).

Makrell – Maquereau
(jusqu'à 50 cm).

Torsk – Cabillaud
(jusqu'à 170 cm).

Breiflabb – Lotte
(jusqu'à 170 cm).

Lyr – Lieu
(jusqu'à 100 cm).

Lodde – Capelan
(jusqu'à 25 cm).

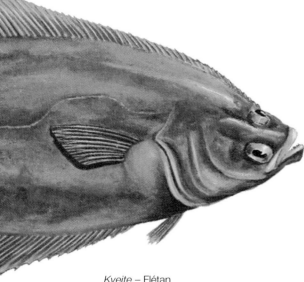

Kveite – Flétan
(jusqu'à 400 cm).

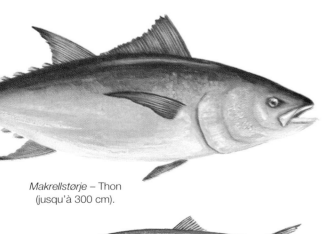

Makrellstørje – Thon
(jusqu'à 300 cm).

Sild – Hareng
(jusqu'à 40 cm).

Purée de poisson

1 aiglefin frais (env. 4 kilos)	
sel	
2 oignons épluchés	
muscade râpée	
3 œufs	
50 g de fécule	
1 l de lait	

Fileter le poisson, laver et essuyer. Préparer un fumet de poisson en faisant cuire la tête, les nageoires, la queue et l'arête centrale dans l'eau salée pendant 30 min. Passer les filets de poisson et les oignons à la moulinette trois fois de suite, ou les réduire en purée au mixer. Mettre la purée dans une terrine, ajouter une cuil. à soupe de sel et la muscade, incorporer les œufs un par un et fouetter la purée de poisson pendant cinq minutes après chaque œuf, ajouter la fécule, puis verser le lait peu à peu en continuant de battre ; fouetter l'ensemble pendant 15 minutes. Répartir la purée en deux portions : l'une servira à préparer un *fiskepudding* et l'autre des *fiskeboller*. Passer le fumet de poisson au chinois et mettre au frais. Ce fumet devra être consommé dans la semaine, par ex. pour faire une soupe de poissons.

Fiskeboller
Quenelles de poisson

Former des quenelles de purée de poisson de la taille d'un œuf et les pocher dans le fumet de poisson pendant 30 minutes, servir avec une béchamel aux crevettes.

Fiskepudding
Terrine de poisson

Préchauffer le four à 180 ℃. Répartir la purée de poisson dans un moule à soufflés préalablement beurré. Poser le moule dans un plat plus grand dans lequel on aura versé 3 à 4 cm d'eau, laisser cuire pendant 45 minutes. Servir avec une sauce aux crevettes ou une sauce légère au curry. Certains coupent cette terrine en tranches épaisses qu'ils font ensuite revenir au beurre.

Savoir acheter et préparer le poisson

Qu'on achète le poisson frais entier, en filets ou en darnes, il faut toujours vérifier certains critères de qualité :

• odeur fraîche
• branchies rouge vif
• yeux clairs, brillants et bien convexes
• chair ferme et élastique (tester avec le doigt)
• peau souple et luisante

Préparation avant cuisson

Pour un poisson entier, on commence par couper les nageoires avec des ciseaux de cuisine, puis on l'écaille soit avec un couteau bien aiguisé et dentelé, soit avec un couteau spécial en partant de la queue vers la tête ; mieux vaut écailler le poisson sous le jet du robinet. Pour vider le poisson, on l'entaille par le ventre en faisant bien attention à ne pas blesser les entrailles que l'on détache ensuite avec le doigt en prenant toutes les précautions nécessaires pour les sortir de la poche ventrale. On coupe les branchies. Les organes comestibles tels que les œufs, la rate ou le foie doivent être soigneusement rincés, et trempés pendant une heure. Puis on lave le poisson sous l'eau courante en s'aidant d'une petite brosse et d'un couteau pointu pour ôter le sang et les chairs sombres.
Pour fileter un poisson, on se sert d'un couteau bien aiguisé et l'on coupe la peau sur l'un des côtés du dos en longeant les nageoires, en partant de la tête vers la queue, puis on détache la chair de l'arête principale. On retourne ensuite le poisson pour répéter la procédure avec l'autre filet.
Pour ôter la peau d'un filet, poser le poisson sur le plan de travail, la peau vers le bas. Tenir la queue d'une main, glisser le couteau entre la peau et la chair en tenant le couteau bien à plat, remonter vers la tête par petits mouvements comme pour scier, tout en tendant bien la peau, qui se détache au fur et à mesure.

Temps de cuisson
Variables selon la consistance et l'épaisseur du poisson.

Poissons maigres (par ex. cabillaud)

5 cm d'épaisseur	13 min
7 cm d'épaisseur	25 min
10 cm d'épaisseur	50 min

Poissons gras (par ex. saumon)

5 cm d'épaisseur	18 min
7 cm d'épaisseur	35 min
10 cm d'épaisseur	70 min

Poissons plats (par ex. limande)

3 cm d'épaisseur	10 min
4 cm d'épaisseur	20 min
5 cm d'épaisseur	30 min

Petit calendrier des poissons
Quels poissons à quelle saison ?

Ål – anguille	janvier, avril à décembre
Breiflabb – lotte	toute l'année
Havåbor – bar	juin à septembre
Hvitting – merlan	janvier à avril, août à décembre
Hyse – aiglefin	juin à décembre
Kveite – flétan	toute l'année
Knurr – grondin	rare, toute l'année
Laks – saumon	janvier à avril, octobre à décembre
Lomre – limande	toute l'année
Lyr – lieu	rare, toute l'année
Lysing – brochet de mer	juin, septembre à décembre
Makrell – maquereau	février à novembre
Makrellstjøre – thon	juin à octobre
Mulle – rouget barbet	toute l'année
Øyepål – cabillaud (stint)	toute l'année
Piggvar – turbot	mars, juillet à décembre
Rødspette – carrelet	mai, novembre à février
Sild – hareng	janvier à février, juillet à décembre
Skrubbe – flet	toute l'année
Slettvar – turbot	toute l'année
Smørflyndre – limande	rare, toute l'année
St Peterfisk – St Pierre	toute l'année
Torsk – cabillaud	toute l'année
Tunge – sole	mai à décembre

L'alcool qui fait le tour du monde
Aquavit

Comme tous les Scandinaves, les Norvégiens ont des rapports ambigus avec l'alcool. Les mouvements en faveur de l'abstinence y sont tout aussi actifs que les distilleries clandestines, et les taxes sur les spiritueux comptent parmi les plus élevées du monde. Ceci ne s'applique pas uniquement aux alcools forts tels que le whisky, le cognac et l'aquavit, mais aussi au vin et à la bière.

Sur les côtes norvégiennes, la vie dure et dangereuse des pêcheurs et des gens de mer a été un véritable terreau pour divers mouvements religieux. Quand les marins revenaient à terre, ils buvaient leur salaire, se bagarraient, avaient tendance à tout casser; alors, les prédicateurs insistaient sur le châ-

alcoolisée vendue partout en Norvège est une bière douce et très légère.

La distribution des autres spiritueux est l'affaire de l'Etat. Vinmonopol, une société d'Etat, importe le vin et les autres alcools, et se charge même de leur vente; parallèlement, elle distribue une excellente bière locale brassée selon les mêmes méthodes et exigences que la bière allemande. Le Vinmonopol exerce aussi des activités dans la production et distille surtout de *l'akevitt*, qui signifie littéralement «eau-de-vie».

Le plus célèbre des aquavits est le fameux «Linie-Aquavit» dont le nom, emprunté au vocabulaire de la navigation maritime et aérienne, évoque des routes fréquemment parcourues. Ce nom attire l'attention du client qui sait que cet alcool a passé l'équateur avant d'être mis en bouteille. Son voyage dans les mers lointaines des régions froides et tropicales participe à sa maturation et confère au Linie-Aquavit sa rondeur célèbre. Après la dis-

holm. C'est un produit légèrement épicé avec un subtil parfum de cumin et de bois. Ensuite est venu le *Loeiten Linje*, plus doux, mais aussi plus épicé. Ces deux aquavits doivent être servis frais où à température ambiante, mais jamais glacés. L'étiquette d'un aquavit de ligne indique toujours le nom du navire sur lequel il a été embarqué ainsi que l'itinéraire qu'il a suivi lors de son périple autour du monde.

Pour leur consommation quotidienne, les Norvégiens préfèrent les spiritueux ordinaires distribués par le Vinmonopol, ce sont des produits tantôt forts tantôt légers surtout aromatisés au cumin. Le «Gilde Taffel» est le seul spiritueux à ne pas avoir été vieilli, tandis que la plupart des autres passent entre huit et 26 mois en cave. Le «Gilde Non plus Ultra», un alcool de premier choix, séjourne pendant dix ans en fût, et se sert généralement en digestif avec le café.

La distillation d'un liquide à base de pommes de terre et de grain donne un alcool très fort qui servira à la fabrication de l'aquavit.

Des épices et plantes aromatiques confèrent son goût particulier à l'alcool blanc : cumin, coriandre, anis et fenouil.

On vérifie d'anciens fûts à sherry venant de Jerez en Espagne, avant de les emplir d'aquavit.

L'alcool encore blanc entame son voyage autour du monde dans ces fûts.

Au retour, il a acquis cette belle couleur ambrée due à son vieillissement en tonneau.

Qualité et maturité sont ensuite vérifiées lors d'une dégustation.

timent divin et sur la face sombre du christianisme, mettant l'accent sur le péché, la mort, le glaive enflammé et la damnation. A leurs yeux, la voie de la Rédemption ne passait que par la prière, la bienfaisance et surtout par l'abstinence. Les seuls plaisirs qui n'étaient pas frappés d'opprobre étaient le café et le tabac. Dans de nombreuses paroisses, surtout de la côte Ouest, l'interdiction de servir de l'alcool est encore en vigueur, et la seule boisson

tillation, il séjourne dans des fûts à sherry en chêne déjà utilisés, puis il s'embarque pour faire le tour du monde en passant par l'Australie. Grâce aux mouvements réguliers et constants du bateau, il s'imprègne des arômes encore contenus dans le bois des fûts.

Le premier alcool à avoir été traité de la sorte était le *Lysholm Linje*, un aquavit titrant 41,5° et distribué à Trondheim en 1885 par Jørgen Lys-

Page de droite : le Linie-Aquavit, embarqué sur des navires, fait d'abord le tour du monde dans de vieux tonneaux. En raison du roulis et du tangage, cet alcool fort s'imprègne du parfum du fût. La carte montre l'itinéraire parcouru.

Au verso de chaque étiquette, on note la date à laquelle l'aquavit a passé l'équateur, et sur quel bateau.

A/S Vinmonopolet
garanterer at
denne Aquavit
har medfulgt
Wm. Wilhelmsen's

A/S Vinmonopolet
warrants that this
Aquavit has been
carried on board
Wilh. Wilhelmsen's

S «TOURCOING

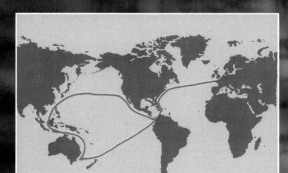

30.08.91 – 18.01.92

L'élevage des rennes

20 000 Sames, un peuple indigène descendant des populations nomades du Grand Nord (le terme lapon n'est plus guère utilisé), vivent encore dans la toundra et les montagnes du nord-est de la Norvège. Ces populations parlent le samnorsk, une langue d'origine finno-ougrienne. D'autres se sont disséminés en Suède, en Finlande et en Russie, mais ils ne sont plus guère nombreux. La vie et la culture de ces Sames, autrefois chasseurs et pêcheurs, est étroitement liée au renne qu'ils ont domestiqué et dont ils élevaient d'immenses troupeaux. Jadis, les Sames suivaient la migration du gibier en quête d'une nourriture constituée pour l'essentiel de lichens en hiver. Grâce aux bois que portent les animaux des deux sexes et dont l'extrémité est étrangement spatulée, et à leurs solides sabots divisés en deux, les rennes sont capable de fouiller sous la neige pour trouver leur nourriture. De plus, la forme caractéristique de leurs pattes leur permet de parcourir de longues distances dans la neige et dans les marécages sans qu'ils ne s'y enfoncent. Autrefois, les Lapons dépendaient entièrement de l'élevage des rennes qui leur fournissaient non seulement viande et peau pour se vêtir, mais aussi os et bois avec lesquels ils confectionnaient des outils. Aujourd'hui, la plupart des Lapons sont sédentaires ; outre les rennes, ils pratiquent d'autres types d'élevage, sont exploitants agricoles ou pêcheurs le long des côtes. Pourtant, certains d'entre eux sont encore contraints, l'été, de suivre leurs troupeaux de bêtes à demi-sauvages mues par leur instinct migratoire et de dormir sous la tente comme du temps où ils étaient nomades. Comme autrefois, les rennes rythment la vie quotidienne des Lapons. Ils leur fournissent la viande et le lait, ce sont aussi des animaux de labour qui tirent les traîneaux. Dans les contrées de l'Est, les courses de traîneaux attelés de rennes sont de véritables attractions touristiques. Jadis, on ne pouvait acheter de viande de renne que dans le nord de la Norvège, mais, avec l'amélioration des voies de communication, on en trouve maintenant dans tout le pays. Elle est vendue fraîche ou surgelée. Les épaules et les jambons sont souvent séchés, salés ou fumés, et la viande fraîche se prépare de la même manière que le chevreuil : le filet, par ex. est souvent servi lors des repas de fêtes, agrémenté de compote d'airelles. Séchée ou fumée, la viande de renne, considérée comme un mets de choix, est d'un rouge sombre. On la mange avec des *lefse*, une sorte de galette aux pommes de terre (recette p. 103), tandis que les Lapons la préfèrent avec un *prim*, un fromage à base de petit-lait. Ce fromage est réalisé en faisant réduire le petit-lait qui subsiste après la fabrication traditionnelle du fromage. Les morceaux les plus tendres servent à préparer des potées. Le *samekok*, par exemple, fait partie de ces plats rustiques et traditionnels. On prépare un bouillon de viande où l'on fait cuire du renne salé ou fumé avec la langue, le foie et la moelle, des légumes, des pommes de terre et du chou. Lors d'un voyage dans le Grand Nord norvégien, on rencontre parfois des auberges autochtones où l'on sert les spécialités régionales dans un cadre authentique.

L'élan – symbole de l'Europe du Nord

L'espace vital des élans, les plus grands cervidés existants – ils peuvent atteindre une hauteur de deux mètre au garrot pour une longueur de trois mètres – s'étend dans les régions marécageuses et riches en résineux. Les élans ne se déplacent pas en troupeaux, mais par petites bandes ; les faons restent auprès de leur mère jusqu'à l'âge de trois ans. Bien que dotés de bois gigantesques, ils évoluent rapidement et d'un trot régulier dans les épais sous-bois. Dotés de longues jambes et d'un cou relativement court, ils ne peuvent toucher le sol du museau, c'est pourquoi, ils ne broutent que les herbes hautes et les buissons.

Après la quasi disparition du loup, son prédateur naturel, la population d'élans a considérablement augmenté, si bien qu'il faut régulièrement en abattre un certain nombre chaque année. Si sa fourrure fine et laineuse est très convoitée, sa viande assez fibreuse et de moindre qualité est parfois traitée comme du bœuf pour faire des potées, des ragoûts et des farces.

Bidos
Ragoût de renne

1 kg d'épaule de renne désossée
sel, poivre blanc
$1/4$ cuil. à café de clous de girofle en poudre
2 gros oignons épluchés et hachés fins
1 cuil. à soupe de beurre
1 l de bouillon de viande ou fond de gibier
8 pommes de terre moyennes coupées en dés de 2 cm
2 petites feuilles de laurier
vinaigre

Débarrasser la viande des peaux et des nerfs et la couper en dés d'environ 2 cm (1) assaisonner avec les clous de girofle, saler, poivrer. Mettre le beurre dans une cocotte et y faire cuire les oignons à feu doux jusqu'à ce qu'ils soient transparents, ajouter la viande, augmenter le feu et la faire revenir de tous les côtés, mouiller avec le bouillon et laisser mijoter pendant une heure et demie.

Ajouter les pommes de terre et le laurier et compléter éventuellement avec de l'eau pour que viande et pommes de terre restent couvertes. Laisser cuire à feu doux jusqu'à ce que les pommes de terres soient fondantes.

Retirer les feuilles de laurier, relever avec un peu de vinaigre, rectifier l'assaisonnement et servir. (2)

Røkt Reinsdyrhjerte i fløtesaus
Cœur de renne fumé à la crème

1 cœur de renne fumé
1 gros oignon épluché et haché fin
sel, poivre blanc
1 cuil. à soupe de moutarde
2 cuil. à soupe de farine
300 ml de jus de pomme
50 g de beurre
$1/2$ l de crème
1 bonne pincée de sel fumé Hickory

Avec un couteau pointu, ôter la peau, la graisse et les nerfs du cœur. Couper en fines tranches et retirer les veines et les cartilages. Laver soigneusement la viande et émincer (1). Saler, poivrer, enduire de moutarde et saupoudrer d'une cuillerée de farine. Chauffer l'huile dans une poêle et y faire revenir la viande à feu vif, la sortir avec un écumoire et réserver au chaud. Déglacer la poêle avec la moitié du jus de pomme et faire réduire. Ajouter le beurre, le laisser fondre et compléter avec le reste de farine en remuant. Mouiller avec le reste de jus de pomme, bien mélanger, puis ajouter la crème. Porter à ébullition en tournant et laisser mijoter jusqu'à ce que la sauce devienne crémeuse. Ajouter le cœur dans la sauce, saupoudrer de sel fumé, rectifier l'assaisonnement et servir avec du riz ou des tagliatelles. (2)

1 **Jarlsberg**
Fromage à la coupe, doux au léger goût de noisette.

2 **Gudbrandsdalsost**
Fromage au petit-lait de chèvre et de vache, à pâte ferme au léger goût de caramel.

3 **Gamalost**
Fromage à pâte dure, fort en goût, fait à partir de lait écrémé et ayant beaucoup de caractère.

4 **Snøfrisk** (littéralement – frais comme neige)
Chèvre frais.

5 **Pultost – Hedemark**
Variété de pultost, plus sèche, granuleuse.

6 **Pultost – Loiten**
Fromage à tartiner, corsé, à base de babeurre et de cumin.

7 **Ridder**
Fromage à la coupe, très doux et pâte semi-molle.

Des alpages au cercle polaire

Fromages

Le buffet norvégien du petit déjeuner ressemble à un *smörgåsbord* suédois. Il est copieux et présente un grand choix de délicieuses spécialités régionales: toute une gamme de préparations de harengs, des poissons marinés ou salés, plusieurs variétés de pains, des pâtisseries, des céréales en flocons, chaudes ou froides, des œufs à la coque ou frits, des pommes de terre au lard, des fruits frais ou pressés, du lait frais, du babeurre, du lait caillé, du café, du thé et bien d'autres choses encore.

Le fromage ne saurait en être absent et, avec lui, toute l'économie des alpages. Ces pâturages sont pour la plupart situés à la limite d'arbres et plus haut encore, loin des habitations des paysans. Il n'est pas rare, par exemple, qu'un alpage soit à une cinquantaine de kilomètres de la ferme, et difficile d'accès. Compte tenu de leur situation géographique, ces terres ne peuvent pas être exploitées pour l'agriculture, mais uniquement pour y faire paître des moutons, chèvres et vaches. Comme dans les Alpes, le bétail transhume vers les montagnes en juin et redescend en septembre. Pour les hommes qui gardent les bêtes et traitent

le lait, on a construit des *støl*, des huttes rustiques faites de bois et de cailloux (*støl* signifie alpage, et sous-entend hutte d'alpage). Ces huttes sont souvent regroupées pour que les *budeien*, les vachères et vachers puissent aller chercher de l'aide auprès du voisin en cas d'urgence. On y trouve aussi des *melkebu* et des *ystarom*, des pièces où l'on entrepose le lait destiné à la fabrication du beurre (*smør*) et du fromage (*ost*). Dans ces alpages particulièrement exposés aux intempéries, les hommes ont construit des *fjøs*, des sortes d'étables pour

abriter le bétail. Certaines de ces exploitations regroupant plusieurs *støl* ont été raccordées au réseau de distribution d'électricité si bien que la traite, la fabrication du beurre et du fromage ont pu être automatisées.

Dès les temps les plus reculés, on s'est arrangé pour éviter d'avoir à transporter les produits intermédiaires des laiteries en trouvant une méthode qui permet d'utiliser tous les produits annexes de la transformation du lait en beurre et en fromage. Le lait écrémé caillé que l'on obtient après avoir

Lefse

Galette

Une spécialité norvégienne qu'il faut avoir goûtée. Les Norvégiens mangent le *lefse* avec du beurre et de la crème comme dessert, avec du beurre et du fromage de chèvre comme en-cas, avec du beurre et saupoudré de sucre avec un café, ou bien encore avec de la viande de renne séchée ou fumée.

500 g de purée de pommes de terre
(ne pas saler les pommes de terre)
100 g de farine de seigle
1 cuil. à café de sucre
1 cuil. à café de sel

Mettre la purée de pomme de terre dans une terrine, ajouter la farine, le sel et le sucre, mouiller avec un peu d'eau et bien mélanger pour obtenir une pâte souple. Former des boules de la taille d'un œuf et les aplatir au rouleau sur le plan de travail légèrement saupoudré de farine. Faire cuire la galette sur une tôle très chaude ou dans une poêle graissée jusqu'à ce que des bulles se forment. Retourner la galette et faire cuire l'autre côté. Les *lefse* doivent rester moelleuses et souples.

retiré la crème sert de base à la fabrication du *gamalost*. Une moisissure spécifique se forme sur la croûte, le fromage est pressé régulièrement dans un moule spécial et obtient, par ce procédé, ce goût piquant qui lui est caractéristique. Le babeurre sert à produire le *pultost*, un fromage à tartiner aromatisé au cumin ou à l'anis.

Pour le *mysost* (de mys, petit-lait), un fromage très apprécié au petit déjeuner, on fait réduire le petit-lait jusqu'à ce que le lactose se cristallise et commence même à se caraméliser. Il ne reste alors plus qu'une pâte ferme et légèrement sucrée. Si ce fromage est préparé comme autrefois à partir de lait de chèvre, il s'appelle *geitost*. Pour le *gudbrandsdalost*, on mélange lait de chèvre et de vache. Le *jarlsberg* qui, selon l'affinage, est doux ou plus corsé, est un fromage à la coupe dont la saveur rappelle la noisette. Il a été élaboré à Oslo en 1959 seulement et tire son nom d'une ancienne cité viking du fjord d'Oslo.

Jørgen Fakstorp

La Suède

Quand vient le temps des longues soirées d'été, avant que la Suède ne replonge dans l'obscurité pendant les mois d'hiver, les maisons des bords des lacs et de la côte s'activent : on y cuisine, on y fait des conserves, des pâtisseries, des marinades. Les Suédois ont une conscience nationale très marquée et sont attachés à leurs coutumes et traditions ; ils célèbrent avec dévotion des fêtes comme la *Midsommarafton* (la Saint-Jean), la Sainte-Lucie, fête de la lumière qui précède la nativité, et *Jul* ou Noël. En ces occasions, on sert des plats rustiques comme au temps jadis. Il y a quelque temps encore, les Suédois avaient encore un peu honte de la frugalité de leur cuisine, mais, aujourd'hui, même les meilleurs restaurants de la capitale proposent de plus en plus souvent, et avec succès, de la *husmanskost* (cuisine familiale) qui plaît certes aux Suédois, mais séduit aussi les visiteurs étrangers.

La cuisine suédoise présente quelques différences régionales, le Nord aime le pitepalt, des quenelles de pommes de terre farcies au porc ; dans le centre du pays, on prépare volontiers du nyponsoppa, une compote aux fruits et à l'églantine avec des amandes et de la chantilly, servi au dessert. En Skane, le « jardin de la Suède » situé au sud du pays, les spécialités régionales s'appellent *äpplefläsk* (porc aux pommes acides et aux oignons) et *pytt i panna*, une poêlée de pommes de terre, de viande émincée et de jambon que l'on présente avec un jaune d'œuf ou un œuf au plat. Comme la viande est relativement chère, on la consomme surtout hachée ou sous forme de saucisses ; quant au poisson, surtout le hareng, il occupe une place d'autant plus importante dans les menus. Il n'est guère de peuple qui ait fait preuve d'autant d'imagination dans l'art d'accommoder ce poisson. Mais ce qui nous étonne est que de nombreuses spécialités suédoises de hareng soient plus douces qu'aigres. Quoi qu'il en soit, la cuisine suédoise s'exprime surtout dans le *smörgåsbord* que l'on traduit approximativement par buffet campagnard, terme qui ne reflète en rien l'opulence de ce repas. Un *smörgåsbord* révèle tous les raffinements de la cuisine suédoise qui, depuis des générations, font la joie des gourmets et gourmands.

Lauri Wilson, gérant du Ulriksdal Wärdhus, à Solna près de Stockholm, avec le chef, Karl Heinz Krücken, devant un *smörgåsbord*.

Une institution

Le smörgås-bord

Smörgåsbord : hareng

Le *smörgåsbord* est un buffet contenant une multitude de petits plats où chacun se sert selon ses goûts et son appétit. Cette tradition est sans doute née du *brännvinsbord* (littéralement, table aux alcools), une habitude connue depuis le 18e siècle. Une bouteille d'aquavit trônait au centre de la table et, tout autour, on disposait des coupelles d'amuse-gueules destinés à calmer l'appétit des invités.

La naissance du *brännvinsbord* et son évolution, avant qu'il ne devienne le véritable *smörgåsbord*, présente certaines similitudes avec les *zakouski* russes. Plus l'hôte était fortuné et les invités prestigieux, plus le choix d'aquavit et de petites merveilles était grand. Les voisins rivalisaient entre eux pour démontrer ainsi leur aisance, si bien qu'on ajoutait sans cesse de nouveaux plats. Avec le temps, ce choix s'est encore enrichi, mais le centre névralgique du buffet est resté la *brännvinskantin* qui, dans les maisons bourgeoises, était un présentoir imposant souvent décoré d'argent, avec des casiers pour chaque variété d'alcool. Les bouteilles refroidies dans des seaux à glace étaient pourvues d'un siphon qui permettait à chacun de se servir. Toutefois, on jugeait inconvenant de prendre plus de six verres par repas. En raison de la réglementation très stricte qui frappa la consommation d'alcool en 1917, le *smörgåsbord* tomba un peu en désuétude, n'existant plus que dans une version plus sage, il faisait fonction d'entrée en tant que *smör, ost och sill* (beurre, fromage et hareng), connus sous l'abréviation S.O.S. Mais le début des années soixante a marqué une sorte de renaissance de cette coutume. De nos jours, c'est surtout l'affaire des restaurants, et il est rare que des particuliers organisent un *smörgåsbord* qui, d'ailleurs, est maintenant considéré comme un véritable repas.

Un vrai *smörgåsbord* comporte quatre services :

• On présente d'abord du *sill* (hareng) ou du *strömming* (hareng de la Baltique) préparé de diverses manières.
• Ensuite viennent des crevettes, du saumon, d'autres plats à base d'œufs et des salades, parfois même un rôti ou un jambon en tranches, des terrines et des saucisses ; le tout accompagné de cornichons aigres-doux, de betteraves rouges marinées et de mixed pickles.
• Le troisième service consiste en un plat chaud : des boulettes de viande, du gratin de poisson et des saucisses au gratin.

• Pour finir, on offre des fromages, des fruits, des desserts et pâtisseries.

Pour prendre un réel plaisir à tous ces mets, il faut respecter l'ordre, ne jamais remplir son assiette, mais revenir plusieurs fois au buffet en prenant chaque fois un nouveau couvert.

Le hareng, un thème et ses variations

Le hareng, indispensable dans tout *smörgåsbord*, joue traditionnellement le rôle d'ouverture. Et personne ne s'y entend aussi bien que les Suédois dans la préparation de ce poisson. La diversité et l'imagination dont ils font preuve l'élèvent au rang de la gastronomie. Les Suédois distinguent le *sill* du *strömming*, nom qu'ils ne donnent qu'aux poissons pris au nord d'une ligne qui part de l'ancienne place forte de Kalmar, passe près d'Öland vers Lipaja (Libau) en Estonie. En règle générale, il est plus petit et moins gras que le hareng franc, mais se prépare de la même manière.

Même si l'on mange des harengs frais ou salés comme plat chaud, le véritable apogée du repas réside dans ces préparations froides, toujours à base de poisson salé ou frais, mariné dans le sucre, le sel et les épices ; de harengs séchés, frits ou fumés (le *strömming* fumé s'appelle *böckling*).

La préférence va au hareng mariné. Les filets de hareng salé sans la peau restent au saloir pendant trois à huit semaines, puis sont aromatisés dans une marinade à base de vinaigre d'alcool, d'eau, de sucre, de rondelles d'oignons, de poivre noir, de piment et de laurier. Avant de servir, les filets sont séparés en deux et garnis de rondelles d'oignons rouges, puis nappés d'une marinade.

Les harengs frais et roulés, à peine pochés dans un court-bouillon, sont ensuite traités de différentes manières. Quand on les sert avec un coulis de tomate épicé auquel on aura ajouté des oignons en rondelles, ils s'appellent *tomatsill* (harengs à la tomate), avec une mayonnaise au curry, *karrysill*, plongés dans l'œuf, roulés dans la chapelure et frits, puis marinés dans un vinaigre aux oignons *ättigsill* (harengs au vinaigre) ou *ättigströmming*.

Les harengs salés sont la base de diverses salades. Après les avoir dessalés et coupés en dés, on les agrémente de pommes, d'oignons, de betteraves marinées, de tranches de pommes de terre en robe des champs, parfois même de viande froide ou de jambon, avec une vinaigrette ou une sauce réalisée à partir d'une marinade aigre-douce.

Les harengs frais marinés dans le sel et le sucre sont appelés *gravad sill*. Ceux-ci ont une structure très différente de celle des harengs salés conservés en tonneaux, on les sert généralement avec de l'aneth et une sauce à la moutarde douce.

Une spécialité pour connaisseurs Le *surströmming*

Le *surströmming* (hareng aigre) est un hareng de la Baltique conservé dans le lait fermenté. A l'origine, on l'enfouissait dans un trou creusé dans la terre. Cette méthode de conservation ancestrale a été pratiquée de diverses manières par tous les peuples qui vivent autour du cercle polaire. Au cours d'un processus chimique, le lactose est décomposé par des bactéries pour donner un produit essentiel, l'acide lactique. Le processus de décomposition qui s'opère pendant la fermentation génère une odeur fort déplaisante pour la plupart des gens. Par conséquent, le *surströmming* est un plat apprécié des seuls connaisseurs qui font abstraction de son odeur et se concentrent sur son goût. Pour réaliser un *surströmming*, on laisse macérer des harengs légèrement salés pendant huit jours en fût. Puis on ferme le tonneau et on le retourne. Ces harengs se conservent au frais. La tradition veut que le *surs* date de la période où la Suède était encore catholique. (La réforme a été instaurée par le roi Gustav Ier.) Le *surströmming* est un plat de Norrland que l'on mange avec du pain, des oignons, du lait fermenté ou de la crème et du fromage. On le trouve en conserve dans tout le pays.

Dillsill
Hareng à l'aneth
(Illustration ci-dessous)

2 harengs salés (dessalés pendant au moins 12 heures)
1 bouquet d'aneth
1 oignon
6 grains de piment
1/4 l de vinaigre
5 cuil. à soupe de sucre

Fileter les harengs, puis les couper en morceaux de 2 cm. Laver l'aneth et le hacher, couper l'oignon en rondelles et écraser les grains de piment. Disposer les ingrédients dans un bocal en verre.
Porter le vinaigre, le sucre et 1/4 l d'eau à ébullition, bien remuer pour dissoudre le sucre, arroser les harengs et laisser reposer pendant deux jours.

Tomatsill
(hareng à la tomate)
(Illustration en bas à droite)

2 harengs salés (dessalés pendant au moins 12 heures)
4 cuil. à soupe de vinaigre
3 cuil. à soupe d'huile
6 cuil. à soupe de coulis de tomates
4 cuil. à café de sucre
poivre blanc
4 grains de piment
ciboulette

Fileter les harengs, les couper en morceaux de 2 cm et les réserver dans un saladier. Mélanger le vinaigre, l'huile, le coulis de tomates et les épices, allonger avec quatre cuillerées d'eau et napper les harengs. Laisser reposer pendant une nuit au réfrigérateur. Garnir de ciboulette hachée avant de servir.

Räksallad

Salade de crevettes
(Illustration ci-dessous)

4 cuil. à soupe de mayonnaise
2 cuil à soupe de crème aigre
jus d'un citron
1 cuil. à café de sucre
1 cuil. à café de ketchup
sel, poivre noir
cayenne
1 bouquet d'aneth lavé et haché
500 g de crevettes décortiquées

Sauce : mélanger d'abord la mayonnaise avec la crème, puis avec le jus de citron, saler, poivrer, ajouter le poivre de cayenne et incorporer l'aneth. Servir séparément crevettes et sauce.

Stekt Gädda

Brochet farci au four
(Illustration ci-dessous)

1 brochet entier d'environ 2 kg
1 concombre
sel, poivre blanc
2 œufs durs
100 g de riz
2 cuil. à soupe d'oignons hachés
150 g de beurre
2 cuil. à soupe de persil haché fin
1 cuil. à soupe de ciboulette
3 cuil. à soupe de crème
6 cuil. à soupe de chapelure

Vider et écailler le brochet, couper l'arête dorsale, mais laisser la tête et la queue. Peler le concombre, ôter les pépins et couper en dés dans un saladier, puis saupoudrer de sel, laisser dégorger pendent 5 min. environ. Vider le jus et essuyer avec du papier absorbant. Hacher grossièrement les œufs.

Faire cuire le riz dans l'eau salée, (les grains doivent se détacher) égoutter et laisser refroidir. Faire fondre les oignons et le concombre dans un peu de beurre. Mélanger le concombre, les oignons, les œufs, le riz et les herbes dans un saladier, saler, poivrer et incorporer la crème.

Préchauffer le four à 180 °C. Laver le poisson, l'essuyer et le farcir de préparation au riz. Fermer l'ouverture avec de la ficelle à brider. Laisser fondre le reste de beurre dans un plat allant au four. Mettre le poisson dans le plat et le faire rôtir des deux côtés, le retourner avec précautions pour que la chair ne se défasse pas. Saupoudrer de chapelure sur chaque face et arroser d'un peu d'eau chaude. Le temps de cuisson est d'environ 30 minutes. Servir soit dans le plat ou dresser sur un plat de service, décorer d'œufs durs et de feuilles d'aneth.

Räksallad – Salade de crevettes.

Rödbetsallad – Salade de betteraves rouges.

Dillsill – Hareng à l'aneth.

Stekt Gädda – Brochet au four.

Tomatsill – Hareng à la tomate.

Rödbetsallad

Salade de betteraves rouges
(Illustration en haut à gauche)

1 bocal de betteraves rouges marinées
1 cornichon aigre-doux
1 pomme épluchée
raifort râpé
200 g de crème aigre

Découper les betteraves, le cornichon et la pomme en dés. Mélanger le raifort à la crème et ajouter aux légumes en mélangeant bien.

Smörgåsbord : poissons et viandes

Au troisième service d'un *smörgåsbord* suédois, on sert des poissons et des viandes chaudes avec leur garniture.

Köttbullar
Boulettes de viande

4 cuil. à soupe d'oignons hachés
100 g de purée de pommes de terre
3 cuil. à soupe de chapelure
500 g de hachis de bœuf
5 cuil. à soupe de crème
1 cuil. à soupe de persil haché
1 cuil. à café de sel
1 œuf
2 cuil. à soupe de beurre
2 cuil. à soupe d'huile

Faire fondre les oignons dans un peu de beurre. Mélanger la purée de pomme de terre, la chapelure, la viande hachée, la crème, le persil, le sel et l'œuf ainsi que les oignons pour obtenir une pâte homogène. Former des boulettes, les disposer sur une tôle, couvrir et mettre au frais pendant 60 minutes. Chauffer l'huile dans une poêle creuse et y faire revenir les boulettes deux par deux en remuant constamment. Réserver les boulettes cuites au chaud.

Biff Lindström
Bœuf à la Lindström

Le nom de cette préparation à la viande hachée ferait référence au célèbre comédien suédois Carl-Gustav Lindström (1818-1893).

8 cuil. à soupe de pain rassis émietté
$^1/_4$ l de lait
1 oignon épluché
2 tranches de betteraves marinées
1 cornichon au vinaigre
500 g de hachis de bœuf
sel, poivre noir
6 câpres

Laisser gonfler le pain dans le lait. Hacher fin l'oignon, la betterave et le cornichon. Faire fondre les oignons dans le beurre. Saler, poivrer la viande, la mélanger au pain trempé, puis incorporer les autre ingrédients. Former des boulettes et les faire revenir des deux côtés à la poêle. Garnir les steaks hachés d'un œuf au plat.

Pytt i Panna
Poêlée suédoise

500 g de pommes de terre épluchées
500 g de bœuf cuit ou rôti
250 g de jambon blanc
2 cuil. à soupe de beurre
2 cuil. à soupe d'huile
3 cuil. à soupe d'oignons hachés
sel, poivre noir
1 cuil. à soupe de persil haché
œufs ou jaunes d'œuf

Couper les pommes de terre, la viande et le jambon en dés. Faire chauffer l'huile et le beurre dans une grande poêle, et y faire sauter les pommes de terres pendant 15 minutes, les sortir de la poêle et les dégraisser sur du papier absorbant. Faire fondre les oignons, ajouter les morceaux de viande et faire revenir à feu vif pendant 10 minutes, remettre les pommes de terre dans la poêle pour les réchauffer. Saler, poivrer et garnir de persil haché. Répartir sur les assiettes chaudes et garnir chaque part d'un œuf au plat ou d'un jaune d' œuf cru placé au milieu.

Prinskorvar – Saucisses grillées.

La Suède

Sjömansbiff
Soufflé du marin

500 g de rôti de bœuf
2 cuil. à soupe de beurre
2 cuil. à soupe d'huile
2 oignons hachés
6 pommes de terre moyennes coupées en tranches fines
4 carottes coupées en tranches fines
sel, poivre noir
4 grains de piment pilés
1 feuille de laurier
$^3/_4$ l de bière de garde

Préchauffer le four à 175 °C.
Découper le rôti en tranches fines et faire revenir à feu vif à la poêle. Sortir la viande de la poêle et la disposer dans un moule à soufflé graissé.
Réduire le feu et faire fondre les oignons. Les ajouter à la viande en même temps que les pommes de terre et les carottes, bien remuer, compléter avec le piment et le laurier, mouiller avec la bière. Laisser cuire au four pendant 50 minutes.

Jansson's Frestelse
La tentation de Jansson
(Illustration ci-dessous à droite)

1 kg de pommes de terres moyennes épluchées
2 verres de filets d'anchois
5 oignons coupés en fines rondelles
poivre blanc
$^1/_2$ l de crème
2-3 cuil. à soupe de chapelure
noisettes de beurre

Couper les pommes de terre en bâtonnets. Egoutter les anchois (réserver l'huile) et les couper en petits morceaux.
Préchauffer le four à 200 °C.
Graisser un moule à soufflé et disposer couche par couche les pommes de terre, les oignons et les anchois en terminant par une couche de pommes de terre. Poivrer chaque couche, arroser avec un peu d'huile d'anchois, napper de crème, saupoudrer de chapelure, et disposer quelques noisettes de beurre sur le gratin. Couvrir et faire cuire au four pendant 60 minutes environ, ôter le couvercle 15 minutes avant la fin de la cuisson.

Qui était Jansson ?

Une question à laquelle il n'est pas facile de répondre. Certains pensent que le contrebassiste suédois Pelle Janzon (1844-1889) aurait donné son nom à ce plat. Mais, d'autre part, on affirme qu'il proviendrait des Etats-Unis où un prédicateur suédois, Eric Jansson, aurait créé une secte à Bishop Hill dans l'Illinois. Or, bien que prêchant l'ascèse dans tous les domaines de la vie, il aurait été surpris par un de ses adeptes alors qu'il était en train de se délecter en secret d'un merveilleux gratin aux anchois. Le prédicateur Jansson aurait succombé à la tentation et suscité l'indignation de toute la communauté.
Selon des informations plus récentes, le nom de ce plat viendrait du titre d'un film suédois projeté pour la première fois en 1929. Une aubergiste et sa cuisinière qui trouvaient l'appellation «gratin de pommes de terre aux anchois» assez peu alléchante, auraient renommé ce plat après le passage du film au cinéma.

Jansson's Frestelse – La tentation de Jansson.

Köttbullar – Boulettes de viande.

Smörgåsbord : desserts

Comme les Suédois ont un penchant très marqué pour le sucré, ils ne laissent jamais passer le dessert, même après le plus copieux des repas. D'ailleurs, qui pourrait résister à un entremets aux groseilles ou autre pâtisserie aux fruits rouges, aux pommes au four ou bien encore au célèbre gâteau au fromage, appelé *ostkaka* ! Ce dernier est originaire de la province de Smaland et c'est plus un entremets qu'un gâteau.

Certes, on peut aujourd'hui acheter de l'*ostkaka* dans la plupart des pâtisseries de la région, mais les Suédoises de cette province mettent un point d'honneur à le réaliser elles-mêmes selon la recette qui leur a été transmise depuis des générations et qu'elles gardent comme le plus précieux des secrets. L'important est que l'*ostkaka* ait toujours l'air intact : on le découpe donc en partant du milieu et on comble le vide ainsi formé avec des fruits.

Ostkaka
Gâteau au fromage

125 g de beurre mou
70 g de sucre
1 œuf
250 g de farine
1 cuil. à café de levure chimique

Garniture

50 g de beurre
3 œufs
175 g de sucre
750 g de fromage blanc maigre, 1/2 l de crème aigre
60 g de fécule, 1 cuil. à café de levure chimique
125 g de raisins secs

Bien mélanger le beurre, l'œuf et le sucre, puis ajouter la farine et la levure chimique, pétrir rapidement pour obtenir une pâte brisée. Envelopper la pâte dans une feuille de cellophane et la réserver au réfrigérateur pendant 30 minutes. Préchauffer le four à 190 ºC.
Prendre une moitié de la pâte et foncer un moule à manqué, faire cuire au four pendant 20 minutes environ. Pendant ce temps, préparer la garniture au fromage blanc en mélangeant tous les autres ingrédients. Abaisser le reste de la pâte pour former le bord du gâteau, garnir avec la préparation au fromage blanc. Réduire la température du four à 180 ºC et faire cuire le gâteau au fromage pendant 60 minutes. Laisser refroidir pendant 2 à 3 heures.

Vinbärskräm med vaniljsås
Gelée de groseille, sauce à la vanille

500 g de groseilles et de cassis
3-4 cuil. à soupe de fécule
sucre
2 pots de crème fleurette
2 sachets de sucre vanillé

Laver les fruits. Les faire cuire dans 200 ml d'eau en remuant pour obtenir un coulis. Passer au chinois et réserver quelques cuillerées de cette préparation, laisser refroidir et mélanger avec la fécule. Sucrer le reste de jus de groseilles et réchauffer. Ajouter la préparation à la fécule en mélangeant bien, porter à ébullition, répartir dans des ramequins et laisser refroidir. Mettre au réfrigérateur pendant quelques heures.
Mélanger le sucre vanillé à la crème liquide et servir avec la gelée.

Des pâtisseries fraîches que l'on déguste avec un café

Les tresses de pâte levée et les tartelettes sablées ne sauraient manquer sur une table dressée pour le café de l'après-midi. Grands et petits raffolent de ces tresses briochées tout juste sorties du four et qui sont de véritables chefs-d'œuvre. Certaines sont saupoudrées de grains de sucre ou agrémentées d'un glaçage à base d'eau et de sucre glace.

Ci-dessous à gauche : tresse à la levure, en suédois *vetelängd* (littéralement : longueur de blé) saupoudrée de grains de sucre ; nature, seulement badigeonnée d'œuf avant la cuisson, avec des amandes effilées et un glaçage au sucre.
A droite : tartelettes à la pâte brisée.

Vetelängt
Tresse à la pâte levée

500 g de farine
25 g de levure
40 g de sucre
1/4 l de lait tiède
1 pincée de sel
60 g de beurre fondu tiède
1 œuf
1 jaune d' œuf
amandes effilées

Tamiser la farine dans une terrine et former un puits au milieu. Mélanger la levure avec une cuil. à café de sucre et 4 cuil. à soupe de lait et verser dans le puits, mélanger avec un peu de farine pour obtenir une pâte mollette. Recouvrir la terrine avec un torchon et réserver à l'abri des courants d'air.
Dès que des bulles se forment (environ 15 minutes) ajou-

ter le reste de sucre, le sel, le beurre, l'œuf et la moitié du lait restant et incorporer le reste de farine. Battre jusqu'à ce que l'on obtienne une pâte lisse et molle en versant le lait peu à peu. Couvrir d'un torchon et réserver la pâte à l'abri des courants d'air jusqu'à ce qu'elle ait doublé de volume (environ 30 minutes).
Préchauffer le four à 200 ºC.
Pétrir encore une fois la pâte et la séparer en trois parts. Former trois boudins d'environ 50 cm de longueur. Fariner le plan de travail, placer les bandes de pâte les unes à côté des autres et les tresser en partant de la bande du milieu. Presser sur les extrémités et laisser gonfler pendant 10 à 15 minutes. Mélanger le jaune d'œuf avec un peu de lait, badigeonner la tresse au pinceau et répartir les amandes effilées. Cuire au four pendant 45 à 50 minutes. Compléter éventuellement avec un glaçage au sucre.

L'Etat, l'alcool et le vin

Les spiritueux

En Suède, la production et la distribution de boissons alcoolisées – tout comme les exploitations minières et forestières, les scieries et les usines de papier – est entre les mains de l'Etat. La société de production et d'importation des spiritueux et des vins s'appelle la Vin & Spritcentraler Aktiebolag. Cette gigantesque entreprise n'a qu'un seul client important, à savoir la Nya Systemet AB (AB correspond au français S.A.) qui appartient elle aussi à l'Etat. Elle exploite les seuls points de vente d'alcools, de vins et de bière autorisés; les magasins d'alimentation ne vendant que quelques marques de bières faibles en alcool. La *Systemet*, comme on l'appelle dans le langage courant, a des heures d'ouverture plus bureaucratiques qui ne correspondent certainement pas aux besoins de la clientèle. En fait, elle doit remplir une singulière double fonction: d'une part, elle doit prévenir la population des dangers de l'alcool et limiter sa consommation, surtout en ce qui concerne les boissons fortement alcoolisées telles que les alcools blancs, le cognac ou le whisky, et, d'autre part, elle doit réaliser un bon chiffre d'affaires.

En dépit de cette attitude restrictive qui résulte de décisions d'ordre politique, la Vin & Spritcentraler fabrique d'excellents produits et importe des vins de qualité de tous les pays et même des grands vins français à des prix défiant toute concurrence. Les vins ordinaires sont achetés en grandes quantités et transportés par bateau dans des citernes, puis mis en bouteille en Suède.

La production locale se concentre sur les alcools blancs et le punch fabriqué industriellement. L'alcool blanc, dont il existe une vingtaine de variétés, est distillé à partir de pommes de terre et de céréales.

A droite: le punch est une des spécialités du pays les plus exportées. De haut en bas: parmi les ingrédients, on compte diverses plantes, des épices, des essences naturelles et des substances aromatiques comme l'essence de citron. Les ingrédients secs sont pilés avec un maillet de bois. L'alcool est obtenu par distillation de fruits à noyaux fermentés. Selon le goût que l'on veut obtenir, on laisse macérer les ingrédients dans l'alcool qui vieillit en fût.

A l'arrière plan: agrandissement d'un détail d'une ancienne recette de punch conservée au musée du punch de Stockholm.

Le pain dur
Knäckebrod ou pain suédois

Les premières galettes de *knäckebrod* datent d'il y a environ 500 ans. A l'origine, le *knäckebrod* était un pain de longue conservation. La pâte était abaissée pour former de fines galettes avec, au centre, un trou rond d'environ 5 cm de diamètre. Vu leur faible épaisseur, le temps de cuisson était bref pour une température très élevée. Dès que les pains étaient prêts, on les enfilait sur une perche en bois, que l'on suspendait dans le grenier. En séchant, les galettes perdaient de leur humidité qui passait de 20 % à 5 %. Ainsi, le pain sec pouvait se conserver pendant une durée presque indéterminée.

Autrefois, on n'utilisait que de la farine de seigle pour réaliser le *knäckebrod* (du suédois *knäcka*, « craquer »), alors que, nos jours, on prend également de la farine de froment ou autres mélanges de farines. Les découvertes de la diététique moderne sur la valeur et la fonction des fibres ont amené les boulangers à introduire dans la pâte des grains et du son provenant de diverses céréales. On trouve donc dans le commerce une multitude de variétés, tant pour le goût que la composition. On distingue trois procédés de fabrication des *knäckebrod*. Pour les pains appelés « pains froids », dont les tranches sont très fines, la pâte est refroidie à presque zéro degré et assouplie par ventilation d'air froid. Cette technique est née d'un hasard. Pendant les guerres dites « nordiques » (1700–1715) qui opposaient le roi de Suède Charles XII au Tsar Pierre le Grand, qui souhaitait mettre fin à l'hégémonie suédoise en Europe du Nord, les cantines militaires vinrent à manquer de levure lors d'une campagne d'hiver. La pâte à pain était déjà prête quand une violente tempête de neige fit rage dans le campement et la refroidit. Une fois la tourmente passée, on décida de faire cuire cette pâte gelée sur le feu, et, au grand étonnement de tous, le pain obtenu était particulièrement léger et savoureux.

En ce qui concerne les pains dits à chaud, de couleur dorée, plus épais et croustillants, la pâte est allégée grâce à la fermentation de la levure qui exige une température ambiante élevée.

Le *skorpa* (littéralement : croûte) est une variété spécifique de *knäckebrod*. Comme les biscottes, il subit deux cuissons : on commence par fabriquer des petits pains qui sont ensuite coupés en deux et repassés au four.

Ce pain suédois rond avec un trou en son centre est encore le plus répandu en Suède de nos jours. Sa forme inhabituelle a des raisons pratiques : autrefois on faisait sécher les galettes de pain en les enfilant sur une perche.

La fonction des trous

La surface des *knäckebrod* est toujours pourvue de motifs en forme de trous de grosseur variable. Ces trous ont une fonction. En effet, ils augmentent la superficie de la galette et permettent à la chaleur diffusée dans le four d'agir plus efficacement, ce qui est nécessaire, compte tenu de la brièveté du temps de cuisson, entre sept et huit minutes. De plus, l'air que renferme la pâte s'échappe plus facilement. Grâce à cette astuce, on obtient un pain léger et croustillant qui conserve toutes ses qualités nutritives.

Céréales – l'énergie du grain complet

Seigle, froment, avoine et orge sont à la base de la fabrication des pains suédois.

Le seigle
Le seigle est originaire d'Asie mineure, d'où cette plante peu exigeante a commencé sa migration dès les temps préhistoriques, d'abord vers la Russie du Sud pour arriver ensuite en Europe centrale et enfin en Scandinavie. Pendant longtemps, le seigle a été considéré comme une céréale indispensable pour la fabrication du pain. La farine de seigle, élément essentiel des pains suédois, est riche en potassium et en phosphore.

Le froment
On suppose que cette céréale a commencé à être cultivée en Mésopotamie. En raison de son taux important de gluten, la farine de froment a la réputation d'être la meilleure pour la pâtisserie et la boulangerie. Le blé dur est surtout utilisé pour fabriquer des pâtes alimentaires. Le froment est riche en potassium, en phosphore et en magnésium et contient beaucoup de fer.

L'avoine
L'avoine vient d'Europe centrale. Du temps de la Rome antique, c'était la « mangeaille des barbares ». Pourtant, les Germains en connaissaient la valeur nutritive et la considéraient comme un aliment fortifiant. L'avoine a une teneur en protéines et en graisses végétales élevée, elle contient de l'acide linoléique essentiel pour la santé, des vitamines B et divers sels minéraux.

L'orge
L'orge était déjà cultivé par les Sumériens 5000 ans avant J.C. Très répandue, cette céréale riche en vitamines et en sels minéraux. Les grains complets contiennent davantage de substances nutritives. L'orge entre dans les compositions de muesli, dans les pains à multi-céréales et surtout de certains alcools.

Les fibres cellulosiques

Les fibres sont des hydrates de carbones que l'organisme n'utilise pas – mais ils ne sont pas pour autant inutiles, au contraire, ces substances sont indispensables dans notre alimentation. Elles ont une tâche très importante à remplir pendant la digestion. De plus, elles ont une incidence sur le métabolisme du sucre et des graisses, sur la santé des dents et le poids. Ces fibres ne sont contenues que dans les céréales complètes, d'où l'importance de prendre des farines moulues à partir du grain entier, car il conserve toutes ses vitamines et ses sels minéraux. De plus, elles sont importantes pour la transformation des hydrates de carbone. Les pains suédois contiennent une forte proportion de fibres ainsi que des protéines végétales (0,8 g à 1g par tranche) et, bien sûr, des hydrates de carbone qui fournissent au corps l'énergie dont il a besoin.

Outre les céréales, les fruits, les légumes frais et secs sont les aliments les plus riches en fibres.

Faire soi-même des pains suédois

¹/₄ de lait tiède
25 g de levure
1 cuil. à café de graines de fenouil pilées
1 cuil. à café de sel
250 g de farine de froment
250 g de farine de seigle

Dissoudre la levure dans le lait, ajouter le fenouil, le sel et les farines en réservant 7 cuil. à soupe de farine de seigle. Pétrir les ingrédients pour obtenir une pâte. Faire deux boudins de pâte sur le plan de travail et diviser chaque boudin en huit parts avec lesquelles on formera des boules. Laisser monter pendant vingt minutes dans un endroit chaud.

Préchauffer le four à 200 °C. Abaisser chaque boule de pâte pour obtenir un disque de 20 cm de diamètre et piquer plusieurs fois à la fourchette. Cuire pendant dix minutes sur une tôle graissée.

Galettes suédoises au seigle
1. céréales complètes
2. seigle mince
3. rustique
4. relevé
5. Mjölk

Galettes suédoises au froment
6. au sésame
7. doux et sablé

Galettes suédoises mixtes
8. multi-céréales
9. à l'avoine
10. muesli

Petits pains suédois
11. Skorpa d'origine

Jørgen Fakstorp

La Finlande

Malgré une situation peu favorable liée à l'environnement naturel, au climat et à l'Histoire, les Finlandais ont réussi à se hisser dans les rangs des sociétés développées ayant un niveau de vie élevé. En des temps reculés, plusieurs ethnies peuplaient la Finlande. Ainsi, au début de notre ère, les Finlandais que Tacite appelait « Fennen » arrivèrent du Sud et s'installèrent dans le pays, repoussant les Lapons autochtones vers le Nord. Vers l'an 1000, ce furent les Tavastes qui s'établirent au centre et à l'Ouest, tandis que les Caréliens s'implantaient au Sud et à l'Est.

Du milieu du 12e siècle jusqu'en 1809, la Finlande fut d'abord sous la domination suédoise, puis russe. C'est maintenant un pays industriel moderne, membre depuis peu de la Communauté européenne, mais qui tend plutôt à s'orienter vers l'Europe centrale. En raison de sa situation géographique, de nombreux particularismes et différences ethniques ont pu être préservés. Les deux langues officielles sont le finnois et le suédois. Le finnois et les idiomes lapons qui lui sont apparentés n'appartiennent pas à la famille des autres langues nordiques. Pourtant, d'un point de vue culturel et social, la Finlande reste très proche des autres démocraties scandinaves. Forêts et lacs marquent les paysages de leur empreinte. La sylviculture et ses produits, le bois, la cellulose et l'industrie du papier jouent un rôle majeur dans l'économie. Par ailleurs, la Finlande se situant à la limite septentrionale des cultures de céréales, dix pour cent seulement de sa superficie sont exploitables. L'avoine et le seigle comptent parmi les principales variétés de céréales cultivées ; parallèlement, la pomme de terre est très présente puisque souvent indispensable dans la cuisine locale. Les exploitations agricoles y sont relativement petites et l'élevage prédomine. Le porc, souvent fumé, ainsi que la charcuterie traditionnelle constituent l'essentiel des viandes consommées, s'y ajoutent celle de bœuf et de renne qui provient du nord du pays. Quant à la chair d'élan, son rôle est mineur.

D'un autre côté, la pêche en mer, bien que limitée puisque les ports sont pris dans les glaces trois à quatre mois par an, a aussi une certaine importance et l'intérêt que présentent les pêcheries situées dans les lacs et cours d'eaux est moins d'ordre économique que culinaire.

Au siècle dernier, quand les paysans finlandais pratiquaient encore la transhumance des moutons, on faisait cuire l'agneau en l'enterrant, puis en allumant un feu au-dessus. De nos jours, cette coutume tend à devenir une attraction touristique.

115

Au centre de la vie des Finlandais

Le sauna

En Finlande, on recense environ 500 000 saunas privés pour approximativement 5 millions d'habitants. Le mot « sauna » est sans doute le seul à avoir été adopté dans de nombreuses langues, sauf en Suède, où l'on s'obstine à l'appeler *bastu*. Il existe des saunas publics dans les hôtels, les usines, les hôpitaux. Cette institution est à tel point vitale que, pendant la Seconde Guerre mondiale, les soldats finlandais s'étaient construit leurs saunas à proximité du front.

Depuis des siècles, les familles finlandaises vont ensemble au sauna. Cette culture est à tel point ancrée dans la vie quotidienne que le sauna peut aussi faire l'objet d'une invitation, surtout en été, où il arrive qu'on s'y retrouve d'abord avant de se réunir autour d'une table. Parfois même, les boissons sont déjà servies au sauna – toutefois, mieux vaut éviter de renverser de l'alcool sur le poêle brûlant, car la frontière entre gaieté et danger pourrait être rapidement franchie.

La tradition veut que chaque ferme finlandaise possède son sauna, souvent une maisonnette où se trouve un poêle à bois couvert de grosses pierres qui diffusent la chaleur dans la pièce. Le seau de bois empli d'eau froide est un ustensile indispensable dans tout sauna, il permet d'augmenter l'humidité de l'air et accroît la sudation ; quant aux rameaux de bouleau avec lesquels on se fouette doucement, ils servent à ouvrir les pores et à accélérer la circulation sanguine. Dans l'idéal, le sauna est construit au bord d'un lac ou sur la côte, de sorte que l'on puisse plonger dans l'eau fraîche en sortant. En hiver, on se roule dans la neige pour se rafraîchir, car la température du sauna est très élevée.

Très tôt, on a commencé à utiliser la fumée que dégageait le poêle pour préparer certains aliments. Le *savukinkku*, par exemple, est un jambon (*savvu* signifie « fumée » et *kinkku*, « jambon ») salé que l'on suspend dans la hotte du poêle du sauna, où il est à la fois fumé et cuit. Le *savukinkku* est une viande recherchée que l'on mange soit froide, avec une salade verte ou des légumes, soit chaude, accompagnée de champignons et d'œufs brouillés.

Se rendre au sauna par une claire nuit d'été, puis se baigner dans l'eau lisse d'un lac avant de dîner au grand air est un plaisir d'une telle intensité que les Finlandais émigrés ont parfois les larmes aux yeux en y pensant.

Rituels du sauna finlandais

Quiconque utilise pour la première fois un sauna finlandais – souvent une construction de bois au bord d'un lac – constatera ce qui le différencie des saunas publics comme ceux que l'on trouve dans les hôtels, par exemple. Certaines règles, que l'on doit y observer pour des raisons d'hygiène, ne s'appliquent pas au sauna privé. En général, la préparation du sauna est l'affaire du maître de maison. Il commence par arroser les parois de bois, le sol et le plafond avec un tuyau. Puis il charge le poêle, avec du bois de bouleau de préférence, jusqu'à ce que la température atteigne environ 100 °C. La chaleur s'accumule dans les pierres empilées couche par couche sur le poêle.

A l'inverse des saunas publics, on pénètre dans la pièce le corps sec ; la douche préalable étant inhabituelle. On se nettoie d'abord avec l'eau des seaux de bois ou au jet avant de s'étendre sur les banquettes. Des rameaux de jeunes bouleaux attachés ensemble sont disposés ici et là comme des bouquets de fleurs coupées. On les plonge dans l'eau, puis on les pose quelques instants sur les pierres brûlantes avant de s'en servir pour se tapoter légèrement le corps.

On reste dans le sauna jusqu'à ce que la chaleur devienne insupportable, alors on sort à l'air libre pour se rafraîchir en plongeant dans le lac ou en se roulant dans la neige. En hiver, les adeptes endurcis taillent un trou dans la glace à coups de pioche et s'y plongent, ces inconditionnels expliquent avec un malin plaisir à leurs hôtes étrangers qu'avec une température exté-

rieure de - 20 °C, l'eau glacée semble très tempérée puisqu'elle fait au moins vingt degrés de plus.

Le corps étant refroidi d'un seul coup, on retourne se réfugier dans la chaleur du sauna et l'on arrose copieusement les pierres du poêle à l'aide d'une grande louche en bois pleine d'eau. Alors un jet de vapeur fuse, le *löyly*, qui agit comme si des millions de petites aiguilles vous piquaient la peau et procure cette sensation particulière qui a fait la célébrité du sauna finlandais. Quelques instants plus tard, le corps est de nouveau humide à cause du *löyly*, mais aussi de la transpiration. On se sèche de temps en temps en redressant les pieds pour se « rôtir les orteils ». Ensuite, un nouveau plongeon dans l'eau froide fera l'effet d'une délivrance. Cette procédure peut être réitérée tant qu'on y éprouvera du plaisir. Mais, en fin de séance, mieux vaut bien s'envelopper dans un grand peignoir afin d'éviter de s'enrhumer.

Après le sauna, un copieux repas salé sera le bienvenu et permettra au corps de récupérer le sel qu'il a éliminé avec la transpiration. Après le sauna, on sert la *lenkkimakkara*, une saucisse ronde rappelant le cervelas souvent grillée en brochette sur la braise, ou chauffée en papillote dans une feuille d'aluminium posée sur les pierres du poêle.

A l'arrière-plan : l'écrevisse finlandaise est une délicatesse. La saison commence le 21 juillet – une date que les gourmets attendent impatiemment et qui semble ne jamais devoir se rapprocher.

Plaisir finlandais

Ecrevisses

La saison des écrevisses arrive au beau milieu de l'été, soit vers la fin juillet. Cette tradition qui est née en Suède, où on l'appelle *kräftaskiva* (littéralement plateau d'écrevisses), a été adoptée par les Finlandais qui l'ont intégrée à leur culture.

Depuis des siècles, les Finlandais pêchent les écrevisses, les *rapuja*, dans les innombrables lacs et cours d'eau de leur pays. D'ailleurs, en consultant les anciens livres de comptes des monastères, on constate que les prises étaient abondantes et que ce crustacé jouait non seulement un rôle important dans l'alimentation quotidienne, mais qu'il permettait également des préparations très raffinées en période de carême.

Or les écrevisses de Finlande se sont raréfiées et le plateau d'écrevisses est devenu un plat de luxe que l'on ne peut offrir qu'en ayant de bonnes relations et en payant très cher. La seule solution est d'utiliser des écrevisses cuites d'importation, ce que le véritable amateur s'interdira de faire. L'alternative la plus satisfaisante consiste à prendre des écrevisses vivantes qui viennent de Turquie par avion et dont le goût se rapproche de celui de leurs sœurs finlandaises.

Comment fête-t-on les écrevisses?

On dresse d'abord une longue table décorée de couronnes et de bouquets d'aneth, sur laquelle sont disposées les assiettes, les serviettes, des pinces à crustacés, des verres à bière et à digestif, du pain grillé et du beurre. Au milieu de la table trône un plat d'écrevisses – compter une vingtaine par personne. Ces écrevisses ont cuit dans un court-bouillon à l'aneth où elles ont refroidi pendant la nuit. Elles sont servies froides et chaque convive les décortique lui-même, mange avec les doigts, la pince n'étant utilisée que pour briser la carapace. Si la queue charnue et savoureuse est facile à extraire, la tête et les pinces renferment un chair délicate qu'il vaut mieux aspirer ou sucer plutôt que de chercher à les décortiquer.

Selon la tradition, on boit un verre d'alcool après chaque écrevisse. Inutile d'ajouter que les règles de la bonne tenue à table n'ont plus cours dans de telles conditions. Le niveau sonore de ces fêtes est élevé, on y bavarde, on y mange et on y prononce de nombreux toasts.

Depuis quelques années, les Finlandais tendent à accompagner les écrevisses de vin plutôt que d'alcools blancs. Le vin semble mieux s'harmoniser avec la délicatesse de ce crustacé, et les amateurs d'écrevisses risquent moins de plonger involontairement dans le lac en se levant de table.

Cuisson des écrevisses

10–20 écrevisses vivantes par personne
2–3 cuil. à soupe de gros sel
1–2 cuil. à café de sucre
3–4 cuil. à soupe de grains d'aneth
5–6 couronnes d'aneth
3–4 bouquets d'aneth

Faire chauffer trois à cinq litres d'eau dans un faitout (selon la quantité d'écrevisses), ajouter le sel, le sucre, l'aneth et porter à ébullition.

Pendant ce temps, laver et brosser les écrevisses sous le robinet. Puis les plonger cinq par cinq, la tête la première dans l'eau bouillante et couvrir de brins d'aneth. Dès que l'eau recommence à bouillir, baisser le feu et compter environ dix minutes de cuisson. Elles sont cuites quand on peut détacher la carapace de la queue.

Tapisser un grand plat creux de brins d'aneth. Sortir les écrevisses de l'eau avec une écumoire et les dresser sur l'aneth. Passer le court-bouillon au chinois et en arroser les écrevisses jusqu'à ce qu'elles soient recouvertes. Laisser refroidir, couvrir et laisser au frais pendant au moins douze heures. Egoutter avant de servir, dresser les écrevisses sur un plat, et garnir d'aneth.

Présenter avec du beurre, du pain grillé, de la bière, un alcool blanc et du vin.

Ecrevisse, aneth et alcool blanc ne sauraient manquer en l'occasion. En Finlande, l'aquavit n'est pas l'alcool le plus consommé, mais, comme pour rappeler le passé russe de ce pays, on préfère une vodka finlandaise bien glacée.

Passion de pêcheur à la ligne

La truite saumonée

D'innombrables ruisseaux, rivières et lacs rythment les paysages finlandais. Leurs eaux sont d'une qualité exceptionnelle due à un équilibre écologique intact qui n'a pas son pareil en Europe (même si ce paradis naturel est parfois, lui aussi, touché par les pluies acides). La pêche à la ligne, ou plus précisément la chasse à la truite saumonée, est l'une des passions des Finlandais. Pendant l'été, bref mais intense, il est courant de consommer sur place le poisson fraîchement pêché, car il n'y a rien de meilleur qu'une truite saumonée juste sortie des eaux cristallines d'un torrent qui descend des montagnes. La tradition veut que l'on grille ces truites sur une planche en pleine nature. Pour cela, il faut d'abord faire un bon feu qui apportera sa chaleur quand la température se rafraîchira à la tombée de la nuit. Puis on filette le poisson avant de les fixer sur ce gril de fortune à l'aide de chevilles de bois; ensuite, on place la planche à la verticale, face au feu. L'avantage de ce mode de cuisson est que la graisse s'écoule tandis que la chair du poisson développe toute sa saveur. Les Finlandais appellent ce mode de préparation *ristiinnaulittu lohi* (saumon crucifié) ou *loimulohi* (saumon à la braise). Bien entendu, la boisson adéquate ne saurait manquer. On sert de la bière, mais surtout de la *koskenkorva*, abrégée en *koskis*, une vodka finlandaise qui souligne le goût de poisson fumé.

Avant la cuisson, les poissons justes sortis de l'eau sont filetés.

Dans les eaux limpides d'un torrent, on pêche la truite saumonée à la mouche.

On fixe les filets de truite sur une planchette et les cuit près du feu.

Le raffinement

Les œufs de poisson

Les Finlandais adorent la chair du poisson, mais aussi ses œufs, le *mäti*, et surtout ceux du petit corégone, la *muikku*, et du féra ou *siika*. Après avoir ôté l'enveloppe, on sale ces œufs d'une belle couleur orange. Ils se mangent avec des oignons, du poivre noir et de la crème aigre appelée *smetana*. Parfois, on propose des œufs de *muikku* et de *siika* pour remplacer le véritable caviar d'esturgeon, mais pourquoi vouloir comparer l'incomparable puisque ces œufs de grande qualité possèdent leur caractère et leur structure propres ! Les œufs de saumon et de truite saumonée salés se servent en garniture avec des plats de poisson, ou encore pour affiner une sauce. Les connaisseurs convoitent particulièrement les œufs de la lotte d'eau douce, la *made*.

Œufs de poisson en apéritif

œufs de petit corégone, de perche, de lotte (ou de tout autre poisson)
sel et poivre
tranches de pain de seigle noir
beurre
crème aigre battue
oignons hachés

Oter la membrane des œufs, saler, poivrer. Tartiner le pain de beurre, puis de crème, garnir d'œufs de poisson et d'oignon haché.

Poissons finlandais dont on consomme les œufs :

Ahven – perche (jusqu'à 40 cm)
Hauki – brochet (jusqu'à 150 cm)
Kirjolohi – truite saumonée (jusqu'à 140 cm)
Kuha – sandre (jusqu'à 80 cm)
Lahna – brème (jusqu'à 70 cm)
Lohi – saumon (jusqu'à 150 cm)
Made – lotte d'eau douce (jusqu'à 80 cm)
Muikku – petit corégone (Jusqu'à 25 cm)
Siika – féra (jusqu'à 40 cm)
Silakka – hareng de la Baltique (jusqu'à 20 cm)

Mätivoi
Beurre d'œufs de poissons

50 g d'œufs de poisson d'eau douce
250 g de beurre mou
poivre gris

Oter la membrane des œufs de poisson. Mettre le beurre dans un petit saladier, ajouter les œufs de poisson et mélanger délicatement à la fourchette en faisant attention à ce que les œufs restent intacts. Poivrer et rectifier l'assaisonnement. Servir frais dans un ramequin en verre. Présenter comme entrée avec du pain blanc.

Paistettu Mätiä
Œufs de poisson à la poêle

200 g d'œufs de poisson (hareng de la Baltique de préférence)
2 cuil. à soupe d'oignons hachés
sel, poivre noir

Oter la membrane des œufs de poisson et les séparer à la fourchette. Faire fondre les oignons dans un peu de beurre, puis ajouter les œufs en mélangeant avec les oignons. Faire dorer en remuant constamment pendant deux à trois minutes. Saler, poivrer. Servir avec du pain grillé.

Taimenmätiä – Œufs de truite.

Lohimätiä – Œufs de saumon.

Muikku – Petit corégone.

Siika – Féra.

Made – Lotte d'eau douce.

Siikamätiä – Œufs de féra.

Miukkumätiä – Œufs de petit corégone.

Smetana – Crème aigre.

Mademätiä –
Œufs de lotte d'eau douce.

Un pain au poisson et à la viande
Le Kalakukko

En Finlande orientale, la tradition de la cuisson au four a sans doute été empruntée à la coutume russe où le poêle fait office de centre vital de la maison pendant les longs mois d'hiver. Cette culture des *pirojki* et des pains fourrés est donc elle aussi originaire de l'Est.

Le pain fourré le plus célèbre, le *kalakukko,* est originaire de la province de Savo. Il tire probablement son nom, qui signifie «coq au poisson», d'une vague ressemblance avec les volailles rôties en croûte. Mais cette croûte-là renferme une farce savoureuse de poisson et de porc. Comme la croûte permet de conserver le pain pendant plusieurs semaines, le *kalakukko* peut être préparé en grande quantité.

Au centre de la Finlande, considéré comme la patrie du *kalakukko,* et surtout à Kuopio, qui fait en quelque sorte figure de bastion du pain farci, nom-breux sont les étals des marchés où l'on peut en acheter. A l'Est, ce sont surtout les boulangers qui l'affichent comme spécialité régionale. Mais, comme il ressemble à un pain rond, le risque de confusion est grand et il arrive parfois que l'on rentre chez soi avec un *kalakukko* alors que l'intention était d'acheter du pain ordinaire.

Kalakukko
Pain fourré au poisson et à la viande

Pâte
1 kg de farine de seigle (ou 600 g de farine de seigle et 400 g de farine de froment mélangées)
1 cuil. à soupe de sel
2 cuil. à soupe de beurre

Farce
1 1/2 kg de petit corégone ou de perche
sel, poivre noir
250 g de viande de porc entrelardée
150 g de poitrine de porc
1 bouquet d'aneth

Pâte : mélanger la farine, le sel, le beurre et 1 l d'eau environ pour obtenir une pâte assez ferme (préparée à la farine de seigle pure, la croûte sera forte en goût, mais plus malléable en utilisant une farine mélangée). Réserver à part.

Préparer les poissons, écailler, vider, ôter la tête et la queue, les laver soigneusement et les sécher dans un papier absorbant. (Si l'on prend un gros poisson au lieu de petits, le couper en morceaux d'environ 5 cm).

Couper le porc en tranches fines, la poitrine en dés et hacher l'aneth.

Abaisser la pâte au rouleau sur une planche couverte de farine pour obtenir un ovale. Garnir le centre de couches successives de poisson et de viande, terminer par le lard et l'aneth, saler poivrer.

Passer un peu d'eau sur les bords de la pâte et la replier sur la farce en pressant bien. Lisser la surface avec la main humidifiée et saupoudrer de farine de seigle.

Cuire au four à 250 °C jusqu'à ce que la croûte se colore, couvrir d'une feuille d'aluminium et poursuivre la cuisson à 150 °C, laisser cinq à six heures au four. Badigeonner de temps en temps à la graisse de porc. Sortir du four et laisser refroidir. Présenter en tranches épaisses. Le *kalakukko* se mange chaud ou froid avec du beurre, accompagné de lait ou de lait caillé.

Pour préparer la pâte du *kalakukko,* on utilise surtout de la farine de seigle.

On abaisse la pâte pour obtenir un ovale (garder une certaine épaisseur).

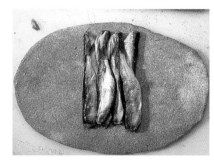
La farce est composée de petits corégones ou de perches.

La poitrine de porc ou autres viandes de porc en relèvent le goût.

En formant le chausson, vérifier qu'il est bien hermétique.

A la sortie du four le *kalakukko* ressemble vaguement à une volaille en croûte.

Ces pains fourrés cuisent cinq à six heures au four.

Lorsqu'il sont cuits, il est difficile de les distinguer de pains ordinaires.

Le *kalakukko* se mange chaud ou froid avec un peu de beurre. On l'accompagne de lait froid ou de lait fermenté.

Champignons et baies

Un peuple entier pratique la cueillette

Pendant les mois d'été, femmes et enfants sont sur les chemins pour ramasser avec un flair et une patience inégalables d'inimaginables quantités de champignons et de baies qu'ils trouvent dans les bois et vendront ensuite sur les marchés. Flâner dans ces marchés laissera des souvenirs inoubliables. A l'époque où l'on trouve presque tous les produits alimentaires pendant toute l'année, ces fruits et ces champignons sauvages prennent d'autant plus de valeur, car on ne peut se les procurer que pendant la saison.

Le printemps est la période des gyromitres (*korvasieni*), tandis que les autres variétés de champignons poussent plutôt en automne. Le gyromitre printanier, d'un brun rougeâtre, et qui jaillit de terre de mars à mai, est un champignon aromatique très répandu en Europe du Nord. Comme il contient un acide toxique, il ne s'utilise que séché, cuit plusieurs fois ou bouilli dans l'eau au moins dix minutes. Mais, même traité ainsi, il peut être indigeste et même mortel (sa vente est interdite en Allemagne). On le prépare de différentes manières, soit nature, avec une béchamel à la crème, soit pour accompagner une viande, des œufs, ou pour agrémenter une sauce.

En été, les bois de Finlande regorgent de baies, de myrtilles (*mustika*), d'airelles (*puolukka*), de *karpaloo*, baie d'une mousse spécifique, et bien sûr de fraises des bois (*ahomansikka*) que l'on cueille dans les clairières, dans les fourrés et même au bord des chemins. Les Finlandais les consomment nature ou au sucre et au lait, en jus, en coulis ou en confiture, pour garnir des gâteaux, des glaces, des entremets ou autres desserts.

Deux variétés de baies, qui appartiennent à la famille du rosier, ne poussent que dans le Grand Nord, la *lakka* et la *mesimarja* (littéralement baie à miel), une sorte de mûre arctique. Pour s'épanouir, elles ont toutes deux besoin d'un sol humide. Le *lakka* donne des fruits jaune vif, tandis que les *mesimarya* sont rouges. Ces baies ont un goût intense et très caractéristique qui confirme les hypothèses selon lesquelles les fruits qui mûrissent dans des conditions climatiques extrêmes développent un arôme particulier. Elles se mangent comme dessert ou en confiture. Les excellentes liqueurs fabriquées à base de ces fruits feront un souvenir original, d'ailleurs, du temps des tzars, on les considérait à la cour de Russie comme un produit rare.

Enfin, l'automne voit proliférer toutes les autres espèces de champignons comestibles. En Finlande, on en recense environ 500 variétés, dont 200 sont considérés comme bons. Parmi les plus convoités, on compte, bien sûr, les divers types de cèpes (*herkkutatti*) au parfum captivant et au goût de noisette .

Certaines années, quand le temps s'y prête, ils ressemblent presque à des parasols et peuvent atteindre un diamètre de 30 cm. D'autres champignons comme les oronges rouges ou jaunes, les champignons à lamelles, les girolles (*kantarelli*) et les trompettes de la mort (*musta torvisieni*) font aussi la joie des cueilleurs.

Mansikkalumi
Fraises en neige

500 g de fraises
150 g de sucre
4 blancs d' œuf
1 pincée de sel
1 pot de crème fouettée
12 fraises entières

Laver les fraises et réserver douze fraises entières, réduire les autres en purée et les passer au chinois. Ajouter le sucre au coulis obtenu. Monter les blancs d'œufs en neige avec le sel jusqu'à ce qu'elle soit bien ferme. Incorporer délicatement le coulis de fraises et la crème fouettée, puis répartir dans des ramequins individuels et garnir de fraises entières.

Sienisalaati
Salade de champignons des bois

500 g de champignons des bois (cèpes et girolles etc.)
sel
1 petit oignon épluché et haché
1/4 l de crème aigre battue
jus de citron
sucre (au goût)
piment pilé et poivre noir

Nettoyer les champignons, laver, saler. Mélanger les champignons, les oignons et la crème. Rectifier l'assaisonnement avec le jus de citron et le sucre.
Présenter la salade dans un saladier et saupoudrer de piment et de poivre.

La *mesimarja* : une variété de mûre qui ne pousse que dans le Grand Nord. En raison des conditions climatiques extrêmes, elle développe un arôme particulièrement intense.

1

2

3

Agneau enterré

Le *rosvopaisti*, (littéralement, rôti du voleur) est un plat traditionnel d'origine paysanne qui s'est répandu dans tout le pays. Aujourd'hui, il est servi aux touristes ou lors de fêtes spécifiques à titre d'événement gastronomique (3). Pour le réaliser, on creuse une fosse dans un champ ou dans un jardin (1), on y dépose une pièce d'agneau assaisonnée et enveloppée dans une feuille d'aluminium, puis on recouvre le tout de terre meuble. On ajoute une couche de sable qui a la fonction de « pare-feu », puis on allume un grand feu de camp. Les préparatifs commencent dès l'après-midi pour que la viande soit prête le soir et puisse être déterrée sous les yeux des convives (2). Cette coutume date du siècle dernier, du temps où les paysans finlandais élevaient encore des moutons et partaient souvent pendant des jours et des semaines avec leurs troupeaux à la recherche de pâtures dans les contrées arides et inhospitalières du centre et du nord de la Finlande. Pour faire un *rosvopaisti*, nul besoin de vaisselle ni de gril. Et la feuille d'aluminium utilisée aujourd'hui est une concession aux principes de l'hygiène moderne. Comme les moutons se sont faits rares en Finlande et que la viande d'agneau est chère, on se contente aussi de boeuf ou de porc.

Le pain

La Finlande est un pays où le pain est essentiel – ou, plus précisément, le pain noir. Quand le mal du pays prend un Finlandais à l'étranger, il retrouve un peu de sa patrie en s'offrant un pain fait maison. Pour les Finlandais, l'idée de pain est toujours associée au seigle. Leurs recettes se distinguent de nombreux autres modes de préparation scandinaves, car les boulangers utilisent surtout des farines grossières et préfèrent les variétés plus salées. Par tradition, le pain est la base de l'alimentation, il ne saurait donc venir à manquer. Quand un Finlandais dit «qu'il n'y a plus de pain à la maison», cela signifie en quelque sorte qu'il n'y a rien à manger. Un autre dicton affirme que «la faim est vraiment terrible quand le pain ne suffit plus à la calmer».

Le pain finlandais est ferme et relativement dur parce que la brièveté de l'été empêche les céréales d'arriver à maturité, celles-ci sont moissonnées encore vertes et se conservent donc plus difficilement. Pour éviter que les grains ne moisissent, ils sont immédiatement transformés en farine, le pain est ensuite cuit. Un pain qui doit suffire pour toute la durée de l'hiver puisque la nature ne procure pratiquement plus aucun aliment. Le trou qui caractérise bon nombre de pains finlandais rappelle que ceux-ci étaient autrefois enfilés sur une perche et séchaient dans les greniers.

La forme, l'épaisseur et la consistance varient selon les régions et l'origine. Souvent plats comme des pizzas, on les coupe en parts comme des gâteaux. Certains se préparent sans levain, mais gonflent sous l'effet d'une pâte fermentée. D'autres cuisent sur des plaques de fonte, ou directement sur les braises du grand four. Les pains qui doivent se conserver tout l'hiver sont cuits deux fois afin d'être séchés.

1

2

3

Hiivaleipä
Pain de seigle

25 g de levure
3 cuil. à soupe d'eau tiède
2 cuil. à soupe de miel
2 cuil. à café de sel
50 g de beurre
¹/₄ l d'eau chaude
250 g de farine de seigle
150 g de farine de froment
beurre fondu

Faire fondre la levure dans l'eau tiède. Dissoudre le miel, le sel et le beurre dans l'eau chaude et laisser refroidir. Mélanger la levure à la farine de seigle, puis ajouter la solution de miel en mélangeant bien pour obtenir une pâte molle.
Ajouter la farine de froment et pétrir la pâte pendant dix minutes jusqu'à ce qu'elle devienne élastique. La placer dans une terrine beurrée et la retourner jusqu'à ce que toute la pâte soit enduite de graisse. Couvrir et laisser reposer pendant soixante minutes à l'abri des courants d'air pour qu'elle double de volume, la retourner et laisser monter pendant dix minutes encore.
Former des pains et les poser dans des moules bien graissés. Laisser encore une fois monter la pâte jusqu'à ce qu'elle double de volume (environ 45 minutes), puis faire cuire au four à 200 °C pendant 30 minutes. Le pain est cuit quand la croûte sonne creux si on la cogne légèrement. Pour finir badigeonner la surface de beurre fondu.

Ruisleipä
Pain de campagne au seigle

25 g de levure
3 cuil. à soupe d'eau tiède
150 ml de lait tiède
1 cuil. à soupe de sucre brun
125 g de farine de seigle
1 cuil. à soupe de beurre fondu
1 ¹/₂ cuil. à café de sel
150 g de farine de froment

Dans une grande terrine, faire fondre la levure dans l'eau, ajouter le lait et le sucre, puis la farine de seigle, le beurre et le sel. Bien mélanger et incorporer la farine de froment jusqu'à ce que l'on obtienne une pâte ferme.
Laisser reposer pendant quinze minutes.
Pétrir la pâte pendant dix minutes sur un planche couverte de farine de seigle jusqu'à ce qu'elle soit souple (ne pas ajouter de farine, sinon le pain risquerait d'être trop lourd). Placer la pâte dans une terrine graissée et la retourner jusqu'à ce qu'elle soit enduite de graisse. Couvrir avec un torchon et laisser gonfler pendant deux heures à l'abri des courants d'air jusqu'à ce qu'elle ait doublé de volume.
Former un pain rond et le mettre dans un moule graissé, laisser de nouveau reposer pendant 45 à 60 minutes pour qu'il double encore une fois de volume. Faire cuire au four à 150 °C pendant 50 minutes, enduire de beurre fondu tant que le pain est encore chaud.

Ohraleipä
Pain à l'orge

50 g de levure
¹/₂ l de lait tiède
1 cuil. à café de sel
300 g de farine d'orge
250 g de farine de froment

Dans une grande terrine, faire fondre la levure dans le lait, ajouter la farine d'orge et le sel, puis pétrir la pâte. Couvrir et laisser reposer pendant 60 minutes à l'abri des courants d'air.
Ajouter la farine de froment et pétrir la pâte jusqu'à ce qu'elle soit souple et lisse, laisser reposer de nouveau pendant dix minutes.
Former deux pains ronds en utilisant de la farine, car la pâte est relativement molle.
Laisser gonfler les pains, les piquer à la fourchette et les faire cuire pendant 25 minutes au four à 250 °C.

Näkkileipä
Galette

50 g de levure
300 ml d'eau tiède
300 ml de lait tiède
1 cuil. à soupe de sel
1 œuf
2 cuil. à soupe de miel ou de sucre brun
100 g de farine de blé complet
100 g de farine de froment
environ 250 g de farine blanche
50 g de beurre fondu

Dans une grande terrine, faire fondre la levure dans l'eau tiède. Ajouter le lait, le sel, l'œuf et le miel. Puis intégrer peu à peu la farine de blé complet, la farine de froment, finir par la farine blanche en pétrissant bien. Travailler avec le beurre sur une planche farinée jusqu'à ce que la pâte soit souple.
Former des galettes et les répartir sur une tôle graissée. Piquer la pâte à la fourchette, laisser gonfler pendant quelque temps et faire cuire pendant 30 minutes au four à 190 °C. Enduire de beurre tant que la galette est encore chaude.

Joululimppu
Pain finlandais de Noël

300 g de farine de seigle
100 g de purée de pommes de terre
300 ml de jus de pommes de terre
(pommes de terres pressées)
25 g de levure
50 g de mélasse brune
³/₄ l d'eau tiède
4 cuil. à soupe d'huile
5 cuil. à soupe de sucre
3 cuil. à café de sel
1 cuil. à café de grains d'anis
125 g de raisins secs
env. 500 g de farine de froment

Mettre la moitié de la farine de seigle et la purée de pommes de terre dans une terrine et bien mélanger avec le jus de pommes de terre et la levure, couvrir et laisser reposer pendant deux jours à température ambiante.
Ajouter la mélasse et l'eau, l'huile, le sucre, le sel, l'anis, les raisins secs, le reste de farine de seigle et de farine de froment, pétrir pour obtenir une pâte souple.
Fariner le plan de travail et y pétrir la pâte jusqu'à ce qu'elle ne colle plus. La placer dans un moule beurré, couvrir et laisser monter au chaud et à l'abri des courants d'air, elle doit doubler de volume.
Former un gros pain ou plusieurs pains ronds. Les faire de nouveau gonfler jusqu'à ce que leur volume double et faire cuire pendant 50 minutes au four à 190 °C.

4

A gauche : le pain finlandais doit, certes, être bon, mais aussi nourrissant. A tous moments de la journée, on consomme donc du pain de seigle (3) de préférence. Toutefois, la Finlande possède d'innombrables variétés de pains : pains au froment, à l'orge ou à l'avoine, pain graham, pain noir, « galette suédoise », pain de mie et pain au babeurre (4) ainsi que le pain « dernière fournée » qui est placé dans le four que l'on vient d'éteindre, il cuit parfois pendant des heures ; on trouve aussi des pains à la croûte craquante ou souple, des galettes plates (1) qui ont toujours en leur milieu ce trou qui servait autrefois à les enfiler sur une perche pour qu'elles sèchent, ainsi que des pains carrés moulés (2) et tant d'autres encore, car la Finlande est un pays à pain.

Joachim Römer

La Russie
et ses voisins

Jusqu'à présent, les gourmets des pays occidentaux ne connaissaient pas très bien la cuisine de la Russie et des pays limitrophes. Pendant des décennies, le rideau de fer et le système de l'économie dirigée n'ont guère permis de jeter un coup d'œil sur les préparations culinaires de nos voisins. Aujourd'hui, l'immense empire rouge a disparu, la Russie se transforme progressivement en démocratie et les anciennes républiques soviétiques sont redevenues des Etats indépendants. L'économie privée encore balbutiante permet également une plus grande diversité des menus et la conscience nationale des nouveaux Etats s'exprime avant tout par son insistance sur certaines spécialités culinaires. Les *sakouski*, hors-d'œuvre, et les *pirojki* de la Russie européenne, les *pelmieni* de Sibérie et le *borchtch* d'Ukraine, le *chachlik* d'Arménie et l'esturgeon de la mer Caspienne intéressent de plus en plus les gourmets.

Les traditions se vivifient. En effet, à l'époque des tsars, la cuisine russe était plutôt déconcertante tant elle était variée et riche. Les fastes de la noblesse contrastaient vivement avec les habitudes modestes et souvent chiches des gens simples. Tout comme aujourd'hui, ils vivaient pauvrement et se contentaient des quelques aliments qu'ils pouvaient produire et fabriquer eux-mêmes. Le poêle était le centre de la vie familiale, et le plat cuit à l'étouffée dans le poêle est certainement le trait essentiel de la cuisine russe des campagnes. Le point culminant de l'année russe est la Pâques, qui est antérieure au christianisme et que célèbrent également les non-croyants. Les messes solennelles dans les églises sont suivies de banquets tout aussi solennels, surtout après le carême que l'on prend fort au sérieux en Russie. La stricte doctrine orthodoxe interdit la consommation d'œufs, de graisse, de beurre, de lait et surtout de viande pendant le carême. Lorsque celui-ci a pris fin, on peut manger à loisir les choses exquises dont on a été si longtemps privé : œufs de Pâques artistiquement décorés ; grandes quantités de caviar, que les Russes appellent *ikra* ; *koulitch*, ou gâteau de Pâques russe ; et *pacha*, plat aux œufs et au fromage blanc.

Table de fête recouverte de mets variés au Kazakhstan.

Le rituel russe

Sakouska

Chaque culture a ses cérémonies. Les Japonais ont la cérémonie du thé, les Finlandais le sauna, et les Russes la *sakouska,* la table à hors-d'œuvre. La notion de *sakouska* correspond à l'anglais *appetizer,* et on utilise pour exciter l'appétit des ingrédients savoureux et légèrement acidulés, qui ne rassasient pas, mais préparent aux mets à venir. Si les portions sont petites, les modes de préparation sont quasi illimités. Les maîtresses de maison russes se donnent beaucoup de mal pour arranger une table à *sakouska.* Les couleurs et les formes sont aussi importantes que la diversité des amuse-gueule. Selon les circonstances et les possibilités de l'hôte, une vraie *sakous*ka comprend :

• un ou plusieurs hors-d'œuvres de poisson,
• plusieurs plats de viande,
• des salades et divers légumes,
• des préparations à base d'œufs,
• des légumes et des champignons marinés,
• des fruits en conserve,
• des épices telles que moutarde, raifort et poivre,
• du pain frais blanc et noir.

La décoration est composée de figurines modelées dans du beurre et de légumes, tels que raifort et carottes, finement sculptés. Et, bien sûr, l'essentiel ne doit pas manquer : la vodka, qui peut également être aromatisée, est placée, légèrement en hauteur, au milieu de la table.

Seliodki

Harengs

2 harengs salés
1 oignon
1 bouquet de persil

Dessaler les harengs 8 heures environ à température ambiante, puis les vider et enlever la peau. Couper la chair en filets en partant du dos, conserver la tête et la queue. Couper les filets de poisson en morceaux et les disposer sur un plat, avec la tête et la queue, de manière à reformer un poisson. Garnir de persil et de rondelles d'oignon ou encore de morceaux de concombre et de tomate. Arroser de vinaigrette ou de sauce moutarde que l'on préparera avec de la moutarde forte, un jaune d'œuf, du vinaigre, de l'huile et un peu de sucre.

Salat is goviadiny

Salade de bœuf

500 g de bœuf
gousses d'ail
sel, poivre noir
1 bocal de petits concombres au sel
raifort râpé
1 bocal de prunes en conserve

Frotter la viande de bœuf avec l'ail, couper en gros dés, assaisonner et faire revenir dans un peu de graisse. Laisser refroidir et couper en tranches fines. Couper les concombres en rondelles. Arranger les tranches de viande et les rondelles de concombre sur un plat, garnir avec le raifort et les prunes.

La table à *sakouska* russe est une table à hors-d'œuvre assez semblable aux copieux buffets d'origine scandinave. Elle est généralement de forme ronde ou ovale et accessible de tous côtés. Selon la position sociale et les possibilités financières de l'hôte, la table à *sakouska* est garnie d'une multitude de petits plats et amuse-gueule : légumes marinés, harengs, saumon fumé, champignons farcis, plats aux œufs, salades au poulet ou au bœuf etc.

Sakouski aux œufs

Goutap
Poches aux œufs et aux fines herbes
(Illustration 1)

Pâte

175 g de farine
1 pincée de sel
1/4 l d'eau tiède
50 g de beurre mou
huile pour la friture

Farce

8 œufs
sel, poivre noir
2 cuil. à soupe de beurre fondu
1 cuil. à café de farine
5 cuil. à soupe de persil finement haché
3 cuil. à soupe d'aneth finement haché
1 cuil. à soupe de coriandre finement hachée
3 cuil. à soupe d'oignons nouveaux finement hachés

Pour la farce, battre les œufs et les assaisonner, ajouter le beurre, la farine, puis les fines herbes et les oignons. Préchauffer le four (180 °C). Bien beurrer un plat à feu, y verser la préparation. Passer au four 15 minutes environ jusqu'à ce qu'elle prenne. Laisser refroidir.
Mélanger les ingrédients pour la pâte et pétrir jusqu'à obtention d'une masse ferme.
Etendre la pâte au rouleau jusqu'à ce qu'elle soit fine, découper des carrés d'environ 5 x 5 cm. Disposer sur chaque carré une cuiller à café pleine de crème aux œufs, rassembler les coins de pâte et appuyer sur le dessus pour fermer la poche.
Faire frire les poches de pâte dans de l'huile chaude pendant 3 à 4 minutes. Egoutter et servir immédiatement.

Kartofelny salat po-rousski
Salade de pommes de terre à la russe
(Illustration 2)

1 kg de pommes de terre
2 cuil. à soupe d'oignons nouveaux hachés
2 cuil. à soupe d'aneth finement haché
5 concombres au vinaigre coupés en dés
5 radis coupés en rondelles fines
quelques branches d'aneth

Sauce

5 cuil. à soupe de mayonnaise
2 cuil. à café de sauce Worcester
1 cuil. à soupe de ketchup
2 cuil. à soupe de vin blanc
un peu de raifort

Faire cuire les pommes de terre dans leur peau, les peler encore chaudes, laisser refroidir et couper en rondelles. Incorporer délicatement les oignons, l'aneth, les concombres et les radis. Préparer la sauce et la verser sur la salade. Laisser reposer pendant 30 minutes et garnir d'aneth.

Yaïtsa po-minski
Œufs à la mode de Minsk
(Illustration 3)

10 œufs durs
75 g de beurre mou
1 cuil. à soupe de mayonnaise
2 cuil. à soupe de crème double
3 cuil. à soupe d'aneth finement haché
1 cuil. à soupe de persil finement haché
2 cuil. à café de paprika (doux)
sel, poivre noir
4 cuil. à soupe de chapelure
3 cuil. à soupe de fromage râpé
filets d'anchois, dessalés et coupés en deux

Couper les œufs en deux et extraire les jaunes. Mélanger les jaunes avec le beurre, la mayonnaise, la crème double, les fines herbes et le paprika. Ajouter 4 moitiés de blancs finement hachés. Remplir les 16 moitiés de blanc avec cette préparation.
Préchauffer le four (200 °C). Mélanger la chapelure et le fromage. Disposer les filets d'anchois en croix sur les œufs et parsemer de crème au fromage. Faire gratiner pendant 10 minutes. Servir chaud.

Yaïtsa po-rousski
Œufs à la russe
(Illustration 4)

10 œufs durs
3 cuil. à soupe de mayonnaise
2 cuil. à soupe de moutarde de Dijon
5 concombres au vinaigre coupés en dés
2 cuil. à soupe d'oignons nouveaux hachés
sel, poivre noir
1 poivron rouge
câpres

Couper les œufs en deux, détacher les jaunes. Ecraser les jaunes et les mélanger aux ingrédients, puis remplir les blancs avec cette préparation. Décorer avec des étoiles de poivron et des câpres.

1

2

3

4

Sakouski aux champignons

Les plats à base de champignons jouent un rôle essentiel dans la cuisine russe, et tout spécialement sur la table à *sakouska*. Au début de l'automne, on les trouve en abondance dans les vastes forêts. Selon les statistiques, chaque Russe disposerait d'environ 15 kg de champignons. Ce cadeau de la nature a fait des Russes de grands amateurs de champignons. De bon matin, ils partent à la « chasse » au champignon et, aujourd'hui encore, la récolte est considérable malgré la pollution de l'environnement. Les champignons jouent un grand rôle dans le cycle annuel russe du fait qu'il est même interdit de manger des produits laitiers pendant le carême, qui est strictement observé.

L'abondance de champignons a naturellement suscité le désir de les conserver pendant l'hiver, en les faisant mariner par exemple. Les lactaires délicieux, les girolles et les armillaires de miel sont particulièrement appropriés. On lave donc un grand tonneau, puis on l'aromatise en y mettant des branches de genévrier sur lesquelles on verse de l'eau bouillante. Ensuite, on ferme le tonneau afin que la vapeur de genévrier ne puisse pas s'échapper. Plus tard, on jette une pierre brûlante dans l'eau afin de la réchauffer. Non seulement le genévrier déploie son merveilleux arôme qui pénètre dans les parois du tonneau, mais il joue un rôle de désinfectant, si bien que les champignons ne moisissent pas pendant l'hiver.

Les champignons sont ensuite soigneusement nettoyés et placés en couches dans le tonneau. Sur chaque couche, on dispose de l'aneth, des feuilles de groseillier, de raifort, de chêne et de cerisier ; on peut également utiliser du cumin et d'autres épices. Une fois que le tonneau est rempli, on le recouvre d'un sac de sel et l'on pose dessus une planche de bois. Au bout de quelque temps, la planche s'affaisse, et à sa surface s'accumule du jus de champignon que l'on ôte de temps à autre. Au bout de deux mois environ, les champignons sont bien imbibés et peuvent être servis. Ils sont délicieux avec un petit verre de vodka.

De la même manière, les Russes font aussi des conserves de tomates, de concombres et d'autres légumes et fruits. Mais les champignons ne sont pas seulement mis en conserves ou séchés, on les sert également frais, par exemple sous forme de caviar de champignons.

Marinovannyje Griby

Champignons marinés
(Illustration en bas de page)

500 g de champignons de Paris ou de pleurotes
2 gousses d'ail
2 clous de girofle
1 feuille de laurier
3 grains de poivre
1 cuil. à soupe de sucre
1 cuil. à café de sel
1/4 l de vinaigre de vin rouge
huile

Couper le pied sablonneux des champignons et les laver. Faire bouillir les autres ingrédients, à l'exception de l'huile, avec 1/8 de litre d'eau, y ajouter ensuite les champignons. Faire cuire à feu doux dans une cocotte sans couvercle jusqu'à ce que les champignons tombent au fond. Retirer l'ail et faire refroidir la préparation. Verser les champignons et le liquide dans des bocaux et recouvrir d'huile afin qu'une pellicule d'huile se forme à la surface du liquide. Fermer hermétiquement et mettre au réfrigérateur pendant 10 jours.

Gribnaïa ikra

« Caviar des pauvres »
(Illustration en bas de page)

1 oignon
350 g de champignons mélangés
100 g de beurre
1 verre de sherry sec
1 branche de persil, d'estragon et de marjolaine
150 g de fromage blanc

Peler les oignons et les hacher finement, couper les champignons en lamelles et les faire revenir dans le beurre avec les oignons, dans une grande poêle. Déglacer avec le sherry et enlever la poêle du feu.
Laver les fines herbes, les hacher finement et les mélanger au fromage blanc. Incorporer les champignons et les oignons au fromage blanc. Mettre dans une terrine en faïence, lisser, dessiner un motif circulaire à la surface et couvrir. Mettre au frais pendant une nuit ou, mieux, pendant plusieurs jours. Servir avec des tranches de pain de seigle.

Griby v Smetane

Champignons à la crème aigre
(Illustration en bas de page)

500 g de champignons épluchés et nettoyés
4 oignons nouveaux épluchés et finement hachés
100 g de beurre
1 cuil. à soupe de farine
sel, poivre noir
1 pot de crème aigre
1 pot de crème double
50 g de fromage râpé

Faire revenir les champignons et les oignons dans la moitié du beurre. Mélanger 1 cuiller à soupe de beurre avec farine et ajouter aux champignons. Quand le mélange a épaissi, saler et poivrer, incorporer la crème aigre et la crème double.
Préchauffer le four (180 °C). Verser la préparation aux champignons dans un plat à feu, parsemer de fromage râpé, puis des flocons de beurre restants et gratiner pendant 20 à 25 minutes.

Page de droite : table à sakouska richement garnie, en plein air, vers 1900.

Marinnovanye griby – Champignons marinés.

Gribnaïa ikra – « Caviar des pauvres ».

Griby v smetane – Champignons à la crème aigre.

Pirojki

En Russie, une maîtresse de maison accomplie doit savoir préparer des *pirogi*, des pâtés compliqués à base de pâte levée. C'est pourquoi ceux-ci jouent un grand rôle dans les mariages : à la campagne, le lendemain des noces, les jeunes mariées doivent faire des pirojki qu'elles offrent ensuite aux invités avec un verre de vin. Chaque invité doit goûter le pâté et le vin, formuler ses vœux et déposer de l'argent sur le plateau. Le *kournik*, un grand pâté contenant diverses farces à base de poulet, ne doit pas faire défaut sur la table de noces russe.

Il existe d'innombrables variétés de pirojki : ouverts et fermés, petits et grands, ronds et carrés, cuits au four ou à la poêle, sucrés et salés. Les ingrédients les plus divers entrent dans la farce. Un pâté est donc toujours un mystère – en effet la pâte n'est pas toujours la même, et la farce est invisible quand il s'agit de pirojki fermés. Les maîtresses de maison russes marquent volontiers leurs pirojki : elles font des rangées de petits trous dans la pâte avec une fourchette ; le nombre de trous est un genre de code et permet de savoir ce qui se trouve dans le pâté. Les pirojki géants sont appelés *coulibiac*. Il s'agit-là d'un énorme pâté pouvant rassasier jusqu'à dix personnes. Le *coulibiac* classique est rempli de poisson et de riz, mais la farce aux champignons est également fort appréciée.

Recette de base pour les pirojki

20 g de levure
2 cuil. à soupe de sucre
2 cuil. à soupe d'eau tiède
500 g de farine
$^1/_8$ l de lait
sel
4 œufs
125 g de beurre
huile
1 œuf battu

Dissoudre la levure et le sucre dans l'eau tiède et mélanger avec un tiers de la farine pour faire un levain. Saupoudrer de farine et laisser lever au chaud pendant 2 à 3 heures.
Ajouter le lait, saler légèrement et malaxer avec les œufs, le beurre et la farine restante pour former une pâte lisse et élastique. Ajouter un peu d'huile, puis laisser reposer pendant 2 heures.
Faire un pâton et le couper en tranches régulières. Former une boule avec chaque tranche et laisser reposer quelques minutes. Former de petites galettes avec les boules et disposer dessus la farce voulue.

Refermer les tranches de pâte sur la farce. Disposer sur une plaque beurrée et laisser reposer pendant 20 minutes, badigeonner à l'œuf battu et faire cuire à four très chaud (250 °C).

Pirojki s Miasom
Pirojki au hachis

500 g de hachis
2 oignons
1 cuil. à soupe de farine
Un bouquet de légumes à potage (carotte, céleri, poireau)
sel, poivre noir

Faire revenir la viande dans du beurre, puis passer à la moulinette. Peler et couper les oignons, faire revenir avec la farine dans le jus de viande, déglacer avec un peu d'eau chaude, ajouter les légumes à potage et assaisonner. Incorporer à la préparation à base de viande et remplir les pirojki avec cette farce.

Pirojki s Tvorogom
Pirojki au fromage blanc

1 cuil. à soupe de farine
500 g de fromage blanc
2 œufs
2 cuil. à soupe de sucre
1 paquet de sucre vanillé
sel

Faire roussir la farine avec un peu de graisse dans la cocotte. Incorporer le fromage blanc aux œufs et au sucre, ajouter la farine et le sucre vanillé, saler et mélanger le tout jusqu'à ce que la préparation soit lisse. Remplir les pirojki avec cette masse.

Rybnik
Pâté sibérien au poisson

2 pommes de terre crues coupées en fines rondelles
500 g de filets de poisson coupé en petits morceaux
sel, poivre noir
1 oignon pelé et coupé en rondelles
2 cuil. à soupe de beurre fondu
1 œuf battu

Préparer la pâte à pirojki selon la recette de base (à gauche) et étaler deux grandes plaques. Disposer les rondelles de pommes de terre sur l'une des plaques, y poser le poisson, assaisonner et recouvrir avec les rondelles d'oignons. Verser le beurre fondu goutte à goutte et recouvrir avec la seconde plaque de pâte. Bien appuyer sur les bords des plaques, laisser reposer environ 20 minutes et badigeonner à l'œuf. Piquer plusieurs fois dans la pâte avec une fourchette et mettre le pâté au four jusqu'à ce que la surface soit légèrement dorée.

Raviolis sibériens

Pelmieni

Les pelmieni sont de petites poches de pâte farcies qui rappellent un peu les raviolis italiens. Bien qu'ils soient d'origine mongole, on considère que la Sibérie est leur berceau d'origine, ils constituent là-bas le repas principal et sont traditionnellement remplis d'une préparation à base de hachis de cheval.

Au cours de l'hiver sibérien, toutes les femmes de la maison sont occupées à préparer d'énormes quantités de pelmieni. Elles les déposent ensuite sur des planches et les mettent dehors pour qu'ils se congèlent. Ensuite, ils sont placés dans des sacs qu'elles suspendent dans des pièces froides, de manière à avoir des réserves pour tout l'hiver.

Pendant l'hiver, les pelmieni étaient l'aliment classique des voyageurs sibériens. Quand ils partaient à la chasse ou ramassaient du bois, ils emportaient des pelmieni congelés. En route, ils allumaient un feu et faisaient bouillir de la neige fondue dans un chaudron. Ils y plongeaient les pelmieni congelés et bientôt ils pouvaient déguster un délicieux repas.

Aujourd'hui, on mange des pelmieni dans toute la Russie. Ils sont devenus célèbres à la fin du siècle dernier grâce au restaurant Lopachov, un restaurant moscovite traditionnel où l'on trouve de merveilleuses tapisseries et de l'argenterie ancienne. C'est là que travaillait le meilleur cuisinier de pelmieni de toute la Sibérie. On raconte que les plus grands propriétaires de mines d'or de Sibérie descendirent un jour dans ce restaurant et ne mangèrent, outre des *sakouski*, que des pelmieni. Pour douze personnes, le cuisinier aurait préparé quelque 2500 petites poches de pâte remplies de viande et de poisson. Il avait même inventé un nouveau dessert: des pelmieni remplis de fruits et servis dans du champagne rosé.

La difficulté, quand on prépare des pelmieni, réside dans la pâte: elle doit être aussi fine qu'une lame de couteau. Pendant la cuisson, les pelmieni ne doivent ni éclater, ni coller les uns aux autres, et les meilleurs sont ceux qui ont été congelés avant d'être jetés dans l'eau bouillante. Ils se conservent environ trois mois au congélateur.

À l'arrière-plan: pirojki et – sur une assiette – pelmieni aux champignons.

Recette de base pour les pelmieni

100 ml de lait
100 ml d'eau
1 pincée de sel
200 g de farine
1 cuil. à café d'huile

Mélanger le lait, l'eau, le sel et la farine pour obtenir une pâte. Pour finir, ajouter l'huile. Bien étaler la pâte et découper de petites rondelles à l'emporte-pièce ou avec un verre à liqueur. Disposer la quantité de farce voulue sur la pâte, former de petits croissants et bien appuyer sur les bords. Faire cuire les pelmieni dans de l'eau bouillante ou les congeler.

Pelmeni Sibirskie
Pelmieni sibériens

400 g de viande de bœuf
100 g de foie de veau
1 oignon
sel, poivre noir

Passer la viande de bœuf deux fois à la moulinette, ajouter le foie de veau la deuxième fois. Peler les oignons, les réduire en purée et les incorporer à la préparation. Assaisonner, bien malaxer et remplir les pelmieni avec cette farce.

Pelmeni s Gribami
Pelmieni aux champignons

150 g de champignons
½ oignon
sel

Laver et émincer les champignons, hacher l'oignon. Faire roussir l'oignon dans du beurre, ajouter les lamelles de champignons et les faire revenir en remuant pendant 3 minutes. Saler et laisser refroidir. Remplir les pelmieni avec cette préparation.

Les bateaux sont spécialement équipés pour le traitement de l'esturgeon.

A bord même, les prises sont traitées dans une extrême propreté.

On prélève la poche à oeufs et filtre les grains de caviar à travers une passoire.

Le caviar est salé et emballé en boîtes de conserve.

Un poisson noble apprécié des tsars
L'esturgeon

L'esturgeon, qui a toujours été considéré comme un poisson particulièrement fin, vit dans la mer Caspienne et à l'embouchure de la Volga. Sa chair est tendre et ferme et il n'a presque pas d'arêtes, ses filets sont très grands, son goût excellent. Comme on le voit, l'esturgeon n'est pas seulement apprécié pour ses œufs légendaires, mais aussi pour sa chair exquise que l'on peut préparer de toutes sortes de manières.

On trouve des esturgeons non seulement dans la mer Caspienne, mais aussi dans les fleuves sibériens et les cours d'eau de l'espace asiatique. C'est à cause de l'esturgeon, entre autres raisons, que les explorateurs et conquérants russes étendirent la sphère de domination du tsar jusqu'au littoral pacifique de l'Asie. Même le Roi-Soleil (1643-1715) se faisait livrer de la chair d'esturgeon. Au 19e siècle, l'esturgeon froid accompagné de sauce au raifort était un mets fort apprécié dans les restaurants moscovites ; dans le restaurant de l'Ermitage, à Saint-Petersbourg, on présentait aux convives un esturgeon vivant avant de le tuer sous leurs yeux. Des banquets grandioses, dont les plats principaux étaient à base d'esturgeon, se déroulèrent en cet endroit. Les gourmets appréciaient particulièrement un plat appelé *balyk* : le dos séché de l'esturgeon sevruga était coupé en tranches très fines que l'on servait avec un verre de vodka.

Du temps de l'Union soviétique, l'esturgeon avait disparu des marchés, et il n'est réapparu que récemment – de même que sur les menus des restaurants, dans les pays occidentaux. L'esturgeon poché dans du champagne passe pour être le comble du luxe.

Osetrina Varionaïa
Esturgeon au champagne

4 filets d'esturgeon
1/2 bouteille de champagne
30 g de flocons de beurre
1 citron non traité en rondelles fines

Couper les filets d'esturgeon en morceaux de 10 centimètres de large environ, saler légèrement et disposer dans une cocotte.
Ajouter autant de champagne que nécessaire pour couvrir à demi les morceaux de poisson, parsemer de flocons de beurre, ajouter les tranches de citron.
Couvrir, amener à ébullition, et laisser mijoter à feu doux. Compter environ 3 minutes par centimètre d'épaisseur.
Sortir le poisson du bouillon au champagne, égoutter et servir sur des assiettes préalablement chauffées, avec une salade verte.
Le bouillon donne un excellent court-bouillon que l'on pourra utiliser par la suite.

Petit esturgeon (jusqu'à 200 cm)
Ce poisson peut peser jusqu'à 80 kilos. On le trouve dans la mer Caspienne et dans la mer Noire, on en a même vu ça et là dans l'Adriatique et dans le Danube jusqu'à Bratislava. Les amateurs de caviar appellent ce poisson *sevruga*.

Sevruga
Caviar du petit esturgeon : petits œufs noirs de 2,5 mm de diamètre, saveur intense.

Esturgeon (jusqu'à 550 cm)
Le nom de ce poisson en forme de requin a été attribué à toute l'espèce. Les Russes sont plus exacts en ce domaine et l'appellent *ossetra*. Ce poisson migrateur, qui remonte dans les fleuves au printemps pour frayer, peut peser jusqu'à 200 kilos.

Ossetra
Caviar de l'esturgeon : œufs bruns de 3 mm de diamètre au goût de noisette.

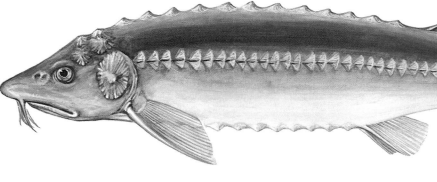

Beluga
Caviar du grand esturgeon : les plus gros œufs (et les plus chers), 3-4 mm de diamètre, couleur gris clair.

Grand esturgeon (jusqu'à 900 cm)
Esturgeon géant que les pêcheurs appellent respectueusement « poisson-éléphant » ; il peut peser jusqu'à 1500 kilos, ses œufs pouvant faire jusqu'à 15 % de son poids. Ses œufs sont les plus gros et son caviar le plus cher (beluga).

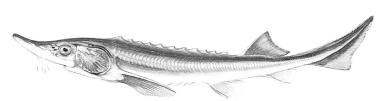

Sterlet (jusqu'à 100 cm)
Le plus petit des esturgeons peut peser jusqu'à six kilos. Sa chair convient fort bien pour préparer l'*oucha*, une soupe de poisson (recette p. 141). Jadis, on le trouvait même dans le Danube jusqu'à Ulm ; il a aujourd'hui pratiquement disparu.

Waxdick (jusqu'à 400 cm)
On connaît trois espèces de ce poisson migrateur qui peut peser jusqu'à 160 kilos : le waxdick pontique, le waxdick du nord de la Caspienne et le waxdick du sud de la Caspienne. Pour se reproduire, il pénètre dans les eaux douces, mais il existe également des espèces non migrantes dans la Volga et dans le Danube.

Caviar

Aucune spécialité russe n'est aussi appréciée que le caviar, les œufs de l'esturgeon. Les riches et les puissants de ce monde en font leurs délices, et il se trouve sur la carte des produits de luxe européens, en compagnie du champagne, des truffes, des huîtres et du foie gras. Son prix est astronomique, son goût incomparable. Manger du caviar, c'est avoir sa part de luxe.

Aux 18e et 19e siècles, consommer du caviar était l'une des passions des gourmets ; en outre, on marquait ainsi sa situation sociale. Un foyer aisé se faisait un honneur d'avoir en permanence quelques kilos de caviar sur sa *sakouska*, sa table à hors-d'œuvre, au cas où des visiteurs inattendus se présenteraient. Aujourd'hui encore, le caviar – *ikra* en russe – est le symbole du luxe et de la prospérité. Les millionnaires paient à prix fort les « bonnes prises » qui donnent des œufs particulièrement beaux et, à l'époque des tsars, il allait de soi que ces prises étaient d'abord offertes au souverain.

Cet amour du caviar a plutôt porté préjudice à son fournisseur, l'esturgeon, qui a même failli être exterminé. La demande internationale en caviar et la pénurie chronique de devises de l'Union soviétique ont coïncidé avec la découverte d'importantes nappes pétrolières dans la mer Caspienne, c'est-à-dire la région la plus riche en esturgeons de l'ancienne Union soviétique. Les poissons furent rapidement pêchés, le pétrole ne tarda pas à dérober aux esturgeons leur espace vital, ce qui fit grimper les prix : l'ancien aliment populaire (les pêcheurs des bords de la Caspienne ne mangeaient pratiquement rien d'autre, à part des pommes de terre) devint un mets extrêmement coûteux. Il est surprenant que 90% de la pêche restent dans le pays, 10% seulement étant destinés à l'exportation. De nombreuses tentatives ont été faites pour trouver un ersatz au caviar. Le caviar de saumon et celui de la truite sont considérés comme des produits de remplacement acceptables, alors que les petits œufs de lompe colorés en noir ne peuvent satisfaire le consommateur, tant au niveau du goût qu'a celui de l'aspect. Les amateurs de caviar l'ont toujours su : rien ne peut remplacer l'authentique caviar de l'esturgeon.

Les différentes qualités de caviar

Le caviar obtenu après la pêche est immédiatement traité à bord de bateaux équipés à cet effet. Ces bateaux se caractérisent par leur extrême propreté et ressemblent à des salles d'opération flottantes. On détache la poche à œufs du poisson et, selon l'état de ceux-ci, un expert décide comment le caviar sera commercialisé par la suite. On distingue les qualités suivantes :

Caviar frais :
Il n'est pratiquement pas traité et doit donc être consommé en l'espace de quelques jours.

Malossol :
Ce mot signifie « peu salé », il ne s'agit donc pas d'une dénomination, mais d'une appréciation de la qualité. Stocké de manière appropriée, à une température avoisinant 0 ºC, il se conserve pendant un an.

Caviar pasteurisé
Il est chauffé et versé dans des récipients sous vide, comme une conserve, et peut donc être stocké pendant une durée pratiquement illimitée.

Caviar pressé
Les œufs endommagés et de moindre qualité sont salés davantage et agglomérés en forme de petites briques. Le caviar pressé est bon marché, mais son goût est très prononcé.

La salaison ne dure que dix minutes et est faite à la main. Le caviar étalé est frotté avec une couche de sel exactement dosée. Ainsi, les œufs deviennent fermes, mais pas durs. Ensuite, le caviar est versé dans de grandes boîtes portant le numéro du poisson : en effet, on ne mélange jamais les œufs de différents esturgeons. Les boîtes sont stockées dans les cales du bateau. Une fois à terre, le caviar est versé dans des boîtes calibrées et expédié.
Le caviar doit être conservé à une température constante avoisinant 0 ºC. Le gel détruit la structure cellulaire des œufs, et si ceux-ci sont conservés dans un endroit trop chaud, ils s'abîment. Pour effectuer le long voyage entre la mer Caspienne et la Cour des tsars, il fallait donc autrefois des installations thermiques spéciales en hiver et des installations frigorifiques en été. Aujourd'hui, les techniques frigorifiques modernes facilitent le transport – une chaîne frigorifique garantit la qualité du caviar. Il n'est donc pas recommandé d'acheter du caviar de provenance douteuse. Il se peut que son prix soit attrayant, mais il a certainement été soumis à d'énormes variations de température tout au long de son périple souvent aventureux, en marge de la légalité.

Comment on mange le caviar

Le caviar se mange à la cuiller et dans sa boîte. Les cuillers en métal ou en argent nuisent au goût : les cuillers en corne, en nacre ou, à la rigueur, en plastique, sont plus appropriées. Pour vérifier la qualité du caviar, les tsars russes se servaient d'une boule en or de la taille d'une cerise : si le caviar était bon, c'est-à-dire ferme, la boule restait à la surface.

Sur les tables raffinées, le caviar est servi dans des coupes en cristal entourées d'un récipient en argent, dans lequel on a placé des cubes de glace. Cependant, poser sur la table une boîte d'une livre ou d'un kilo de caviar sur de la glace n'est absolument pas considéré comme un manquement à l'étiquette. Beaucoup d'erreurs sont commises en ce qui concerne l'accompagnement du caviar. Les gourmets refusent les œufs hachés, les oignons hachés ou les rondelles de citron. La crème aigre est également suspecte, parce qu'elle affadit le délicat goût de noisette du caviar. Les blinis, fines petites crêpes de sarrasin, le pain blanc beurré ou les pommes de terre à l'eau s'accordent mieux avec le caviar.

Pendant des siècles, le caviar et les pommes de terre à l'eau constituèrent le principal repas des pêcheurs de la mer Caspienne, connus pour leur longévité – ce qui tend à prouver que le caviar est très sain. Effectivement, il contient beaucoup de vitamines, de la lécithine et des oligo-éléments, et sa valeur nutritive est très grande : un Européen non exercé ne peut guère consommer plus de 100 g de caviar en une seule fois, même s'il peut se le payer.

Blinis et caviar : Les petits soleils

Quiconque a déjà goûté les véritables *blinis* russes au beurre, est stupéfait de leur goût agréable, très différent de celui des crêpes ordinaires. Ceci est avant tout dû au fait que la pâte est préparée avec de la levure. En Russie, les blinis se mangent surtout pendant la semaine de carnaval. Cette « semaine du beurre » a lieu avant le carême de quarante jours qui dure jusqu'à Pâques, et elle est l'occasion de fêter gaiement la *Maslenitsa* en mangeant surtout des blinis.

« Le blini est le symbole du soleil, des beaux jours, des bonnes récoltes, des mariages heureux et des enfants en bonne santé », écrivit l'écrivain russe Alexandre Ivanovitch Kouprine. Les blinis sont le symbole de la fin de l'hiver et de l'arrivée du printemps. Ceci explique également leur forme ronde, car un blini ressemble à un petit soleil.

Blinis
Crêpes de sarrasin

25 g de levure
sucre
300 g de farine de froment
2 cuil. à soupe d'eau tiède
75 g de farine de sarrasin
$^{1}/_{2}$ l de lait tiède
3 jaunes d'œuf, 3 blancs d'œuf
3 cuil. à soupe de beurre fondu
3 cuil. à soupe de crème aigre
sel

Dissoudre la levure et une cuiller à café de sucre dans l'eau tiède, mélanger à 2-3 cuillers à soupe de farine de froment et laisser reposer le levain en un endroit chaud pendant une quinzaine de minutes jusqu'à ce qu'il lève.

Verser le reste de la farine de froment et deux tiers de la farine de sarrasin dans une grande terrine et mélanger. Creuser un puits dans la farine et y verser la moitié du lait et le levain, mélanger et bien battre, jusqu'à ce que la pâte soit lisse. Recouvrir la terrine avec un torchon et laisser reposer la pâte pendant 3 heures en un endroit chaud et à l'abri des courants d'air.

Bien battre la pâte et y ajouter le reste de farine de sarrasin. Laisser lever pendant 2 heures, battre de nouveau et ajouter peu à peu le reste de lait, les jaunes d'œuf, le beurre fondu, la crème aigre, ainsi qu'une pincée de sel et de sucre. Faire monter les blancs en neige et les incorporer avec précaution à la pâte, qui doit ensuite lever pendant 30 minutes. Verser la pâte, louche par louche, et faire dorer les petites crêpes des deux côtés, badigeonner la surface avec un peu de beurre. Servir chaud avec du beurre et de la crème aigre. La tradition veut que l'on mange le caviar avec des blinis.

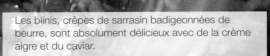

Les blinis, crêpes de sarrasin badigeonnées de beurre, sont absolument délicieux avec de la crème aigre et du caviar.

Choux et raves

La cuisine russe privilégie deux légumes dont l'histoire remonte à plus d'un millénaire : le chou et les raves. On ne trouve des légumes frais que pendant quelques mois de l'année. Le chou blanc est l'un des aliments essentiels en Russie parce qu'on peut le stocker pendant l'hiver sans qu'il soit absolument nécessaire de le transformer en choucroute.

Farchirovannaïa kapousta
Chou farci

1 oignon
500 g de hachis de bœuf
500 g de hachis de porc
sel, poivre noir
1 tasse de riz
1 chou blanc (1 kg environ)
1 l de bouillon de viande

Sauce

2 cuil. à soupe de farine
2 cuil. à soupe de beurre
50 g de crème aigre
sucre
sel
1 cuil. à soupe de concentré de tomate

Peler les oignons, les hacher finement et les faire blondir dans un peu de beurre. Mettre la viande hachée dans une terrine, assaisonner et mélanger avec l'oignon, puis ajouter le riz non cuit.
Eplucher le chou. Porter de l'eau à ébullition dans une grande marmite, faire blanchir le chou pendant 5 minutes environ. Passer à l'eau froide, détacher les feuilles et les déposer en forme de cercle sur un torchon propre, en les faisant se chevaucher – d'abord les feuilles extérieures, puis la couche de feuilles suivante, et ainsi de suite jusqu'aux feuilles du cœur. Disposer un peu de la préparation à base de viande hachée sur chaque couche de feuilles. Soulever les extrémités du torchon et les tordre de façon à reconstituer un beau chou. Mettre dans une grande marmite remplie d'eau bouillante, ajouter un peu de bouillon pour affiner le goût, couvrir et faire cuire à petit feu pendant 15 minutes environ.
Préchauffer le four (200 °C).
Pour la sauce, faire roussir la farine et ajouter le beurre en remuant constamment jusqu'à ce que le mélange soit mousseux. Verser un peu d'eau ou de bouillon, ajouter la crème aigre en remuant et laisser cuire 1 minute. Assaisonner la sauce avec du sucre et du sel, lier avec le concentré de tomate. Sortir le chou de la marmite et le mettre dans un plat à feu. Napper avec la sauce et passer au four pendant 10 à 15 minutes. Arroser avec le reste de bouillon et servir avec du pain de seigle et de la bière.

Kapoustnye kotlety
Escalopes de chou

1 chou blanc bien ferme (environ 1 kg)
2 œufs battus
5 cuil. à soupe de chapelure
50 g de flocons de beurre
1 pot de crème aigre
2 cuil. à soupe de persil haché

Eplucher le chou et le couper en six quartiers. Plonger les morceaux dans de l'eau salée bouillante et faire cuire à demi. Laisser refroidir et presser les feuilles avec les mains pour en extraire le liquide et donner aux morceaux de chou la forme d'une escalope.
Préchauffer le four (200 °C).
Rouler les escalopes de chou dans l'œuf battu, puis dans la chapelure. Beurrer une cocottte, y déposer les escalopes de chou, les parsemer de flocons de beurre et les laisser dorer. Napper avec la crème aigre et laisser cuire encore 10 minutes. Parsemer de persil haché et servir.

Légumes salés pour l'hiver

En Russie, le temps des récoltes est court et l'hiver est long. A la recherche de méthodes de conservation appropriées, les Russes ont élaboré deux procédés : les conserves dans la marinade ou dans la saumure. La saumure est la méthode de conservation la plus ancienne et la plus compliquée.
La *kislaïa kapousta*, la choucroute, ne manque dans aucun foyer russe, et quiconque dispose d'une cave la fait lui-même.

Choucroute de ménage

10 kg de chou blanc
1 kg de pommes
1 kg de carottes
canneberges et airelles
250 g de sel

Eplucher le chou et le râper. Procéder de même avec les pommes et les carottes. Ajouter quelques canneberges ou airelles et un peu de sel, et bien mélanger le tout. Laver un grand pot en grès à l'eau bouillante, y mettre le chou et bien tasser. Recouvrir avec un couvercle en bois sur lequel on posera une pierre ou un objet lourd. Recouvrir d'un torchon.
Au début de la fermentation, tasser de temps à autre le chou avec un pilon, afin que les gaz puissent s'échapper – sinon, le chou aurait un goût amer. Oter le jus. Laisser fermenter le chou pendant trois jours à une température de 20 °C environ, puis mettre le pot dans une cave sèche et fraîche, et laisser macérer pendant 2 à 3 semaines.

Le navet est aussi ancien que le chou, bien qu'il ait été entretemps évincé par la pomme de terre. Depuis le 11e siècle, les Russes connaissent aussi les betteraves rouges, alors importées de Byzance, et depuis le 16e siècle, la carotte. Ces deux légumes peuvent accompagner viandes et poissons, mais aussi être préparés avec des pommes de terre, devenant alors le plat principal.

Morkov c imbirem
Carottes à l'étouffée au gingembre

500 g de carottes
1 cuil. à soupe de poudre de gingembre
sucre
sel
50 g de beurre
1 pot de crème aigre

Eplucher les carottes et les couper en rondelles. Mettre dans une terrine, saupoudrer de gingembre, de sucre et de sel, remuer et laisser reposer 30 minutes. Jeter le liquide qui s'est formé. Préchauffer le four (200 ºC). Faire chauffer le beurre dans une sauteuse, y mettre les carottes et les faire cuire pendant 10 minutes sans cesser de remuer, jusqu'à ce qu'elles soient bien dorées. Disposer dans un plat à feu, napper avec la crème aigre et mettre au four pendant 15 minutes environ.

A l'arrière-plan : famille russe au travail dans un champ de choux.

Ci-dessous : pour faire de la choucroute, on râpe du chou blanc, on le dispose en couches alternées avec des pommes, des carottes et du sel dans un grand pot de grès, puis on le tasse et on le laisse fermenter.

Savoureuses et nourrissantes
Soupes

Dans la cuisine russe, la soupe est considérée comme le premier plat, elle est servie après les hors-d'œuvre parce que, tout comme ces derniers, elle aiguise l'appétit. Aucun pays au monde ne possède autant de soupes différentes que la Russie. Les soupes jouissaient d'un grand prestige, non seulement chez les pauvres, qui n'avaient guère le choix, mais aussi à la cour. Au départ, la notion de « soupe » n'existait pas, les Russes appelaient leurs soupes *chtchy, oucha, borchtch* ou *solianka*. C'est seulement sous le tsar Pierre le Grand et l'influence française que la notion de soupe fit son apparition en Russie. Cependant, aucune maîtresse de maison russe ne songerait à qualifier de soupe sa *chtchy* ou sa *solianka*.

L'ancêtre de toutes les soupes russes est la *chtchy*, la soupe au chou. En été, on la prépare avec du chou frais, en hiver, avec de la choucroute. Elle contient en outre tous les ingrédients que la cuisinière a justement sous la main. Une *chtchy* est toujours un plat savoureux et nourrissant. Plus on la réchauffe, meilleure elle est.

Svechie chtchy
Soupe aux choux
(Illustration ci-dessous)

500 g de bœuf non désossé
500 g de chou blanc
2 pommes de terre
1 navet
1 carotte
1 racine de persil
1 oignon
2 cuil. à soupe de beurre
2-3 feuilles de laurier
sel, poivre noir
2 tomates
crème aigre

Plonger la viande dans de l'eau froide et amener à ébullition. Ecumer et laisser cuire 2 heures environ. Eplucher le chou, le couper en tranches et le blanchir. Procéder de même avec les pommes de terre épluchées et coupées en bâtonnets. Eplucher et émincer les légumes. Peler et hacher l'oignon. Faire revenir les légumes et l'oignon dans le beurre et les mettre dans la soupe, faire cuire 20 minutes. Ajouter les feuilles de laurier, le sel et le poivre. Peler, épépiner et couper les tomates en huit, les ajouter dans la marmite en fin de la cuisson.
Sortir la viande du bouillon, la couper en gros cubes et la remettre dans la soupe. Servir avec de la crème aigre.

Kislye chtchy
Soupe à la choucroute

500 g de mouton ou de bœuf
500 g de choucroute
2 cuil. à soupe de concentré de tomate
1 carotte
1 racine de persil
1 oignon
2 cuil. à soupe de beurre
1 cuil. à soupe de farine
1 feuille de laurier
sel, poivre noir
2 gousses d'ail
crème aigre

Plonger la viande dans de l'eau froide, porter à ébullition et laisser cuire à petit feu pendant 2 heures. Presser la choucroute et la mettre dans une marmite. Ajouter le concentré de tomate et un peu d'eau, et faire cuire le tout à l'étouffée pendant 2 heures. Eplucher les légumes, peler l'oignon, hacher le tout et faire revenir dans un peu de beurre. Sortir la viande du bouillon et la couper en cubes ; mettre de côté. Verser les légumes et la choucroute dans le bouillon et laisser reposer pendant 30 minutes environ. Faire un roux avec de la farine et du beurre et le verser dans la soupe 15 minutes environ avant la fin de la cuisson ; ajouter une feuille de laurier, du sel (modérément, car la choucroute en contient déjà) et du poivre. Presser les gousses d'ail et les ajouter au tout. Mettre les cubes de viandes dans la soupe. Servir avec de la crème aigre.

Borchtch
Soupe aux betteraves rouges
(Illustration ci-dessous)

500 g de betteraves rouges
2 grosses carottes
1 navet
200 g de chou blanc
1 gros oignon
500 g de bœuf
30 g de beurre
1 1/2 l de bouillon de viande
3 cuil. à soupe de vinaigre de vin
2 feuilles de laurier
1 cuil. à café de sucre
sel, poivre noir
1 bouquet de persil, 1 bouquet d'aneth
crème aigre

Eplucher les légumes et les couper en dés. Couper la viande en morceaux.
Faire fondre le beurre dans une grande cocotte. Y mettre la viande, les carottes, le navet et l'oignon, et faire cuire pendant 10 minutes environ jusqu'à ce que la viande soit dorée et les légumes cuits. Ajouter la betterave rouge, un peu de bouillon, le vinaigre, le laurier et le sucre ; assaisonner. Bien mélanger et faire cuire à feu doux pendant 45 minutes environ.
Laver le persil et l'aneth et en faire un bouquet. Mettre dans la cocotte avec le chou blanc et faire cuire le tout pendant 30 minutes. Oter le bouquet de persil et d'aneth et les feuilles de laurier. Bien mélanger et servir avec de la crème aigre.

Svechie chtchy – Soupe au chou.

Borchtch.

« Mélange » russe :

Solianka

Il existe trois variétés de cette soupe en Russie : à la viande, au poisson et aux champignons. *Solianka* signifie « mélange », et rappelle l'époque où chacun apportait quelque chose pour le plat unique qui mijotait dans une grande marmite.

Oucha
Soupe de poisson

1 ½ kg d'arêtes et de queues de poisson
3 oignons pelés
1 feuille de laurier
quelques grains de poivre
2 brins de persil
2 blancs d'œuf
sel, poivre noir
500 g de filets de poisson
aneth ou persil haché

Plonger les arêtes et les queues de poisson dans une grande marmite remplie d'eau salée, ajouter oignons, laurier, poivre et persil et laisser cuire 30 minutes. Passer le bouillon au chinois, bien presser les arêtes et les queues. Remettre le bouillon de poisson dans la marmite. Faire monter les blancs en neige, les verser dans le bouillon et faire cuire sans cesser de remuer. Assaisonner et laisser refroidir, puis filtrer à travers un torchon. Remettre le bouillon dans la marmite, faire chauffer, plonger les filets de poisson dans le bouillon et laisser cuire 3 minutes. Mettre les filets de poisson dans les assiettes, verser la soupe dessus et parsemer d'aneth ou de persil.

Quelques ingrédients pour une solianka de poisson : poisson, concombre au sel, olives vertes et olives noires, concentré de tomate et oignons.

On verse, entre autres, des oignons et des tomates dans une grande marmite remplie d'eau salée et on fait bouillir.

On place ensuite les morceaux de poisson dans le liquide et on laisse cuire pendant 5 minutes environ dans la marmite non couverte. On complète l'assaisonnement avec des câpres, des olives noires et des olives vertes.

Rybnaïa solianka
Solianka de poisson
(Illustrations ci-contre)

1 bouquet de persil
2 gros oignons
2 tomates
1 concombre au sel
1 feuille de laurier
800 g de flétan, d'esturgeon ou d'aiglefin
30 g de beurre
sel, poivre blanc
1 cuil. à soupe de câpres
8 olives noires dénoyautées
100 g d'olives vertes dénoyautées
2 cuil. à soupe de concentré de tomate

Laver le persil et le hacher finement, conserver les queues. Peler les oignons, en hacher un, couper l'autre en rondelles. Peler, épépiner et couper les tomates en dés. Couper le concombre en rondelles.
Faire bouillir de l'eau salée dans une grande marmite, avec l'oignon haché, le laurier, les queues de persil et les tomates. Couper le poisson en morceaux et l'ajouter au tout, réduire la température et laisser cuire dans la marmite non couverte pendant 5 minutes environ. Enlever le persil et le laurier.
Faire fondre le beurre dans une cocotte, y faire revenir les tranches d'oignon. Ajouter le concombre et laisser cuire à l'étouffée pendant 10 minutes environ. Verser dans la soupe de poisson, poivrer et rajouter du sel si nécessaire. Enlever la marmite du feu, ajouter les câpres, les olives et le persil haché dans la soupe, lier avec le concentré de tomate, rectifier l'assaisonnement et servir.

Rybnaïa solianka – Solianka de poisson.

Du bœuf « Stroganoff » au rôti familial

Plats de viande

Les Russes aiment les gros rôtis. La cuisson à l'étouffée convient le mieux au poêle, l'accessoire essentiel du foyer russe, car les grosses pièces de viande réussissent mieux que les petites dans le four chaud. Et, comme il s'agit en général de rassasier de grandes tablées, un gros rôti s'impose. La cuisine russe traditionnelle offre donc exclusivement des pièces de bœuf rôti, que l'on apporte entières sur la table et que l'on découpe en portions plus ou moins grandes selon l'importance, la carrure et l'appétit des convives.

Cependant, quand il est question de plats de viandes russes, les livres de cuisine occidentaux citent toujours en premier lieu un plat d'émincé : le célèbre bœuf Stroganoff. Celui-ci fut créé à la fin du 19e siècle par un cuisinier français pour un comte russe dont le nom fut ainsi immortalisé. Aujourd'hui, ce plat est connu dans le monde entier et préparé de bien des façons, selon le talent et l'ambition des cuisiniers en place.

Bœuf Stroganoff
Filet de bœuf Stroganoff
(Illustration page de droite)

1 cuil. à soupe de moutarde
1 cuil. à café de sucre
sel, poivre noir
500 g de champignons
500 g d'oignons
1 kg de filet de bœuf
2 pots de crème aigre

Mélanger la moutarde avec le sucre, 1 pincée de sel et 1 cuiller à soupe d'eau chaude pour faire une pâte épaisse et laisser reposer. Laver et émincer les champignons. Peler et hacher les oignons. Faire revenir les champignons et les oignons dans de l'huile, couvrir et laisser mijoter pendant 20 minutes, en remuant de temps à autre. Jeter le liquide de cuisson. Couper la viande en lanières. Faire chauffer de l'huile dans une sauteuse et dorer la viande. Ajouter la viande aux champignons, à l'aide d'une écumoire. Assaisonner, ajouter la sauce à la moutarde, puis la crème aigre. Couvrir, réchauffer, bien mélanger et servir.

Kotlety po–kievski
Escalope de poulet à la Kiev

4 blancs de poulet avec l'os
200 g de beurre
sel, poivre noir
farine
2 œufs battus
100 g de chapelure
huile pour la friture

Enlever la peau du poulet, désosser et couper en deux. Laisser le petit os de la poitrine. Aplatir la viande. Partager le beurre en huit bâtonnets d'environ 8 cm de long et 1 cm de diamètre et le mettre au frais afin qu'il durcisse.
Enrouler chaque escalope salée et poivrée autour d'un bâtonnet de beurre. Rouler dans la farine, tremper dans l'œuf battu, puis dans la chapelure. Mettre environ deux heures au réfrigérateur. Faire dorer les escalopes dans la friture pendant 5 minutes environ.

Goviadina touchonaïa
Rôti de bœuf

800 g de bœuf
sel
farine
beurre
3 oignons
1 carotte
1 céleri-rave
4-6 pommes de terre crues
2 tranches de pain de seigle
quelques grains de poivre
2 feuilles de laurier
150 g de lard
200 ml de bouillon de viande
50 ml de crème aigre

Couper le bœuf en tranches de l'épaisseur d'un doigt, saler, rouler dans la farine et faire dorer dans un peu de beurre. Eplucher et hacher les carottes et le céleri. Peler et hacher les oignons. Couper les pommes de terre et les tranches de pain en dés. Bien mélanger dans une terrine, ajouter le poivre, le laurier et un peu de sel.
Préchauffer le four (200 °C).
Disposer le lard coupé en tranches dans une sauteuse. Poser dessus une couche de viande, puis une couche de légumes. Arroser de bouillon et porter à ébullition. Mettre ensuite au four, couvrir et laisser cuire pendant deux heures. Ajouter la crème aigre 20 minutes avant la fin de la cuisson.

Bouchi hvosti s kachei
Queue de bœuf aux épices et au sarrasin

2 kg de queue de bœuf
3 oignons
4 gousses d'ail
1 cuil. à soupe de concentré de tomate
1 boîte de tomates
3/4 l de bouillon de bœuf
1 bouquet de persil
1 bouquet de coriandre
3 bâtons de cannelle
1 cuil. à café de cumin en poudre
1 cuil. à café de gingembre en poudre
1 cuil. à café de graines de moutarde
1/2 cuil. à café de curcuma
300 g de gruau de sarrasin
25 g de flocons de beurre
3 carottes
350 g de navets
1 petit céleri-rave
2 courgettes
2 poireaux
sel, poivre noir
branches de persil

Faire revenir la queue de bœuf dans une sauteuse avec un peu d'huile, la sortir et la mettre de côté. Peler les oignons, les couper en rondelles et les faire revenir dans l'huile ; presser l'ail et l'ajouter aux oignons. Ajouter le concentré de tomate, les tomates au jus et le bouillon. Laver les fines herbes, les hacher, les mélanger avec les épices à la préparation à base de tomates et d'oignons et amener à ébullition. Ajouter la queue de bœuf et laisser cuire à petit feu pendant 4 heures, jusqu'à ce que les gros morceaux de viande se détachent des os. Ajouter au besoin de l'eau chaude afin que la viande soit constamment recouverte de bouillon. Enlever la sauteuse du feu, laisser refroidir et mettre la viande au frais pendant 12 heures ou pendant la nuit.
Préchauffer le four (180 °C). Faire dorer le gruau de sarrasin dans une sauteuse en remuant constamment, jusqu'à ce que les grains éclatent. Verser dessus 1/2 l d'eau chaude, saler, parsemer de flocons de beurre, couvrir et laisser cuire le gruau pendant 45 minutes environ jusqu'à ce que les grains soient mous. Tenir au chaud. Sortir la viande du réfrigérateur, la dégraisser, la mettre dans un grand plat à feu et verser de l'eau chaude afin que le fond soit recouvert de 1 cm d'eau. Recouvrir avec une feuille d'aluminium et passer au four pendant 30 minutes.
Passer le bouillon au chinois et le verser dans une cocotte. Eplucher les carottes, les navets et le céleri, les couper en tranches fines et les mettre dans le bouillon. Laisser mijoter pendant 20 minutes. Couper les courgettes en rondelles, nettoyer le poireau, le laisser entier. Ajouter aux autres légumes du bouillon 5 minutes avant la fin de la cuisson.
Passer le tout, mettre les légumes de côté. Verser le jus de la viande réchauffée dans le bouillon et amener à ébullition.
Disposer le gruau de sarrasin sur un plat, les légumes par-dessus, arranger la viande tout autour. Verser un peu de jus de viande sur les légumes, servir le reste dans une saucière. Garnir le plat de branches de persil.

Bœuf Stroganoff – filet de bœuf Stroganoff.

Ingrédients pour le kvas : pain de seigle, sucre, levure, menthe et eau.

Le pain doit être recouvert d'eau chaude et macérer pendant 4 heures.

Ensuite, délayer et laisser lever la levure durant une vingtaine de minutes.

Le mélange à base de pain est filtré, le pain pressé.

Pain

Le pain est l'aliment de base des Russes. Rien de surprenant à cela si l'on songe que, jusqu'à la Révolution d'Octobre de 1917, la Russie, et surtout l'Ukraine, étaient le grenier à blé de l'Europe. L'Ukraine et les provinces du sud de la Russie fournissent du blé, alors que le meilleur seigle pousse en Russie centrale et dans les provinces du Nord. Le Russe consomme du pain tous les jours, et, pour lui, la *chtchy* ou la *solianka* ne sont des repas complets que si elles sont accompagnées de beaucoup de pain.

On faisait déjà du pain au levain au 19e siècle. A présent, on fait surtout du pain bis avec du seigle et du froment. On l'appelle *bordinski, orlovski* ou *slavianski,* selon les autres ingrédients qui entrent dans sa composition, tels que mélasse, cumin ou coriandre.

La kacha – symbole de prospérité

La *kacha*, un gruau de millet, d'orge ou de seigle, auquel les Russes accordaient jadis une importance quasi mythique, joue également un rôle essentiel comme aliment de base aux céréales. Autrefois, la kacha était considérée comme un porte-bonheur, et la réussir annonçait une bonne récolte. La kacha était aussi le plat de réconciliation que l'on servait aux ennemis, et aucun traité de paix n'était valable sans elle. On donnait de la kacha à manger aux jeunes mariés comme symbole de fécondité et, à la sortie de l'église, on jetait sur eux du gruau, leur souhaitant ainsi jeunesse, beauté et prospérité.

Aujourd'hui, on sert surtout la kacha au petit-déjeuner ou au dîner, mais elle peut aussi accompagner certains mets.

Gretchenevaïa kacha
Gruau de sarrasin aux champignons et aux oignons

1 tasse (env. 100 g) de gruau de sarrasin
1 œuf
sel
125 g de beurre
3 oignons
250 g de champignons

Mélanger le gruau et l'œuf, faire sécher et dorer dans une poêle sans cesser de remuer. Ajouter 1/2 cuiller à café de sel, un tiers de beurre et 1/2 litre d'eau. Mélanger, couvrir et laisser mijoter pendant 20 minutes. Enlever du feu et tenir au chaud.
Peler et hacher les oignons. Faire fondre le deuxième tiers de beurre dans une sauteuse, y faire revenir les oignons, puis les ajouter au mélange à base de gruau.
Laver et émincer les champignons, les faire revenir dans le reste de beurre, puis ajouter à la kacha. Bien mélanger le tout et assaisonner.

La boisson nationale russe

Kvas

En Russie, le kvas, qui signifie littéralement « boisson acide », est aussi populaire que la bière dans d'autres pays. Entrent dans sa composition tous les ingrédients disponibles dans la maison, à savoir pain sec, pommes et poires, canneberges et airelles, groseilles et cassis, fraises et gruau. On sucre ensuite le breuvage avec du sucre ou du miel.

Au 19e siècle, la bière au pain devint objet de litige entre deux courants russes opposés : le premier, qui désirait se tourner davantage vers l'Occident, réclamait l'introduction de la bière pour remplacer le kvas. Le second, slavophile, exigeait le maintien des anciennes traditions russes et donc du kvas. Aujourd'hui, la querelle a pris fin, la bière et le kvas sont également répandus en Russie. Mais, si le kvas est resté la boisson populaire des jeunes et des vieux, des femmes et des hommes, la bière est surtout bue par les hommes.

Le kvas de ménage mousse légèrement et contient peu d'alcool. Jusqu'ici, sa fabrication s'est maintenue dans les régions rurales où il est mis en bouteilles et stocké pour être bu plus tard. Il joue un grand rôle pour l'équilibre alimentaire des paysans, car la levure qu'il contient enrichit de manière substantielle la nourriture plutôt monotone de ces derniers.

Kvas domachni
Kvas de ménage
(Illustrations ci-dessous)

500 g de pain de seigle
40 g de levure
100 g de sucre
5 cuil. à soupe d'eau tiède
1 bouquet de menthe
feuilles de cassis
50 g de raisins secs
1 écorce de citron non traitée

Couper le pain de seigle en tranches, les faire sécher au four, les mettre dans une terrine et verser dessus 4 l d'eau bouillante. Recouvrir d'un torchon et laisser reposer pendant 4 heures, puis filtrer à l'aide d'une passoire fine. Mélanger la levure avec un peu de sucre et l'eau tiède, laisser lever pendant 20 minutes environ et rajouter au liquide. Puis presser légèrement la masse de pain au-dessus du liquide, ajouter le reste de sucre, la menthe – en conserver quelques feuilles – et les feuilles de cassis. Laisser fermenter le liquide pendant la nuit dans un endroit chaud.
Filtrer encore une fois à travers un torchon et mettre en bouteilles. Ajouter quelques raisins secs, une feuille de menthe et un zeste de citron dans chaque bouteille, bien fermer et mettre au réfrigérateur pendant 3 jours. Quand les raisins secs remontent à la surface, filtrer à nouveau le kvas et le remettre en bouteille. Il est maintenant prêt à la consommation.

Au bout de douze heures de fermentation, on filtre de nouveau le liquide.

Ensuite, on verse le kvas dans des bouteilles bien propres …

… et ajoute quelques raisins secs, une feuille de menthe et un zeste de citron.

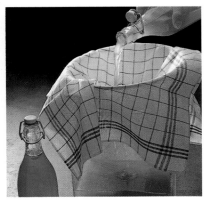

On filtre le kvas une troisième fois et on le remet en bouteille.

Le vin mousseux de Crimée
Krimskoïe

Depuis plus de 200 ans, on fabrique du vin mousseux en Crimée. S'il est possible de trouver du mousseux blanc et sec – concession au goût du jour –, le mousseux rouge de Crimée « doux » reste le « véritable » classique. Il est fabriqué à partir de cabernet-sauvignon et d'autres cépages appelés savernet, saperavi et matrassa que l'on trouve uniquement sur les bords de la mer Noire. A partir des vins de base, on fabrique une cuvée qui, comme le champagne, fermente une seconde fois dans la bouteille après que l'on ait rajouté de la levure, et mûrit au moins trois ans avant d'être mise en commerce. Cela lui donne un goût particulier et inimitable. Le vin mousseux de Crimée est apprécié dans le monde entier et est donc l'un des principaux articles d'exportation de l'Ukraine.

Pas seulement pour les fêtes
Desserts

En Russie, la consommation d'entremets sucrés et de gâteaux atteint son point culminant à Pâques, la plus grande fête de l'année, mais le goût des Russes pour les sucreries en tout genre ne se limite pas à certaines occasions. Pour les Russes, tout ce qui est agréable est *sladko* (sucré). Au nombre des desserts russes traditionnels, on compte les *kissel* ou coupes de fruits, les entremets à base de fromage blanc, les gâteaux au miel, les pains d'épices et les pains sucrés.

Les *kissel* à la consistance de gelée, semi-liquides, sont les entremets russes les plus anciens. Pour les préparer, on utilise des fruits séchés, des baies, des jus de fruits, du sirop et du lait.

Kissel is tcherniki
Kissel aux myrtilles

250 g de myrtilles
100 g de sucre
3 cuil. à soupe de fécule

Laver et presser les baies, verser le jus dans une terrine et mettre au frais. Verser de l'eau bouillante sur la pulpe de fruits, laisser reposer 5 minutes et passer au chinois. Ajouter le sucre au liquide, faire bouillir un instant et écumer. Délayer la fécule dans de l'eau froide, la verser dans le sirop de baies bouillant sans cesser de remuer, reporter à ébullition et ajouter le jus refroidi. Servir glacé avec du lait ou de la crème.

On peut également préparer cet entremets avec des airelles, des canneberges, des groseilles à maquereau ou des groseilles, des griottes, de la rhubarbe ou des abricots.

Pacha
Entremets pascal russe

1 kg de fromage blanc maigre
250 g de beurre mou
1 pot de crème aigre
4 œufs
50 g d'orangeat et de citronnat
50 g d'amandes hachées

Mettre le fromage blanc dans un sac de toile, le suspendre et laisser le liquide s'écouler lentement pendant la nuit. Presser jusqu'à ce que le fromage soit bien sec. Le passer à travers une passoire, le mettre dans une terrine, puis mélanger avec le beurre mou. Réchauffer la crème. Battre les œufs avec le sucre, verser lentement dans la crème et remuer à feu doux jusqu'à ce que le mélange épaississe. Hacher finement l'orangeat et le citronnat et les incorporer au mélange à base de crème. Ajouter ensuite le mélange de fromage blanc et les amandes. Réchauffer la préparation encore une fois, mais ne pas la laisser bouillir. Verser cette masse dans un moule et mettre au frais pendant la nuit jusqu'à ce que l'entremets au fromage blanc soit bien ferme.

Démouler et décorer à volonté avec des cerises, des amandes, de l'orangeat et du citronnat.

Charlottka
Entremets russe
(Illustration ci-dessous)

40 biscuits à la cuiller
4 jaunes d'œuf
80 g de sucre
6 feuilles de gélatine
$^1/_4$ l de lait
pulpe d'une gousse de vanille
$^1/_8$ l de crème fleurette
$^1/_8$ l de crème aigre
1 orange

Garnir le fond d'un moule démontable avec des biscuits à la cuiller. Couper les pointes de telle sorte que le fond du moule soit entièrement recouvert. Mélanger les jaunes d'œuf avec le sucre. Faire ramollir la gélatine dans de l'eau froide.
Faire chauffer le lait avec la vanille dans une petite casserole. Mettre à feu doux, verser lentement la préparation aux œufs dans le lait sans cesser de remuer, jusqu'à obtenir une consistance crémeuse. La préparation ne doit pas bouillir, car elle tournerait.
Enlever la casserole du feu et mélanger la gélatine pressée à la crème et laisser refroidir. Battre la crème fleurette, y ajouter la crème aigre et continuer à battre. Mélanger délicatement le mélange de crème à la préparation aux œufs.
Verser le tout dans le moule à gâteau jusqu'à ce que les biscuits à la cuiller soient uniformément recouverts. Placer le reste des biscuits verticalement, tout autour du moule, et verser le reste de la préparation dans le moule. Lisser la surface, recouvrir avec une feuille de cellophane et mettre 4 heures au réfrigérateur. Démouler avec précaution. Décorer avec des quartiers d'orange et un peu de crème.

Gogol mogol
(Illustration ci-dessous)

Le célèbre chanteur Féodor Chaliapine (1873-1938) considérait que cet entremets aux œufs, un sabayon russe, était idéal pour « huiler » ses cordes vocales.

12 jaunes d'œuf
9 cuil. à soupe (environ 125 g) de sucre
2 cuil. à soupe de cognac
1 cuil. à soupe de liqueur d'orange
1 cuil. à soupe de jus de citron

Bien battre les jaunes d'œuf et le sucre. Ajouter le cognac, la liqueur d'orange et le jus de citron et fouetter la préparation jusqu'à ce qu'elle épaississe. Laisser reposer au moins 30 minutes au réfrigérateur et servir dans des coupes à dessert.

Gogol Mogol.

Charlottka.

L'eau pour le thé est tirée du samovar, qui est traditionnellement chauffé avec du charbon de bois.

Un beau samovar russe ancien, richement décoré et qui comporte des éléments en laiton.

Le cadeau du Khan mongol

Thé

Le thé, *tchaï*, est certainement la boisson russe la plus populaire, et chaque Russe jurerait qu'il est d'origine russe. En réalité, le thé n'est arrivé en Russie qu'au 17e siècle : à l'époque, l'ambassadeur russe à la cour du Khan mongol rapporta quatre pouds de thé (environ 65 kg), présent du grand Khan au tsar Michaïl Feodorovitch (1613-1645). L'ambassadeur avait tout d'abord refusé d'accepter le cadeau, craignant la colère du tsar à la vue de l'« herbe séchée », mais le grand Khan sut insister.

Les craintes de l'ambassadeur se révélèrent fondées : la nouvelle boisson ne plut absolument pas au tsar. Cependant, il ne tarda pas à constater que le thé semblait chasser la somnolence qui l'affligeait pendant les longs offices et les séances encore plus longues de la douma, l'assemblée de la haute noblesse, aujourd'hui parlement russe. Pourtant, lorsque la provision de thé fut épuisée, la boisson retomba dans l'oubli.

Une fois encore, ce furent des envoyés extraordinaires qui introduisirent le thé en Russie ; cette fois, ils venaient de Chine. Le thé fut salué comme une vieille connaissance, mais il demeura si onéreux que seuls les aristocrates pouvaient se l'offrir. Il fallut attendre le 18e siècle pour que le thé devienne populaire, et les premiers samovars firent leur apparition à la même époque.

Ci-dessous : famille russe moderne prenant le thé de l'après-midi. Sur la table, il y a bien un samovar, mais il est électrique, et la préparation du thé n'a plus rien d'une cérémonie.

Le samovar – symbole du rituel russe du thé

Un samovar est une bouilloire, insolite il est vrai. Autrefois, il existait sous toutes les formes possibles et imaginables : rond, cylindrique et conique, en cuivre ou en laiton. On se donnait généralement beaucoup de peine pour ciseler les différentes parties que l'on décorait généreusement de motifs et de personnages.

Jusqu'à présent, il existe en Russie des samovars de toutes tailles ; certains ne sont guère plus que des mini-samovars grands comme une tasse, d'autres peuvent contenir plusieurs litres d'eau. Les samovars actuels sont cependant plutôt simples, comparés à leurs nobles ancêtres. Articles de série en fer-blanc, contenant une résistance chauffante en spirale comme un chauffe-liquide, ils ne donnent qu'une bien vague idée de l'ancienne splendeur des samovars. Mais ils font leur travail, et c'est en principe l'essentiel.

Le samovar classique fonctionne avec du charbon de bois que l'on met, rougeoyant, dans le tuyau de chauffage. On fixe ensuite une rallonge au tuyau, jusqu'à ce que l'eau se mette à bouillir. Quand il ne sort plus de fumée de la cheminée, on l'enlève, et on pose le samovar sur la table. Le thé est un extrait concentré, que l'on prépare dans une petite théière placée sur le samovar. On sert d'abord un peu du contenu de cette petite théière, puis on dilue l'extrait avec de l'eau bouillante tirée du samovar.

La tradition veut que l'on serve le thé dans de hauts verres pourvus d'une anse métallique (aujourd'hui, on utilise également des tasses et des gobelets) et que l'on garnisse les verres avec de fines rondelles de citron. Dans certaines régions du Caucase, en Asie centrale et au Kazakhstan, on boit de préférence du thé vert.

Les Russes boivent du thé à toute heure de la journée. On le sert avec de la confiture, des gâteaux, des pirojki sucrés, des croissants et du miel.

L'été, à l'heure du thé, on déguste des fruits de saison tels que fraises, framboises et groseilles.

Le thé des bois

Le thé russe original est l'infusion des bois. Pour la préparer, on prend des baies, des fleurs, des feuilles, des tiges et des racines séchées de différentes plantes. Les fleurs du jasmin, de la rose sauvage et du tilleul, les feuilles de la menthe et des airelles, les baies des airelles, des myrtilles, du sorbier et de l'aubépine sont particulièrement appréciées. Pour la préparation, on compte une cuillère à soupe de tisane par litre d'eau bouillante. Cette boisson doit infuser beaucoup plus longtemps que le thé noir ou vert. Elle ne contient pas de théine (excitante) – ainsi que l'on appelle la caféine contenue dans le thé –, mais elle a un goût prononcé et un bel arôme.

Le sbiten au miel et aux épices

Aux 18e et 19e siècles, le *sbiten* était très répandu ; il s'agit-là d'une boisson chaude à base de miel et d'épices. On la vendait sur les places de marché dans de petites cabanes en bois aisément reconnaissables au grand samovar posé sur le rebord de la fenêtre. Nicolaï Gogol décrit un étal à sbiten dans son roman « Les âmes mortes » : « A la fenêtre, on pouvait voir un vendeur de sbiten avec un samovar en cuivre rouge. Le visage du « sbitentchik » était aussi rouge que le samovar. De loin, on aurait pu penser qu'il y avait deux samovars sur le rebord de la fenêtre, si l'un d'eux n'avait eu une barbe noire. »

Le nom de la boisson est tiré du mot russe *sbitj*, qui signifie réunir, mélanger. On mélange au miel diverses épices telles que gingembre, clous de girofle, muscade, cannelle et cumin.

La « magie blanche »

Vodka

En Russie et dans les pays voisins, boire est une chose sérieuse. On ne boit pas de vodka parce qu'on en éprouve le besoin ni parce qu'on a du chagrin, constata un écrivain satirique il y a quelques années, mais parce qu'on éprouve une très ancienne nostalgie du merveilleux et de l'extraordinaire – « la vodka est la magie blanche ». La vodka (littéralement : petite eau) fut élaborée comme remède au 14e siècle et distillée à l'origine à partir de moût de raisin, puis de seigle. Quand la pomme de terre fut introduite en Russie, on l'employa également pour fabriquer de la vodka – un procédé qui fut remis en honneur pendant les temps de pénurie de la Seconde Guerre mondiale : on fit alors de la vodka à partir de pelures de pomme de terre.

La vodka est si neutre qu'on ne remarque pas le goût du produit qui a servi à sa fabrication. C'est pourquoi, aux yeux de la loi, il importe peu qu'elle soit distillée à partir de seigle, de blé, de maïs ou de pomme de terre. Ce qui importe, c'est la manière de distiller qui, en Russie, est sous monopole d'Etat, même depuis que l'Union soviétique a disparu. C'est la distillation qui rend la vodka douce, claire et neutre au goût. On la distille plusieurs fois et, pour finir, on la filtre au-dessus de charbon de bois et d'amiante pour supprimer les dernières traces de substances susceptibles de lui donner un goût. Elle est stockée dans des récipients en terre ou en verre où l'arôme ne peut se former, comme c'est par exemple le cas dans des tonneaux en bois.

Si la vodka peut soutenir dans les situations difficiles, elle peut être meurtrière pour les natures fragiles. Comme c'est souvent le cas, le démon n'est pas dans l'eau-de-vie, mais dans l'être humain, et il arrive aux Russes de boire un verre de trop à l'occasion. Toujours est-il qu'à l'époque des tsars, les impôts sur le sel et l'alcool représentaient 30% de l'ensemble des ressources fiscales.

La meilleure vodka est actuellement fabriquée avec du froment. Selon la coutume russe, on la boit glacée, et laisser givrer la bouteille de vodka et les verres n'a rien d'affecté, car cela permet ensuite au feu de la boisson de se développer.

Il existe également des vodkas aromatisées, par exemple avec de l'écorce de citron, du gingembre, du poivre de Cayenne ou même de l'herbe à buffle.

Les différentes sortes de vodka russe

Les chiffres entre parenthèses se rapportent aux illustrations ci-dessous (comme il s'agit de bouteilles originales russes destinées à l'exportation, les étiquettes sont rédigées selon la transcription anglaise – conformément aux usages internationaux – qui diffère de la transcription française).

Krepkaïa (4)
« La forte » est un alcool à 56 degrés, et seules les natures endurcies la boivent pure. Les barmen l'utilisent volontiers pour faire des cocktails.

Limonnaïa
C'est un alcool à 40 degrés, aromatisé avec un zeste de citron. On la reconnaît à sa couleur jaune paille.

Moskovskaïa (7)
Elle est particulièrement douce parce qu'on y a ajouté de la soude et du sulfate de sodium. Elle titre 40 degrés environ.

Ochotnitchia (1)
Vodka forte titrant 45 degrés. Elle est particulièrement épicée en raison de l'adjonction de gingembre, de clous de girofle et de poivre d'Espagne.

Pertsovka (3)
Cette vodka fait monter les larmes aux yeux du buveur non préparé, car elle titre 45 degrés et contient du poivre de Cayenne. On l'apprécie en cas de dérangement gastrique ou de refroidissement.

Starka (6)
On distille en même temps des feuilles de pommes et de poires de Crimée, puis on ajoute du distillat de vin et de la liqueur. C'est un alcool à 43 degrés.

Stolitchnaïa (2)
Le nom de cette vodka à 40 degrés, qui contient un peu de sucre, signifie « métropolitain ».

Stolovaïa
Cette vodka est un alcool à 50 degrés.

Ukrainskaïa
Cet alcool à 45 degrés a un goût subtil de miel de tilleul.

Zoubrovka (5)
Cette vodka qui titre 40 degrés est aromatisée avec de l'herbe à buffle, dont un brin est placé dans la bouteille.

Liqueurs à base de vodka

D'innombrables liqueurs de ménage sont fabriquées à base de vodka. On les appelle *nastoïka* quand elles sont aromatisées avec des plantes, et *nalivka* quand elles le sont avec des baies.

La préparation est on ne peut plus simple : les ingrédients réduits en petits morceaux sont versés dans une grande bouteille ou un ballon de verre que l'on remplit de vodka. On place ensuite le récipient au chaud et on laisse reposer le mélange pendant une à deux semaines. Ensuite, on filtre le tout et on ajoute la quantité de vodka voulue, selon que l'on désire un goût plus ou moins prononcé.

Plus on laisse reposer ces boissons aromatiques, meilleures elles sont. On ajoute volontiers du sucre ou du miel aux *nalivki* à base de baies quand elles sont trop amères.

A l'arrière-plan : un verre de vodka glacée est un délice – et pas seulement pour les Russes.

Beata Dębowska

La Pologne

Pays aux immenses forêts, aux vastes champs de céréales et aux longs fleuves, la Pologne correspond, du point de vue climatique, à la Russie européenne, mais elle a surtout subi l'influence culturelle de ses voisins occidentaux. C'est pourquoi on retrouve des influences slaves et des influences germaniques dans la tradition culinaire polonaise – bien que 50 années de socialisme et les relations politiques avec l'Union soviétique aient permis à l'élément russe de dominer. En Pologne, l'hospitalité et l'attachement à la tradition jouent un rôle essentiel. Au cours des siècles, certaines anciennes coutumes sont tombées en désuétude, mais l'hospitalité a survécu. Néanmoins, il convient d'avertir les personnes qui ne jouissent pas d'un solide appétit et ne supportent pas l'alcool. Ceci vaut surtout pour les baptêmes, les mariages et les fêtes. Il n'est pas besoin de raison ni de prétexte pour se rencontrer autour d'un café, d'un thé ou d'un petit verre de vodka. La vodka est considérée comme un « aliment de base liquide » et fait partie des rares spécialités polonaises connues au-delà des frontières nationales. Par erreur, l'oie fait aussi partie de ces spécialités. De fait, la Pologne exporte de grandes quantités d'oies, mais elles ne sont pas aussi populaires dans la cuisine polonaise que dans la cuisine allemande par exemple. En Pologne, on apprécie davantage le porc, qui donne de la viande, et tous les mets que l'on peut préparer avec – du jambon au museau de porc, de la côtelette à la saucisse. Le chou, les raves, les champignons et les concombres, que l'on trouve en abondance pendant l'été, sont mis dans la saumure ou conservés dans du vinaigre pour l'hiver ; des baies salées accompagnent les plats de viande auxquels elles donnent une saveur originale, un peu inhabituelle, mais piquante. La Pologne, qui a souvent été occupée, annexée et partagée au cours de son histoire, a connu des vicissitudes historiques qui ont nécessairement laissé des traces, entre autres culinaires ; on sait donc de quelle région vient un Polonais en voyant les mets qui se trouvent sur sa table. Ces différences sont particulièrement visibles à Noël, fête que la Pologne catholique et croyante célèbre d'une manière fort solennelle.

Les célèbres saucisses de Cracovie sont suspendues pour le fumage.

Boczniak ostrygowaty – Pleurote.

Borowik szlachetny – Cèpe.

Czubajka kania – Lépiote.

Gąsówka naga – Tricholome violet.

Gourmandises des forêts polonaises

Champignons

Les champignons constituent traditionnellement la base de nombreux plats polonais, car, en Pologne, on les cueille depuis toujours et les vastes forêts en sont riches. Les cèpes et les morilles, les lactaires délicieux et les rosés des prés sont particulièrement appréciés. Chez les riches, les champignons étaient considérés comme des gourmandises et étaient servis pour accompagner les plats de viande, tandis que les pauvres se donnaient le mal de les cueillir pour gagner quelques sous.

Aujourd'hui encore, les forêts polonaises sont une « mine d'or » pour les cueilleurs de champignons. Pendant de nombreuses années, la cueillette des champignons a en outre joué une remarquable fonction sociale en Pologne, surtout après la guerre. Aller « aux champignons » pendant le week-end incitait alors les gens à partager leurs loisirs. Ce genre d'excursion était souvent couronné par un pique-nique et de grandes quantités d'alcool, ce qui réglait bien des problèmes à l'amiable.

En Pologne, il est permis de vendre et de traiter 31 sortes de champignons frais. Officieusement, beaucoup plus, car on ne trouve certaines sortes que dans certaines régions et leur importance est donc uniquement locale. Les forêts des voïvodies de Zielona Góra et de Pila ainsi que la Masurie regorgent de champignons.

Il est permis de vendre 15 sortes de champignons séchés. Seuls les chapeaux encore attachés à leurs pieds peuvent être utilisés à cet effet. Ces champignons séchés très aromatiques servent à faire des sauces, des soupes et des farces, et accompagnent des plats typiquement polonais tels que *zrazy* (roulade farcie aux champignons), *bigos* (choucroute cuite à l'étouffée avec diverses sortes de viandes), *barszcz* (soupe faite avec des betteraves rouges, du rôti de canard et du rôti de bœuf, et affinée avec de la crème aigre).

Comment s'y prendre avec les champignons

Les champignons sont riches en protéines, en minéraux et en oligo-éléments ; ce sont surtout les protides contenus dans les champignons qui importent, car ils sont plus riches que les protides végétaux normaux et peuvent presque remplacer les protides animaux. Les cèpes et les bolets bai contiennent des protides de haute qualité.

Néanmoins, il n'est pas recommandé de manger trop souvent des champignons sauvages (200 g par semaine maximum), car ils accumulent les métaux lourds et autres toxiques contenus dans l'air. On les mangera seulement quand ils ne proviennent pas de régions très polluées. Pour plus de sûreté, on les fera cuire le plus tôt possible après la cueillette. On pourra alors les consommer ou les faire sécher et les conserver pendant un an maximum.

Il convient, si possible, de ne pas laver les champignons crus, parce qu'ils absorbent trop d'eau. La plupart du temps, il suffit de les frotter avec un tissu humide.

On épluche les champignons seulement quand leur peau est dure ou colorée. Dans ce cas, on enlève la peau avec un petit couteau bien aiguisé.

On conserve les champignons frais dans un sac en plastique ouvert, dans le réfrigérateur ; ils se gardent alors pendant quelques jours.

Généralement, on fait cuire les champignons à l'étouffée ou on les fait revenir dans la poêle, et il convient de les sortir de la poêle seulement quand le liquide rendu – les champignons contiennent 90 % d'eau – s'est évaporé. Il ne faut pas consommer les champignons crus, car ils contiennent des substances vénéneuses qui sont détruites pendant la cuisson (on soupçonne que les champignons de couche ont eux aussi des effets cancérigènes quand on les mange crus, par exemple en salade). Mieux vaut aussi être prudent quand on utilise des restes de plats à base de champignons. On peut réchauffer ces restes dans les 24 heures quand ils ont été conservés dans un récipient fermé, dans le réfrigérateur, mais il faut examiner leur aspect et leur odeur d'un œil critique. Dès que l'on observe le moindre changement par rapport au plat frais, les champignons ne sont plus comestibles. Les plats de champignons contenant des œufs ou de la mayonnaise, ainsi que les plats à base de champignons congelés ne peuvent en aucun cas être conservés.

On prépare les champignons frais de manière classique, c'est à dire braisés avec de la crème. On fait revenir les lactaires délicieux, qui sont considérés comme un mets de choix, dans du beurre ou on les laisse fermenter dans un pot de terre hermétiquement fermé. On en fait également des conserves. A cet effet, on verse de l'eau salée sur les lactaires, puis on les assaisonne avec du poivre, du piment et des feuilles de laurier. La marinade est à la mode depuis le début du siècle seulement : on la prépare avec du vinaigre, de l'eau, des oignons, des feuilles de laurier et du piment, et on y laisse tremper les champignons quelque temps.

Zrazy duszone z grzybami
Roulades farcies aux champignons

1 oignon
125 g de champignons
1 cuil. à soupe de chapelure
1 jaune d'œuf
sel, poivre noir
4 roulades de bœuf
moutarde
50 g de lard fumé
1 cuil. à soupe de farine
1 verre de vin rouge
$^1/_8$ l de crème aigre
1 feuille de laurier

Peler et hacher l'oignon. Nettoyer et émincer les champignons. Faire revenir les oignons dans de l'huile chaude, saupoudrer de chapelure et faire rissoler le tout. Ajouter les champignons, recouvrir et faire mijoter quelques minutes, puis laisser refroidir le mélange d'oignons et de champignons. Incorporer le jaune d'œuf à la préparation, saler, poivrer.

Entailler le bord des roulades, saler, poivrer et enduire d'une mince couche de moutarde. Verser la préparation aux champignons et aux oignons, rouler les tranches de viande et les fermer (cure-dents et fil de cuisine).

Couper le lard en dés et faire revenir ces derniers dans une cocotte jusqu'à ce qu'ils soient transparents, puis ajouter les roulades. Faire dorer de toutes parts et saupoudrer de farine. Mouiller avec le vin rouge et un peu d'eau. Ajouter la feuille de laurier et braiser les roulades pendant 60 minutes environ.

Enlever le laurier, ajouter de la crème et napper.

Koźlarz babka – Bolet rude.

Koźlarz czerwony – Bolet roux.

Lejkowiec dęty – Craterelle.

Maślak żolty – Bolet doré.

Maślak sitarz – Bolet des vaches.

Maślak pstry – Bolet des sables.

Mleczaj rydz – Lactaire délicieux.

Muchomór czerwonawy – Golmotte.

Opieńka miodowa – Armillaire de miel.

Pieczarka polna – Rosé des prés.

Pieprznik jadalny – Chanterelle.

Piestrzenica kasztanowata – Helvelle
(Attention! ce champignon est seulement
comestible sous réserve. Voir p. 123).

Podgrzybek brunatny – Bolet bai.

Podgrzybek złotawy – Bolet des chèvres.

Smardz stożkowaty –
Morille conique.

Smardz jadalny – Morille comestible.

Un plat polonais traditionnel

Kacha

La spécialité de la Pologne est la *kazca,* le gruau. On la prépare avec plusieurs sortes de céréales, surtout avec du blé, de l'avoine, de l'orge, du maïs, du millet et du sarrasin ; ce dernier n'étant à vrai dire pas une céréale, mais une herbe des prés dont les fruits sont travaillés comme des céréales, surtout sous leur forme égrugée. Le sarrasin est particulièrement important pour la préparation de la kacha parce qu'il lui confère sa saveur typique.

La qualité d'une kacha dépend non seulement de la céréale employée, mais aussi de la manière dont elle est travaillée. Elle ne doit être ni trop grossière ni trop fine, et il convient de faire plusieurs essais pour obtenir la bonne consistance.

La kacha est un aliment que l'on retrouve dans toutes les couches de population ; on la trouve aussi bien sur la table des riches que celle des pauvres. Pendant quelque temps, elle perdit de sa popularité, parce que l'on mangeait de plus en plus de pommes de terre. Néanmoins, depuis que l'on a re-

En Pologne, les champs de céréales sont fascinants – ici, les tiges ondulantes d'un champ d'orge. Il n'est donc pas étonnant que les produits céréaliers jouent un rôle essentiel dans la cuisine polonaise et qu'il y ait de nombreuses variétés de kacha.

découvert les plats traditionnels, la kacha est de nouveau appréciée : certains restaurants réputés pour leurs spécialités polonaises ont en permanence de la kacha au menu – surtout de sarrasin. Les fleurs du sarrasin sentent le miel et c'est pour cela qu'elles sont recherchées par les abeilles. Elles donnent du miel de sarrasin, de couleur foncée, et considéré comme un mets de choix. Les grains de sarrasin sont vite cuits et, afin de ménager le grain, on le grille avant de le décortiquer. Il se forme alors une couche protectrice de couleur brune qui empêche les grains d'éclater pendant la cuisson. Cette kacha de sarrasin « brûlée » est fort appréciée à cause de son goût caractéristique. Elle accompagne incomparablement de nombreuses viandes en sauce. Elle est aussi excellente avec des rillons au lard chauds et du petit-lait. La kacha de Cracovie passe pour la kacha de sarrasin la plus délicate et la plus fine qui soit. Elle peut aussi bien être salée que sucrée. On obtient la kacha perlée en polissant l'orge perlé, ce qui donne une surface lisse. Avec cette kacha, on prépare un autre plat typiquement polonais, la soupe à l'orge mondé, une soupe délicieuse extrêmement nourrissante. Dans certaines régions de Pologne, on emploie aussi la kacha comme farce à pirojki.

1 Jęczmien – orge
2 Pęczak – orge mondé
3 Płathi jęczmienne – flocons d'orge
4 Kasza perłowa gruba – kacha perlée grossière
5 Kasza perłowa drobna – kacha perlée fine

1

2

3

4

5

1

2

3

4

5

6

Kasza krakowska
Kacha de Cracovie
(Illustrations 1–6)

1 tasse de gruau de sarrasin
sel
100 g de beurre
1 tasse d'orge perlé
300 g d'oignons pelés et hachés
1 l de bouillon

Laver le gruau (illustration 1), le faire sécher et légèrement roussir dans une poêle en remuant constamment (illustration 2). Ajouter 1/2 cuiller à café de sel, la moitié du beurre et une bonne partie du bouillon (illustration 3). Remuer, couvrir et laisser cuire à feu doux pendant 20 minutes. Retirer du feu et mettre de côté.
Faire cuire l'orge perlé dans le reste de bouillon dans une petite cocotte (illustration 4), jeter l'eau de cuisson et mélanger avec le gruau. Faire fondre le beurre restant dans une poêle, faire revenir les oignons et incorporer le mélange à la kacha (illustration 5). Bien mélanger et assaisonner le tout.

Budyń gryczany
Pudding de sarrasin

1/2 l de lait
une gousse de vanille
100 g de beurre
1 tasse de sarrasin
4 jaunes d'œuf, 4 blancs d'œuf
80 g de sucre
1 zeste de citron non traité
100 g de raisins secs
flocons de beurre
confiture de cerises

Faire bouillir le lait avec la vanille dans une grande casserole. Retirer le lait du feu, ajouter deux tiers du beurre et laisser fondre.
Préchauffer le four (190 °C).
Verser le sarrasin dans le lait, remettre la casserole sur le feu et faire cuire le mélange sans cesser de remuer jusqu'à ce que la masse épaississe.
Verser dans un plat à feu avec couvercle hermétique et faire cuire dans le four pendant 45 minutes environ. Laisser refroidir la préparation.
Battre les jaunes avec le sucre, ajouter le zeste de citron et les raisins secs et mélanger avec la préparation au sarrasin. Battre les blancs en neige très ferme et les incorporer délicatement.
Egaliser la surface et la parsemer de flocons de beurre.
Faire cuire à four moyen 30 minutes environ et servir avec de la confiture de cerises.

Krupnik
Soupe à l'orge

300 g de viande à pot-au-feu
100 g de champignons
légumes à potage
3 pommes de terre moyennes
1 tasse d'orge perlé
sel, poivre noir

Mettre la viande à pot-au-feu dans une grande cocotte remplie d'eau bouillante et faire cuire à petit feu pendant 30 minutes jusqu'à ce que la viande soit à point.
Retirer du feu, laisser refroidir et couper en petits morceaux.
Nettoyer les champignons et les couper en quatre, éplucher les pommes de terre et les couper en dés. Nettoyer les légumes à potage et les couper en petits morceaux.
Verser un peu de bouillon dans une petite marmite et y faire cuire l'orge. Jeter l'eau de cuisson de l'orge et verser cette dernière dans le reste de bouillon. Ajouter les pommes de terre et faire bouillir, ajouter la viande à pot-au-feu, les champignons et les légumes.
Faire bouillir encore une fois, saler, poivrer.

157

Le roi des légumes

Chou

En Pologne, le climat est particulièrement favorable au « roi des légumes » – comme les Polonais appellent le chou – , de sorte qu'il est cultivé en grandes quantités et disponible toute l'année. Les têtes de chou sont stockées jusqu'à la fin de l'hiver ; ensuite, on mange de la choucroute en attendant la nouvelle récolte. Les plats à base de chou, lourds et gras, de l'ancienne cuisine polonaise, tels que le chou aux pois, le chou aux pommes de terre ou le chou aux champignons, n'existent plus de nos jours – ils n'étaient d'ailleurs pas particulièrement digestes. Par contre, un autre plat de chou, le *bigos*, est d'autant plus populaire. La tradition est très ancienne. Le bigos servait en effet de provision de voyage et de repas de chasse, de repas de tous les jours et de repas de fête. Autrefois, on le conservait dans des tonneaux en bois ou dans de grandes cruches en terre. Le bigos faisait partie de tout garde-manger bien garni. On le servait pendant le carême, à Noël, mais aussi en toute occasion.

Ce plat est une composition aux nombreuses variantes, car chaque maîtresse de maison le prépare selon sa propre recette. Plus il contient de sortes de viande, de saucisses et de lard de jambon, meilleur il est. On utilise volontiers des champignons séchés et des pruneaux, et pour couronner un bigos de fête, on ajoute du vin rouge sec ou du madère.

Le bigos est encore meilleur quand il a été réchauffé trois fois. On le sert très chaud, avec du pain de seigle et un petit verre de vodka glacée.

1 2 3 4

5 6 7 8

Bigos
(Illustrations 1–8)

15 g de champignons séchés (donne env. 150 g)	
500 g de viande (plusieurs sortes)	
200 g de lard maigre	
2 saucisses de Cracovie ou autres	
750 g de pommes de terre	
20 g de saindoux	
1 oignon	
1 ^{1}/$_2$ l de bouillon	
cumin	
sucre	
vin rouge	
sel, poivre noir	

Faire tremper les champignons dans de l'eau tiède pendant 30 à 60 minutes (selon la grosseur) .
Couper la viande en morceaux (illustration 2), le lard en petits cubes, les saucisses en rondelles. Démêler la choucroute, la couper le cas échéant (illustration 3), éplucher les pommes de terre et les couper en rondelles. Exprimer le jus des champignons (illustration 4).
Faire chauffer le saindoux dans une cocotte, faire revenir la viande, le lard et les saucisses (illustration 5). Peler et hacher les oignons, les mettre dans la cocotte avec la viande et faire cuire à l'étouffée. Incorporer ensuite la choucroute, les pommes de terre et les champignons (illustration 6) et verser le bouillon. Ajouter le cumin et un peu de sucre, arroser avec le vin (illustration 7). Laisser mijoter pendant 30 minutes environ, assaisonner (ne pas trop saler, car la choucroute contient déjà du sel) et servir (illustration 8).

Gołąbki
Roulades de chou
(Illustration ci-contre)

1 chou blanc	
1 tasse de riz	
1 gros oignon	
80 g de beurre	
300 g de viande hachée (bœuf et porc)	
1 œuf	
sel, poivre noir	

Sauce

2 cuil. à café de beurre	
2 cuil. à café de farine	
1 boîte de tomates	
1 gousse d'ail	
^{1}/$_8$ l de bouillon de poule	
thym séché	
1 pincée de sucre	
sel, poivre noir	

Eplucher le chou. Le faire cuire dans de l'eau salée bouillante pendant 30 minutes environ. Le sortir de l'eau, l'égoutter et le laisser refroidir.
Faire cuire le riz al dente. Peler l'oignon, le hacher et le faire revenir dans du beurre. Ajouter la viande hachée et la faire dorer sans cesser de remuer. Ajouter le riz et l'œuf et assaisonner le mélange. Laisser refroidir.
Préchauffer le four (190 °C).
Etaler les feuilles de chou, répartir la farce sur les feuilles, les rouler et les déposer dans un plat à feu. Verser un peu d'eau chaude, couvrir et passer au four pendant 30 minutes environ. Pour la sauce, faire un roux avec du beurre et de la farine, et faire cuire à feu doux pendant 20 minutes. Servir les roulades sur la sauce.

Copieux, substantiels, riches

Plats de viande

Nóżki wieprzowe w galarecie
Aspic de pied de porc
(Illustration ci-dessous)

750 g de pieds de porc
300 g de viande de porc
sel, poivre noir
vinaigre de vin
2 carottes
1 céleri en branches
2 blancs d'œuf

Mettre les pieds de porc, la viande et les légumes dans une grande marmite remplie d'eau froide et faire cuire à petit feu pendant 2 heures. Ecumer, ajouter le sel, le poivre et un peu de vinaigre et laisser cuire pendant encore 2 heures. Filtrer à travers une passoire, conserver une partie du bouillon.

Détacher des os la viande des pieds de porc, couper les pieds de porc et la viande de porc en cubes. Nettoyer les carottes et les couper en rondelles. Amener le bouillon à ébullition et incorporer les blancs d'œuf en remuant vivement jusqu'à ce qu'une mousse épaisse se forme. Laisser bouillir plusieurs fois et filtrer dans une terrine au fond de laquelle on aura déposé un torchon propre. Laisser refroidir, verser une partie de la masse dans un moule rond et mettre au frais jusqu'à ce que la masse se gélifie. Décorer avec des morceaux de carotte et de céleri, verser de nouveau une partie du liquide dans le moule et remettre au frais. Mélanger les cubes de viande et le reste du liquide et remplir le moule avec. Mettre au frais pendant au moins quatre heures jusqu'à ce que la masse soit ferme, démouler et servir.

Wolowina z grzybami
Filet de bœuf aux champignons

20 g de cèpes séchés (donne env. 250 g)
800 g de pommes de terre non farineuses
500 g de filet de bœuf
50 g de beurre
sel, poivre noir
1 cuil. à café de farine
1 pot de crème fraîche
1 pot de crème fleurette
2 cuil. à soupe de persil haché

Faire tremper les champignons dans l'eau tiède pendant 30 minutes environ. Eplucher les pommes de terre et les couper en rondelles. Couper le filet de bœuf en deux dans le sens de la fibre et le faire dorer au beurre dans une cocotte, saler, poivrer.
Exprimer l'eau des champignons, la conserver. Recouvrir une moitié du filet avec les champignons et poser l'autre moitié dessus. Arroser le tout avec l'eau des champignons et faire cuire.
Assaisonner les rondelles de pomme de terre et les disposer autour du filet. Couvrir et braiser le filet pendant une vingtaine de minutes. Remuer légèrement la cocotte de temps à autre afin que les pommes de terre ne collent pas au fond.
Délayer la farine avec la crème fraîche et la crème fleurette, et incorporer délicatement aux pommes de terre. Faire cuire encore une dizaine de minutes. Parsemer de persil le filet et les pommes de terre avant de servir.

Nadziewany rostbef
Rostbeef farci

50 g de beurre
1 kg d'aloyau
farine
150–200 ml de bouillon
1 branche de thym
poivre noir

Farce
3 oignons
50 g de beurre
3–4 tranches de pain
1 cuil. à soupe de persil haché
1 cuil. à soupe de thym
1 œuf
poudre de paprika (doux)
sel, poivre noir

Faire fondre le beurre dans une cocotte. Saupoudrer légèrement la viande de farine et la faire revenir de tous les côtés. Verser le bouillon, ajouter le thym et poivrer. Couvrir et braiser la viande à feu modéré pendant une quarantaine de minutes, retourner de temps à autre. Ajouter du bouillon ou de l'eau chaude, si nécessaire. Sortir la viande de la cocotte et la garder au chaud.
Pour la farce, peler les oignons, les hacher finement et les faire revenir dans du beurre, émietter le pain et l'ajouter avec les autres ingrédients aux oignons ; bien mélanger. Entailler la viande en plusieurs endroits, insérer un peu de farce dans chaque poche et refermer. Laisser cuire la viande pendant 40 minutes. Quand elle est tendre, la sortir de la cocotte et la mettre sur un plat. Réduire le jus de rôti jusqu'à ce qu'il ait une consistance sirupeuse, napper la viande avec.

Nóżki wieprzowe w galarecie –
Aspic de pied de porc.

Kaczka pieczona
Canard aux câpres
(Illustration ci-dessous)

1 canard
1 gousse d'ail
sel, poivre noir
50 g de beurre
1/8 l de bouillon de poule
1 cuil. à café de sucre
vinaigre
1–2 cuil. à café de fécule
6 cuil. à soupe de câpres

Vider le canard, le laver et le sécher. Le frotter avec l'ail, saler, poivrer. Mettre de côté.
Dans une cocotte, faire chauffer un peu d'huile, y ajouter le beurre, faire revenir le canard de tous les côtés dans la graisse. Verser le bouillon de poule et faire cuire le canard dans la cocotte fermée pendant 90 minutes environ.
Dans une petite casserole, faire fondre le sucre dans un peu d'eau et caraméliser. Enlever du feu, ajouter un peu de jus de viande rôtie et de vinaigre et amener à ébullition à feu moyen sans cesser de remuer. Quand le canard est à point, le sortir de la cocotte et le tenir au chaud. Dégraisser le jus. Délayer la fécule dans un peu d'eau froide et lier le jus avec. Ajouter les câpres et faire cuire à grand feu, jusqu'à ce que la sauce épaississe. Incorporer la solution sucrée. Disposer le canard sur un plat, napper avec la sauce.

Rossolnik
Potée de canard

1 canard
sel, poivre noir
2 l de fond de veau
1 concombre frais
2 jaunes d'œuf
1 pot de crème fleurette

Vider le canard, le laver, le frotter avec du sel et du poivre et le faire revenir dans une cocotte. Faire réchauffer le fond de veau et le verser dans la cocotte, laisser cuire pendant 60 minutes environ.
Découper le canard en tranches, puis en cubes ; mettre de côté.
Eplucher le concombre, l'épépiner et le couper en dés. Le blanchir dans de l'eau bouillante et le passer à l'eau froide. Dans une terrine, mélanger les jaunes d'œuf avec la crème fleurette, ajouter un peu de jus de viande et verser le tout dans le jus de viande chaud. Saler, poivrer.
Ajouter les morceaux de canard et de concombre avant de servir.

Kaczka pieczona – Canard aux câpres.

161

Les célèbres saucisses polonaises

Saucisses de Cracovie

Les nombreuses saucisses piquantes font partie des caractéristiques de la cuisine polonaise. L'arôme particulier de ces produits ne tient pas seulement aux épices – le secret est dû avant tout à la façon dont sont élevés les animaux.

La plupart des bêtes de boucherie, bœufs et porcs, proviennent de petites fermes. Le fourrage substantiel pousse sur un sol sain, naturellement fumé. Les pommes de terre, les céréales et le lait constituent la nourriture de base des animaux. De même que le fourrage vert en été.

Généralement de race pure, les porcs sont pour la plupart issus d'un croisement avec le porc domestique primitif. On abat de jeunes animaux de six à sept mois, pesant environ 85 kilogrammes.

Les saucisses polonaises sont de préférence faites avec de la viande de porc, à laquelle on ajoute une plus ou moins grande quantité de viande de bœuf. La saucisse de Cracovie est bien connue hors des frontières polonaises. Selon la recette polonaise, elle contient 80 % de viande de porc, 10 % de lard et 10 % de viande de bœuf. Le tout est assaisonné avec du poivre, de l'ail frais et du cumin.

La saucisse est fumée à chaud jusqu'à ce qu'elle prenne une couleur mordorée, elle est ensuite cuite à l'étouffée ou à point. Après avoir été refroidie, elle est de nouveau fumée à chaud, ce qui lui donne sa couleur brun foncé.

Dans toutes les régions, on trouve dans le commerce une quarantaine de sortes de saucisses, auxquelles viennent s'ajouter d'innombrables espèces locales. De plus, beaucoup de Polonais fabriquent eux-mêmes leur propre saucisse, absolument individuelle, généralement caractérisée par une énorme quantité d'ail. La saucisse à base de gibier est également excellente. On distingue saucisses de conserve, saucisses crues, saucisses cuites et saucisses à cuire.

Saucisses polonaises

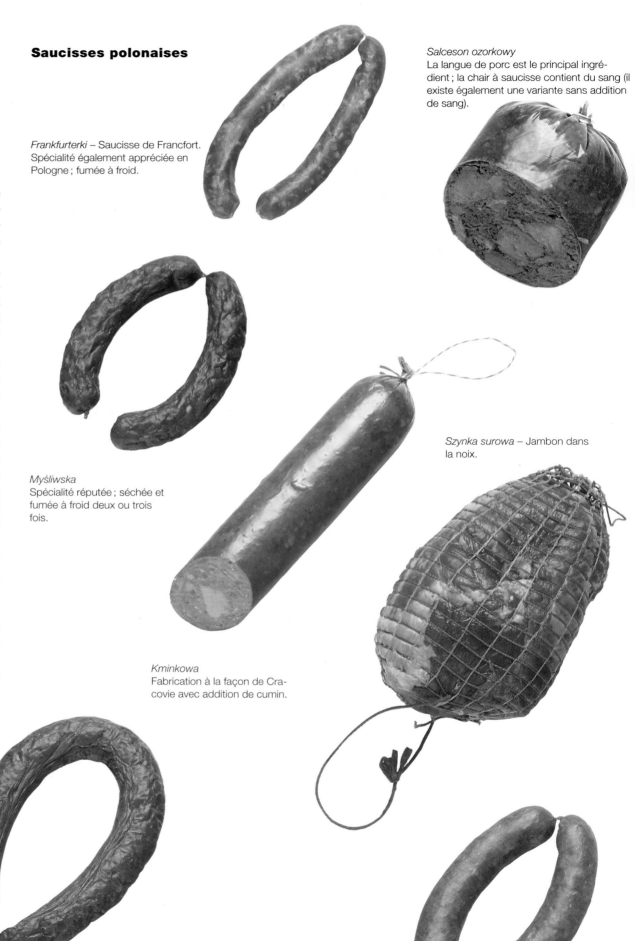

Frankfurterki – Saucisse de Francfort. Spécialité également appréciée en Pologne ; fumée à froid.

Salceson ozorkowy
La langue de porc est le principal ingrédient ; la chair à saucisse contient du sang (il existe également une variante sans addition de sang).

Myśliwska
Spécialité réputée ; séchée et fumée à froid deux ou trois fois.

Szynka surowa – Jambon dans la noix.

Kminkowa
Fabrication à la façon de Cracovie avec addition de cumin.

Jałowkowa – Saucisse au genièvre. Fabrication à la Cracovie ; contient du genièvre et un peu d'ail et doit être suspendue pendant quatre ou cinq jours.

Ślązka – Saucisse de Silésie. Sorte de saucisse de Cracovie avec un peu d'ail, que l'on mange chaude.

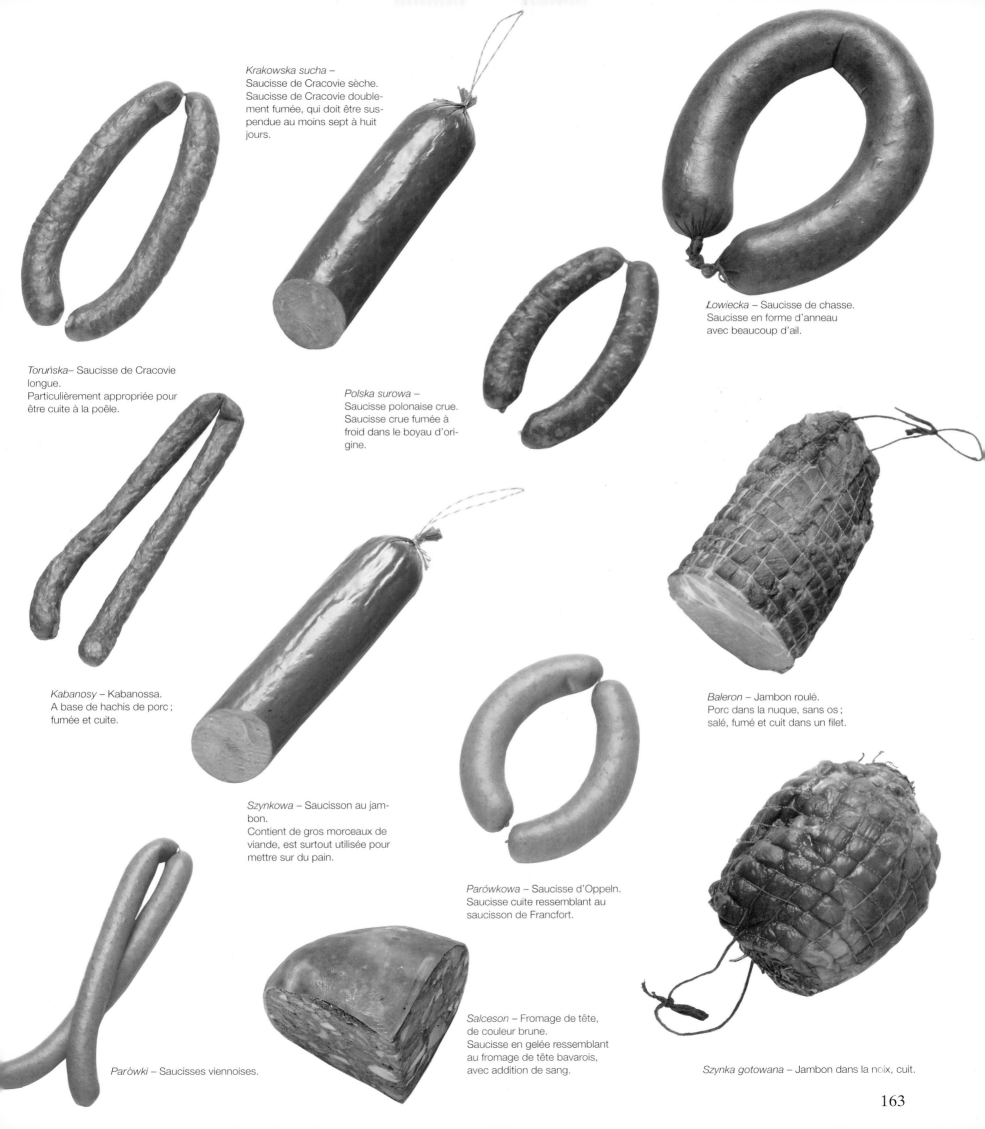

Krakowska sucha –
Saucisse de Cracovie sèche.
Saucisse de Cracovie double-
ment fumée, qui doit être suspendue au moins sept à huit
jours.

Łowiecka – Saucisse de chasse.
Saucisse en forme d'anneau
avec beaucoup d'ail.

Toruńska– Saucisse de Cracovie
longue.
Particulièrement appropriée pour
être cuite à la poêle.

Polska surowa –
Saucisse polonaise crue.
Saucisse crue fumée à
froid dans le boyau d'origine.

Kabanosy – Kabanossa.
A base de hachis de porc ;
fumée et cuite.

Baleron – Jambon roulé.
Porc dans la nuque, sans os ;
salé, fumé et cuit dans un filet.

Szynkowa – Saucisson au jambon.
Contient de gros morceaux de
viande, est surtout utilisée pour
mettre sur du pain.

Parówkowa – Saucisse d'Oppeln.
Saucisse cuite ressemblant au
saucisson de Francfort.

Parówki – Saucisses viennoises.

Salceson – Fromage de tête,
de couleur brune.
Saucisse en gelée ressemblant
au fromage de tête bavarois,
avec addition de sang.

Szynka gotowana – Jambon dans la noix, cuit.

163

Une boisson médiévale

Hydromel

A l'époque préhistorique, cette boisson semblable au vin et faite de miel fermenté était déjà connue dans la majeure partie de l'Europe. En Pologne, on fabrique de l'hydromel depuis le Moyen Age, c'est donc la plus ancienne boisson populaire du pays ; la bière et la vodka sont beaucoup plus récentes. Pendant des siècles, les cuisines polonaises dans lesquelles on ne fabriquait pas de l'hydromel étaient rares, qu'il s'agisse de maisons nobles ou de fermes.

Autrefois, on produisait de grandes quantités d'hydromel. Il y avait alors d'énormes quantités de miel, sa principale composante. De grands essaims d'abeilles sauvages vivaient dans ce pays richement boisé et la naissance de l'apiculture domestique fit avancer les choses. Au fur et à mesure que les forêts étaient déboisées et que les nombreux champs en friche étaient transformés en terres cultivées, les conditions naturelles se dégradèrent pour les abeilles et la production d'hydromel diminua. L'hydromel ressemble au vin. On le fabrique en laissant fermenter l'alcool, en diluant le miel avec de l'eau et en y ajoutant de l'extrait de houblon. On utilise des épices ou des jus de fruits pour aromatiser la boisson.

On distingue l'hydromel non saturé et l'hydromel saturé. L'hydromel non saturé est fabriqué à partir d'un mélange de miel et d'eau froide, l'hydromel saturé en faisant cuire le mélange. La cuisson stérilise la boisson et permet une fermentation plus rapide. On obtient ainsi une qualité meilleure et plus saine, mais l'hydromel saturé n'est pas aussi aromatique que l'hydromel non saturé. Alors que la qualité du miel n'a guère d'importance pour l'hydromel saturé, seul le miel de qualité ayant un arôme fin, comme le miel de tilleul ou le miel de trèfle, sert à faire de l'hydromel non saturé. La variété la plus appréciée et la plus souvent fabriquée est le triple hydromel, qui est propre à la consommation au bout de un à deux ans de stockage. On sert l'hydromel à la température ambiante ; en hiver, on peut le boire chaud après y avoir ajouté des épices. Tout comme le vin, l'hydromel est stocké dans une pièce sombre et fraîche, à une température allant de 5 à 10 °C.

Les différentes qualités d'hydromel
Le coupage de l'hydromel avec l'eau est décisif pour la qualité. On distingue les sortes suivantes :
Hydromel un et demi
1 litre de miel et $^1/_2$ l d'eau
Hydromel mi-doux
1 litre de miel et 1 litre d'eau
Hydromel triple
1 litre de miel et 2 litres d'eau

Arrière-plan : dans cet agrandissement, on est faciné par l'abeille mellifique devant les rayons de miel de sa ruche, qui ressemblent à de petites pièces.

Apiculteur avec sa colonie d'abeilles. L'apiculture domestique est traditionnelle en Pologne.

On fabrique l'hydromel à partir de miel fermenté auquel on ajoute de l'extrait de houblon.

L'hydromel est stocké comme le vin : dans des tonneaux et à une température allant de 5 à 10 °C.

On sert l'hydromel à température ambiante ; en hiver, on peut le boire chaud et aromatisé avec des épices.

Thomas Veszelits

La République tchèque et la Slovaquie

Les Tchèques (Bohême) et les Slovaques (Moravie) ont été réunis pendant plus de quarante ans sous la domination communiste dans un Etat appelé Tchécoslovaquie. Ils se sont séparés le 1er janvier 1993 pour fonder deux Etats indépendants : la République tchèque et la République slovaque. Les cuisines de ces deux pays sont semblables : très copieux, les plats à base de porc et les pâtisseries dominent pareillement. Il est vrai que les Tchèques de Bohême préfèrent la bière, alors que les Slovaques de Moravie penchent pour le vin. Ces derniers s'y connaissent également en fromages grâce à leurs troupeaux de moutons. Pour digérer leur nourriture lourde et riche en graisse, les Tchèques ont recours à la *becherovka*, l'eau-de-vie aux herbes de Karlovy Vary, tandis que les Slovaques boivent de la *slivovice*, l'eau-de-vie de prunes. Plus de quarante ans de socialisme ont presque transformé les cuisines jadis florissantes de ces deux pays en désert culinaire – mais insistons sur le mot presque, car, depuis la fin de la domination communiste, en 1989, et la privatisation qui s'ensuivit, également dans le domaine des produits alimentaires et de la gastronomie, on voit renaître les anciennes splendeurs des cuisines nationales : les *knedlík*, les boulettes, tout comme la *powidla*, la compote de prunes, les carpes de Trêboň, le fromage de brebis de Slovaquie et la bière de Pilsen. Et naturellement le jambon de Prague, le *prazská sunka*, jadis célèbre dans le monde entier et autrefois disparu des vitrines des épiceries fines – dont la saveur s'apparente à celle du jambon de Parme et du jambon de Bayonne. Les pâtisseries telles que les variétés de croissants et de brioches reviennent maintenant à l'honneur dans leur pays d'origine, après avoir dû céder leur gloire à l'Autriche voisine pendant des dizaines d'années. La *powidla*, compote de prunes, avait également trouvé une nouvelle patrie en Autriche, bien qu'elle soit originaire de Bohême : le 28 septembre, jour de la Saint-Wenceslas – le saint patron de la Bohême – la récolte des prunes prend fin, et l'on fait alors cuire la compote de prunes. Depuis 1993, Tchèques et Slovaques travaillent à l'achèvement de leur autonomie nationale, mais continuent à entretenir de bonnes relations de voisinage – bien souvent au-dessus de la même marmite.

Le fromage de brebis est pressé et moulé dans une petite ferme en Slovaquie.

Immortel dans sa croûte de pain

Jambon de Prague

Le destin est parfois injuste. Car les bouchers de Prague s'entendent à faire un fabuleux jambon, le *prazská sunka*, à partir des jambons des porcs élevés en Bohême et en Moravie. Ce jambon est connu dans le monde entier sous le nom de «jambon de Prague». Après la guerre, il a dû céder sa réputation – et le socialisme y est pour quelque chose – à des spécialités étrangères analogues telles que le jambon de Parme, le jambon de Bayonne et le jambon de Serrano.

Il a pourtant survécu dans la conscience des gourmets d'Europe occidentale dans une préparation toujours populaire jusqu'à ce jour, le «jambon de Prague dans sa pâte à pain». Pour cette raison, les gourmets se sont mis dans la tête que le jambon de Prague est du jambon cuit. Nullement. Il est tout d'abord plongé avec la couenne et les os dans la saumure, qui est assaisonnée avec du poivre, de la coriandre et des feuilles de laurier; il est ensuite fumé au-dessus d'un feu de bois de hêtre. C'est ainsi qu'il obtient un léger goût salé et fumé. Une fois coupé en tranches minces et servi avec du raifort à la crème, il constitue un hors-d'œuvre apprécié.

Chaque boucher garde jalousement sa recette de jambon de Prague. Les Italiens, qui ont également eu de l'influence sur l'architecture de Prague, furent les initiateurs dudit jambon. Les bouchers de Prague ont toutefois perfectionné la technique du séchage à l'air. Et il est possible de préparer bien des plats à partir d'un produit de base aussi exquis.

Jambon de Prague au bourgogne

1 jambon de Prague (env. 2,5 kg)
200 g de carottes, céleri et poireau
1 bouteille de bourgogne blanc
sucre glace

Faire cuire le jambon dans de l'eau pendant 50 minutes environ, laisser refroidir, enlever la couenne et la graisse superflue.
Préchauffer le four (200 °C).
Eplucher les légumes, les couper en petits morceaux et les faire revenir avec un peu de beurre dans une grande cocotte. Ajouter le jambon, verser le vin et cuire à l'étouffée dans le four pendant 45 minutes environ. Un peu avant la fin de la cuisson, ôter le couvercle, saupoudrer le jambon de sucre glace et glacer à brun à four chaud. Le jus de viande peut s'accomoder de diverses manières, par exemple avec du madère ou des champignons hachés.

Šunka lesnická
Jambon forestier

200 g de jambon de Prague coupé en tranches épaisses
50 g de beurre
100 g de cèpes
50 g de lard
2 cuil. à soupe de vin rouge
1 cuil. à soupe de concentré de tomate
beurre aux fines herbes

Faire brièvement revenir les tranches de jambon dans le beurre. Nettoyer les champignons et les couper en quatre. Couper le lard en cubes et les faire sauter dans une poêle, ajouter les champignons, le vin rouge et le concentré de tomate. Disposer les tranches de jambon sur des assiettes, verser les champignons et garnir avec du beurre aux herbes.

Zapečená šunka plněná chřestem
Jambon gratiné aux asperges

200 g de jambon de Prague coupé en tranches épaisses
80 g de beurre
200 g d'asperges
2 cuil. à soupe de chapelure
80 g de fromage râpé

Faire cuire les tranches de jambon avec un tiers du beurre, mettre dans un plat allant au four et garnir avec les as≠perges. Parsemer de chapelure et de fromage. Faire fondre le reste du beurre et le verser goutte à goutte sur le jambon. Gratiner au four à 200 °C.

Page de droite : jambon de Prague enrobé de pâte à pain.
Le jambon de Prague, *prazská sunka,* est le centre de tout buffet de fête. Il est particulièrement réussi quand on le fait cuire dans de la pâte à pain. Pour cela, il faut ou un four puissant ou un boulanger qui préparera la pâte à pain lui-même.
On fait cuire un jambon de Prague entier, de 2,5 kg environ, pendant une cinquantaine de minutes. On le laisse refroidir, on enlève la couenne et la graisse superflue, puis on l'enrobe d'une pâte à pain faite avec de la farine de seigle. Le jambon est ensuite cuit comme un pain et servi comme une miche de pain. Quand il est coupé, encore chaud, sous les yeux des convives, une incomparable odeur de pain frais et de jambon cuit épicé parfume toute la pièce.

La reine des cuisines de Bohême

Carpe

Depuis que l'on écrit des chroniques en Bohême, la carpe est considérée comme plat de Noël traditionnel. Longtemps avant que l'on ait osé manger des poissons de mer – la mer était considérée comme hostile et pleine de monstres mystérieux, et ce furent les explorateurs Marco Polo et Christophe Colomb qui rapportèrent que les poissons de mer ne présentaient aucun danger –, la carpe était un aliment populaire, originaire du lac, que l'on pouvait pêcher à la main ou tuer d'un coup de pierre.

«Le canard, le porc et le lièvre sont bons – mais c'est la gracieuse carpe qui est la reine de la cuisine», dit un proverbe. La patrie de la *Trebonsky kapre*, la carpe de Bohême, est Třeboň, dans le sud de la Bohême, un pays de lacs, d'étangs, de mares et de marais. Son secret se trouve dans le fond : le sol sablonneux lui donne une saveur incomparable. Quand l'eau dans laquelle la carpe barbote est saumâtre, elle a un goût légèrement désagréable, quand le sol est sableux, par contre, elle trouve une nourriture assez saine.

Bien que l'on appelle volontiers la carpe «porc d'eau», elle ne se roule pas dans la vase. Elle ne traîne pas non plus sur le sol, comme on le suppose souvent à tort ; c'est plutôt le cas du brochet, qui guette sa proie pendant des heures pour l'attaquer avec la rapidité de l'éclair. La carpe est travailleuse et nage inlassablement derrière chaque bouchée. Elle parcourt des distances considérables : le Svet, lac de Bohême méridionale, s'étend sur une superficie de 200 hectares et a une longueur de 5 km. Or une carpe adulte parcourt facilement cette distance deux fois par jour. C'est également là que fut pêchée la plus grosse et la plus vieille carpe : elle pesait 30 kilogrammes et avait 33 ans. Aujourd'hui comme hier, on préfère les carpes grillées ou cuites au bleu. Comme le homard, qui vire au rouge quand on le fait cuire, les écailles dorées de la carpe changent de couleur sous l'effet de l'eau bouillante.

Un pâtissier viennois, propriétaire de l'hôtel Sacher, créa en 1832 la Sachertorte pour le prince Metternich, puis inventa la technique de la chapelure, et l'on se mit à enrober également la carpe avec de l'œuf, de la farine et de la chapelure. A Prague, on pensait que la carpe ainsi préparée était encore meilleure qu'une escalope viennoise. Les pêcheurs de Třeboň la préfèrent préparée d'une autre façon : après l'avoir retournée dans la vase, ils l'enveloppent dans des feuilles vertes, puis la font cuire sous la cendre. Ensuite, ils brisent la croûte et mangent la chair de la carpe, blanche et tendre, avec les doigts.

Třeboň, en Bohême méridionale, est la patrie de la carpe tchèque. Le sol sablonneux dans lequel le poisson barbote contribue à la saveur unique de ce poisson.

Les carpes sont une proie facile dans les eaux saumâtres des rives. En Europe centrale, ce poisson est l'un des plus anciens «animaux domestiques ».

La carpe écailleuse (bas) est un poisson sauvage. La carpe miroir (ci-dessous), qui a seulement quelques écailles le long des nageoires, est un poisson d'élevage.

Kapr marinovaný
Carpe marinée

1 carotte
1/2 céleri-rave
1 oignon
50 g de petits pois
1 concombre au vinaigre
500 g de mayonnaise
1 verre de vin blanc
jus d'un citron
sel, poivre noir
sucre
1 carpe vidée (env. 1 kg)

Eplucher la carotte, le céleri et peler l'oignon, couper en petites lamelles, faire blanchir dans de l'eau bouillante, égoutter et laisser refroidir. Faire cuire les petits pois dans l'eau salée, couper le concombre en lamelles. Ajouter les petits pois et le concombre aux légumes. Mélanger les légumes avec la mayonnaise, le vin blanc et le jus de citron, poivrer, saler et sucrer.
Faire cuire la carpe dans de l'eau salée. Enlever la peau et les arêtes, couper en petits morceaux et laisser macérer pendant plusieurs heures dans la marinade.

Kapr v aspiku
Carpe en gelée

12 feuilles de gélatine
2 cuil. à soupe de vinaigre
1 cuil. à café de sel
carotte, poireau, morceau de céleri-rave
1 feuille de laurier
quelques grains de poivre
2 citrons non traités
1 carpe vidée (env. 1 kg)
1 blanc d'œuf
légumes variés

Faire ramollir la gélatine dans de l'eau froide. Préparer un court-bouillon avec 2 litres d'eau, du vinaigre, du sel, les légumes, une feuille de laurier, quelques grains de poivre et le jus d'un citron. Couper l'autre citron en rondelles. Couper la carpe en morceaux et les pocher dans le court-bouillon. Les sortir du court-bouillon et les disposer dans un plat. Passer le court-bouillon, presser la gélatine et la mettre dans le court-bouillon. Clarifier avec le blanc d'œuf légèrement battu et passer de nouveau. Laisser refroidir le liquide obtenu. Garnir les morceaux de poisson avec les rondelles de citron et les légumes découpés de manière décorative. Mettre au frais et napper avec le liquide gélifié. Laisser durcir au réfrigérateur et couper en portions.

Kapr smazeny
Carpe panée

500 g de chair de carpe
sel
farine
1 œuf battu
chapelure
1 citron non traité
raifort râpé

Couper la carpe en morceaux et saler légèrement. Rouler dans la farine, puis dans l'œuf battu et la chapelure. Faire cuire les morceaux de carpe dans de l'huile ou les plonger dans la friture. Egoutter sur du papier absorbant. Couper le citron en rondelles, mettre une cuillère à café de raifort sur chaque rondelle, puis déposer le tout sur les morceaux de carpe.

Mets slovaques

Fromage de brebis

L'agriculture et l'élevage prédominent en Slovaquie. Les bergers y sont encore nombreux, comme en Grèce. Contrairement aux Grecs, toutefois, les Slovaques n'ont pas d'huile d'olive, car les oliviers ne poussent pas à l'extrémité des Carpates, dans les Hautes Tatras. En revanche, on fabrique de grandes quantités de fromage de brebis en Slovaquie. Mais, les appareils pour pasteuriser le lait de brebis faisant défaut en maints endroits, le *bryndza* slovaque (fromage blanc de brebis) ne peut souvent pas être exporté dans la Communauté européenne. Les brebis sont toute la vie des *bacas,* les bergers slovaques : un troupeau comprend quelque 400 moutons et les brebis sont traites trois fois par jour. Le lait de brebis est plus riche en matières grasses et en protides que le lait de vache. Chaque brebis donne environ 200 millilitres de lait, que l'on recueille dans des sacs de coton. La masse douce et humide sèche pendant une semaine environ. Elle est ensuite transformée en *bryndza,* fromage blanc de brebis slovaque typique, dans une fromagerie. Le fromage cru est finement moulu et mélangé avec du sel. Après une brève fermentation, il acquiert une saveur acidulée caractéristique. On peut le manger tel quel ou, en tartine, broyé avec du paprika rouge, du beurre ou des oignons. Avec le *bryndza,* on peut très bien fabriquer du liptauer. Le *brundza* constitue aussi la base du *strapacky* et du *halusky,* deux préparations slovaques traditionnelles.
Le fromage de brebis est souvent fumé pour qu'on puisse le conserver plus facilement.

Les brebis du troupeau sont traites trois fois par jour.

On ajoute de la présure au lait recueilli dans de grandes cuves en bois.

Le lait est remué pour que ses composants ne se déposent pas.

Le lait est ensuite versé dans des sacs de coton.

Fumoir dans lequel le fromage de brebis est fumé

Le fromage de brebis moulé est suspendu pour être fumé.

Halušky

500 g de pommes de terre crues, râpées
100 ml de lait
sel, farine
500 g de fromage de brebis
saindoux aux fritons

Bien mélanger les pommes de terre avec le lait, le sel et la farine pour obtenir une pâte légère. Emietter celle-ci dans l'eau bouillante. Faire cuire pendant quelques minutes, sortir de l'eau et mélanger avec le fromage de brebis. Faire fondre le saindoux et le verser sur le mélange.

Strapačky

1 chou blanc
2 oignons
ingrédients pour le halusky

Eplucher le chou, le râper et le faire cuire dans l'eau salée. Peler les oignons et les hacher finement. Préparer un *halusky* (voir recette à gauche). On fera toutefois revenir les oignons dans le saindoux. Mélanger avec le chou et servir avec le *halusky*.

Liptovský syr
Liptauer

50 g de beurre mou
200 g de fromage de brebis
1 oignon pelé et finement haché
paprika, câpres, cumin, purée d'anchois, moutarde
ciboulette

Battre le beurre jusqu'à ce qu'il devienne mousseux, écraser le fromage à travers une passoire et le mélanger avec le beurre. Ajouter les oignons, assaisonner le fromage avec les autres ingrédients et mettre au frais. Parsemer de ciboulette avant de servir.

Les sacs sont suspendus afin que le petit-lait puisse s'égoutter lentement.

Il reste alors une masse molle et humide qui doit sécher.

Le *bryndza* est fait avec du fromage blanc écrasé et salé.

Après une courte fermentation, le fromage a une saveur aigrelette typique.

A l'arrière-plan : un bistrot original à Prague, où l'on peut goûter les nombreuses spécialités de bière.

Plzensky Prazdroj : la vraie

La bière de Pilsen

Les connaisseurs en bière parlent avec un respect particulier des bières tchèques et, surtout, de la vraie Pilsener Urquell.

Pour les Tchèques, bière signifie à la fois politique, religion et culte, mais surtout controverse : Urquell ou Budwar – voilà la question. Et ce sont seulement les deux marques nationales les plus connues ; presque chaque Tchèque jure en effet par sa brasserie locale. Chaque année, à l'occasion de la foire de la bière «Pivex» à Brno, des experts de l'Académie tchèque de la bière et un jury composé de profanes examinent les offres avant de décerner des prix. Un document prouve que l'on brasse de la bière à Prague depuis l'an 1082. Au 13e siècle, de nouvelles villes furent fondées en Bohême et elles reçurent, en tant que colonies royales, des privilèges particuliers comme par exemple le droit de brasser : chaque habitant de la ville avait en effet le droit de brasser de la bière et de la vendre dans les environs. Pilsen, Ceské Budejovice et Saaz, la ville du houblon, faisaient partie des villes privilégiées.

Il faut du temps pour bien tirer une pilsen. C'est seulement ainsi qu'elle a une bonne teneur en gaz carbonique et la couronne de mousse typique.

A cette époque, plusieurs brasseries furent également fondées en Moravie.

D'autres villes connurent un sort moins heureux : elles furent rasées et l'on construisit des fortifications avec les pierres de leurs murs.

Jusqu'en 1842, la bière était toujours brune ou trouble. Cette année-là, toutefois, une brasserie de Pilsen fabriqua une bière blonde et claire. Elle avait une saveur inhabituelle, mais ne tarda pas à avoir beaucoup de partisans. Tout porte à croire que le maître brasseur Josef Groll, de la ville voisine de Vilshofen, en Bavière, découvrit par hasard cette bière blonde – c'est en tout cas ce qui est inscrit sur une plaque commémorative à Pilsen. Sa découverte due au hasard fut surtout appréciée parce qu'à l'époque, on commençait à boire de la bière non plus dans des cruches en bois ou en terre cuite, mais dans des verres. La bière blonde aux reflets dorés était nettement plus attirante – et surtout meilleure : aujourd'hui encore, les brasseries du monde entier s'efforcent d'imiter l'original de Pilsen, sans pourtant atteindre sa saveur piquante particulière. La bière originale de Pilsen, *Plzensky Prazdroj,* a un peu plus de tout : elle a davantage d'arôme, elle sent davantage le malt et le houblon, et est plus amère. La Prazdroj, la bière originale, est fabriquée avec de l'orge qui vient de Bohême et de Moravie. Les connaisseurs prétendent qu'une vraie Pilsen doit toujours être houblonnée avec du houblon de Saaz. Nombre de brasseries européennes importent donc ce houblon pour reproduire la vraie saveur de la Pilsen.

La vraie bière de Pilsen, *Plzensky Prazdroj,* qui aurait été découverte par hasard en 1842 par le maître-brasseur Josef Groll, de Vilshofen, en Bavière, vient d'ici, de la «Brasserie bourgeoise» – qui appartient actuellement de nouveau aux héritiers des anciens brasseurs. A cause de son incomparable amertume, elle est devenue célèbre dans le monde entier, si bien que de nombreuses brasseries importent le houblon avec lequel la bière est houblonnée, pour en imiter la saveur.

Comment on fabrique la Pilsen

L'orge est imbibée d'eau pendant 36 heures et germe pendant six jours dans la malterie ; le touraillage et le séchage durent 24 heures avant que le malt se forme. Le malt est brassé pendant 12 heures, fermente 12 jours avec le houblon et le moût dans d'énormes cuves, puis fermente encore 12 semaines avant la mise en fûts.

La vraie Pilsen fait toujours 12°, tout comme la Budvar, la bière de Ceské Budejovice. Toutes deux font partie des bières de longue conservation, qui se distinguent des bières en fûts, pouvant également être des bières moins fortes : celles-ci font seulement 6° ou 7°, mais ont une saveur fraîche et sont légèrement houblonnées. C'est pourquoi les ouvriers métallurgistes et les mineurs sont autorisés à en boire sur leur lieu de travail. Les bières à 10° – également appelées «bières noires» –, pour lesquelles on prend du malt brun aromatique à la manière bavaroise, sont de meilleure qualité.

La Pilsen a reçu son premier prix en 1863 à l'occasion de la première exposition internationale à Hambourg.

Malgré tout le prestige dont jouit la Pilsen, bien des Tchèques seraient prêts à monter sur les barricades pour défendre la Budvar, la bière de Ceské Budejovice. Le roi Ferdinand se la faisait déjà livrer à la cour en 1531 et, depuis cette époque, la brasserie se fait de la publicité avec le slogan «La bière des rois». La Budvar est plus claire que la Pilsen et un peu plus douce.

L'orge germé est séché.

Le malt d'orge en formation est la base de la fabrication de la bière.

On fait bouillir le malt avec de l'eau dans des brassins. Le moût se forme.

Le mélange est additionné de levure.

La quantité de levure détermine l'amertume typique de la pilsen.

La fermentation alcoolique se fait en cuves ouvertes dans des caves de fermentation.

Le degré de maturité de la bière non filtrée est vérifié.

Ensuite, la bière est mise dans des fûts de bois.

Bières spéciales

Un pays aussi marqué par la bière que la République tchèque n'est pas satisfait de ses bières «normales». Toutes sortes de brasseries fabriquent donc des bières spéciales, qui se distinguent nettement des classiques du genre pilsen, non seulement par leur saveur, mais aussi par leur moût.

La plus célèbre bière de ce genre est la bière brune de la brasserie U Flekú, qui fait en même temps restaurant et possède un vaste jardin où l'on peut consommer la bière. Celle-ci a une légère saveur de caramel et titre 13°. On brasse également des bières spéciales analogues en Bohême occidentale sous le nom Chodovar et en Slovaquie sous le nom Cierny Bazant («Faisan noir»).

La bière double Velkopopovicky Kozel, de Bohême centrale, et la Konzel («Sénateur»), de Litomerice, sont encore plus fortes. Il existe aussi une douzaine de bières spéciales blondes faisant 14°. La Diplomat de la brasserie Gambrinus à Pilsen, que l'on trouve seulement dans les restaurants de premier ordre et à l'exportation, titre 18°. La bière la plus forte est brassée dans la ville de Martin, en Slovaquie centrale, et fait 20°. On trouve la Martinsky Porter seulement en cet endroit.

Plats accompagnant la bière

Topinky
Pain grillé à l'ail

4 tranches de pain de campagne
8 gousses d'ail
sel

Frotter les tranches de pain des deux côtés avec l'ail et les faire griller dans une poêle. Saler et servir chaud.

Pivní guláš
Viande à la bière à la mode de Bohême

500 g d'épaule de porc
1 cuil. à soupe de poudre de paprika rose
2 gros oignons
50 g de saindoux
1 cuil. à café de cumin
1 bouteille de Pilsener Urquell
1 tranche de pain noir
sel, poivre noir

Couper la viande de porc en gros morceaux et mélanger avec la poudre de paprika.
Peler les oignons, les hacher grossièrement et les faire revenir dans le saindoux. Ajouter la viande et faire revenir pendant une dizaine de minutes en remuant constamment.
Ajouter le cumin et la moitié de la bière, couvrir et faire cuire à petit feu pendant 45 minutes environ.
Emietter le pain noir dans la viande, ajouter le reste de bière. Faire cuire à petit feu encore une quinzaine de minutes ; saler, poivrer.

Bramborová polévka
Soupe de pommes de terre

20 g de cèpes séchés (donne env. 200 g)
500 g de pommes de terre (farineuses)
carotte, poireau, morceau de céleri-rave
100 g de lard fumé
1 1/2 l de bouillon
cumin
marjolaine
1 gros oignon
1 gousse d'ail
50 g de beurre
50 g de farine
sel, poivre noir
1 pot de crème aigre
1 jaune d'œuf
persil haché

Faire tremper les cèpes dans l'eau pendant la nuit et les laisser gonfler. Eplucher les pommes de terre et les couper en cubes, nettoyer les légumes et les couper en petits morceaux, couper le lard en cubes.
Ajouter au bouillon les champignons, les pommes de terre et le lard, le cumin et la marjolaine selon le goût, faire bouillir, puis laisser cuire à petit feu pendant 20 minutes. Peler l'oignon et la gousse d'ail et les faire revenir dans le beurre. Saupoudrer de farine et faire un roux. Verser ce dernier dans la soupe sans cesser de remuer, passer le tout à travers une passoire. Bien saler et poivrer.
Mélanger la crème et le jaune d'œuf, enlever la cocotte du feu, incorporer le mélange œuf-crème à la soupe. Parsemer de persil et servir.

**Bières spéciales
et bières de garde :**

1 Velkopopovický Kozel
2 Radegast
3 Budvar
4 Gambrinus
5 Topvař
6 Złaty Bažant

1   2   3   4   5   6

Zoltán Halász

La Hongrie

A l'origine, les Hongrois étaient un peuple de nomades, et le *bogrács*, le chaudron en fonte, en est une réminiscence. C'est en effet le plus ancien ustensile de cuisine de Hongrie : il fut rapporté par ce peuple de cavaliers à la suite de ses migrations dans les Carpates. Pour les Hongrois, le célèbre *gulyás* n'est « authentique » que s'il est cuit dans un chaudron suspendu au-dessus du feu, comme du temps des Magyars. Au 17e siècle, quand les Turcs occupèrent la Hongrie, la cuisine hongroise adopta nombre de recettes turques. Par la suite, elle subit l'influence française, tout d'abord par l'intermédiaire de la Transylvanie, où les princes employaient volontiers des cuisiniers français, puis d'une façon plus directe, lorsque le cuisinier en chef de Napoléon III prit la direction du casino de Pest. Il y eut enfin des influences – réciproques – à l'époque de la monarchie danubienne austro-hongroise, au 19e siècle.

La cuisine hongroise est impensable sans paprika, sans une certaine sorte d'oignon, spéciale et douce, et sans la crème aigre qui est indispensable pour réaliser de nombreux plats hongrois. N'oublions pas non plus de mentionner le lard fumé, dont il existe d'innombrables variantes ; il est fait avec la viande des superbes porcs élevés en Hongrie depuis toujours. Les Hongrois mangent volontiers de la viande grasse, cuite avec du saindoux. Lors de l'abattage des porcs, la préparation des saucisses se fait selon une vieille tradition paysanne ; les salamis hongrois sont très fins : ce sont des produits d'exportation recherchés qui rapportent des devises. Ceci est également valable pour le foie d'oie avec lequel la France, surtout, satisfait sa demande qui dépasse sa propre production. Le *fogas*, le sandre du lac Balaton, le tokay du nord du pays et la *barack pálinka*, l'eau-de-vie d'abricot fabriquée avec les fruits d'un million et demi d'abricotiers poussant dans la vaste plaine hongroise, font partie des plus célèbres spécialités du pays. La cuisine hongroise est l'une des plus remarquables d'Europe, car les Hongrois sont heureux de vivre et aiment les plaisirs ; ils fabriquent des produits de première qualité avec les trésors que leur fournit la nature. La Hongrie est peut-être un petit pays en termes de surface et de population, mais c'est un géant sur le plan culinaire.

Deux ouvriers d'une usine de paprika à Kalocs.

Le maître du Balaton

Sandre

Avec un brin d'ironie, les Hongrois qualifient le Balaton de « mer de Hongrie ». Mais toute trace d'ironie disparaît dès qu'il est question des poissons qui vivent dans cette eau, et surtout du *fogas*, le sandre.

Le roi du Balaton est un poisson carnassier redouté. Mais il mérite seulement son nom quand il pèse plus de 1,5 kg – les petits sandres sont appelés *süllő*. Un beau sandre du Balaton peut peser de six à huit kilos.

Le sandre se nourrit principalement de petits poissons tels que les aloses ou les poissons blancs. Il se déplace beaucoup et rapidement – c'est pourquoi sa chair, qui a un petit goût de noisette, est si tendre et si fine. Le sandre vit généralement dans les eaux profondes et remonte seulement à la surface quand il chasse les petits poissons. Dans son espace vital, à trois ou quatre mètres de profondeur, les rayons solaires ne peuvent pénétrer l'eau du lac qui contient une multitude de petits grains de sable, et c'est ce qui rend sa chair si claire.

Le sandre fraye en avril et en mai. Un sandre femelle peut pondre jusqu'à 40 000 œufs par an, mais à peine un tiers de ces œufs se développe et se transforme en jeunes poissons, car la plupart sont mangés par le père et la mère. Le jeune sandre, le *süllő*, pèse environ un kilo au bout d'un an. Quand il atteint l'âge de deux ans, on le désigne généralement sous le nom de *fogas*.

Pendant des dizaines d'années, les savants se sont querellés à son sujet. Le sandre du Balaton était-il une espèce indépendante ou bien faisait-il partie de la famille des saumons ? Le savant Ott Herman a mis un terme à la discussion en prouvant que le *fogas* fait bien partie de la famille des saumons, mais que l'espèce n'existe nulle part ailleurs que dans le Balaton.

Depuis toujours, les meilleurs cuisiniers hongrois ont inventé de nouvelles manières peu communes de préparer le sandre. La majorité des partisans de ce royal poisson estiment pourtant que le sandre qui est cuit en entier dans la poêle – et dresse ensuite fièrement la tête et la queue sur le plat – est le meilleur. Il existe également une variante archaïque très naturelle, selon laquelle le sandre est cuit sur la braise, sur le gril ou sur des baguettes de coudrier.

Un pêcheur montre fièrement une prise superbe : un sandre pesant plusieurs kilos.

Le sandre a une chair blanche et fait partie des poissons les plus savoureux.

A l'arrière-plan : pêcheurs sur le lac Balaton, poissonneux et domaine du sandre.

 1
 2
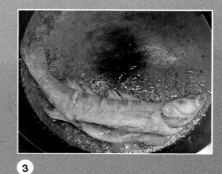 3
 4

Fogas, egészben sütve
Sandre entier grillé
(Ill. 1–4)

1 sandre (env. 2 kg)
150 g de lard fumé coupé en lamelles
sel
farine
100 g de beurre
1 petit oignon
200 ml de crème aigre
100 ml de crème fleurette
1 cuil. à café de poudre de paprika (doux)
1 rondelle de citron

Ecailler le sandre (illustration 1), le vider, le laver, l'inciser des deux côtés (ill. 2) et l'entrelarder. Inciser le dos en plusieurs endroits afin que le poisson ne se recourbe pas pendant la cuisson. Saler, rouler dans la farine et mettre dans une poêle en fonte avec la majeure partie du beurre (ill. 3). Faire cuire à grand feu pendant 10 à 15 minutes, sortir le poisson et le tenir au chaud (ill. 4)
Peler les oignons, les hacher finement et les faire revenir dans la poêle. Ajouter la crème aigre et la crème fleurette, amener un instant à ébullition et verser la poudre de paprika. Mélanger la farine et le reste de beurre, puis ajouter aux oignons à la crème en remuant constamment. Quand la sauce est liée, la filtrer à travers une passoire. Disposer le sandre sur un plat avec la tête et la queue recourbées vers le haut, placer la rondelle de citron en décoration.

Fogas Gundel módra
Sandre Gundel

Cette recette a été créée par le légendaire cuisinier hongrois Károly Gundel.

1 petit sandre
4 œufs
120 g de farine
250 g de chapelure
200 g de beurre
500 g d'épinards
300 g de pommes de terre
100 g de fromage râpé
1 pot de crème
sel, poivre noir

Ecailler et vider le poisson, le couper en morceaux. Battre deux œufs. Rouler le poisson dans la farine, dans l'œuf battu, puis dans la chapelure. Faire fondre 150 g de beurre et y faire cuire les morceaux de poisson. Laver les épinards, les blanchir, les réduire en purée et les mélanger à 2 cuil. à soupe de beurre de cuisson. Faire cuire les pommes de terre en robe des champs, les peler et les râper pendant qu'elles sont encore chaudes. Ajouter les deux autres œufs et un peu de beurre. Graisser un plat à feu avec le reste de beurre. Garnir le bord du plat avec la purée de pommes de terres à l'aide d'un piston à décorer, placer les épinards au milieu. Disposer les morceaux de poisson. Mélanger le fromage et la crème et verser sur le poisson. Gratiner au four ou sous le gril.

Bouillabaisse hongroise : halászlé

Les pêcheurs de la Tisza et du lac Balaton ont une recette qui ne le cède en rien à la bouillabaisse méridionale, à savoir la soupe *halászlé*. La fine saveur du paprika donne une note particulière à ce plat nourrissant et savoureux, que l'on peut tout simplement servir comme plat principal, car ses ingrédients sont copieux.
La recette originale requiert le plus grand nombre possible de sortes de poissons, que l'on ne trouve pas en dehors de la Hongrie, et un grand chaudron que l'on fera chauffer au-dessus d'un feu. Pour les Hongrois, c'est en effet la seule manière de faire une vraie *halászlé*. Les étrangers et les citadins devront se contenter d'une moins grande diversité de poissons et de la plaque du fourneau.

Halászlé
Soupe de poissons

500 g de carpe, 500 g de brochet et 500 g de sandre
5 oignons pelés et coupés en rondelles
sel
2 cuil. à soupe de poudre de paprika (doux)
1 cuil. à soupe de paprika rose

Nettoyer les poissons, les laver et les couper en morceaux d'une épaisseur de 3 cm environ. Disposer les différentes sortes de poisson dans une grande casserole en alternant à chaque fois avec une couche d'oignons. Terminer par une couche de poisson. Verser autant d'eau que nécessaire pour recouvrir le tout, saler et amener à ébullition. Saupoudrer avec les deux poudres de paprika, laisser macérer pendant 60 minutes environ, secouer de temps en temps la casserole, mais ne pas remuer, faute de quoi les morceaux de poisson tomberaient en miettes.
Poser la casserole de *halászlé* sur la table et servir avec du pain blanc.

Foie gras

Il est fort possible qu'une personne ayant acheté une terrine de foie gras à Strasbourg ait acquis en fait du foie gras hongrois. Sous le socialisme, en effet, le foie gras hongrois était déjà exporté à l'Ouest – en particulier parce que la production du Périgord ne parvenait plus depuis longtemps à suffire à la demande des gourmets.

Presque partout en Hongrie, on élève des oies, mais la patrie d'origine du foie gras est une région que l'on peut facilement délimiter du point de vue géographique : elle s'étend en effet de Kiskunhalas à Orosháza, au sud de la plaine hongroise. A cet endroit, le sol est particulièrement approprié à l'élevage des oies, car ces dernières apprécient le climat très ensoleillé et le sol sablonneux, qui ne devient pas boueux, même après les fortes chutes de pluies.

Les connaissances en matière d'élevage et de gavage d'oies acquises par de nombreuses générations vivant dans de petites fermes sont également essentielles ; là, tout dépend du savoir-faire et du zèle de l'éleveur d'oies. Pour le gavage, par exemple, le maïs employé et le sol sur lequel il pousse ont une importance capitale. L'eau que boivent les oies joue elle aussi un rôle essentiel. Chaque fermier a sa propre méthode pour enrichir l'eau avec de l'argile blanche et d'autres composantes.

Outre les deux espèces d'oies à plumes blanches élevées en Hongrie, l'*hungaviscomb* et la *babat*, l'oie à plumage gris originaire de France est également fort appréciée. Cette dernière pèse plus lourd et son foie est donc plus gros. Les oies sont élevées par des spécialistes pendant neuf à dix semaines, puis sont conduites dans un poste de gavage, où on leur donne du maïs quatre à cinq fois par jour, pendant deux semaines, à la suite de quoi leur foie prend une belle couleur jaune d'or.

Chaque maître-gaveur possède également son secret pour préparer la mixture qu'il donnera à ses oies. Le maïs est cuit ou trempé et enrichi avec de l'huile végétale et de la vitamine C. Il importe de gaver les oies avec ménagement, afin qu'elles ne soient pas soumises à un trop grand stress. Les additifs artificiels et les antibiotiques sont interdits, de même que les produits qui ne peuvent pas être décomposés par l'organisme.

Du fait du gavage, le taux de graisse dans le sang augmente dans le corps de l'oie ; le sang est transporté vers le foie qui l'emmagasine en grandes

La composition de la mixture de gavage, dont la préparation est le secret du maître-gaveur, a une importance capitale pour le gavage des oies. Les additifs artificiels et les antibiotiques sont interdits, de même que les produits que l'organisme ne peut assimiler complètement. Les oies sont gavées quatre à cinq fois par jour pendant la période de gavage qui dure deux semaines, mais sans brutalité ni stress.

quantités, gonfle et atteint environ trois livres. Un bon foie gras a une couleur jaune d'or, est souple et élastique.

Selon les experts, le foie gras hongrois est meilleur quand il a passé la nuit au réfrigérateur dans du lait à l'ail, a été rincé à l'eau claire et cuit à feu vif dans de la graisse d'oie. A Orosháza, on trempe le foie dans du lait, on le roule dans la farine et on le fait cuire dans la poêle, sans graisse.

Libamáj
Foie gras cuit à la poêle

1 foie gras d'oie
100 g de graisse d'oie
sel
2 oignons
1 cuil. à café de poudre de paprika (doux)

Couper le foie gras en tranches de 1,5 cm d'épaisseur et faire cuire ces dernières dans la graisse d'oie pendant 5 minutes environ. Saler, sortir de la poêle et tenir au chaud. Peler les oignons, couper un oignon en rondelles et mettre de côté, hacher finement l'autre oignon et le faire revenir dans la graisse d'oie. Retirer du feu et saupoudrer avec la poudre de paprika ; faire chauffer à petit feu encore une fois. Arranger les tranches de foies gras sur un plat, napper avec la graisse et garnir avec les rondelles d'oignons.

Libacomb
Cuisses d'oie

4 cuisses d'oie
sel
80 g de graisse d'oie
1 oignon
1 cuil. à soupe de poudre de paprika (doux)
1 gousse d'ail
cumin
1 kg de pommes de terre
2 tomates
2 poivrons verts
persil haché

Laver les cuisses d'oie, les sécher et les saler. Faire fondre la graisse d'oie dans une grande poêle et faire revenir rapidement les cuisses des deux côtés. Les sortir de la poêle et les tenir au chaud. Peler les oignons, les hacher finement et les faire revenir dans la poêle. Retirer du feu, saupoudrer de poudre de paprika et ajouter un peu d'eau. Remettre les cuisses d'oie dans la poêle, ajouter la gousse d'ail écrasée et un peu de cumin, couvrir et braiser à feu moyen pendant une trentaine de minutes.

Peler les pommes de terre et les couper en allumettes, laver les poivrons et les tomates, les épépiner, les couper en dés. Ajouter le tout aux cuisses d'oie. Disposer les cuisses d'oie et les légumes sur un plat, parsemer de persil et servir.

Page de gauche : l'oie à plumes grises, une race originaire de France, est très appréciée pour le gavage, car elle est plus lourde et a donc un foie de plus grande taille.

Les foies gras d'oie de Hongrie sont célèbres pour leur qualité. Ils pèsent environ trois livres et doivent leur couleur dorée au maïs avec lequel les oies sont gavées.

Il y a goulache et goulache

Pörkölt

Alors qu'on parle globalement de « goulache » à l'extérieur de la Hongrie, le Hongrois fait la distinction entre *gulyás, pörkölt, tokány* et *paprikás*. A l'origine, le mot *gulyás* désignait le berger et *gulyáshús* était le nom du plat de viande que les bergers emportaient pendant leurs longues marches. A cet effet, ils coupaient de gros morceaux de viande de bœuf, de mouton ou de porc et les faisaient cuire dans un lourd chaudron de fer, le *bogrács*, jusqu'à ce que le liquide se soit évaporé. Ils faisaient ensuite sécher la viande au soleil et la conservaient dans des sacs faits avec un estomac de mouton. Quand ils avaient faim, ils prenaient un morceau de viande séchée, l'additionnaient d'un peu d'eau et le faisaient réchauffer. S'ils désiraient une soupe goulache, il leur suffisait d'ajouter un peu plus d'eau à la viande.

La traduction littérale de *pörkölt* signifie « grillé ». Il se distingue du *gulyás* par sa consistance : la sauce, d'un rouge foncé, est épaisse et le plat correspond à ce que les occidentaux appellent généralement « goulache ».

Le *tokány* est apparenté au *pörkölt*, mais il n'est pas nécessaire d'assaisonner ce plat avec du paprika, on peut fort bien utiliser du poivre noir et de la marjolaine. Ce plat est composé de plusieurs sortes de viande et on fait parfois étuver des légumes ou des champignons en même temps.

On appelle *paprikás* les préparations dans lesquelles la viande coupée en petits morceaux est affinée avec de la crème aigre ou fleurette. La tradition veut que l'on utilise seulement de la viande blanche pour faire un *paprikás*, c'est-à-dire du poisson, du poulet, du veau ou de l'agneau.

Bográcsgulyás
Goulache en cocotte

Pour 8 personnes

2 oignons
2 cuil. à soupe de saindoux
1 kg de bœuf (épaule ou cuisse)
200 g de cœur de bœuf
1 gousse d'ail
1 cuil. à café de cumin
sel
1 tomate
2 poivrons
500 g de pommes de terre
paprika rose

Peler les oignons et les couper en morceaux. Faire fondre le saindoux dans une grande cocotte et faire revenir les oignons.

Couper la viande et le cœur en morceaux, les ajouter aux oignons et faire revenir le tout en remuant constamment. Ecraser l'ail et le cumin avec un peu de sel. Enlever la cocotte du feu, incorporer soigneusement le mélange d'épices. Ajouter 2 litres d'eau chaude, couvrir et faire cuire le tout à petit feu pendant 60 minutes environ.

Peler la tomate, épépiner et couper en dés. Laver les poivrons, les épépiner et les couper en anneaux. Eplucher les pommes de terre et les couper en dés.

Ajouter la tomate et les poivrons à la viande, mouiller avec un peu d'eau si nécessaire, saler et faire cuire à petit feu encore 30 minutes. Ajouter ensuite les pommes de terre et faire cuire à point. Assaisonner à volonté avec du paprika rose. Servir dans des assiettes creuses.

Borjúpörkölt
Pörkölt de veau

Pour 4–6 personnes

1 kg de veau
1 gros oignon
1 cuil. à soupe de poudre de paprika (doux)
1 gousse d'ail, écrasée
sel
1 tomate
1 poivron
2 cuil. à soupe de saindoux

Couper la viande en morceaux, peler et hacher les oignons. Faire fondre le saindoux dans une cocotte et faire revenir les oignons.

Retirer la cocotte du feu, ajouter la poudre de paprika, l'ail, un peu de sel, puis la viande. Couvrir et faire cuire à petit feu. Mouiller avec un peu d'eau chaude pour que la viande ne brûle pas, puis encore un peu une fois que le liquide s'est évaporé.

Peler la tomate, l'épépiner et la couper en dés ; laver le poivron, l'épépiner, couper en petits morceaux. Au bout de 15 minutes de cuisson, mettre les légumes dans la cocotte et les faire cuire avec le reste. A la fin de la cuisson, enlever le couvercle et faire réduire le liquide le plus possible.

Csirskepörkölt
Pörkölt de poule
(Illustration)

Pour 4–6 personnes

1 poule
3 oignons
1 cuil. à soupe de saindoux
1 cuil. à soupe de poudre de paprika (doux)
1 cuil. à soupe de concentré de tomate
1 gousse d'ail, écrasée
sel
2 tomates
2 poivrons

Couper la poule en morceaux. Peler les oignons, les hacher et les faire revenir dans le saindoux.

Ajouter la viande, la poudre de paprika, le concentré de tomate, l'ail et le sel aux oignons. Couvrir et faire cuire à petit feu pendant 15 minutes environ.

Peler les tomates, les épépiner et les couper en dés ; laver les poivrons, les épépiner, couper en petits morceaux. Faire braiser le tout jusqu'à ce que la viande soit à point. Ajouter le moins de liquide possible, car la poule doit, si possible, cuire dans son propre jus.

Poudre de paprika en sacs, la specialité hongroise.

Csirskepörkölt – pörkölt de poule

Rien de plus typique
Paprika

Brûlant, épicé, plein de feu – on associe ces attributs aussi bien au paprika qu'au caractère national hongrois. Le paprika est non seulement le principal condiment de la cuisine hongroise, mais aussi une composante essentielle de nombreux plats – la cuisine hongroise ne peut se concevoir sans paprika.

On ne connaît pas l'origine du paprika. Il est possible que Christophe Colomb l'ait rapporté d'Amérique, car cette plante fit d'abord son apparition en Espagne à la fin du Moyen Age. D'autres savants estiment que le paprika hongrois est venu d'Inde via la Perse et a été introduit en Hongrie par les Turcs au début du 16e siècle. Le fait que le paprika ait été qualifié de «poivre indien» pendant des siècles semble confirmer cette hypothèse – mais cela ne prouve rien non plus, car, autrefois, le terme «indien» signifiait également «amérindien» (d'Amérique) pour les botanistes.

Si l'on suit le paprika à la trace, on le trouve en Espagne, puis en Italie, puis chez les Turcs qui l'introduisirent dans les Balkans. Au 16e siècle, de nombreux jardiniers bulgares se rendirent en Hongrie, où ils cultivèrent vraisemblablement le paprika.

Au cours des siècles, les jardiniers hongrois transformèrent cette plante de plus en plus, si bien que les qualités du paprika purent se développer pleinement avec le temps. Ces jardiniers parvinrent entre autres à atténuer la saveur brûlante de cette plante, qui est due à une substance amère, la capsicine, se trouvant dans les bourrelets internes porteurs de graines, dans la cavité du fruit.

Au siècle dernier, les frères Pálffy, planteurs de paprika dans la région de Szeged, eurent l'idée d'enlever les bourrelets du fruit, ôtant au condiment une grande partie de son piquant. C'est ainsi que fut créé le *édesnemes paprika*, le piment doux de Szeged qui devint célèbre dans le monde entier avec le temps. Un autre producteur de paprika améliora la plante jusqu'à ce que les fruits ne soient absolument plus piquants – et c'est ainsi que fut créé le *csemege paprika*, ou paprika délicat, riche en colorants, mais tout à fait doux.

Fabrication du paprika

Pour fabriquer du paprika, les fruits rouges secs sont lavés et séchés au four dans des installations modernes. Dans la région de Szeged et de Kalocsa, le paprika est moulu par des cylindres en pierre et en acier, puis traité. Grâce à leur expérience, les exploitants de paprika déterminent la proportion de graines qui doit être broyée avec les fruits. Suite à la haute température obtenue pendant le broyage, il sort des graines une huile qui détermine le piquant et dissout le colorant contenu dans les fruits. La température de broyage doit elle aussi être exactement déterminée par les spécialistes, car l'arôme du condiment est seulement complété par la légère caramélisation de la teneur en sucre naturelle du paprika.

Quand le paprika est moulu, c'est-à-dire juste après la mise au point du condiment, le mélange est soumis à un contrôle strict, puis classifié. Après les examens de laboratoire, c'est finalement le palais des goûters de paprika qui décide si le mélange de condiments satisfait à toutes les exigences et si les sacs peuvent être estampillés. De nos jours, le paprika est un condiment connu et répandu dans le monde entier. De nombreux cuisiniers amateurs

Le paprika vient sans doute d'Amérique, car il fit son apparition en Espagne après les voyages de Christophe Colomb.

Après la récolte, les fruits sont séchés, lavés, puis desséchés.

Le paprika est ensuite moulu par des cylindres de pierre et d'acier.

Une certaine quantité de graines, qui déterminent couleur et âcreté de la poudre, est moulue avec le paprika.

font l'expérience du «petit miracle culinaire»: on verse des oignons finement coupés dans de l'huile chaude ou dans du saindoux, on saupoudre les oignons dorés avec du paprika doux, on remue délicatement (afin que rien ne brûle) et une composition entièrement nouvelle de senteur, d'arôme et de saveur naît à l'instant même. En Hongrie, la préparation de nombreux plats raffinés commence par cette opération culinaire.

Du reste, les Hongrois emploient le mot paprika uniquement pour le paprika-condiment. On le distingue nettement du paprika-légume dont les fruits sont d'un jaune verdâtre et rougissent en mûrissant. Ce paprika-là est appelé «paprika-tomate».

Paprikás csirke
Poulet au paprika

1 poulet à rôtir (env. 800 g) avec les abats
sel
150 g de lard fumé
1 oignon
1 cuil. à café de poudre de paprika (doux)
bouillon de poule
foie de volaille
1 pot de crème aigre

Laver le poulet et le sécher, saler et couper en gros morceaux. Couper le lard en dés et le faire revenir. Peler les oignons, les hacher finement, les faire revenir dans la poêle. Enlever un instant la poêle du feu et saupoudrer le mélange avec la poudre de paprika.
Mettre les morceaux de poulet dans la poêle, les faire dorer, puis les mouiller avec un peu de bouillon. Couvrir, mijoter à petit feu pendant 60 minutes environ, retourner la viande de temps en temps.
Peu avant la fin de la cuisson, couper le foie de volaille en petits morceaux et le cuire à l'étuvée avec le reste. Verser ensuite la crème aigre, amener un instant à ébullition et servir le poulet au paprika.

Lescó
Poivrons-tomates

1 oignon
2 cuil. à soupe de saindoux
5 petits poivrons
3 tomates
1 cuil. à soupe de poudre de paprika (doux)
sucre
sel

Peler l'oignon et le couper en rondelles. Faire fondre le saindoux dans une casserole et faire revenir l'oignon. Laver les poivrons, les épépiner, couper en anneaux, ajouter à l'oignon et cuire à l'étuvée pendant 15 minutes environ. Peler les tomates, les épépiner et les couper en dés, incorporer au mélange oignon-paprika avec la poudre de paprika, un peu de sucre et de sel; faire cuire à point pendant 20 minutes.

En tant que condiment, le paprika est moulu et mis dans des boîtes en fer-blanc (en haut); en tant que fruit, il est conservé dans des bocaux (en bas).

En bas: le paprika hongrois délicat, très doux et finement moulu est exporté dans le monde entier. Auparavant, il est soumis à de sévères contrôles de qualité. Après les expériences de laboratoire, c'est finalement le palais du goûteur de piment qui décide si le mélange satisfait à toutes les exigences et peut recevoir son label de qualité.

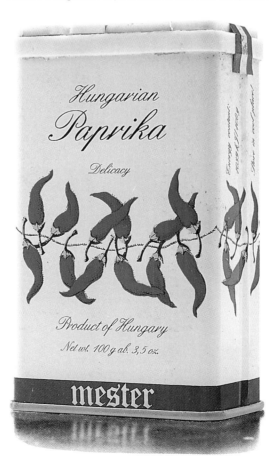

Paprika hongrois

Il existe cinq sortes de paprika; une règle approximative dit que plus il est rouge plus il est doux.

Paprika délicat
Rouge foncé, moulu mi-fin, très doux

Paprika doux
Rouge foncé, moulu mi-fin, légèrement brûlant

Paprika mi-doux
Rouge, de couleur mate, forte odeur d'épice, moyennement brûlant; ne jamais faire revenir dans de la graisse

Paprika rose
Brûlant et très épicé, moulu mi-fin
variété douce: rouge clair brillant, moulu mi-fin, moins fort, mais goût épicé
variété brûlante: jaune – rouge clair, moulu mi-fin et extrêmement brûlant

Töltött papriká
Poivrons farcis

8 poivrons verts moyens
100 g de saindoux
1 oignon
500 g de hachis de porc
jus d'une gousse d'ail
sel, poivre noir
100 g de riz cuit
1 œuf
4–5 tomates
farine

Enlever la queue des poivrons, découper un couvercle et enlever toutes les graines des poivrons. Laver et sécher. Faire fondre la moitié du saindoux. Peler les oignons, les hacher finement et les faire revenir dans la graisse. Ajouter la viande hachée et la faire revenir un instant. Assaisonner avec l'ail, le sel et le poivre.
Ajouter le riz à la viande, puis l'œuf et travailler le tout pour obtenir une masse lisse avec laquelle on farcira les poivrons.
Faire cuire et passer les tomates à travers une passoire, saler, poivrer. Faire un roux avec le reste de saindoux et la farine, mélanger à la purée de tomates, assaisonner.
Mettre les poivrons farcis dans un plat à feu beurré, napper avec la sauce tomate et poser les couvercles sur les poivrons. Faire cuire au four (200 °C) pendant 20 minutes environ.

Crêpes fines

Palacsinta

Si l'on réunit un cuisinier français, un cuisinier autrichien, un cuisinier de Bohême et un cuisinier hongrois tout en les laissant discuter de l'origine de la crêpe, chacun disposera de suffisamment d'arguments pour affirmer que cette fine et délicate galette vient de son pays : le Français défendra ses *crêpes*, l'Autrichien son *palatschinken*, le Tchèque son *palatcinky* et le Hongrois son *palacsinta*. Et pourtant, aucun d'eux n'aurait raison, car l'origine de ce mets remonte à une préparation romaine du nom de *placenta* : c'est en effet ainsi que les Romains appelaient les gâteaux ronds qu'ils mangeaient à la place de pain. Cette préparation s'est répandue dans toute l'Europe grâce aux légionnaires romains. C'est à Károly Gundel, gastronome et cuisinier, que l'on doit la réputation du *palacsinta* hongrois. Il inventa en effet – quoique sous l'influence française – la crêpe Gundel fourrée aux noix.

Palacsinta Gundel módra

Crêpe Gundel
(Ill. page de droite, en haut)

Pâte

3 œufs
250 g de farine
200 g de lait
1 cuil. à café de sucre
1 pincée de sel
beurre
$1/4$ l de soda

Mélanger les œufs, la farine, le sucre et le sel de façon à obtenir une pâte lisse, la laisser reposer pendant 2 heures. Faire chauffer une grande poêle et y mettre un peu de beurre. Pendant qu'il fond, mélanger le soda avec la pâte.
Verser une louche de pâte dans la poêle et agiter cette dernière afin que la pâte s'étale bien sur toute la surface. Quand elle se met à faire des bulles, retourner et faire cuire l'autre côté. Sortir, tenir au chaud et répéter l'opération jusqu'à épuisement de la pâte.

Crème aux noix

1 pot de crème
200 g de noix moulues
50 g de raisins secs
120 g de sucre
2 cuil. à soupe de rhum
1 zeste d'orange non traitée

Amener la crème à ébullition un instant, y ajouter les ingrédients. Faire réchauffer pendant une minute environ. Verser une cuillère à soupe de crème sur chaque crêpe et l'enrouler sur elle-même.

Sauce au chocolat et au rhum

1 plaque de chocolat à cuire
200 ml de lait
3 jaunes d'œuf
2 cuil. à soupe de cacao en poudre
1 cuil. à soupe de beurre fondu
2 cuil. à soupe de rhum blanc

Faire fondre le chocolat dans le lait chaud. Enlever la casserole du feu, y verser les jaunes d'œuf, puis le cacao, le beurre, le sucre et ajouter éventuellement un peu de lait. Verser la sauce sur les crêpes.

Töltött körte
Poires surprise
(Ill. ci-dessous)

2 cuil. à soupe de jus de citron
120 g de sucre
4 poires fermes
50 g de noix moulues
1 cuil. à soupe de crème aigre
1 paquet de sucre vanillé

Verser 1 cuiller à soupe de jus de citron et le sucre dans 1/2 litre d'eau et porter à ébullition. Eplucher les poires, ôter le trognon et couper les fruits en deux. Plonger les moitiés de poire dans le sirop et faire cuire jusqu'à ce qu'elles soient presque à point ; elles doivent rester bien fermes. Mélanger le reste de jus de citron avec les noix, la crème aigre et le sucre vanillé. Former de petites boules avec cette masse. Sortir les moitiés de poire du sirop et remplir les cavités avec les boules aux noix. On peut napper les moitiés de poires à sa guise (sauce au chocolat par ex.) et les servir sur un lit de chantilly.

A l'arrière-plan : un café de Budapest vers 1900

Le pittoresque village de Tokaj est situé au cœur de la région vinicole du même nom et a donné son nom au célèbre vin.

Le secret du vin de liqueur

Tokay

On cultive la vigne dans toute la Hongrie, mais une seule sorte est célèbre dans le monde entier : le tokay. Le pittoresque village de Tokaj, situé au pied de la montagne du même nom, a donné son nom au célèbre vin. Cependant, le tokay mûrit non seulement sur les versants de cette montagne et dans les environs immédiats du village de Tokaj, mais aussi dans une région qui comprend 28 communes, dans la zone frontalière du nord-est de la Hongrie, et porte le nom de Tokaj-Hegyalja.

Le célèbre *tokaji aszú*, vin de liqueur de Tokay, est une spécialité hongroise qui remonte au 17e siècle. A l'époque, une propriétaire terrienne fit repousser la date des vendanges, ce qui entraîna la pourriture noble des grappes de raisin : elles se mirent à sécher et à se flétrir, leur teneur en sucre augmenta et leur teneur en acide diminua.

Le vin pressuré à partir de ces grains se fraya même un chemin jusqu'en France, sur la table du roi Louis XIV, et rivalisa si bien avec les vins français que le Roi soleil lui attribua le titre honorifique de « roi des vins – vin des rois ».

Cette haute recommandation rendit le tokay populaire dans d'autres cours princières européennes : Catherine la Grande de Russie, par exemple, avait son acheteur attitré dans la région vinicole de Tokaj et payait le vin destiné à la cour du tsar avec des fourrures de Sibérie. L'impératrice Marie-Thérèse d'Autriche appréciait également ce vin et elle fit un jour envoyer du tokay au pape Benoît XIX (1740–58). Le pape remercia l'impératrice, qui était aussi reine de Hongrie, pour son présent et lui envoya ces lignes judicieuses : « Benedicta sit terra quae te germinavit, Benedicta mulier qui te misit, Benedictus ego, qui te bibo ! » – « Bénie soit la terre qui t'a produit, bénie soit la femme qui t'a envoyé, béni soit Benoît qui te boit ! »

Le cépage le plus répandu dans la région vinicole de Tokaj-Hegyalja est le furmint ; le *hárslevelü* (celui qui a des feuilles de tilleul) est également apprécié, et l'on cultive également le muscat jaune. Ces trois cépages sont employés pour fabriquer du tokay.

Pour le vin de liqueur, les vendanges commencent traditionnellement le jour de la Saint-Simon, c'est-à-dire le 28 octobre. Elles durent pendant tout le mois de novembre et se poursuivent quelquefois jusqu'en décembre. Les grains de raisin extrêmement mûrs sont soigneusement triés et recueillis dans de petits tonneaux. Une petite partie du jus de ces grains se dépose au fond des récipients. Ce moût pressuré automatiquement par le poids des

Page de gauche : Un assortiment du célèbre vin de liqueur hongrois, *tokaji aszú*, en partie « d'âge biblique ». Le secret du vin tient à la pourriture noble des grappes employées.

Un vieux tonneau dans lequel est stocké le tokay ; à côté, un *puttony,* une hotte contenant environ 30 litres et dans laquelle on recueille les grappes de raisin.

Les murs de la cave sont recouverts de moisissures nobles de couleur noire qui contribuent grandement au développement de l'arôme du vin.

Grâce au microclimat spécial qui règne dans la cave, le vin de liqueur de tokay a une saveur particulière rappelant le pain frais.

Le *tokay aszú* est fabriqué avec les cépages muscat jaune, hárslevelü et furmint.

grappes en est l'essence, qui existe seulement en petites quantités. Elle a une haute teneur en sucre, du bouquet et un arôme particulier, est très aromatique – c'est donc une spécialité rare et coûteuse.

Les grains extrêmement mûrs éclatent et se transforment en bouillie ; le reste du moût est normalement pressuré.

Pour l'aszú, on ajoute une plus ou moins grande quantité de bouillie au moût. Les *puttonyos,* c'est-à-dire les hottes dans lesquelles on recueille les grappes et qui ont une contenance de 30 litres, servent de mesure. Selon le nombre de puttonyos que l'on ajoute à un tonneau de vin doux (136 litres), on parle de tokay avec trois, quatre ou même cinq *puttonyos,* ce qui est généralement mentionné sur l'étiquette au moyen d'étoiles.

Dans la région de Tokaj-Hegyalja, toutes les communes ont des caves creusées sous les vignobles. Dans la cave, un revêtement mural presque noir fait de moisissures crée un microclimat particulier qui joue un rôle essentiel dans le développement du tokay. L'air imbibé de moisissure absorbe la vapeur acide du vin et crée ainsi les conditions nécessaires au plein épanouissement de l'arôme.

Le processus de mûrissement est extrêmement lent parce que la haute teneur en sucre de la bouillie ralentit la fermentation. Il faut six à huit ans à un tokay pour parvenir à une maturité complète.

Barack pálinka

L'eau-de-vie hongroise la plus connue est certainement l'eau-de-vie d'abricot *barack pálinka.* Pour la fabriquer, on emploie deux sortes d'abricots : le *kajszi,* l'abricot ordinaire, et le *rakovszky,* un fruit rond et juteux à la saveur extrêmement riche. Pendant la distillation, on ajoute des noyaux d'abricots moulus destinés à intensifier la saveur. La *barack pálinka* doit reposer dans des fûts en chêne pendant au moins un an.

Joachim Römer

L'Autriche

Celui qui pense que l'on parle allemand en Autriche doit se détromper au moins dans le domaine culinaire, car les fruits et les légumes ont des dénominations spéciales. Celui qui commande simplement un café dans un café viennois montre à coup sûr qu'il est étranger, car les Viennois ont d'innombrables sortes de café, telles que le « brun » ou le « mélange ». Ces caractéristiques linguistiques sont dues à la longue tradition culinaire de ce pays alpin qui fut jadis un empire : autrefois, l'Autriche était en effet composée de toute la Hongrie, de la Bohême (l'actuelle République tchèque) ainsi que de parties de l'Italie du Nord (Tyrol du Sud et Trieste, alors port de guerre autrichien) et de l'Istrie, partie de l'actuelle Croatie. La lutte contre les Turcs, qui ne prirent jamais la capitale de Vienne grâce au Prince Eugène, le « noble chevalier », est vieille de plusieurs siècles, mais ces derniers sont toujours présents dans la prédilection des Autrichiens pour leurs spécialités de café. Le monde entier était rassemblé à la cour autrichienne. Suédois et Prussiens, Anglais et Russes, Français et Grecs y banquetaient. Et, comme l'empereur d'Autriche fut également roi d'Espagne pendant des siècles, on retrouve aujourd'hui la puissante influence de la presqu'île ibérique dans la cuisine autrichienne. Après la dernière victoire sur les Turcs en l'an 1697, la vie baroque se développa en Autriche dans toute sa splendeur. L'aspect impérial de Vienne, ancienne capitale de l'empire, proclame aussi la gloire des temps passés ; aujourd'hui, elle est bien un peu trop grande pour les besoins d'une petite république alpine, mais, avec ses palais et les somptueux bâtiments qui bordent les boulevards périphériques, c'est là un cadre approprié à un art culinaire qui a, après comme avant, des dimensions impériales et royales : à table, un gourmet autrichien ne connaît pas de frontières. Il fait librement des emprunts aux cuisines ethniques de l'ancienne monarchie du Danube et les enrichit encore avec les préparations substantielles de la campagne ou de la montagne. En Autriche, cuisiner, manger et savourer est une tradition, un rôle essentiel dans la qualité de la vie.

Monsieur Hawelka, propriétaire du café du même nom à Vienne, derrière son comptoir. Le café Hawelka fait partie des cafés littéraires légendaires où se rencontraient les intellectuels.

Mythe et légende

Le café viennois

Celui qui commande un simple café dans un café viennois montre par là qu'il est un «fanfaron»: C'est en effet ainsi que les Autrichiens appellent leurs voisins Allemands, avec lesquels ils entretiennent des relations contradictoires. Ils honorent certes la puissance économique de leur grand voisin, mais craignent par ailleurs un nouveau rattachement, économique cette fois. Et les Autrichiens sont convaincus que, de toute façon, les Allemands ne comprennent rien à la tradition autrichienne du café.

De nombreuses légendes et historiettes se rattachent au café viennois. Du temps de l'empereur François-Joseph et dans les années 20 de la première république autrichienne, le café était le rendez-vous des intellectuels, des artistes et des écrivains. Ces derniers se rassemblaient autour de petites tables rondes en marbre, moins pour le plaisir de boire du café qu'à cause de la crise du logement: les artistes et écrivains viennois vivaient généralement dans des conditions misérables comme sous-locataires ou disposaient tout juste d'une chambrette. Le séjour au café était donc tout indiqué – d'une part, parce qu'on y était au chaud et au sec et, d'autre part, à cause des «gens» qu'on y rencontrait et de la convivialité entre personnes unies par les mêmes sentiments et les mêmes idées. Au café, on pouvait se faire adresser son courrier, rédiger des essais littéraires, échanger les derniers potins ou tout simplement donner libre cours à ses pensées. On dit même que certains professeurs demandaient à leurs candidats de venir passer leur doctorat au café.

Maintenant, le café viennois est davantage un mythe, une légende, qu'une réalité. Il existe toujours presque 500 cafés, mais plutôt pour des raisons touristiques. L'écrivain classique de café n'existe plus, d'autant plus que nombre d'entre eux ont été persécutés, chassés et assassinés pendant la dictature hitlérienne. Entre les deux guerres mondiales, 200 000 juifs vivaient à Vienne, ils occupaient par exemple 123 des 174 postes de rédacteurs dans les divers quotidiens. A la fin de la guerre, la communauté juive ne comportait plus que quelque 5 000 membres.

Quelques-uns revinrent après la guerre, mais le café en tant qu'institution se mit à péricliter. Les précieux mètres carrés occupés par les cafés du centre-ville durent céder la place à divers locaux, par exemple à des magasins de mode et à des restaurants de restauration rapide. En outre, c'est à cette époque que l'espresso, puissant «ennemi» du café à l'autrichienne, fit son apparition.

Dans l'intérêt du tourisme, la ville de Vienne a re-

donné de l'éclat à quelques adresses traditionnelles comme le «Landtmann», le «Sperl» ou le «Schwarzenberg» dans les années 80. Ces établissements ont les caractéristiques typiques du café viennois, à savoir la table à journaux et la loge dans l'embrasement de la fenêtre, le tambour à l'entrée, sur le côté, la caisse, les miroirs, la table de billard et les nombreuses spécialités de café – mais ce sont désormais des entreprises économiques dirigées par des professionnels qui veillent à ce que les places assises disponibles rapportent des bénéfices appropriés: maintenant, les clients qui se cramponnent à un verre d'eau à la manière des écrivains d'autrefois récoltent les regards réprobateurs du personnel.

A côté de ces cafés aux noms prestigieux, il existe pourtant encore quelques cafés à l'ancienne – guère connus des touristes – qui ont survécu aux temps nouveaux. On n'y fait plus de la littérature mondiale, mais, par contre, la jeunesse viennoise les a découverts comme lieux de rendez-vous. Dans cette ambiance un peu surannée et nullement élégante, le visiteur qui entre par hasard peut se faire une idée de ce qu'étaient les cafés viennois, autrefois.

Tous les cafés de Vienne, les cafés rénovés comme les cafés nostalgiques, proposent diverses sortes de cafés. Du point de vue culinaire, les cafés viennois sont des restaurants à part entière. On y consomme non seulement du café et des gâteaux appropriés, mais aussi des plats chauds allant de la fricassée de veau au goulache du cocher, qui était servi avec une saucisse, un œuf sur le plat et un concombre au vinaigre coupé en forme d'éventail pour apaiser la faim du cocher de fiacre.

Spécialités de café
(Illustration à gauche)

1 **Einspänner**
   Café noir sucré (moka), servi dans un verre avec de la crème fouettée saupoudrée de poudre de cacao
2 **Fiaker**
   Moka sucré, servi dans un verre
3 **Kapuziner**
   Café avec beaucoup de lait
4 **Grosser Brauner**
   Grande tasse de café avec un peu de lait
5 **Kleiner Schwarzer**
   Moka sans lait
6 **Kleiner Goldener**
   Moka avec du lait
7 **Kleiner Brauner**
   Petite tasse de café avec un peu de lait
8 **Melange**
   Moitié café, moitié lait frais, avec un soupçon de lait mousseux

Rien n'est plus viennois qu'un «Melange». On pourrait qualifier ce café au lait mousseux de symbole de la culture du café viennois. Traditionnellement, le «Melange» est servi avec un verre d'eau, sur lequel une petite cuiller est posée en travers. L'eau rend le café plus digeste et est donc également servie avec les autres spécialités de café.

La découpe très spéciale

La viande de bœuf

En Autriche, on préfère le bœuf – contrairement à l'Allemagne, par exemple, où l'on préfère le porc. Le bœuf cuit existe dans le monde entier, mais c'est seulement en Autriche que sa préparation en culotte de bœuf, contre-filet ou autres spécialités est devenu du grand art. Et c'est seulement ici que l'on fait scrupuleusement la distinction entre rumsteck, collier, tendre de tranche et gîte. L'empereur François-Joseph aurait été un grand amateur de bœuf cuit, et ses sujets partageaient bien volontiers cette faiblesse culinaire. Avant-guerre, la carte du restaurant Meissl & Schaden, Neuer Markt, à Vienne, ne proposait pas moins de 24 plats de bœuf. Par la suite, l'envie de viande survécut à la légendaire brasserie Hietzinger Bräu, dans le centre-ville. Maintenant, on va se restaurer chez Plachutta, Wollzeile, dans le premier arrondissement, où l'on ne sert pratiquement que des plats à base de bœuf et où il faut réserver chaque soir, bien que l'établissement soit spacieux. On peut y déguster d'extraordinaires plats tels que la grillade aux oignons, la fricassée accompagnée de boulettes, le goulache du fiacre, le paleron de bœuf et, naturellement, la légendaire culotte de bœuf.

Ce plat est – sans exagérer le moins du monde – parvenu à la célébrité dans le monde entier. Sa préparation suppose une découpe spéciale, découpe qui n'est généralement pas pratiquée à l'extérieur de l'Autriche. C'est seulement ainsi que l'on obtient la tendre extrémité de la queue, la « pointe » ou « fleur », avec laquelle on peut préparer la culotte de bœuf réglementaire, parce c'est seulement avec ce morceau qu'elle sera extraordinairement tendre – le reste servira de viande à pot-au-feu. Quand les tranches de viandes de l'épaisseur d'un doigt, coupées transversalement par rapport à la fibre, arrivent sur la table avec quelques goutes de bouillon chaud, décorées de ciboulette finement hachée, le gourmet attend la garniture avec impatience. Sur les bonnes tables autrichiennes, ces dernières sont copieuses – mais comprennent en tout cas du raifort aux pommes et de la sauce à la ciboulette.

Schulterscherzel mit Wurzelgemüse
Paleron aux légumes
(Illustration ci-dessus)

500 g d'os à moelle
1 kg de paleron
carottes, céleri, poireau, persil bulbeux
sel
ciboulette finement hachée

Rafraîchir les os à moelle, les mettre à bouillir dans 1 1/2 l d'eau. Rafraîchir la viande et la plonger dans le bouillon chaud avec les légumes (non coupés en morceaux), saler, faire cuire à petit feu pendant 30 à 40 minutes. Sortir la viande et les légumes du bouillon. Couper la viande en tranches, les légumes en gros morceaux. Garnir avec la ciboulette hachée et servir avec le bouillon.

Wiener Tafelspitz
Culotte de bœuf à la viennoise
(Illustration ci-dessus)

500 g d'os à moelle
1 1/2 kg de culotte de bœuf
1 oignon pelé et coupé en rondelles
Carottes, céleri, poireau, persil bulbeux
grains de poivre noir, sel
ciboulette finement hachée

Rafraîchir les os à moelle, les mettre à bouillir dans une marmite remplie d'eau. Rafraîchir la viande et la plonger dans le bouillon chaud. Au bout d'une trentaine de minutes, faire revenir les oignons et les ajouter à la viande avec les légumes (non coupés en petits morceaux), quelques grains de poivre et un peu de sel. Laisser cuire le tout doucement pendant 2 heures environ.
Sortir la viande de la marmite, la découper en tranches épaisses, transversalement par rapport à la fibre, et arroser avec un peu de bouillon. Garnir avec de la ciboulette finement hachée.
Comme garniture, on peut servir des pommes de terre rissolées et un mélange de raifort râpé, de pommes râpées et de crème.

Comment on découpe la viande de bœuf en Autriche

Filet Beiried, rosbif 1
Faux-filet, contre-filet 2, 3, 14, 25
Rumsteck, aiguillette, tende de tranche, culotte 4, 5, 6, 7, 8, 9, 10, 11
Collier, basses côtes 12, 17, 18, 20, 21, 24
Côtes, entrecôtes 13, 15, 16
Poitrine 22
Tendron, petite poitrine 23
Bavette, flanchet, onglet 26

Escalope viennoise

L'escalope viennoise ne permet pas de soupçonner à combien d'événements historiques elle a déjà survécu. Elle est préparée avec du veau, mais certains spécialistes sérieux préfèrent l'escalope de porc – selon eux, elle est moins sèche et a plus de goût. Pourtant, elle ne peut pas être vendue comme « escalope viennoise » et c'est pourquoi on la trouve sur les cartes sous le nom d'« escalope à la viennoise ».

Mais restons-en à l'escalope originale : quand le lé-gendaire maréchal et comte Joseph Radetzky, l'un des plus populaires généraux autrichiens, fit la guerre à l'Italie au milieu du siècle dernier, il fit annoncer à Vienne – comme secret militaire – que les Milanais roulaient leurs escalopes dans la chapelure avant de les faire cuire. Les Viennois essayèrent immédiatement cette manière de préparer l'escalope – ignorant que les Italiens avaient emprunté la recette aux Espagnols qui, pour leur part, avaient pris la recette aux Arabes pendant l'occupation maure. Ces derniers avaient, quant à eux, rapporté ladite technique de Byzance (l'actuelle Istanbul). Ainsi, l'escalope viennoise est au fond une escalope byzantine et la fille de la *costoletta milanese,* que les touristes connaissent également sous le nom de *piccata.*

Toutes deux, la mère italienne et la fille autrichienne, sont chaque jour violentées par les cuisiniers du monde entier – que l'on serve la *piccata* avec des nouilles plates noyées dans de la sauce tomate ou que l'escalope viennoise soit cuite dans la friteuse.

Une authentique escalope viennoise est faite avec du veau de première qualité, que l'on découpe, très mince, dans la noix et que l'on fait cuire de main de maître, afin qu'elle soit juste assez sèche pour que l'on puisse s'asseoir dessus tranquillement, sans se tacher avec la graisse. Le véritable secret de ce plat est que la chapelure doit être extraordinairement légère et la viande extrêmement tendre.

Wiener Schnitzel
Escalope viennoise
(Illustration 1–6)

200 g de farine	
2 œufs battus	
200 g de chapelure	
4 escalopes de veau, dans la noix	
sel	
250 g de saindoux ou de l'huile	
1 citron non traité	
1 bouquet de persil	

Mettre la farine, les œufs et la chapelure dans trois assiettes différentes.

Taper doucement les escalopes – les illustrations 1 et 2 montrent la coupe spéciale, transversalement par rapport à la fibre, dans la noix –, entailler les bords avec la pointe du couteau (3), saler légèrement et passer successivement dans la farine (4), dans l'œuf battu (5, 6), puis dans la chapelure (7).

Faire fondre le saindoux dans une grande sauteuse et y laisser cuire les escalopes panées pendant 3–4 minutes (8) sur chaque face. Veiller à ce que les escalopes ne se touchent pas l'une l'autre et qu'elles ne collent ni au bord de la sauteuse – faire cuire séparément le cas échéant – ni au fond, remuer la sauteuse de temps en temps. Ne pas piquer la viande en la retournant.

Quand les escalopes sont dorées, les égoutter sur du papier, puis les servir sur un plat chaud, avec des rondelles de citron et des brins de persil (9). Servir avec une salade de pommes de terre. A Vienne, la garniture classique est constituée de pommes de terre sautées, d'une rondelle d'orange, d'airelles et de salade verte.

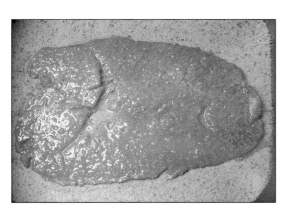

1

2

3

4

5

6

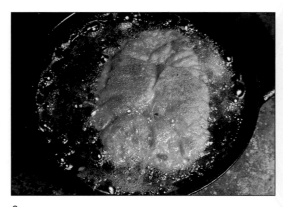

L'Autriche, paradis des chasseurs

Le gibier

Grâce à ses riches forêts, l'Autriche est un eldorado pour les chasseurs. La nature variée comprend aussi bien des prairies et des vallées que des paysages de moyenne et de haute altitude. Les Alpes occupent les deux tiers de la surface du pays, le Grossglockner étant, avec ses 3797 mètres, le sommet culminant. Dans les Alpes calcaires, on trouve généralement des forêts de hêtres et d'épicéas, dans les Alpes centrales des forêts de pins. Les chasseurs distinguent grand et petit gibier. Cerfs, daims, sangliers et bouquetins, mouflons, chamois, ours, lynx, loups et grands coqs de bruyère font partie du grand gibier. Toutes les autres sortes de gibier, dont les chevreuils, font partie du petit gibier. Le grand gibier est généra-

lement tué par balles, sauf les coqs de bruyère, lynx et loups que l'on peut aussi tirer à la chevrotine. Le petit gibier est tiré avec des grains de plomb, sauf les chevreuils, qui doivent être tués par balles. En Autriche, le droit de chasse fait partie des droits réels. Le propriétaire a le droit de chasser s'il a un terrain d'une seule pièce d'au moins 116 hectares et s'il possède un permis de chasse délivré moyennant une taxe nationale, à la suite d'un examen de chasse. La condition préalable de toute chasse est la protection du gibier. Celle ci comprend toutes les mesures que le chasseur doit prendre pour protéger le gibier. En font partie la distribution de nourriture en temps de pénurie, de même que la surveillance des braconniers, la lutte contre les prédateurs et les épizooties qui frappent le gibier. L'Autriche est très appréciée par les chasseurs de chamois, de cerfs, de coqs de bruyère et de petit gibier. Il existe des offres de chasse, privées et publiques, au cours desquelles les chasseurs professionnels du pays guident les chasseurs de passage.

Cerfs. Les bois de cerf sont des trophées de chasse très appréciés. La chair est savoureuse et pauvre en graisse.

1 **lièvre commun :** rare en Europe. Chair rouge foncé au goût typique de gibier.

2 **mouflon :** la chair du jeune mouflon est un mets de choix.

3 **chevreuil :** petit cervidé. En cuisine, c'est le gibier le plus apprécié et le plus courant.

4 **sanglier :** chair tendre et pauvre en graisse, sous une épaisse couenne de lard.

5 **faisan :** originaire d'Asie. Chair claire et ferme ; préparé de préférence en entier.

6 **oie grise :** ancêtre de l'oie domestique.

7 **perdrix :** rare. Peut être chassée avec modération, mais seulement là où le nombre d'oiseaux est stable.

8 **tourterelle à collier :** la plus grande espèce de pigeon, facilement reconnaissable à son collier.

9 **bécasse :** mets de choix rare – on ne la trouve pratiquement qu'auprès des chasseurs.

10 **canard colvert :** beaucoup plus maigre que ses parents domestiques.

1 2 3 4

Saisons de chasse en Autriche pour les principales sortes de gibier

Bécasse	1er septembre au 15 avril	**Lièvre**	1er octobre au 31 décem-
Canard	1er septembre au 31 dé-	**commun**	bre
domestique	cembre	**Mouflon**	1er juin au 15 janvier
Cerf	1er juin au 31 décembre	**Oie grise**	1er août au 31 janvier
Chamois	1er juillet au 31 décembre	**Perdrix**	en grande partie protégée
Chevreuil	16 août au 15 octobre		en Autriche ; seulement de
	(chevreuil mâle : 16 mai au		courtes périodes de chas-
	15 octobre)		se échelonnées
Daim	1er septembre au 15 janvier	**Sanglier**	Toute l'année, sauf la laie
Faisan	1er octobre au 31 décem-	**Sika**	1er août au 15 janvier
	bre	**Tourterelle**	16 juillet au 15 avril
		à collier	

5

6

7

8

9

10

Plats de gibier

De la forêt à la table –
la bonne manière de préparer le gibier

Les bêtes noires et fauves, c'est-à-dire les cerfs et les chevreuils, doivent être vidées dès qu'elles ont été tuées. On les laisse faisander pendant un certain temps afin qu'elles deviennent tendres et prennent le goût approprié. Les meilleurs morceaux à cuire sont le dos (cimier) et les cuissots. La chair des jeunes animaux ne doit pas mariner afin de ne pas faire de tort à leur goût délicat. La chair des animaux plus âgés, par contre, est plus tendre quand elle a trempé dans la marinade.

La chair du gibier contient peu de graisse et d'eau, mais beaucoup de protides. C'est pourquoi il faut lui apporter du gras en la lardant avant la préparation. On pique du lard gras dans la viande à l'aide d'une lardoire.

Les lièvres et les lapins sauvages sont souvent livrés dans leur peau et ne sont pas toujours vidés.

On peut les suspendre pendant quelques jours dans la chambre froide avant de les dépouiller et de les vider. On conserve le sang avec quelques gouttes de vinaigre pour l'employer par la suite, dans un civet de lièvre par exemple. Après le dépouillage, la chair du lièvre est foncée, alors que la chair du lapin sauvage est plutôt blanche. Le dos et les cuisses passent pour les meilleurs morceaux ; la tête et le cou, les pattes de devant, les côtes et le cœur peuvent être utilisés en ragoût.

Le gibier à plume doit être débarrassé de ses plumes aussitôt que possible après avoir été tué. Le gibier à plume plumé et vidé peut être suspendu dans la chambre froide pendant huit à dix jours. Autrefois, on laissait faisander le gibier pendant plusieurs semaines en plein air ; cela ne se fait plus pour des raisons d'hygiène. Maintenant, on n'entrelarde plus la poitrine, même pour les pièces de grande taille comme le faisan. On se contente généralement d'entourer la poitrine de l'animal d'une mince couche de lard gras, d'une barde.

Fasan im Speckhemd
Faisan au lard
(Illustration)

Du temps des Grecs et des Romains, le faisan était déjà tenu pour un morceau de choix dans toutes les parties du monde alors connu. En Autriche, il est avant tout chassé dans les marais de la marche, à proximité de la frontière hongroise.

2 jeunes faisans vidés
sel, poivre noir
300 g de lard gras ou maigre
50 g de beurre
100 g de raisin noir

Rafraîchir l'intérieur et l'extérieur des faisans, puis saler et poivrer intérieur et extérieur. Couper le lard en tranches minces, barder les faisans. Maintenir avec du fil de cuisine et lier les cuisses. Préchauffer le four (250 °C). Faire revenir un instant les faisans dans le beurre, les mettre au four et les laisser cuire pendant 60 minutes environ. Arroser plusieurs fois au cours de la cuisson. Dégraisser le jus de cuisson et y ajouter les raisins. Arranger les faisans sur un plat et servir avec du chou rouge et des croquettes de pommes de terre.

Faisan au lard

Wildschwein nach Lainzer Art
Sanglier à la mode de Lainz

Lainz est un arrondissement de Vienne

1,5 kg de carré de marcassin
150 g de lard gras, émincé
sel
farine
500 g de filet de cerf
$^1/_2$ l de fond de gibier
200 g de julienne de légumes (carottes, céleri, poireau, persil bulbeux)
grains de poivre
feuille de laurier
2 branches de thym, lavé
50 g d'airelles
$^1/_8$ l de vin rouge
$^1/_8$ l de crème acidulée
jus de citron
150 g de ris de veau
150 g de foie gras
150 g de champignons émincés

Détacher le filet du carré de marcassin, le nettoyer et le découper en 8 tranches. Taper légèrement la viande, barder et saler, saupoudrer un côté de farine et saisir un instant. Préparer les filets de cerf de la même manière. Concasser les os du carré. Mettre la graisse de côté et déglacer le jus de cuisson avec un peu de fond. Faire revenir les os, les restes de viande et de lard avec les légumes dans la graisse mise de côté. Saupoudrer de farine et laisser mijoter un instant avec le jus de cuisson, le reste de fond, les épices, le thym, les airelles et le vin rouge, puis passer. Délayer la sauce avec de la crème acidulée et un peu de jus de citron. Mettre les escalopes de marcassin et de cerf dans la sauce et laisser cuire à feu doux. Pendant ce temps, faire revenir un instant le riz de veau et le couper en dés, assaisonner le foie gras, le faire revenir et le couper en dés. Emincer les champignons et les faire étuver dans un peu de beurre. Lier le tout avec la sauce.
Arranger les escalopes de marcassin, les napper avec le ragoût et poser les escalopes de cerf sur le dessus. Verser un peu de sauce dessus.

Montafoner Hirschrücken
Selle de cerf à la mode de Montafon

Montafon (de mont et de davo, « derrière », est le nom de la vallée de l'Ill, dans le Vorarlberg).

1 selle de cerf
sel, poivre noir
100 g de lard gras, émincé
baies de genièvre
100 g de beurre
200g de girolles
1 bouquet de persil

Frotter la selle de cerf avec du sel et du poivre et l'entre-larder régulièrement. La poser dans une cocotte appropriée et y ajouter une poignée de baies de genièvre. Faire fondre le beurre et en verser la moitié sur la viande. Laisser cuire à feu doux, arroser de temps à autre avec le reste de beurre fondu. Quand la viande est dorée sur le dessous, la retourner et la laisser cuire jusqu'à ce qu'elle soit tendre.
Couper les girolles, laver et hacher finement le persil. Les faire étuver dans un peu de beurre jusqu'à ce que les champignons soient tendres ; assaisonner à volonté.
Découper la selle de cerf et la servir avec les girolles que l'on garnira avec des frisettes et des airelles.

Hirschkoteletts mit Steinpilzen
Côtelettes de cerf aux cèpes

4 côtelettes de cerf
huile
sel, poivre noir
100 g de beurre
baies de genièvre
100 ml de madère
100 ml de fond de gibier
100 g de cèpes
jus de citron

Mettre les côtelettes de cerf dans une marinade composée d'huile, de sel et de poivre et les laisser mariner pendant quelques heures. Faire fondre les deux tiers du beurre et y saisir les côtelettes des deux côtés. Ecraser quelques baies de genièvre, les mettre dans le jus de viande et mouiller avec le madère. Verser le fond de gibier et laisser réduire un peu le liquide, assaisonner, passer et affiner avec un peu de beurre.
Préparer les cèpes, saler, poivrer, verser dessus quelques gouttes de citron, et faire étuver dans le reste de beurre. Arranger les côtelettes de cerf sur un plat, verser les cèpes dessus.
On peut garnir avec des châtaignes, du chou rouge et des poires pochées.

Gamsschlegel in Weinsauce
Cuissot de chamois à la sauce au vin

1 cuissot de chamois
200 g de lard gras, émincé
50 g de beurre
30 g de farine

Marinade
$^1/_2$ l de vin rouge
300 g de julienne de carottes, céleri, persil bulbeux
1 oignon pelé et coupé en rondelles
1 feuille de laurier
quelques grains de poivre
1 branche de sauge

Pour la marinade, mettre les ingrédients dans une marmite avec 1/2 l d'eau, porter à ébullition et laisser refroidir. Préparer une julienne de légumes et en mettre la moitié dans une faïence.
Rafraîchir le cuissot de chamois, l'éponger et le déposer sur les légumes dans la faïence, verser le reste de légumes dessus, puis la marinade. Couvrir et laisser reposer pendant trois jours dans un endroit frais.
Sortir la viande de la faïence, l'éponger, l'entrelarder et la saisir de tous côtés. Mouiller avec la marinade, ajouter un peu de julienne de légumes et laisser mijoter le cuissot jusqu'à ce qu'il soit tendre. Passer la sauce, la lier avec de la farine et, une fois qu'elle est bien chaude, en napper la viande arrangée sur un plat. Servir avec des boulettes de pain blanc, des girolles et des airelles.

Gefüllte Hasenfilets in Madeira-Sauce
Filets de lièvre à la sauce madère

4 filets de lièvre
sel, poivre noir
100 g de champignons
50 g d'échalotes
1 gousse d'ail
persil haché
1 zeste de citron non traité
300 ml de sauce demi-glace
(sauce de viande réduite avec fond de veau)
80 g de lard gras, coupé en lamelles
100 g de beurre
farine
100 ml de madère
1 cuil. à soupe de purée de tomate

Rafraîchir les filets, les éponger et les inciser dans le sens de la longueur afin d'obtenir des escalopes. Taper et saler les escalopes de lièvre.
Emincer les champignons, peler et hacher les oignons, hacher également l'ail. Mélanger les échalotes, les champignons, l'ail, le persil et le zeste de citron et faire revenir un instant avec un peu d'huile dans une sauteuse. Saler, poivrer et lier avec une cuiller à soupe de sauce demi-glace. Etaler cette masse sur les filets, rouler les filets sur eux-mêmes et les barder. Fariner les filets enroulés, les faire rissoler dans un peu d'huile, puis dans du beurre. Les sortir de la poêle et les tenir au chaud. Déglacer le jus de cuisson avec du madère, ajouter le reste de sauce demi-glace et un peu de purée de tomate, affiner avec le reste de beurre. Arranger les filets sur un plat et napper avec la sauce. Servir avec des boulettes de pain ou du riz.

Sur la voie du prestige mondial

Le vin

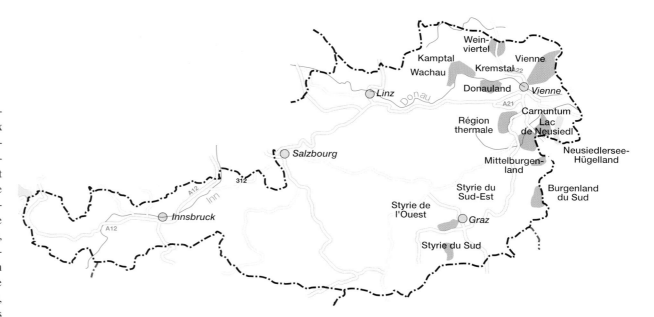

Le scandale de l'antigel de 1985 a en un effet salutaire : des brasseurs d'affaires peu scrupuleux avaient rajouté du glycol dans le vin, ce qui, apparemment, causa un énorme préjudice à la réputation du jus de la treille autrichien. Le choc fut grand. Une nouvelle loi vinicole – passée la même année – fit tout rentrer dans l'ordre et les vignerons se rappelèrent de nouveau les principes d'une viticulture organique-biologique. Entre-temps, une culture appréciable de vins de qualité, également fort appréciée à l'étranger a vu le jour en Autriche. Les vins autrichiens sont en passe d'être reconnus dans le monde. Les meilleurs Veltliner, Riesling et Zweigelt valent maintenant leurs concurrents allemands et italiens. Au total, 33 cépages sont autorisés pour la fabrication de *qualitätswein* et de *prädikatswein*. Parmi les vins blancs, c'est le Grüner Veltliner qui domine avec 36,7 % de la surface cultivable – un vin blanc parfumé, frais et vif, qui peut fort bien se mesurer aux meilleurs vins quand il a été préparé avec soin. Il a une saveur épicée et souple (qui, selon les connaisseurs, ressemble à la saveur du rosbif). Le Riesling – qui occupe 2,6 % de la surface – est sans doute le plus fin de tous les vins blancs autrichiens, tout en fruit, rose, pêche et abricot, un vin élégant avec une légère verdeur. Par ailleurs, on peut citer parmi les vins essentiels le Müller-Thurgau, le Welschriesling, le Weissburgunder, le Chardonnay, le Neuburger, le Muskat-Ottonel et d'autres cépages blancs, qui représentent chacun moins de 1 % de la surface. Parmi les vins rouges dominent le Zweigelt qui fournit des vins fruités et secs ; le Blaufränkisch dont les vins peuvent également atteindre un format international ; et le Blauer Portugieser qui donne un vin léger et doux et doit être bu frais. Les vins blancs autrichiens font aujourd'hui partie des meilleurs du monde, et certains vins rouges des derniers millésimes peuvent même concourir au niveau international. Ceci est aussi une conséquence réjouissante de la loi vinicole autrichienne qui prévoit des règlements toujours plus stricts selon la qualité du vin, règlements destinés à protéger les consommateurs contre les manipulations malhonnêtes. On distingue le vin de table, le vin de pays, le *qualitätswein* (min. 15 % KMW = Klosterneuberg Mostwaage), le *kabinettswein* (min. 17 %) et le *prädikatswein* (millésimé ; 85 % proviennent de raisins de la même année) qui comprend *spätlese* (min. 19 %), *auslese* (min. 21 %), *beerenauslese* (min. 25 %), *ausbruch* (min. 27 %), *trockenbeerenauslese* (min. 30 %) et *eiswein* (min. 22 % ; provient de raisins gelés). Les vignerons de la Wachau se sont donné leurs propres catégories de vin qui correspondent aux conditions de maturité typiques.

Le vignoble autrichien

Burgenland (Lac de Neusiedl, Neusiedlersee-Hügelland, Mittelburgenland, Burgenland du Sud)

Autrefois, la région était riche en Müller-Thurgau (Riesling et Sylvaner), mais, actuellement, on élève de plus en plus de rouges dans cette région – Zweigelt, Saint-Laurent, Spätburgunder et surtout Blaufränkisch, la deuxième sorte de vin rouge en Autriche. A cause du climat exceptionnellement chaud et humide, on élève ici, sur la rive occidentale du lac de Neusiedl, des raisins surmaturés, naturellement atteints de la pourriture noble, qui donnent des vins liquoreux.

Basse-Autriche (Donauland-Carnuntum, Kamptal-Donauland, Thermen, Wachau, Weinviertel)

Cette région vinicole occupe plus de la moitié de l'ensemble de la surface vinicole autrichienne. C'est le royaume du Grüner Veltliner, un vin bien sec que l'on ne trouve nulle part ailleurs, un vin qui ressemble un peu au Silvaner allemand, surtout en ce qui concerne sa capacité à tirer les arômes du sol. On trouve ici des vins rouges puissants, mais aussi des vins légers et agréables, issus du Blauer Portugieser. Dans la Wachau, le « salon » de la Basse-Autriche, le Riesling a une qualité extraordinaire – les habitants de la Wachau prétendent que c'est là , et non au bord du Rhin, que

se trouve sa patrie d'origine. On a introduit des appellations telles que « Steinfeder » (un vin de qualité non enrichi), « Federspiel » (Kabinett) et « Smaragd » (Spätlese de qualité supérieure).

Styrie (Sud-Est, Sud, Ouest)

Autrefois, on buvait surtout des vins légers et doux issus de cépages locaux. Maintenant, les bons vins blancs très fins et secs comme le Chardonnay, le Weissburgunder et le Sauvignon blanc attirent l'attention. En Styrie occidentale, on trouve une spécialité : on y presse en effet le Schilcher-Rosé à partir du cépage Blauer Wildbacher.

Vienne

La région vinicole de Vienne comprend quelque 700 hectares de vignes – c'est plus que dans la région du Moyen-Rhin. C'est là que l'on fabrique, à partir de différents cépages, le « Heurige » ou vin nouveau, un vin ouvert, jeune et frais. Toutefois, on trouve également dans cette région des qualités intéressantes de Grüner Veltliner, Weissburgunder et Rheinriesling (en Autriche et dans d'autres pays, la dénomination du vrai Riesling). Ils sont plus fruités et plus typés que ceux du Burgenland, même s'ils ne parviennent pas à la qualité des vins de la Wachau.

Cave viticole dans la Wachau.

Le nouveau millésime est dégusté.

Les fameux vins blancs autrichiens.

Ci-contre: des cépages de qualité poussent sous le climat ensoleillé de la Wachau, le long du Danube.

On boit le vin nouveau avec une collation comme la « collation sur la planche » ou le patron de la taverne sert presque tout ce qu'il a : saucisse maison, viande marinée et fumée, rôti de porc, fromage, concombres au vinaigre et, naturellement, un petit pain.

Heuriger

Quiconque visite Vienne ne manque pas de se rendre à Grinzing et à Heiligenstadt. Pendant la pleine saison, la gaieté est déjà de mise en fin de matinée dans ces deux villages viticoles situés aux portes de la capitale. Dans un site agréable, les visiteurs sont assis à de grandes tables et boivent dans des verres non moins grands le vin nouveau, le *Heuriger*, également appelé « siffleur » à cause de l'effet qu'il produit sur le système digestif. On trouve en cet endroit l'intimité et la gaieté de la griserie aux sons d'une musique légère, des chants plus bruyants que beaux et quelquefois une collation que l'on va chercher au buffet : ce sont là les composantes fixes de la manière de vivre autrichienne présumée, telle que le touriste la voit en tout cas. Le privilège des vignerons consistant à pouvoir débiter du vin nouveau sans concession remonte à l'empereur Joseph II (1765–90), qui fit passer le décret correspondant en l'an 1784. « Ausg'steckt is ! » (il est tiré) annonce la branche de pin accrochée devant la taverne, signalant ainsi que le vin nouveau est prêt à être bu. De ce « bouquet » vient le terme « café au bouquet » désignant les exploitations annexes, semblables à des tavernes, où les vignerons servent leurs propres vins et des mets froids préparés à la maison pendant quatre mois chaque année.

Le « Heuriger », vin nouveau, est une double notion que les Viennois emploient aussi bien pour le vin de l'année que pour les locaux dans lesquels on sert le vin nouveau. Le nom remonte à l'époque où les vignerons ne se donnaient pas tant de mal pour stocker leur vin et s'efforçaient de le vendre le plus tôt possible.

Les paradis du vin nouveau, aux alentours de Vienne, n'ont plus grand'chose à voir avec cette tradition. Ce sont des tavernes qui possèdent une concession, sont ouvertes toute l'année et achètent leur vin dans le commerce. L'amateur de vrai vin nouveau considère ces exploitations avec réserve, car elles s'adressent avant tout aux touristes : Quand on y boit le vin nouveau, on écoute volontiers les chansons appropriées qui ont entre-temps fait le tour du monde. L'« initié » se tient lui aussi sur la réserve, car le vin est généralement meilleur là où la musique est absente. La plupart des connaisseurs ont leur taverne à vin nouveau, devant lequel ne s'arrête aucun bus de touristes, et que l'on trouve principalement à Nussdorf ou à Sievering, dans de petites rues aux pavés inégaux. Il y fait bon boire du vin accompagné de tartines à la graisse d'oie ou de porc, avec des rondelles d'oignons, du liptauer et des bretzel. Ceux qui préfèrent apporter leurs provisions peuvent obtenir une assiette et des couverts sans la moindre difficulté.

Vienne – capitale du vin

Les vignes viennoises furent plantées par l'empereur romain Marcus Aurelius Probus, ce que rappelle, aujourd'hui encore, la Probusgasse, au centre de la ville. Probus préserva ses légions des dangereuses tentations de l'oisiveté en les occupant à planter des ceps de vigne – non seulement à Vienne, mais aussi en Gaule. Grâce à la prévoyance de l'empereur romain et à la générosité de son successeur habsbourgeois sur le trône, les banlieues viennoises sont maintenant des lieux où il fait bon se retrouver le soir – et, de ce fait, il n'y a pratiquement pas de vie nocturne dans le centre de Vienne. Et, quand les tavernes à vin nouveau ferment à minuit ou à une heure du matin, les Viennois sont de toute façon fatigués et vont se coucher.

Page de gauche : un vieil établissement viennois, dans lequel on goûte avec plaisir le vin nouveau accompagné d'une petite collation.

À Vienne, le kiosque à saucisses est riche en traditions et ne se limite aucunement aux saucisses viennoises – que l'on appelle ici « saucisses de Francfort » –, on y mange sur le pouce tout en faisant la conversation.

De délicieuses et odorantes petites saucisses, les « Häuterl », attendent sur un gril le prochain passant affamé.

Collations accompagnant le vin nouveau

Geselchtes
Lard de poitrine, fumé, et autres morceaux de porc coupés en tranches, pain de campagne

Heurigenplatte (collation sur la planche)
Saucisse, fromage, rôti de porc en tranches, oignons hachés, cornichons au vinaigre, pain

Liptauer
Fromage frais fortement assaisonné au paprika

Quargel
Petit fromage avec oignons hachés

Saumeise
Crépinette fumée et cuite

Saure Blunzen
Tranches de boudin, marinées dans du vinaigre

Schmalzbrot
Pain de campagne aux fritons

Schweinebraten
Viande de porc froide en tranches, avec du pain

Surbraten
Viande marinée dans de la saumure pendant trois semaines, puis cuite ; se mange chaude

Verhackerts
Restes de saucisse et de rôti, hachés, que l'on mange sur du pain

---

Kiosque à saucisses

Les saucisses viennoises sont connues dans le monde entier. Elles sont faites d'un mélange de viande de bœuf et de porc, d'un peu de lard et de différentes épices. A Vienne on les trouve toutefois sous un autre nom, à savoir « saucisses de Francfort ». Le royaume de cette célèbre spécialité est le kiosque à saucisses, une institution viennoise capitale. Là, on n'assouvit pas seulement sa faim d'une manière rapide et simple, on peut aussi faire la conversation avec tout le monde. Le contact qui s'établit naturellement et la tendance qu'ont les Viennois à philosopher ont valu aux kiosques à saucisses le sobriquet de « Petit Sacher ». A Vienne, le kiosque à saucisses propose un grand choix de mets du « Leberkäse » (veau, porc, lard et épices), de la « Burenwurst » (saucisse grasse et relevée), de la Debrecziner hongroise (saucisse crue, avec de petits morceaux de porc), de la saucisse à griller et de la « Käsekrainer » – une saucisse contenant une bonne portion de fromage. On y trouve en outre des rollmops, très épicés avec du paprika. Tous ces mets sont servis avec du pain, des cornichons, des petits oignons, diverses boissons et, au dessert, des « Mannerschnitten », c'est-à-dire des gaufrettes aux noisettes et au chocolat.

Tout ce qui est bon fait grossir

Les mets à base de farine

En parlant de mets à base de farine, les Autrichiens n'entendent plus depuis longtemps un entremets ou quelque chose de ce genre, mais purement et simplement le dessert. Par suite du raffinement, la farine joue en effet un rôle de moins en moins grand, alors que les autres ingrédients sont de plus en plus importants. L'exemple classique est le légendaire stroudel aux pommes.

Selon l'intime conviction de nombreux Autrichiens, le stroudel aux pommes ne peut être fait que par une maîtresse de maison chevronnée, car la pâte à stroudel doit être aussi fine que possible, soulevée avec précaution avec le dos des mains enfarinées, et étirée du centre vers l'extérieur. La pâte doit être aussi transparente que possible, afin que l'on puisse voir à travers, et même lire le journal. La qualité des pommes employées, qui constituent la farce avec le rhum, les raisins secs et la chapelure, est essentielle : les boskoop et les gravensteiner sont recommandées ; de toute façon, on prendra des pommes légèrement acides, qui devront être fraîches – les pommes à l'étuvée, conserves ou semi-conserves souvent employées ne donnant qu'une faible idée de ce célèbre mets. Comme tant de plats de la cuisine autrichienne, le stroudel aux pommes a plusieurs mères : la pâte très fine est d'origine turque, les pommes, d'origine hongroise. Mais c'est seulement à Vienne qu'il s'est transformé en perle de l'art culinaire.

Ci-dessous : stroudel aux pommes – morceau de choix de l'art culinaire viennois. La pâte très fine est fourrée avec un mélange de pommes, de raisins secs (recette page de droite ; les chiffres se rapportent à la suite de reproductions ci-dessous, montrant comment on fait un stroudel aux pommes).

1

2

3

4

5

6

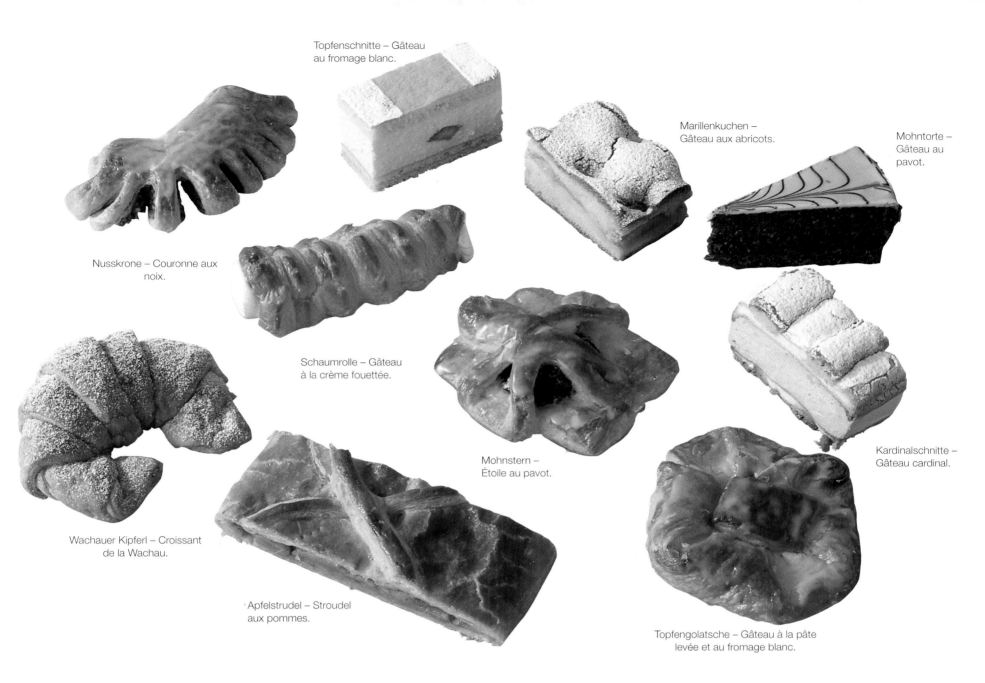

Topfenschnitte – Gâteau au fromage blanc.

Marillenkuchen – Gâteau aux abricots.

Mohntorte – Gâteau au pavot.

Nusskrone – Couronne aux noix.

Schaumrolle – Gâteau à la crème fouettée.

Mohnstern – Étoile au pavot.

Kardinalschnitte – Gâteau cardinal.

Wachauer Kipferl – Croissant de la Wachau.

Apfelstrudel – Stroudel aux pommes.

Topfengolatsche – Gâteau à la pâte levée et au fromage blanc.

Apfelstrudel

Stroudel aux pommes
(repr. 1–6, page de gauche)

Pâte

300 g de farine
1 pincée de sel
1 œuf
huile
sucre glace

Farce

80 g de raisins secs
2 cuil. à soupe de rhum
80 g de chapelure
100 g de beurre
1 1/2 kg de pommes acidulées
80 g de noix hachées
100 g de sucre
cannelle
jus de citron

Travailler la farine, le sel, l'œuf et 1 cuiller à soupe d'huile avec 1/8 l d'eau tiède jusqu'à obtention d'une pâte lisse, laisser reposer 30 minutes. Poser sur un torchon fariné, étaler la pâte et l'huiler. Passer les mains couvertes de farine sous la pâte et étirer avec précaution cette dernière de tous côtés, en partant du milieu, jusqu'à ce qu'elle soit très mince. Couper les extrémités épaisses et les mettre de côté.

Pour la farce, laver les raisins secs, les éponger et verser un peu de rhum dessus, faire dorer la chapelure dans un peu de beurre et la répartir sur la pâte. Peler les pommes (1), les épépiner, les couper en tranches fines ; les mélanger avec les risins secs, les noix, le sucre, la cannelle et le jus de citron et répartir le tout sur la pâte (2). Rouler le stroudel sur lui-même (3), replier les extrémités et appuyer dessus. Décorer la surface avec les restes de pâte et piquer plusieurs fois avec une fourchette (4). Préchauffer le four (180 ºC). Faire fondre le reste de beurre. Mettre le stroudel sur une plaque beurrée (5), bien répartir le beurre fondu sur le stroudel et passer au four pendant 30–45 minutes ; ajouter un peu de beurre sur le dessus de temps à autre pendant la cuisson.

Après la cuisson, couper le stroudel aux pommes en petites portions (6). Servir chaud après avoir saupoudré de sucre glace.

Kaiserschmarrn

Omelette rissolée

200 g de farine
1 pincée de sel
4 jaunes d'œufs, 4 blancs d'œufs
40 g de sucre
1/4 l de lait
40 g de raisins secs
sucre glace

Mélanger la farine, le sel, les jaunes d'œufs, le sucre et le lait pour en faire une pâte lisse. Battre les blancs en neige et les incorporer délicatement à la pâte.

Faire fondre un peu de beurre dans une poêle, y verser un doigt de pâte, la laisser cuire un peu, puis la parsemer de raisins secs. Quand la pâte est bien dorée, retourner l'omelette et faire cuire l'autre côté.

Couper l'omelette en petits morceaux à l'aide de deux fourchettes, arranger sur un plat, saupoudrer de sucre glace et servir, avec de la compote d'airelles par exemple.

Les boulettes

Les boulettes autrichiennes sont originaires de Bohême. La Bohême et la Moravie étaient couvertes de grands champs de céréales, et les cuisinières de Bohême savaient former à la perfection, avec de la farine et d'autres ingrédients, de merveilleuses choses rondes, molles et légères : les boulettes. C'est leur légèreté qui les distingue de leurs cousines d'Europe du Nord. L'événement qui eut lieu en 1404, pendant la bataille de Norhastedt im Dithmarschen, – à l'époque, les régiments de femmes utilisèrent leurs boulettes comme projectiles pour faire fuir l'ennemi –, serait impensable en Autriche : en effet, la boulette molle et légère à l'autrichienne serait déjà tombée en morceaux au cours de sa trajectoire.

Pour préparer ses boulettes, la maîtresse de maison autrichienne a le choix entre sept produits de base : farine, pommes de terre, semoule, petits pains, fromage blanc, fromage et levure.

De ces ingrédients de base – que l'on peut également combiner – résulte une multitude de variantes de boulettes que l'on apporte sur la table comme garniture, comme plat complet et simple ou encore comme dessert.

Le principe de la préparation est toujours le même : on fait bouillir une grande quantité d'eau salée dans un grand récipient. Avec les ingrédients, on prépare une pâte ayant juste la consistance voulue. Ensuite, avec les mains humides, on prend des morceaux de cette pâte pour former des boulettes que l'on plonge dans l'eau salée bouillante ; quand elles remontent à la surface, elles sont à point.

Le charme particulier des boulettes autrichiennes est qu'on peut les farcir de différentes manières, que ce soit avec de petits morceaux de pain coupés en dés et sautés, du lard ou de petits morceaux de viande dans la variante salée, ou encore avec des prunes, des griottes, de la purée de prunes ou encore avec les légendaires abricots de la Wachau dans la variante sucrée.

Le summum de l'art de la boulette est la boulette en serviette, qui, comme son nom l'indique, est cuite dans une serviette. Autrefois, on l'apportait entière sur la table, et chacun s'en coupait une portion.

Bien sûr, ces fruits de la féerie culinaire de Bohême ne sont pas tellement compatibles avec la ligne, de sorte qu'autrefois, à Vienne, on rencontrait surtout des beautés aux formes voluptueuses. Maintenant, sous le signe des diètes, les Autrichiens ont moins le sens de l'opulence que par le passé – mais le retour à la bonne vieille cuisine traditionnelle a redonné aux boulettes une place sur les tables autrichiennes.

Serviettenknödel
Boulettes en serviette
(Illustration ci-dessous)

6 petits pains
1/8 l de lait
3 œufs
1 oignon
40 g de lard
150 g de beurre
1 bouquet de persil commun
sel
farine

Couper les petits pains en dés, mélanger le lait et les œufs, verser le mélange lait-œufs sur le pain. Peler et hacher les oignons, couper le lard en dés et faire griller légèrement le tout dans une sauteuse.

Battre le beurre jusqu'à ce qu'il soit mousseux, laver et hacher finement le persil. Mélanger le beurre, la masse de pain, les oignons, le lard, le persil, un peu de sel et une cuiller à soupe de farine. Déposer la masse sur un torchon de lin humide, beurré et saupoudré de farine, former un gros boudin et lier les extrémités.

Attacher ce boudin à une cuiller en bois et plonger le tout dans une grande quantité d'eau salée bouillante ; laisser cuire pendant 30–45 minutes. Tremper un instant dans l'eau froide, sortir la boulette de la serviette et la couper en tranches de l'épaisseur d'un doigt.

Pour fabriquer une boulette en serviette, une spécialité bien pàrticulière, on coupe d'abord plusieurs petits pains en dés.

Puis on mélange le lait et les œufs.

On verse ensuite le mélange d'œufs et de lait sur les petits dés de pain.

On incorpore alors un mélange de beurre, d'oignons, de lard, de farine et de persil à la masse de pain.

On dépose cette masse sur un torchon de lin humide, beurré et fariné, et l'on forme un gros boudin.

Après avoir lié les extrémités du torchon, on plonge la boulette en serviette dans de l'eau salée bouillante.

Voyage aux pays des boulettes

1 Fraises pour les boulettes aux fraises
2 Boulettes de pain blanc
3 Boulette en serviette, coupée en tranches
4 Persil commun – indispensable pour les boulettes
  de pain blanc ou les boulettes en serviette
5 Farine de froment
6 Pain coupé en dés pour les boulettes de pain blanc
  et les boulettes au fromage blanc
7 Beurre pour la pâte à boulettes
8 Citron pour la pâte des boulettes au fromage blanc
9 Lait pour les boulettes en serviette et pain blanc
10 Oignons pour les boulettes en serviette et pain
  blanc
11 Oeufs pour la pâte de base
12 Farce pour les boulettes de viande
13 Boulettes à la pâte levée

Les boulettes aux fraises sont réalisées de la même manière que les boulettes aux abricots ; on prépare d'abord une pâte lisse que l'on coupe ensuite en portions.

Les boulettes cuites sont roulées dans de la chapelure légèrement grillée, puis saupoudrées de sucre glace.

Cuire ensuite les boulettes dans de l'eau salée bouillante. Elles sont à point quand elles remontent à la surface.

On aplatit les morceaux de pâte, pose une grosse fraise sur chaque morceau, puis forme des boulettes.

Boulettes aux abricots

Ici, la pâte est faite avec des pommes de terre à l'eau et de la farine. Dans la Wachau, le « royaume » des abricots, quelques recettes prévoient une pâte levée, d'autres une pâte brisée mise au frais.

1 kg de pommes de terre
300 g de farine
1 pincée de sel
1 œuf
120 g de beurre
500 g d'abricots
sucre en morceaux
1 verre (env. 20 ml) d'eau-de-vie d'abricot
100 g de chapelure

Faire cuire les pommes de terre dans leur peau. Les peler et les mélanger encore chaudes avec la farine, le sel, l'œuf et la moitié du beurre jusqu'à obtention d'une pâte lisse.
Partager la pâte en portions ; avec chaque portion, former un petit boudin de pâte, l'aplatir et poser un abricot dessus. A la place du noyau, on met un morceau de sucre trempé dans de l'eau-de-vie d'abricot. Refermer la pâte sur l'abricot et former une boulette. Faire toutes les boulettes de la même manière. Mettre les boulettes dans de l'eau salée bouillante et les y laisser jusqu'à ce qu'elles remontent à la surface.
Faire fondre le beurre restant et y faire dorer légèrement la chapelure. Y rouler les boulettes aux abricots égouttées, saupoudrer de sucre glace et servir immédiatement.

Une autre variante consiste à remplacer les abricots par des fraises, ou bien encore par tout autre fruit de même calibre, comme la prune par exemple. Les illustrations, sur la gauche, montrent comment on prépare des boulettes aux fraises.

Boulette au fromage blanc

100 g de beurre
100 g de sucre
sucre vanillé
3 œufs
jus de citron
sel
120 g de pain blanc
500 g de fromage blanc
2 cuil. de crème acidulée
100 g de chapelure
sucre glace

Bien mélanger la moitié du beurre avec du sucre, le sucre vanillé, les œufs, un peu de jus de citron et un peu de sel jusqu'à obtention d'un mélange mousseux. Couper le pain blanc en dés, mélanger le fromage blanc et la crème, et les ajouter au pain. Bien mélanger le tout. Laisser reposer la masse au frais.
Former de petites boulettes avec la masse au fromage blanc. Les mettre dans de l'eau salée bouillante et les faire cuire pendant 10 minutes environ. Les sortir, les égoutter sur du papier. Faire légèrement griller la chapelure dans le reste de beurre, rouler les boulettes dedans. Saupoudrer de sucre glace. Servir avec des quetsches revenues dans la poêle avec du sucre et de la cannelle.

Boulettes à la pâte levée

250 g de farine
10 g de levure
1 cuil. à soupe de sucre
2–3 cuil. à soupe de lait tiède
100 g de beurre
1 pincée de sel
1 jaune d'œuf
100 g de compote de prunes
1 cuil. à café de rhum
1 pincée de cannelle
50 g de pavot moulu
sucre glace

Verser la farine dans un compotier. Dissoudre la levure avec le sucre dans le lait et ajouter le tout à la farine. Faire fondre 30 g (1–2 cuil. à soupe) de beurre et l'ajouter à la farine avec le jaune d'œuf et du sel. Bien travailler le tout jusqu'à obtention d'une pâte lisse. Bien battre la pâte et la laisser lever pendant 60 minutes. Mélanger la compote de prunes avec du rhum et de la cannelle. Partager la pâte levée en 12 morceaux d'égale grosseur, mettre une cuiller à café de compote de prunes au milieu de chaque morceau de pâte et former des boulettes. Laisser lever pendant 30 minutes, puis faire cuire les boulettes dans de l'eau salée bouillante pendant 6 minutes, à feu doux, les retourner et les laisser cuire encore 6 minutes. Faire fondre et légèrement roussir le reste de beurre. Saupoudrer les boulettes à la pâte levée avec du pavot moulu et du sucre glace et verser du beurre fondu dessus.

Salzburger Nockerln

Salzbourg, l'élégante ville des festivals située à la frontière bavaroise, se distingue de diverses manières des autres régions autrichiennes. Le land de Salzbourg fait seulement partie de l'Autriche depuis 1805 et est plutôt universel, même en dehors du festival. Les Salzbourgeois préfèrent la bière au vin, et leur cuisine est cosmopolite. C'est pourquoi il y a très peu de plats typiquement salzbourgeois – à l'exception des Salzburger Nockerln.

Les Nockerl ne sont rien d'autre que des monticules, et le plat est une impressionnante montagne de mousse, à vrai dire un soufflé. Il doit être «doux comme l'amour et tendre comme un baiser», c'est en tout cas ce que dit une opérette. Les gigantesques proportions de cet entremets sucré suscitent l'étonnement et la surprise, surtout chez les touristes, et celui qui ne l'aime pas ne sera jamais un bon Autrichien – c'est du moins ce qu'on dit.

Salzburger Nockerln
(Illustration)

4 jaunes d'œufs, 4 blancs d'œufs
1 pincée de sel
30 g de sucre
1 paquet de sucre vanillé
1 zeste de citron non traité
20 g de farine
sucre glace

Battre les blancs en neige ferme avec le sel dans un compotier, ajouter le sucre et le sucre vanillé peu à peu. Dans un deuxième compotier, mélanger un tiers environ des blancs montés en neige avec les jaunes et le zeste de citron, et les mêler lentement au reste de blancs montés en neige. Incorporer délicatement la farine.
Préchauffer le four (220 °C).
Bien beurrer un plat ovale allant au four et y verser la masse aux œufs en formant de petits monticules (Nokken). Faire dorer dans le four pendant 10 minutes environ. Saupoudrer de sucre glace et servir immédiatement.
Les Nockerln doivent être fermes à l'extérieur, mais encore crémeux à l'intérieur (c'est pourquoi il ne faut pas ouvrir la porte du four pendant la cuisson).

Linzer Torte
Gâteau de Linz

Comme les Salzburger Nockerln, le gâteau de Linz est connu bien au-delà des frontières de la petite Autriche.

150 g de farine
150 g de beurre froid
150 g d'amandes moulues
150 g de sucre
cannelle
poudre de clous de girofle
2 œufs
jus d'$\frac{1}{2}$ citron
1 pot de confiture de groseilles
125 g d'amandes effilées
sucre vanillé
sucre glace

Tamiser la farine sur le plan de travail et faire un puits au milieu. Couper le beurre en flocons et les mettre dans le puits, de même que les amandes moulues, le sucre, la cannelle, la poudre de clous de girofle, 1 œuf et le jus de citron ; faire une pâte lisse.
Couper la boule de pâte en deux et la mettre au réfrigérateur pendant 30 minutes.
Préchauffer le four (180 °C).
Beurrer un moule démontable de 24 cm de diamètre et le foncer avec la moitié de la pâte. Aplatir avec les doigts, jusqu'à ce que le fond du moule soit recouvert, et passer dessus de la gelée de groseilles. Etaler l'autre moitié de la pâte et la découper en bandes étroites. Poser les bandes de pâtes en croisillons sur la confiture. Battre le deuxième œuf, le passer avec un pinceau sur les croisillons et parsemer le tout d'amandes effilées.
Faire cuire le gâteau pendant 60 minutes environ, jusqu'à ce qu'il prenne une belle couleur dorée. Mélanger le sucre vanillé et le sucre glace et en saupoudrer le gâteau.

Salzburger Nockerln.

Encore une pâtisserie sacrée

Krapfen

En Autriche, les esprits sont divisés au sujet des *krapfen*, les beignets. Les uns pensent au beignet tyrolien, un produit de la cuisine paysanne des montagnes. Le beignet viennois de carnaval, qui est seulement préparé pendant la saison, répond mieux à d'autres goûts.

Pour un Autrichien, la notion de beignet caractérise toutes les formes et modes de préparation possibles et imaginables de pâtisseries au saindoux. Les anciens livres de cuisine citent des douzaines de recettes de beignets. A l'époque baroque, on avait coutume de farcir cette pâtisserie avec de la confiture – ce qui déclencha un véritable culte du beignet dans la Vienne du 18e siècle et du début du 19e siècle. A cette époque, les beignets étaient appréciés à la cour : on les servait en effet au bal de la cour, le plus grand événement mondain de la monarchie du Danube. Dans la région de l'Inn, on fait des beignets le matin du 1er janvier ; dans le Salzkammergut, ils font leur apparition dans la nuit de l'Epiphanie. Pendant le carême, on trouve des « beignets de confession », et le jour du solstice, le 22 juillet, les paysannes devaient préparer neuf sortes de beignets : beignets aux baies de genièvre, beignets au trèfle, beignets aux orties, beignets au chou, beignets à la ficelle, boules de neige, beignets au beurre, beignets sur la tôle et beignets au bâton. Pendant la récolte, les auxiliaires recevaient des beignets de la moisson, et lors de la consécration d'une église ou d'un mariage paysan,

on présentait également des beignets – mais jamais à l'occasion d'un repas d'enterrement.

Tous les beignets ont un point commun : ils sont cuits dans la graisse chaude, généralement dans du beurre fondu. Le beignet de carnaval, fourré de confiture, un produit de l'art culinaire bourgeois, est caractérisé par l'anneau clair qui l'entoure en son milieu. Par contre, les beignets tyroliens sont des morceaux de pâte triangulaires avec une garniture, et étaient autrefois préparés avec du saindoux, du lait, de la farine, du sucre, du beurre et du miel. Ils auraient été inventés par la cuisinière viennoise Cäcilie Krapf, mais cela n'est sans doute qu'une légende.

Tiroler Krapfen
Beignets tyroliens

1/8 l de lait
150 g de beurre
500 g de farine
1 pincée de sel
200 g de confiture (au choix)
50 g de chapelure
sel
huile pour la friture

Réchauffer le lait et y faire fondre le beurre. Mettre la farine en tas sur une planche à pâtisserie. Faire un puits au milieu et y mettre le sel, puis malaxer avec le mélange lait-beurre tiède.
Laisser reposer la pâte pendant 30 minutes, puis l'abaisser et la découper en carrés de 10 cm de côté. Mélanger la confiture et la chapelure. Déposer une cuiller à café de ce mélange sur chaque carré de pâte et refermer la pâte sur la farce, de manière à former des triangles ; bien presser les bords. Les jeter dans la friture bouillante, les égoutter et les servir chauds.

Faschingskrapfen
Beignets de carnaval
(Illustration)

1/8 l de lait
20 g de levure
50 g de sucre
300 g de farine
50 g de beurre
1 pincée de sel
3 jaunes d'œufs
1 cuil. à soupe de rhum
zeste d'1/2 citron non traité
150 g de confiture d'abricots
huile pour la friture
sucre glace

Réchauffer le lait. Mélanger la moitié du lait avec la levure, une cuil. à café de sucre et un peu de farine pour faire un levain, laisser lever jusqu'à ce que la masse ait doublé de volume.
Faire fondre le beurre et le reste de sucre dans le reste de lait tiède. Travailler le sel, les jaunes d'œufs, le rhum, le zeste de citron, le levain et le reste de farine avec le mélange beurre-sucre-lait pour former une pâte lisse et souple ; laisser reposer 20 minutes environ. Abaisser la pâte sur une épaisseur de 1,5 cm environ. Avec un emporte-pièce ou un verre de 6 cm de diamètre, découper de petits gâteaux ronds. Mettre une cuiller à café de confiture d'abricots sur la moitié des morceaux de pâte et couvrir avec le reste des morceaux de pâte. Appuyer légèrement sur les bords et découper avec un verre de 5 cm de diamètre. Poser les morceaux de pâte garnis de confiture sur un torchon fariné, couvrir et laisser reposer encore 20 minutes.
Jeter ensuite les beignets dans la friture bouillante et les y laisser 3 minutes, puis les retourner et les laisser dorer à nouveau 3 minutes. Egoutter, laisser refroidir et servir après avoir saupoudré avec du sucre glace.

Beignets de carnaval.

Alcools nobles autrichiens

On a toujours fabriqué de l'eau-de-vie en Autriche. Presque chaque agriculteur dispose effectivement d'un alambic, dans lequel il distille les fruits tombés et autres restes de son exploitation, et presque chaque Autrichien amateur d'eau-de-vie connaît une bonne adresse à la campagne et ne jure que par celle-ci. Une douzaine de distillateurs autrichiens produisent toutefois de magnifiques eaux-de-vie depuis quelques années. Tous les ans, de nouveaux distillateurs ambitieux viennent se joindre à eux. L'un d'eux est le Tyrolien Günther Rochelt, qui fabrique des eaux-de-vie dont la teneur en alcool, 50 %, est exceptionnellement élevée. Ses produits – pomme gravensteiner, sureau, abricot, raisin muscat, coing, griotte et poire williams – sont mis dans des bouteilles spéciales rappelant les flacons de parfum et dont la forme est dérivée de la bouteille à pince tyrolienne. Les connaisseurs jurent également par les produits de la distillerie Freihof, du Vorarlberg, une exploitation familiale qui distille de l'eau-de-vie depuis plus de cent ans. Les sortes « Vom ganz Guten » et « Gebhard Hämmerle – Herzstück » sont très appréciées, surtout dans la gastronomie de luxe. Par « Herzstück », les distillateurs entendent l'étape de distillation au cours de laquelle les composantes aromatiques du fruit sont mises en valeur sous la forme la plus pure. L'eau-de-vie d'abricots de la Wachau a une réputation légendaire. Le moût fermenté, constitué de pulpe de fruit et d'une quantité de noyaux exactement déterminée, donne une boisson aromatique incolore, qui a servi de modèle à l'eau-de-vie hongroise Barack Pálinka. Depuis plus de cent ans, tous les pays alpins distillent la gentiane. Pour tous les peuples de montagnes, la gentiane passe pour un cadeau de la nature. Elle fait partie des plus anciennes plantes médicinales de l'humanité et n'est absolument pas amère, mais a un curieux goût de terre et un soupçon de douceur. Les petites fleurs bleues de l'alpage, volontiers reproduites sur les étiquettes des bouteilles, n'ont rien à voir avec l'eau-de-vie, car cette dernière est exclusivement distillée à partir de la racine, qui peut peser jusqu'à six kilos et mesurer jusqu'à un mètre de long. La gentiane est une plante sauvage ; toutes les tentatives de culture ont échoué jusqu'à présent. Les liqueurs autrichiennes constituent une spécialité particulière. Elles ont une note très rustique. Parmi elles dominent la « Wachauer Gold-Marillenlikör » et la « Nujuki », liqueur à base de noix vertes. La « Mozart-Liqueur », qui rappelle les célèbres « boules Mozart », est une spécialité liquoreuse autrichienne raffinée.

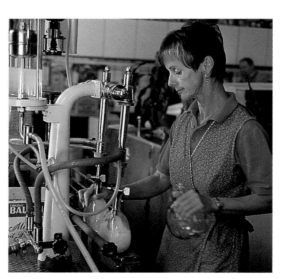

La liqueur d'abricots de la Wachau de la célèbre marque Bailoni est mise en bouteilles.

L'eau-de-vie blanche, une eau-de-vie de fruits à la réputation légendaire, n'est pas moins populaire.

La liqueur d'abricots dans la bouteille à bouchon mécanique et dans la bouteille ronde typique.

Les abricots de la Wachau

La Wachau – le « salon » de l'Autriche – située dans un paysage pittoresque entre Melk et Krems, le long du Danube, est non seulement célèbre pour la beauté de son paysage et pour ses vins exceptionnels, mais aussi pour ses abricots.

La patrie de ce fruit aimant la chaleur est la Chine, où il était déjà cultivé il y a quelque 4000 ans. La fleur très précoce va du blanc au rose, le fruit jaune-orangé est légèrement acide et sucré, et très aromatique. Seules les régions au climat ensoleillé comme la Californie, l'Espagne, la France, la Hongrie, Israël – et la Wachau baignée de soleil – conviennent à ce fruit. Avec ces abricots, on fabrique ici les produits les plus savoureux qui soient, entre autres la célèbre liqueur d'abricots et la légendaire eau-de-vie d'abricots.

Avec le moût d'abricots fermenté, qui contient un certain pourcentage de noyaux moulus, on fait de l'eau-de-vie de fruits.

Le gâteau royal

Sachertorte

Pendant l'été, les touristes font la queue devant le café du traditionnel hôtel Sacher, dans la Philarmonikerstrasse, dans le premier arrondissement à Vienne. Ils attendent que se libère l'une des minuscules tables où l'on commande toujours la même chose : un morceau de Sachertorte (gâteau au chocolat Sacher) accompagné de l'une des spécialités viennoises de café.

La Sachertorte est faite de beurre, de jaune d'œuf, de couverture, de blanc d'œuf, de sucre, de farine et de confiture d'abricot. Le royal gâteau, jadis créé pour la table du prince de Metternich, fit la une des journaux après la Seconde Guerre mondiale parce que les tribunaux durent s'occuper de lui : la maison Sacher, alors en difficultés, vendit la recet-

te de la Sachertorte à la pâtisserie Demel, qui se mit alors à faire de la réclame pour son produit sous le nom de « Sachertorte originale ».

Quand Sacher eût récupéré ses facultés financières, il ne voulut pas accepter la situation plus longtemps et fit appel au tribunal. La querelle, qui est entrée dans l'histoire sous le nom de « guerre viennoise des gâteaux » dura des dizaines d'années – pourtant, le tribunal ne s'est toujours pas prononcé.

Sachertorte
(Illustration)

150 g de chocolat
150 g de beurre mou
100 g de sucre glace
6 jaunes d'œufs, 6 blancs d'œufs
50 g de sucre
150 g de farine
1 pincée de sel
confiture d'abricots
sel

Glaçage

200 g de chocolat
200 g de sucre

Faire fondre le chocolat au bain-marie, et bien le mélanger avec le beurre, puis ajouter peu à peu le sucre glace et les jaunes d'œufs. Battre les blancs d'œufs et le sucre en neige pas trop ferme et incorporer, avec la farine mélangée au sel, à la masse de chocolat.

Préchauffer le four (180 °C). Beurrer et fariner un moule démontable de 24 cm de diamètre, y verser la pâte et mettre au four pendant 45–60 minutes. Laisser refroidir le gâteau dans son moule, puis le démouler.

Réchauffer la confiture d'abricots et en tartiner le gâteau. Mettre ensuite le gâteau au frais.

Pour le glaçage, amener le chocolat, le sucre et $1/8$ l d'eau à ébullition en remuant constamment. Laisser cuire à feu doux pendant 5 minutes environ, jusqu'à ce que le glaçage commence à épaissir. Le répartir également et rapidement sur tout le gâteau. Avec la Sachertorte, on sert de la crème fouettée non sucrée – ainsi qu'une spécialité de café typiquement viennoise.

Joachim Römer

La Suisse

En 700 ans d'existence, la Suisse s'est forgé une réputation d'Etat paisible et neutre au cœur même de l'Europe. Dotés d'une solide conscience nationale et d'un sens aigu du commerce international, les Suisses ont jusqu'alors très bien compris comment se tenir à l'écart de toutes les tourmentes, complications et alliances politiques. Cet Etat est divisé en quatre régions culturelles et linguistiques. A l'Ouest, on parle le français et les similitudes avec les coutumes françaises y sont évidentes sans pour autant qu'on y ait adopté la culture française de la table inspirée du protocole de la Cour. Quant aux Suisses alémaniques du Nord, ils jettent volontiers un coup d'œil sur l'autre rive du Rhin, chez leurs voisins du Pays de Bade, mais restent indifférents à leurs *spaetzle* et *knöpfle* et affirment avec opiniâtreté leur préférence pour la pomme de terre. Les Suisses du Tessin, au Sud, sont de langue italienne, ils se reconnaissent du mode de vie méditerranéen de leurs cousins, mais résistent avec succès à leur opulente civilisation de la pasta. Quant aux habitants des Grisons, au sud-est du pays, ils préservent activement leur singularité : 40 000 personnes environ s'expriment en romanche, une langue parlée nulle part ailleurs ; ils maintiennent la tradition des paysans de montagne autant d'un point de vue linguistique que culinaire.

Si l'on cherche à expliquer la cuisine suisse, on arrive très vite au bout de ses arguments. En vérité, la cuisine « typiquement » suisse n'existe pas. S'il n'y avait ni fromage, ni chocolat suisse – tous deux célèbres dans le monde entier – il serait plus juste de parler de la cuisine des divers cantons. Or la meilleure façon de se faire une idée de ce que l'on appelle cuisine suisse est de fréquenter les petites auberges des villages de montagne. Les plats témoignent d'une tradition séculaire marquée par le cycle des saisons et l'âpreté de la vie montagnarde. Ce sont des préparations simples, utilisant les quelques produits que fournit l'agriculture : du lait, de la viande, le fruit des récoltes et, dans certaines régions, le vin.

Préparation d'une fondue au fromage, à la « Raclette-Stube », à Zurich.

Les froma-ges suisses

Les Suisses affirment, non sans raison, que leurs fromages sont uniques et vont même jusqu'à les qualifier de meilleurs au monde. Leurs qualités doivent être attribuées à la concordance de circonstances heureuses : l'herbe grasse des pâturages de montagne, un air pur, des troupeaux en pleine santé et des paysans travailleurs. C'est dans ces conditions que l'on produit le lait des Alpes, la matière première des fromages suisses.

Nombreux sont les peuples de montagnards qui fabriquent du fromage, mais les Suisses doivent l'excellence du leur à leurs fermières. Au cours des siècles passés, les solides gaillards des alpages n'étaient en rien pacifiques et s'engageaient volontiers comme mercenaires à la solde d'armées étrangères, laissant généreusement aux femmes la charge des pâturages. Or ces femmes s'y entendaient à transformer l'abondance de lait en fromage – elle atteignaient une telle perfection en cet art que princes et rois offraient ces petites merveilles à ceux qui partageaient leur table. Les Romains appréciaient déjà les fromages des Helvètes, cette tribu celte qui s'implanta dans la région comprise entre le sud-ouest de l'Allemagne et l'actuel territoire suisse au 1er siècle avant J.C. On suppose qu'à l'époque, ils fabriquaient déjà une sorte d'Emmental, si bien que les fromagers peuvent aujourd'hui se vanter d'une tradition vieille de deux millénaires. De nos jours, l'Emmental, connu dans le monde entier, est le symbole même du fromage suisse suivi de près par son rival l'Appenzell, plus corsé, à la pâte de couleur ivoire et qui vient du canton du même nom. Quant au *Greyerzer*, originaire du canton de Greyerz à la lisière des Alpes de Fribourg et que les Français appellent Gruyère, il est sans doute le plus ancien fromage à pâte dure du monde. Une chronique témoigne qu'on le produisait déjà en 1115. C'est un fromage corsé et chaleureux que l'on utilise souvent râpé pour les gratins.

Le *Schabziger* du canton de Glarus, qui doit sa saveur caractéristique au trèfle moulu rapporté d'Asie mineure par les Croisés vers la fin du 11e siècle, est certainement tout aussi ancien. Le *Sbinz*, lui, est surtout fabriqué à Lucerne et dans les cantons avoisinants ; c'est un fromage à pâte dure riche en protéines et très digeste.

Parmi les autres fromages les plus connus, on compte la Tomme à la pâte dorée, tantôt ferme tantôt dure, le Vacherin, doux et crémeux vendu dans des boîtes rondes, et la Tête de moine produite dans la région de Berne.

A l'aide de la harpe à fromage, un brassoir muni de câbles fins, le lait caillé est brisé en particules de la taille d'un petit pois.

De nos jours, la plupart des fromages ne se présentent plus en roues, mais ont une forme carrée, ce qui permet une meilleure utilisation des caves.

La croûte est brossée à la machine,

puis coupée droit ; ensuite, le fromage repose pendant huit à douze semaines.

L'Emmental – symbole du fromage suisse

Dans le monde entier, l'Emmental équivaut pratiquement au fromage suisse. Pour faire une roue d'Emmental d'environ 80 kilos, il faut 1000 litres de lait – une quantité qui correspond à la production quotidienne de 80 vaches laitières. Mais, depuis longtemps déjà, bien avant l'instauration de la protection des appellations et des brevets, d'autres pays ont entrepris de fabriquer eux-mêmes leur propre Emmental, si bien que les Suisses sont bien obligés de constater que le plus célèbre de leurs fromages peut provenir d'Allemagne, de France, d'Autriche, de Finlande et même d'outre-mer. Pour se protéger, ils appliquent des directives très strictes qui garantissent la qualité du produit d'origine pourvu d'un label. Ainsi, chaque roue de fromage suisse est munie d'une étiquette qui porte l'inscription « Switzerland » en forme de rayons. En dépit de son prix plus élevé, le consommateur tend à préférer l'Emmental d'origine à ses imitations.

La fabrication de l'Emmental

L'Emmental est fait à partir de lait cru. Le plus souvent, les fromagers mélangent le lait tout frais du matin à celui de la veille. Le lait est chauffé à une température comprise entre 30 et 32 °C dans d'énormes chaudrons munis d'un mélangeur. Puis on y ajoute une présure dissoute dans l'eau et des cultures de bactéries. Sous l'effet de la présure, un ferment extrait de la panse des veaux, le lait se caille et prend une consistance proche de celle du yaourt, c'est alors qu'intervient la harpe à fromage, un brassoir tendu de câbles qui divise la masse en particules de la taille d'un petit pois. Ce procédé permet de séparer les éléments solides du petit lait. Ensuite, la masse est chauffée à 52 °C et brassée pendant 45 à 60 minutes avant qu'on l'ôte du chaudron pour l'égoutter dans un grand drap. Puis elle est déposée dans un cylindre de bois, le *Järb*, et placée sous presse pour que la roue se forme. On la retourne plusieurs fois dans la journée en augmentant la pression. Le lendemain, la roue va au saloir où elle refroidit après le salage. Elle baigne pendant trois jours dans une solution concentrée d'eau et de sel et repose 10 jours durant sur des disques de bois dans la cave du saloir.

Dans les caves tempérées et humides où repose l'Emmental se forme du gaz carbonique qui s'accumule dans la pâte et lui donne ses fameux trous. Plus le processus se déroule harmonieusement, plus les trous sont beaux et réguliers. L'affinage en caves fraîches commence au bout de huit à douze semaines. L'Emmental met quatre mois avant d'être prêt à la consommation, mais ce jeune fromage est encore très doux. Plus il vieillira, plus il épanouira sa saveur et son piquant.

Depuis quelques années, les fromages carrés plus rationnels pour le stockage et le transport ont tendance à remplacer les roues traditionnelles.

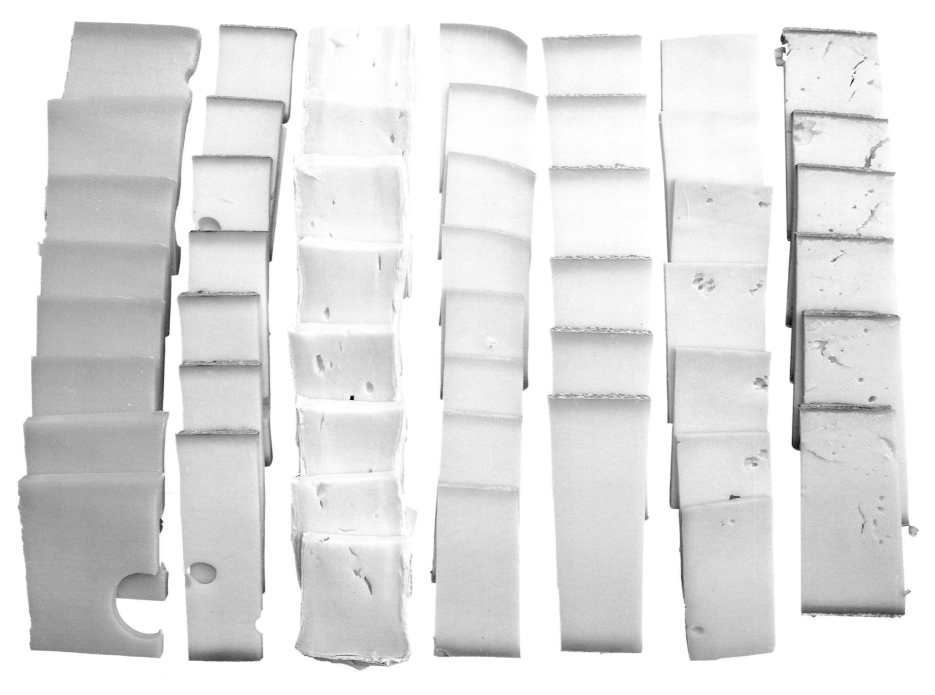

Emmental.   Appenzell.   Hidelchäs.   Brienz.   Schwyzer.   Raclette.   Küsnachter.

Ci-dessus : outre les fromages les plus célèbres, dont l'Emmental et l'Appenzell, ce sont surtout les fromages de montagne qui donnent une note particulière à la gamme des fromages suisses. Tandis qu'en Allemagne et en Autriche, le terme de fromage de montagne est utilisé comme générique, les produits des Alpes suisses portent généralement le nom de leur région d'origine. Leur variété tend vers l'infini et chaque canton exploite ses propres alpages. Ces fromages se distinguent par leur aspect, leur pâte et leur saveur. La plupart pèsent entre 30 et 40 kilos et leur teneur en graisse varie de 15 à 45 %. Le plus célèbre de ces fromages de montagne est le *Greyerzer*, que les Français appellent Gruyère et les Italiens, Gruviera.

Schweizer Käsetörtchen
Tartelettes suisses au fromage

250 g de farine
1 pincée de sel
125 g de beurre froid
1 œuf

Garniture

1 cuil. à soupe de crème
1 cuil. à soupe de lait
3 œufs
200 g de Gruyère râpé
100 g d'Emmental râpé
sel, poivre gris
1 pointe de muscade

Tamiser la farine dans une terrine et y ajouter le sel. Couper le beurre en petits morceaux et l'incorporer à la farine en ajoutant environ 2 cuil. d'eau pour obtenir une pâte lisse. Envelopper la pâte dans une feuille de cellophane et la laisser au réfrigérateur pendant environ 2 heures. Battre la crème, le lait et l'œuf, incorporer le fromage en mélangeant bien, saler, poivrer et saupoudrer de muscade. Chauffer le four à 200 ºC.
Abaisser la pâte au rouleau et garnir les moules à tartelettes. Les fourrer avec le mélange au fromage et laisser cuire pendant 25 minutes environ jusqu'à ce que le fromage soit bien gonflé et ait une belle couleur dorée.
Variante : parsemer le fromage de graines de sésame ou de cumin, ou ajouter quelques lardons à la garniture.

217

La fondue au fromage

Un pays qui doit sa richesse à ses fromages détient évidemment une multitude de recettes l'utilisant. La plus célèbre, la fondue, est originaire du canton de Neuchâtel.

Ce qu'il faut savoir sur la fondue

Pour la réaliser, l'essentiel est d'être en possession d'un caquelon, un poêlon résistant à la chaleur et muni d'un manche. On en trouve en grès, en céramique ou en fonte émaillée. Avant d'utiliser un caquelon neuf en grès, mieux vaut y faire bouillir du lait allongé d'eau. Pour la recette de base, celle de Neuchâtel (page de droite), il faut du vin blanc et deux sortes de fromages que l'on râpe grossièrement avant de les chauffer avec le vin. On choisit surtout de l'Emmental et du Gruyère, car l'Emmental seul serait trop doux et le Gruyère, trop fort. Le fait d'ajouter du jus de citron au vin a son importance, car il lui confère une certaine acidité qui permet au fromage de bien fondre. Une fois que les fromages forment une crème épaisse, on retire le caquelon du feu pour le poser sur un réchaud, par exemple un réchaud à alcool, placé au milieu de la table. Chaque convive se sert des cubes de pain qu'il pique avec sa fourchette et plonge dans la fondue. Certains trempent d'abord leur pain dans du kirsch, mais, en général, la boisson idéale pour accompagner une fondue est un blanc sec de montagne.

La qualité d'une fondue dépend des fromages que l'on a choisis. S'ils sont trop jeunes, ils forment des grumeaux, mais, avec un fromage trop vieux, la graisse risque de suinter. Certaines recettes contiennent jusqu'à trois types de fromages différents ; toutefois, le piquant d'une fondue provient toujours du Gruyère.

Chaque canton a la sienne

En Suisse, les recettes de fondue varient d'un canton à l'autre, mais, au fond, la différence réside surtout dans le choix du fromage et, naturellement, les produits régionaux ont la préférence.

Fondue de Fribourg

On utilise moitié Gruyère et moitié Vacherin à fondue. Ne pas confondre le Vacherin à fondue avec le fromage crémeux du même nom. Les Suisses appellent cette variante « Moitié-moitié ». Si l'on prend un Vacherin à fondue bien fait, on n'a besoin ni de vin, ni de kirsch, mais on trempe d'abord son pain dans une eau-de-vie de prune avant de le plonger dans la fondue.

Fondue genevoise

On ajoute des morilles hachées revenues dans le beurre à la fondue constituée de Gruyère, d'Emmental et de fromage des montagne valaisannes. Dans une autre recette, la fondue se prépare à partir de Gruyère et d'Emmental à deux degrés de maturité différents, auxquels on ajoute trois jaunes d'œuf. Cette fondue se prépare sur un chauffe-plat et non sur un réchaud pour éviter que les œufs ne prennent.

Fondue de Glaris

Dans le canton de Glaris, on préfère ajouter au Gruyère du Schabziger, un fromage de teinte verdâtre que l'on râpe dans une sauce blanche composée de farine, de lait et de beurre.

Fondue de Neuchâtel

On compte deux tiers d'Emmental pour un tiers de Gruyère (cf. page de droite), mais on peut également faire moitié-moitié. Cette fondue se prépare avec du vin de Neuchâtel.

Fondue de Suisse orientale

Ses principaux ingrédients sont de l'Appenzell, du Vacherin à fondue et un cidre sec.

Fondue de Vaud

On utilise exclusivement du Gruyère à divers degrés de maturité en incorporant de l'ail haché et revenu au beurre.

Fondue valaisanne (fondue au gomser)

On commence par préparer une sauce blanche dans laquelle on râpe du Gomser, un fromage typique des Alpes valaisannes.

Le caquelon est l'ustensile indispensable pour réaliser une fondue, c'est un poêlon en grès, en céramique ou en fonte émaillée.

Pour faire une fondue, on verse du vin et un peu de jus de citron dans le caquelon, ou poêlon spécial. Certains y ajoutent aussi une gousse d'ail pressée.

La version originale, la fondue de Neuchâtel, se prépare à base d'un Emmental doux et d'un Gruyère piquant et corsé.

On râpe grossièrement les fromages dans le vin, puis on fait chauffer.

Dès que les fromages arrivent à ébullition, on mélange un peu de kirsch à de la fécule.

Puis on l'incorpore aux fromages en remuant bien pour lier la masse.

La fondue se mange en y plongeant un morceau de pain à l'aide d'une grande fourchette.

Recette de base pour la fondue au fromage
Fondue de Neuchâtel

1 gousse d'ail
400 g de Gruyère
200 g d'Emmental
30 cl de vin blanc
1 cuil. à café de jus de citron
2 cuil. à café de fécule
10 cl de Kirsch
poivre noir
1 pointe de muscade
pain blanc (env. 200g par personne)

Frotter le fond du caquelon à l'ail. Râper grossièrement les deux fromages. Ajouter le vin et le jus de citron et porter à ébullition en remuant. Mélanger la fécule et le kirsch, ajouter aux fromages, rectifier l'assaisonnement en saupoudrant de poivre et de muscade. Porter de nouveau à ébullition jusqu'à ce que la fondue soit lisse et crémeuse, puis la poser sur un réchaud au milieu de la table. Laisser frémir la fondue pendant le repas et la remuer de temps en temps pour qu'elle reste onctueuse.

Chaque convive pique un morceau de pain avec une grande fourchette qu'il plonge ensuite dans la fondue. La coutume veut que celui qui perd son pain offre une bouteille de vin aux autres convives.

Un conseil : si la fondue est trop liquide, y ajouter du fromage ; si elle est trop épaisse, l'allonger de vin. Le vin joue un rôle décisif, il est préférable d'utiliser un vin jeune assez acide, du type vin des Alpes.

La raclette
ou le plaisir du fromage fondu

Originaire du Valais, la raclette était un plat rustique traditionnel que les paysans préparaient à partir de plusieurs fromages de montagnes. On raconte qu'un jour, on ignore à quelle époque, le fromage avait été laissé trop près de l'âtre et qu'à leur retour les habitants avaient découvert une savoureuse pâte de fromage fondu. La raclette était née.

Autrefois, la raclette suisse ne se composait que de fromage, de pommes de terre en robe des champs et de cornichons. Cette recette s'est diversifiée et enrichie par la suite et s'accompagne de viande, de poisson, de volaille, de légumes et même de gibier ou de fruits.

Entre-temps, on utilise un fromage spécifique alors que, pendant longtemps, les recettes raffinées ont été préparées à base de fromages des montagnes valaisannes comme le Gomser ou le Bagnes. La raclette est un fromage crémeux qui fond aisément sans couler et que l'on place, soit dans un four à raclette, soit sur un gril. Ce four peut contenir une petite roue de raclette coupée en deux, il est équipé d'un gril fait de fines résistances chauffées au rouge. Selon le besoin, on varie la distance en-tre le gril et le fromage. Dès que celui-ci commence à fondre, comme le dit son nom, on en racle de fines tranches sur une assiette. Les services à raclette que l'on trouve de nos jours sont pourvus de petits poêlons/portions dans lesquels les convives disposent les ingrédients qu'ils recouvrent d'une tranche de fromage avant de les glisser sous le gril. On peut aussi griller des viandes ou autres ingrédients sur la plaque du gril tandis que le fromage fond.

Aujourd'hui encore, on trouve dans le Valais des auberges à raclette qui préparent ce plat selon la recette traditionnelle. On dépose alors la roue de fromage coupée en deux près de la cheminée et l'on racle le fromage dans les assiettes au fur et à mesure qu'il fond. Cette raclette se sert, conformément à la coutume, avec des pommes de terre en robe des champs et des cornichons.

Pommes de terre râpées et leurs variations

Les Rösti

Beaucoup d'étrangers ignorent sans doute que la Suisse est un pays où la pomme de terre est reine. D'ailleurs, la diversité des recettes imaginées dans les divers cantons helvétiques en témoigne ; toutefois, l'une d'elles a la réputation d'être la spécialité suisse par excellence : le Rösti (prononcer « reuchti »). Faites à partir de pommes de terre en robe des champs, ces galettes bien dorées qui ressemblent un peu à des crêpes constituaient à l'origine l'essentiel du petit déjeuner traditionnel des paysans. On les plaçait au milieu de la table et chacun se servait avec sa cuiller.

Puis les Rösti sont partis à la conquête du monde. Les cuisiniers de toutes les grandes nations s'y essayent avec une succès relatif puisque le Rösti parfait ne saurait provenir que d'une cuisine suisse pour la bonne raison qu'on en prépare tous les jours et que cuisiniers et cuisinières maîtrisent les proportions et le temps de cuisson à tel point qu'ils seraient capables de les réaliser en dormant. En effet, cette harmonie inimitable entre une croûte ferme et un cœur cuit à point, cette légèreté et cette odeur appétissante requièrent un certain tour de main.

Evidemment, chaque canton possède les siens. Ils accompagnent de nombreux plats, mais se servent également seuls avec une salade verte. Le produit de base, la pomme de terre permet une multitude de compositions et chaque région y ajoute les ingrédients dont elle dispose, mais oh! surprise, les Rösti sont toujours un délice.

Recette de base des Rösti

1 kg de pommes de terre
1 oignon
sel
huile

Faire cuire des pommes de terre en robe des champs, les passer sous l'eau froide dès qu'elles sont cuites, les peler encore chaudes et les râper grossièrement. Eplucher l'oignon et le hacher fin, mélanger aux pommes de terre et saler. Chauffer l'huile dans une poêle et y déposer les pommes de terre en formant une galette d'épaisseur régulière. Faire revenir jusqu'à ce que le dessous soit d'un beau brun doré, retourner en s'aidant d'une assiette ou d'un couvercle, puis faire cuire l'autre face. Présenter les Rösti sur un plat chaud ou dans la poêle.

Pour préparer des Rösti, on râpe des pommes de terre, puis on les mélange avec des oignons hachés fin.

On fait chauffer de l'huile végétale dans une poêle.

On répartit les pommes de terre dans la poêle pour former une galette d'épaisseur régulière.

Les Rösti doivent revenir environ 5 minutes de chaque côté jusqu'à ce qu'ils aient cette belle couleur dorée.

Variations de Rösti

Rösti de l'Appenzell
On y ajoute du lard et de l'Appenzell

Rösti de Bâle
Aux oignons coupés en rondelles

Rösti de Berne
Aux lardons

Rösti de Glaris
Au Schabziger, un fromage aux herbes

Rösti du Tessin
Aux lardons et au romarin

Rösti de Suisse occidentale
Aux lardons, tomates, poivrons et gruyère

Rösti zurichois
Aux oignons hachés et au cumin

Emincé à la zurichoise.

Pour réaliser un émincé à la zurichoise, découper de la noix de veau en fines lamelles.

Faire brièvement revenir la viande dans le beurre, la sortir de la poêle et la réserver au chaud.

Faire fondre d'abord les oignons, puis les champignons dans le beurre.

Déglacer avec du vin blanc,

ajouter la crème et porter la sauce à ébullition.

Avant de servir, réchauffer la viande et les champignons dans la sauce.

Berner Rösti
Rösti de Berne

De toutes les variétés de Rösti, c'est celui de Berne qui a réussi à conquérir l'Europe, on le trouve dans tous les livres de cuisine ainsi que sur les cartes des restaurants et hôtels internationaux.

1 kg de pommes de terre (fermes)
1 cuil. à café de cumin
125 g de lard
sel
2 cuil. à soupe de lait

Faire cuire les pommes de terre en robe des champs dans de l'eau salée à laquelle on aura ajouté du cumin, les passer sous l'eau froide et les peler chaudes. Laisser reposer sous un couvercle pendant une nuit, puis râper grossièrement.
Couper le lard en petits lardons et les faire fondre dans une poêle. Ajouter les pommes de terre, saler et retourner jusqu'à ce que les pommes de terre aient absorbé toute la graisse.
Presser le mélange de pommes de terre et de lard pour former une galette recouvrant uniformément le fond de la poêle. Faire revenir à feu vif jusqu'à ce que le dessous soit doré, verser le lait sur la galette aux pommes de terre et retourner à l'aide d'une assiette ou d'un couvercle, faire dorer l'autre face et sortir le Rösti de la poêle, présenter sur un plat préchauffé.
Les Rösti accompagnent très bien les viandes rouges et le gibier. Pourtant, le Rösti est indissociable de l'émincé à la zurichoise (ci-contre).

Zürcher Geschnetzeltes
Emincé à la zurichoise
(idéal avec un Rösti)

Rien ne convient mieux à un Rösti qu'un émincé à la zurichoise, qui rappelle un peu le filet à la Stroganoff des Russes, avec la seule différence qu'on utilise du veau.

1 oignon
300 g de champignons de Paris
600 g de noix ou d'escalope de veau
farine
50 g de beurre
1 verre de vin blanc
1 pot de crème
sel, poivre noir
persil haché

Eplucher l'oignon et le hacher, nettoyer les champignons et les couper en tranches.
Emincer le veau en fines lamelle et saupoudrer de farine. Faire chauffer le beurre dans une poêle et y faire revenir la viande, la sortir et la maintenir au chaud.
Faire fondre les oignons dans le beurre, puis ajouter les champignons et terminer la cuisson à feu vif. Déglacer avec le vin, ajouter la crème, porter à ébullition et réchauffer la viande dans la sauce, saler, poivrer, rectifier l'assaisonnement.
Présenter garni de persil haché.

Les poissons

A parcourir la Suisse, on s'émerveille sans cesse devant la sérénité de ses lacs de montagne qui semblent vierges de toutes les nuisances de la civilisation et à l'abri de l'urbanisation croissante. Leurs eaux limpides où se reflètent les cimes des montagnes s'offrent aux yeux du promeneur. Et les centaines de torrents qui viennent les alimenter nous donnent l'impression d'une nature originelle intacte. Mais le gourmand supposera, à raison, que ces eaux sont extraordinairement poissonneuses.

En fait, la Suisse est un véritable paradis pour les pêcheurs à la ligne, qui sont d'ailleurs toujours les bienvenus. Les variétés de poissons reflètent la diversité des eaux, si bien que l'on peut y pratiquer la pêche pendant toute l'année.

Après une période où l'abus d'engrais avait pollué les lacs des vallées de Suisse centrale, leurs eaux sont redevenues propres et regorgent de brochets, perches, truites et sandres. On pêche la truite, le goujon, la carpe et les lottes de rivière dans les ruisseaux et rivières. Les lacs alpins ne sont accessibles aux pêcheurs que pendant une courte période et prodiguent un immense plaisir en juillet, après la fonte des glaces. Les torrents alpins sont traditionnellement riches en truites, mais celui qui aspire à prendre des spécimens de bonne taille préférera le Rhin et le Rhône où l'on trouve aussi bien des truites que des carpes et des brochets.

Canton aux « mille vallées », les Grisons sont le lieu de prédilection des passionnés qui n'hésitent pas à parcourir de longues distances à pied pour prendre les plus beaux salmonidés, des poissons de la famille du saumon, comme l'omble chevalier. En Engadine, l'Inn, qui arrose la vallée de St Moritz, compte parmi les rivières les plus poissonneuses ; les lacs de la région sont célèbres pour leurs truites et leurs ombles chevaliers que l'on trouve aussi au nord de Zurich et dans la vallée de la Thur. A l'Est, le lac de Wallensee regorge lui aussi de truites et d'ombles. Et, tous les ans, à Lucerne, le 1er janvier marque la saison des grosses truites du lac des Quatre cantons.

Carpe squameuse (peut dépasser 100 cm)
Ce poisson se distingue des autres carpes parce qu'il est entièrement recouvert d'écailles. On l'élève dans les étangs et sa chair est délicieuse.

Ablette (jusqu'à 20 cm)
Ce poisson vit dans les rivières à cours lent et se consomme en friture ou en beignets.

Gardon (jusqu'à 30 cm)
La chair blanche de ce petit poisson ressemble à celle du brochet, mais elle est moins ferme et moins goûteuse.

Féra (jusqu'à 60 cm)
Ce poisson argenté aux fines écailles, dont il existe plusieurs espèces, est savoureux et très répandu.

Brème (jusqu'à 70 cm)
Poisson plat, avec beaucoup d'arêtes, se prépare frit, grillé ou fumé et entre dans la composition des soupes de poissons.

Carpe miroir (peut dépasser 100 cm)
Cette carpe qui descend de la carpe franche est un produit d'élevage, elle a peu d'écailles. Pochée ou rôtie, sa chair est délicieuse.

Lotte de rivière (jusqu'à 80 cm)
La seule espèce appartenant à la famille des lottes qui vit en eau douce, son corps puissant rappelle la forme de l'anguille. Sa chair maigre est presque dépourvue d'arêtes, son foie, considéré comme un mets de choix, se fait revenir au beurre et ses œufs sont tout aussi appréciés.

Ombre (jusqu'à 50 cm)
Ce poisson pourvu d'une grande nageoire dorsale vit dans les eaux claires et froides, surtout en Suisse orientale près de Schaffhouse. Sa chair tendre et goûteuse sent légèrement le thym. Se prépare au beurre, à la meunière.

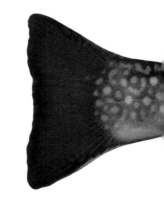

Tanche (jusqu'à 50 cm)
Ce poisson, qui ressemble un peu aux carpes, préfère les eaux boueuses. La tanche a une peau glaireuse et sa chair tendre est douce et agréable au goût.

Truite arc-en-ciel (jusqu'à 50 cm, en haut)
Truite sauvage (jusqu'à 40 cm, en bas)
La truite arc-en-ciel, originaire d'Amérique, a été introduite en 1880 ; actuellement, c'est essentiellement un poisson d'élevage que l'on trouve toute l'année. La truite sauvage, un poisson de premier choix, vit dans les torrents alpins aux eaux claires et riches en oxygène.

Carpe dite à plumet rouge (jusqu'à 30 cm)
Ressemblant par sa morphologie au gardon franc, cette carpe vit dans les fleuves à cours lent, il doit son nom à ses nageoires ventrale d'un rouge vif. C'est un poisson goûteux, mais avec beaucoup d'arêtes.

Silure (jusqu'à 300 cm)
Poisson carnivore à grosse tête qui présente des antennes caractéristiques et peut atteindre 300 kilos. Bien que sa chair contienne beaucoup de graisse, il est considéré comme un mets de choix.

Omble chevalier (jusqu'à 60 cm)
Ce poisson de la même famille que la truite a le dos vert et vit dans les eaux froides des lacs profonds. Considéré comme mets de choix, il a une chair tendre et très parfumée.

Filet de perche au vin blanc

800 g de filets de perche
jus de citron
sel, poivre noir
farine
50 g de beurre
1 pot de crème
2 verres de vin blanc
100 g de champignons de Paris
2 cuil. à soupe de persil haché

Rincer les filets de poisson et les essuyer, les arroser de jus de citron, saler, poivrer, les rouler dans la farine, puis les faire revenir dans le beurre.
Faire chauffer le vin et la crème et pocher pendant quelques minutes, saler, poivrer, rectifier l'assaisonnement. Nettoyer les champignons et les couper en tranches. Disposer les champignons crus sur les filets de poisson et napper de sauce chaude. Garnir de persil haché. Servir avec des pâtes, du riz ou des pommes à l'anglaise et une salade.

Omble chevalier à la genevoise

100 g de beurre
3 échalotes
persil, thym, ciboulette, romarin, estragon
4 ombles chevalier préparés
jus de citron
sel, poivre noir
1 verre de vin blanc
2–3 cuil. à soupe de farine
1 pot de crème
2 jaunes d'œuf

Eplucher les échalotes, les hacher fin, puis les faire fondre dans la moitié du beurre. Laver les herbes, les hacher et les ajouter aux échalotes. Arroser les poissons de jus de citron à l'intérieur comme à l'extérieur et les ajouter aux échalotes, saler, poivrer. Verser le vin allongé d'un peu d'eau, couvrir et glisser au four préchauffé à 150 ºC, laisser cuire pendant environ 15 minutes.
Sortir les poissons du court-bouillon et les maintenir au chaud. Faire fondre le reste de beurre, lier avec la farine et mouiller avec le court-bouillon en remuant pour obtenir une belle sauce onctueuse. Compléter avec la crème, saler, poivrer.
Porter la sauce à ébullition, ajouter les jaunes d'œuf hors du feu et battre au fouet, réchauffer brièvement et servir les poissons nappés de sauce.

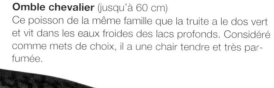

Féra bleu (jusqu'à 50 cm)
Poisson vert sombre ou bleu argenté vivant dans les eaux profondes et claires des lacs préalpins. Sa chair est ferme et très digeste. Ses œufs son commercialisés sous l'appellation de caviar de féra.

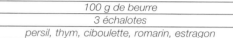

Anguille de rivière
(mâle jusqu'à 50 cm, femelle jusqu'à 1 m)
L'anguille de rivière est quatre fois plus grasse que l'anguille de mer, ce qui lui donne une chair plus parfumée. Elle se consomme surtout fumée.

Perche (jusqu'à 40 cm)
Poisson plat au dos tigré de rayures transversales de couleur sombre, il vit dans les lacs et rivières et possède une chair ferme et goûteuse.

Sandre (jusqu'à 70 cm)
Poisson carnivore et vorace qui vit dans les lacs et rivières riches en plancton l'été. Sa chair est blanche, goûteuse et tendre.

Brochet (jusqu'à 150 cm)
Poisson carnivore de forme allongée à la gueule ressemblant à un bec de canard, il possède une chair ferme, mais a beaucoup d'arêtes. C'est la raison pour laquelle on l'utilise surtout en farces et en quenelles.

La viande séchée des Grisons, une spécialité de ce canton, est d'abord salée dans une saumure épicée, puis séchée à l'air pendant plusieurs mois. On la mange en fines tranches avec un verre de vin.

La viande séchée des Grisons

Le mieux, pour accompagner un verre de vin, est sans aucun doute cette célèbre viande séchée des Grisons que les paysans de montagne emmenaient dans leurs longs périples dans les alpages. Elle se prépare à partir de la culotte de bœuf, une viande riche en muscle et persillée, marinée dans une saumure parfumée aux herbes avant de sécher pendant plusieurs mois à l'air odorant des montagnes et de perdre plus de la moitié de son eau. La viande des Grisons, le Bressaola italien, se sert avec du pain complet et du beurre, découpée en fines tranches roulées sur une planche de bois. On en relève le goût avec du poivre au moulin.

Au début du séchage, la viande des Grisons est d'abord placée dans des presses qui lui donnent sa géométrie caractéristique.

La viande des Grisons se coupe en tranches très fines que l'on sert roulées, poivrées au moulin et présentées avec du pain complet et du beurre.

Une douceur – au millimètre près

Les Leckerli de Bâle

Les Suisses aiment particulièrement les douceurs et les pâtisseries de toutes sortes. Les habitants du nord du pays, et surtout les Bâlois, ont la réputation d'être de fameuses fines bouches. La tradition des Leckerli de Bâle, des biscuits au miel connus dans le monde entier, remonte à plus de six siècles. La potasse, un carbonate de potassium utilisé dans cette recette, est une sorte de levure souvent employée pour préparer les gâteaux au miel.

Ci-dessous : les Suisses sont réputés consciencieux et méticuleux. Lors de la fabrication des Leckerli de Bâle, les dimensions sont respectées au millimètre près.

Ci-dessus : ingrédients des Leckerli de Bâle – miel, amandes hachées, farine, orange et citron confits, potasse, levure et sucre.

Leckerli de Bâle

400 g de miel
250 g de sucre
10 g de potasse
1 verre de kirsch
50 g d'orange et de citron confits
100 g d'amandes
700 g de farine
cannelle, clous de girofle moulus, muscade

Chauffer le miel dans une casserole et y ajouter le sucre, faire bouillir pendant quelques instants et laisser refroidir. Dissoudre la potasse dans le kirsch et ajouter au miel. Hacher l'orange et le citron confits, les amandes et les incorporer progressivement au miel en même temps que la farine. Travailler pour obtenir une pâte lisse. Laisser reposer pendant une nuit. Chauffer le four à 200 °C. Abaisser la pâte au rouleau et la déposer sur une tôle beurrée. Cuire au four pendant environ 20 minutes, laisser refroidir et découper en petits carrés.

1

2

3

4

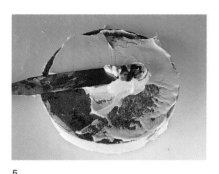

5

6

7

8

Spécialités gourmandes

Rüeblitorte de l'Argovie

(Illustration ci-dessous)

Dans l'Argovie, on fait un gâteau qui déconcerte les étrangers. En effet, il se prépare à base de carottes râpées, ce qui lui confère une douceur légèrement épicée.

6 jaunes d'œuf, 6 blancs d'œuf
300 g de sucre
zeste râpé d'un citron non traité
2 cuil. à soupe de kirsch
300 g de carottes
300 g d'amandes en poudre
50 g de farine
sucre glace
pâte d'amandes

Battre les jaunes d'œuf et le sucre pour obtenir un mélange crémeux, ajouter le zeste de citron et le kirsch. Nettoyer les carottes, les râper, puis les mélanger aux œufs en même temps que la farine et les amandes. Battre les blancs d'œufs en neige et les incorporer à la pâte aux carottes.
Chauffer le four à 180 °C. Garnir de pâte un moule à manqué préalablement beurré et laisser cuire au four pendant environ 60 minutes. Saupoudrer de sucre glace et décorer avec des carottes en pâte d'amandes.

Zuger Kirschtorte

Gâteau aux cerises Zuger
(Illustrations 1–8 ci-dessus)

Ce gâteau s'appelle gâteau aux cerises bien qu'il n'en contienne pas. La solution de l'énigme : ce biscuit à la noisette garni de crème au beurre est copieusement arrosé de kirsch.

Meringue à la noisette

4 blancs d'œuf
125 g de sucre glace
100 g de noisettes en poudre
25 g de fécule

Biscuit

3 jaunes d'œuf
75 g de sucre glace
50 g de farine
50 g de fécule
1/2 cuil. à café de levure chimique
zeste d'un citron non traité

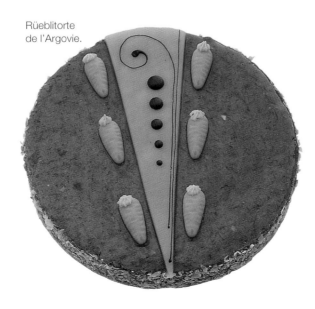

Rüeblitorte de l'Argovie.

Crème au beurre

150 g de beurre
150 g de sucre glace
1 jaune d'œuf
4 cuil. à soupe de kirsch

Décoration

4 cuil. à soupe de kirsch
125 g de noisettes hachées
100 g de sucre glace

Pour la meringue aux noisettes : monter les blancs d'œufs en neige et y ajouter la moitié du sucre glace. Mélanger le reste de sucre glace, les noisettes et la fécule et incorporer délicatement aux blancs d'œufs. Cuire deux disques aux noisettes dans un moule à manqué.
Biscuit : battre les jaunes d'œufs avec 3 cuil. d'eau chaude pour obtenir un mélange mousseux, puis ajouter la moitié du sucre glace. Monter les blancs en neige avec le reste de sucre glace, incorporer les jaunes, puis la farine, la fécule, la levure et le zeste de citron pour obtenir une belle pâte légère. Comme pour les disques aux noisettes, utiliser un moule à manqué et faire cuire au four à chaleur moyenne pendant environ 20 minutes.
Crème au beurre : battre le beurre, y ajouter le sucre et le jaune d'œuf, puis le kirsch tout en battant. Répartir la crème en trois portions.
Réalisation : étaler un tiers de crème au beurre sur le disque aux noisettes (illustration 1), recouvrir d'un disque de biscuit (illustration 2), arroser de kirsch (illustration 3), étaler une nouvelle couche de crème au beurre, puis couvrir d'un disque aux noisettes (illustration 4). Garnir le gâteau avec le reste de crème au beurre (illustration 5), décorer les bords et la surface de noisettes concassées (illustration 6) et saupoudrer de sucre glace (illustration 7) ; découper en losanges (illustration 8).

Au bon lait des Alpes

Le chocolat

A la suite des grandes expéditions maritimes et des découvertes de Christophe Colomb et d'Hernán Cortés, la fève de cacao originaire d'Amérique fit son entrée en Europe au 16e siècle. Le chocolat, cette fameuse boisson au cacao, fut d'abord la coqueluche de la société raffinée des cours princières. Mais il ne réussit sa véritable percée qu'en 1828, quand le Hollandais J.C. Houten découvrit un procédé qui permettait d'éliminer les huiles contenues dans la fève et de fabriquer du cacao en poudre. Vingt ans plus tard, l'Anglais Joseph Fry inventa un moyen pour produire du chocolat en barres, puis en 1875, le Suisse Daniel Peter lui ajouta du lait condensé, réalisant ainsi la première tablette de chocolat au lait.

Quelques années après, Rudolf Lindt mettait au point un procédé d'affinage, qu'il appela «concher»: placé dans des cuves, en forme de coquilles (espagnol: concha), chauffées et agitées en permanence, le chocolat était concassé entre des cylindres comme dans un laminoir. Auparavant, il contenait encore de minuscules grumeaux qui, certes, se dissolvaient dans le chocolat chaud, mais ne permettaient pas d'obtenir cette pâte homogène et lisse dont on a besoin pour pouvoir la couler dans des moules. C'est grâce au procédé de Lindt que le chocolat a acquis ce fondant qui en épanouit le goût et facilite son traitement ultérieur. Ainsi est né l'un de nos petits plaisirs favoris.

Quant aux Suisses, ils ont fortement contribué au développement de tous les stades de cette évolution. Des noms tels que Kohler et Cailler, Sprüngli et Lindt, Suchard et Tobler sont autant de bornes qui marquent l'avancée victorieuse du chocolat au lait suisse, célébré pour sa qualité par tous les amateurs du monde entier. Ces noms sont ceux d'industriels avisés qui, vers la fin du 19e siècle et au début du 20e, ont eu pour seul objectif d'allier la saveur forte de la fève de cacao à la douceur du lait des Alpes.

De la fève au cacao

Le cacaoyer pousse surtout en Afrique, en Amérique latine et en Asie. Ses fruits sont récoltés dès qu'ils atteignent une taille comprise entre 15 et 25 cm, puis coupés en deux. On recueille alors les graines blanches contenues dans le fruit, qu'on laisse fermenter après les avoir épluchées et recouvertes. Après cette fermentation, les fèves sont d'un beau brun chocolat et ont développé cet arôme typique tant recherché. Elles sont ensuite séchées et expédiées par sacs vers l'Europe où on les nettoie avant de les torréfier et de les moudre pour obtenir la pâte de cacao. Le beurre de cacao est évacué pendant le broyage et le pressage; or ce beurre a une importance particulière, il fond à une température avoisinant celle du corps humain et possède des propriétés qui en font un produit intéressant pour les industries pharmaceutiques et cosmétiques. Le cacao ainsi obtenu est de nouveau broyé pour obtenir une poudre que l'on utilisera dans la fabrication des boissons au chocolat, d'entremets et de confiseries au chocolat.

Au moyen d'un procédé compliqué, on traite ensemble la poudre et le beurre de cacao ainsi que du lait en poudre pour donner le chocolat de couverture. Les proportions entre ces trois éléments font partie des secrets des chocolatiers qui y ajoutent des noisettes, des amandes et des raisins pour en enrichir les saveurs. Une législation très stricte réglemente la pureté et la qualité des différentes sortes de chocolat. On distingue le chocolat fondant du chocolat à croquer, et le chocolat au lait de son frère allégé, le chocolat blanc qui, lui, ne contient ni cacao ni pâte de cacao mais uniquement du beurre de cacao.

Les pralinés, les rois des chocolats

Selon leur procédé de fabrication, les pralinés se répartissent en trois groupes: les pralinés enrobés de couverture et fourrés d'une crème consistante ou d'une pâte plus ferme, les chocolats contenant une liqueur ou une crème presque liquide et les chocolats pleins. Les plus répandues sont les bouchées faites à base d'une couverture et fourrées à la pâte d'amandes, au praliné, à la ganache ou à la nougatine. Agrémentées d'une amande ou d'une noisette, d'arabesques de chocolat noir, leur confection réclame au-

Confiserie suisse

1 Orangenschnitze (quartiers d'orange confits, glacés au sucre et plongés dans la couverture de chocolat)
2 Princesses (truffes à l'orange et sucre glace)
3 Ananasdreiecke (triangles d'ananas confit)
4 Kirschspitzli (cerises à l'eau-de-vie)
5 Truffes au whisky (truffes parfumées au whisky et roulées dans la poudre de cacao)
6 Kransekager (confiserie au massepain, son nom est emprunté à un gâteau danois en forme de couronne)
7 Calissons (barquettes recouverte d'un glaçage au sucre)
9 Schiesser Rhum (une création du chocolatier Schiesser de Bâle)
10 Baisers du jour

jourd'hui encore beaucoup d'adresse et de précision dans le geste.

Le praliné est de loin le favori. Sa fabrication ressemble beaucoup à celle du chocolat, sauf que l'on remplace les fèves de cacao par des amandes ou des noisettes moulues. Les plus prestigieux sont les chocolats fourrés à la ganache ou aux pâtes truffées. Truffes et ganaches sont à la base un mélange de chocolat et de crème fraîche auquel on peut ajouter du beurre, un alcool, une pâte de noisettes, d'amandes ou des fruits. La nougatine est une sorte de caramel dur avec des amandes ou des noisettes concassées. La pâte d'amandes est obtenue en malaxant des amandes, du sucre glace et de l'extrait de rose. Quant aux bouchées aux fruits et à l'alcool comme les cerises à l'eau-de-vie où autres petites merveilles à base de liqueurs ou d'alcool blancs, elles sont indispensables dans tout bon assortiment de chocolats.

Les cigares

Genève, la vénérable cité cosmopolite des rives du lac Léman, n'est pas seulement le siège d'organisations mondiales, mais aussi le cœur de la civilisation du cigare. Un nom, celui de Zino Davidoff, lui est intimement associé. Ce Russe natif de Kiev, dont la famille avait émigré à Genève juste avant la Révolution d'Octobre, y est mort en 1994 à l'âge de 88 ans, mais son œuvre lui a survécu. Pendant la Seconde Guerre mondiale, c'est à partir de Genève qu'il canalisait habilement les échanges commerciaux de Cuba vers la France et l'Allemagne et sa boutique devint une plaque tournante pour tous les véritables amateurs de cigares. Dès 1929, il avait installé des caves climatisées pour stocker les cigares. Puis, en 1945, il commercialisa les fameux cigares Château qu'il importait de Cuba et auxquels il donnait les noms de grands vins de Bordeaux. Mais, en 1990, il se produisit une rupture avec Cuba; depuis, les cigares Davidoff sont fabriqués à Saint-Domingue. Ceux-ci sont plus légers que les Havanes; la gamme Davidoff Grand-Cru existe en cinq tailles de 155 à 102 millimètres de longueur.

Le Cohiba – la réponse cubaine à Davidoff

Cette longue querelle entre Cuba et Davidoff qui fut à l'origine de la rupture est sans aucun doute née du désir cubain d'accorder la priorité à leur propre marque, le Cohiba – nom qui signifie «cigare» dans la langue des Indiens Taino de Cuba – et de se réserver les meilleures feuilles pour leur production. Aujourd'hui, les connaisseurs considèrent le Cohiba comme le seul véritable Havane.

Le révolutionnaire Che Guevara, responsable de l'industrie du cigare et de la fabrication, avait chargé Avelino Lara, l'un des plus grands experts du pays, de développer la production du Cohiba. Sa qualité exceptionnelle résulte pour l'essentiel du fait que l'on utilise seulement une sélection des meilleures feuilles de tabac qui fermentent trois fois et proviennent d'une dizaine de plantations choisies. Environ 20 pour cent de la production journalière sont soumis à des tests qui vérifient huit critères : la longueur, le poids, la résistance, la feuille de couverture, la taille du bout. Des fumeurs professionnels, les *catadores,* goûtent divers échantillons de plusieurs lots.

De tous les Havanes, les Cohibas sont les plus chers. La production atteint 3,5 millions d'unités par an, ce qui ne représente qu'un pour cent du nombre de cigares fabriqués à Cuba. Cette marque prestigieuse est exportée depuis 1982.

Ci-dessus : formats standard des Havanes – les chiffres se réfèrent aux explications données dans l'encadré de la page de droite. Le double décimètre donne une idée de la longueur de chaque cigare.

A gauche : formats Cohiba – les chiffres se réfèrent aux explications de l'encadré de la page de droite. Le Cohiba, introduit par le révolutionnaire cubain Che Guevara, est devenu le symbole du Havane. Au début, ce cigare, qui était la marque favorite de Fidel Castro, était réservé aux diplomates étrangers, aux rois et aux dictateurs. Mais, depuis 1982, il est exporté pour les «fumeurs ordinaires». L'homme qui l'a créé, Avelino Lara, comptait parmi les meilleurs experts en la matière. Il commença sa carrière de fabricant de cigares dans les années 20. En matière de qualité et de prix, le Cohiba est au premier rang.

Formats des cigares

Il existe une soixantaine de tailles différentes, mais de nombreuses marques donnent un nom particulier aux formats standard de leurs cigares. La longueur et le diamètre sont indiqués en pouces (1" = env. 25, 5 mm), tout comme le diamètre inscrit sur la bague. Un cigare dont la bague porte l'inscription 50, a donc un diamètre de $^{50}/_{64}$ pouces si l'on prend cette unité de mesure. La liste suivante indique les dimensions comparatives en mm et en pouces par rapport à la longueur (numéro indiqué sur la bague)

Formats standard des Havanes
(petite illustration, page de gauche)

1	Double-Corona	7 $^7/_8$"/200 mm	49
2	Especial	7$^1/_2$"/191 mm	38
3	Churchill	7"/178 mm	47
4	Corona Grande	6"/152 mm	42
5	Corona	5 $^1/_2$"/140 mm	42
6	Petit Corona	5"/127 mm	42
7	Pyramide/Torpedo	6 $^1/_8$"/156 mm	52
8	Robusto	5"/127 mm	50
9	Panetela	4 $^1/_2$"/114 mm	26
10	Demi-tasse	4"/102 mm	30

Formats des Cohiba
(grande illustration, page de gauche)

1	Siglo I	4"/102 mm	40
2	Siglo II	5"/127 mm	42
3	Siglo III	6"/152 mm	42
4	Siglo IV	5 $^5/_8$"/142 mm	46
5	Siglo V	6 $^3/_4$"/171 mm	43
6	Robusto	5"/127 mm	50
7	Panetela	4 $^1/_2$"/114 mm	26
8	Exquisito	5"/127 mm	36
9	Coronas Especial	6"/152 mm	38
10	Lancero	7 $^1/_2$"/191 mm	38
11	Esplendido	7"/178 mm	47

Les formats de la gamme Siglo ont été baptisés « siglos » D'après le nombre de siècles qui ont suivi la découverte de l'Amérique par Christophe Colomb qui introduisit le tabac en Europe.

A droite : une pile de grandes marques de Havanes célèbres dans le monde entier. Les cigares faits à la main sont vendus et conservés dans des boîtes en cèdre. Ce bois est bénéfique à leur affinage et les préserve du dessèchement. Au milieu du siècle dernier, quand ce secteur connut un véritable essor, le nombre des producteurs augmenta de telle sorte qu'il était recommandé de porter des marques distinctes. Ainsi, dès que l'on avait cloué un coffret à cigares, on le scellait avec l'emblème de son fabricant. Puis les Havanes ont été munis d'un label de garantie qui stipule « Garantie du gouvernement cubain sur les cigares exportés de la Havane (le bandeau vert olive placé sur le coffret à cigare du bas de la pile porte le sceau de la République de Cuba). Parmi les marques ayant le rapport qualité/prix le plus intéressant, nous citerons quelques bons produits de la Havane : le Bolivar, l'un des plus forts et des plus lourds ; le Montecristo, dont le nom remonte à une coutume des fabricants de cigares qui, pendant le travail, lisaient « Le comte de Monte Christo » d'Alexandre Dumas à haute voix. Il reste l'une des meilleures marques en dépit de la surproduction ; le Romeo Y Julia qui présente une gamme de 40 formats ; puis le Partagas, dont la production est également élevée, mais qui est considéré comme l'une des plus anciennes marques de Havanes.

Une boutique de luxe, climatisée, où l'on trouve toute la gamme des Havanes. Les cigares y sont stockés sous le contrôle d'un climatiseur qui maintient la température ambiante à 16 °C et le taux d'humidité de l'air à 80%.

Les torcedores – les hommes les plus importants

On ne roule pas les cigares sur la cuisse d'une belle Cubaine – ces histoires ne sont que légendes faciles à démentir quand on observe un cigarier au travail. Son activité se situe au terme d'une longue chaîne qui commence en août par les semailles, auxquelles succèdent la récolte en janvier, puis la fermentation et le stockage des balles de tabac pendant trois ou quatre ans.

Les cigariers, ou *torcedores*, travaillent exclusivement à la main, leurs seuls outils sont un couteau bien aiguisé et un étalon de bois. Les cigares roulés à la main se composent de trois parties : la cape (*capo*), la sous-cape (*capote*) et la tripe formée de plusieurs feuilles assemblées de sorte à former une espèce de tube qui permet d'aspirer la fumée ; or ceci n'est possible que s'ils sont réalisés à la main.

L'art du cigarier consiste également à harmoniser les feuilles qu'il utilisera pour obtenir un ensemble parfait et équilibré ; la tripe comportera trois types de feuilles, la *seco* (prise au milieu du plant), pour l'arôme, la *volado* (du pied) pour une étanchéité optimale, et la *ligero* (de la pointe) pour le parfum.

Puis les cigares tous frais commenceront leur voyage au-delà des mers. Ils seront d'abord stockés pendant un an à Genève avant d'être soumis à d'autres contrôles de qualité et de séjourner dans les caves climatisées des boutiques spécialisées.

Fumer le cigare

Tout amateur de cigares doit posséder quelques accessoires essentiels comme « l'humidor », un coffret ou une petite armoire en bois précieux, où il rangera son bien à une température et humidité constantes. Les exigences climatiques de l'humidor ressemblent à celles d'une cave à vins, qui, le cas échéant, permet une excellente conservation des cigares : une température autour de 16 °C, un taux d'humidité avoisinant 80%, telles sont les conditions requises pour qu'un Havane se porte bien. Car, même finis, les cigares sont des produits vivants qui, par exemple, verdissent légèrement à la période de la floraison et retrouvent ensuite leur couleur initiale.

Un cigare bien conservé ne doit émettre aucun craquement quand on le tourne tout près de l'oreille ; la cape doit être lisse et souple. Avant de fumer un cigare, on en coupe le bout arrondi avec un couteau bien aiguisé ou, mieux, avec un coupe-cigare, puis on l'allume avec une grande allumette ou une fine baguette de santal en tirant lentement et régulièrement.

Le cigare se fume doucement : la cape de doit pas chauffer ; par ailleurs, il faut veiller à ce qu'il ne s'éteigne pas. Un cigare dure environ 90 minutes – soit, comme disait François Truffaud, « le temps de regarder un bon film – et c'est ça la vie. »

Joachim Römer

L'Allemagne

Des *Printen* d'Aix-la-Chapelle aux boulettes berlinoises (boulettes au hachis), des sprats de Kiel aux boudins blancs munichois, les spécialités des provinces allemandes et des 16 Länder sont aussi variées que les paysages – il n'existe ni plat « typiquement allemand » ni « plat national ». Pourtant, vers la fin du 19e siècle, les cantines des armées des rois de Prusse définissaient ce que devait être le menu des Allemands : il se composait de pain et de pommes de terre, de jarret de porc et de choucroute, de soupe aux pois et de boulettes au hachis. Ainsi donc, des décennies durant, la cuisine allemande eut la réputation d'être plutôt spartiate. Mais ceux qui savaient vivre pensaient autrement, et les plus fortunés mangeaient très bien, même dans l'Allemagne prussienne. Quelques « sujets » privilégiés de Sa Majesté faisaient preuve d'une habilité surprenante dans l'art de traiter cette modeste alimentation de base, élaborant de délicieux plats à base de chou vert dans le Nord, des préparations originales d'abats dans le pays de Bade, des plats à la saveur chaleureuse comme un rôti de porc bavarois accompagné de *Knödel*, une macédoine de Leipzig (une spécialité oubliée, à tort, de nos jours qui, à l'origine, contenait des queues d'écrevisses), des *Maultaschen* ou raviolis souabes, les viandes marinées des pays rhénans, les saucisses de Thuringe, ou ces fameuses pommes de terre sautées que, depuis le règne du vieux Fritz, certains préfèrent même à une bisque de homard.

Le gourmet allemand contemporain accorde la préférence aux produits naturels et de qualité. On apprécie les ingrédients de premier choix venant de cultures biologiques ou d'élevages extensifs, largement supérieurs aux produits ordinaires. Le vin allemand, lui aussi, regagne du terrain : de jeunes vignerons talentueux proposent des vins raffinés et légers, secs ou à vinification longue. La boisson nationale, la bière, obtient elle aussi droit de cité : les marques nobles, les fameuses *Premiums*, s'imposent sur le marché et prennent la place des « blondes » toutes simples.

Ainsi donc, partant de la cuisine peu imaginative placée sous l'emblème de l'aigle prussien, s'est épanouie une grande richesse culinaire.

Vendanges dans le vignoble de Burgspital près de Würzburg.

233

Champion du monde de la boulangerie

Pains et petits pains

En Allemagne, le pain est un véritable aliment de base. Il se mange toujours en tartine ou en canapé – le pain beurré étant la variante la plus modeste et le minimum que l'on puisse exiger en dégustant du pain. L'expression « *acheter quelque chose pour un pain beurré* » qui correspond au français « acheter pour une bouchée de pain », signifie que l'on a fait une bonne affaire. Les Allemands et leur pain : les champions du monde de la boulangerie ne se contentent pas de quelques variétés. En effet, ils ont élaboré une multitude de sortes, types, formes et spécialités régionales. Aujourd'hui encore, de nouveaux pains apparaissent constamment sur le marché – étonnant quand on sait que cette diversité n'a pas son égale en Europe. Donnez-vous la peine de sillonner les provinces allemandes, vous pourrez y goûter près de 400 sortes de pain et 1200 pâtisseries différentes. La corporation des boulangers pétrit son pain en tirant profit de toutes les possibilités qui leur sont offertes : ils préparent la pâte à partir de farine ou de gruaux, variant les proportions et les céréales les plus diverses. Les recettes typiques avec un mélange de seigle et de froment sont la base de l'immense gamme des pains allemands.

Types de pains allemands

Pain de seigle

Souvent préparé à partir d'une pâte fermentée, pétrie en utilisant des farines de seigle fines ou plus grossières (le plus souvent, on y ajoute de la farine de froment). Il est d'un goût fort en bouche, très aromatisé et légèrement acide.

Pain au froment

Fait à la farine de froment, on ajoute une faible quantité de lait, de graisse ou de sucre. Ce pain a une belle croûte bombée et dorée. On l'appelle aussi pain blanc.

Pain mixte

Il est fait à partir d'une pâte fermentée ou levée, avec des variantes qui dépendent des proportions de farine de seigle et de froment. Selon le type de farine dominant, on l'appelle pain au froment ou pain de seigle. C'est la catégorie de pain la plus consommée en Allemagne.

Pains complets et pains spéciaux

Tout leur caractère provient des diverses farines utilisées, des ingrédients ou des procédés de cuisson. Le pain complet est pétri à partir de farine complète de seigle et/ou de froment, les boulangers pouvant choisir entre une farine très fine ou un gruau plus grossier. Les goûts varient, parfois épicés, rappelant la noisette, ou plus légèrement acides et forts en bouche.

Les pains spéciaux contiennent divers ingrédients, par ex. des flocons d'avoine, de l'épeautre, des graines de lin, du sésame, des épices ou des oignons frits. Depuis que les consommateurs ont pris conscience de l'importance de l'alimentation, les pains « à grains complets » sont de plus en plus appréciés pour leur teneur élevée en fibres. Pour d'autres spécialités comme le *Pumpernickel* ou les *Knäckebrote* (pain suédois), le procédé de cuisson est primordial.

Boulangerie fine : *Schrippen, Semmeln, Brötchen, Wecken et Bretzel*

La boulangerie fine est un terme générique employé pour les petits pains, *Bretzeln*, flûtes, crois-sants et autres produits. C'est dans ce domaine que la diversité de la boulangerie allemande apparaît au grand jour. Les classiques sont pétris avec de la farine de froment, comme ces petits pains croustillants à la croûte joliment fendue sur toute la longueur, ou ceux de Hambourg et des régions côtières à la surface lisse et luisante. Leurs frères berlinois s'appellent *Schrippen* tandis que le Bavarois, lui, mange des *Semmeln*. Quant aux *Semmeln* à l'impériale, des petits pains blancs au lait, ils se reconnaissent aisément aux fentes arquées qui se dessinent dans leur croûte.

Les petits pains de campagne ronds, souvent de forme irrégulière, ont un aspect plus rustique en raison de leur croûte qui semble se fissurer. Les flûtes au cumin, aux graines de pavots, de sésame ou aux oignons, ainsi que les petits pains au fromage sont réalisés à base d'ingrédients spécifiques. Ils

Ingrédients de base de la pâte à pain : farine, eau, sel et levure sont pétris pour former une pâte homogène.

Quand on badigeonne la pâte avec du lait ou de l'œuf avant la cuisson, on obtient une belle croûte luisante.

accompagnent merveilleusement les plats épicés. Les croissants et les pains aux raisins, les petits pains suédois conviennent mieux tartinés de miel ou de confiture – mais on les apprécie aussi nature ou avec du beurre.

Les petits pains mixtes ou de seigle, comme ces *Schusterjungen* qui, à l'origine, venaient de Berlin, se trouvent maintenant un peu partout. Les *Röggelchen* de Rhénanie appartiennent à la même famille, ce sont des petits pains double à la croûte d'un beau brun sombre.

Les *Bretzeln* au gros sel, une spécialité d'Allemagne du sud, où ils s'appellent « Brezen » (sans l), sont réalisés à partir d'une pâte levée. On obtient cette croûte si particulière, souvent parsemée de cristaux de gros sel, en les plongeant dans l'eau salée avant de les mettre au four ; un procédé qui leur confère ce goût caractéristique.

Former de petites boules de pâte à *Bretzel*.

Rouler chaque boule pour obtenir un long cordon fin.

Donner au cordon de pâte la forme du *Bretzel*.

Bien presser les extrémités pour les fixer dans la pâte.

Avec l'expérience, un *Bretzel* se fait en un tour de main.

Avant de cuire, les *Bretzel* sont plongés dans la saumure.

Le plaisir inoubliable d'un *Bretzel* tout frais au gros sel.

Les *Bretzeln* à la potasse se mangent bien frais.

Préparer une pâte fermentée

Le pain de seigle se fait avec une pâte fermentée servant de levain, achetée chez le boulanger ou faite soi-même : mélanger 2 cuil. à s. de farine de seigle et 1 cuil. à café de sucre avec 1 à 2 cuil. à s. d'eau chaude pour obtenir une bouillie ; laisser reposer pendant 5 à 6 jours à température ambiante en remuant chaque jour. Vers le 5ème jour, la pâte commence à faire des bulles et dégage un parfum aigre. Pendant les deux jours avant son utilisation, ajouter chaque jour 2 cuil. à s. de farine et un peu d'eau chaude, puis bien mélanger. La pâte fermentée est désormais prête à l'emploi.

Préparer des *Brötchen*

Pour préparer la pâte, prendre : de la farine, de l'eau et du sel. Le levain sert à alléger la pâte. Pour une préparation à la farine de seigle, on utilisera une pâte fermentée tandis qu'on prend de la levure pour faire des petits pains au froment. Ces deux pâtes contiennent des micro-organismes qui réagissent avec les amidons de la farine, cette réaction produit du dioxyde de carbone et de l'alcool qui s'évaporera à la cuisson. La pâte est assez homogène, empêche les gaz de s'échapper et de minuscules petites bulles gazeuses se forment. Ce sont elles qui l'allègent et en augmentent le volume. A la cuisson,

les protéines qui entourent ces bulles se coagulent pour former un réseau élastique à pores réguliers : c'est ainsi que l'on obtient la mie. Pour préparer des petits pains, on commence par bien mélanger les ingrédients en comptant à peu près 5 à 7 litres d'eau pour 10 kilos de farine, auxquels on ajoute environ 180 g de sel et près de 500 g de levure ou de pâte fermentée ; la pâte est ensuite longuement pétrie et doit encore reposer à bonne température pour que le levain agisse et fasse monter la pâte. Une fois la pâte montée, elle est de nouveau pétrie, découpée et formée en petits pains. Les petites boules de pâte doivent alors reposer une dernière fois pendant 30 à 60 minutes avant d'être enfournées.

Ci-dessus : ce pain de campagne bien frais avec sa belle croûte fendue est un des meilleurs produits des boulangers allemands. Les pains de campagne et pains paysans, la plupart pétris à base de pâte mixte, sont des produits artisanaux formés un par un et cuits au four à une certaine distance les uns des autres, ce qui leur confère une belle croûte croustillante.

Cuisine à base de pain

Les Allemands portent un tel amour à leur pain qu'ils ne l'utilisent pas seulement pour réaliser les canapés et sandwiches les plus divers. En fait, une multitude de recettes, le plus souvent régionales, traite de l'art d'accommoder le pain et surtout le pain rassis. Celui qui ne se contente pas de vouloir le transformer en chapelure pourra cuisiner de merveilleux petits plats.

Jadis, du temps où le panier à pain était toujours accroché dans la cuisine, les ménagères étaient expertes en l'art d'utiliser les restes.

Pain rassis ne veut pas toujours dire vieux pain

Du reste, le pain rassis n'est pas du vieux pain. Indépendamment de l'endroit où on le conserve, les amidons qu'il contient perdent continuellement de leur volume, c'est ce processus qui « rassit » le pain, et lui confère cette légère odeur, cette saveur aigre due à une forte teneur en amidon, un processus qui concerne surtout le pain blanc. En revanche, concernant le pain fabriqué à partir de pâte fermentée, cette réaction chimique se fait au ralenti, de sorte que le pain de seigle est rarement considéré comme du pain rassis.

Soupe au pain

4 tranches de pain rassis
½ l de bouillon de viande
200 g de légumes de saison
1 pomme de terre épluchée et coupée en dés
1 jaune d'œuf

Faire dorer le pain dans le beurre et le couvrir de bouillon, ajouter les légumes et les laisser cuire dans le bouillon. Passer la soupe au chinois et la lier avec le jaune d'œuf.

Boulettes au hachis

Des petits pains rassis sont indispensables pour préparer ce plat de viande bon marché, dont le nom varie suivant les régions. Ils s'appellent *Frikadellen* (boulettes), *Hacksteak* (steaks hachés) en Allemagne du Nord, boulettes à Berlin ou *Fleischpflanzerl* (palets de viande) à Munich. Cet en-cas très apprécié obtient le moelleux souhaité grâce au pain trempé.

2 petits pains rassis
500 g de viande hachée (moitié porc, moitié bœuf)
1 œuf
1 oignon épluché et haché
1 bouquet de persil lavé et finement haché
sel, poivre noir

Laisser ramollir les petits pains dans l'eau tiède, les presser et les mélanger à la viande hachée. Ajouter l'œuf, l'oignon et le persil, saler, poivrer et pétrir la farce ainsi obtenue.
Former des petites boules, les aplatir légèrement et les faire revenir des deux côtés dans une poêle préalablement graissée.

Strammer Max

Winzer-Vesper

Armer Ritter

Armer Ritter
Pain perdu à la mousse au vin blanc
(Illustration ci-dessus)

8 tranches de pain blanc rassis
300 ml de lait
2 œufs
1 pincée de sel
1 cuil. à soupe de sucre
chapelure
cannelle et sucre pour saupoudrer

Mousse au vin blanc

2 jaunes d'œuf
50 g de sucre
1/8 l de vin blanc

Superposer les tranches de pain blanc sur une grande assiette. Battre les œufs, le lait et le sucre, verser sur le pain et laisser pénétrer. Rouler les tranches de pain imbibées d'œuf battu au lait dans la chapelure et les faire dorer dans le beurre. Saupoudrer de sucre et de cannelle. Pour la mousse, battre les jaunes d'œuf et le sucre pour obtenir un mélange mousseux, ajouter le vin blanc, placer dans un bain-marie et continuer à battre au fouet pour obtenir une mousse consistante. Napper un plat de mousse et disposer les tranches de pain panées, servir immédiatement.

Strammer Max
Pain au jambon garni d'un œuf sur le plat
(Illustration ci-dessus)

1 tranche de pain gris (pain au froment ou au seigle)
beurre
2 tranches de jambon
1 œuf
sel, poivre noir

Etaler le beurre sur le pain et le garnir de jambon. Casser l'œuf dans une poêle graissée et le cuire au plat, saler, poivrer. Déposer l'œuf sur le pain garni de jambon et servir.

Canapé hambourgeois

Pendant des années, cette spécialité de Hambourg faisait partie des classiques des wagons-restaurants des grands trains rapides allemands.

1 tranche de pain complet ou de pain de seigle
beurre
1 tranche épaisse de jambon cru ou fumé
1 œuf battu
sel, poivre noir
persil haché

Etaler le beurre sur la tranche de pain, couper le jambon en petits dés et disposer sur le pain. Saler, poivrer l'œuf et le brouiller dans une poêle. Disposer sur les dés de jambon, garnir de persil et servir.

Winzer-Vesper
L'en-cas du vigneron
(Illustration ci-dessus)

tranches de pain gris
(pain blanc ou pain mixte froment/seigle)
beurre
tranches de boudin noir et de pâté de foie fait maison,
de saucisson à l'ail ou de cervelas,
de jambon cru ou cuit
fromage blanc à la ciboulette
moutarde
oignon blanc
cornichons au vinaigre

Disposer les ingrédients sur la table pour que chaque convive puisse se servir à sa guise. Un verre de vin blanc allemand de pays conviendra parfaitement.

Variétés de pains et de boulangerie fine

1 pain de campagne au seigle
2 pain aux raisins
3 pain de mie au beurre
4 pain complet aux graines de tournesol
5 pain noir
6 pain aux noix et aux raisins
7 pain de campagne
8 pain au cumin
9 croûte au lard
10 pain énergétique (*Kraftbrot*)
11 pain à grains complets
12 pain au babeurre
13 petits pains de seigle
14 petits pains au froment
15 pain aux graines de potiron
16 roue fermière

Le porc et les morceaux les plus importants

1 tête
2 échine, collier
3 dos, carré (côtelettes)
4 longe/lard gras
5 dos, bavette
6 filet
7 jambon
8 jarret arrière/jambonneau
9 pied
10 poitrine, lard maigre
11 jarret avant/jambonneau
12 épaule
13 hachage

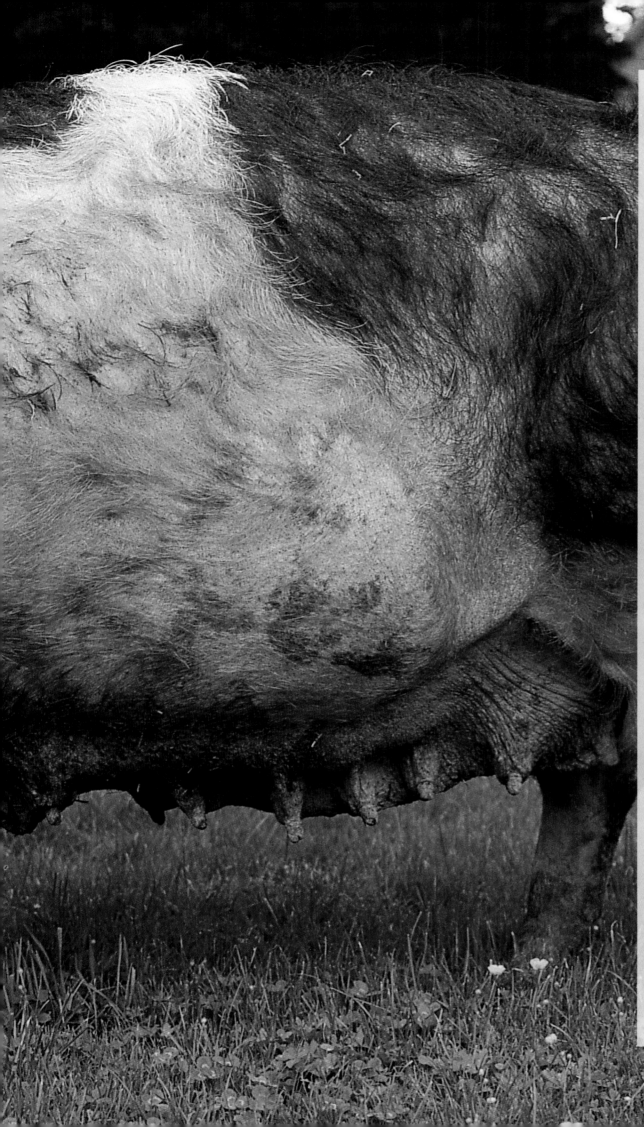

Le porc

Hormis peut-être le chien, ce gardien fidèle, aucun autre animal domestique n'a accompagné les Allemands au cours de l'histoire comme le porc. Des siècles durant, il constitua une réserve idéale de viande et, qui plus est, il avait l'art de consommer tous les restes tout en marquant de la reconnaissance. Dans le monde rural du Moyen Age, les paysans laissaient leurs porcs courir en liberté dans les prés et les cours de fermes. C'est au 19e siècle que l'on commença à élever ces animaux en porcherie et, comme le saindoux était très apprécié, ils devaient engraisser. Puis, l'attitude des consommateurs ayant changé après la Seconde Guerre mondiale, on se mit à l'élevage des porcs maigres, deux fois moins gras que leurs ancêtres, mais qui donnaient davantage de viande et comptaient même 16 côtes au lieu de 12. Aujourd'hui, nous savons que les viandes de porcs maigres ne répondent pas aux exigences culinaires, si bien que l'on accorde de nouveau la préférence aux animaux dont les muscles sont plus entrelardés. Cette viande présente un aspect marbré et donne des rôtis tendres et moelleux.

Rôti de porc à l'allemande

1 kg de rôti de porc, coupé dans le jambon avec couenne
sel, poivre noir
épices pour enduire la couenne (selon le goût)
saindoux
carotte, poireau, morceau de céleri-rave, persil
1 cuil. à café de marjolaine
fécule

Chauffer le four à 175 °C. Laver la viande et l'essuyer, entailler la couenne en dessinant des croix. Saler et poivrer le rôti de tous les côtés et l'enduire des épices choisies. Chauffer le saindoux dans un grand plat en fonte et dorer la viande jusqu'à ce que la couenne soit croustillante.
Nettoyer les légumes, les couper en julienne et les laisser revenir quelque temps avec le rôti. Arroser d'une tasse d'eau et ajouter la marjolaine. Couvrir le rôti et le mettre au four, laisser cuire pendant 90 à 120 min. Au bout d'une heure de cuisson, ôter le couvercle et arroser la viande avec le jus de cuisson, répéter l'opération plusieurs fois. Ajouter de l'eau de temps en temps pour que la quantité de liquide reste constante. Sortir le rôti du plat et le maintenir au chaud. Passer les sucs de cuisson. Allonger au choix avec de l'eau bouillante et lier à la maïzena. Découper le rôti et le napper de sauce. Servir avec des pommes de terre à l'eau ou des *Knödel*.

Ci-dessus : fabrication des saucisses à griller
Grande photo : chapelet de saucisses pochées appelées *Knacker* ou *Regensburger*.

Le rôti de porc, le plus souvent pris dans le jambon, est le plat dominical par excellence dans de nombreuses régions d'Allemagne. Chaque province le prépare à sa manière qui, pour l'essentiel, consiste à traiter la couenne de diverses façons pour obtenir une peau croustillante. Les Bavarois, par exemple, l'enduisent de bière, les Rhénans la frottent à l'ail, d'autres utilisent du raifort, des baies de genièvre ou de la muscade.

La viande achetée dans le commerce provient d'animaux d'élevage, abattus entre sept et huit mois. La texture de leur viande, dont la couleur va du rose au rouge clair, est tendre et fine. La viande de porc est prête à la consommation au bout de 48 heures. Elle contient de la thiamine, une vitamine B importante pour le métabolisme ainsi que pour l'activité nerveuse et musculaire.

Presque tout est comestible dans le porc

- Les morceaux nobles sont les côtelettes, le filet et le jambon.
- Le lard gras est extrait du dos.
- Le collier est parfait en grillades.
- La poitrine, bon marché, est appréciée en ragoût ou pour certaines spécialités de grillades.
- Le jambonneau et le jarret proviennent des pattes.
- La tête s'utilise souvent pour la préparation de pâtés de tête, mais sa viande est également prisée dans certaines potées ou dans une soupe de pois.
- L'épaule, très appréciée dans le Nord, s'accommode très bien en potées ou rôtie.
- Les pieds, salés ou frais, souvent panés, puis poêlés ou grillés sont un petit plaisir du palais. Ils entrent parfois dans la préparation du pâté de tête en raison de leur forte teneur en gélatine.

La charcuterie – qualité et diversité

La charcuterie joue un grand rôle dans l'alimentation familiale allemande. Découpée en tranches, elle se mange habituellement en canapés avec du pain. Quant aux charcutiers, ils ne se lassent pas d'imaginer de nouvelles recettes allant jusqu'aux cervelas pour enfants dont les formes rappellent des animaux. Question restauration rapide, la saucisse grillée fait partie des classiques. Mais, comme il existe des centaines de variétés régionales, les connaître toutes relève du défi. Il est donc utile de savoir qu'on peut les répartir en trois grands groupes. Selon leurs ingrédients et le mode de préparation, on distingue les saucisses crues, cuites et à cuire. Le dernier et quatrième groupe concerne les jambons.

En général, les saucisses se préparent à partir de viande, de lard ou d'abats, salés et assaisonnés. Les ingrédients sont hachés, soigneusement mélangés et introduits dans un boyau. Leur fabrication est soumise à une législation très stricte qui prescrit par exemple la quantité de viande maigre contenue dans chaque type de saucisse.

Les saucisses grillées de Nuremberg comptent parmi les plus fines. On aime les déguster avec de la choucroute.

Les *Weisswürste* ou boudins blancs munichois sont réputés bien au-delà de la ligne du Main. En Bavière, on les aspire de leur boyau.

La saucisse au curry à la sauce à chachlik est une invention berlinoise qui se mange avec un cure-dent et dans une barquette de carton.

Spécialités et charcuterie régionale

La diversité est le fruit de l'imagination régionale. Parmi les saucisses à griller, aliment populaire tant apprécié dans les fêtes foraines et lors des fêtes locales, mais que l'on consomme aussi dans toutes les friteries, les produits de Thuringe et de Nuremberg jouissent d'une excellente réputation. Les petites saucisses de Nuremberg, épaisses comme un doigt, se préparent grillées au charbon de bois de hêtre. Conformément à la tradition, on les déguste sur une assiette d'étain par demi-douzaines ou même à la douzaine et, contrairement à d'autres produits du même type, sans moutarde, mais avec du raifort. Les connaisseurs les accompagnent de salade de pommes de terre ou de choucroute. La saucisse au curry «inventée» dans les années 30 par un charcutier berlinois resté anonyme est devenue le «plat culte» des travailleurs : on découpe une saucisse à griller en tranches (des appareils spéciaux s'en chargent), on la saupoudre copieusement de curry, puis les nappe d'une sauce à chachlik. Elle se déguste dans une barquette en carton à l'aide d'une petite fourchette à deux dents ou d'un cure-dents. Les boudins blancs munichois comptent parmi ces spécialités qui, entre-temps, ont acquis une célébrité presque internationale ; ce sont des saucisses à la viande de veau, de bœuf et de porc servies chaudes et pochées, que les Munichois dégustent en les aspirant de leur peau.

Variétés de saucisses

Saucisses crues (environ 550 variétés)
Elles sont préparées à base de viande crue, de lard et d'épices. Les ingrédients sont hachés, salés et introduits dans un boyau. Elles sont ensuite salées, séchées lentement ou fumées jusqu'à ce que l'on obtienne la maturité et le goût désirés. Toutes les saucisses sèches et saucisses à longue conservation font partie de cette catégorie.

Saucisses à cuire (environ 750 variétés)
Cette catégorie regroupe la plupart des types de saucisses. Elles sont fabriquées à partir de viande crue, porc ou bœuf, et de lard, les ingrédients de base étant hachés avec ajout de sel ou d'épices. Une fois les boyaux remplis, et les saucisses formées, celles-ci sont pochées dans l'eau à environ 75°C; certaines spécialités sont ensuite légèrement fumées. Les saucisses pochées doivent être consommées rapidement.

Saucisses cuites
Elles sont préparées à partir de viande déjà cuite, d'abats et d'épices. Seuls les boudins noirs et les saucissons de foie comportent une forte proportion d'ingrédients crus. Une fois les boyaux remplis, les saucisses sont cuites une seconde fois. La plupart sont des produits frais que doivent être consommés rapidement. Une légère fumaison peut prolonger leur durée de conservation.

Jambons
La conservation et le goût du jambon dépendent de sa préparation, s'il est salé, fumé ou cuit. Des procédés régionaux confèrent au jambon de Holstein, de la Forêt Noire ou de Westphalie leur saveur particulière toute en nuances.

Plats de viande régionaux

Rôti aigre-doux rhénan
(Illustration ci-dessous)

Cette spécialité rhénane qui se préparait autrefois avec de la viande de cheval séduit par la combinaison de saveurs opposées entre l'aigre et le doux. Nous conseillons de le garnir de Knoedel de pommes de terre.

1 ¹/₂ kg de bœuf à braiser dans la tranche
saindoux ou beurre pour saisir
2 oignons épluchés et hachés fin
50 g de raisins secs trempés dans l'eau tiède
4 pains d'épices de Nuremberg râpés (éventuellement pain d'épices)
¹/₄ l de crème fraîche
1 cuil. à soupe de gelée de groseilles
¹/₈ l de vin rouge

Marinade
¹/₂ l d'eau
¹/₄ l de vinaigre
1 cuil. à café de sel
10 grains de poivre concassés
10 baies de genièvre concassées
5 clous de girofle
¹/₂ cuil à café de graines de moutarde
3 oignons épluchés et coupés en rondelles
1 carotte épluchée et coupée en rondelles
2 feuilles de laurier
¹/₄ l de vin rouge
coriandre, marjolaine et romarin

Rincer la viande à l'eau froide, l'essuyer et la déposer dans un saladier. Préparer la marinade en mélangeant bien tous les ingrédients et la porter à ébullition. Couvrir la viande de marinade et la laisser reposer sous un couvercle pendant 3 à 4 jours dans un endroit frais ; la retourner plusieurs fois par jour.

Sortir la viande, l'essuyer et passer la marinade. Chauffer la graisse dans une cocotte en fonte et y saisir la viande pendant cinq minutes de chaque côté. Ajouter les oignons, réduire le feu et faire revenir pendant cinq minutes en remuant, arroser avec un peu de marinade. Couvrir et laisser mijoter pendant environ deux heures à petit feu. Retourner de temps en temps et ajouter de l'eau ou de la marinade pour que la quantité de liquide reste constante. Sortir la viande cuite et la maintenir au chaud. Passer le jus de cuisson au chinois. Ecraser les raisins secs et le pain d'épice dans la crème, ajouter au jus de cuisson, porter à ébullition en remuant constamment. Saler, poivrer. Juste avant de servir, ajouter la gelée de groseille et le vin rouge tout en remuant.

Servir le rôti rhénan avec des Knoedel de pommes de terre, des fruits cuits au four et de la compote de pommes.

Gigot d'agneau du Mecklembourg

1 gigot d'environ 1,5 kg
500 g d'oignons
500 g de poivrons verts
40 g de beurre
1 cuil. à soupe de sucre
farine
³/₄ l de fonds d'agneau
sel, poivre noir

Rincer le gigot, l'essuyer. Eplucher et couper les oignons et les poivrons. Faire fondre les oignons dans le beurre, ajouter le sucre, un peu de farine puis le fonds d'agneau et les poivrons, laisser cuire à feu doux.

Assaisonner le gigot et le faire dorer dans l'huile chaude, l'ajouter aux légumes, couvrir et laisser mijoter pendant 90 min. à feu moyen.

Découper la viande en tranches et garnir de légumes. Servir avec une salade de chou blanc.

Jarret de veau à la brune
(Illustration ci-dessous)

Ce plat est une spécialité du sud de l'Allemagne. Dans certaines recettes, le jarret est pané à mi-cuisson avant de rôtir dans le beurre fondu et refroidi.

1 jarret de veau
carotte, poireau, persil, céleri-rave
1 oignon
1 carotte
sel, poivre noir
saindoux

Rincer le jarret à l'eau froide et le plonger dans l'eau bouillante salée. Nettoyer les légumes et les couper grossièrement, éplucher les oignons et les couper en deux, éplucher la carotte et la couper en deux dans le sens de la longueur. Ajouter les légumes, l'oignon et la carotte au jarret. Laisser cuire à petits bouillons pendant 60 min. Sortir la viande du faitout, l'égoutter, saler, poivrer. Rôtir le jarret pendant environ 60 min. dans le beurre jusqu'à ce qu'il devienne croustillant et d'un belle couleur brune de tous les côtés; l'arroser de temps en temps avec un peu d'eau. Dresser le jarret sur un plat et napper avec les sucs de cuisson. Servir avec une salade de pommes de terre.

Rôti aigre-doux rhénan.

Jarret de veau à la brune.

Saumagen

Panse de porc du Palatinat
(Illustration ci-dessous)

Dans le Palatinat, la coutume voulait qu'après avoir tué le cochon, on farcisse une panse de porc avec des restes et des pommes de terre. Jadis nourriture des pauvres gens, ce plat, maintes fois amélioré, a désormais obtenu droit de cité, sans doute aussi parce que le chancelier Helmut Kohl, originaire du Palatinat, a déclaré que le Saumagen était son plat favori.

1 panse de porc
1 petit pain blanc rassis
lait
250 g d'échine de porc
250 g de poitrine de porc
2 oignons
500 g de pommes de terre cuites
saindoux
300 g de chair à saucisse
2 œufs
sel, poivre noir
marjolaine, thym, cumin, muscade
carotte, poireau, persil, céleri-rave

Laisser tremper la panse de porc toute une nuit dans de l'eau salée, puis la rincer soigneusement. Faire tremper le petit pain dans le lait.
Couper l'échine et la poitrine de porc en dés de l'épaisseur d'un doigt. Eplucher les oignons et les hacher grossièrement, couper les pommes de terre en dés. Faire revenir la viande et les oignons dans le saindoux à feu vif, ajouter les pommes de terre et les dorer avec les viandes. Laisser refroidir les viandes et les pommes de terre. Presser le petit pain pour l'égoutter, mélanger avec la chair à saucisse, les œufs et les épices, et ajouter au mélange de viandes, pétrir la farce et en fourrer la panse. Coudre avec du fil à barder et envelopper le tout dans un torchon. Eplucher les légumes et les couper grossièrement,

les plonger dans un faitout rempli d'eau salée, ajouter la panse et laisser cuire à petits bouillons pendant 3 à 4 heures.
Sortir le Saumagen, le laisser refroidir, bien l'essuyer et le faire dorer de tous les côtés dans le saindoux.
Déglacer les sucs de cuisson avec un peu d'eau et rectifier l'assaisonnement. Couper le Saumagen en tranches et napper de sauce. Servir avec de la choucroute et du pain de campagne.

Lapin rôti

Le lapin est une viande très appréciée dans le sud de l'Europe. En Allemagne, et surtout dans la Ruhr, on élevait des lapins dans des clapiers alignés derrière la maison en prévision des temps difficiles.

1 kg de lapin
1/4 l de fonds de gibier
1 verre de vin blanc
1 verre de vin rouge
sel, poivre noir
1 pot de crème aigre

Découper le lapin en portions, le rincer et l'essuyer. Faire revenir la viande dans la graisse chaude, saler, poivrer, puis ajouter le fonds de gibier et le vin blanc. Laisser mijoter pendant 40 min. Sortir la viande, déglacer les sucs de cuisson avec le vin rouge, lier avec la crème, porter la sauce à ébullition, servir en saucière. Présenter avec des pommes de terre à l'eau, des *Spaetzle* ou des *Klösse*.

Oie de la Saint-Martin

Ce plat traditionnel se prépare dans de nombreuses régions pour la Saint-Martin, le 11 novembre. En Rhénanie, la période de carnaval commence à cette date.

1 oie prête à cuire (env. 4 kg)
500 g de pommes de terre
4 oignons
2 pommes
1 bouquet de persil
marjolaine
sel, poivre noir
1 feuille de laurier
armoise
sauge
1 cuil. à café de fécule

Laver soigneusement l'oie à l'intérieur et à l'extérieur, puis l'essuyer. Eplucher les pommes de terre, les couper en dés et les blanchir à l'eau bouillante salée. Eplucher les oignons et les pommes, laver le persil et le hacher. Faire fondre les oignons et les pommes dans le beurre, ajouter les pommes de terre, le persil et la marjolaine, puis farcir l'oie de cette préparation. Fermer l'oie avec du fil à barder, saler et poivrer, préchauffer le four à 220 °C.
Faire bouillir un peu d'eau dans une grande cocotte et y déposer l'oie, la poitrine posée au fond. Ajouter l'armoise et la sauge, mettre au four et laisser cuire pendant environ 2 h 1/2. Retourner la volaille 30 min. avant la fin de la cuisson.
Sortir l'oie de la cocotte et la garder au chaud. Passer les sucs de cuisson au chinois et dégraisser. Mélanger la fécule à un peu d'eau et lier la sauce. Servir la sauce en saucière. Présenter avec des *Knödel* de pommes de terre, du chou rouge aux pommes ou des choux de Bruxelles et des châtaignes.

Panse de porc du Palatinat.

Enfilés en lignes sur des tiges de métal, les sprats entrent dans le fumoir.

Avant de conditionner les sprats, on les assaisonne d'une bonne pincée de sel.

Les sprats de Kiel sont expédiés à travers le monde dans leurs petites caisses en bois.

La photo donne une idée des proportions : en haut un gros maquereau fumé ; en dessous, un hareng fumé (*Bückling*) d'environ 30 cm, et, en bas, deux petits sprats de Kiel.

Ci-dessous : après la pêche, on prépare les poissons pour la fumaison ; ils sont d'abord vidés, puis enfilés par les branchies sur des tiges.

Allemagne du Nord : des spécialités de renommée mondiale

Sprats de Kiel

A gauche : dans les fumoirs d'Allemagne du Nord, les poissons sont préparés de diverses manières. Ici, on fume des filets de poisson roulés. Toutes les spécialités de poissons fumés possèdent cette belle couleur brune et appétissante.

Au Schleswig-Holstein, province allemande la plus septentrionale aux paysages « entourés d'eau », mer du Nord et Baltique sont sur le pas de la porte, d'où la grande richesse en poissons.
Les sprats de Kiel comptent parmi les spécialités de poissons fumés les plus prisées. Le sprat appartient à la même famille que le hareng, mais n'atteint qu'une taille de 15 centimètres. Contrairement au hareng, il vit dans les estuaires et près des côtes. Sa chair tendre contient un taux élevé de graisse qui le prédispose particulièrement à la fumaison.
L'appellation « véritables sprats de Kiel » ne peut être donnée qu'aux poissons capturés dans la baie de Kiel. En revanche, il n'existe aucune prescription quant au lieu de fumaison. La plupart des sprats ne viennent donc pas de Kiel, mais d'Eckernförde ou de Kappeln, au nord du Schleswig-Holstein.
Il y a des siècles, la fumaison était l'affaire des pêcheurs, qui conservaient ainsi le poisson. Ils gardaient jalousement leur secret qui se transmettait de père en fils. Ce n'est qu'avec de l'extension des chemins de fer, au début du siècle, que les fumaisons, ces produits fragiles, commencèrent à être commercialisées à l'intérieur des terres. Ainsi s'implanta près des côtes une industrie de la fumaison qui a de plus en plus affiné ses technologies et fournit de nombreux emplois.

Œufs brouillés aux sprats de Kiel

250 de sprats de Kiel
40 g de beurre
poivre noir
6 œufs
4 cuil. à soupe de crème fleurette
sel
ciboulette

Nettoyer les sprats, ôter l'arête centrale, la tête et la queue. Laisser fondre le beurre dans une poêle, y faire revenir rapidement la chair du poisson, poivrer au moulin. Battre les œufs et la crème et verser sur les sprats, remuer jusqu'à ce que les œufs prennent. Disposer sur un plat et décorer de ciboulette hachée.
Servir avec des pommes de terre sautées et une salade verte.

Poissons de la mer du Nord et de la Baltique vendus sur les marchés

1 anguille : fumée (80 % des prises), fraîche, en gelée ou marinée.
2 maquereau : frais, fumé ou en conserve.
3 sprats : frais, fumés ou en conserve.
4 hareng : frais (hareng bleu), fumé (*Bückling*), mariné au vinaigre (*hareng à la Bismarck*) etc.
5 carrelet : frais, entier ou en filets, surgelé.

La truite est un poisson très apprécié. Actuellement, la plupart sont élevées dans des étangs. La grande photo montre une pisciculture dans l'Eifel.

Les truites élevées dans un bassin sont pêchées, puis vendues vivantes, fumées ou surgelées.

De nombreux bassins contiennent des truites arc-en-ciel ou sauvages et d'autres poissons d'eau douce très prisés, anguilles ou carpes.

Les truites fumées au-dessus d'un feu de branches de genévriers sont un mets de choix.

Truite au bleu

4 truites venant d'être pêchées
$1/4$ de vinaigre
jus d'un $1/2$ citron
persil
tranches de citron

Vider les truites et les rincer à l'eau froide en faisant bien attention à ne pas blesser la couche de mucus qui recouvre la peau, sinon le poisson ne bleuira pas.
Porter 1 l d'eau à ébullition, auquel on aura ajouté le vinaigre et le jus de citron. Plonger les truites dans ce court-bouillon et les cuire pendant 8 min. à l'eau frémissante (l'eau ne doit pas bouillir). Dresser sur un plat, garnir de persil et de tranches de citron. Servir avec du beurre fondu, des pommes de terre à l'eau et une salade verte.

De l'intérieur des terres à la côte

Spécialités de poisson

Pendant des siècles, le Rhin, le plus grand fleuve allemand, est resté le plus gros pourvoyeur de poisson. Ses poissons blancs, surtout vendus au mois de mai, comptaient, jusque dans les années 50, parmi les aliments populaires les plus appréciés. Quant au roi des poissons du Rhin, le saumon, il figurait sur les cartes de presque tous les restaurants de Cologne où il s'appelait saumon du Rhin. Mais, avec la pollution croissante qui affectait le fleuve, il est devenu un mets de plus en plus rare et recherché au cours des années 50, jusqu'à disparaître complètement par la suite.

En revanche, les riverains des lacs et rivières d'Allemagne du Sud jouissent d'une situation privilégiée puisque, aujourd'hui encore, les eaux intérieures sont un riche réservoir en poissons de choix. Des truites vivent dans les eaux vives et pures des torrents dévalant des montagnes ; comparées à une truite sauvage tout juste sortie de l'eau d'un ruisseau, ses sœurs élevées dans un bassin semblent bien moins sympathiques au goût. Grâce à ses lacs innombrables, le sud de l'Allemagne est le pays des recettes de poissons d'eau douce. La carpe compte indéniablement parmi les plus populaires et se consomme surtout en hiver : parfois, elle séjourne d'abord dans la baignoire familiale, et si les enfants ne protestent pas, elle finit sur une table de fête, à Noël ou à la Saint-Sylvestre.

Le carrelet – le poisson plat allemand par excellence

Les premiers carrelets sortent de la mer en mai. Encore relativement petits, ils ont une chair tendre et savoureuse. Le nom d'une des meilleures recettes rappelle l'ancien village de pêcheurs, Finkenwerder, situé à l'ouest de Hambourg, qui est devenu aujourd'hui un quartier de la ville hanséatique. Comme le turbot et le flétan, le carrelet fait partie de la famille des poissons plats. On l'appelle *Gold-*

butt (turbot jaune) quand il vient de la Baltique. Les poissons plats sont d'étranges habitants des mers. A l'état de larves, ils ont la forme normale, commune à tous les poissons. Mais, dès que la larve commence à vivre au fond de la mer, un œil migre sur le côté qui deviendra plus tard le dos du poisson. Pour s'adapter à son environnement, la face supérieure prend une couleur sombre tandis que le ventre s'éclaircit. Souvent, les poissons s'enfouissent jusqu'aux yeux dans le sol. Il est alors difficile pour un prédateur d'attaquer sa victime à hauteur des yeux, d'autant plus que les points rouges, ronds comme des yeux dessinés sur le dos du carrelet, sont un camouflage qui porte à confusion.

Carrelets de mai à la Finkenwerder
(Illustrations 1–4 ci-dessous)

4 carrelets de mai
jus de citron
sel, poivre noir
1 cuil. à soupe de farine
150 g de lard gras
1 cuil. à soupe de beurre

Préparer le poisson en ôtant la tête, la queue, les nageoires, le vider (illustration 1), rincer à l'eau, l'arroser de jus de citron (illustration 2), saler, poivrer puis le retourner dans la farine (illustration 3).
Couper le lard en petit dés et le faire fondre avec le beurre dans une poêle. Réserver les lardons et les fritons. Faire revenir le poisson des deux côtés dans la graisse jusqu'à ce qu'il soit bien doré (illustration 4), le disposer sur un plat. Réchauffer les lardons et les fritons dans la poêle, en garnir les carrelets. Servir avec des pommes de terre persillées et une salade verte.

Le hareng – tout un chapitre

Le prince Otto von Bismarck, artisan de l'unité allemande en 1871, aurait déclaré : « Si le hareng était aussi onéreux que le caviar ou les huîtres, il serait considéré comme l'un des mets les plus raffinés. » Depuis, cette anecdote s'est presque vérifiée. En effet, dans les années 60, les pêcheurs allemands prenaient environ 100 000 tonnes de harengs par an jusqu'à ce que la pêche abusive vide presque la mer. Conséquence, on interdit de pêcher le hareng pendant six ans. Certes, la pêche au hareng est de nouveau autorisée en mer du Nord, mais la CE fixe les quotas. Ainsi, au début des années 80, 18 000 tonnes seulement étaient débar-

Rollmops

quées chaque année ; l'adage attribué à Bismarck devenait presque réalité.

Le nom d'une spécialité de hareng extrêmement recherchée renvoie également à Bismarck. Le médecin de l'ancien chancelier lui avait recommandé de manger du hareng le plus souvent possible pour des raisons de santé. Alors, veillant à ce que le grand homme n'ait pas à manquer du poisson « prescrit », même quand il séjournait dans ses domaines à l'est de l'Elbe, son cuisinier inventa un mode de conservation : le poisson mis en filet reposait pendant 2 ou 3 jours dans une marinade composée de vinaigre, de rondelles d'oignons et d'épices.

Rollmops
(Illustration ci-dessus)

Variante du hareng à la Bismarck et fruit de l'imagination des populations de l'intérieur des terres. A Berlin surtout, mais ailleurs aussi, les Rollmops se dégustent au comptoir ou les lendemains de fêtes bien arrosées.

6 harengs frais
1/4 de vin blanc
1/8 l de vinaigre
1 oignon, 1 carotte, 1 poireau
poivre en grains
1 feuille de laurier
baies de genièvre
aneth, thym
1 bocal de cornichons au sel ou au vinaigre

Vider les harengs et les fileter. Nettoyer les légumes et les couper en julienne. Verser le vin blanc et le vinaigre dans une casserole, y ajouter les légumes et les épices et porter à ébullition, laisser cuire à petits bouillons pendant environ 5 min.
Déposer les filets de hareng dans un plat creux, les napper de court-bouillon et laisser refroidir. Couper les cornichons dans le sens de la longueur et rouler chaque filet de hareng autour d'un cornichon. Fixer avec un cure-dent en bois. Remettre les Rollmops dans la marinade et laisser reposer pendant 4 à 6 jours. Servir sur demande.

1

2

3

4

Le légume universel aux qualités multiples

La pomme de terre

Contre les famines

La pomme de terre est arrivée en Allemagne dès la fin du 16e siècle, d'abord comme plante ornementale pour agrémenter les jardins de personnes fortunées. Mais, en réalité, on ne découvrit la valeur nutritive de cette tubercule que pendant la guerre de Trente Ans (1618–48) au sud et à l'ouest de l'Allemagne ; puis elle se répandit en Prusse vers 1720, apportée en guise de « souvenir » par des paysans du Palatinat. Par la suite, le roi de Prusse, Frédéric II, dit le Grand ou le Vieux Fritz (1740–86), fit cultiver intensivement cette plante très utile pour lutter contre les famines qui ravageaient le pays. On raconte qu'il usa d'un stratagème pour motiver les paysans à cultiver ce légume : le roi ordonna que l'on plantât des champs de pommes de terre qu'il faisait garder par des grenadiers. Alors supposant qu'une denrée précieuse se trouvait dans ces champs, la nuit, à la faveur de l'obscurité, les paysans venaient dérober les tubercules (évidemment, les grenadiers s'empressaient de regarder dans une autre direction). Le ban était rompu et ce stratagème avait eu l'effet souhaité.

Jusqu'au 20e siècle, la pomme de terre est souvent restée la dernière ressource pour nourrir les ventres affamés. Après la Seconde Guerre mondiale, la consommation par tête s'accrût temporairement pour dépasser 200 kg par habitant; en effet, les Allemands n'avaient guère plus que des pommes de terre à se mettre sous la dent. Puis la consommation diminua avec l'essor économique. Aujourd'hui, la pomme de terre connaît un regain d'estime surtout en raison des substances qu'elle recèle et à cause de la variété de ses modes de préparation, même dans certains plats prestigieux.

Bien des substances très utiles se cachent sous sa fine pelure : des hydrates de carbone faciles à digérer, des protéines végétales, onze diverses vitamines et sels minéraux ; de plus, elle est riche en fibres.

La culture des pommes de terre

Le paysan cultivateur de pommes de terres n'utilise pas de semis, mais enfouit les tubercules, appelées mères, dans les sillons. Les germes qui montent vers la lumière forment les tiges et les feuilles du plant de pomme de terre tandis que ceux dont la croissance se poursuit sous terre deviennent ses racines et les filaments qui retiendront la tubercule. Pour la plante, ces tubercules représentent une réserve nutritive et, pour nous, un aliment précieux. Les pommes de terres se récoltent dès que les feuilles du plant se fanent.

La pomme de terre est une plante rustique qui s'épanouit même dans les sols sableux. En Allemagne, on la plante en mars et avril pour la récolter de juin à octobre selon les variétés. De nos jours, des machines modernes, employées lors des semailles et des récoltes, épargnent aux paysans le dur labeur de la pioche. Après la récolte, les pommes de terre sont d'abord nettoyées, contrôlées, triées par tailles, conditionnées et distribuées dans le commerce qui, de juin à novembre, propose les pommes de terre de l'année. Les pommes de terres fermes sont excellentes en salade, gratins, pommes vapeur, en robe des champs ou sautées. On utilise les espèces plus farineuses, même fermes, en purées, croquettes, *Klösse* (boulettes) et potées. L'objectif des cultivateurs de pommes de terre est d'obtenir des produits qui se distinguent par leur goût, leurs qualités tout en ayant une belle chair d'un jaune appétissant. Créer une nouvelle variété capable de se reproduire et apte à la culture dure environ dix ans et coûte plusieurs millions. En Allemagne, il existe près de 130 espèces, mais 90 seulement sont commercialisées, dont dix à l'échelle nationale et 25 au niveau régional. Les autres sont destinées à l'industrie et à la nourriture pour animaux.

Plats de pomme de terre

Il n'est pas plus grand plaisir que de déguster les pommes de terre le jour où les premières tubercules de l'année apparaissent sur l'étal du marchand de primeurs. Elles se mangent nature, en robe des champs, au beurre et au sel ou assaisonnées avec des sauces froides, accompagnent un hareng mariné ou une viande fumée ou encore des asperges qui arrivent à maturité à la même période.

Salade de pommes de terre

1 kg de pommes de terre fermes
cumin
1/8 de bouillon de viande
1 oignon épluché et haché
5 cuil. à soupe de vinaigre
sucre, sel, poivre noir
4 cuil. à soupe d'huile

Laver les pommes de terre et les faire cuire pendant 15 à 20 min. dans de l'eau salée à laquelle on aura ajouté du cumin. Egoutter, passer à l'eau froide, peler et laisser refroidir. Quand les pommes de terres sont encore tièdes, les couper en fines rondelles dans un saladier. Chauffer le bouillon de viande et le verser sur les pommes de terre. Ajouter l'oignon et le vinaigre, sucrer, saler, poivrer selon les goûts. Laisser reposer pendant 20 min. environ et ajouter l'huile.

Pommes de terre sautées

Un classique tout simple pour accompagner les plats rustiques

1 kg de pommes de terre (fermes)
3 cuil. à soupe d'huile
sel, poivre noir

Faire cuire les pommes de terre, les peler et les couper en tranches moyennes. Chauffer l'huile dans une poêle et y faire dorer les pommes de terre en les retournant régulièrement. Saler et poivrer à la fin. On peut compléter ce plat en le préparant avec des oignons et des lardons.

Palets de pommes de terre

Les Bavarois les appellent *Reibedatschi*, les Rhénans *Rievkooche* et les Allemands du Nord *Kartoffelpuffer*.

1 kg de pommes de terre (fermes)
1 oignon épluché et râpé
2 œufs
sel, muscade, farine

Eplucher les pommes de terre et les râper pour qu'elles perdent leur jus. Ajouter l'oignon et les œufs, saler et saupoudrer de muscade. Bien mélanger les ingrédients avec un peu de farine pour obtenir une pâte consistante. Chauffer l'huile dans une poêle à fond épais et déposer la pâte en l'aplatissant avec le dos de la cuiller. Dorer les palets de pommes de terre des deux côtés et servir aussitôt, par ex. avec une compote de pommes et des pommes râpées.

A gauche : variétés courantes de pommes de terre (fermes à la cuisson)
1 Nicola – 2 Ratte – 3 Sieglinde – 4 Hansa

A droite : la pomme de terre appartient à la famille des solanacées. Ses tiges et ses feuilles sont toxiques, seules les tubercules sont comestibles. Très nourrissantes, elles se préparent de multiples façons. Suivant sa variété, un plant de pomme de terre donne entre 10 et 26 tubercules.

A l'arrière-plan : champ de pommes de terre automnal où l'on brûle les fanes séchées. Une vieille tradition veut que paysans et journaliers se rassemblent à cette occasion, cuisent des pommes de terre dans la braise et partagent ce repas en plein air.

Le chapitre du chou

Les choux

Le chou fait partie des légumes préférés des Allemands – ce qui leur vaut dans certains pays le sobriquet de « Krauts » (chou). Toutes les espèces de choux sont riches en vitamine C, en sels minéraux et fibres, mais sont pauvres en calories. Haut en goût et bon marché, le chou a longtemps été considéré comme l'aliment classique des pauvres gens. Le chou blanc, dont le nom varie selon les régions, occupe une place privilégiée, car c'est lui qui sert à la fabrication de la choucroute.

Le chou vert avec ses feuilles gaufrées est un légume hivernal traditionnel devenu un plat culte surtout en Allemagne du Nord. Il a besoin de quelque nuits de gelées pour développer toute sa saveur. Le froid transforme les amidons en sucre et assouplit le tissu végétal le rendant ainsi plus digeste.

Choucroute

La choucroute est constituée de chou blanc émincé en fines lamelles et salé. Lors de la fermentation, il y a formation d'acide lactique qui lui donne ce goût si particulier. Mieux vaut acheter la choucroute toute prête. Pour en affiner la saveur, essayez cette recette du pays de Bade appelée « Choucroute à la Offenbourg ».

2 oignons
2 pommes acides
30 g de graisse d'oie
500 g de choucroute fraîche
10 grains de poivre
6 baies de genièvre
$1/2$ cuil. à café de cumin
1 gousse d'ail
$1/4$ l de Riesling sec
1 carotte
1 pincée de sucre
sel
1 pomme de terre pelée et râpée

Eplucher les oignons et les pommes. Hacher les oignons, ôter les pépins des pommes et les couper en petits dés. Chauffer la graisse d'oie dans une grande cocotte et y faire dorer les oignons et les pommes. Ajouter la choucroute et laisser cuire à l'étuvée pendant 5 minutes. Ecraser les baies de genièvre, le poivre, le cumin et l'ail au mortier et mélanger au chou. Arroser de Riesling. Déposer la carotte sur la choucroute, fermer la cocotte et laisser mijoter pendant 90 minutes environ. Ôter la carotte, mélanger le sucre au chou et rectifier l'assaisonnement. Lier avec la pomme de terre. Cette choucroute se déguste avec du jarret de porc salé ou frais ainsi qu'avec des saucisses grillées (p. 243) ou bien avec le célèbre Saumagen du Palatinat (recette p. 245).

Choux allemands

Chou-fleur (illustration 1)
On enlève les côtes et les feuilles. On garde la tête
en entier ou on sépare les fleurs à la cuisson.

Brocoli (illustration 2)
Sorte de chou-fleur vert, parfois violet. Quand le
brocoli est cuit à la vapeur, ses tiges et ses fleurs
conservent leur saveur et leur moelleux.

Chou vert
Egalement appelé chou frisé ou chou d'hiver, il est
particulièrement savoureux après les premières
gelées nocturnes. Il accompagne très bien un gibier
ou des saucisses.

Chou-rave
Il en existe deux sortes, les blancs et les bleus. Ce
légume possède un goût délicat. Très riches en
vitamines, les feuilles se consomment hachées.

Choux de Bruxelles
Chou de petite taille qui a d'abord été cultivé en
Belgique. Les choux poussent par grappes aux
embranchements des tiges de la plante.

Chou rouge (illustration 3)
Appelé chou bleu dans le sud de l'Allemagne.
Comme le chou blanc, sa tête est ferme, ronde ou
ovale mais il est plus sucré. Il se prépare généralement avec des pommes acides.

Chou de printemps
De la famille des choux blancs, il s'en distingue par
sa forme allongée et sa très faible odeur de chou. Il
n'est vendu qu'au printemps et en été.

Chou de milan (illustration 4)
Un légume hivernal haut en goût aux feuilles fripées
d'un vert sombre à l'extérieur et jaunâtres au cœur.
Elles sont idéales pour cuisiner des choux farcis.

Le banquet de la confrérie des cambusiers

Chou vert et *Pinkel*, soit une saucisse à chair grasse.
Ce plat joue un rôle important à Brême à l'occasion
de la fête traditionnelle des cambusiers qui, depuis
1545, a lieu tous les ans, le deuxième vendredi de
février. Ce banquet se déroule à l'hôtel de ville de
Brême pour commémorer les repas d'adieux solennels des armateurs et des marins avant de prendre
la mer après la pause hivernale. Conformément aux
statuts, les invités extérieurs à la confrérie ne peuvent être conviés qu'une seule fois et portent l'habit,
un nœud papillon et un gilet noirs.
Ce repas s'inspire des anciens plats de marins. Il
commence par un bouillon de poule, on y sert ensuite de la morue séchée accompagnée d'une bière de
garde spécialement brassée pour le banquet des
cambusiers. Avant le plat principal – chou brun aux
Pinkel (recette page suivante) puisqu'à Brême le
chou vert s'appelle chou brun – on sert de la viande
fumée avec des châtaignes et des pommes de terre
sautées. A qui cette entrée ne plairait pas, on sert
aussi du rôti de veau aux pruneaux. En dessert, il y a
du fromage et du turbot fumé de Riga. Outre la bière
de garde des marins, les convives boivent du vin du
Rhin et du Bordeaux. Chacun trouve à sa place un
petit cornet argenté contenant du sel et un autre
doré pour le poivre – une réminiscence des temps
où ces deux condiments étaient si précieux que les
convives devaient les apporter eux-mêmes.
En fin de repas, on fait circuler la sébile de la fondation « Haus Seefahrt » (retraite des marins) et tous
doivent faire preuve de générosité. Le fruit de cette
collecte est destiné aux vieux capitaines ou à leurs
veuves.

Diversité de la cuisine « verte »

Les légumes

La cuisine allemande se distingue par la diversité des modes de préparation des légumes. Depuis que l'on a pris conscience que la cuisson des légumes est une affaire délicate si l'on veut conserver les vitamines et les sels minéraux qu'ils renferment, un plat de légumes réalisé dans la science de l'art peut devenir un mets d'un grand raffinement. Le rôle attribué aux légumes est généralement d'accompagner une viande ou un poisson. Pourtant, suivant les provinces, on a imaginé de nombreuses recettes dont certaines font figure de plats complets, comme le *Lübecker National*, une potée au navet à la poitrine de porc; la *Holsteinische Dickmusik* composée de légumes variés et de lard; le *Blindhuhn* de Westphalie où l'on trouve des haricots, des carottes, des pommes de terre et des pommes; le *Pichelsteiner Topf* de Franconie, les *Teltower Rübchen*, un plat de navets originaire de Berlin; la soupe aux petits pois du Brandebourg et les fèves au lard de Rhénanie. Un de ces plats de légumes venu de Saxe, la macédoine de Leipzig ou *Leipziger Allerlei*, jouit d'une renommée internationale.

Chou vert aux *Pinkel*
(Illustration ci-dessous)

C'est à Brême que l'on trouve les inconditionnels de ce légume qui l'appellent chou brun. Ce plat est aussi l'occasion de décerner la seule décoration qu'un habitant de Brême puisse accepter : les citoyens méritants se voient remettre une caisse de vin provenant de la salle de banquet de l'hôtel de ville ; cette médaille de la gourmandise est volontiers acceptée – elle est attribuée à celui qui sera le dernier à cesser de manger au cours du grand banquet du « chou vert aux *Pinkel* ». Ce genre de concours se déroule surtout dans les campagnes des environs de Brême. En hiver, les auberges attirent les clients avec des offres alléchantes, et des confréries entières se rassemblent autour de grandes tables rustiques. Pour faciliter la digestion, on consomme des alcools de grains, les fameux *Schnaps*. Ce plat est également prétexte à une autre réunion célèbre, le banquet des cambusiers (cf. page précédente).

1 kg de chou vert
150 g de lard fumé
1 cuil. à soupe de saindoux
150 de poitrine de porc
350 ml de bouillon de viande
2 saucisses appelées Pinkel (proche des Montbéliards)
sel, poivre, muscade

Nettoyer le chou en ôtant les feuilles fanées ou tachées et les côtes, le laver soigneusement et le blanchir dans l'eau salée pendant 1 à 2 minutes, égoutter et hacher grossièrement. Couper le lard en dés, le faire fondre dans une cocotte avec le saindoux. Ajouter le chou et la viande, mouiller avec le bouillon, couvrir la cocotte et laisser mijoter à feu doux pendant 45 minutes.
Déposer les saucisses, rajouter un peu d'eau si le légume est encore trop ferme et laisser cuire avec les saucisses pendant 15 minutes. Remuer régulièrement le chou pour éviter qu'il n'attache. Sortir les saucisses et les maintenir au chaud. Rectifier l'assaisonnement en ajoutant sel, poivre et muscade, servir avec les saucisses.

Pichelsteiner Topf

250 g d'agneau
250 g de veau
250 g de porc
250 g de bœuf
200 g de moelle de bœuf
250 g de carottes
250 g de céleri-rave
250 g d'oignons
250 g de pommes de terre
1 petit chou de milan
³/₄ l de bouillon de viande
sel, poivre noir, muscade
1 bouquet de persil plat lavé et haché.

Rincer les viandes, essuyer et couper en dés. Laver et sécher la moelle, puis la couper en tranches. Nettoyer, laver les légumes et les couper en morceaux. Laver et hacher le persil.
Faire fondre la moelle de bœuf dans une cocotte et chauffer le bouillon de viande dans une grande casserole. Dès que la moelle est fondue, y ajouter les légumes et la viande couche par couche. Mouiller avec le bouillon de viande, couvrir et laisser mijoter à feu doux pendant environ 1 heure. Mélanger, saler, poivrer, saupoudrer de muscade, rectifier l'assaisonnement et garnir de persil haché.

Leipziger Allerlei
Macédoine de Leipzig
(Illustration ci-dessous)

A l'origine, et jusqu'à la disparition des crustacés locaux, ce plat se préparait avec des queues d'écrevisses.

15 g de morilles sèches	
lait tiède	
bouillon de viande	
beurre	
250 g de carottes	
250 g de haricots verts	
1 chou-fleur	
250 g d'asperges	
250 g de petits pois	
sel, poivre noir	
persil haché fin	

Sauce blanche
50 g de beurre	
1 cuil. à soupe de farine	
¼ l de bouillon de viande	
¼ l de crème fraîche	

Laisser tremper les morilles dans le lait tiède allongé d'un peu d'eau pendant 30 minutes, rincer plusieurs fois et égoutter, puis les cuire pendant 10 minutes dans le bouillon de viande auquel on aura ajouté une noix de beurre. Nettoyer les légumes, les laver et les couper en julienne. Dans une casserole, porter l'eau à ébullition et ajouter 1 cuil. à soupe de sucre. Y plonger les légumes les uns après les autres : d'abord les carottes, dont le temps de cuisson est plus long, puis les haricots, le chou-fleur découpé, les asperges et les petits pois. Dès que les légumes sont cuits, les sortir avec une écumoire et les égoutter, laisser fondre du beurre et en arroser les légumes. Couper les morilles en lamelles et les mélanger à la macédoine. Pour la sauce : faire fondre du beurre dans une casserole, ajouter un peu de farine et mélanger au bouillon de viande sans cesser de remuer, puis compléter avec la crème, saler, poivrer. Dresser des légumes dans un plat creux, garnir de persil et servir la sauce en saucière.

Soupe aux pois

Des siècles durant, elle fut l'ordinaire du soldat prussien. Ce plat originaire des marches de Brandebourg est aussi très apprécié en Rhénanie.

500 g de pois secs	
500 g de basses côtes de porc	
300 g de porc salé	
750 g de pommes de terre	
céleri, poireau, carotte, persil	
sel	
marjolaine	

Laisser tremper les pois pendant une nuit dans une casserole pleine d'eau. Porter à ébullition et ajouter la viande. Ecumer régulièrement les peaux et la mousse. Eplucher les pommes de terre et les couper en dés. Nettoyer et laver les légumes, les couper en julienne. Sortir la viande au bout d'une heure de cuisson et la couper en petits morceaux.
Ajouter les pommes de terre et laisser cuire à petits bouillons pendant deux heures jusqu'à ce que les pois deviennent tendres. Ajouter les légumes et continuer la cuisson pendant 30 minutes. Saler, saupoudrer de marjolaine, rectifier l'assaisonnement, remettre les morceaux de viande dans la soupe quelques instants avant de servir.

Potée aux lentilles
(Illustration ci-dessous)

500 g de lentilles	
300 g de poitrine fumée	
concentré de tomates	
l de bouillon de viande	
2 carottes	
2 oignons	
2 poireaux	
¼ de céleri-rave	
300 g de pommes de terre	
1 bouquet de persil	
1 brin de livèche	
4 saucisses fumées à cuire	
vinaigre	
sel, poivre noir	

Laver les lentilles. Les plonger dans le bouillon de viande, ajouter un peu de concentré de tomates et la poitrine fumée ; allonger avec une bonne quantité d'eau et porter à ébullition, laisser cuire à petits bouillons pendant 1 heure. Nettoyer et laver les légumes puis les couper en julienne et les laisser cuire avec les lentilles pendant 20 minutes. Hacher les herbes, couper la saucisse en tranches, sortir la poitrine fumée, la couper en dés. Remettre les viandes dans la potée et porter à ébullition pendant quelques minutes. Arroser de vinaigre, saler, poivrer.

Les asperges

D'avril à juin, l'Allemagne se livre à la passion des asperges. Contrairement aux Français et aux Italiens, les Allemands préfèrent les asperges blanches dont les pointes n'ont pas encore bleui au contact de la lumière. On coupe donc les asperges dès l'aube avant le lever du soleil pour les transporter directement et par le plus court chemin vers les marchés de gros où elles seront vendues à la criée. Ensuite, elles iront sur l'étalage du marchand de primeurs.

Les asperges se cultivent depuis la nuit des temps.

Connues dès l'Antiquité – environ 200 av. J.C. – elles sont longtemps restées un met de luxe. L'empereur romain Dioclétien (284–305 av. J.C.) avait même publié un décret pour en fixer le prix.

En Allemagne, on commença à les cultiver dans la région de Stuttgart en 1568. Aujourd'hui encore, les asperges sont considérées comme un légume cher dont le prix est d'autant plus élevé que les tiges sont charnues et blanches. Pour reconnaître une asperge fraîche, il faut que la sève s'écoule quand on la griffe avec l'ongle du pouce.

Les asperges se consomment de la manière la plus simple, pochées dans l'eau salée et arrosées de beurre fondu, avec des pommes de terre nouvelles et du jambon ; il faut compter une livre par personne. Elles sont également savoureuses accompagnées de sauces variées et de crêpes salées. Dans

les régions productrices, on assiste chaque année à un véritable tourisme de l'asperge et les restaurants qui les préparent de la manière traditionnelle font salle comble. Pendant la saison, elles se dégustent aussi avec du rosbif, du saumon fumé ou des viandes grillées.

Ci-dessous : asperge allemande. En règle générale, elle est blanche. L'asperge, qui compte parmi les légumes les plus fins, se cultive surtout dans le Sud-Ouest. Elle pousse sous des buttes de terre et se récolte dès que la surface de la terre se soulève. L'asperge est riche en vitamines A, C et en sels minéraux. Comme, elle contient 90 % d'eau, c'est un aliment pauvre en calories, idéal pour ceux qui souhaitent perdre du poids.

Asperges

2 kg d'asperges blanches
1 petit verre de vin blanc sec
1/2 cuil. à café de sel
1/2 cuil. à café de sucre
20 g de beurre

Eplucher soigneusement les asperges en partant de la tête vers le pied. Couper l'extrémité pour que tous les légumes soient de même longueur. Faire bouillir l'eau, le sel, le sucre, le vin et le beurre dans une grande casserole ou une casserole spéciale. Lier les asperges en fagot et les plonger dans l'eau bouillante ; couvrir et laisser cuire pendant 15 à 20 minutes (le temps de cuisson dépend de la fraîcheur et du diamètre des légumes). Egoutter et présenter dans une serviette de coton pliée.

Servir avec du beurre fondu ou une sauce hollandaise. Le bouillon de cuisson permettra de réaliser une crème d'asperge : ajouter un peu de lait chaud et lier avec des jaunes d'œufs et de la crème.

Sauce hollandaise

250 g de beurre
2 jaunes d'œuf
3 cuil. à soupe de vin blanc
sel, poivre blanc
jus de citron

Faire fondre le beurre, écumer la mousse et laisser refroidir. Battre les jaunes d'œufs avec le vin dans une petite casserole à fond épais. Mettre à feu doux et continuer à fouetter pendant 2 à 3 minutes jusqu'à obtenir un mélange mousseux ; faire attention à ce que le fond de la casserole ne soit pas trop chaud pour éviter que les jaunes ne se coagulent. Ecarter la casserole du feu et incorporer peu à peu le beurre liquide en fouettant. Saler, poivrer, ajouter un peu de jus de citron.

La sauce hollandaise est une préparation de base qui connaît diverses variantes. Si on lui ajoute de la crème fouettée ou de la crème fraîche, on obtient une sauce mousseline plus légère. Avec des échalotes, du vinaigre de vin et de l'estragon haché, elle s'appellera *béarnaise*, et sauce *choron* si un coulis de tomates complète la recette de base.

Les pâtes allemandes

Spaetzle

Les enfants allemands adorent les « *pagettis* », en réalité de fines nouilles italiennes fabriquées à partir de farine de blé dur. Avec l'internationalisation de l'alimentation, le plat de base des Italiens a fait son entrée dans les cuisines d'outre-Rhin. Or ceci risque fort de faire oublier que l'Allemagne a toujours possédé sa propre culture des pâtes, surtout dans le pays souabe d'où les *Spaetzle* sont originaires. Il est difficile de faire comprendre à un adepte des pâtes italiennes ce que sont les *Spaetzle*. Leur réalisation requiert l'habileté des cuisiniers des régions alémaniques. En raison de leur forte teneur en œufs, les *Spaetzle* sont plus moelleux que toute autre sorte de pâtes alimentaires. Bien qu'on les trouve tous prêts dans le commerce, le véritable amateur se devra de les préparer lui-même.

Par tradition, les Allemands du Sud sont et restent les plus grands consommateurs de nouilles du pays : la Bavière et le Bade-Wurtemberg, la patrie des *Spaetzle*, consomment presque la moitié des pâtes alimentaires vendues dans l'ensemble du pays, tandis que la part du Nord, qui représente près de la moitié de la population, n'est que de 28 %.

Les pâtes comptent parmi les plus anciens aliments de l'humanité. Aux temps préhistoriques, les hommes moulaient déjà des grains de céréales qui, mélangés à de l'eau, formaient une pâte qu'ils laissaient sécher à l'air sous forme de galettes. Ils les découpaient ensuite en lanières et les faisaient cuire dans un bouillon. La plus vieille recette transmise jusqu'alors nous vient de Chine. Un texte remontant à plus de 4000 ans décrit comment associer ces nouilles avec du poulet. Jadis, on les fabriquait à partir de farine de blé, d'œufs et d'eau, une composition qui correspond presque à nos pâtes aux œufs actuelles.

En Europe, le manuel de cuisine du Romain Apicius, qui date du 1er siècle après J.C., contenait déjà une recette de pâtes. C'est pourquoi les Souabes affirment, non sans raison, que leurs *Spaetzle* sont un héritage de l'occupation romaine.

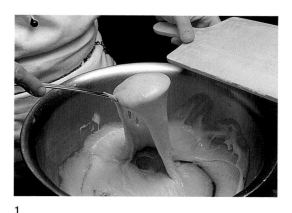

1

2

3

4

5

6

Spaetzle
(Illustrations 1–6)

400 g de farine
4 œufs battus
1 cuil. à café de sel
50 g de beurre

Verser la farine dans un saladier. Ajouter les œufs, le sel et 2 à 3 cuillers à soupe d'eau. Mélanger les ingrédients en ajoutant peu à peu 150 ml d'eau, battre la pâte jusqu'à ce qu'elle forme des bulles (illustration 1).
Porter de l'eau salée à ébullition dans une grande casserole large. Prendre une planche de bois munie d'une poignée (l'idéal serait une planche à Spaetzle), la plonger dans l'eau, déposer un peu de pâte sur la planche (illus-tration 2), avec un grand couteau à lame droite ou un couteau spécial, découper des lanières d'environ 5 mm d'épaisseur et les faire glisser dans l'eau bouillante (illustration 3). Plonger régulièrement le couteau dans l'eau pour éviter que la pâte attache. Répéter l'opération jusqu'à ce qu'il n'y ait plus de pâte.
Les *Spaetzle* sont cuits dès qu'ils remontent à la surface (illustration 4). Les sortir de l'eau avec un écumoire et les réserver dans une passoire (illustration 5), les passer sous l'eau froide et égoutter.
Faire fondre du beurre et y ajouter les *Spaetzle* en secouant (illustration 6) au-dessus du feu jusqu'à ce qu'ils soient réchauffés. Servir immédiatement pour accompagner un rôti ou une blanquette.
Certains présentent les Spaetzle *geschmelzt* : juste avant de servir, ils les garnissent de chapelure dorée au beurre.

Spaetzle au fromage

Les Souabes ont inventé une variante particulièrement savoureuse, les *Spaetzle* au fromage. Les *Spaetzle* sont préparés conformément à la recette indiquée ci-contre, puis on râpe 400 g de fromage de montagne, par exemple du Gruyère ou du Comté, on dispose ensuite couche par couche les *Spaetzle* et le fromage dans un plat chaud ; pour finir, on nappe le tout de beurre fondu et l'on garnit d'oignons frits.
Dans l'Allgäu, les Spaetzle ne ressemblent pas aux nouilles habituelles toute en longueur, ils sont rond et s'appellent *Knöpfli*. Comme fromage, les Bavarois préfèrent l'Emmental ou le Limbourg, deux sortes de fromages ayant un temps de maturation plus bref et qui donnent aux *Spaetzle* au fromage une saveur plus relevée et plus salée.

Les fruits

Quelques citadins et presque tous les Allemands qui vivent à la campagne disposent d'un jardin ou d'un lopin de terre où ils cultivent des légumes et possèdent quelques arbres fruitiers pour satisfaire leurs besoins personnels.

A la belle saison, les jardiniers cèdent leurs produits aux non-jardiniers et l'excédent de fruits et de légumes est mis en bocaux ou pasteurisé pour que l'été se prolonge jusqu'au cœur de l'hiver. Les étagères d'une cave où s'alignent les conserves, les confitures et les jus font l'orgueil des ménagères de la campagne. Certes, leur teneur en vitamine n'est plus guère garantie, mais ils rappellent les saveurs de l'été passé et anticipent sur les joies du suivant.

L'Allemagne, le pays des pommes

Quand un Allemand parle de fruits, il pense le plus souvent à l'un de ceux qu'il préfère : aux pommes. Ce fruit ancestral est associé à nombre de mythes, contes et légendes. Adam dut quitter le jardin d'Eden à cause d'une pomme, Hercule déroba trois pommes d'or ; la pomme était en jeu quand Pâris eut à choisir la plus belle femme du pays, Hélène ; dans les mythes nordiques, la pomme était considérée comme un symbole d'amour, de fécondité et de jeunesse éternelle. Par ailleurs, elle joua également un rôle en politique : associée à une croix, elle était devenue l'emblème du règne de la chrétienté et figurait depuis le 12ᵉ siècle sur les armoiries de l'empire allemand.

En Allemagne, la saison des pommes dure toute l'année. Environ 24 000 vergers répartis dans toutes les provinces, représentant près de 16 millions de pommiers, assurent une récolte toujours abondante et variée pouvant satisfaire les goûts de chacun puisqu'on y cultive près de 1000 sortes différentes, dont une centaine sont commercialisées au niveau régional tandis que 15 à 20 figurent sur tous les marchés. On en trouve de tous les types, des pommes légèrement acides, épicées, douces ou plus aromatiques à la pulpe tendre, croquante, juteuse, fine ou plus ferme.

En cuisine, la pomme entre également dans la composition de nombreux plats et se marie bien avec d'autres aliments. Elle accompagne agréablement un foie ou des harengs marinés, une viande de porc ou d'agneau, sert parfois à farcir un canard ou une oie ; quelques dés de pommes affinent un chou rouge ou une choucroute. En Rhénanie, on en ajoute même à la purée de pomme de terre qui s'appelle dès lors *Himmel und Erde* (ciel et terre). En pâtisserie, ce fruit occupe la première place sous forme de tartes ou de crêpes.

Alkmene
Sucrée, fruitée, légèrement acide, aromatique,
récoltée tout le mois de septembre,
se consomme de septembre à la fin novembre.

Berlepsch
Acidité douce, très aromatique, récoltée
de la fin septembre jusqu'au début du mois d'octobre
se consomme de novembre à mars.

Glockenapfel
Forte acidité, rafraîchissante,
récoltée à la mi-octobre,
se consomme de février à juin.

Gloster
Goût fruité, légèrement acide,
récoltée à la mi-octobre,
se consomme de novembre à mai.

Holsteiner Cox
Légèrement acide, savoureuse,
récoltée de la mi-septembre jusqu'à la fin du mois de
septembre, se consomme d'octobre à mars.

Idared
Très légère acidité, récoltée
de la mi-octobre jusqu'à la fin du mois d'octobre,
se consomme de janvier à juillet.

Jonagold
Sucrée, légèrement acide,
récoltée de la fin septembre à la mi-octobre,
se consomme d'octobre à mai.

Jonathan
Sucrée, légèrement acide,
récoltée de la fin septembre à la mi-octobre,
se consomme de décembre à juillet.

Boskoop
Fruitée, acide,
récoltée de la fin septembre à la mi-octobre,
se consomme de décembre à avril.

Cox Orange
Acidité douce, savoureuse, très aromatique,
récoltée de la mi-septembre à la fin septembre,
se consomme d'octobre à mars.

Elstar
Légèrement acide, savoureuse, rafraîchissante,
récoltée de la fin septembre jusqu'au début du mois
d'octobre, se consomme de la fin septembre à mars.

Golden Delicious
Sucrée avec une légère acidité, rafraîchissante,
récoltée du début à la fin octobre,
se consomme de novembre à juin.

Goldparmäne
Sucrée et fruitée, arôme de noisette,
récoltée de la mi-septembre jusqu'à la fin de septembre,
se consomme d'octobre à décembre.

Gravensteiner
Saveur rafraîchissante, particulièrement aromatique,
récoltée de la fin août jusqu'au début du mois de septembre, se consomme de septembre à novembre.

Ingrid Marie
Légèrement acide, douce, récoltée de la mi-septembre
jusqu'à la fin du mois de septembre,
se consomme d'octobre à mars.

Jamba
Légèrement acide, aromatique, récoltée de la mi-août
jusqu'au début du mois de septembre,
se consomme de la mi-août à la fin octobre.

James Grieve
Acidité sucrée, savoureuse, récoltée de la fin août
jusqu'au début du mois de septembre,
se consomme de la fin août à la fin octobre.

Klarapfel
Acide ou légèrement acide,
récoltée du début juillet à la fin août,
se consomme de la mi-juillet à la mi-août.

McIntosh
Sucrée, aromatique, douce,
récoltée de la mi-septembre à la fin septembre,
se consomme de septembre à avril.

Les pommes comptent parmi les fruits préférés des Allemands qui les traitent et les cuisinent de diverses manières : en gelée, compotes ou conserves, pour accompagner des plats de chou, en farces, pressées en jus, ou
macérées dans le rhum, fermentées en vin de pomme ou
cidre. Ce tableau donne un aperçu et les principales caractéristiques des espèces les plus courantes vendues
dans toute l'Allemagne.

261

Gelée de pommes aux amandes

Pour réaliser cette recette, il faut choisir des pommes acides du type pommes à cidre ayant une forte teneur en pepsine et adaptées à la préparation des gelées et des compotes. Les pommes à cidre qui sont probablement les ancêtres des pommes de culture ont une acidité telle qu'elles ne peuvent se consommer crues. Ces petites pommes rouges ne sont vendues qu'en automne et pendant une très courte période.

2 kg de pommes non traitées
sucre gélifiant, en fonction de la quantité de jus obtenu
zeste râpé d'un citron non traité
100 g d'amandes mondées.

Laver les pommes et les couper en quatre, ôter la partie proche de la queue (laisser le trognon et la peau). Mettre les fruits dans une grande casserole et les couvrir d'eau, porter à ébullition et laisser bouillir jusqu'à ce que les pommes soient ramollies. Verser la bouillie de fruits dans un torchon ou dans une poche à jus et laisser égoutter pendant une nuit dans un récipient. Ne pas tordre ni presser sinon la gelée serait trouble. Mesurer la quantité de jus obtenue et ajouter du sucre gélifiant dans la proportion de 1:1. Verser le jus dans une grande casserole, ajouter le sucre et le zeste de citron. Porter à ébullition en remuant et laisser bouillir pendant 5 minutes. Oter du feu, laisser refroidir un peu et ajouter les amandes en mélangeant. Verser la gelée dans des pots à confiture et fermer immédiatement.

Pommes rôties à la sauce aux abricots
(Illustration ci-dessous)

4 grosses pommes non traitées
1 boîte d'abricots en conserve
2 cuil. à soupe de raisins secs
150 g de pâte d'amandes
80 ml de liqueur d'abricot
1 pot de crème fleurette
1 paquet de sucre vanillé
2 cuil. à soupe de sucre

Laver les pommes et ôter le trognon. Egoutter les abricots, couper trois demi-fruits en dés et écraser les autres. Mélanger les dés d'abricots, les raisins, la pâte d'amandes et la moitié de la liqueur d'abricot et farcir les pommes avec cette préparation, presser avec une cuiller pour faire pénétrer.
Déposer les pommes sur la plaque du four préchauffé à 220 °C et laisser cuire pendant 20 minutes.
Pendant ce temps, battre la crème au fouet pour obtenir une crème Chantilly. Mélanger la purée d'abricot, le reste de liqueur et le sucre vanillé, puis incorporer à la crème. Dresser les pommes sur des assiettes, napper de sauce et servir de suite.

Fraises et prunes

Si les pommes sont les fruits préférés des Allemands, d'autres fruits saisonniers ont également leurs faveurs suivant les saisons, comme les fraises au printemps et en été, puis les prunes et les quetsches en août et septembre.
Les fraises sont cultivées sous cloches de verre de mars à avril. Puis, de la fin mai au début juillet, dès que mûrissent les fruits de pleins champs, on rencontre sur le bord des routes des régions productrices des panneaux invitant à les cueillir soimême. Les amateurs se voient donner un panier et se promènent ensuite dans les champs de fraisiers pour se livrer au plaisir de la cueillette qui, d'habitude, représente un travail pénible et fastidieux. De plus, il est permis de grignoter à volonté, car seules les fraises du panier, celles qu'on emportera à la maison, seront pesées et payées.
Sur les marchés, on trouve des prunes de la mijuillet à la fin septembre et certaines variétés se récoltent jusqu'en octobre. La fameuse tarte aux prunes (recette p. 263) tant attendue des fines bouches est alors un véritable régal.

Fromage blanc aux fraises

1 kg de fraises fraîches
2 pots de fromage blanc à 40 % de matières grasses (400 g)
1 paquet de sucre vanillé
2 jaunes d'œuf
jus d'un citron.

Laver les fraises et les couper en quatre, réserver quelques fraises entières. Mélanger le fromage blanc, les jaunes d'œuf et le sucre vanillé dans un compotier. Réduire les fraises en purée et les incorporer au fromage blanc, répartir dans des ramequins individuels et décorer de fraises entières.

Salade de fruits estivale
(illustration à gauche)

1 pomme non traitée
1 poire non traitée
jus de citron
250 g de raisins noirs
125 g de groseilles
125 g de fraises
4 cuil. à soupe de sucre
100 ml de porto ou autre vin cuit.

Laver les fruits, bien égoutter. Couper la pomme et la poire en quatre sans les éplucher, ôter les pépins. Couper les quarts de fruits en tranches et les arroser de jus de citron pour éviter que la chair ne brunisse. Couper les fraises et les raisins en deux et mettre tous les fruits dans un compotier. Ajouter le sucre et le porto puis mélanger délicatement. Laisser macérer la salade pendant 60 minutes au réfrigérateur et servir.

Salade de fruits estivale.

Pommes rôties à la sauce aux abricots.

Tarte aux prunes.

Un petit luxe

Les gâteaux

Au Moyen Age, en Allemagne comme ailleurs, les gâteaux représentaient un luxe réservé exclusivement à quelques privilégiés, car le sucre de canne, seul connu à l'époque, venait d'outre-mer et était pratiquement inaccessible à la majorité de la population. Il se négociait à des prix exorbitants qui rivalisaient avec ceux qu'atteignaient les épices exotiques dont on avait également besoin en pâtisserie.

Tandis que le peuple se voyait forcé et contraint de se priver de cette denrée et se contentait de miel pour sucrer les aliments, une véritable culture de la pâtisserie se développait dans les cours princières. La pâtisserie était à tel point entrée dans les mœurs de la cour que, voyant les foules affamées manifester devant le Louvre, la reine Marie-Antoinette se serait écrié « Puisqu'ils n'ont pas de pain, qu'on leur donne de la brioche. »

L'ascension inexorable de l'art du sucré commença grâce au chimiste Andreas Sigismund Margraf, directeur du laboratoire de chimie de l'Académie des sciences de Berlin qui, au milieu du 18e siècle, découvrit que certaines betteraves pourraient servir de matière première pour la fabrication du sucre. Ainsi les bases de l'industrie sucrière allemande étaient-elles jetées. Avec la baisse des prix qui s'ensuivit, le sucre était devenu un des petits luxes favoris d'une grande partie de la population, une évolution qui alla en s'amplifiant avec le développement d'une nouvelle institution au début du 19e siècle : les cafés (équivalents aux salons de thé français). Ils servaient de lieu de rendez-vous de la bourgeoisie montante – et ne tardèrent pas à jouer un rôle dans l'émancipation des femmes qui refusaient d'être exclues du plaisir de prendre un café accompagné d'un gâteau dans un lieu public. Mais ceci n'empêcha pas que l'on continuât à confectionner des gâteaux à la maison. De nombreuses recettes actuelles remontent à cette période.

Quark-Streuselkuchen
Streusel au fromage blanc

Le Streusel est un classique allemand que l'on aime déguster avec un café. Un gâteau simple, mais d'un goût exquis.

Pâte
400 g de farine
25 g de levure
$^1/_4$ l de lait tiède
80 g de sucre
80 g de beurre
2 œufs
zeste râpé d'un citron non traité
1 pincée de sel
1 pincée de piment

Garniture
$^1/_4$ l de lait
90 g de sucre
30 g de fécule
250 de fromage blanc
jus et zeste râpé d'$^1/_2$ citron non traité
1 cuil. à soupe de rhum

Granulés (Streusel)
350 g de farine
200 g de beurre
200 g de sucre
$^1/_2$ gousse de vanille

Levain : tamiser la farine dans un saladier, former un puits au milieu, effriter la levure dans ce creux, verser la moitié du lait et un peu de sucre, mélanger en incorporant peu à peu la farine du bord du puits. Couvrir et laisser reposer dans un endroit chaud pendant 15 minutes.
Mélanger le beurre fondu au lait, puis le reste de sucre, le zeste de citron, le sel et le piment. Ajouter cette préparation au levain et battre pour obtenir une pâte levée souple, pétrir en incorporant toute la farine, couvrir et laisser gonfler pendant 20 minutes.
Préchauffer le four à 200 °C. Abaisser la pâte au rouleau et la déposer dans le moule à manqué préalablement graissé, piquer la pâte à la fourchette à plusieurs endroits.
Garniture : porter le lait et le sucre à ébullition. Mélanger la fécule avec un peu de lait, lier et laisser refroidir. Ajouter le fromage blanc, le jus et le zeste de citron ainsi que le rhum, puis bien mélanger ; étaler cette crème sur la pâte. Streusel : du bout des doigts mélanger la farine, le beurre, le sucre et l'extrait de de vanille de manière à obtenir des granulés de taille moyenne, répartir uniformément sur la garniture de fromage blanc.
Passer au four pendant 25 minutes ; laisser refroidir le gâteau, découper en parts.

Tarte aux prunes

En Allemagne, le début de l'automne est la saison de la tarte au prunes, qui s'appelle aussi *Zwetschgendatschi*. On la sert copieusement saupoudrée de sucre tout juste sortie du four. Cette tarte toute simple fait partie des fleurons de la pâtisserie traditionnelle allemande et est originaire d'Augsbourg, en Bavière. Certains la préparent à partir d'une pâte levée tandis que d'autres lui préfèrent une pâte plus ferme à la levure chimique.

Pâte
400 g de farine
2 cuil. à café de levure chimique
1 pincée de sel
150 g de sucre
150 g de beurre (à température ambiante)
2 œufs
4–5 cuil à soupe de lait froid

Garniture
1,5 kg de prunes ou de quetsches
5 cuil. à soupe de sucre
cannelle (selon le goût)

Mélanger la farine, le sel et la levure. Fouetter le beurre, les œufs et le sucre pour obtenir un mélange mousseux, ajouter à la farine et battre pour obtenir une pâte lisse et ferme. Mettre dans un grand moule préalablement graissé.
Préchauffer le four à 200 ºC. Laver les fruits, les couper en deux et les dénoyauter. Disposer les fruits côte à côte bien serrés sur la pâte. Cuire au four pendant une trentaine de minutes et laisser refroidir. Saupoudrer largement de sucre auquel on aura ajouté de la cannelle, couper en parts.

Variante (illustration ci-dessus) : fabriquer un Streusel du bout des doigts en mélangeant 150 g de farine, 125 g de sucre, 125 g de beurre et une pincée de cannelle, répartir uniformément le Streusel sur les prunes. Comme le Streusel absorbe rapidement le jus des fruits, servir la tarte chaude dans le moule.

Avec de la crème s'il vous plaît

Gâteaux de fêtes

Un gâteau de fête est souvent trop beau pour être mangé. Les pâtissiers allemands imaginent sans cesse de nouvelles associations de saveurs, inventent des garnitures qui font de ces gâteaux de véritables œuvres d'art. Les yeux des enfants s'écarquillent quand ils arrivent sur la table les jours de fête, garnis de bougies aux anniversaires, avec deux petites figurines représentant les nouveaux époux lors des repas de mariage, ou ornés d'un beau chiffre de sucre pour les commémorations.

Ces gâteaux ne sont pas seulement splendides, mais aussi riches : crèmes et crème au beurre en sont les principales composantes qui font ombrage aux modestes tartes aux fruits pourtant meilleures pour la santé, mais que l'on commande souvent « avec de la crème ». La « Forêt Noire » est de loin la plus célèbre de ces splendeurs festives.

Forêt Noire aux cerises
(Illustration)

700 g de griottes (deux bocaux)
1 cuil. à soupe de fécule
100 g de sucre
1 écorce de cannelle
1 fond de biscuit au chocolat de 26 cm de diamètre
3/4 l de crème fleurette
2–3 cuil. à soupe de kirsch
copeaux de chocolat noir.

Egoutter les cerises. Mélanger un peu de jus avec la fécule ; porter 1/4 l de jus, 40 g de sucre et la cannelle à ébullition. Sortir la cannelle et lier avec la fécule. Porter à ébullition plusieurs fois de suite et ajouter les cerises après en avoir réservé quelques-unes pour le décor. Mélanger délicatement au fouet réchauffer à feu vif et laisser refroidir hors du feu.
Couper le biscuit au chocolat dans le sens horizontal pour obtenir trois couvercles. Battre la crème et le reste de sucre en Chantilly. Etaler une fine couche de crème sur le premier fond de biscuit, tracer ensuite des anneaux concentriques de crème avec une poche à douille, disposer les cerises dans les intervalles. Monter la seconde couche de biscuit sur les cerises, presser légèrement et arroser régulièrement de kirsch (le kirsch peut éventuellement être allongé d'un sirop léger). Répartir le reste de préparation aux cerises sur le biscuit et couvrir d'une épaisse couche de crème, recouvrir avec la troisième couche de biscuit. Garnir le gâteau de crème sans négli-

ger le pourtour. Orner de rosettes de crème à la poche à douille, garnir de cerises. Décorer le centre et le pourtour du gâteau de copeaux de chocolat.

Couronne de Francfort

Pour réaliser cette spécialité presque aussi célèbre que la Forêt Noire, il faut préparer un biscuit cuit la veille dans un moule à savarin. Laisser reposer le biscuit pendant 24 heures avant de le couper en trois couches horizontales. Chaque couche sera imbibée de kirsch ou d'une liqueur puis couverte de crème au beurre. Ensuite seulement, le gâteau sera reconstitué. On recouvrira la couronne d'une autre couche de crème au beurre avant de la garnir de pralin écrasé. Décorer de roses de crème au beurre et de cerises confites.
La préparation de ce gâteau étant très longue, il arrive que même les inconditionnels de la pâtisserie maison l'achètent chez un bon pâtissier.

Forêt Noire.

Crème au beurre

Les gâteaux à la crème au beurre comptent parmi les plus riches en calories. Ils ont connu toutes les faveurs des Allemands après la guerre, car ils symbolisaient le miracle économique et le retour au bien-être matériel. Il existe plusieurs manières de préparer la crème au beurre. La recette allemande de la crème à la vanille contient relativement peu de sucre.

150 g de sucre
40 g de fécule
3 jaunes d'œuf
1/2 l de lait
350 g de beurre
1 gousse de vanille

Verser la moitié du sucre et la fécule dans un saladier, ajouter les jaunes d'œuf et la moitié du lait, battre les ingrédients au fouet. Pendant ce temps, porter le reste de lait et de sucre et la gousse de vanille à ébullition. Ajouter peu à peu la préparation à la fécule dans le lait chaud sans cesser de remuer, porter à ébullition plusieurs fois de suite pour obtenir une crème à la vanille.
Battre le beurre pour le rendre mousseux et incorporer progressivement la crème à la vanille. Le beurre et la crème doivent être à la même température pour éviter que la préparation ne se coagule.

Gâteau au fromage

Le gâteau au fromage est un grand classique allemand dont toutes les cuisinières connaissent les malices : si le four est trop chaud, il se fend et s'affaisse. Tout l'art de le réaliser consiste à utiliser le bon matériel et à choisir la température adéquate.

Fond de pâte
200 g de farine
120 g de beurre mou
50 g de sucre glace tamisé
1 jaune d'œuf
1 pincée de sel

Garniture
80 g de raisins secs
2 cuil. à soupe de kirsch
500 g de fromage blanc
4 jaunes d'œuf, 4 blancs d'œuf
zeste râpé d'un citron non traité
100 g de beurre mou
50 g de farine
sucre glace

Pâte : tamiser la farine sur le plan de travail, former un puits au milieu, et y déposer le beurre, le jaune d'œuf, le sucre glace et le sel, mélanger en incorporant peu à peu la farine pour obtenir une pâte brisée. Hacher la pâte avec un couteau plat, puis la pétrir avec les mains pour obtenir une pâte lisse, l'envelopper d'une feuille d'aluminium et la laisser reposer pendant 1 à 2 heures au réfrigérateur.
Abaisser la pâte au rouleau et foncer un moule à manqué, piquer la pâte à la fourchette. Précuire pendant une dizaine de minutes au four à 190 °C.
Garniture : laisser tremper les raisins dans le kirsch. Passer le fromage blanc au chinois, ajouter les jaunes d'œuf et la moitié du sucre, mélanger en ajoutant le zeste de citron, le beurre, la farine et les raisins, battre au fouet. Monter les blancs en neige et ajouter le reste de sucre ; incorporer délicatement les blancs en neige à la préparation de fromage blanc, puis étaler le tout sur la pâte précuite. Réduire la température du four à 160 °C et laisser cuire le gâteau pendant 45 minutes. Garnir de sucre glace, poser une grille chaude sur le dessus du gâteau pour caraméliser le sucre et obtenir un joli motif décoratif.

Gâteaux aux fruits

Les gâteaux aux fruits font partie du répertoire traditionnel de la pâtisserie. On les confectionne surtout à la saison de la cueillette quand les fruits abondent et sont peu coûteux. Chaque région possède ses spécialités propres. Tous les fruits peuvent être traités en pâtisserie, pourtant les recettes à base de pommes restent en tête de file des gâteaux aux fruits, ceci pour la bonne raison qu'on en trouve toute l'année. Le plus pratique est d'acheter un fond de tarte en pâte brisée, ou une pâte feuilletée surgelée, et de le garnir de fruits frais préalablement blanchis, puis de les napper d'un glaçage au sucre. Pour éviter que certains fruits fragiles souffrent de la cuisson, on les dispose souvent sur un disque de biscuit cuit à part avant de décorer le gâteau de crème Chantilly ou de crème au beurre.

Feuilleté aux pommes et au rhum

Fond
1 paquet de pâte feuilletée surgelée
1 kg de pommes
60 g de raisins de Corinthe
2 cuil. à soupe de rhum (ou de Calvados)
50 g de sucre

Crème
4 feuilles de gélatine
3 jaunes d'œuf
70 g de sucre
1/4 l de lait
chair d'une demi-gousse de vanille
3 cuil. à soupe de rhum (ou de Calvados)
1/4 l de crème fleurette

Glaçage
1/4 l de vin blanc sec
50 g de sucre
1 cuil. à soupe de fécule
50 g d'amandes effilées grillées

Décongeler la pâte feuilletée et abaisser au rouleau deux fonds d'épaisseur égale d'un diamètre d'environ 28 cm. Découper régulièrement le pourtour à l'aide d'une forme ronde (une assiette ou un couvercle). Déposer les fonds sur une tôle préalablement passée à l'eau froide, piquer à la fourchette à plusieurs endroits et cuire au four à 220 °C pendant 15 minutes environ.
Eplucher les pommes, ôter le trognon et couper les fruits en tranches. Les mettre dans une terrine en même temps que les raisins de Corinthe, arroser de rhum et saupoudrer de sucre; laisser reposer pendant une heure.
Crème : ramollir la gélatine dans de l'eau froide. Battre les jaunes d'œufs avec le sucre. Porter le lait et la gousse de vanille à ébullition et mélanger avec les œufs et le sucre. Egoutter la gélatine et l'ajouter à la crème en battant, laisser refroidir. Verser le rhum, fouetter la crème en Chantilly et l'incorporer délicatement à la préparation à la vanille.
Etaler les trois-quarts de cette crème sur le premier fonds de tarte, couvrir avec le second. Garnir le dessus et le pourtour de crème. Egoutter les tranches de pommes et en décorer le gâteau, répartir régulièrement les raisins de Corinthe sur les pommes.
Glaçage : chauffer le vin et le sucre jusqu'à ébullition. Mélanger la fécule à un peu d'eau et l'ajouter au vin, porter à ébullition en remuant bien. Dès que l'on obtient un liquide clair, en badigeonner les pommes avec un pinceau. Décorer les bords avec les amandes.

Lebkuchen et Printen

Les biscuits au poivre et les *Lebkuchen* existaient déjà au Moyen Age. Dès 1296, les chroniques citent le nom d'un patricien de Ulm «Lebzelter» et parlent de ces fameux *Lebenskuchen* ou gâteau de vie dont on reconnaissait déjà les vertus pour la santé.

Les plus réputées de ces spécialités de pains d'épices s'appellent *Oblaten-Lebkuchen* (pains d'épices sur oublie) et viennent de Nuremberg. A l'origine, l'oublie était un pain liturgique consacré que les moines boulangers cuisaient sur une tôle de métal, mais ces moines astucieux ne tardèrent pas à l'utiliser comme fond pour traiter la pâte presque liquide qui sert à confectionner des *Lebkuchen*; grâce à cette oublie, la pâte ne collait plus à la plaque et les gâteaux conservaient leur fraîcheur plus longtemps.

Aujourd'hui encore, ces *Lebkuchen* restent entourés de mystère et d'exotisme. Ceci ne surprendra pas, car, outre la farine et le miel, des épices venant de tous les continents jouent un rôle essentiel dans leur préparation. On y trouve en effet de l'anis, du gingembre, de la cardamome, du coriandre, de la muscade et des clous de girofle, du piment et de la cannelle, autant de condiments rares au Moyen Age. L'ancienne ville impériale, ce carrefour des affaires qu'était Nuremberg, profitait de sa situation à la croisée des grands axes commerciaux qui permettait à ces denrées exotiques d'arriver dans la ville – c'est donc là que naquit cette tradition séculaire du *Lebkuchen*, une tradition encore très vivace de nos jours.

Les *Lebkuchen* de Nuremberg et les *Printen* d'Aix-la-Chapelle ont une longue tradition et une renommée mondiale. Ces deux spécialités ont donné le jour à de nombreuses variantes, toutes savoureuses.

Lebkuchen Elise

Les *Lebkuchen* Elise, surtout préparés pendant la période de l'Avent, sont considérés comme les meilleurs de tous les Lebkuchen aux oublies. La proportion d'amandes et/ou de noisettes dans la pâte doit être d'au moins 25 %.

200 g de sucre
200 g d'amandes en poudre
20 g d'orange confite et 20 g de citron confit
50 g de farine
1 pointe de couteau de levure chimique
zeste râpé d'un citron non traité
1 pincée de sel
1 paquet de sucre vanillé
1 cuil. à café de cannelle
3 œufs
1 cuil. à soupe de rhum

Mélanger tous les ingrédients pour obtenir une pâte lisse et souple. Déposer de grosses noisettes de pâte sur de petites oublies d'environ 4 cm de diamètre en s'aidant d'une cuiller à café.
Cuire au four à 175 °C pendant 20 minutes environ.
Napper les *Lebkuchen* Elise d'un glaçage au chocolat ou au sucre.

Printen d'Aix-la-Chapelle

Les *Printen* d'Aix-la-Chapelle sont une variété de *Lebku-chen*. A l'origine, les premiers *Printen* ressemblaient un peu aux *Spekulatius*, ces biscuits que les artisans réalisaient en pressant la pâte dans de petits moules en bois sculpté pour former diverses figurines ou dessins. Etymologiquement, le *Printen* ou *Prenten* tire son nom de ce tour de main.
A l'époque du Blocus continental instauré par Napoléon contre l'Angleterre en 1806, la confrérie des pâtissiers fabricants de *Printen* vint à manquer de sucre de canne et de miel sauvage américain nécessaires à confectionner leurs douceurs et se vit obligée de les remplacer par du sucre de betterave et du sirop. Or la pâte ainsi obtenue était plus ferme et plus grossière et ne se laissait plus mouler aussi facilement dans les formes de bois, c'est ainsi qu'apparurent les *Printen* rectangulaires, une solution de remplacement qui perdure encore et dont l'invention est attribuée au maître pâtissier Henry Lambertz d'Aix-la-Chapelle. Le goût particulier des *Printen* provient des cristaux de sucre candi concassés.

250 g de sucre candi brun
240 g de sirop de sucre brun
200 g d'orange confite et 200 g de citron confit
$^1/_2$ cuil. à café d'anis
1 cuil. à café d'épices à Lebkuchen (éventl. 4 épices)
500 g de farine
1 cuil. à café de levure chimique
chocolat à couverture

Concasser le sucre candi. Chauffer le sirop avec 3 cuil. à soupe d'eau, ajouter le sucre candi, les dés d'orange et de citron confit ainsi que les épices. Laisser refroidir.
Mélanger la farine et la levure, verser la préparation à base de sirop et pétrir pour obtenir une pâte homogène.
Laisser reposer la pâte pendant 24 heures.
Abaisser la pâte au rouleau et former des rectangles de taille régulière d'environ 10 cm sur 4 cm et de 3 cm d'épaisseur. Cuire au four à 200 °C pendant environ 15 minutes. Napper d'une couverture de chocolat fondu au bain-marie.

Pâte d'amandes de Lübeck

En flânant dans la ville, le promeneur rencontre sans cesse une enseigne qui symbolise la pâte d'amandes de Lübeck : deux bandes croisées surmontées d'une *Holstentor* (porte de la ville) stylisée, avec les initiales JGN, celles de Johann Georg Niederegger, maître pâtissier de Ulm qui s'installa à Lübeck en 1806.

La maison Niederegger connut un tel succès qu'en 1922, elle établit son siège social à Lübeck, face au célèbre grand escalier de l'hôtel de ville. C'est là que se trouve, aujourd'hui encore, le Café Niederegger, l'Eldorado des gourmands, où les amateurs dégustent près de 300 spécialités à la pâte d'amandes : des viennoiseries, des gâteaux, des chocolats et autres confiseries en formes de fruits ou de figurines, des confiseries typiques à Noël et des œufs fourrés à Pâques. La pâte d'amandes est confectionnée à partir d'amandes, de sucre et d'extrait de rose. (Ci-contre : fabrication de la pâte d'amandes chez Niederegger.)

Pâte d'amandes

250 g d'amandes douces mondées
250 g de sucre en poudre
2 cuil. à soupe d'extrait de rose
(ou d'eau-de-vie de fruit)

Moudre finement les amandes et les malaxer en une pâte ferme avec le sucre en poudre et l'extrait de rose. Bien recouvrir et laisser reposer pendant 12 heures dans un endroit frais.

Modeler la pâte à volonté en forme de figurines ou de petits pains et cuire au four à 120 °C pendant une trentaine de minutes. La durée de conservation est limitée.

Pour la conserver plus longtemps, on échauffe la masse en la pétrissant en permanence dans une cocotte en cuivre jusqu'à ce qu'elle n'adhère plus au fond.

Quelle est la quantité de sucre contenue dans la pâte d'amandes ?

La masse brute achetée dans le commerce contient beaucoup de sucre. La législation permet aux fabricants d'ajouter 500 g de sucre à une pâte qui en contient déjà 35 %. Ce produit conserve l'appellation d'origine. La pâte d'amandes de luxe de Lübeck contient 900 g de pâte brute et ne tolère qu'un ajout de sucre de 100 g. Fidèle à la tradition, la maison Niederegger n'utilise que de la pâte d'amandes brute, sans ajout de sucre.

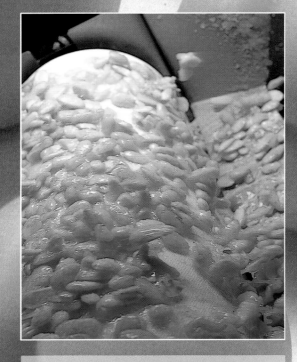

Le sucre liquide est versé sur les amandes avant que celles-ci soient écrasées dans un moulin.

Les amandes moulues sont malaxées avec du sucre et de l'extrait de rose dans de grandes cuves en cuivre.

Cette pâte est moulée en forme de pains ou de figu- rines souvent recouvertes d'un glaçage de chocolat.

L'étape suivante est le séchage des confiseries réali- sées à partir de la pâte d'amandes.

La pâte d'amandes de Lübeck si agréablement par- fumée est connue dans le monde entier pour sa qualité, ses formes et ses emballages séduisants.

On fabrique aussi des fruits et légumes en pâte d'amandes ainsi que d'autres confiseries fines. Photo : des pommes très agrandies.

L'Allemagne, patrie du Riesling

Le vin

Gagne-pain et plaisir des habitants de nombreuses provinces allemandes, le vin rythme la vie depuis les temps les plus anciens. Les Allemands doivent leur vin aux Romains qui, ayant emprunté les voies fluviales pour pénétrer en Germanie, avaient enseigné aux tribus barbares comment cultiver la vigne.

Les invasions firent donc de l'Allemagne un pays où la culture du vin est entrée dans la tradition et dont le vignoble occupe une place singulière sur le marché mondial. Le vin allemand est raffiné et léger, riche en acides et faible en alcool. Sa spécificité est surtout due à la culture d'un cépage typiquement allemand : le Riesling.

Les vignobles allemands, au nombre de treize, sont les plus septentrionaux du monde. Situés à la limite de deux zones climatiques, entre les influences tempérées et humides dues au Gulf Stream à l'Ouest, et la zone continentale plus sèche à l'Est, les étés n'y sont pas trop chauds et les hivers rarement trop rigoureux. Si les précipitations sont rares de mai à septembre dans les Länder méridionaux, le vignoble allemand profite régulièrement d'une douche vivifiante qui fait gonfler les raisins, même en plein été, tandis que la douceur de l'automne leur permet de mûrir encore pendant quelques semaines, souvent même jusqu'aux derniers jours d'octobre et parfois jusqu'en novembre.

Le raisin mûrissant plus lentement qu'ailleurs, les vins allemands, dont le Riesling est la meilleure illustration, se distinguent par leur acidité rafraîchissante et fruitée, leur faible teneur en alcool et leur bouquet raffiné. l'Allemagne est la terre de prédilection du Riesling avec le plus grand vignoble mondial de ce cépage qui donne des vins blancs racés et élégants qui font sa réputation auprès des connaisseurs.

Aux côtés des Riesling, on trouve aussi des Sylvaner, des vins plus neutres dont certains disent qu'ils sont rustiques et sans élégance. Pourtant, les terroirs arides et riches en graviers donnent des Sylvaner très fruités. Le *Müller-Thurgau*, un croisement des deux cépages, réussi il y a plus d'un siècle, allie la douceur du Sylvaner au fleuri du Riesling, mais doit être consommé jeune avant qu'il ne perde sa belle note de muscat.

Le *Ruländer* (*Burgunder gris*) occupe une place spécifique au sein des cépages allemands. Il donne des vins puissants et vifs d'un bouquet bien rond.

Au même titre que le Riesling pour les vins blancs, le *Burgunder* tardif, dit bleu, est le fleuron des vins rouges. D'autres cépages sont également très répandus, comme le *Kerner* (un croisement de *Trollinger* et de Riesling), le *Scheurebe* (croisement de Riesling et de Sylvaner), le Portugais bleu, le *Trollinger* et le Gewürztraminer.

Vinification du vin allemand

Compte tenu de la situation géographique du vignoble allemand, il est parfois difficile d'obtenir un moût capable de fournir un vin harmonieux et corsé – c'est alors la teneur en sucre du jus extrait au pressoir qui détermine le degré d'alcool du vin. Il arrive donc qu'on enrichisse le moût en y ajoutant du sucre avant ou pendant la fermentation. Ce procédé permet d'augmenter le degré d'alcool sans «sucrer» le vin puisque, naturel ou ajouté, ce sucre se transformera en alcool et en gaz carbonique pendant la fermentation. Le gaz carbonique s'évapore tandis que l'alcool et les autres composantes demeurent et confèrent au vin sa plénitude et sa saveur.

Le sucre transformé en alcool pendant la vinification sert d'étalon pour mesurer le degré de maturité. Il détermine la densité du moût qui, officiellement, s'exprime en Öchsle (Baumé en France). Cette unité de mesure se réfère à Ferdinand Öchsle (1774–1852), pharmacien, orfèvre et mécanicien de Pforzheim, illustre inventeur d'un instrument encore utilisé de nos jours et qui permet d'évaluer la densité du moût.

Les degrés Öchsle, que l'on mesure actuellement à l'aide d'un réfractomètre, indiquent la différence de poids entre un litre de moût à une température de 20 °C et un litre d'eau. Le poids spécifique ainsi établi permet de calculer approximativement la teneur de sucre en gramme par litre. Grâce à cette méthode, le viticulteur évaluera le degré potentiel d'alcool qu'atteindra le vin après la fermentation.

A l'arrière-plan : vignoble en Hesse rhénane.

Grappes de raisin prêtes à être cueillies où se reflète la couleur dorée du soleil.

Lors des vendanges, les grappes de raisins sont transportées dans des hottes.

On verse dans un appareil de Öchsle un extrait du moût fraîchement pressé.

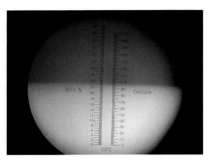

Le degré Öchsle perment d'évaluer la teneur en sucre du jus de raisin.

Sous l'action de la chaleur et du gaz carbonique, le moût fermente et produit d'abord le « Federweisser ».

Dans les bons café-restaurants comme ici, au Bürgerspital de Würzburg, on ne manque pas de déguster le nouveau millésime.

Plus tard, le vin repose parfois pendant plus d'un siècle – comme ici, dans les caves du Château de Johannisberg.

Le Château de Johannisberg, dans le Rheingau, est le plus ancien vignoble d'Allemagne planté en Riesling.

Le vin et ses fêtes

Chaque année, on célèbre le vin nouveau de la fin septembre à la mi-octobre. Les cépages précoces viennent d'être vendangés et ce jeune vin encore trouble qui commence à peine sa fermentation en fût s'appelle *Federweisser*, *Bitzler*, *Sturm*, *Sauser* ou *Rauscher,* selon les régions.

Au début de la fermentation, des levures agissent sur le jus de raisin. Elles transforment le sucre en alcool et en gaz carbonique, ce qui tend à donner au jus une teinte blanchâtre. Cette couleur laiteuse et trouble rappelle le duvet qui, en s'envolant, forme comme un nuage, d'où le nom de *Federweisser* (blanc comme plume). Ce vin nouveau possède déjà toutes les qualités qu'il présentera l'année suivante.

Le vin nouveau symbolise l'automne tout comme les tartes aux oignons et les châtaignes. Mais prudence, aussi séduisant soit-il, il dissimule quelques malices ! Bu avec modération, c'est un produit sain, car il renferme de nombreuses vitamines. Sachant qu'il contient encore des levures qui facilitent la digestion, on comprend pourquoi ce vin nouveau tant apprécié dans les régions vinicoles est considéré comme un breuvage rafraîchissant et tonique.

Les amateurs ne célèbrent pas uniquement le vin après les vendanges automnales, mais profitent de toutes les occasions qui s'offrent pendant l'année. Les fêtes qui renvoient aux traditions des vignerons sont aussi variées que le vignoble lui-même et font la joie des jeunes comme des vieux. Ces fêtes de vignerons ont chacune leur charme : inaugurations solennelles accompagnées de défilés, fêtes populaires au son du folklore local, dégustations entre œnologues, lectures d'auteurs ou discussions littéraires autour d'une bonne bouteille. Par ailleurs, le grand public apprécie de plus en plus les dégustations organisées à son intention.

Le vin allemand et ses appellations

La densité des moûts d'une récolte moyenne varie considérablement selon le cépage et le vignoble. Ce sont eux qui déterminent la qualité des vins allemands et la catégorie dans laquelle ils entrent.

Vins de table
Les vins de table sont légers, frais et sans prétention. Les vins de table allemands ne portent pas d'appellation, seule leur provenance figure sur l'étiquette qui mentionne une des quatre grandes régions productrices de vin de table : Rhin et Moselle, Main, Neckar, Haut-Rhin ou le nom d'une région spécifique au sein de ces derniers. Ils ne sont soumis à aucun contrôle de qualité. 3 % seulement des vins allemands entrent dans cette catégorie, alors qu'en France et en Italie, ils représentent la majorité de la production.

Vins de pays
Ces produits sont des vins de table de qualité supérieure, plus corsés, ils possèdent le caractère propre à leur terroir. Ils comptent parmi ces vins que les vignerons aiment bien boire eux-mêmes. Les vins de pays doivent répondre à certaines exigences : par exemple, les raisins ne proviendront que d'une seule région vinicole. D'ailleurs, le législateur a limité cette appellation à 20 vignobles et aux vins secs et demi-secs mis en bouteille sur place, ce qui est une garantie de qualité.

Qualitätswein bestimmter Anbaugebiete
Vin de qualité d'appellation contrôlée (QbA)
Ce sont des vins provenant d'une région déterminée, d'un terroir spécifique et d'un cépage bien défini. Le degré de maturité des raisins et leur provenance doivent répondre à certains critères. Le vin de qualité QbA ne sera originaire que de 13 régions vinicoles et devra subir des contrôles officiels. Le numéro de contrôle attribué par l'administration (n° AP) devra figurer sur l'étiquette.

Qualitätswein mit Prädikat
Le nom des meilleurs vins
Quand la nature accorde ses faveurs aux vignerons, elle leur offre quelques crus qui figureront pendant des décennies sur les cartes des vins prestigieux en Allemagne comme à l'étranger. Les diverses appellations : *Kabinett, Spätlese, Auslese, Beerenauslese, Trockenbeerenauslese* et *Eiswein* ne sont attribuées que si le vin présente les critères de qualités gustatives requis. Il est formellement interdit d'ajouter du sucre au moût, le degré de maturité des raisins doit être signalé avant les vendanges pour que les organismes de contrôle puissent prélever des échantillons et attribuer le n°AP.

Label du vin allemand
Attribué par la Chambre de l'agriculture, le label du vin allemand, est décerné pour trois catégories de vin : « jaune » pour les vins secs ; « vert » pour les demi-secs ; « rouge » pour les vins doux.

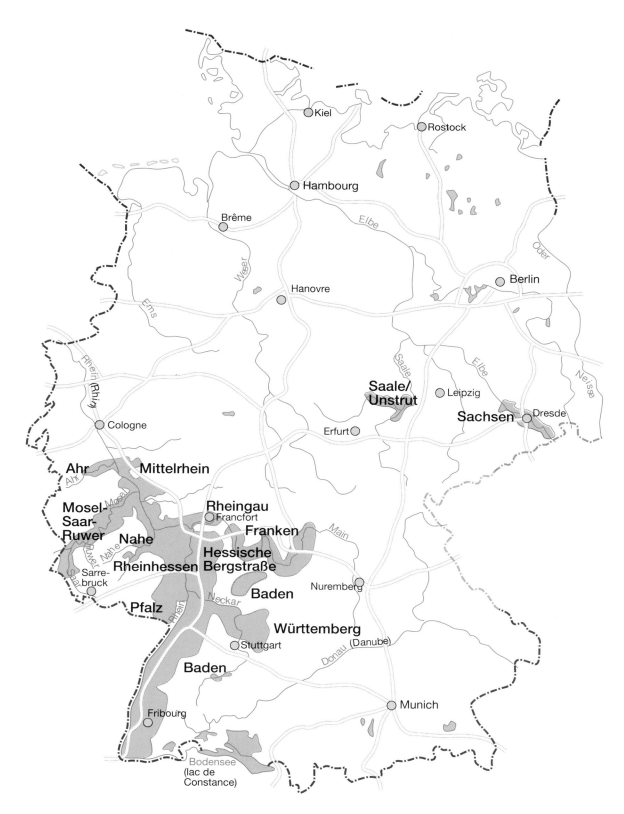

Kiel

Rostock

Hambourg

Brême

Elbe

Weser

Oder

Berlin

Hanovre

Ems

Saale

Elbe

Neisse

Rhein (Rhin)

Leipzig

Saale/
Unstrut

Erfurt

Sachsen

Dresde

Cologne

Ahr **Mittelrhein**

Ahr

**Mosel-
Saar-
Ruwer**

Mosel

Rheingau

Francfort

Franken

Nahe

Main

Sarre-
bruck

Saar

Nahe

Rheinhessen

**Hessische
Bergstraße**

Baden

Nuremberg

Pfalz

Rhein

Neckar

Württemberg

Stuttgart

Donau (Danube)

Baden

Fribourg

Munich

Bodensee
(lac de
Constance)

Vignobles allemands

En Allemagne, les meilleurs vignobles s'étendent sur les coteaux orientés au Sud ou au Sud-Ouest comme dans les vallées du Rhin et de ses affluents bien protégées du vent et des intempéries. Le vignoble allemand compte treize grandes régions productrices.

Ahr : au sud de Bonn, on trouve des vins rouges délicats et veloutés issus des terrains schisteux et volcaniques des collines de l'Eifel. Le Blauer Burgunder représente plus de la moitié du vignoble, mais on y trouve aussi quelques Riesling et autres vins blancs.

Rhin moyen : entre Bonn et Bingen, dans les paysages romantiques de Rhénanie, les vignes poussent sur des terrasses de marnes riches en ardoise et se chauffent sur les berges ensoleillées du fleuve. Ce vignoble donne des Riesling racés ainsi que des Müller-Thurgau, des vins secs, légers et très aromatiques.

Nahe : cette région s'étend en aval de Bingen et fournit des vins très variés. Dans ce vignoble de 4500 ha, quatre fois plus grand que l'Ahr (485) et le Rhin moyen (680 ha) réunis, on cultive surtout des Riesling très fruités qui possèdent un riche arôme de terroir. Nous vous conseillons d'y déguster aussi certains Weissburgunder.

Moselle, Sarre, Ruwer : la Moselle et ses affluents tracent leurs méandres de la frontière luxembourgeoise, au sud de Trèves, jusqu'à Coblence. C'est ici que se trouve le plus grand vignoble de Riesling. Les grands millésimes de Moselle, limpides, légers et presque sémillants, sont célèbres dans le monde entier pour leur élégance. Les meilleurs, les demi-secs, vieillissent pendant trois à quatre ans.

Rheingau : là ou le cours du Rhin s'incurve vers l'Ouest, les vignerons produisent des vins de renommée mondiale issus de sols marneux. Les vignerons du Rheingau furent les premiers à découvrir les vertus du botrytis qui provoque une moisissure du raisin, la récolte tardive ainsi que la « Auslese ». Tous les meilleurs emplacements sont plantés de Riesling.

Coteaux de Hesse : protégé par les contreforts de l'Odenwald, un des plus petits vignobles allemand, par son étendue, produit des vins bouquetés ayant du corps. Les Riesling des coteaux de Hesse sont doux, légers et possèdent un caractère de terroir. Les meilleurs crus proviennent de Bensheim et Heppenheim.

Hesse rhénane : situé entre Bingen, Alzey, Mayence et Worms, le plus grand vignoble allemand fournit toute une palette de vins de grande qualité et de crus renommés. Le vin caractéristique de la Hesse rhénane n'est plus le Müller-Thurgau, le plus répandu autrefois, mais le Sylvaner. On y trouve aussi des Riesling racés, des Weissburgunder de grande finesse et des Burgunder rouges capiteux.

Palatinat : une véritable ceinture de vignobles longe la ligne de crêtes du Haard et les collines du Palatinat. Après la Hesse rhénane, le Palatinat est la seconde région vinicole d'Allemagne. On y trouve essentiellement des Müller-Thurgau, des Sylvaner de première classe, des Weissburgunder, mais aussi d'excellents Riesling très fruités.

Bade : le vignoble badois s'étend du lac de Constance, à l'est du Rhin, jusqu'à Heidelberg sur près de 400 km. Sa situation géographique le soumet à de fortes différences climatiques et géologiques qui se reflètent dans la variété de ses cépages. Si, autrefois, le Müller-Thurgau, le Ruländer et le Weissherbst y dominaient, ils sont maintenant concurrencés par le Rivaner, le Grauburgunder et des rosés. Les Burgunder tardifs blancs, gris et rouges sont pour la plupart des vins secs.

Wurtemberg : le vignoble souabe est situé entre Heilbronn et Stuttgart. Les vins du Wurtemberg sont des vins de caractère, nerveux, qui possèdent une forte personnalité. Les rouges capiteux, et surtout les Trollinger, y sont très présents, le Riesling couvre environ un quart du vignoble.

Franconie : cette région vinicole située entre Aschaffenbourg et Schweinfurt fournit un vin sec et plein de caractère. Les vins de Franconie se reconnaissent à leur terroir particulier, le Bocksbeutel compte parmi ses crus les plus fameux. Toutefois, étant donné la variété des sols, on y trouve les vins les plus divers.

Saale/Unstrut : le vignoble le plus septentrional d'Allemagne est cultivé sur les pentes ensoleillées des rives de la Saale et du Unstrut. Ces vins élevés sur des sols riches en coquillart et en grès sont doux. Certains vins du Unstrut peuvent être comparés aux vins de Franconie.

Saxe : les sols peu calcaires du plus petit vignoble allemand donnent aux vins de la vallée de l'Elbe une note particulière. Ce sont des vins secs, ayant du caractère, à la fois acides et fruités. Tous les vins de Saxe ont subi une vinification complète.

Le cidre de Sachsenhausen

Ebbelwoi

Le cidre, appelé en patois local *Ebbelwoi*, se sent comme chez lui à Sachsenhausen, un quartier pittoresque de Francfort. Tout comme la bière dans les brasseries munichoises en plein air, en été, le cidre se boit entre amis, à l'ombre des grands arbres. On sert l'*Ebbelwoi* dans de grandes cruches de grès, les Bembel. Les verres spéciaux contiennent 33 cl et les habitués les recouvrent d'un rond de bois orné de reliefs sculptés, d'une pièce de monnaie incrustée, d'un blason ou de la photo d'un parent. Les habitants de Francfort ignorent eux-mêmes l'origine de ce couvercle et ne tarissent pas de conjectures quant à sa signification. On raconte par exemple qu'il empêcherait le pollen ou les insectes de tomber dans les verres, une thèse qui ne suffit pas à expliquer cette coutume puisqu'on utilise même ce couvercle dans les lieux clos.

Celui qui goûte de l'*Ebbelwoi* pour la première fois s'étonne de l'acidité aigrelette de ce breuvage, il pense d'emblée qu'il ne l'appréciera pas, mais change d'avis au plus tard après le deuxième ou le troisième verre. Cette boisson rafraîchissante, produite à partir d'une certaine variété de pommes, n'a que 5,5 % d'alcool ; de plus, elle contient une combinaison naturelle de sels minéraux et d'acides organiques qui lui donnent une grande valeur nutritive.

Pour obtenir un produit possédant toutes les qualités requises, il faut porter beaucoup de soins à sa fabrication. Dès septembre, les pommes sont récoltées de la manière traditionnelle, on secoue les pommiers et les fruits sont recueillis à la main, puis chargés dans des sacs. La teneur en sucre et en acidité des pommes destinées à la cidrerie doit s'équilibrer et leur pulpe être ferme et juteuse.

Pour préparer le cidre, les pommes préalablement lavées sont d'abord écrasées, puis pressées pour obtenir un moût. Le *Süsser*, ce jus de pomme extrait du pressoir ne contient pas encore d'alcool. Avant que ne commence le processus de fermentation, il subit des tests de qualité : on mesure sa teneur en sucre et en acidité à l'aide d'un réfractomètre. Ensuite, le sucre demande quatre à six semaines pour se transformer en alcool et en gaz carbonique.

Après cette première fermentation, on sépare le cidre des levures, puis il est transvasé dans des fûts ou des cuves où il poursuit sa maturation jusqu'en décembre. Ce passage en fût lui confère son goût équilibré, le gaz carbonique naturel lui donnant tout son pétillant. Pour que sa saveur s'épanouisse pleinement, il est conseillé de boire l'*Ebbelwoi* à une température d'environ 12 °C.

Certaines spécialités culinaires agrémentent parfaitement un verre de cidre, comme le *Handkäs mit Musik* ou *Frankfodder Gebabbel*. Ce *Handkäs* est un petit fromage formé à la main, et la « musique » qui l'accompagne une marinade à base d'huile, de vinaigre, d'oignons et d'épices qui l'adoucit et le rend plus digeste.

A Sachsenhausen, on sert le *Gebabbel* sans couvert ni serviette, un couteau suffit. Les convives étalent du beurre sur leur pain, coupent un morceau de fromage qu'ils déposent sur leur tartine et garnissent le tout d'oignons.

Frankfodder Gebabbel

Un autre plat traditionnel qui se sert avec le cidre : les basses côtes à la choucroute. A Francfort, elles ne se consomment pas fumées, mais salées. On raconte que le cidre fait babiller les habitants de Francfort qui appellent parfois leur breuvage favori *Babbelwasser* (eau babillante).

750 g de basses côtes de porc salées
2 oignons
2 clous de girofle
5 grains de poivre
2 pommes
saindoux
750 de choucroute
1 feuille de laurier
4 baies de genièvre
1 verre de cidre

Cuire les basses côtes pendant environ 30 minutes dans un peu d'eau à laquelle on aura ajouté l'oignon épluché et coupé grossièrement, les clous de girofle et les grains de poivre. Sortir la viande et la couper en tranches.

Eplucher le deuxième oignon et le hacher. Eplucher les pommes, ôter les pépins et les couper en tranches. Chauffer le saindoux dans une cocotte, y faire revenir l'oignon et les pommes. Ajouter la choucroute à feu vif, puis le laurier et le genièvre, arroser de cidre et déposer les basses côtes dessus. Fermer la cocotte et laisser mijoter à petit feu.

Sauce verte de Francfort

La *Grie Sooss* accompagne très bien du bœuf bouilli.

4 œufs durs
sel
1 bouquet de ciboulette
1 bouquet de persil
3 brins d'aneth
1 bouquet d'herbes aromatiques variées
1/8 l d'huile
jus de citron
poivre noir
sucre
moutarde

Ecailler les œufs, les couper en deux, écraser le jaune d'œuf, saler. Laver les herbes et les hacher finement, mélanger aux jaunes d'œufs et incorporer l'huile peu à peu en battant. Hacher les blancs d'œuf et les ajouter à la sauce, rectifier l'assaisonnement avec le citron, le poivre, le sucre et la moutarde.

A l'arrière-plan : à Francfort, dans le quartier de Sachsenhausen, on se presse dans les bistrots pour déguster l'*Ebbelwoi* dans un atmosphère détendue.

Ebbelwoi de Francfort : en bon allemand, *Apfelwein* ou cidre. On le sert dans des cruches en grès appelées *Bembel*.

Qualité et pureté

La bière allemande

La plus grande fête de la bière au monde

C'est à Munich que se déroule tous les ans, en septembre, une gigantesque fête de la bière appelée Oktoberfest où des millions de visiteurs se pressent dans le seul but de s'enivrer pour de bon. Pour parvenir plus rapidement à l'ivresse souhaitée, ils boivent leur bière dans des *Masskrüge*, des chopes d'un litre, ou du moins devant avoir cette contenance. Saisir sa chope par l'anse est un geste qu'il faut apprendre tout comme les chansons à boire qu'entonnent, à intervalles répétés, des orchestres bavarois qui se produisent dans les immenses chapiteaux à bière dans le but de pousser à la consommation : « *ein Prosit, ein Prosit der Gemütlichkeit* » (trinquons, trinquons à la joie d'être ensemble). Dès lors, les solides serveuses au grand cœur, mais très énergiques en cas de querelles, ont fort à faire. Elles portent souvent jusqu'à douze chopes à la fois avec aisance, mieux vaut donc ne pas trop discuter avec ces dames en cas de litige.

En Bavière, mais aussi dans toute l'Allemagne, la bière est une boisson culte. Chaque Allemand en consomme 140 litres par an, enfants et vieillards compris. Avec 20 litres par an, le vin arrive loin derrière et prend la seconde place, sans compter le café qui, de toute façon, est indéniablement la boisson préférée des Allemands (200 l).

Mais il y a bière et bière, et la préférence accordée à tel ou tel type relève presque d'une philosophie et donne lieu à de longues discussions de comptoir. En fait, il n'y a pas qu'à l'Oktoberfest de Munich où la bière joue le rôle central, partout en Allemagne les prétextes et les occasions de s'adonner au plaisir de la bière abondent, que ce soit dans les milliers de bistrots ou lors des nombreuses fêtes qui se déroulent chaque année même dans les coins les plus reculés du pays.

Obligation de pureté depuis cinq siècles

Les brasseurs allemands se sont engagés à fabriquer leur bière conformément au décret sur la pureté promulgué par le duc de Bavière, Guillaume IV, le 23 avril 1516. Toutefois, nous savons que, dès 1412, une ordonnance du même genre régissait les brasseries de Cologne. Les siècles ont passé et, en dépit de leur échec devant la Cour de justice européenne qui, en 1987, considéra que limiter les composantes de la bière au houblon, malt, levure et eau constituait une entrave aux échanges commer-

A gauche : A Cologne, on boit de la Kölsch, une bière à fermentation superficielle servie dans des flûtes de 20 cl. Elle se déguste à la pression comme ici à la brasserie Päffgen.

ciaux et à la concurrence, aucune autre substance n'entre dans la composition de la bière allemande. Pourtant, il existe environ 5000 sortes de bière dans ce pays, des plus simples à la *Maibock*. De nombreux facteurs tels que le type de houblon, les levures utilisées, l'eau du site de la brasserie jouent un rôle déterminant. Comme en témoigne une enquête réalisée en 1992, les amateurs de bière rendent hommage à ces brasseurs fidèles à leurs principes ; en effet, 92 % des 3000 personnes interrogées approuvaient cette exigence de pureté qu'elles trouvaient décisive pour la qualité du produit.

Les Bavarois boivent dans des chopes d'un litre, un défi autant pour le client que pour la serveuse.

Un orchestre folklorique chauffe l'atmosphère et entraîne le public dans une des immenses tentes à bière de l'*Oktoberfest* de Munich.

Fermentation superficielle ou complète

Au sens strict du terme, il n'existe que deux types de bières qui se distinguent par leur procédé de fabrication. Or cette différence a son importance puisqu'elle dépend des levures utilisées. En 1516, quand fut promulgué le décret bavarois sur la pureté, personne ne connaissait encore la levure de bière et la réussite du brassage était plutôt le fruit du hasard. Il fallut attendre le 17ᵉ siècle pour que

l'on comprenne le rôle que jouait la levure. Puis, au 19ᵉ siècle, Emil Christian Hansen, un Danois, découvrit plusieurs types de levures dont certaines agissaient sur la bière. Dès que l'on parvint à élever des levures spécifiques, on commença à brasser la bière soit au moyen d'une fermentation superficielle, soit par fermentation complète. La plupart des brasseurs élèvent leurs cultures de levure à partir d'une seule molécule, de sorte que toutes les cellules obtenues présentent des propriétés identiques, ce qui, par la suite, garantira une qualité et une saveur constantes.

La bière à fermentation superficielle exige une température comprise entre 15° et 20 °C. La levure employée a pour propriété de former des colonies compactes qui surnagent à la surface du liquide en fin de fermentation et sont par conséquent faciles à recueillir. Cet ancien procédé était très répandu dans les régions aux climats doux et aux températures clémentes du Bas-Rhin, où les longs hivers rigoureux font figure d'exception. Ainsi ces contrées ont-elles élaboré une technique de brassage superficiel qui donne une bière appelée *Altbier*. Parmi ces bières à fermentation superficielle dont la durée de conservation est relativement brève, on compte la *Kölsch*, la *Berliner Weisse*, la bière de froment et la bière maltée.

A l'inverse, le processus de fermentation complète demande des températures inférieures à 10 °C. Avant que le Bavarois Carl Linde n'inventât la machine à réfrigérer en 1876, cette bière ne pouvait donc être brassée que pendant certains mois de l'année et dans les régions, comme la Bavière, où l'hiver est long et froid. Les levures à fermentation complète mettent environ une semaine à agir sur les sucres du malt, puis elles se déposent au fond de la cuve. Les bières brassées selon ce procédé se conservent longtemps. Les *Pils*, les bières d'exportation, les *Starkbiere* et les *Bock* entrent dans cette catégorie et représentent environ 85 % des ventes.

Variété du Nord au Sud

En réalité, les Allemands ont commencé à brasser la bière dès le Moyen Age. Si, en ces temps reculés, la fabrication de la bière était une affaire de femmes, le siècle dernier a vu le développement de grandes brasseries à l'échelle industrielle, le plus souvent des entreprises familiales qui distribuaient leurs produits à la périphérie de leurs hautes cheminées. Mais la plupart de ces entreprises locales ont disparu, ont fermé ou été rachetées par des concurrents implantés à l'échelle nationale.

Dans ces grandes brasseries, on ne voit plus grand chose du processus de brassage, des cuves bien lustrées de dimensions impressionnantes, des postes de commande électronique où s'allument des signaux lumineux, d'énormes citernes d'acier, des centaines de fûts cylindriques en aluminium s'alignent dans les dépôts d'expédition, et des installations complexes de mise en bouteille aussi grandes que des terrains de football fonctionnent comme mues par des mains fantômes, ne laissant plus place au romantisme des brasseries d'antan.

Toutefois, il en va tout autrement dans les petites brasseries privées qui existent encore, surtout en Bavière, et qui ont réussi à résister à la concentration économique. D'un point de vue technologique, elles sont moins parfaites, mais travaillent en revanche de manière artisanale. Tant et si bien que les amateurs ne jurent que par « leur » bière et ne veulent entendre parler ni des *Premiums*, ni des grandes marques. Les petits brasseurs ont su tirer habilement profit de ce créneau, ils vendent leurs bières conditionnées dans des bouteilles tradition-

Du houblon, du malt d'orge, de la levure et de l'eau, tels sont les seuls ingrédients tolérés dans les bières allemandes.

nelles et en caisses de bois, à l'ancienne. Quelques-uns ont même réussi à s'implanter sur le marché national et expédient leurs produits à des centaines de kilomètres pour satisfaire certains clients en mesure d'apprécier ces habitudes ancestrales. Ils préservent ainsi une tradition qui risquait d'être sacrifiée à la production industrielle.

En fait, cette tradition remonte au Moyen Age, à l'époque où la bière provenait des innombrables monastères éparpillés dans toute l'Allemagne et où le brassage était un privilège réservé aux moines qui se consacraient avec dévotion à cette tâche jusqu'à en faire un grand art. Aujourd'hui, le monastère le plus prestigieux, celui de Weihenstephan, accueille les futurs maîtres-brasseurs du département de brasserie de l'université de Munich qui viennent s'y perfectionner.

Mais le cœur, et l'essentiel de la production, se situe là où la densité démographique est la plus élevée, dans la Ruhr, à Dortmund et dans les contrées environnantes (comme le Siegerland, le Sauerland, l'Eifel) connues pour la pureté de leur eau. On y brasse surtout des *Pils* de qualité *Premium*, des bières de grandes marques qui sont expédiées dans tout le pays, excepté dans la forteresse bavaroise où les amateurs tiennent plus que tout à leur « blonde » et qui produit toute une gamme de bières spéciales allant de la *Weissbier* à fermentation superficielle, aux *Bock*, *Maibock* et *Dunkelbock* pour finir par les *März* de l'Oktoberfest qui ne sont servies qu'à cette occasion.

Ilots des bières spéciales

Partout où la bière joue un rôle dominant, les brasseurs ont inventé leurs spécialités régionales, si bien que la carte des bières allemande ressemble à un véritable patchwork.

Le Berlinois boit de la *Berliner Weisse* (peu appréciée dans les autres contrées), c'est une bière à fermentation superficielle à base de ferments lactés qui contient un tiers de malt de froment, est servie à la pression, et dont on relève le goût en y ajoutant quelques gouttes , « ein Schuss », d'un sirop vert aromatisé aux herbes, le *Waldmeister*, ou un

Le malt est bouilli dans d'énormes cuves. C'est ainsi que se forme la *Würze*, un moût qui servira de base à la fermentation.

peu de sirop rouge aux framboises avant de la boire à la paille.

La *lüttje Lage* est une coutume de Hanovre. Tout comme les mineurs de la Ruhr ne se contentent pas d'un verre de bière, mais ressentent le besoin d'y ajouter un *schnaps*, le Hanovrien fait de même quand il déguste sa bière le soir après le travail. Toutefois, contrairement à son compatriote de la Ruhr, il ne fait pas usage de ses deux mains, mais, d'un geste exigeant une grande dextérité, il conduit d'une seule main sa bière et son verre de *schnaps* à la bouche, pour que l'alcool se mélange directement dans la gorge.

La *Alt*, une bière brune et épicée, se boit à Düsseldorf et dans le Bas-Rhin. Cette bière à fermentation superficielle, légèrement amère, se boit tirée à la pression dans des verres, sobres et trapus. La saveur légèrement maltée de la *Alt* provient d'un procédé particulier de torréfaction lors du maltage des céréales. Dans la Vieille Ville de Düsseldorf, que les habitants aiment appeler « le plus grand bar du monde », la *Alt* est la boisson obligée.

Cologne possède le plus grand nombre de brasseries : douze dans la ville même et douze autres à sa périphérie. Dans des « flûtes » cylindriques de 20 cl,

Le houblon est ajouté pendant la cuisson, c'est lui qui confère à la bière sa note d'amertume.

on y boit de la *Kölsch* , une bière blonde à fermentation superficielle, à forte note de houblon. La *Kölsch* occupe une place particulière dans l'histoire de la bière; un document unique en son genre, la convention de la *Kölsch* de 1986, réglemente l'origine et la distribution de cette bière et empêche les autres producteurs d'imiter les brasseurs locaux.

A Bamberg, en Franconie, on brasse une bière de caractère, la *Bamberger Rauchbier*. Elle tire son goût fumé d'un feu de bois de hêtre qui se consume sous le malt encore vert.

Bières allemandes :

 1 Flensburger Pilsener
 2 Altenmünster Premium Bier
 3 Dom Kölsch
 4 Diebels Alt
 5 Aecht Schlenkerla Rauchbier
 6 Augustiner Bräu, Munich
 7 Warsteiner Pilsener
 8 Weltenbruger
   Kloster Asam-Bock
 9 Ayinger Maibock
10 Königliches Festtagsbier
11 Erdinger Dunkler Weizenbock
12 Münchener Kindl Weissbier
13 Weihenstephan Hefeweissbier
14 Lauterbacher Brotzeitbier
15 Kloster Andechs Doppelbock

1   2   3   4   5

Composantes de la bière et procédés de brasserie

Il existe environ 5000 variétés de bières en Allemagne. Conformément à l'ordonnance sur la pureté datant de 1516, elles ne contiennent que quatre composantes. Le produit de base qui sert à brasser les bières allemandes est le malt d'orge, mais parfois aussi le malt de froment. Les amidons contenus dans le malt se transforment en alcool et en gaz carbonique essentiels à toute bière. On y ajoute du houblon qui lui confère son amertume subtile et garantit sa conservation. C'est surtout le houblon qui détermine le type de bière : selon l'espèce utilisée et son dosage, on obtient des bières plus douces ou plus amères. Quant à la troisième composante, la levure, on distingue, d'une part, la levure à fermentation complète et, d'autre part, la levure à fermentation superficielle qui agit en surface. Plus ancienne, cette dernière ne fermente qu'à des températures comprises entre 15 et 20 °C. tandis que la première demande des températures allant de 5 à 10 °C. C'est pour cette raison que l'on avait tendance à brasser les bières à fermentation complète l'hiver. Après l'invention de la machine à réfrigérer, on commença à brasser la bière à fermentation complète pendant toute l'année, ce qui était la condition préalable à l'expansion des bières d'exportation et des *Pils*.

L'eau vient ensuite : l'eau calcaire convient mieux aux bières brunes, et l'eau de roche, aux blondes. Mais, de nos jours, l'eau peut être aisément déminéralisée. Les phases essentielles du travail de brasserie sont le maltage, la cuisson du moût, la *Würze*, la fermentation et la maturation en cave.

Le maltage consiste à chauffer et à bouillir le malt concassé dans l'eau, c'est ainsi que se forme le moût que l'on fait ensuite bouillir après y avoir ajouté du houblon.

Ensuite, vient la levure et le processus de fermentation commence. Il dure de quatre à dix jours. La jeune bière est alors versée dans des citernes où elle repose pendant plusieurs semaines avant d'être filtrée et conditionnée en fûts ou mise en bouteilles. Le brasseur peut intervenir au cours des différentes étapes de la fabrication et produire la bière qui correspondra le mieux à ce qu'il désire. La sélection des ingrédients, mais aussi la durée du brassage, de la fermentation et de la maturation ainsi que le mode de filtrage déterminent la saveur d'une bière et le plaisir de l'amateur.

Coutumes régionales pour accompagner une bière

Les régions allemandes ont certaines habitudes, non seulement en matière de bière, mais aussi dans la manière de les accompagner, ces petits en-cas servis en même temps qu'une chope sont l'expression des particularismes régionaux.

Berlin
- *Aal jrün mit Jurkensalat*
  Anguille fraîche arrosée de vinaigre bouillant accompagnée d'une salade de cornichons au gros sel.
- *Berliner Bierkarpfen* (carpe à la bière)
  Carpe au pain d'épices râpé
- *Bollenfleisch*
  Ragoût de mouton aux oignons et au cumin
- *Boulette*
  Au bœuf et au porc
- *Gänseweisssauer*
  Oie en gelée au vinaigre
- *Hackepeter*
  Chair à saucisse assaisonnée et mangée crue en canapé sur du pain
- *Hoppel-Poppel*
  Restes de viande, pommes de terre, œufs et oignons
- *Rollmops*
  Harengs marinés aux oignons enroulés autour d'un cornichon
- *Soleier*
  Œufs durs marinés dans la saumure
- *Stolzer Heinrich*
  Saucisse grillée avec des oignons, servie avec une purée de pommes de terre

Bavière
- *Beuscherl*
  Abâts au bouillon (mou, cœur et rate)
- *Fleischpflanzl*
  Boulette de bœuf et de porc haché
- *Knöcherlsulz*
  Viande en gelée avec des os et des pieds de porc
- *Leberkäs*
  Hachis de bœuf rôti
- *Milzwurst*
  Saucisse pochée avec des morceaux de rate
- *Obatzer*
  Camembert malaxé aux épices
- *Preßsack*
  Saucisse à base d'abâts

- *Radi*
  Gros radis noir découpé en spirale et saupoudré de sel
- *Tellerfleisch*
  Viande de bœuf cuite avec du raifort
- *Wammerl*
  Poitrine de porc
- *Weisswurst*
  Boudin blanc à base de veau

Rhénanie
- *Hämmsche*
  Jarret de porc salé et bouilli
- *Halve Hahn*
  Demi-petit pain de seigle avec une tranche de fromage de Hollande
- *Himmel und Äd*
  Purée de pommes de terre et de pommes avec saucisse grillée
- *Hirringsschlot*
  Salade au hareng
- *Klatschkies met Musik*
  Fromage blanc aux oignons
- *Knabbeldanz*
  Restes de viandes panés et frits, également appelés *Pannhas*
- *Caviar Kölsch*
  Boudin noir en tranches poêlé avec des oignons, appelé *Näcke Hennes* hors de Cologne
- *Rievkooche*
  Crêpes de pommes de terres râpées (recette p. 304)
- *Suurbrode*
  Rôti de bœuf à l'aigre-doux. A l'origine, on utilisait de la viande de cheval
- *Zizies*
  Saucisses grillées fraîches

Ruhr
- *Blindhuhn*
  Soupe aux pommes de terre, haricots, lard, carottes, pommes et poires
- *Pfefferpotthast*
  Goulache de Westphalie : bœuf et oignons poêlés liés avec de la chapelure
- *Pillekuchen*
  Crêpe aux œufs et aux pommes de terre
- *Potthucke*
  Pain de pommes de terre fourré à la saucisse
- *Töttchen*
  Eminé de veau à la sauce blanche

6   7   8   9   10   11   12   13   14   15

Elke Meiborg

Les Pays-Bas

Si les dunes et les digues n'existaient pas, la moitié des Pays-Bas serait immergée. En effet, une grande partie de ce plat pays situé au nord-ouest de l'Europe se trouve au niveau de la mer et même en dessous. La lutte contre les éléments a donc rythmé la vie des Hollandais pendant des siècles.

Aujourd'hui, les paysages portent encore l'empreinte des anciennes structures agraires malgré l'industrialisation accrue des grands centres urbains du Nord et de l'Ouest.

Dans la langue courante, on sépare les Pays-Bas en deux parties, l'une « au-dessus » et l'autre « en dessous » des fleuves, la Waal, la Lek, la Meuse et le Rhin qui divisent ce pays en deux régions distinctes, dont les habitants ne manquent pas de se railler mutuellement. Les Calvinistes, économes, froids et réfléchis, vivent plutôt au Nord, tandis qu'on trouve au Sud des « Bourguignons » catholiques et « bon vivants ». Bien que l'on puisse qualifier ces stéréotypes d'exagération, ils révèlent toutefois une part de vérité et montrent bien qu'il règne une véritable conscience régionale dans les douze provinces de ce petit Etat, une conscience qui se reflète dans ses spécialités culinaires. Chaque contrée, chaque province ou presque, possède toute une palette de spécialités.

Comme dans la plupart des pays européens, le bien-être matériel s'est installé progressivement aux Pays-Bas au cours de ce siècle, c'est pourquoi la cuisine néerlandaise a encore conservé de nombreux plats qui remontent aux périodes « maigres », comme ces potages simples et rustiques à base de légumes frais et secs, de pommes de terre et de viande, ou ces crêpes alléchantes et si grandes qu'elles débordent de l'assiette. Dans les régions côtières, on aime le hareng frais et mariné autant que les moules élevées dans d'immenses bouchots.

Le fromage constitue l'essentiel de l'alimentation. Or le fromage de Hollande – en règle générale, on préfère le terme de Hollande à celui de Pays-Bas – s'est taillé une réputation mondiale. D'ailleurs, l'agriculture hollandaise exporte principalement son lait et ses produits laitiers, dont le fromage et le beurre. La culture des fleurs, des fruits et des légumes a également une importance économique considérable.

Équipe de vendeurs et produits de la fromagerie van de Lei à Groningue.

Les fromages de Hollande

Lors de fouilles, des archéologues ont trouvé des pots à fromage en pierre datant de 2000 ans, ce qui témoigne que la Hollande pratiquait déjà une sorte d'économie des produits laitiers avant notre ère. Au Moyen Age, l'Edam comptait déjà parmi les principales denrées d'exportation. La ville d'Edam était encore un port d'où les boules de fromage partaient pour les pays baltes, l'Allemagne on la France et franchissaient même les Alpes pour aller en Italie. Mais, quand le bras de mer qui reliait la cité avec le Zuiderzee, appelé Ijsselmeer de nos jours, fut asséché au cours des années 20 et 30 dans

fromage, il faut environ dix litres de lait. On distingue deux procédés de fabrication ; pour le fromage à base de lait fermenté, par exemple les fromages à moisissures et les fromages frais, le lait caille sous l'effet de bactéries. Par contre, les fromages dits doux, dont font partie la plupart des produits des fromageries hollandaises, comme l'Edam et le Gouda, sont des fromages à la présure. Pour séparer les éléments solides contenus dans le lait du liquide, on lui ajoute de la présure, un ferment extrait de la panse de veau. La présure fait coaguler les protéines que renferme le lait et celui-ci caille sans fermenter. Ce procédé permet de conserver les autres substances telles que les graisses, sels minéraux et vitamines.

Dès que le lait est caillé, le fromager élimine le petit-lait et il ne reste plus qu'une masse, apparentée au fromage blanc, qui est ensuite brassée au moyen d'une *harpe à fromage*, un brassoir constitué de fils métalliques qui sert à éliminer le reste de liquide et à obtenir un pâte plus ferme.

processus d'affinage peut durer entre plusieurs semaines et un an. Le jeune Gouda par exemple mûrira pendant quatre à huit semaines, le Gouda moyen, au moins huit mois, et le vieux, dix mois ou plus. Plus un fromage vieillit, plus son goût s'enrichit et s'intensifie. Pendant la phase d'affinage, le fromage est retourné et brossé fréquemment ; parfois, on l'enduit d'une pellicule perméable à l'air qui protégera sa croûte de la formation de champignons.

Contrairement aux fromageries industrielles, les fermiers et les exploitants privés font leurs fromages à base de lait cru. Le lait cru contient encore certaines bactéries qui sont détruites à la pasteurisation. Le fromage au lait cru, que l'on consomme au bout de trois mois d'affinage, se distingue nettement des produits industriels. D'ailleurs, pour marquer cette différence, les paysans lui apposent une étiquette ovale portant la mention *Boerenkaas*, tandis que les produits venant des grandes fromageries portent une étiquette ronde.

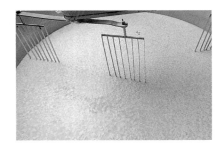

1

2

3

4

5

6

7

8

le contexte de la conquête des espaces marins, ce marché aux fromages si riche en traditions dut être abandonné. Seule une ancienne balance à fromages rappelle l'histoire de la ville et le rôle qu'il jouait dans le commerce traditionnel.

La variété de fromage la plus connue à l'heure actuelle, le Gouda, vient de la ville du même nom située dans une province du sud de la Hollande. Les roues de Gouda, un fromage qui se consomme en toutes occasions et présente toute une palette de goûts très différents, pèsent jusqu'à 30 kilos.

Procédés de fabrication du fromage

Le lait de vache contient 87 % d'eau et 13 % de substances dites sèches. Pour produire un kilo de

La pâte encore humide est alors malaxée dans des formes en bois (aujourd'hui, on utilise des récipients en matière plastique). On applique sur le fromage le fameux *Rijkaasmerk,* qui est pour ainsi dire le passeport des produits de Hollande, puis on referme la forme à l'aide d'un couvercle et place le fromage sous une presse. Au bout de quatre à six heures, le jeune fromage est sorti de sa forme et plongé dans une saumure qui lui permet de développer son arôme spécifique alors que la croûte durcit peu à peu.

Quelques jours plus tard, le fromage est extrait de la saumure puis entreposé sur des claies, il s'affine alors dans des locaux où la température et l'humidité de l'air sont contrôlées en permanence. Ce

Ci-dessus : fabrication du Gouda après séparation du lait en éléments solides et liquides à l'aide d'une présure qui précipite le lait pour former une pâte apparentée au fromage blanc (1). Cette pâte est brassée avec une harpe à fromage qui permet d'extraire davantage de petit-lait (2). Puis la pâte est malaxée dans des récipients en plastique (3) avant d'être placée pendant plusieurs heures sous une presse (4). Le fromage est ensuite démoulé (5) et plongé dans de l'eau salée (6) où il développe son parfum et durcit sa croûte (7). Au bout de quelques jours, il est sorti de la saumure et s'affine au frais dans des caves (8) jusqu'à ce qu'il atteigne la maturité souhaitée.

Masse sèche et matières grasses

La teneur en graisses correspond sensiblement à la teneur en protéines d'un fromage. Les protéines du lait ressemblent fort à celles du corps humain et sont donc à la fois essentielles et très digestes. Le fromage contient aussi du lactose, de nombreuses vitamines et des sels minéraux. Ces éléments se concentrent lors du processus de fabrication et deux épaisses tranches suffisent donc à couvrir les besoins journaliers en calcium et en phosphore.
Les graisses du fromage sont exprimées en pourcentage de la masse sèche ou par l'abréviation « % de m.gr. » mentionnée sur les emballages. Toutes les composantes d'un fromage, sauf la proportion d'eau, constituent cette matière sèche. Un partie de l'eau s'évapore pendant l'affinage. Un jeune Gouda, par exemple, contient 42 % d'eau, taux qui retombe à 30 % avec le temps. Plus la part (relative) de la masse sèche est élevée, plus un fromage est ferme. Un fromage sec peut avoir une masse sèche supérieure à 60 % et donc beaucoup moins d'eau, tandis que celle-ci représentera entre 34 et 52 % pour un fromage à pâte molle et même 20 % dans un fromage blanc maigre.

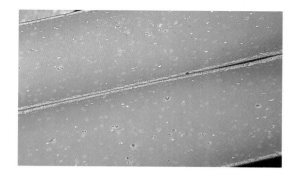

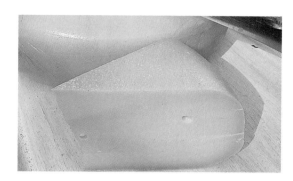

Kaasaardappelen

8 grosses pommes de terre cuites en robe des champs
50 g de beurre
150 g de vieux Gouda
poivre, cumin, paprika, basilic

Couper les pommes de terre en deux sans les peler, les disposer dans un plat beurré allant au four en veillant à ce que la chair soit vers l'extérieur. Râper le fromage et le répartir sur les pommes de terre. Faire dorer les pommes de terre au fromage pendant 10 minutes environ au four à 250 °C. Avant de servir, assaisonner avec les épices de votre choix.

Ci-dessous : étagère à la fois appétissante et esthétique d'une fromagerie hollandaise. La photo a été prise à Groningue. Dans cette boutique, on peut acheter tous ces fromages de renom qui ont fait la réputation mondiale de la Hollande. Pour aider le client dans ce choix difficile, les vendeurs les découpent en parts à partir du centre, ce qui permet de voir la structure, la consistance et la couleur des fromages et, surtout, de reconnaître leur maturité (en haut, à gauche, un vieux Gouda et, en dessous, un jeune) ainsi que les épices, le cumin, le poivre ou les herbes aromatiques qui leur ont été ajoutés.

1 Commisie Kaas – Mimolette
Ce fromage qui se présente sous forme de boule, ressemble un peu à l'Edam. Jadis, on l'expédiait sur commande, ou sur commission, en France ; c'est ainsi que son nom lui a été donné.

2 Maasdammer – Leerdam
Ce fromage apparenté au Gouda associe sa souplesse et sa fermeté à l'arôme d'un Emmental. Commercialisé au bout de cinq semaines d'affinage, c'est un fromage doux au léger goût de noisette et aux trous de la taille d'une cerise.

3 Friese Nagelkaas – Frison aux clous de girofle
Ce fromage aux clous de girofle et au cumin était autrefois produit par les paysans de la région de Leyde. Sa durée d'affinage est de trois mois.

4 Kernhemmer
Fromage à pâte semi-molle, riche en graisses (plus de 60 %) qui séduit par sa belle croûte orange et son goût crémeux.

5 Goudse Boerenkaas (oud) – Gouda fermier
Fait au lait cru, on lui ajoute parfois des épices. Il vieillit pendant au moins dix mois. Comme pour le Gouda industriel, on peut également le trouver *jong* (jeune) ou *belegen* (moyen), soit après un affinage de quatre à huit semaines ou de deux à quatre mois.

6 Drentser Kruidenkaas – Drenter aux herbes
Ce fromage n'est pas un fromage frais, mais un produit vendu à la découpe et relativement gras puisqu'il contient 50 % de matières grasses.

7 Geitekaas – Fromage de chèvre
De nos jours encore, ce fromage est surtout fait à la main dans les petites fromageries artisanales qui le vendent comme produit frais. Le plus connu en Hollande est le Limbourg de chèvre aux herbes.

8 Edammer Kaas (belegen) – Edam (moyen)
Fromage en forme de boule, protégé par une pellicule de paraffine rouge ou orange, il vieillit pendant deux à quatre mois. Facile à couper en tranches, il est cependant moins ferme que le Gouda.

9 Leisde Kaas – Fromage de Leyde
Ce fromage doux contient 20 ou 40 % de matières grasses. Comme tous les fromages originaires de Leyde, il est parfumé au cumin.

10 Mon Chou – Fromage blanc au lait fermenté
C'est un fromage frais, à croûte fleurie, qui rappelle le Neuchâtel français. Ferme, mais souple, il a un goût à la fois doux et légèrement acide.

Copieuses et rustiques

Les potées

Les Hollandais ont la réputation d'être solides et d'avoir les pieds sur terre, des traits de caractère que présentent de nombreux plats traditionnels, surtout le *stamppot*, la potée. Ces plats familiaux, rustiques et copieux rappellent sans cesse l'histoire de ce pays agricole où les hommes ont toujours été obligés de travailler dur sans pourtant jamais avoir la certitude de produire suffisamment de denrées alimentaires pour rassasier tout le monde ; c'est pourquoi la pomme de terre joue un rôle majeur dans ce type de cuisine.

La potée hollandaise la plus ancienne et la plus populaire s'appelle *hutspot* et s'inscrit régulièrement au menu. Les ingrédients de base, bœuf, oignons, carottes et pommes de terre, développent leur saveur en mijotant longuement ensemble. On raconte que ce plat est originaire d'Espagne. Aujourd'hui encore, les habitants de Leyde aiment raconter l'anecdote suivante aux personnes qui visitent leur ville : au 16e siècle, les Espagnols assiégeaient la ville. Le 3 octobre 1574, alors que la population affamée était prête à se rendre, les Geux, des combattants qui s'étaient regroupés pour libérer la Hollande de la domination espagnole, repoussèrent les armées de l'envahisseur. Au moment de leur retraite précipitée, les assiégeants laissèrent derrière eux un grand pot de terre qui contenait une soupe épaisse faite de diverses viandes, racines et pois chiches. Les Hollandais adoptèrent ce plat qui devint une potée de légumes au bœuf. Ils y ajoutèrent des pommes de terre, puis l'appelèrent *hutspot*, ou potée des huttes. Aujourd'hui encore, tous les 3 octobre, la Hollande commémore sa libération du joug espagnol autour d'un *hutspot*.

Bon nombre d'autres *stampotts* se préparent en associant la pomme de terre à un autre légume que l'on écrase en une purée grossière, copieusement agrémentée de beurre. Ainsi, le chou vert, les endives ou la choucroute entrent-ils dans sa composition. On y ajoute de la *rookworst*, une saucisse fumée à cuire ou du lard, et toutes les déclinaisons sont possibles.

Mais d'autres plats complets et économiques à base de légumes secs, comme le *snert*, une potée traditionnelle et rustique de pois cassés au porc, sont indissociables de la cuisine néerlandaise.

Ingrédients du *Hutspot* : pommes de terre, carottes, oignons et bœuf. Certains utilisent aussi de la poitrine et de la *rookworst*, une sorte de saucisse fumée à cuire.

Les légumes sont coupés en julienne, puis écrasés ou réduits en purée grossière en fin de cuisson.

La viande, coupée en tranches ou en petits morceaux, est dressée sur les légumes au moment de servir.

Hutspot met klapstuk
Potée de Leyde
(Illustration à gauche)

500 g de poitrine de bœuf
4 oignons
500 g de carottes
500 g de pommes de terre
sel, poivre noir
beurre
persil haché

Rincer la viande et la porter à ébullition dans de l'eau salée, laisser frémir pendant 90 min.
Couper en rondelles les oignons épluchés, nettoyer les carottes et les pommes de terre et les couper en dés. Ajouter les légumes à la viande et laisser cuire pendant 45 autres minutes. Sortir la viande et la couper en dés ; écraser les légumes, saler, poivrer. Disposer la viande sur les légumes, napper d'un beurre noir et garnir de persil haché.

Snert
Soupe aux pois

500 g de pois secs
500 g de saucisse fumée à cuire,
de poitrine de porc fraîche,
de jarret salé ou de basses côtes de porc
500 g de poireaux
2 branches de céleri
1 petit céleri-rave
sel, poivre noir
2 cuil. à soupe de persil haché

Laver les pois et les laisser tremper pendant une nuit dans de l'eau froide, puis les faire cuire à petit bouillon pendant 60 minutes. Nettoyer les poireaux et le céleri et les couper en julienne. Ajouter la viande, les poireaux et le céleri en branches, puis poursuivre la cuisson pendant 30 minutes jusqu'à ce que les pois se mettent facilement en purée. Assaisonner généreusement. Ajouter le céleri-rave juste avant de servir et garnir de persil.

Stamppot
Potée au chou

saindoux
600 g d'épaule de porc
1 l de bouillon de viande
500 g de chou blanc et 500 g de chou rouge
800 g de pommes de terre
sel, poivre noir
50 g de beurre

Faire fondre le saindoux dans une grande casserole et y dorer la viande de tous les côtés. Porter le bouillon de viande à ébullition, le verser sur la viande, couvrir et laisser frémir pendant 15 minutes.
Nettoyer le chou blanc et le chou rouge, les couper en quatre, ôter les côtes et émincer en lamelles. Ajouter les choux à la viande, poursuivre la cuisson pendant 20 minutes. Eplucher et laver les pommes de terre, les couper en quatre puis les ajouter à la potée. Saler, poivrer et laisser cuire pendant 30 minutes.
Sortir la viande et la couper en dés. Mélanger intimement les légumes en écrasant les pommes de terre. Ajouter le beurre, rectifier l'assaisonnement, disposer la viande sur les légumes avant de servir.

Le Kugelhof hollandais

Poffert

Les Hollandais réalisent un excellent gâteau aux raisins secs qu'ils accompagnent souvent d'un café, prennent au dessert ou tout simplement pour satisfaire leur gourmandise. D'apparence, on pourrait confondre le poffert avec le *kugelhof*, mais son homologue néerlandais ne contient ni levure, ni beurre. Comme cette pâte battue ne renferme que quelques ingrédients toujours disponibles dans chaque maison, il se prépare aisément et en peu de temps ; certains le réalisent même à partir d'une simple pâte à crêpes. Les Hollandais le présentent coupé en tranches et le servent avec du beurre, de la vergeoise et du sirop de betteraves, en vérité, un plaisir riche en calories. Les *poffertjes* que l'on trouve dans tous les stands de restauration rapide ne sont que la version portion individuelle du gâteau traditionnel.

Poffert
Gâteau aux raisins secs

500 g de farine
1 cuil. à café de levure chimique
40 cl de lait
2 œufs
150 g de raisins de Corinthe
1 sachet de sucre vanillé
1 pincée de sel

Mélanger tous les ingrédients pour obtenir une pâte relativement ferme. Beurrer soigneusement deux petits moules à kugelhof (env. 18 cm de diamètre) et les emplir de pâte. Cuire pendant environ 60 minutes au four à 120 °C. Laisser refroidir, démouler et dresser sur une assiette. Couper le *poffert* en tranches épaisses. Servir avec du beurre présenté en rosettes (on mange aussi avec les yeux), du sirop de betteraves, de la vergeoise brune pour que chacun puisse agrémenter le gâteau à sa guise.

287

Tout dépend de leur taille

Les crêpes

Les crêpes hollandaises, les *pannekoeke*, sont légendaires. D'abord en raison de leur taille et ensuite pour leur belle couleur dorée et leur croustillant. Enfants et adultes en raffolent tant que chaque localité hollandaise a sa *pannkoekenhuis*, sa crêperie. En règle générale, ces crêpes hollandaises sont si larges qu'elles dépassent le bord de l'assiette.

Pâte à pannekoeken

200 g de farine
1/2 cuil. à café de levure chimique
1 pincée de sel
2 œufs

Mélanger la farine, le sel et la levure, ajouter de l'eau et battre pour obtenir une bouillie épaisse. Ajouter les œufs en continuant de battre. Faire chauffer un peu de beurre dans une poêle et y verser une louche de pâte. Dorer les crêpes de chaque côté, recommencer jusqu'à épuisement de la pâte.

Spekpannekoek
Crêpes au lard

pâte à crêpes
200 g de lard gras en tranches fines

De toutes les crêpes hollandaises, sucrées ou salées, celles au lard sont de loin les préférées, elles dégagent une odeur qui rappelle des saveurs d'autrefois. Faire dorer trois tranches de lard dans une poêle et y verser suffisamment de pâte pour couvrir le lard et le fond de la poêle. Dorer la crêpe des deux côtés. Servir immédiatement. Toutes les crêpes se préparent de la même manière.

Strooppannekoek
Crêpes au sirop

pâte à crêpes (cf. à gauche)
sirop de betteraves

Les enfants apprécient particulièrement les crêpes hollandaises natures.
Préparer une pâte et les crêpes d'après la recette de base. Arroser les crêpes encore chaudes de *stroop*, un sirop de betteraves brun clair. Les crêpes au sirop seront meilleures si on les caramélise légèrement en les nappant de sirop quand elles sont encore dans la poêle.

Appelpannekoek
Crêpes aux pommes

pâte à crêpes (cf. à gauche)
2 pommes
jus de citron
sucre en poudre

Eplucher les pommes, ôter les pépins et couper les fruits en tranches fines. Les retourner dans le jus de citron pour les empêcher de brunir. Verser de la pâte dans la poêle et y disposer les tranches de pommes de manière qu'elles se chevauchent. Saupoudrer de sucre et laisser dorer. Retourner soigneusement la crêpe en s'aidant d'un couvercle ou d'une assiette pour que les pommes soient saisies elles aussi et que le sucre caramélise.
Retourner les crêpes une dernière fois et les servir encore chaudes.

Gemberpannekoek
Crêpes au gingembre

pâte à crêpes (cf. à gauche)
1 petit pot de gingembre au sirop

En Hollande, on vend du gingembre au sirop dans des petits pots bleus décorés à la chinoise.
Avant de sortir les crêpes de la poêle, garnir chacune d'elles de dés de gingembre et arroser de sirop au gingembre pour qu'il caramélise.

Une pile de crêpes hollandaises croustillantes et bien dorées telles qu'on les trouve dans tout le pays. Elles se mangent avec du *stroop*, un sirop brunâtre de betteraves, mais on peut aussi les préparer au lard, comme sur la photo, au gingembre, aux pommes ou avec une autre garniture.

Ce qu'il faut savoir sur le hareng

Très digeste, le hareng est conseillé dans de nombreux régimes. Comme le saumon et la carpe, il fait partie des poissons gras et contient 25 % de graisses essentielles pour la santé puisqu'elles sont riches en vitamines ainsi qu'en acides aminés non saturés. Le hareng, dont l'existence a longtemps été menacée par une pêche abusive, fournit des protéines, de nombreux sels minéraux, de plus, il contient de l'iode et des vitamines B importantes pour le métabolisme.

Le hareng vit par bancs en pleine mer. On le pêche du golfe de Gascogne jusque dans l'océan Arctique, mais surtout en mer du Nord et dans la Baltique, à trois phases de son développement :

Les *matjes* sont de jeunes poissons n'ayant pas encore atteint la maturité sexuelle. Ils se pêchent en mai et en juin.

Les harengs francs se pêchent en juillet et août, puis de décembre à avril. Ils n'ont pas encore lâché leur laitance et sont particulièrement gras.

Les harengs d'automne (harengs maigres ou *Yhlen*) viennent de lâcher leur laitance et contiennent moins de graisse que les *matjes* ou les *harengs* francs. On les pêche de septembre à octobre.

Les harengs sont surtout vendus prêts à la consommation ou sous forme de conserves :

• Les harengs verts sont des poissons frais qui se préparent à la poêle ou grillés.
• Les harengs frits sont des harengs vidés, rôtis avec les arêtes et conservés dans une marinade au vinaigre.
• Les harengs saurs sont des harengs salés et fumés à chaud.
• Les kipper sont des harengs fumés à froid avec leur peau. On les mange frits ou réchauffés.

Rien ne se perd
Matjes

Partout sur la côte hollandaise, on rencontre des petites baraques où l'on vend du hareng, surtout au début de l'été, à la saison des jeunes poissons. Les Hollandais sont fermement convaincus que la seule manière valable de les manger est de saisir le poisson par la queue et de le laisser glisser dans la bouche, à vous de les imiter ! Le *Matjes* est un jeune hareng qui n'a pas encore jeté ses laies, d'ailleurs le *Matjes* tire son origine du mot hollandais : *maagdekensharing* qui signifie approximativement « hareng vierge ».

Scheveningue, ancienne station balnéaire, est aussi le port de pêche le plus important pour la flotte de harenguiers néerlandais. Le 31 mai marque le début de la saison, c'est une journée qui s'accompagne traditionnellement de nombreuses fêtes du hareng pour célébrer le départ des bateaux et le commencement d'une véritable compétition, car le premier qui reviendra à quai avec sa prise aura l'honneur d'offrir la première tonne de *Hollandse nieuwe* à la reine.

Les jeunes poissons sont vidés immédiatement après la pêche, mais une partie du pancréas reste toujours dans le ventre du hareng, et les enzymes qu'il produit confèrent au *Matjes* son goût inégalable que l'on retrouve même après leur conservation. Pour conserver les *Matjes,* on les fait mariner en fûts de bois dans une saumure dont la concentration comprise en 6 et 21 %, donc extrêmement faible, leur permet de garder leur douceur naturelle.

Le *Matjes* se pêche jusqu'à la fin juin, avant qu'il n'atteigne la maturité sexuelle.

La pêche joue un rôle important en Hollande et sa tradition remonte aux temps les plus reculés. Jusque vers la fin du 12e siècle, les pêcheries de Hollande étaient les plus importantes d'Europe, mais les chroniques relatent que, dès le 16e siècle, d'âpres conflits ont opposé les Hollandais aux Norvégiens qui leur disputaient les lieux de pêche et les marchés. A cette époque, près de 20 000 pêcheurs néerlandais écumaient la mer du Nord. Pourtant, aujourd'hui, la plupart des harengs sont pris par les Danois, car les bancs se sont déplacés et se trouvent surtout dans les zones de pêche scandinaves. Néanmoins, le commerce du hareng demeure entre les mains des Hollandais.

Le nom du hareng serait d'origine hollandaise. A la grande époque du négoce du hareng, les mareyeurs des Pays-Bas avaient instauré des contrôles de qualité et munissaient les fûts d'un signe circulaire qu'ils appliquaient au fer chaud quand aucune objection ne pouvait être faite quant à la marchandise. Cet anneau serait à l'origine du terme *haring*, ou hareng, pour ensuite devenir le nom du poisson.

La technique de conservation dans le sel était déjà connue depuis les temps anciens. Ce procédé per-

Les Pays-Bas entretiennent une importante flotte de harenguiers dont le principal port d'attache est Scheveningue, port de pêche et ancienne station balnéaire.

Les harengs sont traités dès qu'on les débarque – la tradition veut que la première tonne de *Matjes*, les *hollandse nieuwe*, soit offerte à la reine.

Les filets de *Matjes* qui marinent dans des fûts de bois sont une spécialité très appréciée des gourmets.

Le marché aux poissons est aussi important pour les patrons de pêche que pour les mareyeurs.

mettait d'expédier le poisson vers l'intérieur des terres ou de l'embarquer dans les cambuses des bateaux qui partaient outre-mer. L'inventeur de la méthode actuelle de salaison serait un Hollandais du nom de Willem Beukelsz, d'où est tiré le verbe *pekelen* (saler). On suppose qu'il vivait à la fin du 14e siècle, car cette période coïncide avec le moment où les Hollandais firent d'immenses progrès dans l'art de conserver le hareng.

Maatjes met groene Bonen
Matjes aux haricots verts

8 filets de Matjes
500 g de pommes de terre
1/2 cuil. à café de cumin
persil haché
500 g de haricots verts
20 g de beurre
1 tasse de bouillon de viande
sel, poivre noir
sarriette lyophilisée
150 g de lard maigre
2 oignons

Rincer les filets de poisson et les essuyer. Cuire les pommes de terre en robe des champs dans de l'eau aromatisée au cumin. Peler les pommes de terre encore chaudes, les disposer dans un plat creux et garnir de persil haché. Effiler et laver les haricots. Faire fondre le beurre dans une casserole, chauffer le bouillon de viande, le verser sur le beurre, saler, poivrer et ajouter la sarriette. Plonger les haricots dans le bouillon et les laisser cuire pendant 15 minutes environ.
Pendant ce temps, couper le lard en dés, le faire revenir dans une poêle. Egoutter les haricots, les dresser sur un plat et garnir de lard.
Eplucher les oignons, les couper en rondelles. Dresser les filets de Matjes sur un plat et les garnir de rondelles d'oignons. Servir avec les pommes de terre et les haricots.

Maatjessla
Salade de Matjes

8 filets de Matjes
1 petit concombre
2 pommes
jus de citron
2 carottes
1 botte d'oignons blancs
1 bouquet de ciboulette
1 brin d'aneth
1 petit pot de crème aigre
1 petit pot de crème fraîche
sel, poivre noir
sucre

Rincer les filets de Matjes, les égoutter et les couper en morceaux.
Eplucher le concombre, le couper dans le sens de la longueur, gratter les pépins et détailler en tranches fines.
Eplucher les pommes, ôter les pépins et les couper également en tranches fines. Arroser les pommes de jus de citron pour les empêcher de brunir. Peler les carottes et les râper. Nettoyer et émincer les oignons.
Laver et hacher l'aneth et la ciboulette.
Mélanger la crème aigre à la crème fraîche, saler, poivrer et rectifier l'assaisonnement avec le jus de citron et le sucre, ajouter les fines herbes.
Mettre les morceaux de Matjes dans un saladier, ajouter les légumes et la sauce, puis mélanger. Servir frais avec du pain.

Une ressource naturelle de la mer

Les moules

Quand les Hollandais parlent de leur conchyliculture, de ces immenses bouchots où ils élèvent les moules, il la considèrent presque comme une ressource naturelle. Ils récoltent environ 100 000 tonnes de moules par an, dont la quasi-totalité est exportée vers la France, la Belgique et l'Allemagne. Les boucholeurs, qui s'appellent « fermiers » concentrent leurs activités à Yserke, à l'embouchure de la Schelde. On peut en effet parler de culture des moules puisque l'élevage n'a plus guère à voir avec la pêche, les bateaux n'intervenant qu'au moment de l'ensemencement et de la récolte.

La méthode hollandaise de conchyliculture est considérée comme la plus moderne au monde. Les jeunes moules, encore minuscules, sont semées dans l'estran, sur des parcelles que les boucholeurs qui possèdent une licence, louent à l'Etat. Dès que les moules font trois ou quatre centimètres, elles sont transportées vers des bancs à moules en eaux profondes où elles trouvent une alimentation plus riche (autrefois, les moules s'accrochaient à des piquets appelés bouchots, d'où le nom de moules de bouchots). Elles sont récoltées deux fois l'an, en mai et en septembre. Quand elles atteignent leur taille de commercialisation, cinq à sept centimètres, elles sont extraites du fond de la mer à l'aide de dragues, puis transportées à la côte ; elles séjournent alors dans des bassins d'eau de mer, des sortes de claires, où elles rejettent le sable et autres impuretés avant d'être emballées pour l'expédition. Ce mode de stockage et les procédés modernes de réfrigération permettent d'approvisionner sans problème le commerce de gros et de détail.

Compte tenu de ces techniques d'élevage et de distribution, d'ailleurs soumises à des contrôles très stricts, l'adage selon lequel il ne faut consommer les coquillages que pendant les mois en « r » ne se justifie que dans certaines conditions. En effet, la règle voulait que l'on n'en mange pas de juin à août par crainte d'une éventuelle intoxication alimentaire susceptible de se produire si, en filtrant l'eau, le mollusque assimilait une substance toxique générée par la concentration de certaines algues brunes. Comme, de nos jours, les moules du commerce proviennent presque exclusivement d'élevages, ce risque est extrêmement faible.

Les moules sont récoltées à l'aide de grandes dragues qui raclent les bancs.

Transportées ensuite dans des entrepôts marins, elles sont conservées en bassins d'eau de mer.

Mosselen in witte Wijn
Moules au vin blanc

2 kilos de moules
2 oignons
2 carottes
$1/4$ de céleri-rave
1 poireau
1 bouquet de persil
150 g de beurre
1 gousse d'ail
1 feuille de laurier
poivre noir en grains
$1/4$ l de vin blanc sec

Nettoyer les moules sous le jet d'eau froide et enlever les « barbes » (illustration 1) ; jeter les moules ouvertes (elles sont mortes). Eplucher les oignons, les carottes, le céleri et le poireau et couper les légumes en julienne ; laver le persil et le hacher. Faire fondre le beurre dans une grande casserole et y faire revenir les légumes avec le persil, l'ail, le laurier et le poivre (illustrations 2,3) ; verser le vin blanc sur les légumes et ajouter les moules. Couvrir et faire cuire à feu vif jusqu'à ce que toutes les moules soient ouvertes (illustration 4). Oter la casserole du feu et servir. Les moules se mangent en se servant d'une coquille vide comme d'une pince avec laquelle on extraira les autres moules.

Agrandissement d'une moule cuite, ouverte.

1

2

3

4

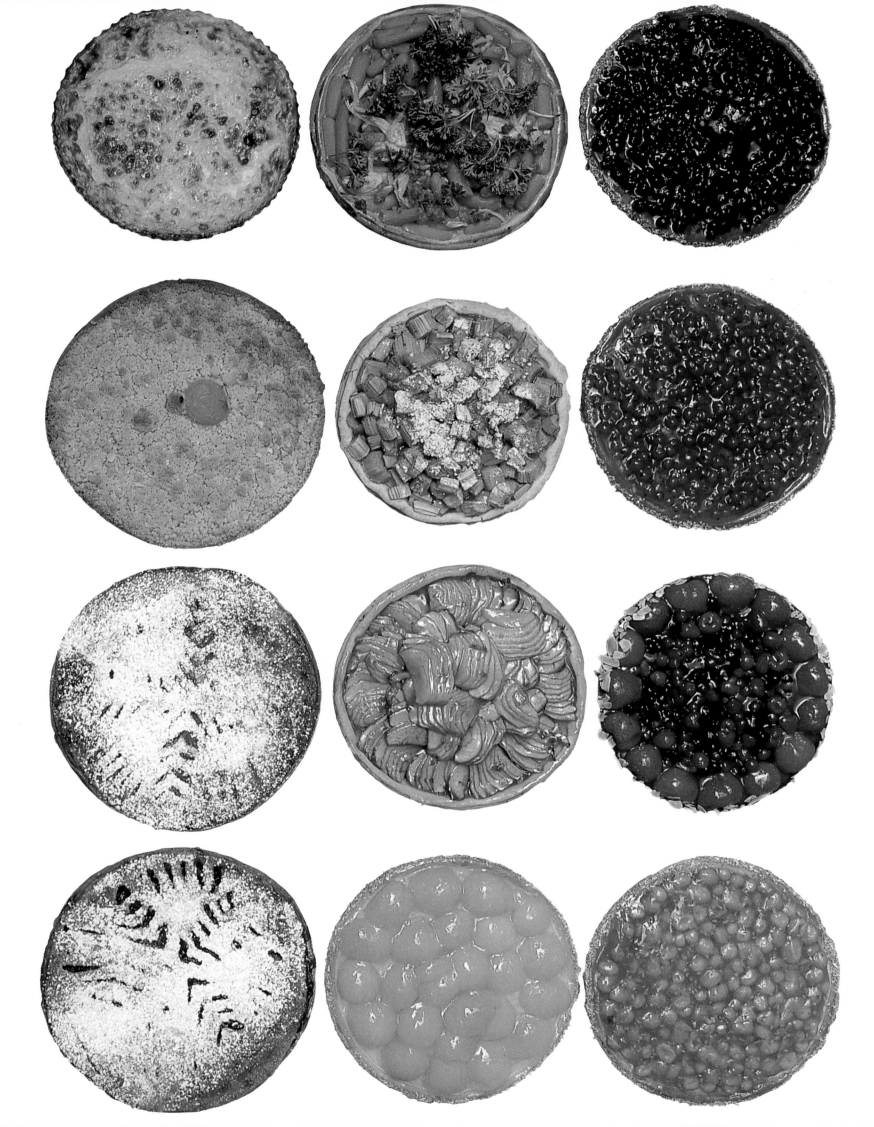

Vlaai du Limbourg

Avec ses paysages vallonnés, ses forêts, ses monastères et ses maisons à colombages, le Limbourg, la province la plus méridionale, ne ressemble guère aux paysages hollandais typiques, mais évoque davantage la Belgique. La mentalité de ses habitants contraste avec celle de leurs compatriotes du Nord, plus puritains, ce qui provoque souvent des malentendus. Pourtant, tous les Hollandais apprécient une des spécialités de cette contrée : la *Vlaai* du Limbourg.

Dans le dictionnaire étymologique, on peut lire que le mot *vlaai* (littéralement galette) désignait « une sorte de gâteau plat et rond en pâte à pain, garni de fruits ou de crème de riz ». Au Moyen Age, on la préparait à titre d'offrande pour que les récoltes des champs et des vergers soient abondantes. Or la *vlaai* actuelle relève davantage de la pâtisserie fine et on ne la fait plus guère à base de pâte à pain, mais plutôt d'une pâte levée au beurre. On la garnit habituellement de fruits locaux, de fraises, cerises, groseilles à maquereau ou de prunes, bien que les fruits exotiques y fassent leur entrée. Certains la recouvrent d'une grille de pâte ou de crumble.

Les Hollandais apprécient une autre interprétation de la *vlaai*, la *rijst-vlaai* garnie d'un riz au lait crémeux. Les Limbourgeois la mangent tout simplement avec les doigts et l'accompagnent d'une *kopje koffie*, l'indispensable tasse de café.

Vlaai au crumble.

Les Krentewegge des parturientes

Certaines pâtisseries hollandaises sont intimement liées à des coutumes ancestrales. La Twente, une région agricole très boisées, parsemée de hameaux et située à la frontière allemande, est riche en traditions de cet ordre. Depuis les temps les plus reculés, les parents et amis apportent à chaque naissance de menus cadeaux destinés à la mère et à l'enfant, par exemple, des *krentewegge*, des pains aux raisins, plats et de forme oblongue. Aujourd'hui encore, les boulangers organisent des concours pour déterminer celui qui réalisera le pain le plus long : certains *krentewegge* peuvent atteindre jusqu'à deux mètres.

Page de gauche : *Vlaai* du Limbourg. Autrefois, ces tartelettes se préparaient à base de pâte à pain ; aujourd'hui, elles se déclinent de plusieurs manières, garnies de fruits ou de légumes ; salées, au riz ou au fromage blanc ou bien gratinées et ressemblant un peu à des quiches.

Limburgse Vlaai
Tarte du Limbourg

250 g de farine
1 pincée de sel
100 g de sucre
1 œuf
25 g de levure
1/4 de l de lait tiède
80 g de beurre fondu

Tamiser la farine dans une grande terrine et la mélanger avec le sucre et le sel. Creuser un puits et y casser l'œuf. Mélanger la levure avec un peu de lait tiède et l'ajouter à la farine. Mélanger le reste de lait avec le beurre fondu et travailler la pâte pour obtenir une masse souple. Couvrir et laisser monter pendant une heure dans un endroit chaud.
Chauffer le four à 200 ºC. Foncer des petits moules à tarte, abaisser la pâte au rouleau et en garnir chaque moule. Percer la pâte à plusieurs endroit avec une fourchette et faire cuire au four pendant environ 15 minutes. Laisser refroidir et garnir avec les fruits de votre choix.

Krenteweggen
Petits pains aux raisins

Pâte à levain
100 g de raisins de Corinthe

Fabriquer la pâte à levain comme décrit ci-contre. Malaxer raisins et pâte en petits pains oblongs que l'on dépose sur une plaque graissée et laisser reposer 30 minutes. Badigeonner de jaune d'œuf et cuire au four pendant une vingtaine de minutes à forte chaleur jusqu'à ce qu'ils prennent une couleur dorée.
On déguste les *krentewegge* en tartines beurrées accompagnées d'une traditionnelle koffietafel ; ils sont également délicieux avec une tranche de Gouda.

La douce passion des Hollandais

Réglisse et gingembre

En tête de la consommation de réglisse

Nulle part ailleurs au monde, on mange autant de réglisse, de *drops*, qu'aux Pays-Bas, le nombre des variétés étant proportionnel à la consommation. En effet, les Hollandais sucent plus de 30 000 tonnes de cette friandise par an et leur prédilection pour certains « bonbons » noir corbeau, plus salés que sucrés, déconcerte plus d'un étranger.

La réglisse est fabriquée à partir du jus épaissi des racines de la plante du même nom. La réglisse est une plante médicinale cultivée dans le sud de l'Europe et en Asie centrale. La matière première est importée des pays méditerranéens sous forme de gros blocs, puis transformée aux Pays-Bas où on la traite en y ajoutant de l'eau, du sucre, de l'amidon, de la farine, du sirop de glucose, des arômes : ammoniaque, laurier, menthol, anis, eucalyptus et miel ainsi que des produits gélifiants qui lui confèrent toute son élasticité. Les *drops* ou bonbons à la réglisse se présentent dans de grands bocaux de verre qui s'alignent dans les rayons, derrière les comptoirs des confiseries. Sur chaque comptoir se trouve une balance qui sert à peser la quantité désirée. On rencontre fréquemment des clients qui, ayant à peine quitté le magasin, affichent un visage radieux à l'idée du plaisir qu'ils vont connaître et plongent impatiemment la main dans ces petits cornets traditionnels, souvent en cellophane transparente.

Gingembre – une douceur d'Extrême-Orient

Depuis plus de 2000 ans, les Chinois candissent les jeunes racines tendres et juteuses du gingembre – une friandise très prisée par Marco Polo. Au Moyen Age, le gingembre était particulièrement apprécié comme épice, puis il tomba en désuétude jusqu'à ce qu'au 18e siècle, des marins hollandais en rapportent de leurs longs voyages en Asie. Depuis, le gingembre donne une touche particulière à de nombreux plats, surtout exotiques ; il entre dans la composition des biscuits et bonbons au gingembre et sert de base au gingembre confit. Pour candir le gingembre, on le fait cuire dans un épais sirop de sucre jusqu'à ce qu'il devienne légèrement transparent.

Drops de réglisse en forme de petits chapeaux …

de *toverballen*, boules magiques, …

de briquettes …

de disques avec un motif, etc. etc. …

Une confiserie de Groningue où les bocaux de réglisse s'alignent sur les rayons.

Le biscuit de la Saint-Nicolas

Spéculos

Le 6 décembre, la Saint-Nicolas est dans tout le pays la journée des *spekulaas*, les spéculos. C'est la date où Saint Nicolas apporte des gâteaux aux enfants qui ont été bien sages pendant l'année.

Il est de tradition en Hollande de rendre visite aux grands-parents la veille de cette fête et d'échanger des petits cadeaux dans le cercle familial tout en mangeant des spéculos avec un chocolat chaud.

La pâte de base de ce biscuit qui, en Allemagne comme en Belgique, fait partie des coutumes de Noël, est une pâte brisée assez ferme, aromatisée avec des épices telles que cannelle, muscade, cardamome, clous de girofle et gingembre. La pâte est d'abord pressée dans les *models*, de petits moules en bois sculptés représentant des figurines traditionnelles, puis cuite au four. Et, chaque année, nous nous émerveillons davantage de voir avec quel art et quelle imagination ces *models* ont été sculptés. D'ailleurs, on aime les spéculos, certes pour leur saveur épicée et leur croustillant, mais aussi pour les formes que leur a données le moule de bois.

En période de Noël, on trouve des biscuits et pain d'épices comme les *ontbijykoe*k et les *janhagel*, des sablés aux amandes et aux épices.

Speculaas
Spéculos

Il faut pour cela des moules à spéculos spéciaux, les *models* de bois, qui existent entre-temps aussi en céramique.

250 g de farine
1 cuil. à café de levure en poudre
resp. ¹/₂ cuil. à café de canelle, muscade, cardamome et poudre de clous de girofle et de gingembre
100 g de beurre mou
125 g de sucre
1 œuf
1 zeste râpé d'un demi-citron non traité
50 g d'amandes râpées

Mélanger la farine à la levure en poudre et aux épices dans une terrine. Mélanger beurre et sucre dans une autre terrine, puis y mettre l'œuf et le zeste de citron. Ajouter la moitié du mélange de farine et les amandes au mélange beurre-sucre, puis prendre le reste de farine et malaxer la masse en une pâte ferme. Déposer celle-ci, enveloppées dans un film de cellophane, au réfrigérateur où elle doit reposer de 3 à 4 heures.

Préchauffer le four à 200 ºC. Bien graisser et saupoudrer légèrement de farine les moules à spéculos. Presser un morceau de pâte dans chaque moule et ôter la pâte qui dépasse. Puis enlever doucement des *models* les morceaux de pâte moulée que vous déposez ensuite sur une plaque graissée pour les faire cuire entre 10 et 15 mn selon la taille. Laisser refroidir les spéculos sur la plaque et les détacher avec un couteau. Les laisser refroidir sur une grille de cuisine.

Ontbijtkoek
Pain d'épices

350 g de farine
1 petit sachet de levure en poudre
1 prise de sel
3 cuil. à café d'épices pour pain d'épices (du commerce)
50 g d'orangeat et de citronnat
125 g de sucre brun
150 ml de lait
175 g de miel
25 g de sucre candi

Graisser un moule en auge et le recouvrir de papier-parchemin. Mélanger la farine, la levure en poudre et les épices avec l'orangeat, la citronnat et le sucre, puis ajouter lait et miel pour malaxer le tout en une pâte sans grumeaux. Préchauffer le four à 175 °C. Déposer la pâte dans le moule. puis concasser le sucre candi et en saupoudrer la surface de la pâte. Laisser cuire au four entre 60 et 70 mn. Oter du moule et laisser refroidir sur une grille de cuisine.
Le pain d'épices se découpe en tranches fines comme un pain et on le tartine ensuite avec du beurre.

Janhagel
Sablés aux amandes et aux épices

200 g de farine
100 g de sucre
1 cuil. à café de cannelle
1 pincée de piment
1 pincée de sel
80 g de beurre
1 blanc d'œuf
150 g d'amandes effilées ou mondées

Mélanger la farine, le sucre, les épices et le sel. Couper le beurre en petits morceaux et l'incorporer à la farine du bout des doigts. Dès que l'on obtient un sablage, ajouter quelques cuil. à café d'eau froide et pétrir jusqu'à ce que la pâte soit homogène.
Former une boule de pâte et l'abaisser au rouleau pour former un rectangle d'épaisseur régulière. Déposer la pâte sur une tôle beurrée et la lisser.
Préchauffer le four à 160 °C. Battre le blanc d'œuf avec un peu d'eau et en enduire la pâte, répartir les amandes en les pressant légèrement pour qu'elles collent à la pâte. Couper la pâte en triangles d'environ 5 x 6 cm et cuire au four pendant 20 minutes environ jusqu'à ce que les amandes aient bruni. Laisser refroidir, séparer les sablés les uns des autres et les laisser refroidir sur une grille.

A gauche : le *speculaas* est une spécialité de la Saint-Nicolas et de Noël. Avant la cuisson sur une tôle beurrée, la pâte est moulée dans des *Model,* des moules sculptés avec art et représentant des figurines. Les cœurs d'enfants battent très fort quand les petits découvrent les charmantes silhouettes des spéculos. Ces biscuits parfumés aux épices font également partie des traditions de l'Avent et de Noël en Belgique et en Allemagne.

Alcools de l'intérieur des terres

Genièvre et liqueurs

Un borrel de genièvre

Le genièvre est indiscutablement la boisson nationale hollandaise. Il a été élaboré par Franziskus de Bove, un professeur de Leyde, autour de 1600, à l'époque où la Hollande entrait dans son âge d'or. Au terme d'une longue guerre, les Hollandais s'étaient enfin libérés du joug espagnol et avaient entrepris de s'élever au rang de puissance commerciale mondiale grâce à leur flotte. La prospérité allait s'accroissant au fur et à mesure que les marins rapportaient des denrées rares des pays lointains, denrées qui se revendaient avec d'énormes bénéfices.

Or ce professeur de Leyde cherchait un remède contre les effets nocifs de la richesse – d'ailleurs l'aspect médical est à l'origine de presque tous les alcools blancs – quand il inventa un alcool digestif en associant de l'orge, du seigle, du maïs et du genièvre, un breuvage qu'il appela *genièvre* en français. La population lui en fut reconnaissante et transforma l'appellation, qui devint « *jenever* » dans la langue courante.

De nos jours, le goût du grain domine et l'on ne sent plus guère celui du genièvre. Les Hollandais font la distinction entre le vieux genièvre et le jeune, mais ces termes sont trompeurs, car la différence ne réside pas dans l'âge puisque le *jonge jenever* est tout simplement un alcool blanc de grain avec ou sans arôme de genièvre, tandis que le *oude jenever* est fait conformément aux procédés traditionnels à base de moutwijn ou d'un vin de malt de maïs, seigle et malt d'orge concassé qui est distillé trois fois. Il est aromatisé au genièvre ou avec d'autres épices tels que le cumin ou l'anis lors de la troisième distillation. Certains fruits comme les pommes, les cerises ou des baies lui confèrent une saveur particulière, si bien qu'on l'utilise parfois en cuisine.

C'est vers cinq heures de l'après-midi que sonne en Hollande l'heure du *bitter*. On *gaat borrelen* (on va prendre un verre). Le *borrel* est ce petit verre d'alcool, appelé aussi *borreltje* ou *propje*, que l'on aime emplir de genièvre en y ajoutant quelques gouttes d'un élixir, de Boonekamp, d'Angostura, de Pomeranze, et que l'on sirote en grignotant quelques cubes de Gouda ou des cacahuètes salées. Et si la conversation s'engage et que le *borrel* se prolonge – *borrel* sous-entend le genièvre – on parle en Hollande de *borreluur*, de l'heure du *borrel*. A en croire des statistiques récentes, les Hollandais boiraient près de 50 millions de litres de *borrel* par an.

Lors de la fabrication du genièvre, on commence par distiller un *moutwijn*, un moût de maïs, seigle et orge.

Le moût est aromatisé avec des baies de genièvre et des épices.

Avant la distillation suivante, on vérifie si les épices ont bien développé leur arôme.

A l'heure du *borrel*, la *borreluur*, on aime prendre un verre de genièvre au comptoir du bistrot habituel.

Des liqueurs prestigieuses

Jadis, les moines avaient le privilège d'élaborer de nouvelles liqueurs à partir de marcs de vin, d'épices, d'herbes aromatiques et de divers ingrédients « mystérieux ». C'est dans une cabane en bois, aux portes même d'Amsterdam, que naquit la liqueur hollandaise en 1575. En fait, Lucas Bols, distillateur de liqueurs de son état, avait installé son alambic à l'extérieur des murs de la ville pour éviter tout risque d'incendie, et c'est là qu'il préparait ses breuvages et que les habitants d'Amsterdam venaient lui rendre visite, certes, à l'occasion d'une promenade, mais aussi et surtout pour goûter ses produits. Il les attirait par ses innovations et leur proposait ses nouvelles compositions au cumin, à l'anis, aux oranges amères appelées pomeranzen qu'il faisait venir par bateau de Curaçao, une île des Antilles néerlandaises. Certains emportaient une cruche de terre remplie de liqueur Bols pour ne pas manquer de cette délicieuse petite goutte une fois rentrés chez eux. Puis, signe d'ascension sociale et d'une certaine aisance, Jan Jacob Bols, le fils de ce bricoleur de génie, se fit construire une maison de pierre. Quant à ses descendants, ils comptaient parmi les patriciens de la ville. Aujourd'hui encore, on peut visiter la « Taverne Bols » au 106 de la Rozengracht.

Comme jadis, les liqueurs Bols sont distillées dans des cuves en cuivre datant de deux siècles. La plus célèbre d'entre elles est indéniablement l'abricot, avec 31 % vol. d'alcool, elle est relativement forte. Mélangée à du gin et à du jus d'orange (un tiers de chaque), on obtient un cocktail appelé « paradies ». Le Curaçao, légèrement plus sec, et le Triple Sec comptent parmi les meilleures spécialités de la maison. Le Triple Sec tire son goût caractéristique de l'extrait d'orange amère. L'*Advokaat* est une liqueur composée d'œufs, de sucre, d'épices et de genièvre.

Les liqueurs sont des ingrédients parfaits pour mixer des cocktails, pour sucrer ou aromatiser. Il existe de véritables maîtres dans l'art de composer des cocktails, d'autant plus que les possibilités sont presque aussi illimitées que la créativité de chacun. Comme les liqueurs ont en général une forte teneur en sucre, elles se conservent longtemps ; toutefois, les liqueurs aux fruits perdent de leur parfum un certain temps après avoir été ouvertes.

A titre de suggestion, nous vous proposons de composer ce cocktail à partir de brandy d'abricot :

1 cuil. de grenadine
3 cl de brandy d'abricot
1,5 cl de jus de citron
1,5 cl de gin
2-3 glaçons
1 cerise pour décorer.

Mélanger les ingrédients au shaker et verser dans un verre rafraîchi. Servir avec une cerise.

De gauche à droite : *Jonge genever*, *Genever met appel* (pomme), *kersen* (cerise), *frambozen* (framboise) et *bessen* (groseille).

André Dominé

La Belgique

Les Belges sont de grands connaisseurs en vins français et possèdent des caves extraordinaires. Mais ils n'apprécient pas seulement le Bordeaux ou le Bourgogne de leurs voisins. L'influence de la cuisine de l'Hexagone est sensible au point que même un fin gourmet ne saurait toujours distinguer les deux gastronomies dans un restaurant belge.

Les Belges font, pour leur part, grand cas de leurs spécialités. D'une infinie variété, les bières belges sont parmi les meilleures au monde. En Belgique, on a toujours le temps de prendre une bière et chacune d'elles a son moment privilégié dans la journée. Légères, les blondes conviennent mieux au déjeuner. Les brunes, fortes et corsées, sont plutôt réservées au soir, pour épancher la soif. En Belgique, nulle rigueur pour les plaisirs de la table. On ne prend qu'un repas copieux par jour. A midi, on se contentera généralement d'un sandwich ou d'un repas pris rapidement, mais, s'il le faut, on passera deux heures à table ; de même qu'une soirée entre amis devant un bon souper peut parfois se prolonger très tard. La Belgique est renommée pour ses frites et ses excellentes moules. Par la proximité de la mer, la Flandre est privilégiée pour les produits halieutiques. En Wallonie, les forêts fort giboyeuses des Ardenne compensent de l'éloignement de la mer. Liège a aussi de nombreuses spécialités.

Hormis le pâté ou le jambon, les Belges ne sont pas friands de charcuterie. Les légumes, par contre, sont de plus en plus appréciés.

Le grand choix de chocolats et de biscuits belges pourrait faire penser que leur consommation est importante. Ce n'est pas le cas. Les Belges achètent du chocolat pour en offrir, rarement pour eux-mêmes, à moins qu'il y ait des gaufres au goûter ! Que serait la Belgique sans ses gaufres ? Les gaufres liégeoises, plus épaisses, peuvent tenir lieu de dîner complet à toute la famille. Les gaufres de Bruxelles, plus légères, ne se mangent qu'en dessert.

Un moine brasseur dans la célèbre abbaye de trappistes de Chimay.

303

① ② ③ ④

Waterzoi

Quand ils n'avaient pas vendu l'intégralité de leur pêche, les patrons pêcheurs flamands avaient jadis coutume de partager le poisson restant entre les membres de l'équipage. Les marins rapportaient ce mélange de sole, de turbot, de cabillaud, de merlan, de crevettes, etc. à la maison. Les femmes faisaient cuire les légumes de saison qu'elles avaient sous la main dans une marmite, mouillaient d'eau ou de vin, ajoutaient le poisson vidé et coupé en gros morceaux et laissaient mijoter à feu doux. La marmite posée sur la table, chacun se servait. Le waterzoï est une soupe de poisson comme il en existe mille autres partout où vivent des pêcheurs.

Ce sont les poissons frais de la mer du Nord qui donnent au waterzoï son caractère régional. De nos jours, poireaux, pommes de terre et céleri sont coupés en plus petits morceaux que dans la recette originale. En fin de cuisson, la liaison est faite à la crème fraîche et au beurre. Les Flamands, qui ont un sens aigu de la cuisine fine, ont créé, peu à peu, à partir de cette soupe de poisson, des plats ressemblant à quelques modifications près, au waterzoï, mais avec des poissons moins quotidiens. Il existe par exemple un waterzoï au turbot, un waterzoï au homard, etc.

Waterzoï
Soupe de poissons de la mer du Nord
(Illustrations 1 à 4 et ci-contre)

Pour 8 personnes

2 kg de poissons frais de la mer du Nord, de moules et de crustacés
125 g d'échalotes
$^1/_2$ l de court-bouillon
$^1/_2$ l de vin blanc sec
400 g de poireaux
$^1/_2$ céleri en branches
400 g de carottes
150 g de beurre
$^1/_2$ l de crème fraîche
3 cuil. à soupe de persil haché
sel, poivre noir

Vider les poissons et les fileter. Bien nettoyer les moules et les crustacés. Mettre le tout dans une cocotte. Eplucher les échalotes, les hacher finement et les ajouter au poisson. Pocher dans un court-bouillon de vin blanc (1). Nettoyer les autres légumes, les couper en julienne et les faire revenir dans 50 g de beurre. Les passer et recueillir le bouillon (2). Retirer les poissons, les moules et les crustacés du court-bouillon, y ajouter le bouillon de légumes et faire réduire (3). Ajouter la crème fraîche, remettre sur le feu et incorporer le beurre restant.
Ouvrir les crustacés et en retirer la chair. La mettre avec le poisson, les moules et les légumes dans une terrine allant au four. Mouiller avec la sauce. Porter à ébullition, saupoudrer de persil et servir (4).
Boisson recommandée : un Chardonnay.

Pour les *anguilles au vert*, il faut des épinards et des fines herbes. Ce sont eux qui colorent la sauce.

Faire revenir les morceaux dans le beurre aux échalotes jusqu'à ce que la chair du poisson soit blanche.

Mouiller avec un court-bouillon de vin blanc et laisser mijoter doucement à couvert.

Les fines herbes donnent aux anguilles un petit goût frais. Elles se mangent chaudes ou froides.

Anguilles au vert

Il ne faut pas être grand pêcheur pour savoir où trouver des anguilles et comment les cuisiner à la mode belge, c'est-à-dire au vert. A la saison du frai, les anguilles quittent les rivières ou les étangs pour rejoindre la lointaine mer des Sargasses. Enclines, en parcourant ces longues distances, à couper par les prés, elles reçurent le nom d'anguilles au vert. A la cuisson, c'est l'adjonction de légumes verts et de fines herbes, épinards, oseille, persil, estragon et sauge qui leur donne cette couleur. Après avoir mis l'anguille verte à rissoler avec les oignons, la recette classique prescrit de la laisser cuire dans au court-bouillon avec du vin blanc. Les Flamands mettent souvent de la bière.

Anguilles au vert

Pour 4 personnes

1 kg d'anguille
100 g d'échalotes
50 g de beurre
400 ml de vin blanc sec
400 ml de court-bouillon
200 g d'épinards
2 cuil. à soupe de cerfeuil
2 cuil. à soupe de persil haché
1 cuil. à café de pimprenelle hachée
1 cuil. à café de sauge hachée
1 cuil. à café de sarriette hachée
1 cuil. à café d'estragon haché
1 cuil. à café de thym haché
2 feuilles de menthe fraîche hachée
1 jaune d'œuf
$^1/_2$ citron
sel, poivre noir

Dépouiller et vider les anguilles, les laver et les couper en tronçons de 6 à 8 cm de long. Eplucher les échalotes, les hacher finement, les faire blondir dans le beurre et y mettre l'anguille à revenir jusqu'à ce qu'elle prenne une couleur blanche. Mouiller avec le vin blanc et le court-bouillon et laisser cuire à couvert quelques minutes.
Sortir les anguilles et les réserver. Faire réduire le court-bouillon d'un quart du liquide. Bien laver et brosser les épinards, les hacher fin et les ajouter avec les herbes au court-bouillon. Porter à ébullition à feu vif. Assaisonner et lier avec le jaune d'œuf.
Napper l'anguille et la servir chaude ou froide. Garnir de tranches de citron.
Les anguilles s'accompagnent d'un Riesling très sec du Luxembourg ou d'une Pils.

Ci-contre : le waterzoï, spécialité belge composée de poissons de la mer du Nord et de crustacés. La composition peut varier, mais il est important que le poisson et les fruits de mer soient de première fraîcheur.

Les frites

Les Français n'aiment pas entendre dire que les Belges ont inventé la pomme de terre. Or il est établi qu'une grande partie de la population belge se nourrissait déjà du tubercule d'origine américaine quand les Français n'en connaissaient pas encore l'existence.

Le reste de l'Europe du Nord tarda, en effet, à se laisser séduire par la pomme de terre. Elle se répandit d'abord en Espagne dans la première moitié du 16ième siècle, grâce à un compagnon d'armes de Pizzaro. En 1565, le roi Philippe II d'Espagne en offrit au Pape Pie IV, lui assurant qu'il n'y avait pas de meilleur remède contre les rhumatismes. La petite truffe, *tartufolo*, comme l'appelaient les Italiens, fut bien accueillie par ces derniers. Suite à une déformation de son appellation d'origine, on la nommera, plus tard, la « pomme de terre ».

La pomme de terre se répandit au nord des Alpes en partie grâce à une histoire des plantes, « Plantara Historia », publiée en 1601 par le botaniste Charles de Lécluse, qui travaillait à Vienne, Francfort et Leyde. Sa culture se propagea rapidement en Belgique grâce à des sols fertiles et un climat propice. Les paysans reconvertissaient des champs de céréales pour la cultiver, entraînant une baisse des recettes de l'impôt sur les céréales. Les monastères de l'actuel territoire belge furent donc obligés, cinquante ans après l'introduction de la pomme de terre, de réclamer la dîme.

Les premières frites apparurent vers la fin du 17ième siècle. L'historien Léo Moulin cite à ce propos un manuscrit de 1781, trouvé par son collègue, Jo Gérard, dans ses archives familiales : « Les habitants de Namur, et surtout les pauvres gens d'Andenne et de Dinant, enrichissent leur nourriture en pêchant dans la Meuse du fretin qu'ils font revenir dans la graisse. Quand le gel saisit les cours d'eau et que la pêche devient périlleuse, ils coupent des petits poissons de pomme de terre qu'ils font rissoler à la manière du poisson. Il paraît que cette coutume existe depuis plus d'un siècle. »

On trouve des *fritures*, appellation des baraques des marchands de frites en Belgique, à tous les coins de rue. Les cornets de frites sont accommodés à diverses sauces.

• A la mayonnaise: les Belges avaient-ils découvert que la mayonnaise se mariait bien avec les frites ?
• A la sauce andalouse: mayonnaise et poivrons écrasés.
• A la sauce tartare: mayonnaise relevée de moutarde, d'épices, de fines herbes et de cornichons hachés.
• Aux pickles: un mélange de légumes, petits oignons, chou-fleur et cornichons, macérés dans du vinaigre.

Stoemp

Le *stoemp*, autre plat national belge, est une sorte de purée aux légumes. Il est composé de pommes de terre à l'eau et d'une ou deux sortes de légumes, carottes, poireaux, épinards, endives ou chicorée, écrasés à la fourchette. Un peu de sel, de poivre, de muscade, une noix de beurre, et le stoemp, que l'on peut agrémenter d'une bonne saucisse ou de tranches de poitrine fumée, est prêt.

Les moules

Sur la côte et à Bruxelles, les moules sont servies à même le récipient dans leur jus de cuisson. Elles sont accompagnées d'une assiette de grosses frites. Moules et frites se mangent à l'aide d'une coquille de moule vide que l'on utilise comme pince. Depuis la création des parcs d'élevage de Zélande, aux Pays-Bas, la saison des moules s'étend de la mi-juillet à début avril.

Comment prépare-t-on les moules ?

Moules nature – cuites à l'étuvée dans leur jus
Moules à l'ail – au beurre d'ail
Moules à la crème – au vin blanc et à la crème
Moules à la poulette – avec champignons, vin blanc et crème fraîche (recette ci-contre)
Moules à la provençale – avec tomates, concentré de tomates, ail, thym et laurier
Moules au beurre – cuites sans coquilles dans une sauce au beurre, avec un jaune d'œuf et des fines herbes
Moules au champagne – mijotées dans du champagne, disposées au moment de servir dans une moitié de coquille et arrosées d'une sauce au champagne et à la crème
Moules au curry – mijotées sans coquilles dans une sauce au curry
Moules au vin blanc – au vin blanc (recette ci-contre)
Moules parquées – moules crues, ouvertes, assaisonnées de citron et de poivre ou d'une vinaigrette à la moutarde
Moules sauce tartare – moules cuites, mangées froides avec une sauce tartare

Frites au ketchup : épicées au curry.

Frites à la sauce tartare : à base d'œufs, de fines herbes, de cornichons hachés, etc.

Frites mayonnaise.

Frites sauce andalouse : mayonnaise et purée de poivrons.

Moules au vin blanc

(Illustrations 1 à 4)

Pour 2 personnes

2 kg de moules	
2 oignons	
1 branche de céleri	
150 ml de vin blanc sec	
poivre noir	
30 g de beurre	

Brosser et bien laver les coquilles à l'eau courante ; retirer les moules ouvertes ou endommagées. Eplucher les oignons, les hacher, nettoyer le céleri et le couper en julienne. Mettre les oignons, le céleri et les moules dans une cocotte, verser le vin blanc dessus et bien poivrer (2). Couvrir et porter les moules à ébullition. La cuisson est achevée quand les moules sont ouvertes.
Ajouter le beurre et bien le répartir (3) en secouant la cocotte. Servir immédiatement (4).
Boisson conseillée : un Rivaner luxembourgeois.

Moules à la poulette

Pour deux personnes

2 kg de moules	
1 échalotte	
1 jus de citron	
1/4 l de vin blanc sec	
sel et poivre noir	
500 g de champignons	
300 ml de crème fraîche	

Brosser et bien laver les moules à l'eau courante ; ôter les moules ouvertes ou endommagées.
Eplucher les échalottes, les hacher et les mettre avec le jus de citron et le vin blanc dans une cocotte. Bien poivrer. Ajouter les moules et les porter à ébullition.
Nettoyer les champignons, les couper en tranches fines et les ajouter aux moules avec la crème fraîche ; laisser mijoter 10 minutes. Saler et servir, de préférence, avec un Muscadet.

Huîtres au champagne

Pour deux personnes

12 huîtres plates	
1 échalotte	
200 ml de champagne	
200 ml de crème fraîche	
50 g de beurre	
sel et poivre noir	

Ouvrir les huîtres (voir page 347) en ayant soin de recueillir l'eau et de ne pas endommager la coquille la plus profonde dans laquelle on présentera l'huître au moment de servir.
Eplucher les échalottes, les hacher menu, les mettre dans une casserole avec le champagne, l'eau des huîtres et les huîtres ; pocher les huîtres à feu doux.
Retirer les huîtres de la casserole, les remettre dans leurs coquilles et les garder au chaud dans le four préchauffé.
Réduire la sauce à un quart du liquide, ajouter la crème fraîche et faire à nouveau épaissir. Retirer du feu, incorporer le beurre et assaisonner.
Napper les huîtres et servir chaud avec une coupe de champagne.

1

2

3

4

En haut à gauche : les moules se mangent accompagnées de frites à l'aide d'une coquille vide utilisée comme pince.

Les endives

L'endive a vu le jour, par hasard, dans le jardin botanique de Bruxelles en 1830. Un jardinier ayant réservé à l'endive un coin des caves où il cultivait légumes et salades en hiver, se rendit compte que recouvertes d'une épaisse couche de terre meuble, les endives produisaient de belles pousses fuselées et très fermes. Il fallut vingt ans, après cette découverte, pour que la méthode se développe et fasse école. Séduisantes parce que pouvant être mangées en légume et en salade, les endives subjuguèrent les Belges du jour au lendemain. Elles ne se répandirent dans le reste de l'Europe que vers 1950.

La plus importante culture d'endives se trouvait jadis entre Bruxelles, Louvain et Malines, où elle épuisa vite les sols. Les semis à l'air libre se font en mai et juin. L'effeuillage (l'endive a de longues feuilles lobées) et l'arrachage des racines (de 3 à 5 cm) se font en septembre et octobre. Pour attendre le forçage, la méthode actuelle de conservation des racines est la chambre froide, à une température légèrement inférieure à zéro degré. Autrefois, cette seconde phase végétative était pratiquée à l'air libre, sur des champs engraissés au fumier. Puis les racines continuent leur croissance en hydroculture, à une température constante. En forçage traditionnel, elles sont repiquées côte à côte en biais, dans un sol chauffé par des tuyaux souterrains alimentés en eau chaude. Elles sont ensuite recouvertes de terre meuble, puis de paille ou de tôle ondulée, pour les protéger de la pluie. A la récolte, après environ trois semaines de forçage, on casse l'endive pour séparer la racine du chicon. Le chicon effeuillé paraît dans toute sa blancheur. La racine servira de fourrage. Ce travail, fait à la main, genou à terre, est très pénible. Cultivée en terre, l'endive est très ferme, régulière et douce. Elle se conserve trois mois à l'obscurité, dans un endroit sec, à une température de 6 °C. Exposée à la lumière, elle produit de la chlorophylle, ce qui donne aux feuilles une légère coloration verte et un goût amer.

Pour éviter que les endives ne perdent leur arôme et leur fermeté, il ne faut pas les laisser trop longtemps dans l'eau ni les faire cuire dans une casserole d'aluminium. Afin de leur conserver leur blancheur, on les arrose, en fin de cuisson, d'un jus de citron.

Chicons au gratin

Pour 2 personnes

120 g de beurre
4 endives
sel et poivre noir
1 cuil. à café de persil haché
40 g de farine
1/2 l de lait
1 pincée de muscade
100 g de gruyère râpé
4 tranches de jambon de Paris

Faire fondre 50 g de beurre dans une casserole. Couper le bout amer des endives en coin à la base de la racine. Mettre les endives dans le beurre, saler, poivrer et saupoudrer de persil. Couvrir et faire cuire 20 minutes.
Pour la sauce, préparer un roux avec 50 g de beurre et la farine. Ajouter le lait en tournant constamment ; cuire à feu doux pendant 5 minutes. Incorporer doucement le sel, le poivre, la muscade et, enfin, 1/3 du gruyère râpé. Préchauffer le four à 200 °C.
Beurrer un plat allant au four. Retirer les endives de la casserole, bien les égoutter, les enrouler une à une dans une tranche de jambon et les mettre dans le plat. Napper avec la sauce et le reste de fromage. Faire gratiner et servir chaud avec de la purée.
Boisson conseillée : bière, Sauvignon de Touraine ou Sancerre.

Stoemp aux choux de Bruxelles et aux carottes

Pour 2 personnes

500 g de choux de Bruxelles
200 g de carottes
60 g de beurre
sel, poivre noir
1 bouquet garni
300 g de pommes de terre
1 pincée de muscade

Nettoyer les choux et les couper en deux. Eplucher les carottes et les couper en trois. Faire revenir les légumes pendant 10 minutes dans 30 g de beurre. Recouvrir d'eau froide. Saler et poivrer et ajouter le bouquet garni. Porter à ébullition et laisser cuire cinq minutes. Pendant ce temps, éplucher les pommes de terre et les couper en gros dés. Les ajouter aux légumes et laisser cuire encore 15 minutes. Egoutter l'eau si elle ne s'est pas entièrement évaporée.
Ecraser grossièrement les légumes à la fourchette. Vérifier l'assaisonnement. Ajouter la muscade et le beurre restant. Bien mélanger et servir.
Boisson conseillée : de la bière ou un Côteaux de Tricastin.

A l'arrière plan : des endives d'une blancheur resplendissante, aux pointes jaunes. Moins l'endive est amère, plus sa qualité est bonne.

Les endives de pleine terre ont de longues feuilles lobées et de grandes racines blanchâtres.

Le chicon pousse sur la racine remise en terre. Il est effeuillé à la main (ci-dessous).

Les choux de Bruxelles et les pousses de houblon

Les Britanniques, convaincus que la culture des choux de Bruxelles (illustration ci-contre) provient à l'origine de la région de la capitale belge, leur donnèrent le nom de *Brussels sprouts*. Les Français semblent être du même avis, mais les Belges qui, pourtant, les nomment aussi d'après leur capitale, ne sont nullement certains d'être en droit de revendiquer l'appellation. Ecrasés et mélangés avec des pommes de terre et des carottes, comme le *stoemp*, les choux de Bruxelles méritent néanmoins leur nom de spécialité belge.

La pousse de houblon en est une, sans conteste, et originale de surcroît. Les jeunes pousses sont arrachées dès qu'elles apparaissent en mars et avril. C'est un travail pénible qui s'effectue genou à terre, mais le goût délicat des pousses justifie l'investissement et leur prix, qui est assez élevé.

Les volailles

Pour les Belges, amateurs de volailles, le repas dominical traditionnel est constitué de poulet accompagné de frites ou de compote de pommes. Le poulet est aussi une des principales composantes de la version carnée du waterzoï et il entre dans la préparation de pâtés et de croquettes. On aime aussi le poulet froid à la mayonnaise accompagné d'une salade. La capitale belge fut de tout temps friande de poulet, ce qui valut aux Bruxellois d'être surnommés par les Flamands les *Kiekefretters* ou mangeurs de poulet.

En Flandres, berceau des éleveurs traditionnels de poulet, cette profession exigeant un travail considérable, surtout au moment du plumage, est en forte régression.

Un élevage bien mené a une influence certaine sur la consistance et le goût, mais la qualité de la viande dépend surtout du plumage : la volaille plumée à la main et à sec donne une qualité de chair incontestablement supérieure. Le plumage mécanisé exige, en effet, que le poulet soit plongé auparavant dans un bain d'eau chaude pour que ses pores se dilatent. Cette méthode garantit certes la réussite de l'opération, mais elle a pour inconvénient de permettre l'infiltration de l'eau sous la peau, ce qui rend les volailles fades au rôtissage. Un poulet plumé à la main rôtit par contre dans sa propre graisse. La viande reste juteuse et conserve ainsi un goût intense.

Les qualités de volailles

Les chiffres renvoient aux illustrations ci-contre.

1 **Coucou de Malines** – La volaille nationale belge provient de la région de Malines, ville du Brabant, non loin d'Anvers. Ce qui est aux Français le poulet de Bresse est aux Belges le Coucou, issu de la race Bleue de Hollande. Il a le plumage gris, des griffes noires et blanches. C'est un oiseau exigeant. Il demande beaucoup de soins et ne supporte pas l'engraissement forcé. L'engraissement doit s'effectuer en douceur. Les plus beaux coucous sont élevés à la ferme, les poussins nourris aux grains. Au bout de 10 à 12 semaines, ils ont le poids idéal d'abattage de 1,3 ou 1,4 kg . La chair est juteuse et très parfumée. Rien de meilleur qu'un bon poulet rôti.

2 **Poularde de Bruxelles** – Cette superbe poule, de la famille du Coucou de Malines, a séjourné plus longtemps en basse-cour.

3 **Poussin** – Les petits poussins de 450 g, plumés, sont rares.

4 **Pintadeau** et **Pintade** – Les pintades mâles ne se vendaient autrefois qu'à la Pentecôte, âgées de 11 semaines, et de la taille d'une jeune perdrix, les pintadeaux à l'automne. Elles devaient peser au moins 1 kg. Aujourd'hui, les pintades pèsent toutes de 800 à 1000 g et sont vendues toute l'année.

5 **Pigeon belge** – Contrairement au pigeon français, dont la chair est rose, le pigeon belge a une chair blanche. Il n'a qu'une couvée par an. Quand la reproduction est trop intense, les éleveurs vendent les jeunes oiseaux. On les trouve parfois dès Pâques d'un poids de 300 à 350 g, mais rarement plus.

6 **Oie** – La vente des oies est de plus en plus concentrée sur la période des fêtes de fin d'année.

7 **Caille** – La caille, oiseau de petite taille voisin de la perdrix, à tendances migratoires, est aussi appréciée en Belgique qu'en France. Les élevages de cailles se multiplient.

1

2

3

4

5

6

7

A l´arrière-plan : la maison Matthys & Van Gaever à Bruxelles, paradis des amateurs de volailles, est fournie par les meilleurs éleveurs.

Jambon des Ardennes

Les Ardennes sont légendaires pour leurs forêts giboyeuses. Une race de porcs vivant jadis dans la région donna ses lettres de noblesse à son jambon. Hauts sur pattes et résistants, ces animaux qui se contentaient de peu étaient faits pour vivre dans cet environnement sauvage. Le jambon avait une chair maigre et aromatique, ce qu'il n'a plus de nos jours. Non satisfaits de la qualité obtenue, les agriculteurs croisèrent leurs porcs de type celtique avec des races à viande domestiques plus grasses.

La patience qu'il fallait autrefois pour fabriquer le jambon surprend encore aujourd'hui. On laissait mariner la viande avec des herbes, du vinaigre et du sel pendant plusieurs jours, puis on la mettait dans une saumure, procédé toujours en vigueur de nos jours dans les Ardennes. On suspendait les jambons durant des mois dans la cheminée, tout en haut de la hotte, là où passe la fumée refroidie. Ils mûrissaient ensuite pendant dix-huit mois dans une mansarde exposée aux courants d'air. Cette longue maturation rappelle celle des grands jambons de Méditerranée.

Fumés sur des copeaux de chêne ou de hêtre, les jambons ont beaucoup d'arôme. Fumés sur des branches de genévrier et de thym, ils sont encore meilleurs.

Le jambon des Ardennes, toujours avec os, est le seul produit de charcuterie belge portant un label officiel de qualité. Les jambons désossés s'appellent Cobourg. La production fut très tôt modernisée. Les jambons sont trempés dans une saumure entre douze et vingt-et-un jours. Ils sont ensuite stockés dans des chambres froides ou des pièces climatisées. Selon le fumoir et le goût souhaité, il leur faut de douze heures à une semaine pour s'imprégner de saveur dans la fumée froide. La fumigation se fait avec des copeaux de hêtre ou de chêne, parfois même, comme autrefois, avec des branches de genévrier ou de thym, ce qui donne au jambon beaucoup plus d'arôme. Un élevage naturel de porcs bien engraissés avec une nourriture saine permet d'obtenir un jambon de première qualité. Trop maigre, le jambon se dessèche et perd sa saveur.

En principe, le jambon est prêt à être consommé le mois suivant la fumigation, mais il gagne à maturer encore trois à quatre mois. Lorsqu'il est entamé, le jambon doit être consommé en l'espace de deux semaines.

Ci-dessous : si la proportion est respectée entre les morceaux gras et les morceaux maigres, le jambon d'Ardennes est juteux.

Ci-contre : pour qu'ils s'imprègnent d'une saveur délicate, on suspend les jambons dans un fumoir pendant une semaine.

Le gibier des Ardennes

Les Ardennes sont une région privilégiée pour la chasse aux daims, au sanglier et aux cerfs, le sanglier et le cerf ne se trouvant néanmoins qu'à l'est de la Meuse, plus précisément au sud-est de Namur. Le gibier se nourrissant de la forêt, celle-ci doit être entretenue pour qu'il puisse y vivre. A défaut de quoi, les animaux, capables de parcourir de longues distances, changeraient de territoire, au grand regret des chasseurs. Avant l'ouverture de la chasse, le gibier est en partie maintenu dans de grandes réserves, qui devraient disparaître à partir de l'an 2000 avec interdiction de cette pratique.

La chasse commence généralement début octobre et dure jusque fin décembre. Certains animaux peuvent être chassés jusqu'en janvier. La chasse est très réglementée et à chaque espèce correspondent des jours de chasse précis.

Les Ardennes ne sont pas seulement un paradis pour les chasseurs. Elles attirent aussi pour leur gastronomie, leur cuisine fine et consistante et leurs nombreuses spécialités. A l'extrême sud des Ardennes, dans le village idyllique d'Oignies-en-Thiérache, vit Jacky Buchet-Somme. Il a l'art de transformer le gibier des forêts environnantes en menus inoubliables dans son restaurant de cuisine familiale. Nous dévoilons ici quelques-unes de ses recettes. Les vins sont recommandés par Dominique Gobert, premier sommelier de Belgique.

Ragoût de marcassin à la Super des Fagnes.

Côtes de marcassin au Maury du Mas Amiel

60 g de beurre
16 côtes de marcassin
sel
grains de poivre concassés
100 ml de Maury (vin doux naturel)
250 ml de crème fraîche
1 cuil. à soupe d'airelles rouges

Faire fondre le beurre dans une poêle et dorer les côtelettes des deux côtés à feu vif. Saler et couvrir des grains de poivre concassés. Les réserver dans le four chaud. Retirer le trop-plein de graisse de la poêle. Déglacer avec le vin et laisser réduire. Ajouter la crème fraîche et les airelles, porter à ébullition et napper les côtes de marcassin.
Servir avec de la purée de céleri et de la compote de pommes.
Boissons conseillées : Maury Mas Amiel Vintage ou Châteauneuf-du-Pape, Château de Beaucastel.

Pâté de marcassin aux noisettes

Pour 8 à 10 personnes

100 g de foies de volaille
350 g d'échine de porc
400 g de marcassin
150 g de foie de porc
1 cuil. à café de thym émietté
2 cuil. à soupe de whisky
5 cuil. à soupe de porto
sel, poivre noir
2 cuil. à soupe de noisettes
200 g de lard frais
2 feuilles de laurier

Réduire les foies de volaille en purée. Eventuellement, dépouiller l'échine de porc de la peau et passer la viande de marcassin et le foie de porc au hachoir avec le disque de 8 mm. Ajouter le thym, l'œuf, le whisky et le porto. Saler et poivrer. Bien mélanger tous les ingrédients. Préchauffer le four à 200 ºC.
Couper le lard en fines tranches et foncer une terrine allant au four. Remplir la terrine à moitié avec la farce de viande et de foie. Disperser quelques noisettes à la surface et remplir avec le reste de la farce. Disposer les feuilles de laurier et couvrir de tranches de lard.
Couvrir la terrine de papier aluminium et faire cuire au bain-marie pendant 40 minutes. Retirer l'aluminium. Laisser refroidir et mettre au réfrigérateur. Laisser reposer une nuit à couvert. Démouler avant de servir, enlever le lard et le laurier et découper le pâté en tranches.
Boisson recommandée : Banyuls Vintage, La Tour Vieille ou Muscat de Rivesaltes, Mas Amiel.

Ragoût de marcassin à la Super des Fagnes

(Illustration à gauche)

1 kg de marcassin
80 g de beurre
sel, poivre noir
1 cuil. à café de thym émietté
1 feuille de laurier
10 échalottes
1 gousse d'ail
$^1/_2$ l de Super des Fagnes (ou autre bière)
1 tranche de mie de pain
1 cuil. à soupe de gelée de groseilles
1 cuil. à soupe de moutarde

Découper la viande de marcassin en morceaux et la faire revenir dans 30 g de beurre. Saler, poivrer, ajouter le thym et le laurier.
Eplucher les échalottes et l'ail, les hacher et faire revenir dans une cocotte en fonte avec le reste de beurre.
Ajouter la viande, dégraisser et déglacer avec la bière.
Emietter le pain, mettre la mie dans la sauce et y délayer la gelée de groseilles et la moutarde.
Faire cuire à feu doux pendant deux heures. Vérifier l'assaisonnement. Faire éventuellement épaissir en ajoutant un peu de fécule.
Servir avec des petites pommes de terre nouvelles belges, les *cornes de gatte*, et de la compote de pommes.
Boisson conseillée : une Super de Fagnes ou un Côtes du Roussillon Villages du Domaine Gauby.

Magret de canard sauvage Sauce aigrelette à la choucroute

200 g de choucroute cuite
50 ml de vin blanc sec alsacien
$^1/_4$ l de crème
20 g de beurre
2 magrets de canard
1 cuil. à café de moutarde
sel et poivre noir

Réchauffer la choucroute dans le vin. Mettre la crème dans une petite casserole et faire réduire.
Préchauffer le four à 225 °C.
Faire fondre le beurre et y faire revenir les magrets 2 minutes de chaque côté. Les garder chauds au four.
Verser le jus de la choucroute dans la crème et faire réduire. Délayer la moutarde dedans, saler et poivrer.
Disposer la choucroute sur des assiettes préchauffées.
Mettre sur chaque assiette un demi-magret de canard coupé en tranches diagonales et entourer de sauce.

La cuisine à la bière

Une tradition brassicole millénaire ayant mis la bière au centre de nombreuses recettes de la cuisine belge, il est surprenant que ces plats aient en grande partie disparu après la Seconde Guerre mondiale. C'est au cuisinier Raoul Morleghem, auteur d'un livre de cuisine très bien accueilli à l'époque, que l'on doit la réintroduction, dans les années cinquante, de la cuisine à la bière. Dès lors, les *ballekes*, boulettes bruxelloises, ne resteront plus la seule spécialité arrosée de bière. Jusque-là, le qualificatif « à la bruxelloise » ajouté au nom du plat sur les menus, indiquait simplement que la sauce était à la bière. Si le même qualificatif est utilisé pour les spécialités flamandes cuisinées à la bière, comme la fameuse carbonnade, la précision « à la flamande » s'impose aussi. Elle est d'autant plus nécessaire qu'à présent, chaque région de Belgique a sa propre carbonnade. Les experts sont d'accord sur un seul point : l'épaule de bœuf doit être coupée en carrés et mijoter dans la bière avec beaucoup d'oignons. Les opinions diffèrent déjà sur la bière à utiliser. D'aucuns s'en tiennent à la brune. A Bruxelles, cela va de soi, on utilisera le Lambic ou la Gueuze. Un peu de moutarde, une larme de vinaigre, un doigt de cassonade et voilà un plat, braisé deux heures et demie, d'une saveur aigre-douce très spéciale.

Peu nombreux sont les restaurants spécialisés dans la cuisine à la bière, mais les plats les plus renommés sont entrés dans la gastronomie belge. De la soupe au dessert, c'est une cuisine principalement familiale ou transmise par les livres.

Côtes de porc à la Leffe

Pour 2 personnes

2 côtes de porc
sel, poivre noir
40 g de lard de jambon d'Ardennes (à défaut, du beurre)
1 oignon
1 pomme (reinette)
1/2 bouteille de Leffe (p. 319,320)
200 ml de crème fraîche

Saler et poivrer les côtes de porc. Couper des dés de lard et les faire fondre (ou chauffer le beurre). Faire dorer les côtes de chaque côté. Couvrir et cuire à point puis retirer de la poêle et les garder au chaud.
Eplucher les oignons et les pommes, les hacher finement et les faire revenir dans la graisse, puis dégraisser. Racler le fond de la poêle, déglacer avec la bière. laisser réduire. Ajouter la crème fraîche et faire bouillir environ 5 minutes. Saler et poivrer si nécessaire. Napper les côtes de porc et servir très chaud.

Carbonnades flamandes

(Illustration page de droite)

Pour 4 personnes

1 kg d'épaule de bœuf
60 g de beurre
sel, poivre noir
3 gros oignons
1 cuil. à soupe de cassonade
1/2 l de Gueuze, de Lambic ou de bière brune (p. 319)
1 tranche de pain
1 bouquet garni
1 cuil. à soupe de vinaigre de vin blanc
1 cuil. à soupe de moutarde

Couper la viande en gros dés (d'environ 50 g) et les faire revenir dans le beurre sur toutes les faces. Quand ils sont dorés, saler, poivrer et réserver.
Eplucher et émincer les oignons, les faire revenir dans le jus de viande. Ajouter la cassonade et la bière et porter à ébullition.
Emietter le pain, mettre les miettes dans la sauce avec le bouquet garni, le vinaigre et la viande.
Couvrir et laisser cuire pendant deux heures et demi à feu doux en remuant de temps en temps. Servir de préférence avec un stoemp aux carottes.

Ballekes à la bière

Pour 6 personnes

2 tranches de pain
2 oignons
500g de hachis de porc
500 g de hachis de veau
1 cuil. à soupe de thym
1 cuil. à soupe de persil haché
2 œufs
1 pincée de muscade
sel et poivre noir
70 g de beurre
2 échalottes
2 gousses d'ail
1 cuil. à soupe de farine
1 l de bière

Faire tremper le pain dans l'eau et bien le presser. Eplucher les oignons, les hacher finement et mélanger avec la viande hachée, le thym, le persil, les œufs, la muscade, le sel et le poivre. Former avec cette farce de grosses boulettes rondes. Faire chauffer 50 g de beurre et y faire revenir les boulettes. Eplucher les échalottes et l'ail, les hacher finement et faire revenir dans le reste de beurre. Saupoudrer de farine, saler et poivrer, ajouter la bière et porter à ébullition.
Dès que les boulettes sont dorées, napper avec la sauce à la bière et laisser cuire à feu doux pendant 30 minutes. Retourner plusieurs fois les boulettes pendant la cuisson.
Servir dans la sauce avec des frites.

L'étuvée de Westmalle

Pour 6-8 personnes

1 kg de noix de veau
1 kg de porc maigre
50 g de beurre
500 g d'oignons
sel et poivre noir
1 pincée de muscade
1 cuil. à soupe de farine
2 bouteilles de Westmalle ou de bière brune (p. 320-321)
1 cuil. à café de thym
1 feuille de laurier
1 kg de pommes de terre farineuses

Couper la viande en morceaux de 3 cm. Faire chauffer le beurre dans une grande cocotte.
Eplucher les oignons, les couper en quatre et les faire revenir dans le beurre avec la viande. Saler, poivrer et mettre la muscade. Saupoudrer de farine et mouiller avec la bière. Ajouter le thym et le laurier et laisser cuire pendant 60 minutes.
Eplucher les pommes de terre, les couper en gros dés, les ajouter à la viande et faire cuire le tout encore pendant 20 à 30 minutes.

Lapin du brasseur

Pour 3 personnes

200 g de raisins de Corinthe
50 ml de genièvre
250 ml de Lambic (p. 319)
1 lapin paré (d'environ 2 kg)
250 g de lard fumé
50 g de saindoux
20 petits oignons
sel et poivre noir
1 gousse d'ail
1 bouquet garni
1 cuil. à soupe de farine
1 cuil. à soupe de cassonade

Faire tremper les raisins de Corinthe dans le genièvre et un doigt de Lambic. Découper le lapin en morceaux à peu près égaux.
Couper le lard fumé en dés et le faire revenir au saindoux dans une cocotte en fonte. Retirer de la cocotte et réserver.
Faire revenir les morceaux de lapin de tous les côtés, puis jeter la graisse de cuisson. Saler et poivrer la viande.
Hacher finement l'ail et le mettre avec le bouquet garni dans le lapin. Saupoudrer de farine.
Ajouter les raisins, la marinade et la cassonade, le restant de bière et couvrir d'eau, s'il le faut. Remuer et gratter le fond de la cocotte. Porter à ébullition.
Ajouter les oignons et le lard. Faire cuire à feu doux pendant 30 minutes. Si la sauce est encore trop liquide, réserver le lapin, les oignons et le lard et faire réduire la sauce.
Disposer le lapin en morceaux sur un plat et le mettre sur une chaufferette. Napper avec la sauce très chaude et servir avec des pommes de terre à l'eau ou une purée moelleuse.

Carbonnades flamandes.

Les bières belges

Les Belges sont fiers de leurs bières. On classe les bières en trois grandes catégories :

• Les bières de fermentation basse, brassées à une température inférieure à 10 °C. Blond pâle. Arôme houblonné. Bonne amertume. Les plus connues sont la Jupiler, la Stella et la Maes.

• Les bières à fermentation spontanée, qualifiées de « spontanées » parce qu'elles fermentent sans ajout de levure, sous l'action des micro-organismes naturels de l'atmosphère. Elles ne sont fabriquées, selon les méthodes traditionnelles, que dans la vallée de la Senne.

• Les bières de fermentation haute, brassées à une température de 15 à 20 °C, de cuivrée à brun foncé. Elles sont douces et fruitées (voir « les bières de trappistes », p. 320-321)

La Belgique est aussi célèbre pour ses spécialités de bières. Outre les bières de trappistes, il en existe cinq autres catégories :

• Les bières fortes, comme la Duvel (« diable »). C'est une bière blonde, dorée, qui a un fort arriè-re-goût de houblon. On la sert habituellement dans un verre préalablement réfrigéré. D'autres, comme la Gouden Carolus, la Gauloise, la Lucifer, la Verboden Vrucht et la Bush Beer, exceptionnel-lement fortes, sont de même nature. La Kwak, une bière forte aromatique, est servie dans un verre spécial au pied de bois.

• Les bières brunes. La plus courante étant la Roodenbach, qui existe en trois variétés. La plus simple, et la plus amère, se boit avec un soupçon de grenadine. Son goût amer très prononcé se marie fort bien avec les crevettes ; il y a aussi la Cuvée Alexandre, très fine et fruitée, et enfin l'excellente Grand Cru.

• Les bières « blanches », nommées ainsi en raison de leur coloration opaque, sont des bières de froment de faible densité, mais désaltérantes. Cette variété était associée au nom de la ville de Louvain, jadis important centre brassicole du pays. On buvait la Blanche de Louvain dans des chopes de faïence ou de porcelaine. Aujourd'hui, Hoegaarden, ville de Flandres, a supplanté Louvain, ancienne capitale de la bière « blanche ». La Brugs Tarwerbier de la brasserie de Bruges De Gouden Boom et la Blanche de Namur sont également d'excellentes bières. On brasse en général deux Blanches : la Blanche Standard et la Blanche Grand Cru, plus forte, à l'arôme corsé et sec.

Le Lambic et la Gueuze

L'atmosphère particulière de Bruxelles et de la vallée de la Senne permet de brasser le Lambic, seule bière au monde à fermentation spontanée. Les Bruxellois ont raison d'en être fiers.
Le Lambic ne mousse pas du tout et a une saveur acide. De nos jours, la majeure partie du lambic est employée en mélange pour l'élaboration d'autres bières, comme la Gueuze, le Kriek et le Faro. On ne le trouve que dans les cafés de la capitale et dans la région fort limitée que l'on surnomme « Pajottenland » ou encore « route Bruegel », car Bruegel l'Ancien a fort bien pu se promener dans la vallée de la Senne et s'inspirer, dans ce coin, des scènes de fêtes, telles sa « Danse des paysans ». Parmi la cinquantaine de brasseries qui produisaient la bière selon des méthodes ancestrales, seule est demeurée la Brasserie Cantillon. Un musée de la Gueuze, ouvert pendant la période des brassins, permet de découvrir le difficile travail du vrai brasseur de lambics. Il reste, dans la région, une douzaine de brasseries.
Le lambic n'est pas fait seulement d'orge. Il se compose d'au moins 30 % de froment, prescrits par la loi, et de malt d'orge. Froment et malt d'orge sont moulus et mis dans une cuve de moût, alimentée avec de l'eau chaude à une température de

Hoegarden – du même nom que la ville de Flandre, capitale des bières blanches de froment.

Jupiler – L'une des plus célèbres bières pâles de fermentation basse. Elles ont un goût légèrement amer et sec.

Belle-vue – Produit des bières de fermentation spontanée comme le Kriek, aromatisé de jus de cerise.

Duvel – une « diablesse » bière blonde, forte et corse avec un arrière-goût de fermentation secondaire.

50 à 75 °C. Les cuves sont équipées de bras mécaniques qui malaxent les céréales pendant deux heures et demi. Quand les céréales se sont déposées au fond de la cuve, le moût est soutiré. Après filtration, ce moût bouillant est envoyé dans la chaudière à houblonner, où il est aromatisé par le houblon. Les brasseurs de Lambic utilisent des houblons surannés, de deux ans d'âge, qui donnent à la bière sa légère amertume et préserve de fâcheux microbes. La chaudière bout pendant trois ou quatre heures entraînant une concentration du moût par évaporation de l'eau.

C'est à la suite de ces opérations que le Lambic entame une évolution qui le rend unique. Il s'écoule à l'air ambiant dans un bassin réfrigérant de cuivre ou d'acier, situé en contrebas, et y passe une nuit de noces avec les micro-organismes du Pajottenland. Sa température baisse progressivement jusqu'à 22 °C. C'est à cette température que le moût se garde en fûts, dans des *pipes* de 650 litres, soigneusement nettoyées après chaque entonnage. Pour ne pas détruire la précieuse flore de bacilles et de levures, on n'utilise pour le nettoyage des fûts que de l'eau et des agents mécaniques. Les couches de poussière et les toiles d'araignée dans les caves à fûts témoignent de ce procédé. Au bout de trois jours, la fermentation commence. Elle dure deux à trois mois. La maturation du Lambic

Le secret de la Gueuze réside dans la fermentation spontanée, qui est déclenchée par les bactéries de l'air de la vallée de la Senne, près de Bruxelles.

s'étale sur un an au moins, si ce n'est sur deux ou trois ans, selon sa destination.

Le brassage du Lambic est saisonnier. Il ne se brasse que les mois d'hiver (du 15 octobre au 15 mai) par crainte des accidents comme la putréfaction et d'une fermentation excessive due à la chaleur. En outre, les cellules de levures étant très rares l'été, la bière n'aurait pas bon goût. Le Lambic constitue également la base de plusieurs spécialités. Le Faro, qui connut la gloire au tournant du siècle, est un Lambic édulcoré au sucre candi. Pour le Kriek, les brasseurs attendaient autrefois la récolte locale de la griotte. Ils laissaient macérer les fruits jusqu'à dissolution complète pendant environ six mois dans le Lambic. Aujourd'hui, on ajoute souvent du jus de fruit. Le Kriek est une boisson désaltérante au goût suave et fruité. Les bières fruitées existent également à la framboise et à la pêche. Mais le couronnement des bières spontanées est la Gueuze. Le « Champagne de Bruxelles », comme on l'appelle, se fait à partir d'un mélange de Lambics de différents âges, composé d'un tiers de bières ayant deux ou trois ans de maturation en fûts, et de deux tiers de jeunes Lambics dont la maturation n'est pas encore achevée. Une refermentation en bouteilles se produit. Les bouteilles de Gueuze demeurent encore un an couchées avant d'être mises en vente.

fe – Bière haute d'abb... re. Saveur douce. Fabri... e par une brasserie indé... dante.

Ciney – Cette brune haute et douce brassée près de Dinant, fait partie des bières d'abbaye.

Rochefort – Bière fruitée de fermentation haute, fabriquée par les trappistes de l'abbaye de Saint-Rémy, à deux kilomètres de Rochefort.

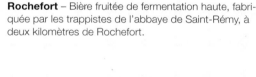

Les Trappistes

Les plus célèbres bières de Belgique, dont il existe une centaine de variétés, sont brassées par les moines. Ils se livrèrent, dès le 9e siècle, à une intense activité brassicole, car la bière était non seulement nutritive, mais encore plus pure que l'eau. Au 11e siècle, Saint Arnould, qui avait fondé l'abbaye de Oudenburg, non loin de Bruges, remarqua que la rivière du village était tellement polluée que beaucoup de gens en mouraient. Il constata, par contre, que ceux qui buvaient de la bière, mais pas d'eau, n'étaient pas atteints du mal qui régnait. Il leur dit : « Ne buvez plus de cette eau, buvez de la bière. » De fait, tout le monde fut guéri et Saint Arnould fut consacré saint patron des brasseurs. Ce miracle se comprend aisément aujourd'hui, quand on sait que l'eau du brassin était en premier lieu très longuement bouillie, ce qui se fait encore de nos jours, et tue les microbes qu'elle pourrait contenir. Les moines ont fabriqué de la bière, d'abord pour leur propre usage – il fallait épancher sa soif – puis pour la communauté locale. Enfin, les affaires prospérant, ils l'on diffusée plus largement. Les bénéfices remplirent les caisses des abbayes de bénédictins. La plupart des moines se rallièrent au 17e siècle à l'abbé Armand Jean Le Bouthillier de Rancé, qui avait instauré une observance sévère au sein de l'ordre dans le monastère français de La Trappe, d'où leur nom de trappistes. Sur les six monastères trappistes belges, cinq se livrent au brassage de la bière. Ce sont Westvleteren, Westmalle, Rochefort, Orval et Chimay.

Leur longue tradition brassicole n'empêche pas les moines d'allier le respect de la nature, la science et le progrès technique. La première abbaye qui commercialisa ses bières et obtint pour leur qualité une réputation méritée fut l'abbaye de Scourmont, fondée en 1850 près de Chimay, dans le sud de la Belgique. Obligés, après la guerre, de reconstruire entièrement leur brasserie, les moines de Scourmont le firent sur les conseils de Jean de Clerck, directeur de la célèbre école de brasseurs de l'université catholique de Louvain, en tenant compte des conceptions modernes de l'époque.

Il va de soi que les trappistes demeurent fidèles aux bières de fermentation haute. Ils opèrent le maltage par immersion de l'orge malté dans l'eau pure, non traitée, de la nappe phréatique. Au moment de l'ébullition, la bière est fortement houblonnée, dans les cuves de brassage, avec des variétés de premier choix. Le moût houblonné est alors refroidi à une température de 20 °C avant d'être transféré dans la cuve de fermentation où on l'ensemence avec la levure. La levure, que les moines isolent eux-mêmes, a une influence décisive sur le caractère de la bière. Dans les cuves en acier inoxydable de 500 hectolitres, employées aujourd'hui, la fermentation dure environ une semaine. Après une décantation dans la centrifugeuse, la bière entreposée dans des citernes a le temps de se parfaire. Au moment de la mise en bouteilles, les trappistes n'ajoutent pas d'acide carbonique, comme le font d'autres brasseurs. Leurs méthodes sont restées traditionnelles. Ils injectent une dose de levure fraîche dans chaque bouteille : ainsi la bière va refermenter en bouteille, acquérir son bouquet définitif et se saturer naturellement en gaz carbonique. C'est grâce à cette refermentation en bouteille, que les bières de trappistes acquièrent un bon bouquet fruité et une saveur corsée. Elles ne seront pas commercialisées avant un temps de garde important en chambre tempérée. La refermentation en bouteille est parachevée quand un dépôt provenant de la lie des levures adhère au fond de la bouteille, d'où la nécessité de conserver les bouteilles debout et de les boire à la température de la cave. Les grandes bières, comme la Chimay Capsule Bleue millésimée, à l'arôme riche, vieillissent en bouteille.

Le brassage de la bière est une vieille tradition et un art entretenus dans les abbayes de trappistes. Nous voyons ici un moine en train de vérifier si l'orge a bien germé.

Dans l'abbaye de Notre-Dame-de-Scourmont, près de Chimay, dans le sud de la Belgique, la bière est brassée depuis 1862.

Les cuves en acier sont pourvues d'un œil-de-bœuf permettant un contrôle optique du processus de fermentation.

Les bières de trappistes faisant, comme le champagne, une refermentation en bouteille, on doit museler son bouchon de fil métallique.

La fermentation en bouteilles donne à la bière de l'acide carbonique naturel et un fin bouquet. Le brasseur peut en être fier.

Les brasseries de trappistes

Chimay
L'abbaye Notre-Dame-de-Scoumont, située au sud de Chimay, brasse depuis 1862 : 1. Capsule rouge, la première bière des moines, couleur cuivre et très douce. – 2. Capsule blanche, bière ambrée, bonne amertume, fraîche. – 3. Capsule bleue, couleur rubis foncé, bouquet fruité, arôme riche, mousse abondante, forte. En outre, les bouteilles de Première, de Cinq Cent et de Grande Réserve.

Orval
C'est l'abbaye la plus visitée. Fondée en 1070, elle fut reconstruite en 1948. Elle ne brasse qu'une bière, l'Orval, vendue dans une bouteille conique, de couleur orange. Arôme puissant et épicé, amertume prononcée. Elle se compose de trois variétés de malt. Bière remarquable quand elle est âgée de quatre mois à un an. Elle se conserve cinq ans.

Rochefort
Elle est brassée à l'abbaye de Saint-Rémy, fondée au 13e siècle et située à deux kilomètres de Rochefort. Trois bières : 1. La Rochefort rouge, douce et bouquet fruité. – 2. La Rochefort verte avec un arrière-goût prononcé. – 3. La bleue, sèche et âpre.

Saint-Sixtus de Westvleteren
Moins connue que les autres abbayes, elle brasse néanmoins quatre bières brunes remarquables, rarement évoquées sur les cartes brassicoles : 1. La Double est la plus courante. – 2. La Spécial est plus forte et légèrement piquante – 3. L'Extra a un bouquet fruité, elle est plus vivace, et titre davantage – 4. L'Abt est velouteuse et a du corps. C'est une des bières les plus fortes de Belgique.

Westmalle
L'abbaye, qui se trouve dans les environs d'Anvers, produit trois bières : 1. une bière simple, réservée aux moines – 2. La Westmalle Double, de couleur brune et d'un goût de malt prononcé – 3. La Westmalle Triple, la plus bue, a une couleur d'or, elle est fruitée et très ronde.

Les bières d'abbayes
Parmi les bières d'abbayes qui, entre-temps, sont produites par des brasseries indépendantes, les plus grandes sont la célèbre Leffe, la Cuvée de l'Hermitage, de la région de Charleroi, la Grimbergen, la Maredsous et la Floreffe.

Le herve

On ne saurait dissimuler la présence d'un herve. Son odeur est bien trop pénétrante. Sa croûte moelleuse et luisante, d'un rose tournant sur le brun, promet, avant qu'il ne soit entamé, un goût délicieux et piquant. Une fois entamé, il laisse entrevoir au connaisseur son degré d'onctuosité. Plus l'onctuosité est avancée au cœur du fromage, plus le fromage sera fort. A ce stade, il mérite le qualificatif traditionnel de « mûri à cœur ».

Les fromages de l'est de la Belgique sont renommés pour leur arôme caractéristique, très prononcé, mais extrêmement doux. De nos jours, le herve est généralement vendu âgé de quatre semaines, quand il est encore doux. Au bout de deux mois de maturation, il est déjà plus fort. Les herves très faits, appelés remoudous, demandent davantage de temps et de patience. On ne les retourne qu'une fois secs. Divers facteurs contribuent à faire du herve un produit exceptionnel. Les sols de type argilo-calcaires du Pays de Herve en sont un. Les herbes de ce plateau de 200 mètres d'altitude, dont le caractère particulier se répercute sur le lait, en sont un second. Enfin, le climat est tel que les caves, toujours humides, gardent une température constante. Voici autant de conditions idéales pour le développement de la microflore et des levains, omniprésents, dans l'air, dans l'eau, dans les fruitières et dans les caves de maturation.

Après la traite, le lait est chauffé, comme d'habitude et additionné de présure. Quand le petit-lait a coulé, le fermier met la pâte sur une table en acier, fermée aux extrémités par deux planches. La pâte coule pendant deux jours, prend forme et durcit. Au cours de ce processus, elle est retournée plusieurs fois. Quand le fromage est terminé, le fermier découpe des carrés qu'il estime s'élever à 200 ou 400 g. L'immersion des fromages dans un bain de saumure, où ils demeurent de trois à cinq heures, est la phase finale revenant au fermier. La maturation du fromage est la tâche de l'affineur. A ce stade de la fabrication, le fromage est déjà ensemencé d'enzymes rouges.

Récentes ou utilisées depuis des siècles, les caves sont des foyers d'enzymes. Ils sont partout, même dans l'eau de lavage. Le lavage par frottement des fromages a lieu trois fois par semaine. Les enzymes se déploient à la surface des fromages, activant la maturation, pénétrant progressivement à l'intérieur, réduisant l'acidité du fromage frais et développant ce qui va constituer sa saveur. Comme toute grande spécialité culinaire, les fromages du Pays de Herve ont développé, par ce processus de fabrication, des arômes qui leur sont très particuliers.

Après la coagulation du lait, qui le transforme en caillé, on fait couler le petit-lait.

Le fermier découpe des carrés de pâte et les met dans la saumure.

La maturation implique un lavage fréquent des fromages. Elle est prise en charge par des firmes ou des coopératives.

Le herve sent toujours le fromage. Selon le stade de maturation, les fromages présentent du doux au fort, une large gamme de saveurs.

A l'arrière-plan : le plateau de Herve, près de Liège. Les vaches paissent sur d'abondants pâturages.

Le fromage

Les Belges, détenteurs de quelque 300 variétés de fromages, pourraient être fiers de cette grande richesse. Or il n'y a pas longtemps qu'ils savent les apprécier et leur rendre honneur. C'est un petit groupe d'affineurs qui obtint que certains bons restaurants proposent des plateaux de fromage au menu. Les Belges n'ont pas l'habitude de manger du fromage à la fin du repas. Il se mange chez soi, coupé en tranches, sur des tartines de pain de campagne ou de baguette, ou en sandwich dans un pistolet, petit pain rond égayant souvent le petit déjeuner du dimanche. On mange aussi des dés de fromage, en guise d'amuse-gueule, avec une bonne bière ou un apéritif. On consomme le fromage au petit-déjeuner, l'après-midi au goûter, sur une tranche de pain, ou le soir. Un dîner léger peut comprendre simplement une soupe, du fromage étalé sur une tranche de pain, une compote de fruits et un peu de fromage à pâte dure pour terminer.

Le fromage a toujours été partie prenante de la cuisine. Certains mets au fromage sont le fruit d'une tradition ancestrale. C'est le cas, par exemple, des tartes au fromage, sucrées ou salées, comme la *tarte au blanc stofé* et la *tarte au maton*, au lait caillé, ou la célèbre *tarte al Djote*, une tarte aux blettes avec du fromage gras, qui fut offerte à l'empereur Henri III le Noir, le 4 mai 1046, le jour de la dédicace de la nouvelle abbaye Sainte-Gertrude.

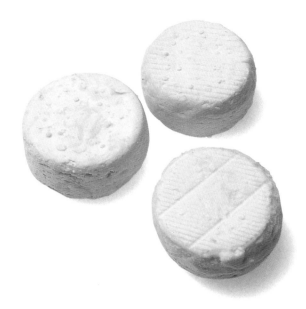

Petit Lathuy
Excellent fromage à pâte molle, en provenance de Jodoigne. Il rappelle le reblochon.

Chèvre frais
Ces bons fromages frais de lait de chèvre proviennent de la fromagerie d'Ozo dans les Ardennes.

Clairieux
Fromage à pâte dure du Mont de l'Enclus, de la région de Tournai.

Chimay
L'abbaye des trappistes produit cinq variétés de fromages, dont un fromage de lait cru et un fromage à la bière très parfumé.

Boû d'fagn

Carré de fromage à pâte molle affiné, au goût relevé. Il provient de la fromagerie Vanderheyden. La croûte est lavée comme celle du trou, un fromage au lait cru.

Herve

Carrés de fromage dont la croûte présente des reflets rouges. Odeur intense, saveur douce ou forte selon l'âge.

Trou d'sottai

Fromage fermenté à pâte persillée rouge, très onctueux. Il a la forme d'une tarte et provient du pays d'Herve.

Père Joseph

Produit de la célèbre fromagerie de Passendale. Saveur prononcée, particulière. On le sert en apéritif ou sur un plateau de fromage.

Les gaufres de Liège

A Liège, le nouvel an commence, aujourd'hui encore, avec des gaufres. A notre époque, particuliers et boulangers sont tous équipés de gaufriers électriques, mais, autrefois, il fallait faire rougeoyer le charbon dans la cheminée ou dans le four avant de mettre les moules à gaufres en fonte aux longs manches sur la braise et de les faire chauffer d'un côté, puis de l'autre, en veillant à ce que la pâte ne brûle pas. Ce grand jour et toutes les autres occasions dignes de la préparation des gaufres étaient attendus dans presque chaque foyer. Les préparatifs pouvaient durer des heures. Les gaufres étaient bien trop bonnes et convoitées pour qu'on en remette la fabrication au lendemain. Comme tout le monde ne savait pas les faire, des ménagères les vendaient sur les marchés. On les trouvait aussi fraîches, chez les pâtissiers.

Les gaufres doivent être dorées et sentir bon la vanille ou la cannelle quand elles sortent du moule. Elles se mangent sinon chaudes, au moins le jour de leur cuisson. C'est une règle d'or qui régit cette pâtisserie. D'ailleurs, les grands pâtissiers ne font les gaufres que sur commande. Même si elles se conservent de deux semaines à trois mois, les gaufres ne se font pas d'avance. Les meilleures gaufres sont constituées d'une pâte faite de farine, de sucre et de jaunes d'œufs mélangés à un peu de beurre ou de crème. Leur légèreté dépend de la quantité d'œufs battus en neige que l'on y a incorporés. A Bruxelles, les gaufres sont toujours fines et légères. En d'autres endroits, elles peuvent atteindre une épaisseur de cinq centimètres. C'est le cas à Liège, où l'on incorpore moins d'œufs battus en neige. Les Liégeois aiment aussi les gaufres légères, mais leur petit carré traditionnel, compact et facile à manger, leur est plus cher que les autres gaufres.

Spécialités de patisseries belges

Couque de Dinant
Biscuit sec et dur provenant de la petite ville de Dinant dans la province de Namur.

Cramique
Petit pain au lait et aux raisins, riche en œufs et en beurre.

Craquelin
Spécialité de Liège ; pain rond fait de la même pâte que le cramique mais avec du sucre au lieu de raisins.

Faluche
Petit pain rond semblable à une petite pizza épaisse. On le coupe en deux, on étale du beurre dessus, le saupoudre de cassonade et le fait chauffer cinq minutes au four.

Gaufre de Bruxelles
Gaufre très légère grâce aux œufs battus en neige. On la mange avec du sucre, de la crème fouettée ou du chocolat.

Gaufre de Liège
Petite gaufre sucrée faite à base d'une pâte contenant de la vanille, de la cannelle et du sucre en morceaux.

Pain à la grecque
Il n'a rien à voir avec le pain grec. Il est fait d'une pâte à pain roulée dans le sucre cristallisé. Sous forme de cœur, on l'appelle cœur de Bruxelles.

Pistolet
Petit pain acheté le dimanche chez le boulanger et mangé chaud avec du saucisson, du fromage, des œufs ou avec des crevettes grises, au bord de la mer.

Speculaus
Biscuit national belge, très épicé et truffé de sucre candi. On le trouve de toutes les formes et de toutes les grandeurs. On le mange à la Saint Nicolas.

Pose de la pâte sur les moules à gaufre mis ensuite sur une chaîne qui passe dans un four.

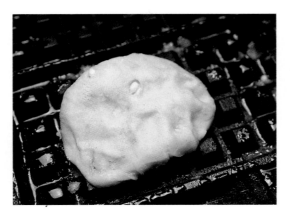

Les gaufres de Liège se reconnaissent aux morceaux de sucre à l'intérieur de la pâte.

Les gaufres doivent être mangées chaudes pour que le parfum de vanille et de cannelle puisse se développer.

Ci-dessus : le sirop de poire et de pomme est une spécialité de l'est de la Belgique. Le sirop doit être bien foncé et sa consistance ni trop ferme ni trop molle pour que l'on puisse l'étaler.

Ci-contre : un jus de fruit à l'état pur s'écoule de la presse pleine de fruits écrasés. Après la cuisson, le jus concentré devient sirop.

Le sirop

Au Moyen Age, le sucre n'était vendu que par les apothicaires. Sa consommation augmenta au 17ème siècle grâce à la culture intensive de la canne à sucre aux Antilles. Jusqu'au milieu du 19ème siècle, il demeura toutefois un produit de luxe. La plupart des gens n'avait pas les moyens de s'offrir des sucreries. Qui en était friand devait se débrouiller. L'idée d'utiliser la récolte de poires et de pommes de la région des Hautes-Fagnes, dans l'est de la Belgique, pour obtenir du sirop naquit il y a quatre cents ans. On fit épaissir les fruits jusqu'à obtention d'un sirop visqueux, presque noir et merveilleusement sucré. Le sirop ne plut pas seulement aux enfants, mais resta quand même un produit des petites gens jusqu'à ce que les cuisiniers le découvrent pour leurs sauces de gibier et de viande. Sa réhabilitation gastronomique avait eu lieu.

La siroperie Nyssen, à Aubel, reste, de nos jours, l'un des rares producteurs artisans. Ils ont presque tous disparu.

Lorsque débute la récolte des fruits, à la mi-septembre, les paysans des environs d'Aubel déchargent des montagnes de poires et de pommes devant chez les Nyssen. Jour après jour, père et fils remplissent à la pelle, en début d'après-midi, trois gros chaudrons en cuivre pleins à ras bord. Cela fait en tout 2800 kilos de fruits. Ils allument les brûleurs à gaz et laissent cuire les fruits de dix à douze heures.

La journée des Nyssen commence à quatre heures du matin. Père et fils transportent la purée de fruits à la brouette jusqu'à la presse hydraulique où ils mettent en alternance une couche de fruits et une couche de sacs de jute, le jute filtrant les pépins et la pulpe. Le jus coule, filtré dans le réservoir, pendant que la presse exerce une pression progressive qui peut atteindre 250 kilos au centimètre carré. Les résidus servent de fourrage pour les vaches, ce qui donne un lait riche en matières grasses.

A partir de huit heures, les Nyssen font couler 200 à 300 litres de jus dans chaque chaudron, ceux-ci ayant été nettoyés au préalable. Le raffinage commence. L'ébullition a fait s'évaporer l'eau, ne laissant plus qu'un jus concentré, versé, après qu'il a atteint la bonne consistance, dans un malaxeur, pour être homogénéisé. A 14 h, la procédure recommence, avec la mise en chaudron de la carge de fruits suivante. La température du sirop est descendue à 40 °C quand il est versé dans l'entonnoir qui servira à le mettre en pots.

La fabrication traditionnelle ne permet l'usage que de pommes et de poires. Huit kilos de fruits donnent un kilo de sirop. Le sirop est très sucré quand les pommes et les poires employées sont sucrées, il est aigre quand les fruits sont aigres et aigre-doux quand les espèces ont été mélangées. Le meilleur mélange est obtenu avec quatre fois plus de poires que de pommes. La nature, souvent lunatique, ne rend pas toujours possible ce mélange idéal. Les années se suivent et ne se ressemblent pas.

Les pralines

Les pralines belges n'ont rien de commun avec les petites pralines que le comte de Plessis-Praslin offrait jadis aux dames pour les séduire. La confiserie dispose d'une gamme tellement variée de délicieuses sucreries que les chocolatiers belges en sont fiers, et à juste titre. Non contents de cela, ils cherchent toujours de nouvelles recettes. Le chocolat industriel présente 60 variétés de chocolats et les petits producteurs arrivent sans peine à une centaine de variétés de chocolat amer, au lait ou blanc. Le chocolat blanc n'est pas un chocolat au sens strict du terme : il ne contient que du beurre de cacao, du sucre et du lait en poudre, mais pas de cacao. Le chocolat le plus employé est le chocolat amer, qui s'harmonise avec presque tous les ingrédients et tous les arômes. La production belge s'élève à 220 000 tonnes par an. Plus de 60 % de cette production globale est destinée à l'exportation, dont 180 000 tonnes sont utilisées pour le chocolat à cuire.

Il y a deux grandes familles de chocolats : les chocolats glacés et les chocolats coulés. La fabrication des chocolats glacés est presque magique. Le chocolatier prépare une pâte aromatisée, d'amandes grillées en poudre ou de noisettes et de sucre : c'est le cas du célèbre praliné, le plus classique de cette famille. La pâte est pressée dans un cadre et le chocolatier découpe dans cette couche de chocolat pressé, des ronds, des losanges ou des carrés, et les enrobe de chocolat liquide.

La seconde famille a des formes très diversifiées. On remplit les matrices de grandes plaques avec du chocolat à cuire fondu. On secoue bien pour qu'il n'y ait pas de bulles d'air et on laisse refroidir. Pour les fourrer, les confiseurs improvisent des mélanges de crèmes à base de beurre et de sucre et ajoutent, à leur gré, du chocolat, de la crème, des fruits, du caramel, de la liqueur, du marc, etc., ou encore des noix, des châtaignes ou du massepain. Ce mélange est mis dans la matrice, sur la couche de chocolat refroidi. On ferme par une autre couche de chocolat qui formera le fond. Quand ils travaillent le massepain, les confiseurs sont imaginatifs et développent toutes leurs qualités artistiques. Ils forment des corbeilles entières de fruits et de légumes à la main : bananes, prunes, kiwis, pommes, citrons, tomates et carottes. Ils s'amusent aussi, a-t-on l'impression, à créer tout ce qui leur passe par la tête, des animaux dans les poses les plus diverses, par exemple. Vous ne savez jamais ce qui vous attend à l'intérieur d'une boîte d'une livre de chocolats achetée chez un chocolatier belge, mais la fraîcheur est toujours assurée.

Figures en chocolat coulées dans des moules. Un procédé courant dans la fabrication de nombreuses pralines belges.

Il faut faire refroidir le chocolat avant de détacher la figure du moule.

A l'arrière-plan : les chocolatiers belges ne cessent d'inventer de nouvelles recettes de chocolats fourrés.

On nappe les pralines glacées avec une pâte aromatisée de chocolat fondu.

On peut couler les pralines dans du chocolat amer, mais aussi dans du chocolat au lait ou du chocolat blanc.

De nombreuses pralines sont fourrées de crèmes à base de beurre et de sucre.

André Dominé

La France

Nul autre pays que la France ne considère aussi naturellement les plaisirs de la table comme l'expression de sa culture. Faire un bon repas est, pour les Français, chose normale. Tous aiment bien manger. La table est traitée avec passion et savoir-faire chez les humbles gens et les gens les plus aisés. Leur intérêt pour la cuisine a aiguisé et nuancé leur goût. Ce bon goût est à l'origine d'innombrables spécialités.

Les étrangers voyageant en France savent qu'ils vont partout trouver porte fermée à l'heure du déjeuner. Les Français prennent le temps de manger. Manger n'est pas, pour eux, seulement se nourrir, mais se détendre et communiquer. Le repas le plus simple se compose toujours d'une entrée, d'un plat principal, de fromage et de dessert, ce qui garantit une alimentation variée et équilibrée.

La cuisine française ne bâtit pas sur rien sa réputation. Elle a une gamme de spécialités incontestablement exquises même si certaines habitudes alimentaires des Français, comme celle de manger des abats, des andouilles ou du fromage très fait, ne sont pas toujours partagées par d'autres cultures. Tous les goûts sont dans la nature.

En France, le vin fait partie du repas. Il fut même une époque où il était considéré comme nourriture. Tout gros travail physique donnait droit à plusieurs litres de vin par jour. Connaissez-vous d'ailleurs un vigneron ou un marchand de vin français qui vous recommande une bouteille sans vous suggérer le plat auquel elle convient le mieux ? L'art de conjuguer les arômes et les textures a mené à un perfectionnement inégalé du désir de respecter et de rehausser le goût des ingrédients composant un repas. Il n'y a pourtant pas de bon cuisinier sans bons fournisseurs. La fadeur de maints produits risque de gâter nos habitudes alimentaires, déjà en passe de s'étioler. Gardons tout de même l'espoir que les régions conservent longtemps leurs spécialités, leur souci de qualité, leur caractère et qu'elles échappent à l'uniformisation.

Éleveur de volailles
avec une poule de Bresse.

La baguette

Si, parmi toutes les spécialités françaises, on devait choisir la plus représentative, la baguette aurait tous les atouts. Les Français ont une conception du pain très particulière. Ils ne mangent des sandwiches ou des canapés que sporadiquement, ces derniers seulement avec l'apéritif, en amuse-gueule. Le gros sandwich débordant de jambon ou de fromage que l'on voit parfois dans les cafés ou chez le boulanger semble être davantage une invention à l'intention des touristes qu'un en-cas vraiment apprécié des Français. En revanche, la baguette, si modeste qu'elle soit, défie toute concurrence. Le pain ne manque jamais à table, ni chez soi, ni au restaurant. Il sert parfois à calmer sa faim quand le repas tarde un peu, mais, de l'entrée au fromage, la baguette accompagne tout ce que mangent les Français.

Farine de blé, levure et levain naturel forment une pâte divisée en portions de 200 grammes.

Le boulanger forme des pains d'environ 70 cm de long et les pose sur une plaque à pâtisserie.

Avant de les enfourner, il fendille la surface pour qu'en s'ouvrant, elle forme une croûte.

La baguette est assez récente. La levure fut inventée par les Egyptiens, la lie de vin utilisée par les Grecs et les Romains affinèrent la mouture de céréales. Après ces premiers pas, plus aucune innovation ne se fit dans la boulangerie pendant un millénaire et demi. Durant une longue période, les boulangers eurent d'autres soucis que de songer aux techniques d'affinement. Il leur incombait la difficile tâche de se procurer de la farine. Le ravitaillement était irrégulier, les qualités et les quantités souvent insuffisantes et ils devaient nourrir toute une population.

Les boulangers formaient le pain en boules, d'où le nom de leur corps de métier. La fabrication du pain fut très vite réglementée afin de prévenir et de réprimer les abus et de statuer sur l'approvisionnement. Des ordonnances en prescrivirent le poids, la composition et le prix dès le début. La farine était distribuée en priorité à la population. Les boulangers n'en recevaient qu'en second lieu, quand le peuple était

servi. Le sel étant rare et cher, ils faisaient du pain sans sel et utilisaient de la farine complète. L'idée d'éliminer le son à la mouture du blé pour obtenir une farine très pure et fabriquer un pain blanc ne germa que sous le règne de Louis XIV. Le roi avait, en effet, exprimé le désir de manger du pain blanc, ce qui donna lieu à plusieurs tentatives, d'abord au levain, puis à la levure de bière. Plus tard, on fit le pain de forme allongée que l'on fendilla sur le dessus pour donner du relief à sa croûte.

C'est du plaisir de manger ce pain croustillant qu'est née la baguette dont la croûte demeure le principal critère de qualité. La baguette doit être dorée, mais pas trop cuite et la texture de la mie, homogène. Heureusement que le progrès s'est arrêté sur le seuil des fournils. La pâte est encore pétrie lentement par les machines, on utilise encore peu de levure et on lui laisse le temps de lever. C'est pourquoi la baguette se maintient encore avec cette qualité constante que nous lui connaissons.

Le beurre de lait cru

Célèbre aliment depuis des millénaires, mais demeuré rare et précieux pendant une très longue période, le beurre n'existe que depuis un peu plus d'un siècle en quantité industrielle. On l'utilisait auparavant comme mode de paiement ou comme impôt en nature. Les seigneurs étaient les seuls, en définitive, à en avoir la jouissance.

La réforme de l'agriculture mit fin à l'usage de la bête de trait et l'élevage du bétail, dès lors, orienté sur les valeurs du lait et les cheptels producteurs de lait, amena les matières premières nécessaires pour la fabrication du beurre. La centrifugeuse remplaça la baratte, la pasteurisation assura la destruction des bactéries pathogènes. Le beurre devint ce produit indispensable, aujourd'hui répandu dans le monde entier.

La qualité du beurre découle de celle du lait. L'alimentation des bovins sur des prairies grasses et riches dans un climat doux et plaisant est donc vitale. Quatre régions de France produisent du beurre d'Appellation d'Origine Contrôlée (AOC), une haute distinction très enviée. Ce sont les beurres suivants :

• Le beurre d'Isigny
• Le beurre des Charentes
• Le beurre Charentes-Poitou
• Le beurre des Deux-Sèvres

La saveur de noisette du beurre, tant appréciée, n'est sensible que dans le beurre cru, produit rare exigeant une transformation rapide et très soignée. Isigny-sur-Mer, commune du Calvados, est réputée pour son beurre cru et la seule crème d'Appellation d'Origine Contrôlée de France. Tous les autres beurres sont pasteurisés.

A l'arrière-plan : baguettes croustillantes encore chaudes, au sortir du four, à la mie moelleuse.

La *ficelle* est presque aussi longue qu'une baguette mais plus mince. Elle pèse de 100 à 125 g.

La *flûte* est entre la baguette et la ficelle. Elle pèse de 150 à 175 g.

La *baguette* pèse de 200 à 250 g. Ses mesures : 70 cm de long et 6 cm de haut.

La *couronne.*

Le *pain* est la baguette pour familles nombreuses. Il pèse deux fois plus qu'elle, soit environ 400 g.

Le *bâtard* est ovale et irrégulier. Il fait 30 cm de long et pèse 300 ou 500 g.

Le *pain de campagne* est préféré sous forme de *couronne.*

Le *pain au fromage blanc.* Spécialité faite d'une pâte levée additionnée de fromage blanc.

Le *pain au son* est une formule du pain de froment avec vingt pour cent de son.

Le *pain aux noix* contient quinze pour cent de noix.

Le *pain anglais* est un pain de mie de froment ou de farine de blé complète.

Le *pain graham.* Pain complet de farine de gruau.

Le *pain de seigle.* A base de farine de blé.

Le *pain rond* est une miche ronde et plate de deux kilos appelée, dans le nord de la France, *boulot.*

Le *petit pain* pèse 100 g.

Le *pain à la bière* est, comme l'indique son nom, à base d'une pâte macérée dans la bière. Il est très nutritif.

La *fougasse* est une galette de froment non levée. Il en existe plusieurs variantes, par exemple au lard ou sucrée.

Le croissant

Un croissant au beurre, à tremper dans son bol de café au petit déjeuner, est toujours agréablement accueilli par les Français qui, aux yeux du monde, ont inventé le petit croissant. En vérité, il a vu le jour en Hongrie. Dans la langue hongroise, croissant signifie « lune croissante ». A la fin du 17e siècle, durant le siège de Budapest, les Turcs avaient creusé des tunnels sous l'enceinte de la ville. Les boulangers, partout travailleurs matinaux, s'en rendirent compte et sonnèrent l'alarme. Les Turcs durent s'enfuir et les boulangers, triomphants, firent des croissants de lune, emblème de l'Empire turc, en pâte feuilletée.

Le croissant arriva jusqu'à Vienne. Il fut découvert par Marie-Antoinette, qui l'introduisit au 18e siècle à la cour de France.

Les *croissants* sont à base de pâte feuilletée ainsi que de beurre.

La pâte est pliée plusieurs fois et recouverte d'une couche de beurre à chaque pliage.

La pâte est abaissée en triangle, roulée et arrondie en forme de croissant de lune.

Pour éviter qu'ils attachent sur la plaque pendant la cuisson, il faut avoir abaissé la pâte sur une table farinée.

Bretzel au flan : pâtisserie légère à base de pâte feuilletée.

Brioche : pâtisserie légère à base de levure, d'œufs et de beurre.

Chausson aux pommes, à base de pâte feuilletée.

Pain aux noix.

Kouglof : à base de pâte levée.

Crémontaise : gâteau consommé au petit déjeuner.

Pain aux raisins.

Pain au chocolat.

Croissant au beurre.

Le pastis

Que l'apéritif le plus bu des Français sente la Provence, le soleil, la tiédeur de l'air et l'eau bleue des mers du Sud a deux raisons : l'une est historique, l'autre d'ordre publicitaire. Le pastis est un apéritif à base d'anis, plante aromatique répandue dans le bassin méditerranéen, déjà appréciée par les Egyptiens, les Grecs et les Romains pour ses vertus médicinales. L'odeur aromatique et la saveur subtile de l'anis sont mises à profit par les cuisiniers pour la préparation des poissons, par les pâtissiers et les confiseurs. Les liquoristes l'utilisent pour la fabrication de l'arak, du raki, de l'ouzo, de la sambucca, de l'anisette et du pastis. Les fermiers vivant au pied des vignobles provençaux distillaient jadis le pastis pour leur propre usage avec des herbes de Provence.

Paul Ricard ayant obtenu la recette du pastis de l'un de ces fermiers, il décida de le commercialiser et démarra la production à Marseille en 1932, dès que les apéritifs à base d'anis furent légalisés.

Il ne fut pas le seul à faire des affaires avec le pastis. Toutes les liqueurs anisées connurent soudain un succès fou. L'odeur de l'anis et son goût de réglisse rappelaient l'absinthe, extrait de vermouth longtemps utilisé comme remède à tous les maux et interdite peu après le début de sa distillation en Suisse, vers la fin du 18ème siècle. Henri-Louis Pernod avait ouvert la première distillerie en France. Sous le règne de Napoléon III (1852-1870), il était chic de se retrouver au café en fin d'après-midi, à « l'heure verte », couleur de l'absinthe diluée dans de l'eau sucrée. Cet infâme tord-boyaux ruina la santé de milliers de personnes avant d'être interdit en 1915. A cette date, beaucoup d'anciens fabricants d'absinthe se convertirent au pastis. Leurs étiquettes ressemblaient fort à celles du précurseur frappé d'interdiction.

L'essence d'anis, constituée d'anéthol et distillée à partir de l'anis étoilé, fruit d'un arbre exotique de la famille des magnoliacées d'origine chinoise, le badianier, a de nombreuses vertus stomachiques.

Entrepôt d'herbes de Provence et exotiques pour le pastis. L'ingrédient principal est l'anis étoilé, fruit d'un arbre de la famille des magnoliacées d'origine chinoise.

Herbes et épices sont trempées dans une solution d'eau et d'alcool, puis distillées.
Les cinq marques de pastis les plus connues en France.

Ci-dessous : le pastis ne se boit ni pur, ni avec des glaçons. On le dilue avec de l'eau fraîche. La coloration trouble caractéristique du pastis est due à la cristallisation de l'essence de menthe sous l'action de l'eau.

L'anéthol se rencontre également dans les essences de badiane, de fenouil et d'estragon. Le pastis est, en outre, parfumé avec des herbes de Provence macérées dans une solution d'eau et d'alcool titrant 45°, ainsi qu'avec de la réglisse, prescrite par la loi. L'addition de sucre et de caramel donne, enfin, sa couleur au pastis. Il se boit avec de l'eau glacée, mais jamais avec des glaçons, qui isoleraient l'anéthol. Pour éviter que le pastis ne se trouble, on ne le met jamais au frais.

Apéritifs traditionnels

L'Amer Picon
Bitter aromatisé de quinquina, de racines de gentiane et de distillat d'orange. On ne consomme guère plus que le Picon bière.

Le Byrrh
Apéritif à base de vin additionné d'un moût de raisins rouges très concentré et épicé d'extraits de quinquina, de plantes et de fruits.

Le Dubonnet
C'est un apéritif à base de vin rouge ou blanc. La recette originale exige l'addition d'écorces amères et de quinquina.

Le Noilly Prat
Vermouth sec madérisé par oxydation, à la base du martini dry, boisson très populaire. Excellent dans les sauces de poisson.

Le Rivesaltes
Vin doux naturel. Appellation d'Origine Contrôlée (AOC). La teneur en glucose est maintenue par addition d'eau-de-vie de vin en fin de fermentation.

Le Saint-Raphaël
Apéritif à base de vin viné qui doit sa saveur surtout à la quinine. Il stimule l'appétit.

La Suze
La gentiane lui communique son goût. On la boit avec de la glace et de l'eau de Seltz.

Les composantes du pastis
1 menthe – 2 feuilles de bouleau –
3 verveine – 4 aubier – 5 réglisse –
6 maïs – 7 cassis – 8 psyllum –
9 thym – 10 camomille – 11 cannelle
– 12 anis étoilé – 13 cumin sauvage –
14 semence d'anis – 15 sarriette –
16 persil – 17 fenouil – 18 coriandre

La crème de Cassis

Nous ne connaîtrions sans doute pas la crème de cassis sans le chanoine Félix Kir, né en 1878, adversaire acharné des nazis et connu pour avoir aidé des milliers de résistants à fuir pendant la guerre. Sous l'occupation, les Français ne fréquentaient plus les cafés à l'heure de l'apéritif, non pas à cause du rationnement de l'alcool, mais parce qu'ils ne se sentaient plus à l'aise. On ne pouvait plus parler librement aux comptoirs. Le risque d'être dénoncé était trop grand. En quatre ans, donc, certains grands apéritifs comme le blanc-cassis, composé d'un mélange de vin blanc, à l'origine, du Bourgogne aligoté, et de crème de cassis, tombèrent dans l'oubli. Les liquoristes de Dijon connurent, de ce fait, de grosses difficultés après la guerre. Félix Kir, élu maire de Dijon à plus de soixante ans, n'hésita pas, pour les aider, à faire revivre la vieille coutume d'offrir à ses hôtes un verre de vin blanc et de liqueur de cassis. La boisson qu'il ressuscita prit son nom ; honneur rarement rendu par les Français à un concitoyen.

Avant d'être une spécialité dijonnaise, on connais-

Les baies de cassis sé conservent en sachets de plastique dans des chambres froides. On les sort au fur et à mesure des besoins de transformation.

Le cassis surgelé à majorité optimale conserve ses quatités gustatives et sa couleur fraîche ainsi que le taux élevé de vitamine C.

sait le blanc-cassis à Paris. Deux commerçants de Dijon qui en avaient bu à Neuilly rentrèrent chez eux enthousiasmés, et se mirent, en 1841, à fabriquer la crème de cassis dans leur ville. Le seul problème était le manque de cassis, difficulté majeure très vite résolue, et la liqueur connut un grand succès. En 1914 on comptait près de quatre vingt fabriques de liqueur. La demande était grande et les femmes de vignerons eurent l'idée de planter des buissons de cassis en bordure des vignobles afin de gagner un peu d'argent supplémentaire.

Le cassis est cultivé et produit par la Bourgogne, les Pays de la Loire et la région Rhône-Alpes. Les agriculteurs doivent tenir compte des exigences impératives du cassissier, il lui faut par exemple des températures hivernales inférieures à zéro degré pendant 10 semaines. Quand les baies sont arrivées à maturité, elles conservent un arôme intense l'espace d'une journée. La récolte, qui doit se faire vite, ce jour-là, est manuelle et demande donc beaucoup de main-d'œuvre. La mécanisation l'améliore sensiblement. Le cassis est riche en vitamine C, mais s'oxyde aussi très vite. Pour pouvoir utiliser les baies de cassis au fur et à mesure des besoins de transformation, il a fallu inventer une méthode de conservation de leurs arômes et de leur couleur noire. La plus moderne est la surgélation à - 30 °C. Au moment de l'utilisation, la température est montée à - 5 °C, on arrose alors les baies d'alcool, qui leur conserve couleur et parfum, et les empêche de fermenter. La macération dure cinq semaines dans un bain d'eau et d'alcool, au fond de cuves rotatives. Le premier jus tiré est réservé aux produits de qualité supérieure comme les crèmes de cassis, uniquement obtenues par macération.

Le cassis possédant un important taux naturel d'acidité, il est indispensable, pour obtenir une bonne liqueur à l'arôme puissant, de doser convenablement les trois composantes : acide, sucre et alcool. A 20°, elle a absorbé un pourcentage maximum de fruit et est saturée en sucre (520 g). L'indication du taux d'alcool est en même temps un indice de qualité, car une crème de cassis titrant 16° contient moitié moins de fruits, mais seulement 60 g de sucre en moins.

Autrefois, la crème de cassis faisait partie, comme la moutarde, des condiments compris dans la consommation ou le repas et mise d'office sur les tables des cafés et des restaurants. La crème de cassis ne se boit jamais pure. Elle aromatise, en revanche, non seulement le vin, mais encore le Champagne, le vermouth ou l'eau minérale. Une larme de crème de cassis sur une pâtisserie ou une glace est un délice. On parfume aussi la viande ou le gibier à la crème de cassis, qui se marie notamment avec le porc et le canard.

Quand la bouteille est entamée, il est conseillé de la mettre au frais ou de la consommer en moins de trois mois.

A gauche : le Kir se fait en versant un peu de crème de cassis au fond d'un verre, puis en remplissant de vin blanc. Le vin doit avoir une légère âpreté.

Une bonne liqueur de cassis contient au moins 500 g de baies.

Ci-contre : mise en bouteille de la crème de cassis, spécialité de liqueur de Bourgogne.

L'apéritif de crème de cassis additionée de vin blanc porte le nom de Félix Kir, très populaire maire de Dijon.

Kir

Verser 20 ml de crème de cassis dans un verre tulipe. Remplir le verre de Bourgogne aligoté bien frais ou d'un autre vin blanc sec. Il peut être un peu âpre.

Communard

Verser 20 ml de crème de cassis dans un verre tulipe et remplir le verre de Bourgogne-Passe-Tout-Grain bien frais ou d'un autre vin blanc sec fruité.

Kir Royal

Verser 10-20 ml de crème de cassis dans une flûte à champagne. La remplir de champagne brut ou brut nature bien frais.
Attention : une crème de cassis titrée à 20° contient deux fois plus de baies qu'une crème de cassis à 16°, mais seulement un huitième de plus de sucre. Elle est plus fruitée et concentrée. N'en mettez pas trop.

Short-drink, pernod, sherry et gin

Mélanger 10 ml de pernod, 20 ml de sherry sec et 30 ml de gin sec avec quelques glaçons et secouer. Servir avec un zeste de citron.

Short-drink, pernod, vodka

Mélanger 40 ml de vodka, 5 ml de sirop et 5 ml de pernod sur des glaçons concassés et garnir de rondelles de concombre.

Les escar-gots de Bourgogne

C'est Antoine Carême (1784-1833), inventeur de la fine cuisine française, qui fit connaître aux gastronomes les escargots dits à la bourguignonne, au beurre additionné d'ail et de persil. Le plat devint si populaire qu'une escargotière, munie de petites cavités, fut inventée spécialement pour mieux le savourer. Une fourchette à escargots permet de ne pas se brûler les doigts quand on retire la chair cartilagineuse de la coquille. Imagine-t-on qu'il faille une longue préparation avant de pouvoir les déguster ?

Les escargots doivent jeûner pendant au moins dix jours, régime draconien qui vise à leur faire éliminer des substances toxiques pour l'homme. Dans le Midi de la France, ce jeûne est adouci par un régime au thym. Après le jeûne, ils sont soumis, pour des raisons d'hygiène, à trois lavages successifs, une première fois à l'extérieur, puis ils dégorgent dans un bain d'eau, de vinaigre et de sel, et enfin, ils sont rincés à l'eau claire. Après les avoir retirés de leur coquille, passés à l'eau bouillante et cuits dans un court-bouillon bien relevé, on les replace dans leur coquille qu'on remplit d'un beurre d'escargot.

Comme en témoignent les restes préhistoriques, nos ancêtres semblent les avoir déjà appréciés. Les Grecs leur consacrèrent de longues considérations et les Romains en inventèrent l'élevage. Ils faisaient griller les délicieux mollusques en spirale, à la catalane ou à la provençale, sans les faire blanchir auparavant. Cette cuisson est encore en usage dans le Midi de la France. Ailleurs, les escargots furent toujours considérés comme la nourriture des pauvres. La haute société n'en mangeait que pendant le carême, et encore, du bout des lèvres. Un beau jour, cependant, le cuisinier des rois et roi des cuisiniers fit changer le cours des choses.

Le gros escargot de Bourgogne, qui peut mesurer cinq centimètres de diamètre, fut victime des fins gourmets (et de l'agriculture moderne). Il est devenu espèce rare. Les cuisiniers proposent de plus en plus le petit gris, un escargot de Bourgogne de petite taille, à chair grise. Leur coquille est grivelée ou tachetée de jaune. Ils peuplent la Gascogne, la Provence, le Languedoc et le Roussillon et se prêtent davantage que leurs frères aînés à l'héliciculture.

Pour les conserves, on utilise des escargots importés des pays de l'Europe de l'Est et de Turquie, aisément identifiables, avec leur chair foncée et la bordure noire sur la coquille, ainsi qu'un escargot géant de la famille des Achatines, importé congelé de Chine et qui pèse une demi-livre au moins.

Bien qu'ils contiennent beaucoup de sels minéraux, les escargots sont indigestes ! Prudence et modération sont donc conseillées.

Beurre d'escargot

1 échalote
2 gousses d'ail
1 cuil. à soupe de persil haché
125 g de beurre
Sel, poivre noir

Eplucher les échalotes et l'ail et les hacher finement. Les mélanger au persil et au beurre, saler et poivrer. Remplir les coquilles avec ce beurre persillé. Mettre les escargots au four. Quand le beurre a fondu, les sortir aussitôt (le beurre ne doit pas brunir) et servir accompagné de baguette ou de pain de campagne.

Les escargots, article de commerce

L'escargot achatine
L'escargot achatine est originaire d'Afrique orientale. Les élevages se trouvent en Asie, où il est très répandu. C'est un escargot géant qui peut avoir un poids de 500 g. Principalement importé de Chine, il remplace peu à peu l'escargot de Bourgogne. Quand les coquilles d'escargots de Bourgogne sont remplies de chair d'Achatine, les restaurants s'abstiennent de préciser la variété.

L'escargot de Bourgogne
L'escargot de Bourgogne européen a une carapace de trois à quatre centimètres de diamètre. On le trouve en règle générale précuit et congelé ou en conserve.

Le petit gris
Escargot d'élevage originaire d'Europe du Sud répandu jusqu'en Asie mineure. Il a une coquille de deux à trois cm de diamètre. Les espèces varient tout en restant proches. On les trouve vivants sur les marchés du Midi de la France ou, ailleurs, en conserve.

Elevage d'escargots dans le sud de la France. Ils sont élevés dans des caisses en bois à ciel ouvert.

L'escargot se nourrit d'herbes et de salade. Il est comestible au bout d'un an.

Escargotière avec pince et fourchette pour les escargots au beurre et fines herbes.

A l'arrière-plan : le petit gris, escargot d'Europe du Sud. Il supplante l'escargot de Bourgogne, devenu rare.

Le homard

Si vous aimez le poisson frais, les fruits de mer et le homard, rendez-vous en Bretagne. Saint-Brieuc est une bonne adresse pour le homard, les langoustes, les crabes, les coquilles Saint-Jacques, les moules et même les huîtres, qui ne manquent jamais au plateau de fruits de mer. Jadis, les cuisiniers bretons étaient fiers de leur homard à l'armoricaine, du nom de l'Armorique, contrée de la Gaule aujourd'hui synonyme de Bretagne. On faisait flamber le homard découpé avec quelques tomates pour accuser le rouge de la sauce et en relever la saveur. Mais, hélas, la pêche au homard n'est plus rentable pour les pêcheurs des ports d'Erquy ou de Saint-Quaynoch. Le homard a presque disparu du littoral breton. Il arrive frais d'Angleterre ou d'Irlande.

La pêche au homard est complexe et onéreuse. Il est capturé dans des nasses très profondes déposées au fond de la mer, appelées casiers. On utilise des appâts salés pour les homards et de poisson frais pour les crabes. Les pêcheurs s'embarquent tous les jours sur leurs homardiers pour vérifier le contenu des casiers en les hissant à la surface. Ce qu'ils y trouvent (homards, crabes, langoustes ou araignées de mer) relève du hasard. Les homards vivants sont d'un beau bleu sombre et luisant. Il leur faut plusieurs jours de repos en vivier pour se remettre du choc de la pêche. Si vous achetez un homard vivant, gardez-le au moins deux jours dans le bas du réfrigérateur, recouvert d'un torchon humide. Les pigments ne le colorent en rouge qu'à la cuisson, qui ne doit pas durer plus d'un quart d'heure pour un homard de taille moyenne. Dans le cas contraire, sa chair serait coriace et il perdrait de son goût. Cuit selon les règles de l'art, c'est un vrai délice. En été, saison du homard, on le trouve toujours frais et moins cher qu'en d'autres périodes.

À l'arrière-plan : un superbe homard commun d'Europe.

Quelques recettes de homard

Homard à l'armoricaine
Homard flambé à la sauce tomate.

Homard à la crème
Homard revenu à la poêle et cuit dans une sauce à la crème.

Homard à la nage
Petits homards entiers cuits dans un court-bouillon au vin.

Homard au court-bouillon
Homard entier cuit dans un court-bouillon clair et bien épicé.

Homard cardinal
Homard aux truffes et aux champignons. Sauce béchamel aromatisée de carcasse de homard.

Homard grillé
Homard fendu en deux, badigeonné d'huile d'olive et passé au gril.

Homard thermidor
Gratin de homard sauce moutarde d'après le onzième mois de l'année républicaine (juillet/août).

Les huîtres

Les éleveurs d'huîtres se considèrent à juste titre comme des paysans de la mer, car leur travail, bien qu'il ne s'effectue qu'à marée haute, relève du domaine de l'agriculture. Les parcs à huîtres se trouvent sur le littoral breton, sur la basse Seudre près de Marennes, du côté d'Arcachon et dans les lagunes méditerranéennes, sur l'étang de Thau, près de Bouzigues. Les parcs de Marennes s'étendent sur trois mille cinq cents hectares d'une région marécageuse comprise entre l'embouchure de la Seudre, l'embouchure de la Charente et l'île d'Oléron. Les huîtres trouvent, à cet endroit, un mélange idéal d'eau de mer et d'eau douce d'une température estivale de 22 ºC, favorable à leur épanouissement. A l'origine de l'ostréiculture, seule l'huître plate était présente, mais, décimée par une épizootie en 1922, elle fut supplantée par l'huître creuse dite « portugaise », dont un navire échoué en 1868 au large de Marennes, dut jeter tout un chargement par-dessus bord. Elle trouva dans ces eaux les conditions idéales à son développement. La portugaise a pratiquement disparu, victime, elle aussi, d'une épizootie. A son tour, elle fut remplacée par une autre espèce d'huître creuse, *crassostrea gigas*, originaire de l'océan Pacifique et qui règne depuis sur les côtes françaises et naturellement aussi sur la restauration.

Les huîtres se reproduisent, au mois de juillet, en milieu naturel, sur des bancs rigoureusement protégés. Les larves, très nombreuses et microscopiques, nageuses mais entraînées par les courants marins, viennent se fixer sur des collecteurs en bois ou, de nos jours, souvent en plastique cannelé, stratégiquement bien placés et mis à l'eau dans les zones propices par l'ostréiculteur au moment des pontes. Les larves s'y cramponnent et les coquilles apparaissent déjà, de la grosseur d'un pois, deux mois plus tard. Pas plus d'une douzaine de larves par huître ne réussit la course d'obstacles qu'est leur première tranche de vie.

Au printemps, les éleveurs de La Tremblade, par exemple, transfèrent les huîtres peuplant les collecteurs, dans la baie de Ronce-les-Bains, sur des supports en bois. Elles trouvent dans l'eau de mer un apport de nourriture enrichissant qui va leur permettre une croissance rapide. Leur seconde année demeure fragile, menacée qu'elle est encore par les prédateurs, poissons, bigorneaux, étoiles de mer, moules, ou par les tempêtes. Après avoir été détroquées, les survivantes sont triées par ordre de grosseur et l'éleveur décide, à ce moment-là, de leur avenir. Soit elles sont semées, soit elles continuent de grandir en mer dans des pochons, des filets en plastique noir, sur des supports en fer. On fait grâce aux plus petites d'une année de croissance supplémentaire.

Les éleveurs prennent à bail différentes parcelles étatiques dont la nourriture, plus ou moins abondante, favorise ou, au contraire, freine la crois-

L'élevage des huîtres trouve les meilleures conditions ambiantes entre Marennes et l'île d'Oléron, sur l'Atlantique, au nord de Bordeaux et de l'embouchure de la Gironde.

Récolte des huîtres, après leur parcage provisoire dans les anciennes salines, où elles engraissent et s'affinent nourries au plancton.

Les huîtres sont conservées fraîches dans des bourriches.

L'écaillage des huîtres (illustrations ci-contre)

1. Ne pas laver les huîtres, elles sont vendues nettoyées.
2. Mettre l'huître côté plat vers le haut sur une serviette plusieurs fois repliée.
3. La tenir bien droite de la main gauche. Une coquille placée dessous permet de recueillir l'eau qui pourrait couler.
4. Planter le couteau à huîtres à la charnière des deux coquilles et couper le muscle constricteur.
5. Faire glisser le couteau horizontalement entre les deux coquilles. Séparer les deux coquilles d'un mouvement de levier. Soulever la coquille supérieure.

Les variétés d'huîtres

Les belons
Huître plate de Bretagne. Elle a un bon goût de noisette.

Les bouzigues
Parquées dans le lac de Thau, sur la Méditerranée entre Sète et Agde.

Les gravettes d'Arcachon
Huîtres plates appelées aussi Arcachons, du nom de la ville située non loin de Bordeaux, sur l'Atlantique.

Les marennes
Huîtres creuses de la région située entre le littoral charentais et l'île d'Oléron. Elles sont engraissées et affinées dans des bassins naturels appelés claires.
• Les *claires* sont affinées quelque temps dans des bassins d'élevage.
• L'ostréiculteur peut légalement les appeler *fines de claires* quand elles ont au moins six pour cent de chair, qu'elles ont passé quatre semaines dans une claire avec au maximum vingt huîtres au mètre carré.
• Il peut les appeler *spéciales de claires* au bout de deux mois de séjour dans la claire à raison de dix huîtres au mètre carré. Elles doivent avoir au moins neuf pour cent de chair.

sance des huîtres. Ainsi dirigent-ils leur développement, mettant à profit les conditions naturelles. Les huîtres pourraient déjà se récolter et se vendre au bout de trois ans, mais pas à Marennes-Oléron. Les marais côtiers et de la basse Seudre sont d'anciens bassins d'extraction du sel. Les Romains, amateurs d'huîtres, surent déjà en tirer profit. Alimentés en eau claire par un système de canalisations, à chaque marée, d'où leur nom de claires, ils conviennent parfaitement au parcage des huîtres. Dans les claires, la croissance cesse, la coquille s'affermit et l'huître gagne des forces. Elle se nourrit de navicules bleues, une espèce d'algues unicellulaire qui l'affine, l'engraisse et la verdit. Les huîtres produisent beaucoup de glycogène, elles sont riches en sels minéraux et en vitamines et, donc, très reconstituantes. Maintenues dans des bourriches, à une température entre 5 ºC et 15 ºC, les fines et les spéciales de claires restent fraîches de huit à dix jours, même en été. Plus elles sont petites et fermes, meilleures elles sont. Si vous n'avez pas les yeux plus gros que le ventre, vous les choisirez petites et en aspirerez le jus du bout des lèvres.

Taille des huîtres

Ostrea edulis, huître plate,
Huître européenne

N° 4	=	40 grammes
N° 3	=	50 grammes
N° 2	=	60 grammes
N° 1	=	75 grammes
N° 0	=	90 grammes
N° 00	=	100 grammes
N° 000	=	110 grammes
N° 0000	=	120 grammes
N° 00000	=	150 grammes

Crassostrea gigas et
crassostrea angulata, huître creuse
Huître portugaise et du Pacifique

Très Grand (TG)	= 100 grammes et plus
Grand (G)	= de 75 à 99 grammes
Moyen (M)	= de 50 à 74 grammes
Petit (P)	= moins de 50 grammes

Ci-dessous : avant d'être emballées et expédiées dans le monde entier, les huîtres sont triées par ordre de grosseur, établi selon des critères stricts. Pour qu'elles survivent une dizaine de jours sans eau, on leur fait subir un traitement spécial de transport.

Espèces d'huîtres courantes en Europe

Ostrea edulis, huître plate, huître européenne
Appelées belons, marennes gravettes d'Arcachon, selon leur région. Elles sont rares et riches en sels minéraux.

Crassostrea angulata, huître creuse,
Huître creuse portugaise
Huître galbée, élevée surtout à Marennes-Oléron, mais plus très appréciée. Elle est affinée dans les claires.

Crassostrea gigas, huître creuse du Pacifique,
huître creuse pacifique ou huître japonaise
Nommée en France gigas ou japonaise, c'est l'espèce la plus grosse et la plus résistante. Elle est très appréciée.

L'écaillage de l'huître

On plante le couteau à huître dans le muscle constricteur, à la charnière des deux coquilles.

Le constricteur se coupe par petits mouvements horizontaux du couteau, avec lequel on fait levier.

Faire tourner le couteau pour décoller les coquilles.

On gobe l'huître ou on la met sur un plateau de glace.

Fruits de mer

Huître
(voir p. 346-347)

Grande cigale de mer
La queue a une chair très
fine, comme celle de la
langouste ou du homard.

Clam, mye
Vient d'Amérique. En France,
on la mange crue.

Bigorneau
Il mesure environ trois centimètres. Sur les plateaux
de fruits de mer, il est
blanchi.

Langouste
Pourvue de longues antennes, mais sans
pinces. On ne les trouve plus que rarement
en Méditerranée. Les meilleures viennent des
côtes de Bretagne et des îles britanniques et
sont rouges. Si vous les achetez vivantes,
elles doivent bouger la queue quand vous les
soulevez.

Moule
Sur la côte atlantique, on l'appelle
bouchot. La saison des moules s'échelonne
de l'automne au mois de février.

Amande de mer
Elle vient en général de l'Atlantique et se
trouve toute l'année en Méditerranée.
Son goût est peu prononcé.

Praire
Elle a une coquille cannelée et se
trouve dans presque toutes les mers
européennes. On la mange crue,
bouillie ou grillée.

Coque, bucarde
Chair peu abondante.
Il faut soigneusement la
nettoyer.

Clovisse, palourde
Chair délicate. Se trouve toute
l'année.

Bulot, buccin
Mesure environ dix cen-
timètres. Il est cuit au court-
bouillon, mangér avec une
mayonnaise ou une vinai-
grette, ou servi sur un plateau de fruits de mer.

Varech, algues marines
Utilisé pour décorer les plateaux de
crustacés ou de moules.

Crabe tourteau
Sa chair aromatique le rendit populaire en France. Il ne manque jamais
au plateau de fruits de mer.

Homard
Le plus connu est le homard de l'espèce
européenne des côtes bretonnes, d'un beau
bleu sombre. Il pèse au plus dix kilos et mesure
50 centimètres. Achetez le homard vivant en
vivier, où il aura eu le temps de se remettre des
frayeurs de la pêche.

Crevette rose, bouquet
Variété de crevette plus grosse que
les autres. Hors-d'œuvre apprécié.

Écrevisse
L'écrevisse relève les
sauces et parfume la
cuisine. Elle est importée.

Coquille Saint-Jacques (p. 352)
Le meilleur de la coquille Saint-Jacques est la noix, mais
le corail frais est également délicieux. La saison de la
coquille Saint-Jacques est le début de l'année, mais elle
peut s'échelonner du mois d'octobre au mois d'avril.

Poissons

Anchois
Pêché en Méditerranée, ce petit poisson voisin du hareng est un vrai délice. En été, il est mangé frais, mariné.

L'anguille
Les mois d'été sont les meilleurs pour l'anguille fraîche. La matelote d'anguilles au vin rouge est une spécialité de Bordeaux et de la Charente.

Le brochet
En France, il sert surtout à faire les quenelles de brochet. Il peut être cuit au court-bouillon.

Le cabillaud, la morue
Redevenu populaire, le cabillaud connaît une renaissance. Il y a de nombreuses façons de le cuisiner. La saison du cabillaud est l'hiver.

Le congre
Cette anguille d'eau de mer presque noire, que l'on trouve toute l'année sur toutes les côtes, peut atteindre une longueur de trois mètres. Sa chair est riche en arêtes et il est utilisé pour les soupes et les sauces.

La dorade (4)
Il y a de nombreuses variétés de dorades, pas seulement en Méditerranée. Cependant, c'est en Provence qu'on l'apprécie le plus. On la cuisine entière ou en filets, grillée ou cuite au four. Poisson annuel.

L'églefin
Poisson de la famille des morues aussi appelé, en France, morue noire. On le pêche dans le nord de l'Atlantique. On le cuisine comme le cabillaud.

Le grondin (5)
La chair ferme des grondins est très parfumée. Il a des écailles pointues et une grosse tête. On l'utilise surtout pour la soupe.

Le lieu jaune
Il n'y a pas longtemps qu'on trouve sur les marchés de France ce poisson proche du cabillaud, vendu le plus souvent en filets. Sa chair blanche est un peu plus juteuse que celle du lieu noir ou du colin.

La lotte, baudroie (8)
Sa laideur et la grosseur de sa tête obligent les poissonniers à la vendre étêtée et dépouillée. Elle vit en profondeur dans l'Atlantique et la Méditerranée. Sa chair ferme fait de bons rôtis.

Le loup de mer (1)
On l'appelle ainsi en Méditerranée, où il est devenu rare. Sur les côtes atlantiques, on l'appelle bar. C'est un poisson délicat et très fin, excessivement cher. On le mange entier, au gril, en cocotte ou au four dans une croûte de sel. Il a meilleur goût au printemps et en été.

Le maquereau
Poisson de grande saveur, mais gras. On le fait au gril ou cuire à l'eau avec un jus de citron ou de vinaigre, ou encore mariner. Excellent, pêché dans les eaux froides. Au printemps, on l'appelle lisette.

Le merlan

Poisson très délicat à chair tendre, pêché surtout dans l'Atlantique. En Méditerranée, il est devenu très rare.

Plie, carrelet (6)

Les carrelets, reconnaissables à leurs taches orange, se trouvent aussi en Méditerranée. Chair tendre. Cuits à la poêle ou gratinés.

La raie

On mange beaucoup de raie en France, mais on n'aime de la raie que les ailes. La raie radiée vient souvent de l'Atlantique. La raie étoilée se rencontre surtout en Méditerranée.

La rascasse

Sa cuirasse et ses épines ne la prémunissent pas d'une utilisation fréquente en cuisine. C'est un poisson apprécié pour sa chair blanche et son arôme agréable, surtout dans la bouillabaisse.

Le rouget-barbet (2)

Bien que principalement pêché sur la côte atlantique française, il est surtout utilisé dans la cuisine méridionale et se marie très bien avec les fines herbes et l'huile d'olive de Provence. Ne jamais le pocher.

Le saint-pierre

Poisson très recherché pour sa chair fine et aromatique. Fréquent en mer, il n'en est pas moins rare sur les marchés et très cher.

Le sandre

Poisson carnassier d'eau douce très consommé en Bourgogne. Son goût fin rappelle celui du jeune brochet.

La sardine (3)

Proche du hareng, son goût particulier est cher aux Méridionaux. Une grillade aux sarments, de sardines disposées en étoile, s'appelle une sardinade.

Le saumon

Les Français mangent du saumon sous toutes ses formes. La darne de saumon peut être bouillie, cuite à la poêle ou au gril, marinée ou en mousse.

La sole

Poisson très délicat, aimé dans le monde entier. Les meilleures soles de France viennent de Normandie. On les trouve toute l'année.

Le thon

Pêché en Méditerranée, il est vendu sur les marchés en tranches. On le fait grillé ou à la poêle, garni de fines herbes et de légumes méditerranéens. La meilleure saison pour le thon est le début de l'été.

La truite

Les élevages de truites sont nombreux. Nous vous conseillons la truite aux amandes (p. 352).

Le turbot (7)

Poisson plat estimé pour sa chair ferme et savoureuse. Il est cher, mais facile à cuisiner, car tout lui convient.

La vive

Elle est appréciée dans le Midi pour sa chair aromatique qui enrichit la bouillabaisse, bien qu'elle ne soit presque plus pêchée en Méditerranée.

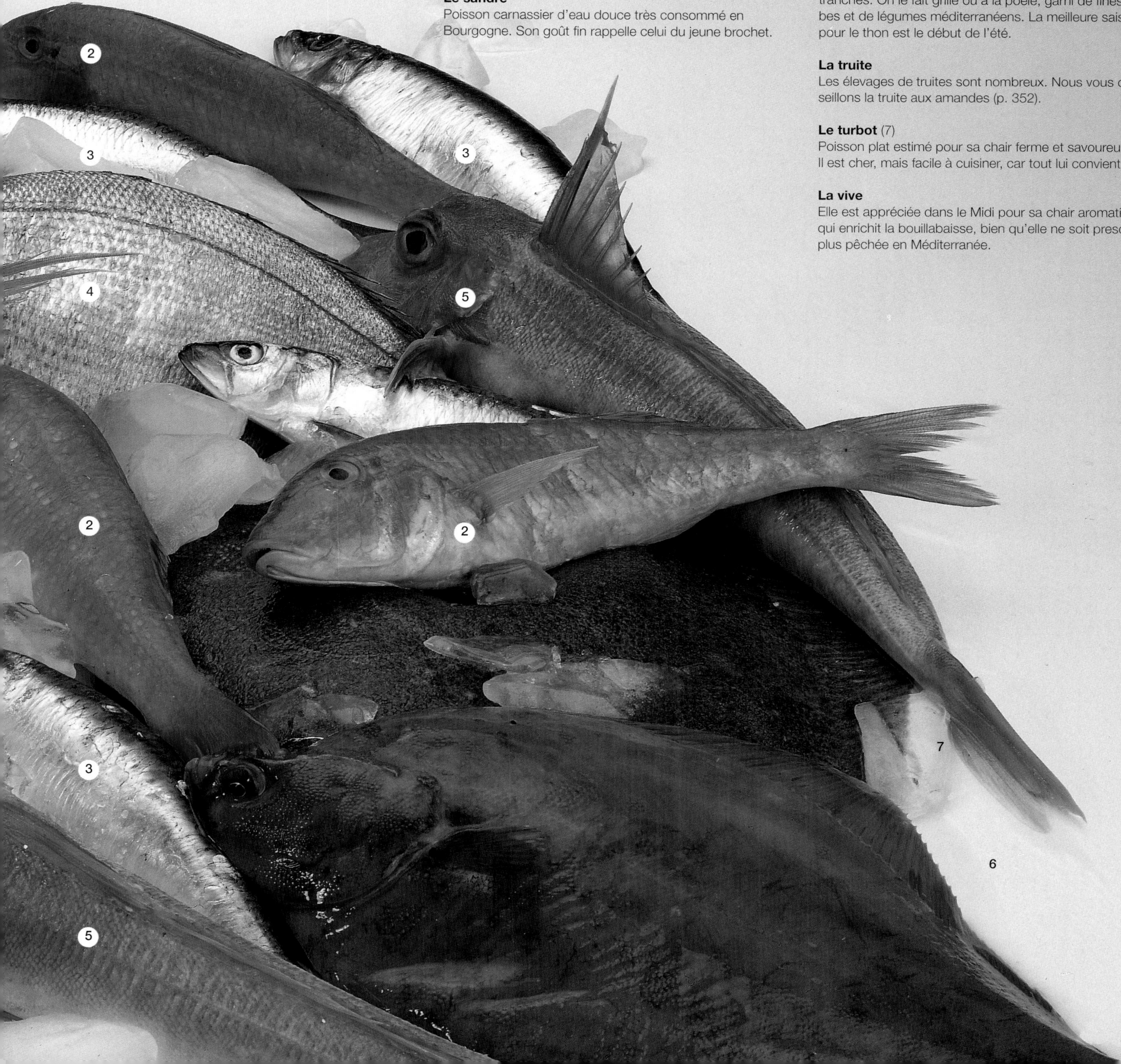

Plats pour les palais gourmands

Poissons et crustacés

Truite aux amandes

Pour 2 personnes

2 truites
sel, poivre gris
2 cuil. à soupe de farine
40 g de beurre
30 g d'amandes effilées
2 cuil. à soupe de crème fraîche
rondelles de citron

Vider les truites, les laver et les essuyer avec précaution à l'aide d'un linge fin ou d'un essuie-tout. Saler, poivrer et les rouler dans la farine.
Faire chauffer le beurre dans une poêle. Cuire les truites 7 minutes de chaque côté. Les retourner avec précaution. Retirer les truites de la poêle et les maintenir au chaud. Faire griller les amandes et y ajouter la crème fraîche. Napper les truites et décorer de rondelles de citron.

Coquilles Saint-Jacques sautées.

Coquilles Saint-Jacques sautées

(Illustration ci-dessus)

16 coquilles Saint-Jacques
1 cuil. à soupe de jus de citron
1 pincée de poivre de Cayenne
sel, poivre gris
1 cuil. à soupe de farine
1 cuil. à soupe d'huile d'olive
40 g de beurre
2 gousses d'ail finement haché
2 cuil. à soupe de persil haché

Ouvrir les coquilles avec un couteau, retirer les noix et le corail. Bien les laver et les sécher.
Couper les noix en deux à l'horizontale.
Saler, poivrer, humecter de quelques gouttes de jus de citron additionné de poivre de Cayenne et fariner.
Faire chauffer l'huile et le beurre. Faire sauter les noix 1 minute de chaque côté, y ajouter le corail et la persillade. Couvrir et laisser macérer 4 minutes à feu doux. Servir chaud.

Dorade rose à la provençale

(Illustration ci-dessus)

1 dorade rose d'environ 1 kg
3 cuil. à soupe d'huile d'olive
1 branche de fenouil lavé
2 branches de persil lavé
2 tomates
1 oignon
1 poivron vert
2 gousses d'ail
¹/₂ cuil. à café de thym émietté
sel, poivre gris

Rôti de lotte

2 gousses d'ail
1 kg de lotte préparée
5 cuil. à soupe d'huile d'olive
sel, poivre gris

Préchauffer le four à 240 °C.
Hacher l'ail et l'introduire dans le poisson. Le badigeonner avec un peu d'huile et assaisonner.
Mettre le poisson dans une cocotte huilée.
Faire cuire au four pendant 25 minutes en arrosant régulièrement avec le jus de poisson.
Couper le poisson en tranches et servir avec une ratatouille (recette p. 389) ou une sauce au vin blanc.

Mouclade charentaise

2 kg de moules
3 échalotes
50 g de beurre
200 ml de vin blanc sec
3 gousses d'ail haché
1 cuil. à soupe de farine
1 jaune d'œuf
125 g de crème fraîche
1 cuil. à café de curry en poudre
2 cuil. à soupe de persil haché
sel, poivre gris

Brosser et laver les moules. Eplucher les échalotes, les hacher et les faire revenir dans 20 g de beurre. Arroser avec le vin et porter à ébullition. Mettre les moules dans le court-bouillon, couvrir et secouer de temps à autres le faitout.
Quand les moules sont ouvertes (il leur faut environ 7 minutes), filtrer le jus dans un torchon et le recueillir. Décortiquer les moules et les maintenir au chaud.
Faire revenir l'ail dans le beurre restant, y ajouter la farine tamisée, sans la faire brunir, et verser peu à peu le jus des moules. Retirer le faitout du feu. Mélanger le jaune d'œuf, la crème fraîche et le curry, l'ajouter à la sauce et mettre enfin le persil. Ne pas cesser de remuer. Vérifier l'assaisonnement et remettre sur le feu en remuant tout doucement.
Dresser les moules sur un plat, napper avec la sauce. Servir avec un vin de pays charentais ou un Muscadet bien frais.

Dorade rose à la provençale.

Sardines grillées.

Vider et écailler la dorade, la passer à l'eau froide et la sécher avec un essuie-tout. Mettre dans le poisson quelques gouttes d'huile d'olive, le fenouil et le persil.
Faire chauffer le four à 200 °C.
Peler les tomates, les égrener et les couper en dés. Eplucher et hacher les oignons. Nettoyer le poivron, le couper en lanières. Mettre les légumes et le reste d'huile d'olive dans un plat allant au four, saler et poivrer. Inciser le poisson des deux côtés, l'assaisonner et le poser sur les légumes.
Faire cuire au four pendant environ 20 minutes. Servir dans le plat de cuisson.

Sardines grillées
(Illustration ci-dessus)

12-16 sardines
¼ d'huile d'olive
1 cuil. à café de thym émietté
1 cuil. à café de romarin émietté
1 cuil. à soupe de fenouil haché
3 cuil. à soupe de jus de citron
3 gousses d'ail haché
sel, poivre gris

Vider et écailler les poissons. Les faire mariner au moins 30 minutes avec les ingrédients.
Les retirer de la marinade, épicer et faire griller les sardines entre trois et cinq minutes, selon la grosseur.

La bouillabaisse

Nombreuses sont les légendes autour de l'origine de cette soupe de poissons de la Méditerranée. On raconte que Vénus la servit à son époux Vulcain pour l'endormir. Dans une autre version, elle aurait été inventée par une abbesse comme repas des jours maigres et dans une troisième par un homme de Bordeaux du nom de Baysse. Cette hypothèse, rapportée par Robert J. Courtine, est vraisemblablement fausse, car il est improbable qu'un natif de la côte atlantique crée précisément le plat le plus célèbre du littoral méditerranéen français.

Le mot bouillabaisse se compose de bouillir et de baisse, la perte, les restes. Les pêcheurs recueillaient les restes accrochés à leurs filets, les emmenaient chez eux avec, peut-être, quelques autres poissons ou crustacés invendus de leur pêche, rascasse, congre, grondin, saint-pierre, lotte, dorade rouge et merlan, et faisaient une soupe constituée de restes.

L'humble origine de ce plat transparaît dans l'usage, toujours en vigueur de nos jours, de mettre une tranche de pain au fond de l'assiette creuse avant de la remplir de soupe. Les poissons et le bouillon sont servis séparément, les poissons entassés sur un plat et la soupe dans une soupière. Les Marseillais, convaincus d'être détenteurs de la recette classique de la bouillabaisse, mettent dans leur assiette une tranche de marette, pain de campagne régional, sans la faire griller ni la frotter d'ail, comme c'est l'usage ailleurs. Pour eux, les moules et le beurre ne font pas partie de la soupe.

On peut donner un petit air de luxe à la bouillabaisse et l'enrichir de langouste ou de homard. Sur la côte méditerranéenne, de Menton à Cerbère, sont représentées toutes les variantes de bouillabaisse. Un accord tacite veut que le nom de « bouillabaisse » ne soit accordé qu'à une soupe comportant au moins une demi-douzaine de poissons de la Méditerranée.

Les légumes et les fines herbes se font revenir dans l'huile d'olive, dans laquelle on met ensuite les poissons à chair ferme.

Cette recette, qui permet d'utiliser les restes de cuisine, ne doit pas être prise à la lettre. Les pommes de terre ne sont pas obligatoires.

Ajouter les poissons à chair tendre au bout de dix minutes de cuisson, puis laisser cuire encore 10 minutes.

Les crabes et les poissons sont dressés sur un plat et la soupe est servie séparément.

Page de droite: la bouillabaisse se compose de diverses variétés de poissons de la Méditerranée, de légumes, de fines herbes et d'épices. Les crabes sont facultatifs.

Bouillabaisse

Pour 10 personnes

3 kg de poissons frais de Méditerranée (rascasse, dorade, grondin, merlan, congre, seiche, lotte et vive)
2 grandes cigales de mer
2 poireaux
2 gros oignons
100 ml d'huile d'olive
5 tomates
4 gousses d'ail pilé
1 feuille de laurier
3 branches de fenouil
1 branche de sarriette ou de thym
1 cuil. à soupe de persil haché
1 zeste d'orange non traitée
1 g de safran
sel, poivre gris
marette (pain de campagne) en tranches

Préparer, vider, nettoyer et rincer les poissons et les crabes. Tronçonner les gros morceaux de poisson. Nettoyer les poireaux, éplucher les oignons, les couper menu et les faire blondir avec l'ail dans une grande casserole contenant la moitié de l'huile d'olive. Peler les tomates, les couper en quartiers. Laver les fines herbes. Ajouter les tomates, les fines herbes et les épices au mélange de poireaux et d'oignons. Laisser mijoter pendant 10 minutes. Ajouter d'abord les crabes et les poissons à chair ferme, épicer et verser le reste d'huile d'olive. Recouvrir d'eau bouillante et faire frémir pendant 10 minutes. Ajouter les poissons à chair tendre. Faire bouillir à feu vif pendant encore 10 minutes. Dresser les poissons et les crabes sur un plat chaud. Mettre une tranche de pain de campagne dans chaque assiette et verser la soupe dessus. Accompagner de rouille ou d'aïoli.

Rouille

2 poivrons rouges bien mûrs
5 gousses d'ail
1 petit piment rouge frais
1 g de safran
1 cuil. à café de sel marin
1 grosse pomme de terre de consommation, cuite et épluchée
200 ml d'huile d'olive

Faire cuire les poivrons au four. Les égrener et les peler. Piler l'ail, le piment, le safran et le sel au mortier. Ecraser la pomme de terre et y incorporer ce mélange jusqu'à obtention d'une pâte épaisse. Verser l'huile d'olive goutte à goutte sans cesser de battre jusqu'à obtenir la consistance d'une purée épaisse.

Aïoli

10 gousses d'ail
2 jaunes d'œuf
1/2 cuil. à café de sel
1/2 l d'huile d'olive de Provence
1 cuil. à café de citron pressé

Ecraser l'ail. Ajouter les jaunes d'œuf et le sel et bien mélanger. Verser l'huile d'olive goutte à goutte en continuant de battre, jusqu'à obtention d'une pâte. Mettre à la fin le citron pressé et assaisonner.

Les anchois

En été, le port de Collioure, célèbre village de pêcheurs de la côte Vermeille et station balnéaire non moins fameuse, près de la frontière espagnole, est couvert de peintres devant leurs chevalets. Ils transmettent à la postérité le charme de la baie, avec son église, son fort et son château, ancienne résidence des rois de Majorque. Le village de Collioure, des siècles durant un grand port de commerce, a gardé l'attrait qu'il avait au temps des Phéniciens, des Grecs et des Romains. On s'y livra dès le Moyen Age à la conservation par le sel des anchois, des sardines, de la morue et du thon. Les conserves de poisson de Collioure eurent de tout temps si bonne réputation que, lorsque Collioure échut à la France, après le traité des Pyrénées de 1659, le roi libéra la petite ville de la gabelle, l'impôt sur le sel.

Plus tard, l'industrie de salaison, traditionnelle branche de ce petit port au pied des Pyrénées, procura des emplois aux femmes de pêcheurs. La localité, qui comptait environ trente entreprises, connut une période d'essor économique. Quatre seulement ont survécu.

Le Banyuls et les anchois demeurent aujourd'hui les seuls témoignages de la prospérité de Collioure. Le village vit à présent du tourisme. A mesure que Collioure perdait de son intérêt comme port de commerce, un autre secteur, la pêche, se développait. Sur leurs catalanes de dix mètres de long, les pêcheurs de Collioure jetaient le sardinal, un filet de 400 mètres, et pêchaient l'anchois.

Les anchois vivent en abondance dans toutes les mers chaudes, mais ceux de la Méditerranée, notamment ceux de Collioure, sont réputés pour être les plus fins. La fière armada de cent cinquante chalutiers s'est réduite à une demi-douzaine de voiliers, devenus à présent attraction pour touristes. Les derniers pêcheurs partirent au large de Collioure sur leurs voiliers, il y a trente ans. Seul le village voisin de Port-Vendres a conservé une petite flotte de chalutiers.

Aussitôt pêchés, aussitôt salés, nettoyés, vidés, étêtés et mis en fûts, intercalés avec d'abondantes couches de gros sel. Les fûts sont alourdis avec de grosses pierres. Plus les anchois sont serrés, mieux ils macèrent et plus ils prennent un arôme intense. Après la macération, qui dure trois mois, ils sont soigneusement lavés, triés par ordre de grandeur et mis en pots dans la saumure, où ils se conservent un an. On peut les consommer au fur et à mesure, mais ils doivent toujours être recouverts de saumure.

L'anchois de Collioure, joli village de pêcheurs au pied des Pyrénées, est mondialement connu.

La transformation des anchois se fait dès la pêche, pour laquelle on utilise des filets de 400 m de long.

Il ne reste plus que quatre firmes de traitement de l'anchois.

La commercialisation de l'anchois

Les anchois

Poissons entiers, marinés dans une saumure et vendus en bocaux. Pour les dessaler, on les fait tremper pendant une heure dans une eau fréquemment renouvelée. Les couper en deux dans le sens de la longueur et enlever les arêtes. Bien les essuyer. Verser quelques gouttes d'huile d'olive dessus, saupoudrer de persillade et servir avec des œufs durs.

Filets d'anchois

Généralement en bocaux, dans l'huile d'olive. Condiment apprécié dans la salade et sur la pizza.

Crème d'anchois

Pâte à base de filets d'anchois et d'huile. Elle sert à épicer les grillades, mais on peut aussi l'étaler sur un toast ou sur du pain. Les anchois de Collioure donnent un cachet méditerranéen à tous les plats.

Salaison aussitôt après la pêche.

Après la salaison, les poissons sont vidés, étêtés et placés en couches dans les fûts.

Les anchois macèrent pendant trois mois dans le gros sel en couches intercalées.

Les soupes

Tout bon menu digne de ce nom commence par une soupe. Grimod de la Reynière (1758–1838), pionnier de la gastronomie française, faisait remarquer dans son almanach des gourmands que la soupe était dans le repas ce qu'une belle entrée est dans une maison. A cette époque, entre 1803 et 1813, rares étaient les gens qui possédaient une entrée. Pour les autres, notamment pour la population rurale et les petites gens, qui n'avaient pas les moyens d'acheter de la viande ou un bout de gras, la soupe resta jusqu'au milieu du 19e siècle le seul repas chaud pris dans la journée.

Nous mettons aujourd'hui de la viande à profusion dans le pot-au-feu, sans imaginer qu'il était autrefois un plat populaire maigre, composé de légumes de saison recouverts d'eau et cuits des heures durant dans un chaudron suspendu dans la cheminée. Quand la soupe était prête, on la versait chaude sur une tranche de pain posée au fond de l'assiette, mode encore en usage pour certaines soupes comme la bouillabaisse.

Le mot souper, courant dans la langue française pour dîner, naquit à l'époque où le repas du soir était constitué d'une soupe et d'une tranche de pain.

La soupe fut appréciée de tout temps, sans distinction de classe et qui ne connut pas les soupers maigres ne renonce quand même pas à un bon potage. C'est ainsi que, pour pouvoir manger de la soupe, les gens qui avaient un jardin inventèrent le potager.

Les potages et les soupes sont variés et forment l'entrée la plus courante. Dans certaines régions, en particulier le sud-ouest de la France, les restaurateurs affichent de manière constante une soupe au menu. Les soupes régionales, comme le potage garbure, l'ouillade, la potée, qui autrefois étaient uniquement composées de choux, – la pomme de terre n'en faisait pas toujours partie, – sont devenues riches et tiennent souvent lieu de repas complet. Nous y ajoutons aujourd'hui, naturellement, du lard, de la viande et des saucisses, parce qu'ils se marient bien avec le choux.

Le bouillon se consomme en entrée ou est réservé pour un autre usage. Bien que les soupes soient en voie de disparition dans les restaurants français, elles restent la base de la cuisine, et toujours la plus belle entrée.

Potage printanier

3 jeunes carottes
1 petit navet
3 petits poireaux
1 branche de céleri
4 pommes de terre
2 branches de persil
1 ½ l de bouillon de viande
sel, poivre gris
2 cuil. à soupe de crème fraîche

Nettoyer les légumes et les couper en menus morceaux. Porter le bouillon à ébullition, y ajouter les légumes et laisser cuire 60 minutes à feu doux. Passer le bouillon dans une soupière. Poivrer les légumes, les réduire en purée et mettre la purée dans le bouillon. Délayer la crème fraîche et servir aussitôt.

Bouillon
Bouillon de viande, de poisson ou de légumes.

Crème
Soupe liée avec de la farine et, facultativement, des pommes de terre ou des légumes secs.

Bisque
Soupe aux écrevisses, au homard ou autres crustacés.

Consommé
Bouillon de viande très concentré à base de viande hachée et de racines bouillies.

Soupe à l'oignon

250 g d'oignons
50 g de beurre
2 cuil. à soupe de farine
sel, poivre gris
100 ml de vin blanc sec
1 ½ l de bouillon de bœuf
8 tranches de baguette
100 g de gruyère râpé

Eplucher les oignons, les couper en fines rondelles et les faire blondir dans le beurre. Saupoudrer de farine et faire légèrement dorer en ne cessant de remuer. Poivrer.
Verser peu à peu le vin, puis le bouillon. Saler et porter à ébullition. Laisser mijoter pendant 30 minutes.
Faire griller les tranches de pain. Verser la soupe à l'oignon dans quatre bols. Placer sur la soupe 2 tranches entières de pain dans chaque bol, recouvrir de fromage et faire gratiner au four.

Soupe au pistou

125 g de haricots blancs
2 jeunes carottes
2 petits poireaux
125 g de haricots verts
1 petite courgette
3 tomates
50 g de vermicelles

Pistou

2 cuil. à soupe de basilic finement haché
2 gousses d'ail
50 g de parmesan râpé
6 cuil. à soupe d'huile d'olive
sel

Faire bouillir les haricots blancs pendant 60 minutes dans l'eau salée. Les égoutter. Nettoyer les légumes et les couper en menus morceaux. Peler les tomates et les égrener.
Porter 1 ½ l d'eau à ébullition. Y mettre les légumes (sauf la courgette) et les haricots blancs. Laisser mijoter 15 minutes, puis ajouter la courgette. Refaire mijoter 15 minutes. Mettre les vermicelles et faire cuire à feu doux durant encore 10 minutes. Verser la soupe dans une terrine et la maintenir au chaud.
Préparer le pistou en pilant le basilic et l'ail au mortier. Mélanger avec le parmesan. Verser l'huile d'olive goutte à goutte en ne cessant de remuer. Ajouter peu à peu le bouillon de légumes pour obtenir une sauce liquide. La verser dans la soupe, mélanger et servir.

Crème Dubarry

50 g de beurre
2 cuil. à soupe de farine
1 ½ l de bouillon de viande
1 petit chou-fleur
2 jaunes d'œuf
2 cuil. à soupe de crème fraîche
sel, poivre blanc
1 pincée de muscade

Faire un roux avec le beurre et la farine. Ajouter le bouillon et porter à ébullition. Nettoyer le chou-fleur, le laver et le faire cuire environ 15 minutes dans le bouillon.
Retirer le chou-fleur du bouillon et le maintenir au chaud.
Retirer le bouillon de la source de chaleur, lier avec les jaunes d'œuf et la crème fraîche, saler, poivrer et ajouter la muscade.
Détacher les fleurs de chou, les dresser dans la crème et servir.

Potage
Soupe crémeuse épaisse aux légumes en purée. Nom également de toutes les bonnes soupes à base de bouillon de viande.

Soupe
Les ingrédients ne sont pas réduits en purée. Elle peut constituer un repas à part entière.

Gratinée
Soupe gratinée au fromage râpé, ou soupe à l'oignon.

Potée
Soupe au chou dans certaines régions comme les Vosges ou l'Auvergne.

Velouté
Soupe lisse et crémeuse liée avec un jaune d'œuf et souvent avec de la farine. Faite d'un seul légume, éventuellement de son bouillon.

359

La truffe

Brillat-Savarin, grand maître de la gastronomie française, appelait la truffe le « diamant de la cuisine ». Pour les fins gourmets, c'est en effet une vraie perle, sublimée pour le parfum qu'elle communique aux préparations culinaires. Quelques grammes suffisent à donner un noble fumet à une terrine, un foie gras ou une oie rôtie. Crue, la truffe relève bien, de son parfum, le goût d'un plat, mais cuite, elle est encore plus divine (contrairement à la truffe blanche du Piémont, meilleure crue). Le prix des truffes, qui avoisine 3500 FF le kilo, peut sembler astronomique, mais elles sont légères, ne

leurs. Les pluies orageuses favorisent sa croissance, mais elle reste encore inodore pendant longtemps. Les truffes précoces sentent un peu dès la mi-novembre, mais, de fait, elles n'arrivent à maturité qu'à la fin décembre exhalant, dès lors, un arôme remarquable. L'intérieur est noir, strié de quelques petites veines claires. La saison des truffes s'échelonne jusqu'en mars.

La recherche de la truffe s'effectue avec des animaux dressés spécialement. Les chiens, difficiles à dresser pour déterrer la truffe, ont supplanté les porcs dans l'exercice de cette tâche. Ils sont plus agiles et capables d'indiquer le butin flairé en grattant le sol. Au maître de dégager, sans la meurtrir, cette vulgaire motte de terre de la grosseur d'une cerise, d'une noix ou d'une grosse pomme.

La prolifération de la truffe ne peut être laissée au hasard. Elle ne souffre pas la concurrence, ne tolère nulle autre plante à ses côtés, a besoin de soleil et de forêts entretenues. Elle fut délaissée en période de guerre et de nouvelles habitudes alimentaires au cours de ce siècle ne favorisèrent pas sa consommation. La récolte française, initialement de mille tonnes, baissa subitement à trente tonnes, dont seulement deux proviennent du Périgord. Il fallut que la truffe fût menacée de disparaître pour qu'on l'estimât de nouveau à sa juste valeur. Espérons que les chênes recontaminent bientôt leur environnement souterrain et que la truffe noire du Périgord renaisse.

La truffe, précieux champignon, vit sous terre en symbiose avec les racines de certains arbres, en particulier des feuillus. Aujourd'hui, les chiens dressés à déterrer la truffe, ont supplanté le porc dans l'exercice de cette tâche.

Quand le chien a flairé la truffe, il faut déterrer prudemment la vulgaire motte de terre, reine du royaume des champignons.

l'oublions pas. Tubercule de haute valeur, la truffe du Périgord est vouée, d'emblée, à un usage restreint, celui d'aromatiser la cuisine fine. La truffe est assez insignifiante d'aspect. Pourtant, ce laid tubercule vivant sous terre en symbiose avec les racines des arbres demeure un mystère pour la science qui ne cesse, encore à présent, d'élaborer d'extravagantes théories à son sujet.

La truffe exige un climat méditerranéen et beaucoup d'eau l'été, en période de sécheresse. La vie en symbiose avec un arbre est indispensable à son épanouissement. Son principal partenaire est le chêne. C'est un champignon souterrain ascomycète formant des spores porteurs d'une substance mycélienne qui, unie aux racines des arbres, fait naître le mycorhize. La réussite de la synthèse mycorhizienne entre la truffe et son partenaire permet à la reine du royaume des champignons de voir le jour au bout de douze ans de vie symbiotique avec le feuillu. Elle naît en avril, minuscule et insignifiante. L'été, elle prend quelques cou-

Le Périgord, pays de la truffe noire

Le Périgord, contrée boisée à une centaine de kilomètres à l'est de Bordeaux, évoque aussitôt la truffe noire. Lorsque sévit le phylloxéra, en 1870, détruisant en un rien de temps de vastes étendues de vignes, les chênes se multiplièrent sur les surfaces libérées. Des spores de truffes virent le jour. Les paysans, qui reconnurent vite la chance qui s'offrait à eux, accélérèrent le cours des choses. En 1890, 75 000 hectares de forêts de chênes couvraient le Périgord et le sud-est de la France, région d'où provient aujourd'hui la majeure partie des truffes. La truffe noire commença à prospérer et entreprit une marche triomphale sur les bonnes tables de France, aromatisant les festins hivernaux des fins gourmets.

A droite : la truffe noire du Périgord est pour les fins gourmets du monde entier le comble du raffinement.

Ce qu'il faut savoir sur la truffe

- *Tuber melanosporum*, la vraie truffe du Périgord est noire et striée de fines veines claires. Son parfum intense, presque déconcertant, rappelle le musc et le laurier.
- *Tuber brumale*, plus rare, mûrit à la même saison et lui ressemble beaucoup. L'ouvrage de veines est moins dense, les veines elles-mêmes sont plus larges. Elles sentent moins fort et ont un goût nettement moins corsé.
- *Tuber aestivum* se trouve en été. Extérieurement, elle ressemble à la truffe noire. A l'intérieur, elle est claire. Son goût est fade.
- *Tuber magnatum*, la truffe du Piémont ne dégage son parfum que lorsqu'elle est crue. Elle ne se trouve pas en France.

Les truffes non cuites se gardent au frais, dans un récipient fermé, au plus deux semaines. Elles conservent toutefois leurs qualités aromatiques si on les a fait cuire trois heures dans de l'eau salée, après les avoir bien brossées.

Omelette aux truffes
(Illustrations 1-3)

Par personne

1 truffe
2 œufs
sel et poivre gris

Couper les truffes en fines lamelles et réserver les deux plus belles. Couper les autres en dés très fins. Battre les œufs, saler et poivrer, incorporer les dés.
Faire fondre un peu de beurre dans une poêle et mettre les œufs dedans (1). Quand l'omelette commence à prendre, racler avec une fourchette les bords et le fond de la poêle (2). La laisser prendre une couleur dorée, puis la rabattre et la faire glisser sur une assiette préchauffée.
Garnir des deux rondelles de truffes (3) et servir aussitôt.
Une version plus économique de cette recette s'obtient en plaçant les truffes dans un bocal avec des œufs frais pendant trois jours dans un endroit froid et sombre. Les œufs se seront parfumés à travers la coquille et l'omelette aura la saveur des truffes qui, elles, pourront être destinées à un autre emploi.

1

2

3

Petits pains aux truffes

Pour 4 personnes

125 g de farine de blé complète
7 g de levure de boulanger
1 pincée de sucre et de sel
environ 1/8 l d'eau tiède
4 truffes de la grosseur d'une noix
lait

Passer la farine au crible, creuser un puits au milieu et y mettre la levure émiettée, le sucre, le sel et l'eau et bien malaxer le tout jusqu'à obtention d'une pâte souple. Elle doit se détacher. La recouvrir d'un torchon propre et laisser lever pendant trois heures dans un endroit chaud à l'abri des courants d'air.
Répétrir la pâte et la diviser en quatre parts égales. Les étaler une à une, mettre sur chaque part une truffe bien

nettoyée au préalable et séchée. Rabattre la pâte dessus et former des petits pains ronds que l'on mettra sur une plaque à pâtisserie beurrée. Les faire lever dans le four pendant 15 minutes à 50°C. Les retirer, monter la température du four à 200°C et faire cuire les petits pains pendant 15 minutes. Les badigeonner avec le lait et faire dorer encore 5 minutes. Servir avec du beurre frais et du sel marin.

Truffes sous la cendre
(D'après Escoffier)

Avec son «Guide culinaire», paru en 1903 et traduit en de nombreuses langues, Auguste George Escoffier (1846–1935) créa un ouvrage de référence de l'art culinaire.

Pour 4 personnes

4 truffes de moyenne grosseur
sel
1 verre de Champagne
4 fines tranches de lard maigre

Bien nettoyer les truffes, les saler légèrement et les arroser de Champagne. Enrouler chaque truffe dans une tranche de lard et l'envelopper de deux couches de papier sulfurisé. Humecter l'extérieur.
Mettre les truffes dans la cendre chaude, sous la braise d'un feu de cheminée et faire cuire les truffes pendant 45 minutes. Les retirer de la cendre, les dresser sur une serviette et servir avec du beurre frais.

Poularde en demi-deuil

Pour 4-6 personnes

150 g de truffes
1 poule d'environ 2 kg
3 l de bouillon de poule maison
250 g de champignons
2 cuil. à soupe de jus de citron
10 g de beurre
400 ml de crème fraîche
sel, poivre gris

Nettoyer les truffes. En couper une en rondelles et mettre les autres à l'intérieur de la poule. Inciser la peau et y glisser les rondelles. Couvrir et laisser macérer pendant 1 à 2 jours dans un endroit frais.
Retirer les truffes et les réserver. Porter 2 1/2 l de bouillon de poule à ébullition, y mettre la poule (elle doit être recouverte) et laisser cuire pendant 50 minutes.
Nettoyer les champignons, les couper en rondelles et les blanchir pendant 3 minutes dans un peu d'eau bouillie avec quelques gouttes de citron et une noix de beurre. Couper les truffes en rondelles.
Faire réduire le reste du bouillon de poule, ajouter la crème et cuire à feu doux pendant 10 minutes. Incorporer les champignons et les truffes à la sauce et laisser macérer.
Retirer la poule de la marmite, la sécher et la découper en morceaux. Les dresser sur un plat et napper.

Terrine de foie de volaille.

Pâté de campagne.

Pâté en croûte.

Pâtés et terrines

Les Français aimèrent le pâté dès le Moyen Age. Il s'entourait alors toujours d'une pâte, faite par le pâtissier, d'où son nom de pâté en croûte. Pour le grand gastronome Taillevent (1326–1395), auteur du premier livre de cuisine française, «Le viandier», peu importait ce qu'il y avait sous la croûte. Le pâté pouvait être à l'anguille, au maquereau, au pigeon, à l'oie, au cochon de lait ou au chevreuil, l'essentiel était qu'il fût extérieurement un chef-d'œuvre de pâtisserie. Il représentait des volatiles ou des figures héraldiques. Jusqu'au 20e siècle, le pâté n'a jamais manqué à un banquet. Aujourd'hui, pâté et terrine sont presque synonymes. Il y a des pâtés sans croûte et des terrines en croûte. Si les ingrédients sont frais et si la qualité est bonne, le plaisir de manger un pâté ou une terrine en entrée demeure inchangé. L'avantage est, pour les ménagères, qu'il se prépare à l'avance.

Pâté en croûte
(Illustration page de gauche)

Pour 10–12 personnes

1 kg de pâte feuilletée
20 g de beurre
400 g de lard maigre frais
500 g de collet de porc
30 g de pistaches épluchées
2 gousses d'ail finement hachées
1/2 cuil. à café de marjolaine
sel, poivre blanc
400 g de jarret de porc
6 feuilles de gélatine
1/2 l de bouillon de veau
1 pincée de muscade
1 pincée de clous de girofle moulus
50 ml de madère

Faire une pâte, qui doit être ferme, avec la farine, le beurre, le saindoux, l'huile, l'œuf, le sel et l'eau. L'étaler. Beurrer un moule rectangulaire et le foncer avec la pâte. Préparer la farce en hachant la moitié du lard et du collet de porc. Incorporer les pistaches, l'ail, la marjolaine, un peu de poivre et 2 cuil. à café de sel. Bien mélanger. Couper le jarret de porc en gros morceaux, le reste du lard et du collet en morceaux plus petits. Bien saler. Intercaler dans le moule, d'abord une couche de farce, puis alternativement une couche de viande, une couche de farce et ainsi de suite.
Retourner légèrement le rebord supérieur de la pâte, sans couvrir le pâté.
Faire cuire au four pendant 90 minutes à 200°C.
Tremper la gélatine dans l'eau froide. Faire chauffer le bouillon de veau, le mouiller avec le madère, épicer avec la muscade et les clous de girofle et faire épaissir avec la gélatine. Napper le pâté et laisser refroidir.

Pâté de campagne
(Illustration page de gauche)

Pour 10–12 personnes

250 g de foie de porc
400 g de viande de porc (épaule ou collet)
300 g de gros lard
1 cuil. à café de persil haché fin
1 cuil. à café de thym émietté
1 cuil. à café de marjolaine émiettée
1 feuille de laurier effritée
1 cuil. à soupe d'échalotes hachées
1 cuil. à café d'ail haché
1 cuil. à soupe de sel
1/2 cuil. à café de poivre gris
2 cuil. à soupe d'Armagnac
2 œufs
1 crépine de porc

Hacher grossièrement le foie, la viande et le lard et mettre cette farce dans un grand récipient. Ajouter les fines herbes, les échalotes, l'ail, le sel, le poivre et l'Armagnac. Bien mélanger et laisser reposer au frais pendant une nuit.
Incorporer les œufs dans la farce et la répartir dans un moule. Aplanir la surface et recouvrir de la crépine de porc.
Couvrir et faire cuire au four à 180°C pendant 90 minutes. Laisser refroidir et reposer au moins 24 heures au réfrigérateur avant de l'entamer.

Terrine de foie de volaille
(Illustration page de gauche)

Pour 6–8 personnes

250 g de foie de dinde
200 g de foie de poulet
1 cuil. à café de vinaigre de Banyuls
1 cuil. à soupe d'échalote hachée
4 feuilles de laurier
1/2 cuil. à café de thym émietté
1/2 cuil. à café de poivre blanc en grains concassés
80 ml de Banyuls ou de Porto
150 g de filet de poulet
150 g de veau
2 cuil. à café de sel
100 g de bardes

Arroser les foies de quelques gouttes de vinaigre et laisser mariner une nuit dans le Banyuls avec les échalotes, une feuille de laurier, le thym et le poivre. Hacher ensuite le foie de dinde, le filet de poulet et la viande de veau. Saler et mettre dans la marinade. Foncer une terrine allant au four avec les bardes et la remplir avec un tiers de la farce. Couper le foie de poulet en morceaux, le mélanger à la moitié de la farce restante et en étaler une couche dans la terrine. Mettre enfin le reste de la farce et garnir avec les feuilles de laurier qui restent. Faire cuire au bain-marie pendant une heure à une heure et demie au four à 175°C. Laisser refroidir, puis macérer au moins 24 heures au réfrigérateur.

Terrine de lapin

Pour 10–12 personnes

300 g de lapin
100 g de foie de poulet
200 g de viande de veau
200 g de collet de porc
300 g de gros lard
1 cuil. à café de thym émietté
1 cuil. à café de marjolaine émiettée
2 cuil. à soupe de Cognac
sel, poivre gris
1 œuf
125 g de gros lard émincé

Emincer le lapin dans le sens de la longueur. Hacher pour la farce, le foie, les autres viandes et le gros lard. Y ajouter les fines herbes, le Cognac, le poivre, le sel et l'œuf. Barder une terrine allant au four et intercaler une couche de farce et une couche de lapin. Terminer avec du lapin et le lard émincé.
Couvrir et cuire dans le four au bain-marie pendant environ une heure et demie à 175°C. Mettre un poids sur la terrine pour l'alourdir et laisser reposer dans un endroit frais pendant 6 heures.

Le foie gras

Quand Noël approche, les rayons des épiceries fines se remplissent de boîtes de foie gras ou de foie de canard. Les fêtes de fin d'année ne se conçoivent pas sans le foie gras, symbole du luxe et du plaisir. Même les supermarchés élèvent, à cette période, des pyramides entières de ce délicieux bijou culinaire.

Le foie gras est produit en Pologne, en Tchéchie, au Luxembourg, en Belgique et dans de nombreuses régions de France, mais la grande plaine de Gascogne, où le maïs ondule partout entre les collines et les coteaux, est un vrai paradis pour les palmipèdes. Les canards dominent dans le Gers, les oies dans les Landes. Et, si vous voulez voir avec quelle dévotion il est fait bon marché de leurs foies, allez flâner sur le marché au gras de Samatan, de Gimont ou d'Aire-sur-l'Adour entre novembre et avril.

Remarques sur la qualité du foie gras

- Le foie gras frais doit briller, avoir une consistance ferme et être rose. Plus la texture est fine, plus il est de bonne qualité.

- En terrine, le foie gras doit être rose et crémeux à l'intérieur.

- Le foie gras mi-cuit a un parfum caractéristique. On le trouve au restaurant, chez le traiteur ou dans les magasins, sous vide, en bocal ou en boîte.

- Le foie gras entier est meilleur conservé.

- Si l'étiquette ne porte que la mention « Foie gras », c'est qu'il est constitué de plusieurs morceaux.

- Bloc de foie gras en morceaux signifie foie pressé avec des morceaux plus ou moins gros.

- Le parfait de foie gras contient au moins 75 % de foie. Le reste est du foie de volaille.

- Les pâtés, les mousses, les médaillons, les purées et les galantines doivent contenir au moins 50 % de foie gras.

Après avoir passé trois ou quatre mois de basse-cour reposants, les oiseaux sont gavés de bouillie de maïs à l'entonnoir. Le gavage est mécanisé. Les quantités, pesées à l'aide d'appareils électroniques, garantissent la qualité du foie gras. Celle-ci dépend de la précaution avec laquelle on augmente progressivement la dose journalière. Les canards mangent jusqu'à 18 kg de maïs en trois semaines, les oies près de 25 kg en un mois. Cette suralimentation forcée produit des foies hypertrophiés qui atteignent, pour les oies, 900 g en fin de gavage. Avant l'abattage, certains ansériculteurs soumettent les oiseaux, qui ne peuvent plus bouger, à quelques jours de régime pour leur nettoyer le fiel. Le gavage et la production de foie gras ont 4500 ans d'âge. A l'époque romaine, Néron en raffolait déjà. Les Egyptiens aussi. On ne sait pas comment le gavage parvint en France, mais la méthode était déjà connue en Gascogne au 16ème siècle. L'expansion de la culture du maïs lui fit gagner du terrain. C'est néanmoins à Strasbourg que le foie gras naquit en cuisine. Un chef du nom de Clause l'avait créé pour faire plaisir à son maître, le Maréchal de Contades. Celui-ci le fit goûter à Louis XVI et le roi fit le reste.

La production de foies de canard (7629 tonnes en 1993) a désormais largement dépassé en quantité celle des foies d'oie (607 tonnes la même année). Pourtant le foie de l'oie est plus fin, se conserve mieux et ne s'altère pas avec le temps. Le foie de canard a cependant plus d'arôme et trouve de multiples emplois en cuisine. Il faut soigneusement le dépouiller des veines, des nerfs et des parties touchées par le fiel.

Les chefs cuisiniers tentèrent pendant longtemps de rivaliser d'originalité entre eux, en essayant de conjuguer le foie gras avec d'autres produits de choix. Idée saugrenue et rivalité inutile, quand on sait que la réputation et la valeur du foie gras se fonde sur sa consistance fondent et la subtilité de son goût. Il doit fondre sur la langue et c'est au naturel, sur une tranche de bon pain grillé, qu'il est le meilleur.

Il est bon et odorant en terrine. Les produits de conservation assèchent le foie gras. Quelques restaurants proposent du foie de canard grillé. C'est effectivement la plus simple façon de le savourer, mieux encore, grillé aux sarments.

A gauche et page de droite :
Pierrette Sarran est une institution culinaire en France. Ses foies gras grillés sur sarments de vigne sont un délice qui a inspiré de nombreux cuisiniers.

Le foie gras et le foie de canard sont, en France, les produits les plus recherchés et convoités. Les canards ont supplanté les oies dans la production du foie gras.

L'hypertrophie du foie est obtenue par gavage. A la fin du gavage, les volatiles sont tellement gras qu'ils ne peuvent plus bouger.

Le foie d'une oie peut atteindre 900 grammes.

Il est accordé dix mètres carrés de prairie par tête de poulet de Bresse. Un privilège sans nom.

Les volailles sont nourries au lait et au maïs.

La volaille de Bresse

La volaille de Bresse, aux pattes bleues, au plumage blanc et à la crête rouge, porte les couleurs de la France dès la naissance. Le poulet de Bresse, vagabond insouciant sur de grasses prairies, picorant des journées entières à loisir, est sans doute le plus heureux des animaux.

Le poussin d'élevage est accueilli dans l'une des 600 basses-cours habilitées à prendre en charge son éducation, le lendemain de sa naissance. Trente-cinq jours plus tard, le jeune poulet est relâché du poulailler et picore sur l'herbe à l'air libre. Il dispose d'une surface de parcours de dix mètres carrés, précisée par les règlements de garantie, sur des enclos d'au moins un demi-hectare où n'ont

Sans cet environnement encore très rural et traditionnel, les poulets de Bresse ne seraient pas dignes de ce nom.

Noblesse oblige ! Les poulets de Bresse furent protégés en 1957 par la législation sur les appellations d'origine. La haute distinction d'A.O.C., réservée d'ordinaire au vin et à quelques autres rares produits, était attribuée pour la première fois à un oiseau. Le but était de préserver l'espèce, en fixant par décret légal des conditions naturelles d'élevage conformes à la tradition, du premier au dernier jour de la vie en basse-cour.

Le lait étant vital pour les poulets, nourris à base de maïs trempé dans le lait, l'élevage est confié aux femmes, responsables, par tradition, à la ferme, des produits laitiers. Le label d'appellation d'origine contrôlée ne fut attribué qu'aux poulets, bien que la Bresse élève aussi des pigeons, des canards et des dindons. Le poulet vit neuf semaines en liberté, la poularde onze et le chapon castré vingt-trois.

d'année. L'ultime phase consiste à faire prendre un bain de lait à l'oiseau, puis à le plumer avec précaution et à lui coudre un habit de toile de lin. Autrefois la toile conservait ; aujourd'hui, elle a des fins purement esthétiques. Quand l'habit tombe, au bout de deux jours, le corps de l'animal a pris des formes régulières. Le poulet est prêt à faire son entrée en scène.

Peu avant Noël, la Bresse appelle à la « glorification ». A Bourg-en-Bresse, Montrevel et Veaux-le-Pont, des centaines d'élus sont exposés. Après leur avoir rendu hommage, on les soumet à un examen critique. Des juges choisissent, parmi toutes ces volailles exposées, au corps cireux, celles qui recevront la plus haute distinction qui soit. Puis ce sera au tour des cuisiniers et des marchands de les prendre en charge.

Le travail des éleveurs est bien doté. Le prix payé pour les bêtes choisies parmi les meilleures peut atteindre 2000 F.

Si vous achetez une volaille de Bresse, témoignez-

Page de gauche : un magnifique exemplaire de coq. Depuis la révolution française de 1789, le « Coq gaulois » est l'emblème de la France.

On peut se fier au label de qualité. La plus célèbre volaille de France ne peut le porter qu'après de sévères contrôles.

Les poulets de Bresse portent sur eux le drapeau tricolore des pieds à la tête.

Les poulets sont présentés au consommateur avec le soin convenant à leur gloire.

guère le droit de gambader plus de 500 congénères. Des conditions paradisiaques ! Parcourez la Bresse de la Saône au Jura, à la saison chaude, vous verrez quel paradis rural elle fait, repu, sain et joyeux. De vieux arbres parsèment les prés, les haies de buissons et d'arbustes foisonnent, les sous-arbrisseaux fleurissent partout, les fleurs grimpent le long des puits, des fontaines et des vieilles maisons à colombage, souvent fluettes.

Avant de parcourir les festins et de subjuguer les fins gourmets du monde entier, le noble volatile a besoin de préparation. La finition a lieu dans de petites cages, où il jouit toujours d'une nourriture de choix, mais où sa liberté de parcours et de mouvement est désormais restreinte. L'engraissement commence. Grâce aux bons soins et à l'habileté de la fermière, le chapon et la poularde vont avoir suffisamment engraissé pour les réveillons de fin

lui le respect dû. Sa chair fine et fondante, infiltrée de graisse, lui donne un arôme particulier, à l'origine de sa réputation. Une cuisson simple vaut toujours mieux. Faites-le au four et arrosez-le souvent de jus, pour qu'il ne sèche pas. Essayez aussi la crème de volaille, du poulet découpé en morceaux, revenu dans le beurre et cuit dans la crème. Vous serez subjugué.

Volaille

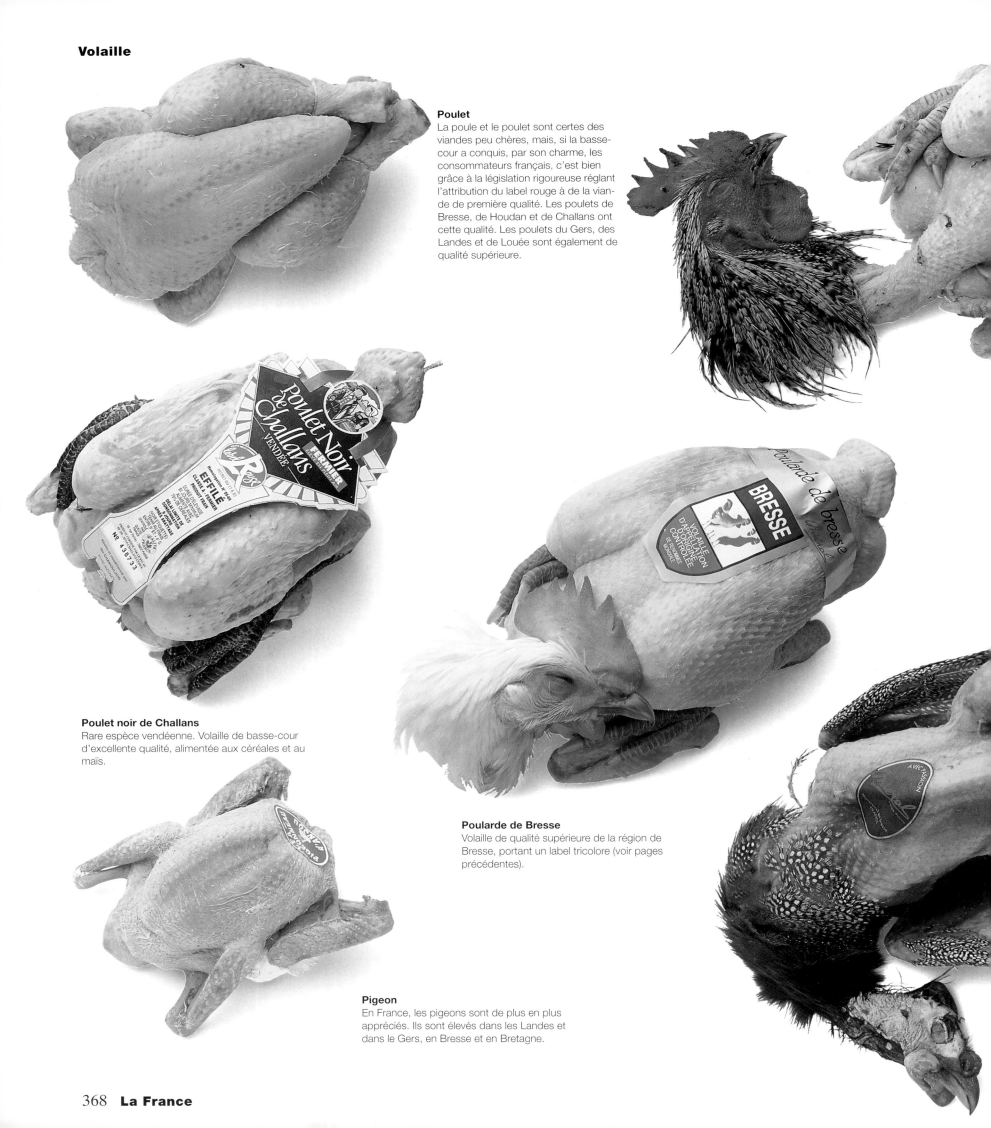

Poulet
La poule et le poulet sont certes des viandes peu chères, mais, si la basse-cour a conquis, par son charme, les consommateurs français, c'est bien grâce à la législation rigoureuse réglant l'attribution du label rouge à de la viande de première qualité. Les poulets de Bresse, de Houdan et de Challans ont cette qualité. Les poulets du Gers, des Landes et de Louée sont également de qualité supérieure.

Poulet noir de Challans
Rare espèce vendéenne. Volaille de basse-cour d'excellente qualité, alimentée aux céréales et au maïs.

Poularde de Bresse
Volaille de qualité supérieure de la région de Bresse, portant un label tricolore (voir pages précédentes).

Pigeon
En France, les pigeons sont de plus en plus appréciés. Ils sont élevés dans les Landes et dans le Gers, en Bresse et en Bretagne.

Coq
Le coq au vin est au menu de nombreux restaurants. Il va de soi que c'est un jeune poulet et non un coq à proprement parler. Le cadet de la basse-cour a une chair ferme et abondante, beaucoup de goût, et pèse deux kilogrammes.

Poulet jaune de Challans
D'aussi bonne qualité que le Poulet noir de Challans, mais un peu plus gras et juteux. Il n'est débité que dans les commerces de volaille spécialisés.

Caille
Les cailles ont une chair blanche très savoureuse. Elles sont devenues abordables depuis que l'élevage de cailles est en expansion. Elles s'achètent toutes parées et se font le plus souvent à la poêle enroulées dans une feuille de vigne. On les trouve aussi farcies, chez le traiteur.

Pintade
Son goût délicat rappelant la volaille sauvage a depuis longtemps donné à la pintade une place inamovible dans la cuisine française. Pour éviter que sa chair ne se dessèche lors de la cuisson, il faut la gainer de lard auparavant.

Canard
On l'appelle canard de Barbarie (croisement entre un canard domestique et un canard sauvage) ou canard mulard. Cette race résistante au plumage brun, répandue dans les Landes, supplante peu à peu l'oie. Il est apprécié dans la fabrication du foie gras parce qu'il a meilleur goût.

La volaille

Poule au pot

Pour 6 personnes

1 branche de céleri
1 carotte
1 oignon
2 clous de girofle
500 g d'abattis
6 grains de poivre
sel, poivre gris

Farce

200 g de pain rassis
100 ml de lait
200 g de jambon cru
1 poularde (d'environ 2 kg) avec le foie
2 cuil. à soupe de persil finement haché
1 cuil. à soupe d'estragon finement haché
2 gousses d'ail
1 œuf
1 navet
6 carottes
6 petits poireaux
6 tranches de pain de campagne

Nettoyer le céleri et la carotte, piquer les oignons de clous de girofle. Mettre les abattis, le céleri, la carotte, les oignons, les grains de poivre dans une grande casserole contenant 4 l d'eau froide salée. Porter à ébullition et laisser cuire 30 minutes, en écumant le bouillon de temps en temps. Egoutter et réserver légumes et bouillon.
Pour la farce, faire tremper le pain dans le lait et l'écraser. Hacher le jambon et les abattis, y ajouter le pain, le persil, l'estragon, l'ail et l'œuf. Bien mélanger et poivrer (il n'est sans doute pas besoin de saler, le jambon l'étant assez). Remplir la poularde de farce et faire un point de couture. Reporter le bouillon à ébullition, y mettre la poularde et faire cuire environ 1 heure et demie. Faire bouillir le navet pendant 15 minutes dans de l'eau salée. Le couper en 6 morceaux. Nettoyer les carottes et les poireaux. Les ajouter avec le navet au bouillon. Continuer à cuire pendant 15 minutes.
Retirer la poularde et les légumes et maintenir au chaud. Filtrer le bouillon, faire griller les tranches de pain et les disposer dans des assiettes creuses. Verser le bouillon dessus et servir comme entrée. Découper la poule, couper la farce en tranches et la disposer sur un plat avec les légumes. Accompagner de pommes de terres à l'eau.

Coq au vin

Pour 6 personnes

1 coq d'environ 2 kg
1 carotte
1 branche de céleri
1 oignon
3 gousses d'ail
1 feuille de laurier
1 branche de thym
1 branche de sarriette
6 grains de poivre
1 bouteille de Bourgogne rouge
50 g de beurre
1 cuil. à soupe de farine
sel, poivre gris
6 petits oignons blancs frais
250 g de champignons
150 g de lard
1 cuil. à soupe de persil grossièrement haché

Découper le coq. Nettoyer ou éplucher les légumes et les couper en morceaux. Faire mariner le coq pendant une nuit avec les légumes, l'ail, le laurier, le thym, la sarriette et les grains de poivre dans le Bourgogne.
Retirer la viande de la marinade, l'essuyer et la faire dorer avec 40 g de beurre dans une grande cocotte. Ajouter les légumes et les fines herbes marinées. Saupoudrer de farine, saler et poivrer. Verser la marinade dans la cocotte, porter à ébullition et faire mijoter pendant environ deux heures.
Nettoyer les oignons et les champignons et les couper en deux. Emincer le lard sans la couenne. Faire fondre le beurre restant dans une poêle, y mettre les oignons, les champignons et le lard et faire revenir 10 minutes.
Retirer la viande de la cocotte et la dresser sur un plat avec le mélange champignons, oignons, lard. Faire réduire la sauce, vérifier l'assaisonnement, napper la viande et les champignons. Saupoudrer de persil et servir.
Remarque : pour la cuisson, nous recommandons d'utiliser un bon Pinot noir vigoureux. Boire pendant le repas un Premier Cru ou, mieux encore, du Chambertin.

Escalopes de foie gras
(Illustration ci–dessous)

Pour 4 personnes

40 g de truffes en bocal
4 cuil. à soupe de madère
40 g de beurre
4 tranches (de 100 g chacune) de foie de canard cru
sel, poivre gris
4 tranches de pain de campagne

Couper les truffes en 12 rondelles très fines. Faire réduire le jus des truffes et le madère dans une petite casserole. Y ajouter le beurre. Mettre les truffes en rondelles dans la sauce et faire chauffer.
Saler et poivrer le foie de canard et faire revenir 1 minute de chaque côté dans une poêle téflonisée. Faire griller en même temps le pain.
Couper des tranches de pain de la grosseur des tranches de foie. Garnir chaque tranche de pain d'une tranche de foie de canard et chaque tranche de foie de 3 rondelles de truffes. Verser sur le foie quelques gouttes de sauce à la truffe.

Coq au vin.

Escalopes de foie gras.

Confit de canard

(Illustration p. 374)

Pour 12 personnes

12 cuisses de canard engraissé
100 g de gros sel marin
1 kg de graisse de canard

Enduire les cuisses de gros sel, laisser reposer une nuit, puis bien les laver et les essuyer.

Mettre les cuisses, la peau tournée vers le fond, dans une grande cocotte et ajouter la graisse. Faire cuire à feu très doux pendant 2 h ½, 3 h. Au bout de 45 minutes, les cuisses doivent être recouvertes de graisse liquide. Elles sont cuites quand le sang ne perle plus en les piquant avec une aiguille.

Remplir deux pots de faïence ou bocaux de six cuisses chacun ou trois récipients de quatre cuisses et les recouvrir de graisse chaude. Mettre une feuille de cellophane sur les bocaux ou les pots et fermer hermétiquement. Le confit de canard se conserve près d'un an dans un endroit frais et obscur. On peut aussi stériliser les cuisses pendant 45 minutes dans les bocaux.

Au moment de l'utilisation, les sortir de la graisse et les faire dorer à la poêle dans leur propre graisse. Les faire bien chauffer en retournant sans cesse.

Pour le cassoulet ou autres plats du même genre, les sortir des bocaux et les réchauffer directement dans la cocotte avec les autres ingrédients.

Remarque : en France, les canards ou les oies engraissés sont souvent meilleur marché après les fêtes de fin d'année. On peut acheter un oiseau entier, le découper en portion et en faire un confit. La volaille toute découpée se trouve aussi de plus en plus fréquemment. Nous recommandons les cuisses, les magrets, les gésiers et les cœurs. Attention ! Pour que la viande reste tendre et ne sèche pas, ne pas faire trop chauffer la graisse. Les bocaux ouverts doivent être consommés aussitôt.

Canard à l'orange

(Illustration)

Pour 4 personnes

1 jeune canard d'environ 2 kg avec abattis
1 oignon
30 g de beurre
1 branche de céleri
1 carotte
1 branche de thym
sel, poivre gris
100 ml de vin blanc sec
50 ml de madère
zeste et jus d'une orange non traitée
3 cuil. à soupe d'huile d'arachide
30 ml de cointreau
2 oranges épluchées et coupées en rondelles fines

Parer le canard. Couper les ailes et le cou. Éplucher l'oignon et le hacher. Faire revenir les abattis dans le beurre avec l'oignon. Nettoyer la carotte et le céleri et les ajouter aux abattis avec le thym. Saler et poivrer.

Mouiller avec le vin blanc, le madère et 200 ml d'eau. Laisser mijoter pendant 45 minutes. Passer le bouillon et le réserver.

Couper des fines lamelles de zeste d'orange, les faire blanchir 5 minutes à l'eau bouillante et réserver.

Chauffer l'huile dans une grande cocotte et faire dorer le canard sur toutes ses faces. Jeter la graisse. Saler et poivrer. Mouiller avec le bouillon et le jus d'orange dans la cocotte. Couvrir et faire cuire pendant 1 heure à feu doux. Arroser souvent avec le jus du rôti. En fin de cuisson, ajouter le zeste d'orange et le Cointreau et laisser mijoter encore 5 minutes.

Retirer le canard et le maintenir au chaud. Faire réduire le jus de rôti, y mettre les rondelles d'orange et laisser macérer un peu. Découper le canard, le dresser sur un plat préchauffé, garnir de rondelles d'orange et napper avec la sauce à l'orange.

Boisson recommandée : un Jurançon des Pyrénées, vin légèrement acide, vivace et nerveux.

Canard à l'orange.

Le traiteur

Le Français veut être bichonné par son traiteur, commerçant qu'il fréquente le plus souvent par manque de temps, parce qu'il n'a pas envie de faire la cuisine ou qu'un plat en particulier, trop compliqué à faire soi-même, lui fait plaisir. Ce plat, il veut parfois le manger, seul ou en compagnie, sans devoir aller au restaurant. Le traiteur est là pour de multiples occasions. Il prépare vos réceptions et vous compose, sur demande, un repas pour vos invités. Qu'il soit bon cuisinier n'exclut pas que le Français ait recours à son traiteur. La cuisine familiale et traditionnelle du traiteur ou son répertoire de recettes oubliées peuvent être autant de raisons d'en estimer les services.

Les traiteurs, rôtisseurs, « chair-cuitiers » et pâtissiers qui, autrefois, cuisinaient en croûte tout ce qu'ils trouvaient de comestible ont, en France, une tradition de plusieurs siècles. La tendance à acheter des plats cuisinés se développa très tôt chez le consommateur français. Aujourd'hui, les plats de charcuterie sont recherchés. Le traiteur essaye de répondre à ce besoin par une gamme variée de produits. Derrière la dénomination non protégée de « traiteur » se cachent souvent des entreprises puissantes, en mesure de nourrir des régiments.

Les plats cuisinés du traiteur

Tomates farcies

Pour 4 personnes

8 tomates fermes moyennes
sel, poivre gris
1 morceau de baguette rassise
100 ml de lait
1 oignon
2 gousses d'ail
40 g de beurre
400 g de hachis de porc
1 œuf
2 cuil. à soupe de persil finement haché
1 cuil. à soupe de thym émietté

Laver les tomates et les essuyer. Découper au couteau une petite rondelle sur le dessus et sortir les pépins à la petite cuillère en faisant attention à ne pas endommager la tomate. Saler un peu l'intérieur.
Emietter la baguette rassise et la faire tremper dans le lait. Eplucher l'oignon, le hacher et faire revenir avec l'ail dans du beurre. L'ajouter à la baguette détrempée.
Préchauffer le four à 180 °C.
Ajouter hachis, œuf, persil et thym et bien malaxer. Remplir les tomates de farce. Graisser un plat. Mettre une noix de beurre sur chaque tomate et recouvrir avec les rondelles découpées en guise de chapeaux. Faire cuire au four pendant environ 45 minutes et servir chaud.

Champignons à la grecque

(Illustration p. 374)

Pour 4 personnes

500 g de champignons
2 cuil. à soupe d'huile d'olive
1 cuil. à soupe de concentré de tomate
2 gousses d'ail
1 cuil. à soupe de persil finement haché
1 cuil. à café de graines de coriandre et de fenouil
1 cuil. à soupe de jus de citron
2 cuil. à soupe de Cognac
sel, poivre gris

Nettoyer et laver les champignons. Couper les plus gros en deux. Faire chauffer l'huile dans une casserole et les faire revenir à couvert pendant 8 à 10 minutes. Ajouter les autres ingrédients, bien saler et poivrer. Cuire à feu doux et laisser macérer quelque minutes. Les retirer de la casserole et faire refroidir.
Les champignons à la grecque se mangent froids.

Bouchées à la reine

Pour 6 personnes

600 g de ris de veau
1 oignon
2 petites carottes
1 feuille de laurier
200 g de champignons
1 jus de citron
50 g de beurre
sel, poivre gris
2 échalotes
2 cuil. à soupe de farine
2 cuil. à soupe de Porto
3 cuil. à soupe de crème fraîche
6 bouchées à la reine
2 cuil. à soupe de persil haché

Faire dégorger les ris de veau pendant 60 minutes en renouvelant l'eau plusieurs fois. Retirer soigneusement la peau, les veines, la graisse et les restes de viande. Eplucher l'oignon, nettoyer les carottes et les couper en dés. Porter à ébullition dans 1 l d'eau salée avec la feuille de laurier. Mettre le ris de veau dedans et faire cuire à feu doux pendant 8 minutes. Retirer du bouillon, laisser refroidir et couper en tranches. Passer le bouillon.
Nettoyer les champignons, les couper en rondelles et les arroser de jus de citron afin qu'ils ne se colorent pas. Faire revenir dans un peu de beurre, épicer, mouiller d'eau et faire cuire pendant 5 minutes à feu doux.
Eplucher les échalotes et les hacher finement. Les faire revenir dans le reste de beurre. Ajouter la farine et peu à peu autant de bouillon qu'il en faut pour obtenir une sauce veloutée. Ajouter le Porto puis la crème fraîche en continuant à remuer. Saler et poivrer.
Mettre les champignons et le ris de veau dans la sauce et faire chauffer. Mettre les bouchées au four. Les remplir de la farce de ris de veau et saupoudrer de persil.

Salade niçoise

(Illustration page de droite)

Pour 4 personnes

8 petites tomates fermes
sel, poivre gris
1 poivron vert
2 oignons
1 concombre
2 pommes de terre cuites
100 g de haricots verts
24 olives noires
1 boîte de thon à l'huile
6 cuil. à soupe d'huile d'olive provençale
2 cuil. à soupe de vinaigre de vin rouge
1 cuil. à soupe de basilic haché
2 œufs durs
12 filets d'anchois

Laver les tomates, les couper en quartiers et les saler légèrement. Laver le poivron, l'épépiner et le couper en lanières. Eplucher les oignons et le concombre et les couper en rondelles. Eplucher les pommes de terre, les couper en dés, casser les haricots verts en deux. Mettre légumes et olives dans un grand saladier. Ajouter le thon émietté. Bien remuer. Faire la vinaigrette avec du basilic et la verser sur la salade. Mettre au frais. Remuer avant de servir et garnir d'œufs durs en quartiers et de filets d'anchois.

Langue de bœuf madère

Pour 10 personnes

1 langue de bœuf d'environ 2 kg
1 oignon
2 clous de girofle
3 petites carottes
2 poireaux
1 branche de céleri
1 bouquet garni (p. 393)
2 gousses d'ail
sel, poivre gris
2 échalotes
50 g de beurre
50 g de farine
150 ml de madère

Faire tremper la langue à l'eau froide salée pendant une journée, la rincer et la blanchir dans l'eau bouillante pendant 10 minutes. L'égoutter et la mettre dans une casserole propre.
Piquer les oignons de clous de girofle, nettoyer les carottes et le poireau, les couper en morceaux et les ajouter à la langue avec les fines herbes. Saler et poivrer. Couvrir d'eau et laisser mijoter trois heures à petit feu.
Commencer à préparer la sauce 40 minutes avant la fin de cuisson en prélevant $1/2$ l de bouillon. Le passer et laisser refroidir. Eplucher les échalotes, les hacher finement et les faire revenir dans le beurre. Ajouter la farine tamisée puis, peu à peu, le bouillon et le Madère sans cesser de remuer. Assaisonner, couvrir et faire cuire à feu doux pendant environ 20 minutes.
Enlever la peau. Emincer la langue. Servir la langue chaude, nappée avec la sauce madère.

Salade niçoise.

Blanquette de veau.

Lapin à la moutarde.

Blanquette de veau
(Illustration)

Pour 4 personnes

500 g d'épaule de veau
Sel, poivre noir
1 oignon
2 clous de girofle
2 carottes
1 poireau
1 branche de céleri
1 bouquet garni (p. 393)
50 g de beurre
2 cuil. à soupe de farine
1 jaune d'oeuf
100 ml de crème
Le jus d'un demi citron
1 cuil. à soupe de persil finement haché

Couper la viande en gros morceaux, la mettre dans une casserole d'eau froide. Porter à ébullition. Ecumer et saler. Refaire bouillir.
Piquer les oignons de clous de girofle. Nettoyer les carottes, le poireau et le céleri et les couper en morceaux.

Ajouter les légumes et les fines herbes à la viande et faire cuire à feu doux pendant environ 20 minutes.
Retirer la viande, bien l'égoutter, poivrer et maintenir au chaud dans un plat.
Faire un roux blond avec le beurre et la farine. Mouiller avec le jus de cuisson passé et laisser frémir pendant 10 minutes en remuant.
Lier avec le jaune d'oeuf et la crème en continuant de remuer. Ajouter le jus de citron. Assaisonner et napper la viande. Saupoudrer de persil et servir chaud.

Lapin à la moutarde
(Illustration)

Pour 4 personnes

Un râble de lapin d'au moins 1 kg 300
Sel, poivre noir
3 cuil. à soupe de moutarde de Dijon
100 g de lard
30 g de beurre
2 cuil. à soupe d'huile d'arachide
1 cuil. à soupe de farine
2 oignons
¹/₄ l de vin blanc sec
1 cuil. à café de thym finement émietté
3 cuil. à soupe de crème fraîche

Découper le lapin, saler, poivrer et l'enduire de moutarde.
Couper des dés de lard.
Faire chauffer le beurre et l'huile dans une cocotte en fonte et mettre le lard à dorer. Le retirer et réserver. Poser le lapin dans la cocotte, saupoudrer de farine et le faire sauter sur toutes ses faces.
Eplucher les oignons, les hacher finement et les faire blondir avec le lapin.
Mouiller avec le vin et laisser mijoter à couvert environ 35 minutes. Mettre alors le lard et le thym. Faire cuire encore 10minutes, puis retirer le lapin, le dresser sur un plat et maintenir au chaud.
Lier la sauce avec la crème fraîche et retirer la cocotte du feu. Ajouter le reste de moutarde à la sauce et napper la viande. Servir aussitôt.

373

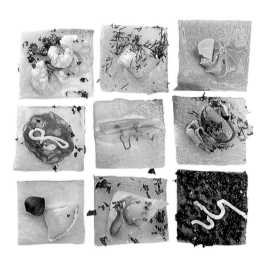

Canapés.

Champignons à la grecque
(recette p. 372).

Confit de canard
(recette p. 371).

Couscous avec merguez.

Fromage de tête de porc.

Gallantine de volaille.

Gâteau de poisson.

Lapin à la moutarde
(recette p. 373).

Mousse de foie de volaille.

Quenelles de brochet.

Rôti de porc.

Rôti de veau.

Salade de lentilles.

Salade niçoise.

Saucisson en brioche.

Taboulé.

Tomate grillée avec boudin.

Tourte au porc.

L'andouillette est une spécialité bien française –
c'est une saucisse de fraise de veau, de panse de
porc et d'estomac de porc – spécialité appréciée
des Français qui ont une prédilection pour les abats.

En arrière-plan : l'étalage d'une charcuterie présente
son assortiment appétissant de saucisses, jambons,
terrines et plats cuisinés.

La charcuterie

Les innombrables variétés de saucisses, de saucissons et de jambons illustrent à quel point le porc est un animal précieux pour les charcutiers. C'est d'eux que vient le bon mot : « Dans le cochon, tout est bon. » Le penchant des Français pour la cochonnaille remonte à l'époque gallo-romaine. Nous savons que les Gaulois faisaient déjà sécher leurs jambons. Les plus appréciés étaient les jambons celtes, des Pyrénées, du Massif Central ou du Jura et notamment ceux de Corse et d'Ardennes. Les Ardennes, avec leurs régions très boisées, produisent les meilleurs jambons crus et saucissons secs. En France, chaque région a ses variétés de saucisses et de saucissons, de jambons et de fromages de tête, de pâtés de foie et de terrines et ses spécialités. Les spécialités les plus renommées sont celles d'Alsace, de Bretagne, de Lyon et du Sud-Ouest.

Le jambon

Jambon cru
La maturation du jambon cru dure au moins sept mois. C'est au cours de la dessication que le jambon s'aromatise et prend de la saveur. Il ne doit être ni trop sec, ni trop humide. Outre le jambon de Bayonne, qui est le plus connu, l'Ibaïona du Pays basque, les jambons d'Auvergne, de Lacaune, du Morvan et de Corse sont aussi excellents.

Jambon cru fumé
Spécialité d'Alsace, des Ardennes françaises, du Jura, de la Haute-Savoie et de Sancerre où il est fumé aux sarments.

Jambon cuit ou jambon de choix
Jambon de qualité moindre.

Jambon cuit supérieur
Jambon de bonne qualité qui ne fut pas congelé.

Jambon cuit à l'os
Jambon désossé après la cuisson.

Jambon d'York
Jambon fumé, à salaison lente, macéré dans un court-bouillon épicé avec l'os, la graisse et la couenne. Le charcutier le coupe toujours devant vous, jamais d'avance. Pas d'appellation d'origine.

Jambon supérieur maison
Jambon cuit fait par le charcutier, qui le coupe au fur et à mesure du débit.

Saucisson de porc
Saucisson sec pur porc fait d'un mélange broyé de gras et de maigre de porc, plus ou moins finement hachés. Le salami en est une variété parmi de nombreuses autres. La farine le protège et l'empêche de suinter en période de grande chaleur.

Saucisson de Lyon nature
Gros saucisson cru. Mélange de maigre et de gras de porc. Bouilli, il se marie bien avec les pommes de terre. Il est excellent dans la choucroute et la soupe.

Saucisson à la cendre
Saucisson pur porc roulé dans la cendre. En séchant, il s'est imprégné d'une fine saveur de fumée.

Montbéliard
Saucisson fumé. Mélange de trois quarts de porc maigre et d'un quart de porc gras. Il donne un bon fumet aux soupes et aux lentilles.

Grelot aux noix
Petit salami sec aux noix. Spécialité de Savoie.

Boudin noir
Mélange de sang de porc, d'oignons, de gras et de crème fraîche, mis dans un boyau.

Baguette
Saucisson pur porc, qui ressemble au salami. Forme élancée.

Saucisson de Lyon aux pistache
Le saucisson de Lyon aux graines de pistache est très apprécié.

Mourteau
Saucisson de porc fumé. On le mange froid et chaud avec les légumes secs, le chou ou la choucroute.

Saucisse de fois
Spécialité de saucisson sec fait avec du foie haché et du lard.

Saucisse sèche
Saucisson sec méandreux, de porc cru et salé, haché mi-gros et mis dans de longs boyaux. Spécialité du Midi de la France.

Fouet
Saucisson très fin, sec ou demi-sec, pur porc, mélange de maigre et de gras, sans autres condiments que du sel et du poivre. Proche de la saucisse sèche.

Saucisson de sanglier
Salami sec pur sanglier ou avec apport de gras et de maigre de porc.

Andouillette
Charcuterie marinée et cuite au court-bouillon, emballée dans un boyau et préparée à partir de porc ou de veau, parfois d'un mélange de porc et de veau maigre. Elle se fait griller ou au four.

379

Le bœuf

Deux races bovines, Charolaise et Limousine, dominent en France et déterminent la qualité de la viande. La Charolaise, originaire du Jura, pâturait, autrefois, l'herbe surabondante des bords de la Saône et de la Loire. De grande taille et d'un fort potentiel de croissance, elle était utilisée et sélectionnée comme animal de trait. La Charolaise a une robe blanche, parfois crème, très élégante, des cornes rondes et claires, les joues marquées, la tête large et l'encolure ramassée. Le ventre est renflé et près de terre. Le dos musclé s'étire à l'horizontale. Reins et hanches sont imposants, les membres robustes.

La Limousine, qui broutait sur les versants et alpages du Massif central, devait faire face à un rude climat. Les pâturages étaient maigres. Bête robuste et peu exigeante, elle était souvent employée pour le labour. Elle présente une robe de couleur froment vif, plus ou moins claire. La tête est courte et compacte et se termine par une paire de cornes claires, recourbées vers le haut aux extrémités. Elle a un dos presque droit dans le prolongement d'une assez longue encolure et se caractérise par un exceptionnel développement de l'arrière-main, des jarrets ronds et charnus. Elle est courte sur pattes.

Quand la technique rendit la Charolaise et la Limousine superflues comme bêtes de trait, elles devinrent races de bovins à viande. Elles ont, en outre, toutes deux d'excellentes aptitudes d'élevage. Les mères vaches et leurs veaux pâturent de début avril au fort de l'été sur les monts du Charolais, en Bourgogne, ce bon pays de forêts et de prairies, où l'on engraisse les bœufs. A l'automne, dans le bourg de Saint-Christophe-en-Brionnais, où a lieu le traditionnel marché des bo-

vins, règne une intense activité. Les taurillons sont engraissés jusqu'à 15–17 mois, les bœufs de 24 à 36 mois. Avec environ 1,4 million de mères vaches, la Charolaise est la plus importante race bouchère de France et la viande de Charolais, la qualité la plus remarquable, sans excès de gras.

Vient en seconde place la Limousine, avec un cheptel moitié moins important, mais à tendance croissante. Elle n'est pas seulement bonne mère vache. Sa viande fut souvent sélectionnée dans les concours nationaux et internationaux. Elle est réputée pour son veau de lait élevé à la ferme et pour le veau de Lyon, dont l'âge d'abattage est précoce et la viande rose, tendre et parfumée. Les jeunes veaux à l'engrais de 15 à 20 mois sont néanmoins les plus consommés. Les vaches donnent également une viande tendre et savoureuse. Charolaise et Limousine sont en boucherie des viandes chères mais quand vous y aurez goûté, vous n'hésiterez plus à mettre le prix qu'il faut.

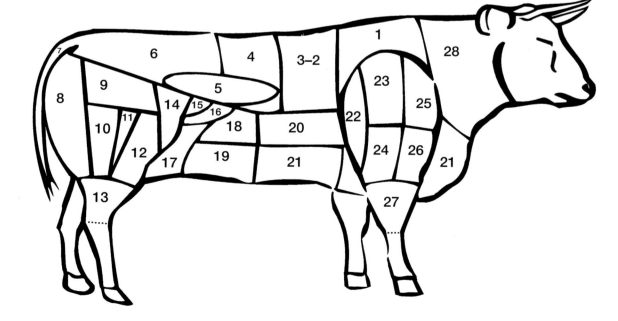

La coupe bovine en France
1 Basse côte
2 Côtes
3 Entrecôte
4 Faux-filet
5 Filet
6 Rumsteck
7 Queue
8 Rond de gîte
9 Tranche grasse
10 Gîte à la noix
11 Araignée
12 Tranche
13 Gîte et jarret arrière
14 Aiguillette baronne
15 Onglet
16 Hampe
17 Bavette d'aloyau
18 Bavette de flanchet
19 Flanchet
20 Plat de côtes
21 Poitrine
22 Macreuse à bifteck
23 Pabron
24 Macreuse
25 Jumeau à bifteck
26 Jumeau à pot-au-feu
27 Gîte et jarret avant
28 Collier

Aubrac
Race du sud du Massif central. Animaux résistants et peu exigeants. Ils vivent dehors toute l'année. Souvent croisés avec des taureaux charolais. Bonne qualité de viande.

Bazadaise
Race du nord des Landes et des collines du Bazadais. Race rustique qui s'adapte facilement. Belle robe grise. Viande de veau très aromatique.

Comment traiter la viande bovine de qualité supérieure

- Ne pas conserver la viande dans le papier cellophane ou aluminium.
- Pour qu'elle reste tendre, la retirer du réfrigérateur une heure avant la cuisson.
- Ne pas acheter de rôtis ficelés ou lardés. Ils se composent généralement de bas morceaux.
- Toujours exiger un rôti nature.
- Afin qu'elle reste juteuse, faire d'abord dorer la viande à feu vif sur toutes ses faces.
- Ne saler que peu avant ou pendant la cuisson.
- Ne pas piquer la viande en train de sauter avec une fourchette.
- Laisser reposer la viande un instant avant de servir.
- Pour que les tranches de rôti gardent une belle couleur, servir la sauce séparément.
- Faire cuire le biftek dans l'huile très chaude.
- Ne tourner le bifstek qu'une seule fois.
- Quand le sang coule à la surface du steak, il est à point. Pour qu'il soit saignant, le faire revenir au maximum 2 minutes de chaque côté.
- Ne jamais trop faire cuire de la bonne viande.
- Quand les steaks sont cuits, servir avec une noix de beurre.

Races bovines

Maine-Anjou
Race du Maine-Anjou. Résulte du croisement effectué au tournant du siècle entre la race Mancelle, originaire d'Anjou, et la race anglaise Short-horn Viande persillée.

Normande
Race mixte de Normandie. Robe tachetée noir et blanc. Excellente vache pour l'exploitation extensive. Son lait est riche en matières grasses. Bonnes qualités bouchères.

Blonde d'aquitaine
Race constituée en 1962 par la fusion de trois rameaux appartenant à la population du sud ouest de la France : la Garonnaise, la Quercy et la Blonde des Pyrénées.

Gasconne
Race rustique et très résistante des Pyrénées centrales. Bien adaptée aux zones à relief et à climat difficiles. Prédestinée pour l'altitude et les pâturages de montagnes.

Parthenaise
Race répandue de la Bretagne à la Charente. Robe fauve ; Son lait donne une pâte de beurre très appréciée. Sa viande, finement persillée, est recherchée.

Charolais
Saône-et-Loire. Robuste et peu exigeante. Viande maigre savoureuse.

Limousin
Originaire de l'ouest du Massif central. Animaux de grande taille peu exigeants. Viande tendre, fine et savoureuse.

Salers
Race originaire des bovins auvergnats, grande taille, robe acajou. Donne un lait et une viande de qualité.

Plats de viande de boeuf

Pot-au-feu
(Illustration)

Pour 6 personnes

1 petit jarret de veau
750 g de boeuf (échine)
750 g de gîte
3 os à moelle
1 oignon
3 clous de girofle
2 grosses carottes et 6 petites
1 branche de céleri
6 navets
6 poireaux de taille moyenne
2 gousses d'ail
1 bouquet garni (p. 393)
Sel

Laver la viande et les os. Mettre la viande et le gîte dans
3 l d'eau froide. Porter à ébullition et laisser cuire
30 minutes. Ecumer plusieurs fois.
Piquer les oignons de clous de girofle. Nettoyer les
légumes. Couper les deux grosses carottes en morceaux.
Mettre l'oignon, les morceaux de carotte et la branche de
céleri avec l'ail et le bouquet garni dans la viande. Laisser
mijoter 2 h ½ à couvert. Retirer l'oignon, la branche de
céleri et le bouquet garni du bouillon, saler.
Mettre les petites carottes, les navets et le poireau avec
les os à moelle dans le bouillon de viande. Faire cuire encore 20 minutes à couvert. Puis retirer la viande, bien
l'égoutter et la couper en tranches. Passer le bouillon et
égoutter les légumes.
Dresser la viande et les légumes sur un plat préchauffé.
Servir le bouillon séparément dans une terrine.

Entrecôte bordelaise
(Illustration)

Pour 2 personnes

2 cuil. à soupe d'huile d'olive
1 entrecôte (environ 500 g)
Sel, poivre noir
4 échalottes
1 gousse d'ail
25 g de beurre
200 ml de Bordeaux rouge

Faire chauffer l'huile. Faire revenir l'entrecôte jusqu'à ce
que le sang perle à la surface. Saler, poivrer et tourner la
viande. Saler et poivrer le côté cuit. Retirer après le même
temps de cuisson et maintenir au chaud.
Eplucher les échalottes et l'ail, les hacher finement et les
faire dorer dans le beurre. Mouiller avec le vin et faire réduire la quantité de liquide.
Couper de larges tranches de viande en travers de la
fibre et disposer sur un plat. Servir la sauce séparément.
Boisson recommandée: un Saint-Emilion, vin de la petite
ville moyenâgeuse à l'est de Bordeaux.

Bœuf à la ficelle.

Entrecôte bordelaise.

Pot-au-feu
Comme son nom l'indique, ce plat mijotait autrefois pendant des heures dans une marmite
suspendue au-dessus d'un feu de cheminée.
Les arômes avaient le temps de se conjuguer à
merveille.

Boeuf à la ficelle
(Illustration)

Pour 4 personnes

1 oignon
2 clous de girofle
1 carotte
1 poireau
1 branche de céleri
1 branche de thym
1 branche de sarriette
1/2 cuil. à soupe de grains de poivre noir
1 feuille de laurier
1 morceau de filet de boeuf de 800 g
Sel marin, poivre noir, moutarde, cornichons

Piquer les oignons de clous de girofle. Nettoyer les
légumes, les couper en gros morceaux et les mettre dans
un faitout avec l'oignon, les fines herbes et les aromates.
Ajouter environ 2 l d'eau et porter à ébullition. Faire bouillir
30 minutes.
Ficeler le filet de boeuf à la manière d'un rôti, en laissant
assez de ficelle à chaque bout afin de pouvoir attacher la
viande après un bâton ou une cuiller en bois. Suspendre
le filet de boeuf dans le bouillon en ébullition. Il doit être
couvert de liquide.
Pour obtenir une viande saignante, la laisser 16 minutes
dans le bouillon, pour une viande à point, 24 minutes.
Retirer le filet, le laisser brièvement reposer et le couper
en tranches. Préparer le sel marin, le poivre, la moutarde
et les cornichons pour assaisonner.

Le porc et le mouton

Hormis, peut-être, pour une bonne choucroute, un bon jambon, du cochon de lait ou des plats redécouverts récemment, comme les oreilles de cochon, les Français ne vont pas manger du porc dans un grand restaurant. Les côtelettes, les saucisses ou le rôti de porc se mangent chez soi, à la rigueur dans un petit restaurant. Le porc grillé, cuit au four ou à la poêle, est toujours simple, rapide à faire et ne coûte pas cher. En revanche, les restaurants vous proposeront toujours un grand choix de charcuterie.

Avec un cheptel porcin de 11,5 millions de bêtes, réparti sur quatre races dominantes, la France se place en troisième position après les Pays-Bas et l'Espagne. L'est et le sud-est de la France n'ont pas d'élevages de porcs. Les deux tiers de l'effectif national proviennent de Bretagne ou des Pays de Loire. Certaines régions pratiquèrent encore longtemps l'élevage à la ferme, mais, aujourd'hui, l'engraissement, l'abattage et la transformation du porc ne sont plus faits qu'à grande échelle.

Pour quatre races dominant l'élevage porcin, nous avons, en revanche, une trentaine de races ovines. Le cheptel de moutons compte environ 12,5 millions d'animaux. Les Mérinos sont connus pour leur laine, les Lacaunes, pour leur lait de brebis utilisé dans la fabrication du roquefort, et le bleu du Maine est réputé pour son excellente viande d'agneau. L'agneau est très populaire en France. Les restaurants affichent toujours un grand choix de plats de mouton durant toute l'année. La saison de l'agneau s'échelonne cependant de janvier à mai. L'agneau de lait est abattu à trois ou quatre mois.

Les éleveurs distinguent la brebis de bergerie, entretenue par définition en bergerie, et l'agneau d'élevage en plein air nourri d'herbe fraîche. Les conditions de vie de ce dernier étant plus conformes à l'espèce, sa chair est maigre, musclée et savoureuse.

Rôti de porc

Pour 4 personnes

1 kg de rôti de porc
Sel, poivre blanc
1 cuil. à café de moutarde de Dijon
1 cuil. à café de saindoux

Préchauffer le four à 250 °C.
Badigeonner la viande de sel et de moutarde. Poivrer. Graisser la cocotte avec le saindoux, y mettre la viande et faire cuire au four pendant 25 minutes, en la tournant une ou deux fois. Arroser souvent.

Réduire la chaleur à 200 °C et laisser encore 25 minutes. Retourner et arroser. Eteindre le four et laisser reposer le rôti cinq minutes dans le four ouvert.

Grillades de porc

Pour 4 personnes

4 côtelettes de porc
1 cuil. à soupe d'huile d'olive
Sel, poivre noir
1 cuil. à café d'herbes de Provence
600 g de saucisse (fraîche)

Faire chauffer le gril. Laver les côtelettes, les essuyer et les badigeonner d'huile d'olive. Saler et poivrer des deux côtés et les faire griller 7 minutes de chaque côté en saupoudrant chaque côté grillé d'herbes de Provence.
Mettre ensuite, ou en même temps, la saucisse sur le gril et la piquer plusieurs fois avec une fourchette. La faire griller de tous les côtés jusqu'à ce qu'elle soit bien cuite (environ 7 minutes). Servir sur des assiettes préchauffées avec des tomates grillées ou de la salade.
Remarque: La saucisse fraîche est une spécialité du Midi de la France. On la fait avec de la viande maigre. Il est de coutume de faire griller la saucisse aux sarments, qui donnent à la viande une saveur exquise.

Les races porcines

Landrace français
Race importée du Danemark autour de 1930, issue d'un croisement entre le Large White et des races de type celtique de l'Europe du Nord. Fécond, il est utilisé dans les croisements comme souche maternelle. Corps long et fusiforme. Très proche du Landrace belge.

Large White
Race importée du Yorkshire au tournant du siècle. Elle s'adapte bien à des climats variés et présente d'excellentes performances de reproduction (55 % de laies) et de croissance. Animal rustique et musclé. Il a une viande maigre de bonne qualité.

Pietrain
Race d'élevage dès 1920 en Belgique, introduite en France à partir de 1950. Elle est importante dans le Nord, en Alsace, en Bourgogne et en Picardie. Elle est fragile malgré son extraordinaire musculature. Viande maigre de bonne qualité.

Les races ovines

Berrichonne du Cher
Race très répandue dans le centre et le sud-ouest de la France, élevée pour la production d'agneaux de bergerie de croissance rapide et donnant des carcasses bien conformées. Poids vif de 21 à 27 kg à 70 jours.

Bleu du Maine
Race d'herbage de grand format de l'ouest de la France. Sa tête, très caractéristique, est de couleur bleu foncée. Les brebis sont prolifiques. Bonne viande maigre. Les agneaux atteignent, après 70 jours, entre 22,5 et 27 kg.

Charmoise
La race de la Charmoise, rustique et peu exigeante, constitue la base des grands troupeaux de plein air du Centre-Ouest. Poids des agneaux au bout de 70 jours : entre 15 et 18 kg.

Ile de France
Race exigeante, au corps trapu, à la tête large, apte à la production de viande et de laine. Elevage en bergerie et en plein air. Poids des agneaux au bout de 70 jours : entre 22 et 27 kg.

Lacaune
La race Lacaune est la race laitière la plus répandue. Son lait sert à la fabrication du Roquefort. Mouton robuste et habitué aux pâturages, il produit une bonne viande. Poids des agneaux au bout de 70 jours : entre 25 et 30 kg.

Mouton charolais
Vieille race rustique de Bourgogne et du Morvan qui forme le contrepoids des boeufs charolais. Elevage en grande partie en plein air. Bonne production de viande. Poids des agneaux au bout de 70 jours : entre 22 et 27 kg.

Mouton vendeen
Race robuste à grande faculté d'adaptation, qui supporte bien les hivers humides. Elevage en grande partie en plein air. Bonnes valeurs de lait. Poids des agneaux au bout de 70 jours : entre 20 et 24 kg.

Rouge de l'Est
Race de grands moutons à faculté d'adaptation, de plus en plus répandue. Elevage en semi-plein air. Elle engraisse bien. Poids des agneaux au bout de 70 jours : entre 22,5 et 28 kg. Vente des moutons de 100 jours.

Côtes de porc en papillote.

Côtes de porc en papillote
(Illustration)

Pour 2 personnes

2 côtes de porc
100 g de jambon de Paris
20 g de beurre
1 petit oignon
1 échalotte
1 gousse d'ail
150 g de champignons
1 tomate
1 cuil. à café de thym émietté
Sel, poivre blanc
1 feuille d'aluminium

Préchauffer le four à 220 °C.
Découper la bordure grasse des côtelettes et hacher finement le gras avec le jambon. Faire revenir rapidement dans le beurre. Eplucher et hacher finement l'oignon, l'échalotte et l'ail. Nettoyer les champignons et les couper en rondelles. Peler et égréner les tomates. Ajouter les légumes et le thym au mélange de jambon, faire revenir et assaisonner.

Retirer les légumes de la poêle, les maintenir au chaud. Faire revenir très rapidement les côtelettes de chaque côté dans la poêle chaude, afin que les pores se referment.
Préparer une feuille d'aluminium par côtelette, y poser respectivement un quart du mélange jambon-légumes et une côtelette. Envelopper. Mettre sur la grille du four et laisser cuire pendant 18 minutes. Servir dans la feuille d'aluminium.
Remarque : on prépare de la même manière également des côtelettes d'agneau et de veau ou du ris de veau. Autrefois, au lieu de la feuille d'aluminium, on utilisait du papier-parchemin inodore.

La choucroute

Les Alsaciens ont beau être raillés pour leur choucroute, le fait est qu'à présent, on en mange partout avec plaisir. Les vingt-cinq mille tonnes de choucroute produites annuellement peuvent difficilement être entièrement consommées au bord du Rhin.

Les pommes volumineuses de chou blanc, qui pèsent jusqu'à sept kilos, sont débitées en fins rubans et fermentent tassées entre des couches intercalées de sel, dans des cuves alourdies par des poids. Pour la consommation ménagère, la fermentation se fait dans des barils ou des pots de faïence. La fermentation des acides lactiques dure de trois à sept semaines. Divers oligo-éléments et vitamines transforment le chou en un aliment sain, digeste, d'une haute teneur en vitamine C. La choucroute est meilleure fraîche que précuite. Elle doit être croquante et si possible claire, son aigreur tout juste agréablement picoter. Grâce aussi à la propriété de conservation que le chou ob-

tient par fermentation, la choucroute est la nourriture idéale des marins. Jadis, elle les immunisait contre le scorbut. Aujourd'hui, elle est surtout saine pour les dents.

On ne sait pour ainsi dire rien de ses origines. En Asie, elle est connue depuis des millénaires et, dans la péninsule balkanique, les légumes confits dans le vinaigre remontent à une très lointaine tradition.

Les Alsaciens mangent de la choucroute depuis le Moyen Age et on est en droit de se demander ce qu'ils aiment le plus dans ce plat : le chou ou la cochonnaille qui l'accompagne ? Le lard, fumé ou non fumé, le petit salé ap-

Choucroute à l'ancienne

Pour 8 personnes

2 kg de choucroute fraîche crue
2 bardes
2 carottes
2 oignons
$\frac{1}{2}$ cuil. à café de grains de poivre
$\frac{1}{2}$ cuil. à café de cumin
2 gousses d'ail
4 clous de girofle
12 baies de genièvre
2 feuilles de laurier
1 branche de thym
1 jambonneau
2 tranches de lard fumé de la grosseur du doigt
$\frac{1}{2}$ bouteille de Riesling sec
4 saucisses fumées de Montbéliard
600 g de petit salé
4 paires de saucisses de Strasbourg
1 saucisse de Mourteau

Laver la choucroute à l'eau courante dans une passoire, la démêler et la presser. Foncer une grosse marmite en fonte avec les bardes.
Mettre la moitié de la choucroute dessus. Nettoyer ou éplucher les carottes et les oignons, les couper en morceaux et les répartir sur la choucroute. Disposer les grains de poivre à intervalles réguliers. Mettre les épices et le thym dans une mousseline et la placer dans les légumes. Poser le jambonneau et le lard dessus et couvrir du reste de choucroute. Mouiller avec le vin et $\frac{1}{4}$ l d'eau.
Bien fermer la cocotte, mettre au four et faire cuire pendant environ deux heures et demie à 180 ºC. Glisser les saucisses fumées et le petit salé sous la choucroute. Faire cuire encore 30 minutes. Poser les saucisses de Strasbourg et la saucisse de Mourteau sur la choucroute et laisser encore cuire 20 minutes. Retirer la mousseline. Disposer la choucroute, la viande et la charcuterie sur un plat.
Boisson recommandée : un sylvaner bien frais ou un riesling.

pelé aussi *schiffala*, les boulettes de foie, la poitrine de porc bouillie, le jambonneau et les saucisses. La saucisse de Strasbourg ne manque jamais, mais on y met aussi de la saucisse fumée, de la saucisse grillée, du boudin ou du boudin de foie. La récolte du chou à choucroute a lieu entre la mi-août et le mois de novembre. Quand approchent les fêtes de fin d'année, époque de l'abattage du porc, les Alsaciens attendent leur choucroute fraîche avec impatience.

Assortiment de charcuterie accompagnant la choucroute

La choucroute est un excellent prétexte pour faire abondance de viandes et de saucisses réunies dans un seul plat. Elle doit comporter au moins les viandes ou la charcuterie suivante :

1 saucisse grillée
2 saucisse de Strasbourg
3 palette fumée
4 jambonneau
5 gros lard
6 schiffala
7 boulette de foie
8 saucisse fumée
9 cervelas
10 pommes de terre

Légumes et pommes de terre

Les Français ont une curieuse conception des légumes. Les légumes frais, peu populaires en France, sont mieux acceptés dans les crudités, en hors-d'œuvre ou en salade. Pas un Français ne s'étonnera qu'au restaurant, le légume accompagnant une viande ou un poisson, toujours précisé sur le menu, soit des pommes de terre, du riz ou des pâtes. Certains livres de cuisine placent même les recettes de riz ou de pâtes au chapitre des légumes. Les cuisines régionales utilisèrent de tout temps les légumes, oignons, carottes et poireaux, dans les soupes, les potages, les ragoûts, la potée et le cassoulet, où le chou et les haricots blancs dominent. Dans le Midi de la France, l'usage des tomates et des poivrons est plus fréquent. Le climat les rend savoureux. La ratatouille est un bon exemple d'utilisation de ces légumes en Provence.

Introduite sous Louis XVI (1774–1792), la pomme de terre ne fut connue qu'assez tard en France. Les plats de pommes de terre sont néanmoins très nombreux. Les variétés farineuses et à chair ferme dominent. Selon leur consistance, on les utilise pour la purée, les soupes et les potages, pour les salades, les pommes de terre à l'eau ou en robe des champs. Les pommes de terre rouges, comme la Roseval et la Viola, généralement à chair ferme, sont également appréciées en garniture.

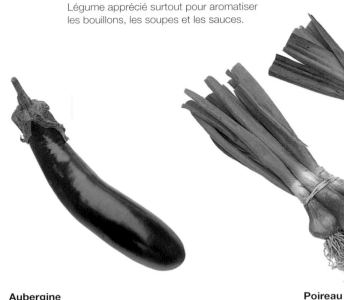

Céleri
Légume apprécié surtout pour aromatiser les bouillons, les soupes et les sauces.

Epinards
Les épinards en branches sont préférés aux autres préparations.

Aubergine
Sans goût prononcé, elle est néanmoins délicieuse farcie ou en combinaison avec les tomates ou autres légumes.

Poireau
Il est surtout utilisé pour les sauces ou les soupes, mais on en fait aussi des gratins. Il se mange chaud ou froid, avec une vinaigrette, comme entrée.

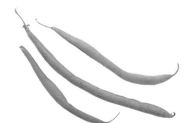

Petits pois
La préparation la plus courante est à l'anglaise, avec une noix de beurre pour les affiner. Ils sont débités frais dès le début du printemps.

Artichauts
Ils sont cultivés en Bretagne, en Provence et dans le Roussillon. Ils se mangent avec une sauce vinaigrette, à la béchamel, à la barigoule, ou avec des lardons.

Carottes
Elles peuvent être mangées en crudités ou utilisées en cuisine pour aromatiser les sauces, les soupes et les bouillons.

Haricots blancs
Très appréciés dans certaines régions pour des plats comme le cassoulet ou comme garniture.

Haricots verts
Ils sont débités frais de mai à octobre. Cuits à l'anglaise, ils peuvent accommoder une salade ; revenus au beurre avec de l'ail et du persil, c'est un excellent légume.

Poivron
C'est un élément majeur de la cuisine du Midi. On les mange en salade ou grillés.

Tomates
Très mûres, elles composent de nombreux plats cuisinés ou salades et plat méditerranéens.

Chou-fleur

C'est un grand article d'exportation, cultivé en Bretagne. On l'utilise de nombreuses manières, dans les salades composées, dans les crèmes, la purée, le soufflé, le gratin.

Navet

Cette spécialité de Nantes est beaucoup utilisée dans la cuisine régionale.

Fenouil

Légume tubéreux au goût d'anis très prononcé. C'est une spécialité du Midi.

Courgette

Elle est utilisée en gratin ou souvent en combinaison avec des tomates.

Oignons

C'est le légume le plus utilisé. Pour la salade, il est préférable d'utiliser les oignons blancs de printemps ou les oignons rouges.

Ail

C'est un des condiments les plus fréquemment utilisés dans la cuisine française : pour la viande, les légumes et la salade.

Asperges blanches et vertes

Les Français préfèrent les asperges vertes avec une vinaigrette.

Crudités

Faire un choix de légumes et de condiments à son goût et en quantité suffisante, par exemple :
concombre – céleri – carottes – betteraves rouges cuites – tomates fermes – oignons – radis
sel, poivre noir – estragon haché – persil haché – feuilles de basilic – huile d'olive – vinaigre – mayonnaise – moutarde de Dijon – œufs durs

Laver, nettoyer ou éplucher les légumes et les couper en julienne. Assaisonner avec une vinaigrette ou une sauce rémoulade. Former une grande assiette de crudités et asperger de sauce.

Ratatouille

2 aubergines
sel, poivre noir
4 petites courgettes
1 poivron rouge et 1 poivron vert
500 g de tomates
2 gros oignons
4 cuil. à soupe d'huile d'olive
1 cuil. à café de thym émietté
1 cuil. à café de romarin émietté
1 cuil. à café de sarriette émiettée
1 cuil. à soupe de persil haché
1 cuil. à café d'ail pressé

Couper les aubergines en rondelles, saler, laisser reposer 20 minutes et bien essuyer.
Laver les courgettes et les poivrons, les épépiner, couper les courgettes en rondelles, le poivron en julienne. Peler et égrener les tomates et les couper en dés. Faire revenir les légumes dans l'huile, saler et poivrer. Mettre ensuite l'ail et les fines herbes dans les légumes. Couvrir et laisser cuire pendant environ 20 minutes.
La ratatouille se mange chaude pour accompagner la viande ou le riz et froide comme entrée ou garniture.

Les plats de pommes de terre
Les plats de pommes de terre les plus courants sont les

Croquettes duchesse

Pommes Anna

Pommes à la vapeur

Pommes dauphines

Pommes de terre à l'anglaise

Pommes de terre au gratin

Pommes de terre en papillote

Pommes de terre en purée

Pommes de terre sautées

Pommes en robe des champs

Pommes frites

Pommes mousseline

Pommes farmentier

Pommes soufflées

Les salades, l'huile

Variétés d'huile

Huile d'arachide
Elle est importée des pays qui cultivent l'arachide, principalement du Sénégal, du Brésil et de l'Inde. Très appréciée pour son goût, elle est utilisée pour les sauces, les fritures et les salades.

Huile d'olive
Surtout fabriquée en Provence, elle est d'une extrême finesse et très fruitée. La qualité de l'huile obtenue par pression à froid se mesure à son degré d'acidité, qui résulte, à son tour, de la pression – 1ère pression : vierge extra, 2ème pression : vierge fine, 3ème pression : vierge (semi-fine ou courante). L'huile appelée simplement huile d'olive est un mélange (de moins bonne qualité) d'huile d'olive naturelle et d'huile d'olive raffinée.

Huile de Colza
Bien vendue depuis que la culture du colza s'est accrue dans la seconde moitié de notre siècle, elle est appréciée pour son goût neutre et ses multiples usages.

Huile de maïs
Elle est surtout utilisée en cuisine, moins appréciée dans les salades.

Huile de noisette
Son arôme rappelle celui des noix grillées. On l'utilise de préférence pour l'assaisonnement des crudités ou pour les salades délicates.

Huile de noix
La France possède presque 50 000 hectares de noyers. L'huile de noix sert le plus souvent à l'assaisonnement des salades.

Huile de pépins de raisins
C'est une huile recueillie, à l'aide de solvants, des petits pépins de raisin restés dans les marcs, puis raffinée. Elle est riche en acides gras non saturés. Son goût neutre se prête à l'aromatisation aux fines herbes. Son point d'ébullition est élevé, ce qui en fait une bonne huile de friture.

Huile de tournesol
Quand elle est sans arômes, c'est de loin l'huile de table la plus utilisée. Elle contient beaucoup de vitamines E.

Scarole
Type de variété de chicorée à feuilles entières et dentelées. Elle a un cœur blanchi naturellement et elle est assez douce. Elle est consommée en salade ou comme légume à l'étuvée.

Sucrine
Cette spécialité du Midi de la France est une salade d'horticulture cultivée en plein air et vendue au poids. Elle a une pomme très ferme et un goût légèrement sucré.

Romaine
Variété de laitue aux larges feuilles vert foncé, croquantes et dressées, à la pomme allongée et lâche. Sa meilleure saison de consommation est du début du printemps au début de l'été.

Endive belge
En France, elle est très appréciée en salade comme entrée, ainsi qu'en légume, cuite à l'étuvée. Retirer le cœur avant utilisation, car il est amer. L'endive se mange tout l'hiver.

Huile à l'aneth. Huile d'olive vierge extra. Huile de noisette. Huile de noix. Huile d'olives. Huile de pépins de raisins. Huile de tournesol arôme truffé. Huile d'arachide.

Le vinaigre

Variétés de vinaigre

Vinaigre à la framboise
Vinaigre aromatisé au jus de framboise. C'est le plus apprécié parmi les vinaigres obtenus à partir de baies, comme le vinaigre à la cerise et autres. Il est surtout employé pour les sauces et les salades.

Vinaigre d'estragon
Il est aromatisé aux branches d'estragon et utilisé pour la sauce béarnaise, le poisson et les sauces de salade. Il en existe des variétés au thym, au romarin, à la sarriette, au fenouil ou autres herbes.

Vinaigre de vin blanc
C'est un vinaigre de cuisson surtout utilisé dans la sauce béarnaise, la mayonnaise, les salades de pommes de terre ou de fruits de mer.

Vinaigre de vin rouge
Elément indispensable de la vinaigrette, l'assaisonnement de salade le plus fréquent. Les qualités supérieures qui prennent de la finesse et de l'arôme en vieillissant, ne se trouvent que chez les vignerons.

Feuille de chêne
Salade rare appartenant au groupe des laitues à couper. On la récolte, selon la région, en serre de novembre à avril, en plein air, d'avril à octobre.

Laitue
C'est la salade la moins chère et la plus consommée. Les Français l'utilisent également en légume, cuite à l'étuvée, ou dans les soupes. Cultivée en pleine terre, elle est débitée tout l'été, jusqu'au début de l'automne.

Vinaigrette

1 cuil. à soupe de vinaigre de vin rouge
1 cuil. à soupe d'huile
sel, poivre
A volonté :
1 cuil. à café de moutarde de Dijon et 1 cuil. à soupe de fines herbes hachées (facultatif)

Bien mélanger tous les ingrédients.
Remarque : la proportion habituelle est trois fois plus d'huile (trois cuil.) que de vinaigre (pour une cuil.). Le goût change si l'on ajoute de la moutarde ou des fines herbes, mais aussi selon la variété d'huile et de vinaigre employés.

Iceberg
Pommes fermes et feuilles très croquantes. Originaire de Californie, elle s'est vite répandue en Europe. C'est essentiellement une culture de pleine terre. On la récolte de mi-mai à fin novembre dans le Nord et dans le Sud, pas les mois chauds.

Chicorée frisée
Variété de chicorée à feuilles très découpées et au cœur jaune avec un léger goût amer. En hiver, elle provient de cultures de pleine terre des régions chaudes. Au Nord, on ne la récolte qu'en octobre et novembre en pleine terre ou en février et mars en serre.

Vinaigre à l'estragon.

Vinaigre aux herbes de Provence.

Vinaigre de Banyuls.

Vinaigre à la framboise.

Vinaigre de vin blanc.

Herbes de Provence

L'avantage des herbes de Provence et l'origine de leur succès et de leur renommée est sans nul doute leur terrain. La Provence était recouverte d'opulentes forêts, il y a encore deux mille ans. Les Romains abattirent les arbres, défrichèrent, cultivèrent, construisirent, ne laissant plus que des sols stériles où ne poussèrent plus que la garrigue et les herbes. Les essences, aux arômes concentrés sous l'effet du soleil et de la chaleur, embaument la terre aride et rocailleuse de Provence. Le thym ordinaire (thymus vulgaris), roi des fines herbes et farigoule pour les Provençaux, se conjugue mieux que n'importe quelle herbe aromatique avec les aubergines, les petits pois, les carottes, les champignons, le poisson, la viande, la volaille et le gibier. Le thym parfume les saucisses et le jambon aussi bien que les figues et les pruneaux, auxquels il donne une fine saveur. Il possède des vertus médicinales grâce auxquelles il excite l'appétit, aide à la digestion et soulage les asthmatiques. Enfin, il prodigua ses bienfaits sur les jeunes Provençales d'antan, qui se savaient aimées d'un jeune homme, quand elles trouvaient une touffe de thym sur leur porte.

Le thym s'accommode de tous les terrains mais il pousse surtout en région méditerranéenne. Déjà, les Grecs appréciaient son arôme doux, intense, presque sucré. Le thym parfumait les stews anglo-saxons et les rôtis germaniques. Il se mêla aux farces et aux soupes dès le Moyen Age, et peut-être même avant.

Il est cultivé par rangées et se présente sous forme de touffes compactes arrondies aux rameaux grêles. Il a de petites feuilles longues et étroites. Il fleurit de fin avril à juin. Ses fleurs sont roses pâle. On laboure le sol entre les rangées au printemps, et par la même occasion on désherbe à la main, car une fois la récolte achevée, les herbes de Provence ne souffrent pas qu'on sépare le bon grain de l'ivraie. La culture du thym ne se développa que vers 1980, grâce à deux cultivateurs de la Drôme qui inventèrent une machine permettant de mécaniser la récolte. Depuis, la région de La Garde d'Adhémar, Grignan et Suze-la-Rousse sont les principales zones de culture d'herbes de Provence. La récolte sèche dans des pièces où les herbes sont entassées, formant de gros matelas d'un mètre et demi d'épaisseur, de dix mètres carrés de superficie et pesant deux tonnes. De l'air tiède passe sous le tissu de tiges. Puis on procède à l'effeuillage, au triage, à l'emballage et à l'expédition.

A l'arrière-plan : un champs de lavande provençal, océan de parfum bleu, éblouissant de soleil et de lumière.

1 Basilic
Les feuilles fraîches sont douces. Séchées, elles ont un goût de poivre et picotent un peu.

2 Estragon
Très apprécié en France, surtout dans la sauce béarnaise. On en met souvent dans le poisson, dans les salades, et pour parfumer la moutarde ou le vinaigre.

3 Laurier
Apre et de forte odeur, il parfume les rôtis, les soupes et beaucoup de sauces. Il donne également du goût aux courts-bouillons et aux marinades.

4 Lavande
Quand les champs de lavande fleurissent en été, la Haute-Provence est un régal sans pareil pour les yeux et le parfum qui s'en dégage devient l'élixir de cette région aride. La lavande, unique plante de culture en Provence, assure aux agriculteurs des revenus encore suffisants. Ils cultivent, en outre, le lavandin, qui est moins exigeant et donne de bons rendements. C'est un hybride naturel stérile de la lavande fine, aux feuilles étroites et appréciant l'altitude, et de la lavande aspic, aux feuilles larges, qui se complaît à la chaleur. La vraie lavande est réservée aux parfumeries et aux pharmacies ou destinée aux bouquets de lavande qui imprègnent le linge d'une odeur fraîche et agréable.

5 Marjolaine
Son arôme intense se prête en particulier à l'assaisonnement de la viande hachée, de la volaille, des sauces tomate ou des sauces à la viande.

6 Marjolaine sauvage
Elle a une saveur plus intense encore que la marjolaine cultivée. Elle pousse partout en arbustes dans les régions méditerranéennes.

7 Romarin
Très fort arôme résineux qui convient surtout au mouton et aux plats de viande méditerranéens.

8 Sauge
Elle a une odeur et un goût prononcés et s'emploie avec parcimonie, pour la viande blanche et les farces.

9 Thym
Le roi des herbes de Provence permet les emplois les plus variés, avec les légumes, dans les sauces, les soupes, la viande ou le poisson.

10 Bouquet garni
Il est composé de thym, de laurier, souvent de persil et, selon le plat ou la région, de romarin et de marjolaine.

Herbes de Provence
Mélange de trois ou quatre fines herbes, dont toujours du thym et du romarin, souvent de la marjolaine et de la lavande, parfois aussi de la sauge et du laurier.

La moutarde de Dijon

Rabelais, ce railleur, savait-il déjà que la moutarde stimulait les sucs gastriques et digestifs – ce qui, pour nous, aujourd'hui, est incontestable –, quand il fit enfourner de la moutarde à « pleines palerées » dans la bouche de Gargantua pour lui faire passer quelques douzaines de jambon, de langues de bœuf fumées, d'andouilles et de boutargue, son menu ordinaire ? Les Anciens aimaient le piquant des graines de moutarde, qu'ils broyaient comme les clous de girofle ou le coriandre. Un agriculteur romain du nom de Columella, auteur d'un ouvrage intitulé « De re rustica », publié autour de 60 après J.C. sur l'agriculture et l'élevage de bétail de son époque, fait remonter la moutarde de table à l'an 42. Le mot moutarde vient, à l'origine, de « moult ardens », condiment fait de graines de sénevé broyées dans du moût de raisins, *mustum ardens*. La moutarde de bonne qualité monte au nez des Européens depuis deux mille ans. Charlemagne n'eut besoin que d'évoquer la moutarde dans les Capitulaires, suggérant aux paysans de la cultiver, que déjà elle poussait partout en Franconie. Vers 1300, il y avait dix moutardiers à Paris. En 1650, ils étaient au nombre de six cents à exercer le corps de métier. La profession prit un tel essor qu'à la fin du XIVème siècle, les ducs de Bourgogne, qui résidaient à Dijon, firent préserver la qualité de la moutarde de Dijon par décret. Une ordonnance déclara qu'elle devait être de « bonnes graines de sinapis trempé dans du vinaigre fort ». La moutarde de Dijon, qui avait déjà une solide réputation, se distingua davantage encore des produits d'autres régions, vers 1752, quand Jean Naigeon eut l'idée de lui donner un peu plus d'acidité en remplaçant le vinaigre par le verjus. La moutarde de Dijon devint aussitôt synonyme de qualité. Depuis 1937, l'appellation « Moutarde de Dijon » garantit un mode de fabrication et une composition (au moins vingt-huit pour cent d'extraits secs et deux pour cent maximum de téguments) bien définis, mais n'impose pas de lieu de production. Neuf moutardes sur dix sont quand même produites à Dijon ou dans les environs. La moutarde est une crucifère, comme les radis, le radis noir ou le cresson. La fabrication de la moutarde procède au mélange invariable de deux variétés, selon qu'on veuille une saveur plus ou moins forte et piquante. La moutarde blanche ou *sinapis alba*, jaune blanchâtre, moins âcre et moins piquante, d'un arôme agréable, et la moutarde noire ou *brassica nigra*, qui a la propriété d'être forte et piquante. Elle s'obtient par broyage. Une première mouture grossière sépare les téguments des graines trempées plusieurs heures dans une solution de vinaigre d'eau-de-vie, d'eau et de sel, additionnée d'épices après le pesage des graines. Une seconde mouture libère l'essence de moutarde, ou sulfocyanate d'allyle, et le piquant, sous l'action de l'eau et de la myrosine, enzyme contenu dans les graines de moutarde. Le piquant naturel contenu dans les essences, est souvent expulsé dans les moulins industriels, qui broient les graines à raison de 3000 rotations par minute à très haute température, et est remplacé par du raifort. Les essences de moutarde ne supportent pas la chaleur et s'évaporent facilement.

Le meunier le plus célèbre de France réside à Beaune et moud la graine de moutarde à 200 mètres des célèbres Hospices. Edmond Fallot fournit presque tous les grands restaurants en moutardes spécialement mises en pots pour eux. Le jeune moutardier Marc Desarmeniens, dont le grand-père avait repris, au tournant du siècle, un moulin qu'il baptisa de son nom, dévoile avec fierté son secret : « Nous tenons aux vieux moulins et à leurs meules comme à la prunelle de nos yeux. Ils sont les seuls à ne pas chauffer la pâte et à conserver intacte l'essence de moutarde. » La séparation des téguments de la pâte a lieu dans les centrifugeuses. Les moutardes à l'ancienne, elles, sont encore faites de graines qui ont conservé leurs téguments. Pour la coloration jaune, on ajoute du curcuma, de l'acide citrique et un antioxydant. Peu importe quelles épices et quelles herbes Fallot a utilisé, sa moutarde a toujours une saveur aromatique forte. Le règne véritable de la moutarde reste la cuisine, où elle agit secrètement. La moutarde est considérée comme le condiment universel par excellence. Elle accentue le goût des aliments, en particulier celui des sauces de salade, de viande et de poisson. Un bon cuisinier l'utilise toujours avec doigté.

A l'arrière-plan : pour que l'essence de moutarde ne s'évapore pas, les graines de moutarde ne doivent en aucun cas être moulues à haute température.

Les variétés de moutarde

Moutarde de Champagne
Moutarde à grosses graines. Le vin de Champagne lui donne une douceur particulière. A utiliser avec les rôtis ou la viande grillée ou pour les sauces de salade.
Moutarde à l'ancienne
Moutarde faite avec de grosses graines ayant conservé leurs téguments. A utiliser dans les marinades ou les vinaigrettes. On la met à table pour accompagner aussi bien les viandes froides que chaudes.
Moutarde à l'estragon
Moutarde très appréciée pour les sauces de poisson et les vinaigrettes.
Moutarde au poivre vert
Le poivre vert se prête à relever tout ce qui est grillé.
Moutarde de Dijon
Moutarde fine classique. Elle se prête surtout à l'emploi en cuisine : pour les sauces, pour les rôtis enduits de moutarde et pour tout ce qui se fait sauter ou rissoler à la poêle.

Attention : il faut toujours bien fermer le pot de moutarde et le conserver au réfrigérateur, car la moutarde ne souffre ni la chaleur ni la lumière, ni le contact de l'air. Pour que la moutarde reste forte et conserve ses arômes, il ne faut l'ajouter aux plats cuisinés qu'en fin de cuisson.

La moutarde a besoin de quelques heures de maturation en fût de bois pour perdre son amertume naturelle et dégager sa vraie saveur forte et piquante.

Les graines jaunes ont des arômes très fins, les graines brun-rouge sont fortes. Elles sont légèrement broyées avant la mouture et détrempées.

Quiche lorraine

Quelle ironie du sort qu'une tarte salée devînt précisément la plus grande spécialité lorraine ! Le versant alsacien des Vosges, abondant en arbres fruitiers et où l'élevage produit de la crème, du beurre, et des œufs à profusion, prédestinerait plutôt cette région à contribuer aux plaisirs du palais par le biais de la pâtisserie, de la biscuiterie, des confitures et de la confiserie.

La quiche lorraine est attestée depuis quatre cents ans dans les livres de cuisine. Les recettes les plus anciennes mettent toutes en valeur la saveur du lard fumé, spécialité de la région, comme saveur dominante dans la quiche. Le sel, exploité en Lorraine, est un produit commercial de bon rapport depuis le Moyen Age et les Lorrains surent mettre à profit leurs salines dans la conservation de la charcuterie. Le gruyère, inexistant dans la quiche originale, y fut introduit, à dater du jour où la quiche lorraine se rendit célèbre sur le reste du territoire français. A l'origine, seule comptait la qualité du beurre, des œufs et du lard fumé. Nous recommandons de boire avec la quiche un riesling sec ou un Beaujolais fruité.

1

2

3

4

Quiche lorraine
(Illustration 1–4)

Pour 2–4 personnes

150 g de farine
sel, poivre noir
3 œufs
75 g de beurre
150 g de poitrine fumée maigre
125 g de crème fraîche
1 pincée de muscade

Tamiser la farine et creuser un puits au milieu (1). Disposer dedans une pincée de sel, un œuf et le beurre coupé en petits morceaux. Mélanger le tout jusqu'à obtention d'une boule homogène. Abaisser la pâte et reformer une boule. L'envelopper dans de la cellophane et laisser reposer pendant deux heures au réfrigérateur. Préchauffer le four à 220 °C.
Faire une abaisse fine. La foncer dans un moule à tarte ou à quiche de 18 cm de diamètre (diamètre standard pour les quiches), préalablement beurré (2). Couper proprement les bords du moule et enlever la pâte qui déborde. Piquer le fond avec une fourchette. Précuire le fond de tarte pendant dix minutes au four.
Enlever la couenne et le cartilage de la poitrine fumée et la couper en lardons. Les faire revenir dans la poêle. Battre les deux œufs qui restent, y ajouter la crème fraîche. Epicer avec la muscade et le poivre. Saler à peine.
Répartir les lardons sur le fond de tarte. Saupoudrer d'un peu de gruyère râpé (3) et napper avec le mélange d'œufs et de crème (4). Faire cuire pendant environ 25 minutes. Servir chaud.
Remarque : le gruyère râpé n'est pas obligatoire.

Le fromage

«Comment est-il possible de gouverner un pays qui produit plus de trois cent soixante-dix fromages différents?» Cette exclamation du Général De Gaulle voulait exprimer que la France était un pays aux grands écarts régionaux. L'extrême diversité de paysages, de climats, de végétations, de races animalières, de traditions et de tempéraments de la France se reflète aussi dans le nombre de variétés de fromages, dont trente-deux portent jusqu'à présent le label de qualité «Appellation d'Origine Contrôlée»: le coulommiers, le munster, le roquefort, le saint-maure, le saint-nectaire, le comté, pour n'en citer que quelques-uns. Peu importe de quelle pâte ils sont faits, molle, dure ou demi-dure, qu'ils aient une croûte ou qu'ils n'en aient pas, que leur moisissure soit bleue ou rouge, interne ou externe, qu'ils soient frais ou faits, épicés, à croûte lavée ou macérée. On retiendra, pour la France, des classifications de fromages qui correspondent à leurs divers modes de fabrication et qui sont les suivantes: les fromages frais, les fromages fondus, les fromages fermentés à pâte molle ou à pâte persillée, le chèvre, les fromages à pâte dure ou demi-dure, à pâte pressée cuite ou non cuite.
Un bon repas sans fromage est inconcevable !

À l'arrière-plan : Roland Barthélemy, président de la Guilde parisienne du fromage, dans son magasin.

Le fromage frais

Il existe, parmi les fromages frais, une quantité industrielle de produits répondant à l'appellation de fromage blanc, mais aussi beaucoup de spécialités de fromage frais dans les régions où il est encore fabriqué artisanalement. C'est un fromage qui n'a pas encore de croûte ni de coloration et qui est d'une parfaite blancheur. Sa consistance est plus ou moins légère et crémeuse, selon qu'il est plus ou moins riche en matières grasses.

En font partie les jeunes fromages de chèvre, au même titre que les fromages frais épicés ou aromatisés de fines herbes, d'oignons ou autres ingrédients. Ces derniers sont présentés nature, dans les restaurants, à la place du plateau de fromage ou comme dessert lacté. On les adoucit avec du sucre, du miel ou de la confiture.

Camembert

Les abbayes font du fromage depuis le Moyen Age. Le camembert, lui, n'existe que depuis deux cents ans. C'est le seul grand fromage dont on connaisse le nom de la créatrice, une paysanne, Marie Harel, originaire du village de Camembert en Normandie. Sous la révolution française, elle avait recueilli un prêtre de la région de Brie qui, l'aidant aux travaux de la ferme, mit aussi la main à la pâte de ses fromages. La mise en commun des connaissances du Briard en matière de fromage et de la microflore du Pays d'Auge, d'où vient le meilleur Calvados, donna naissance à ce produit d'une grande finesse. Marie le paracheva en lui donnant une forme ronde, une taille et un poids définitif d'une demi-livre. Son emballage, enfin, dans de petites caissettes de bois fin,

A l'arrière-plan : pour fabriquer le camembert, le caillé est mis à la louche dans des moules à fromage.

Sur les pâturages de Normandie, les vaches trouvent de l'herbe grasse, qui donne un lait abondant et riche.

Le lait cru est versé dans des cuves de métal où il se coagule après addition de présure.

La louche détermine le poids qu'aura le fromage fini. Pour le camembert, il est en général de 250 grammes.

en 1880, parfit sa gloire et lui permit, en outre, de mieux voyager.

Le camembert est un fromage à caillé mixte coagulé par addition de présure, un ferment provenant de la caillette des jeunes veaux. Le caillé est mis à la louche dans des moules. Après le salage, le fromage commence à mûrir et à s'affiner. Afin que se forme la croûte duvetée qui caractérise le camembert, les fromagers l'ensemencent aujourd'hui d'une infime dose de moisissure. Il lui faut au moins trois semaines d'affinement avant d'être consommé. Sous sa croûte blanche et duvetée, pigmentée de rouge, mûrit une pâte jaune, souple, mais pas molle, exhalant une odeur caractéristique. La meilleure période pour consommer un camembert fermier s'étend de la fin du printemps à l'automne.

Fromages à croûte fleurie

Cette variété de fromage est aussi répandue qu'elle est appréciée sous des formes les plus diverses. Les rayons des supermarchés sont pleins de ces fromages populaires, dont certaines marques connues, cherchent à imiter le camembert avec des produits à croûte duvetée blanc légèrement chancie ou avec des bries de lait pasteurisé plâtreux et insipides. Si vous cherchez la qualité, achetez des fromages fermiers.

Vacherin du Mont d'Or

Le Mont d'Or occupe une place de choix sur les plateaux de fromage des réveillons de Noël et de la Saint-Sylvestre. Spécialité du Jura français, dont on pourrait, en fait, démarrer la fabrication dès la fin août, le Mont d'Or se commence en décembre et se produit jusqu'à la fin mars. La demande de vacherin étant

énorme, il arrive qu'au moment des fêtes, le vacherin du Haut-Doubs n'ait pas encore assez mûri. Il est à point quand sa consistance est crémeuse, son goût fruité et balsamique et quand sa pâte, couleur d'ivoire, est si coulante qu'elle peut se manger à la cuiller, après avoir enlevé la partie supérieure de la croûte, jaune-rouge, parfois grise et plissée.

Les Montbéliardes ou pies rouges de l'Est, les seules à fournir le lait pour la fabrication du vacherin, doivent paître à une altitude minimum de 700 mètres sur les pâturages du Doubs. C'est un fromage de lait cru coagulé au caillé présure et légèrement pressé. Les meules rondes et plates pèsent cinq cents grammes ou un kilogramme ou encore de 1,8 à 3 kilogrammes. La maturation commence sur des planches en bois de sapin. Les meules sont régulièrement retournées et frottées à l'eau salée. Pendant l'affinage, le fromage acquiert sa texture, sa couleur et son goût. L'affinage a lieu dans les boîtes en bûchettes de sapin, dans lesquelles il est vendu.

Fromages à croûte lavée

Ces fromages, provenant tous de la moitié nord de la France, sont des fromages lavés pendant la phase d'affinage. La croûte, d'abord lisse et gluante, prend peu à peu une moisissure rouge naturelle. La maturation, enfin, au cours de laquelle le fromage acquiert ses arômes, lui donne une coloration orange, un peu rougeâtre. La phase finale de l'affinage peut être réalisée au vin, à la bière ou à l'eau-de-vie. Ces fromages surprennent, d'un côté, par une odeur intense et une saveur relevée, de l'autre, par une consistance crémeuse et une extrême souplesse. Ils ne sont jamais piquants ou amers. Les fromages à croûte lavée sont faits, aujourd'hui, par les grandes laiteries.

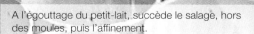

A l'égouttage du petit-lait, succède le salage, hors des moules, puis l'affinement.

Une infime dose de moisissure blanche permet au camembert de développer son duvet blanc. L'affinement dure trois semaines.

S'il a bien mûri, des taches rougeâtres apparaissent sur le duvet blanc. A l'intérieur, il est souple et jaune.

Roquefort

Le goût du roquefort est inoubliable et, d'aspect, il ressemble au marbre, pâle, noble, veiné ou tacheté bleu-vert. Le fameux fromage de lait de brebis est fait à Roquefort-sur-Soulzon, petit village de l'Aveyron, avec un élevage de brebis traditionnel. Ce village se trouve près du Causse de Larzac, un haut et vaste plateau calcaire, exposé aux vents, sec, aride, quasi stérile. Les troupeaux de Lacaunes s'y disputent une maigre nourriture, quelques herbes sauvages qui communiquent une fine saveur au lait des brebis. Les bergers de l'Aveyron et des départements limitrophes travaillent pour la grande coopérative de Roquefort et dix autres entreprises fromagères locales, situées entre Millau et Saint-Affrique. C'est à une catastrophe naturelle de la préhistoire que le plus renommé des fromages à pâte persillée doit de pouvoir être exclusivement fabriqué à Roquefort. La bordure nord-est du massif calcaire de Combalou, en s'écroulant, avait formé des grottes naturelles, sous un gigantesque monceau de décombres. Le calcaire, qui est perméable, garantit, à cet endroit précis, quatre-vingt-quinze pour cent d'humidité. L'air ambiant, qui pénètre dans les fissures du rocher, assure une basse température constante, condition requise pour la propagation du pénicillium de Roquefort sur les parois des caves. Mais, aujourd'hui, on n'attend plus que le fromage arrive dans les caves du Combalou pour le contaminer. L'ensemencement des moisissures est fait dans les laiteries. Des milliers de litres de lait sont contaminés par des quantités négligeables de champignons, avant même qu'ait commencé la fabrication du fromage. Avant que les meules ensemencées entament leur première phase de maturation, dans les caves naturelles, sur de longues étagères en chêne massif, elles sont énergiquement brossées et raclées. De longues aiguilles d'acier les transpercent ensuite de toutes parts, créant un réseau infini de canaux d'aération qui favorise le développement du pénicillium, qui sera freiné au bout d'un mois, s'il est trop rapide. Le fromage est enveloppé d'une fine feuille d'étain et transféré dans des caves plus profondes et plus fraîches du Combalou, où les moisissures filent leur toile de veines pendant encore trois mois, si ce n'est un an ou davantage pour certaines qualités. Plus le roquefort est jeune, plus il est blanc et peu marbré, plus les veines sont foncées. Une longue maturation le rend d'ivoire. Le champignon gagne du terrain, prend une coloration bleu-vert, il resplendit et acquiert la saveur qui fait sa renommée. Il se marie délicieusement avec les vins doux naturels de Muscat du Sud.

Le lait cru de brebis donne à ce fromage à pâte persillée, le plus connu de France, son goût unique.

La moisissure bleue prospère dans les caves des roches calcaires du Combalou.

A l'arrière-plan : agrandissement du roquefort, le plus noble de tous les bleus.

Afin que le champignon se développe bien dans le fromage, celui-ci est perforé avec de fines aiguilles.

La première phase d'affinement des meules posées à découvert sur des planches de bois, dure un mois.

Le maître fromager et maître de cave de la coopérative contrôle le stade d'affinement des fromages.

La seconde phase d'affinement s'effectue dans des caves plus fraîches.

Le chèvre

Les chèvres ne sont pas exigeantes. Elles se contentent de peu. Quelques maigres herbes, des tiges et des feuilles de buissons ou d'arbre leur suffisent. Voilà qui explique le nombre d'élevages caprins tenus, en France, par de petites exploitations agricoles n'ayant que peu de terres ou des terres pauvres. Plusieurs régions sont séculairement célèbres pour leur fromage de chèvre : le Poitou, le Berry, le Quercy, la Provence et la Corse. L'usage de techniques modernes d'agriculture depuis le milieu du 20ème siècle signifia, pour beaucoup d'éleveurs, la cessation immédiate de leur activité. L'élevage caprin, qui reste une forme d'exploitation traditionnelle, n'était plus rentable.

Il connut un nouvel essor après 1968. Une sorte d'exode amena beaucoup de jeunes voulant vivre près de la nature en province et dans les campagnes. La chèvre devint leur animal héraldique. Même si la plupart s'en retournèrent d'où ils étaient venus, quelques années plus tard, ceux qui restèrent apprirent le métier et devinrent professionnels. Le fromage de chèvre fut leur principal rapport. Les marchés ont tous au moins un stand de fromage de chèvre artisanal.

Une chèvre donne en moyenne quatre litres de lait par jour, soit huit cents litres par an. Le lait de chèvre est plus riche en matières grasses que le lait de vache ou de brebis. Il est chauffé dans une chaudière à 33 °C puis additionné de 30 millilitres de présure pour 100 litres de lait. La coagulation dure une bonne demi-heure. Quand la caséine s'est transformée en masse visqueuse, on la coupe prudemment en morceaux avec un tranche-caillé, pour faire couler le petit-lait, puis on la met dans des moules perforés. Ces derniers contiennent, le plus souvent, en production artisanale, un litre de lait, à moins que la tradition ne prescrive les pyramides, les bâtons ou les cylindres. A la sortie du moule, le chèvre est mou, blanc, très crémeux et presque insipide.

Une semaine plus tard, il a déjà perdu du volume en séchant et commence à exhaler son odeur caractéristique. Deux semaines de maturation affermissent la pâte et laissent au fromage le temps de former une croûte tendre et jaunâtre, parfois bleuâtre. Son odeur est encore douce, mais nette. Il est complètement sec vingt à trente jours plus tard. Sa croûte est striée et présente des taches de moisissure. Plus il vieillit sur claie, plus il durcit. Plus il sèche, plus son goût est fort.

La chèvre est reine de tous les sols stériles où elle ne permet aucun autre élevage. Les Français lui doivent une de leurs plus exquises familles de fromage.

Fromages à pâte pressée non cuite

En France, on distingue les fromages à pâte dure et demi-dure, les pâtes pressées non cuites et les pâtes pressées cuites (voir ci-dessous). La fabrication artisanale des fromages à pâte pressée non cuite se fait avec le lait des traites du matin et du soir chauffé à 32 °C et additionné de présure. Une fois que le lait a coagulé et que s'est formé le gel de caséine, le caillage peut durer entre une demi-heure et une heure. La pâte est ensuite fractionnée au tranche-caillé. Une fois le caillé pressé, il repose. On le fractionne une seconde fois plus finement, puis il est salé et mis dans un moule foncé d'un linge. Il est repressé pendant 48 heures. Les gros cylindres peuvent alors sortir des moules et commencer leur maturation dans des caves humides et fraîches. Selon la variété de fromage, une phase finale d'affinage succède à celle de la maturation.

Les plus grands fromages de cette famille sont le cantal, le salers et le laguiole, tous trois des produits d'Auvergne. Les pâturages de cette région volcanique, à 700 ou 1000 mètres d'altitude, procurent aux vaches rustiques des races Aubrac et Salers quantité d'herbes fraîches et aromatiques, en particulier du trèfle et de la gentiane, qui parfument le lait et le fromage et lui donnent un goût et une saveur de grande finesse.

Fromages à pâte pressée cuite

La préparation du fromage à partir d'une pâte pressée cuite, méthode employée surtout pour les grands fromages à pâte dure comme l'emmental français, le beaufort (appellation d'origine) et le gruyère de Comté, ou comté (appellation d'origine), se développa notamment dans la région des Alpes. L'abondance, fromage à pâte mi-cuite, fabriqué depuis le Moyen Age, en fait également partie. Après la coagulation du lait par addition de présure et l'obtention de fromage à caillé présure, on le découpe en petits morceaux de la grosseur d'un grain de blé. Il est ensuite chauffé et brassé à une température que l'on fait augmenter progressivement jusqu'à 52 °C. Tandis que les grains de caillé durcissent, le brassage se poursuit encore pendant une demi-heure. Le caillé est mis dans des pots perforés, revêtus de linges, d'où coulera le lactosérum, puis pressé dans des moules. Le beaufort est encerclé de hêtre. Quand la meule a durci, on procède au salage, on le frotte et la maturation commence. Elle durera entre trois et six mois.

Le caillé est mis dans les moules, quand le lait de chèvre a coagulé, par addition de présure.

Le petit-lait coule par les perforations et le fromage prend forme.

Au bout d'une heure, les fromages ont déjà la bonne consistance pour être démoulés. L'affinement peut commencer.

Voilà des fromages de chèvre bien faits. La croûte est ferme et la pâte blanche est crémeuse.

Récapitulatif des fromages français
(Illustrations p. 406–407)

Les variétés pourvues d'un astérisque sont d'Appellation d'Origine Contrôlée et sont garanties fabriquées à partir de lait cru.

Fromages à croûte fleurie
Brie de Meaux*
Brie de Melun*
Brillat-Savarin
Camembert*
Chaource*
Coulommiers
Neufchâtel*
Saint-Marcellin

Fromages à croûte lavée
Epoisses*
Langres*
Livarot*
Maroilles*
Mont d'Or, vacherin deu Haut-Doubs*
Munster, Munster-Géromé*
Pont l'Evêque*

Chèvre
Cabécou
Chabichou du Poitou*
Charolais, Charolles
Crottin de Chavignol*
Montrachet
Pélardon
Picodon de l'Ardèche, Picodon de la Drôme*
Poivre d'âne
Pouligny-Saint-Pierre*
Saint-Maure*
Selles-sur-Cher*

Fromages à pâte persillée
Bleu d'Auvergne*
Bleu des Causses*
Bleu du Haut-Jura, bleu de Gex, bleu de Sept-Moncel*
Fourme d'Ambert, Fourme de Montbrison*
Roquefort*

Fromages à pâte pressée non cuite
Ardi-gasna
Bethmale
Cantal*
Laguiole*
Mimolette
Morbier
Ossau-Iraty*
Reblochon*
Saint-Nectaire*
Salers*
Tomme de Savoie

Fromages à pâte pressée cuite
Abondance*
Beaufort*
Comté, gruyère de Comté*

Fromages à croûte fleurie

Camembert
Célèbre fromage de Normandie, fait de lait cru (voir p. 400–401).

Coulommiers
Brie de l'Ile-de-France. Meules de 500 grammes.

Saint-Marcellin
Petit fromage de lait de vache de l'Isère. C'est à ce stade qu'il est le plus aromatique.

Brillat-Savarin
Fromage très doux, légèrement acide et très gras de Normandie.

Brie de Melun
Meules d'environ 28 centimètres de diamètre. Après les quatre semaines habituelles d'affinage, il présente, en surface, des marques semblables à celles du brie de Meaux. A l'intérieur, il est lisse et jaune. Il a un goût de noisette. Les deux bries sont fabriqués en Seine-et-Marne et dans les départements voisins. Le brie a moins bon goût au printemps.

Neufchâtel
Sous cette forme de cœur, avec duvet blanc, c'est le plus connu. La phase d'affinage est très courte. Il a un goût agréable et une légère note de moisissure. Originaire de Seine-Maritime, il est connu depuis le 11e siècle. Autrefois, on l'appelait fromenton.

Chaource
Fromage de Champagne et de la Bourgogne du Nord, connu depuis le Moyen Age, présenté en cylindre cerclé de papier. Il pèse 450 ou 200 grammes. 50 % de matières grasses dans la masse sèche. Très crémeux. Quand il est fait, il a un goût de champignon. Il est meilleur en été.

Brie de Meaux
C'est le brie le plus fameux. Il était déjà apprécié par Charlemagne. Aujourd'hui, c'est un fromage industriel assez salé. Meules plates de 2,5 centimètres de hauteur et 35 centimètres de diamètre. Quand il est fait, il présente des taches rougeâtres ou des rayures sur un duvet blanc.

Fromages à croûte lavée

Pont l'Evêque
Fromage de Normandie, fabriqué depuis le moyen-âge. Forme carrée caractéristique. Il pèse 350 ou 400 grammes. Pâte lisse et jaunâtre. Net arrière-goût de noisette.

Livarot
Fromage fabriqué dans le Calvados. La croûte est entaillée de fils de jonc. La pâte est jaune et souple.

Munster, Munster-Géromé
Fromage de lait de vache des alpages des Vosges, très aromatique, créé par des moines. Il a la forme de grosses meules.

Vacherin du Mont d'Or
Fabriqué uniquement au lait cru. Les meules s'affinent sur du bois de sapin.

Langres
Quand il est jeune, sa croûte est jaune, lisse et fine. Il fonce en mûrissant. Pâte fondante, légèrement piquante. Il est meilleur à l'automne.

Epoisses
Spécialité de Bourgogne, affinée au marc ou au vin blanc, ou parfois dans un mélange des deux. Croûte lisse et brillante ou légèrement striée de couleur orange foncé. Fort bouquet, très crémeux, agréable goût épicé.

Maroilles
Célèbre vétéran apprécié depuis le Moyen Age. Forme carrée de 13 centimètres de côté et de six centimètres de hauteur. Croûte rouge brique brillante. Fort parfum, Goût très prononcé et individuel. Il harmonise avec la bière.

Chèvre

Charolais, Charolles
Fromage de Bourgogne. Souvent moitié lait de vache, moitié lait de chèvre. Cylindres de 150 grammes.

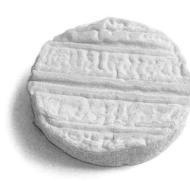

Cabécou
Fromage de brebis ou de chèvre moelleux du Quercy, du Périgord ou du Rouergue.

Pouligny-Saint-Pierre
Fromage de la Loire, dans le Massif central. Pyramide d'environ 250 grammes. Il est très bon avec une petite moisissure légèrement bleue.

Selles-sur-Cher
Fromage du sud de la Loire. Cylindres légèrement raccourcis. Ils sont parsemés d'un mélange de sel et de charbon de bois, puis affinés. Fine saveur de noisette.

Picodon de l'Ardèche, Picodon de la Drôme
Petits bondons plats qui, très faits, picotent la langue et prennent une moisissure bleue.

Pélardon
Fromage des Cévennes qui existe en plusieurs variétés. Doux et aromatique.

Crottin de Chavignol
Petits fromages ronds, du même nom que le village de la Loire dans la région du Sancerre.

Chabichou du Poitou
On dit qu'il remonte à l'époque des Maures. Petit cylindre de 150 grammes.

Saint-Maure
C'est le chèvre le plus connu. Rouleau blanc ou légèrement bleu, fabriqué artisanalement. Il est maintenu au milieu par une paille.

Poivre d'âne
Fromage de Provence. Mi-sec. Roulé dans les herbes, généralement dans la sarriette.

Montrachet
Fromage de Bourgogne, doux et crémeux, mangé frais.

Fromages à pâte persillée

Bleu d'Auvergne
Fabriqué pour la première fois vers 1850 par un paysan malin du Massif central. Mince croûte brossée. Pâte ferme ivoire sillonnée de marbrures verdâtres et bleuâtres constituées de filaments mycéliens. Goût piquant caractéristique.

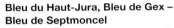

Bleu des Causses
Fromage voisin du roquefort, mais de lait de vache. Il est affiné dans des conditions analogues, dans des caves calcaires naturelles de l'Aveyron. Pâte claire et régulière avec des moisissures bleues.

Roquefort
C'est le plus célèbre des fromages de lait de brebis fermentés à pâte persillée (voir p. 402–403).

Bleu du Haut-Jura, Bleu de Gex – Bleu de Septmoncel
C'est un fromage qui a un peu un statut de « marginal » parmi les bleus français. On lui donne la forme d'une roue. Salage à la main. Belle croûte dorée, pâte couleur crème, marbrée de fines traînées de moisissure bleu-verdâtres. Arôme délicat. Arrière-goût de noisette. La meilleure saison est de juin à octobre.

Fourme d'Ambert, Fourme de Montbrison
On suppose qu'il est fabriqué depuis 2000 ans dans les montagnes d'Auvergne. Jadis, il était fait directement sur les alpages. Il est mis en moules cylindriques et hauts, puis ensemencé et affiné pendant des mois. Croûte grise, moisissure souvent de diverses couleurs. Pâte jaunâtre grasse, aux marbrures bleues régulières. Saveur douce. On le mange à la cuillère d'un cône haut de 19 cm.

Abondance
Fromage produit depuis le 12e siècle par les moines de l'abbaye d'Abondance en Haute-Savoie. Le lait vient de la race bovine du même nom, élevée jadis par les moines. Après la coagulation du lait, on procède à une seconde cuisson de la masse de fromage, puis on la bat dans un linge et on la presse dans des bagues de bois. Après trois mois d'affinage, la croûte a pris une couleur orange clair, la pâte est jaune clair, elle a peu de trous. Le goût est agréable. C'est un fromage particulièrement fruité en été.

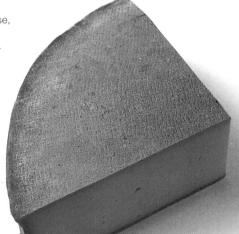

Fromages à pâte pressée cuite

Beaufort
Pour obtenir sa forme de roue, on le presse dans des bagues de hêtre. Il peut mesurer jusqu'à 75 centimètres de diamètre et atteindre un poids de 70 kilos. Au bout d'au moins six mois d'affinement, il a une croûte dure et jaune qui peut tirer sur le brun et un goût de noix.

Comté, Gruyère de Comté
C'est le fromage à pâte dure le plus consommé de France. Il vient de Franche-Comté où les vaches broutent en été sur les alpages du Jura. Selon la fabrication traditionnelle, la consistance du grain est obtenue par cuisson. Puis on presse la pâte dans un linge. Après le salage et l'égouttage, au cours de l'affinement de trois à six mois, il est souvent retourné. Sous leur croûte dure, ces meules, qui peuvent atteindre 55 kilos, dissimulent une pâte jaune et lisse aux arômes fruités et d'une saveur florale.

Fromages à pâte pressée non cuite

Reblochon
Fromage des montagnes de Savoie plat et rond, vendu
entier ou en moitié. Il est légèrement pressé et lavé plusieurs fois. Sa croûte est jaune orange marbrée de moisissure blanche. La pâte, souple, régulière et crémeuse a
un goût agréable de noisette.

Tomme de Savoie
Autrefois, on ne la fabriquait qu'en
Savoie à partir de lait écrémé. La
surface gris-brun est tachetée de
rouge. Goût intense.

Bethmale
Fromage de lait de vache des
Pyrénées. Meules de taille
moyenne avec une croûte affinée
naturellement. Goût légèrement
piquant.

Morbier
Fromage de la région de Comté,
reconnaissable à sa raie de cendres
au milieu.

Ardi-gasna
Pur fromage de brebis du
Pays basque, souvent mangé
avec de la confiture de
cerises.

Ossau-Iraty
Pur brebis des vallées et des alpages des
Pyrénées occidentales. Ossau se trouve
dans le Béarn, Iraty dans le Pays basque
français. Quand les meules sont livrées,
après trois mois au moins d'affinage, il n'a
été que légèrement pressé. Croûte dure,
pâte lisse avec peu de trous, fines saveurs
aromatiques, caractéristiques, arrière-goût
de noix. Il est meilleur en novembre et
décembre.

Salers
Fromage du Cantal fabriqué
avec le lait des Salers qui broutent l'été sur les pâturages.
Hauts cylindres de 35 à 45 kilos.

Mimolette
Importé à l'origine de
Hollande et fabriqué maintenant aussi en France. Pâte
dure et rougeâtre. Peu de
trous.

Laguiole
Voisin du Cantal, du
haut plateau
d'Aubrac. Fabriqué
artisanalement.
Affinage de quatre à
dix mois.

Cantal
C'est le fromage à pâte demi-dure le
plus consommé. Fabriqué dans le
Sud du Massif central.

Saint-Nectaire
On le fabrique depuis 1000 ans, mais
il est devenu célèbre sous Louis XIV.
Fromage de lait cru à pâte demi-dure,
pressé deux fois en forme de meule,
affiné dans des caves humides sur de
la paille de seigle qui donne cette
coloration à sa croûte. Pâte fine aux
arômes de noix et de champignon.

Le vin

Le vin français est lié au terme de terroir, presque magique et difficilement compréhensible pour un étranger. Terroir englobe bien plus que le mot terre, cela résume toutes les conditions naturelles permettant à la vigne de prospérer dans un site précis : structure du sol et des pierres, déclivité, orientation, pluie et beau temps, gelées, chaleur et vent. Partout où le vin a bonne réputation, c'est que le terroir réunit des qualités et des aptitudes favorables.

Le système français d'appellation d'origine est très subtil et se fonde avant tout sur ces données. Trois cent vingt régions viticoles furent déclarées Appellation d'Origine Contrôlée. L'appellation peut comprendre une superficie de un à mille hectares de vigne, mais garantit toujours l'authenticité des vins, qu'il s'agisse d'un Sauternes ou d'un Chablis, d'un Margaux ou d'un Pommard, d'un Châteauneuf-du-Pape ou d'un Saint-Emilion, d'un Beaujolais ou d'un Hermitage. Les producteurs s'engagent aussi à respecter l'encépagement, facteur d'une importance primordiale. Le choix et l'élevage du cep reposent sur de très anciennes règles de viticulture.

Même si, outre le travail au vignoble, les autres activités en cave, de la vinification à la mise en bouteilles, marquent le vin, l'homme demeure néanmoins capital. L'influence du vigneron ou du viticulteur sur le vin jouera selon son caractère, son histoire, sa culture, sa philosophie, son éthique, son jugement, ses intentions. Il arrive que de très bonnes années produisent, sous une seule appellation, des vins à la fois décevants et grandioses, conférant à leur terroir une expression unique.

Les vins français se sont nettement améliorés depuis 1975. La gamme de produits devient intéressante. Les vignerons sont de plus en plus nombreux à produire de grands vins au sein d'appellations toujours plus multiples. C'est une culture encore très vivante, née sous les Phéniciens, les Grecs et les Romains.

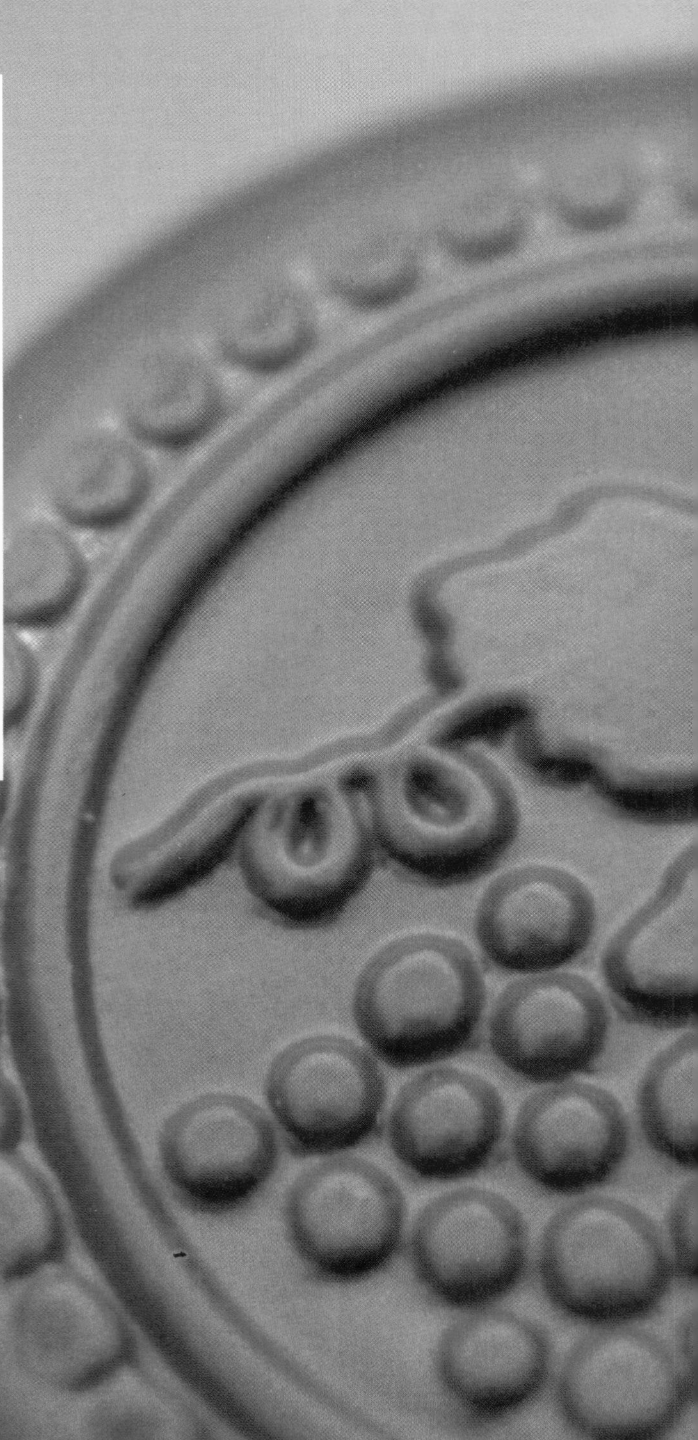

Catégories de vin

Vin de table, VdT
C'est la catégorie la plus basse. Il s'agit en général d'un vin tiré en quantités et sans caractère.

Vin de pays, VdP
Il est déjà réglementé et peut avoir des vins agréables et aromatiques, parfois même issus d'un seul cépage.

Vin délimité de qualité supérieure, VDQS
Catégorie réglementée entre le vin de pays et le vin d'appellation d'origine contrôlée. Il est devenu rare et peut produire de très bonnes qualités.

Vin d'appellation d'origine contrôlée, AC ou AOC
La meilleure qualité de vin, soumise à de très strictes réglementations à l'égard du cépage et des rendements. Il devrait toujours être la garantie d'une qualité convenable. Tous les grands vins sont des AOC.

La forme des bouteilles

Quelques régions viticoles ont créé leurs propres formes de bouteille. Les plus connues sont :

1 La Bourgogne
2 Le Bordelais
3 L'Alsace
4 La Provence
5 Châteauneuf-du-Pape

Ci-dessous : la France renferme une quantité incroyable de vins dissimulés sous les capsules d'étain et les bouchons. C'est une mine inépuisable pour les fins gourmets et les amateurs de vin.

④ ⑤

Le vocabulaire du vin

Amertume :	goût contracté par de très vieux et très grands vins, souvent par suite d'un excès de tanin
Amour :	s'emploie surtout en Bourgogne. Un vin qui a de l'amour est bouqueté, plein de feu et de sève
Assemblage :	mélange, coupage
Bouqueté :	qui exhale finement son parfum
Bourru :	vin jeune qui sort de la cave ou du pressoir
Capiteux :	riche en alcool, qui échauffe le cerveau
Chargé :	malade, trouble, sans saveur ni vigueur
Charpenté :	bien constitué
Corps :	corsé
Cuvée :	produit d'une récolte
Dentelles :	un vin qui « tombe en dentelles » est un vin décoloré, sans saveur
Equilibré :	vin au goût franc et aux éléments homogènes
Etoffé :	ample, solide, soyeux
Faible :	vin ayant peu de corps
Ficelle :	se dit d'un vin trop vieux sans qualité
Garde :	vin de garde, qui se conserve longtemps
Gouleyant :	facile à boire, contraire de dur
Liquoreux :	vin plus ou moins capiteux
Mâche :	vin ayant de la chair
Moelle :	se dit d'un vin onctueux
Mordant :	spiritueux, qui a du bouquet
Primeur :	vin précoce
Queue de paon :	se dit des très grands vins à l'arôme persistant
Racé :	de grande classe
Robe :	couleur due au tannin
Sève :	âme du vin
Spiritueux :	alcool naturel produit par fermentation
Suave :	vin doux, harmonieux
Terroir :	qui tient à la nature du terrain
Tuilé :	vieux vin rouge à la robe décolorée
Vieillarder :	entrer en dégénérescence
Vineux :	qui a beaucoup de force, de spiritueux

411

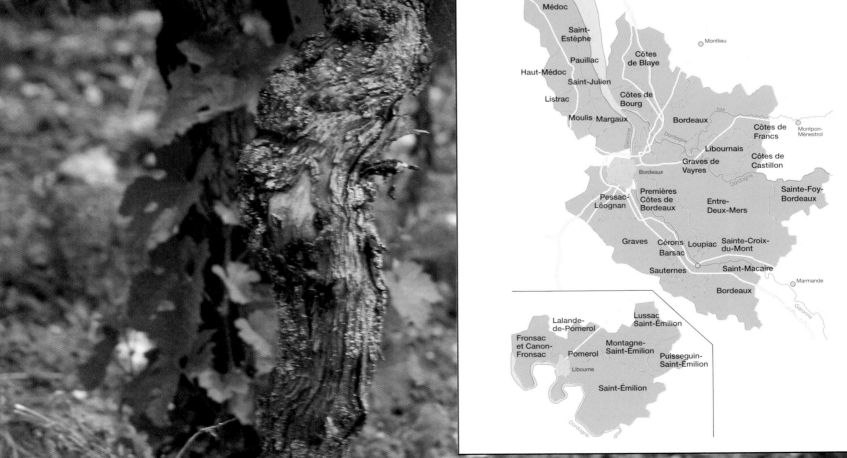

Bordeaux

Médoc

Saint-
Estèphe

Pauillac

Haut-Médoc

Saint-Julien

Listrac

Côtes de
Bourg

Moulis Margaux

Côtes de Blaye

Montlieu

Bordeaux

Côtes de
Francs

Montpon-
Ménestrol

Libournais

Graves de
Vayres

Côtes de
Castillon

Bordeaux

Pessac-
Léognan

Premières
Côtes de
Bordeaux

Entre-
Deux-Mers

Sainte-Foy-
Bordeaux

Graves

Cérons
Barsac

Loupiac

Sainte-Croix-
du-Mont

Sauternes

Saint-Macaire

Marmande

Bordeaux

Lalande-
de-Pomerol

Lussac
Saint-Émilion

Fronsac
et Canon-
Fronsac

Pomerol

Montagne-
Saint-Émilion

Puisseguin-
Saint-Émilion

Libourne

Saint-Émilion

Dordogne

Bordeaux

La ville portuaire de Bordeaux et ses environs, la plus grande région viticole mondiale d'un seul tenant, s'étend sur plus de cent mille hectares. Bordeaux présente une étonnante gamme de vins. Les vins de Bordeaux et du Bordelais ne sont pas seulement des vins rouges. Du vin de table au Château, existe également une gamme très variée de vins blancs secs, doux et très doux, de rosés et de vins mousseux. Les châteaux du Bordelais sont des propriétés productrices de vins, qui donnent leur nom à des crus. Certains Châteaux se sont forgés une réputation mondiale.

Le Bordelais, proche de l'Atlantique, jouit d'un climat tempéré. Protégé des tempêtes de mer par les forêts, il connaît des automnes souvent ensoleillés, conditions idéales pour obtenir une maturation du raisin propre à produire d'excellents millésimes. Le Bordelais est traversé par la Dordogne et la Garonne qui se rejoignent au nord de Bordeaux pour former la Gironde. On distingue trois régions qui donnent toutes trois des vins de caractère très différent.

• Sur la rive gauche de la Garonne, autour de Bordeaux, s'étend jusqu'à l'embouchure de la Gironde une bande de vignobles d'à peine vingt kilomètres de large. Ce sont les célèbres Graves, avec les meilleurs blancs secs, relayées au nord de Bordeaux par le Haut-Médoc et le Médoc. Les sols de graviers fort pierreux et perméables, avec partiellement des couches de calcaire très profondes, donnent des vins blancs suaves, pleins et moelleux, notamment le Sauternes. Les vins rouges issus de Cabernet sauvignon, que ce soit le Graves, le Margaux, le Saint-Julien ou le Paulliac, ont moins de corps quand ils sont jeunes. Par contre, en vieillissant, ils prennent une saveur fine, riche, élégante et de grande race.

• La rive droite de la Garonne est surmontée, entre ce fleuve et la Dordogne, des pittoresques coteaux de l'Entre-Deux-Mers, que longent les Premières Côtes de Bordeaux, avec des vins rouges très corsés. La glaise domine sur un sous-sol de craie blanche. L'Entre-Deux-Mers est une appellation de vins blancs. Dans cette catégorie, le Sauvignon représente les vins fruités.

• Sur la rive droite de la Dordogne, dans le Libournais, les plus grands sites se trouvent sur des sols de pierre avec un sous-sol calcaire. C'est le cas, partiellement, du Saint-Emilion et de Pomerol, où le raisin bleu-noir Merlot donne douceur et rondeur aux vins rouges. Dans les appellations environnantes, comme les Satellites, dominent des sols lourds donnant naissance à des vins rouges charnus et corsés. Les sols hétérogènes de Bourg et de Blaye, au nord-ouest de Libourne, donnent aussi bien des vins rouges fruités que des vins blancs secs, avec parfois une note florale.

Page de gauche : le Merlot est le cépage dominant sur la rive droite de la Dordogne, à Saint-Emilion et dans le Libournais. Dans le Médoc, les Cabernets sont supérieurs.

Cépages de Bordeaux

Cabernet Sauvignon
C'est la vedette des raisins de la région et il est répandu dans le monde entier. Il est prédominant dans les vins du Médoc, donne un vin sombre, qui a un bouquet de cassis et de cèdre et des tanins très prononcés. C'est pourquoi son vieillissement est nécessaire.

Cabernet franc
Il est très proche du précédent, mais bourgeonne plus tôt. Traditionnellement employé pour les assemblages de vins de Bordeaux, il donne un vin de baies complexe, relevé, au corps plus mince, aux tanins délicats et qui progresse lentement.

Merlot
Il mûrit tôt et a de bons rendements. C'est une vigne importante dans les assemblages de Bordeaux, en particulier dans le Pomerol et dans le Saint-Emilion. On le trouve aussi dans le Midi. Le vin est animal, velouté, il a du corps, des tanins légers et vieillit plus vite.

Petit Verdot
C'est un raisin qui mûrit tard, il est donc difficile à traiter et donne des résultats irréguliers. Il est en régression dans le Médoc. Il donne un vin sombre, relevé, volumineux, avec des tanins prononcés. Il est excellent dans les assemblages.

Malbec, Auxerrois, Cot, Pessac
C'est un raisin menacé par les gelées et la variété la plus importante du Cahors. On le trouve rarement dans la région de Bordeaux. Il donne un vin très sombre, presque noir. Il a des tanins très puissants et présente une bonne aptitude de vieillissement.

Sauvignon
C'est un raisin très productif qui sert de base au Bordeaux blanc sec. Son fief est dans la Loire, mais on le plante dans le monde entier. Il donne un vin très aromatique au bouquet de cassis ou de feuilles de cassis. Il est très fruité et présente une certaine acidité.

Le sud-ouest de la France

La forte influence de l'Atlantique est le seul facteur qu'ont en commun les autres appellations du sud-ouest de la France, qui présentent de grands écarts de qualité, de goûts et de bouquets. L'amateur de vin y découvrira de grandes richesses à des prix plus que raisonnables. A l'ouest de Bordeaux, le Bergerac offre, sur 12 000 hectares de vignobles, une diversité de vins similaire à celle de son célèbre voisin, le Bordeaux. Le Monbazillac, un vin doux de dessert, est certainement l'un des plus remarquables. Dans le Cahors, le Malbec, avec ses grands millésimes à maturation lente, entre dans la composition des vins rouges. Les appellations Côtes de Duras ou Buzet se fondent avant tout sur des variétés de Bordeaux rouges, bien qu'on y rencontre parfois un rosé ou un blanc. En revanche, les Côtes du Frontonnais profitent d'une gamme plus diversifiée de variétés pour leurs vins rouges souvent très parfumés et plus légers. La Négrette, raisin rare, donne aux meilleurs vins de la vigueur et de la race. Gaillac, point de jonction des influences méditerranéennes et atlantiques, produit une grande variété de vins très différents, mousseux, secs ou doux, blancs, rosés, rouges. Un groupe de jeunes viticulteurs du Madiran, avec Alain Brumont en tête, alimenta la chronique en affirmant que le Tannat, principale vigne du Madiran, a plus de profondeur et de grandeur que le Cabernet. Le Jurançon, au sud-ouest de Pau, est également très apprécié pour son vin blanc doux d'un parfum très particulier, mais aussi pour son blanc sec. Les vignes nobles du Jurançon sont plantées de Manseng, une variété locale. Enfin, le vin d'Irouléguy, raisin basque, récolté dans des vignobles spectaculaires, vaut la peine d'une dégustation.

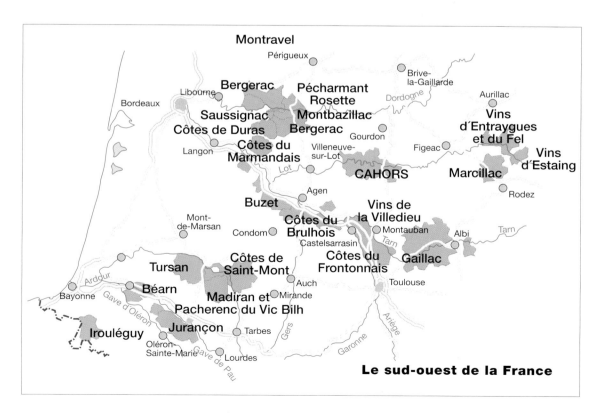

Le sud-ouest de la France

La Bourgogne

Aucune autre région vinicole n'a un système aussi subtil de division des vignobles en domaines morcelés. Les parcelles sont dispersées entre divers vignobles qui ont pour seul lien leur appartenance à un seul propriétaire. Néanmoins, sur une superficie totale de 24 000 hectares, il y a autant d'appellations d'origine contrôlée que de types distincts de vins de Bourgogne. Les plus fameuses sont les Crus du Beaujolais. La Côte d'Or, qui s'étire de Dijon à Chagny, avec Beaune au centre, produit à elle seule, près de 70 appellations sur 8 500 hectares, sans oublier les Premiers Crus des communes. Comme les sols de Bourgogne peuvent présenter d'étonnantes alternances de structure, le climat continental, lui, influence lui aussi tous les vins. Bien qu'il ait chaque année des écarts considérables, donnant des vins très divergents, il confère toujours aux millésimes un caractère analogue. La Bourgogne a deux excellents raisins, le Chardonnay blanc et le Pinot noir qui fournissent aux nombreux grands crus de Bourgogne du vin riche, équilibré, à l'arôme exceptionnel.

La Bourgogne comprend 4 régions vinicoles:
• Le Chablis, au nord-ouest, dans le département de l'Yonne, avec 2 400 hectares. Ses sols de calcaire coquillier ne produisent que du raisin blanc donnant au Chardonnay un arôme minéral frais. Il comporte, en outre, 1 900 hectares d'appellations régionales comme l'Irancy.
• La Côte d'Or:
1 – Les Côtes de Nuits, à partir du sud de Dijon, avec vingt-trois Grands Crus (majorité de vins rouges) sur trente en tout. Les vignobles de ce coteau ont des sols mixtes de cailloux calcaires, d'argile et de craie. Les vins rouges ont presque tous la même structure, des tanins caractéristiques et il vieillissent bien.
2 – Les Côtes de Beaune – qui abritent les fameux blancs somptueux, Meursault et Montrachet. Le sol de marne donne avant tout des vins rouges légers, délicats, très parfumés quand ils sont jeunes, sauf le Pommard.
3 – Plus haut, se trouvent, sur 8 500 hectares, les Hautes-Côtes de Nuits et de Beaune avec des Chardonnay frais et des Pinot noir très légers.
• La Côte Chalonnaise, 2 200 hectares, aux sols calcaires et de marne donne, dans les appellations Bouzeron, Rully, Mercurey, Givry et Montagny, des vins légers, élégants, qui ont souvent un fort arôme.
• Le Mâconnais s'étend, sur 8 800 hectares, au sud de la Bourgogne, du nord de Tournus aux rochers de Solutré et de Vergisson où sont cultivés les meilleurs vins blancs, Pouilly Fuissé et Saint-Véran. Ailleurs, les sols hétéroclites donnent des blancs et des rouges frais et verts, très agréables à boire.

Beaujolais

Le Beaujolais est l'un des vins rouges ayant le plus de charme. La région du Beaujolais comprend 22 500 hectares de vignobles dans le prolongement du Mâconnais, et donc de la Bourgogne. Ils s'étendent jusqu'aux environs de Lyon. Les dix Grands Crus au nord du Beaujolais sont autorisés à vendre leurs vins comme «Appellation Bourgogne». Historiquement, le Beaujolais ne fut cependant jamais part de la Bourgogne, et son vin rouge, provenant du Gamay, est souverain. Il n'obtient nulle part ailleurs une qualité, une expression aussi diversifiée et nuancée et ne donne nulle part ailleurs des vins aussi admirables. La vendange se fait à la main. Les grains de raisin fermentent entiers.

Les cépages de Bourgogne

Chardonnay
Excellent raisin blanc local qui donne en Bourgogne l'un des vins blancs les plus renommés au monde. Aujourd'hui, il est cultivé partout. Selon le sol et la vinification, il fournit du vin riche, bien équilibré, à l'arôme exceptionnel, et dont le superbe arrière-goût reste longtemps dans la bouche.

Pinot noir
Le Pinot noir est un des plus grands raisins à vin de qualité. C'est lui qui donne les rouges fabuleux de Bourgogne. Le Champagne et le rosé d'Alsace lui doivent une bonne part de leurs caractéristiques. C'est une vigne capricieuse qui donne des vins jeunes aux arômes de raisin extrêmement délicats. Il a souvent des tanins d'une grande finesse.

Gamay
Raisin rouge robuste servant à faire du vin rouge. Sauf sur le granit et avec des rendements bas, où il donne des vins admirables, ce raisin présente peu d'intérêt. Il se cultive aussi sur la Loire, dans le Jura et en Suisse. Le vin possède des arômes agréablement fruités, une saveur florale. Il est frais au palais et se boit bien.

Aligoté
Raisin blanc de Bourgogne, peu répandu, qui donne un vin plaisant mais sans qualités exceptionnelles. Mieux vaut le consommer jeune car il a tendance à s'oxyder. Il se prête, à cause de son acidité, au mélange dans la liqueur de cassis pour composer le Kir. Traité avec soin, comme à Bouzeron ou à Saint-Bris, il donne un blanc fin, intéressant, au bouquet légèrement fruité et très vif, désaltérant et presque soyeux.

Le clos de Vougeaut avec son château et ses caves du 12ème siècle est l'un des plus célèbres vignobles de la Bourgogne.

Bourgogne

Dijon

Côtes de Nuits

Hautes Côtes de Nuits

○ Nuits-Saint-Georges

○ Arnay-le-Duc

○ Beaune

Côtes de Beaune

Hautes Côtes de Beaune

○ Rully

Mercurey

Côte Chalonnaise

Chalon-sur-Saône

○ Givry

Montagny-Buxy ○

○ Tournus

Mâconnais

○ Cluny

Mâcon

Pouilly-Fuissé
○ Pouilly-Loché
Saint-Véran ○ ○ Pouilly-Vinzelles

Jovinois

Armaçon

Tonnerois

Chablis

Saint-Bris-le-Vineux

Auxerrois ○ Irancy

Clamecy ○

Vézelois

Beaujolais

Mâcon

Beaujolais-Villages

Saint-Amour

Juliénas

Chénas

Moulin-à-Vent

Chiroubles

Fleurie

Morgon

Beaujolais-Villages

Beaujolais-Villages

Régnié

Côtes de Brouilly

Brouilly

Beaujolais-Villages

Villefranche-sur-Saône

Beaujolais

Beaujolais

Beaujolais

L'Arbresle ○

Coteaux du Lyonnais

Lyon

Côtes du Rhône

La vallée du Rhône présente sur plus de 200 kilomètres, de Vienne à Avignon, une quantité d'Appellations, qui se répartissent sur deux grandes familles, l'une au nord, l'autre au sud de la Drôme. Dans la partie nord de la vallée du Rhône, les vignes sont souvent plantées en terrasses perchées à flanc de coteau au-dessus du fleuve. Les domaines sont minuscules. Le Château-Grillet a 3,4 hectares, le Crozes-Hermitage s'étend sur 1 000 hectares. Les vins rouges doivent leur caractère remarquable au Syrah. Les vins blancs proviennent d'un raisin intéressant, le Viognier, ou bien encore du Marsanne et du Roussanne. Les rendements sont minimes. Les bonnes années donnent des vins très concentrés et capiteux, les vins rouges sont foncés et d'une grande longévité.

Avec le Châteauneuf-du-Pape dans le Sud et ses treize cépages autorisés, la gamme est plus large : le soleil, abondant, donne aux meilleurs vins rouges une puissance inégalée. Beaucoup de vignerons ou de coopératives préfèrent cependant produire des rouges et des rosés simples et légers. Les vins blancs sont assez rares, excepté le vin doux naturel Muscat de Beaumes-de-Vénise et le vin mousseux clairette de Dié.

Provence

Le rosé de Provence est très apprécié car il est désaltérant l'été. Les meilleurs vins des six appellations de ce domaine viticole de 23 000 hectares, sont néanmoins, le plus souvent, des vins rouges plutôt que des vins blancs. Sur les coteaux d'Aix-en-Provence ou des Côtes de Provence, le Cabernet Sauvignon uni au Syrah pour donner des vins rouges corsés et d'un fort arôme. Le Mourvèdre, qui n'est pas seulement cultivé à Bandol, déploie une grande finesse après plusieurs années de vieillissement en bouteille. A Cassis, les vins blancs ont peu d'acidité, mais sont imposants.

La Corse

Sur 12 000 hectares de vignobles corses, 2 400 hectares sont reconnus comme appellation. Outre les nombreuses variétés méditerranéennes, on y cultive en particulier les variétés locales Nielluccio et Sciacarello. Les rosés et les vins rustiques dominent. Mais un groupe de viticulteurs se consacre avec passion au tirage de vins rouges forts, capiteux et généreux, comme le Patrimonio.

Languedoc-Roussillon

Le climat méditerranéen privilégie les vins de cette région, qui s'étend de la frontière espagnole au Rhône. On y cultive un grand nombre de vignes. Les variétés du sud sont néanmoins les seules à obtenir un degré de maturation tel, que les vins puissent entrer dans une appellation. L'addition de sucre est interdite. Cette région reste la plus grande productrice de vin de France, vins de table et de pays compris, bien que les variétés de vins de table soient en régression. En revanche, le rendement des quelques trente appellations de la région, ne fournit que deux millions d'hectolitres par an, soit un tiers de celles du Bordeaux. Le niveau de qualité du vin a nettement augmenté. Une nouvelle génération de viticulteurs essaye de tirer parti des avantages climatiques, des sols pauvres et des cépages du Midi pour produire des vins méditerranéens capiteux et fins.

Dans les cuves, les deux hommes brisent le chapeau des marcs avec leurs pieds.

Le vin fermenté vieillit dans des fûts en chêne. Cette phase s'appelle l'élevage.

Le moment de la mise en bouteilles est décisif pour la qualité aromatique du vin.

Un bon vin mérite des bouchons de premier choix.

Les vins exceptionnels sont encore étiquetés à la main.

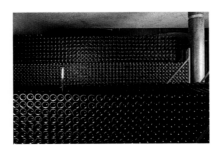

Le vin a besoin de plusieurs mois de repos avant d'être dégusté.

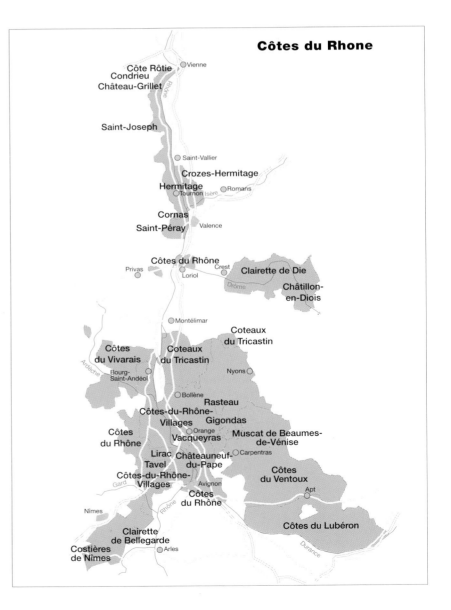

Côtes du Rhone

Cépages du sud de la France

Syrah

Raisin cultivé dans la vallée du Rhône et qui prospère surtout dans un climat chaud, dans le Midi de la France, en Australie, en Californie, etc. Il donne des vins très sombres, au bouquet très puissant et corsé avec des notes de cerise et autres baies. Il a d'excellents tanins.

Grenache

Raisin originaire d'Espagne qui résiste bien à la sécheresse. Il donne des vins rouges et des rosés à forte teneur en alcool et au bouquet caractéristique, ainsi que des vins doux naturels.

Mourvèdre

Raisin originaire de Catalogne qui mûrit très tard. Il donne d'excellents vins, comme le Bandol, dans le midi de la France. Les vins sont très foncés, ils ont un fort bouquet de tanin. En vieillissant, ils prennent de très élégants arômes de cuir.

Carignan

Raisin également originaire d'Espagne dont on a longtemps exagéré les rendements. Il est encore très répandu, mais sa culture régresse. A rendement bas, il a beaucoup de caractère et de charpente et donne des vins de table et de dessert robustes et capiteux.

Cinsault

Variété de raisin qui prospère sous climat chaud et cultivée depuis très longtemps dans le sud-ouest et le midi de la France. Il a peu de tanin, peu d'acidité. Il fournit des vins rosés et est utilisé dans les assemblages, car il donne au vin chaleur et corps. Le vin est pâle, floral, élégant.

Viognier

C'est la variété de raisin à partir de laquelle est fait le célèbre Condrieu blanc, répandu dans le midi de la France. Il est de bas rendement. Bouquet d'abricot et beaucoup de corps.

Macabeo

C'est en Espagne une variété de raisin très répandue pour produire le Cava et le Rioja. En France, il est surtout prospère dans le Roussillon. C'est une variété sous-estimée qui n'obtient du caractère que très mûre et vieillie. De peu d'intérêt lorsqu'il est cueilli tôt.

Roussanne et Marsanne

Ce sont deux variétés du nord de la vallée du Rhône qui se complètent dans l'assemblage. Ils se répandent progressivement dans le Midi. Le Roussanne est chargé de la finesse et le Marsanne a de la charpente.

Muscat

Raisin sucré blanc aux petites baies. Il donne d'excellents vins doux naturels ou des vins secs de pays, très capiteux, dorés, pâles. Bouquet de muscade, d'agrumes ou de fenouil.

Recommandations

• Les plus célèbres vins rouges du nord de la vallée du Rhône, de la Côte Rôtie ou de l'Hermitage sont rares, chers et meilleurs quand ils ont vieilli longtemps. Il y a de très bons vins à Saint-Joseph et Crozes-Hermitage.
• Les Coteaux d'Aix-en-Provence sont une petite Appellation où dominent les petits producteurs et des vins de prestige extrêmement intéressants et abordables.
• Le Languedoc a des vins de qualité supérieure comme le Château des Estanilles, le Mas Jullien, les domaines de l'Hortus, le Peyre Rose, d'Aupilhac et Coopérative Embres-Castelmaure.
• Dans le Roussillon, Domaine Gauby, Château Casenove, Mas Crémat, Banyuls L'Etoile et Vial Magnères, Collioure La Rectorie, Muscat de Cazes Frères.

Illustration ci-dessous : le Muscat de Rivesaltes, l'une des spécialités de vin doux du Roussillon, donne l'impression de mordre dans du raisin frais.

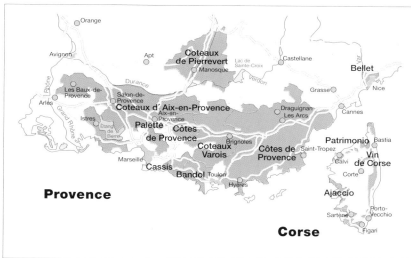

Provence

Corse

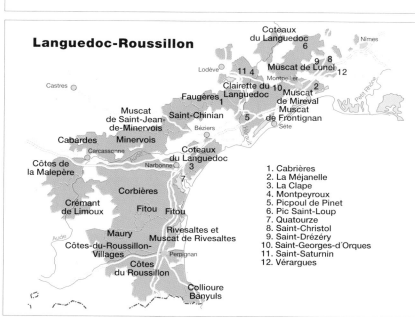

Languedoc-Roussillon

1. Cabrières
2. La Méjanelle
3. La Clape
4. Montpeyroux
5. Picpoul de Pinet
6. Pic Saint-Loup
7. Quatourze
8. Saint-Christol
9. Saint-Drézéry
10. Saint-Georges-d'Orques
11. Saint-Saturnin
12. Vérargues

Loire

Les vignobles des bords de Loire et de ses affluents s'étendent sur un millier de kilomètres. En Anjou et en Touraine, les bords de Loire sont flanqués de grandioses caves naturelles, d'anciennes carrières, où le vieillissement des grands vins de garde s'effectue pendant de longues années. Quatre grandes régions vinicoles se détachent au bord du fleuve.

• Le Muscadet, englobant les environs du port de Nantes, chef-lieu de département, est cultivé sur 11 000 hectares en aval de la Loire. C'est un vin blanc vif, sec, léger et clair. Les meilleures qualités vieillissent sur lies.

• L'Anjou comprend un domaine de 14 500 hectares, célèbre pour ses rosés simples et demi-secs. Les rouges Anjou-Villages et Saumur-Champigny peuvent être de très bons rouges d'un arôme fin. Il y a d'excellents vins blancs de grande race, comme les Savennières secs ou les vins doux Coteaux du Layon ou Bonnezeaux.

• La Touraine est le paradis du Cabernet franc qui atteint son summum de raffinement à Chinon, Bourgueil et Saint-Nicolas-de-Bourgueil. Le Chinon blanc, sec, doux ou mousseux, culmine dans le Vouvry et le Montlouis. Dans les AOC Touraine, on trouve des Sauvignons au bon bouquet, des Gamay fruités et des rouges corsés, notamment à Mesland et à Amboise.

• Sancerre et Pouilly, fiefs du Sauvignon. Il n'atteint nulle part ailleurs autant de finesse et de vigueur que dans ce secteur et les secteurs voisins de Menetou-Salon, Quincy et Reuilly.

Alsace

Les coteaux d'Alsace, sur la rive gauche du Rhin, sont protégés des mauvaises influences atmosphériques par les Vosges. Ils s'étendent sur 100 kilomètres et 13 500 hectares entre Mulhouse et Strasbourg, mais ses principaux domaines se trouvent à une vingtaine de kilomètres au sud et au nord de Colmar. Les cinquante sites classés qui portent la mention de Grands Crus, y compris la Vendange tardive et la Sélection des Raisins nobles, sont soumis à des réglementations très strictes.

Sept autres encépagements d'Alsace – contrairement à d'autres appellations de France – laissent une empreinte capitale sur les vins. Deux variétés sont autorisées à s'appeler Grand Cru:

• Le Riesling, le vin le plus distingué, au bouquet délicat et fin, de grande race, élégant, et d'une exquise acidité.

• Le Gewürztraminer, vin blanc très aromatique et épicé. Ses baies sont roses.

• Le Pinot gris (Tokay), très vigoureux.

• Le Muscat, vin blanc sec, très intense, aromatique et léger avec des notes de muscade. Les autres variétés:

• Le Pinot noir, rosé agréable ou vin rouge clair légèrement aromatique.

• Le Sylvaner, un raisin blanc de bon rendement. Il donne des vins légers et plaisants.

• Le Pinot blanc, que l'on trouve parfois sous le nom de Klevner, est de bon rendement mais n'a pas grand caractère.

Le Jura et la Savoie

Ces deux petites régions montagneuses sont situées le long de la frontière suisse. Le Jura est un domaine de 1400 hectares d'un seul tenant, tandis que les 1500 hectares de cépages de Savoie sont disséminés sur divers coteaux ensoleillés. La Savoie produit des vins blancs frais comme le Roussette, le Crépy ou le Seyssel ou des vins rouges clairs et fruités. En revanche, le Jura offre des vins de grand caractère. Outre les vigoureux rouges et rosés de Trousseau et Poulsard, il y a le Vin doux de Paille, dont les raisins sèchent sur la paille, et le Vin Jaune, dans lesquels prévaut l'excellent Savagnin. Le Vin Jaune est conservé en fût au moins six ans. Au cours des ans, une pellicule blanche se forme à la surface du liquide, telle la flor du Xérès, et développe des arômes d'une finesse rare.

Cépages de la Loire

Melon
Raisin originaire de Bourgogne, il est maintenant souvent appelé Muscadet, car il fournit le vin de Muscadet, à peine fruité, avec peu d'arômes et très sec.

Gros Plant
C'est en fait du Folle Blanche, mais moins fragile et qui ne pourrit pas aussi facilement, à moins qu'on exagère le rendement. C'est le raisin idéal pour les vins de distillation, car il donne un vin maigre, très âpre et avec de faibles arômes.

Grolleau (Groslot)
Raisin cultivé surtout pour faire du rosé. Il donne des vins pâles, faibles et peu fruités.

Cabernet, Gamay, Malbec
Voir aux cépages de Bordeaux, p. 413.

Chenin Blanc
Raisin prédominant dans la basse vallée de la Loire. Il sert à faire de nombreux vins mais il est fragile et ne supporte pas les gelées. D'une grande acidité, il donne des vins très différents selon son degré de maturité. Il est répandu dans le monde entier. La récolte tardive est très corsée, avec un goût de miel et de fruité très prononcé, suave, très équilibrée et apte à un long vieillissement.

Recommandations de vins d'Alsace

• En Alsace, les vieilles familles (Léon Beyer, Trimbach, Hugel, Josmeyer, Dopff, Wolfberger, Zind-Humbrecht) savent maintenir leur renommée, bien qu'elles ne cultivent pas, mais achètent souvent du raisin et même du vin pour leurs assemblages.

• Il y a des découvertes à faire dans des coopératives comme Bennwihr, Dambach-la-Ville, Eguisheim, Hunawihr, Ribeauvillé, Turckheim etc.

• Des vins très intéressants sont produits par l'avant-garde : Kreydenweiss, Ostertag, Barmès-Buecher …

A l'arrière-plan : quel que soit le raisin, qu'il soit rouge ou blanc, la Loire, le Jura et la Savoie offrent une quantité de spécialités, dont la gamme s'étend des suaves récoltes tardives au Vin Jaune, des rares variétés rouges de Savoie au Pinot noir d'Alsace.

Les vignerons alsaciens produisent une ample gamme de vins aux critères d'encépagement, de vieillissement et de vinification très différents.

Alsace

Thionville
Vignobles de Lorraine
Metz
Vins de Moselle
Château-Salins
Côtes de Toul
Nancy
Wissembourg
Haguenau
Strasbourg
Molsheim
Obernai
Barr
Vignoble d' Alsace
Saint-Dié
Sélestat
Ribeauvillé
Riquewihr
Colmar
Guebwiller
Thann
Mulhouse

Jura et Savoie

Saône
Loue
Doubs
Doubs
Arbois
Pupillin
Pontarlier
Côtes du Jura
Poligny
Château-Chalon
Champagnole
L'Étoile
Lons-le-Saunier
Louhans
Ain
Lac Léman
Ripaille
Crépy
Thonon-les-Bains
Bourg-en-Bresse
Nantua
Genève
Annemasse
Saint-Julien-en-Genevoix
Ayze
Bonneville
Frangy
Vins de Savoie
Cherdon
Rhône
Seyssel
Annecy
Lac d'Annecy
Vins du Bugey
Chautagne
Lyon
Belley
Marestel
Aix-les-Bains
Albertville
La Tour-du-Pin
Chambéry
Chignin
Apremont
Les Abymes
Montmélian
Isère

Loire

Le Mans
Orléans
Coteaux du Vendômois
Vins de l'Orléannais
Jasnières
Sarthe
Mayenne
La Flèche
Châteaubriant
Blois
Muscadet des Coteaux de la Loire
Ancenis
Angers
Coteaux du Loir
Cheverny
Saint-Nazaire
Nantes
Coteaux du Layon
Anjou
Tours
Touraine
Vierzon
Gros plant du Pays Nantais
Muscadet de Sèvre et Maine
Cholet
Anjou-Villages
Saumur
Chinon
Bourgueil
Loches
Valençay
Muscadet
Sèvre Nantaise
Touraine
Indre
Châteauroux
La Roche-sur-Yon
Parthenay
Haut-Poitou
Creuse
Fiefs Vendées
Vienne
Coteaux du Giennois
Les Sables-d'Olonne
Fontenay-le-Comte
Poitiers
Saint-Pourçain
Château-Meillant
Vierzon
Sancerre
Menetou-Salon
Pouilly Fumé et Pouilly-sur-Loire
La Rochelle
Côte Roannaise
Côtes du Forez
Quincy
Reuilly
Bourges
Clermont-Ferrand
Montluçon
Côtes d'Auvergne
Allier

Le Champagne

Aucune période de démocratisation ou de récession ne saurait porter atteinte au plus célèbre des mousseux, qui conserve sans mélange sa réputation de vin de luxe. Ses bulles, jadis encore discrètes, fascinèrent déjà, au 17ème siècle, la haute société de Londres. Les Français voulurent essayer, eux aussi, l'effet que procurait le pétillement de ce délicat breuvage mousseux. Louis XV, qui penchait pour la dissipation, se laissa séduire au Champagne par ses maîtresses. A dater de cette époque, le Champagne se trouva sur toutes les tables royales, princières, nobles, bourgeoises ou du demi-monde. Il n'est pas aujourd'hui une fête, pas un bal ou une occasion qui n'ait pas plus de caractère, arrosée de Champagne. En ouvrir une bouteille est déjà un plaisir en soi.

Les vignobles de Champagne sont les plus septentrionaux de France et donnent des vins aux mille facettes, grâce aux domaines et à la vinification. Aucun autre vin ne permet autant de combinaisons. Chacune d'elle multiplie ses possibilités et influence son goût. Il y a des Champagnes graciles et des Champagnes replets, des vins fruités et d'autres bouquetés, des Champagnes frais, mûrs, mal équilibrés, corsés, doux et très secs, jeunes et développés. Comme partout, il y a de bons et de mauvais Champagnes, des Champagnes fades et d'autres très fins, des Champagnes ronds, d'autres grossiers, des chers et des bon marché. Certains se prêtent à être bus en apéritif, d'autres se marient avec les crustacés. D'aucuns accompagnent la viande blanche, d'autres le poisson, divers Champagnes se boivent avec le dessert. Toutes les occasions sont bonnes pour boire du Champagne. Reste à choisir le bon.

La plupart des 25 000 hectares de vignobles de Champagne sont répartis entre les départements de la Marne et de l'Aube. Les sols crétacés, riches en minéraux, et les rigueurs du climat donnent au Pinot Meunier, Pinot noir et au Chardonnay blanc,

Petit glossaire du Champagne

Blanc de Blancs
Champagne fait avec du Chardonnay blanc

Blanc de Noirs
Vin blanc fait avec les raisins rouges, Pinot noir ou Pinot Meunier

Cuvée
Mélange de plusieurs vins pour obtenir une qualité toujours égale et le même goût

Dégorgement
Part d'une suite d'opérations, dont le remuage, qui débarrasse la bouteille du dépôt de levures.

Dosage
Addition de la liqueur d'expédition qui détermine le type de vin selon son degré de chaptalisation :
Brut non dosé, brut nature, ultra brut, brut zéro (non dosé, sans addition de sucre).
Brut : moins de 15 grammes de sucre supplémentaire
Sec : de 17 à 35 grammes de sucre
Demi-sec : de 33 à 50 grammes de sucre
Doux : plus que 50 grammes de sucre

Méthode champenoise
Méthode de fermentation en bouteille

Remuage
Opération qui consiste à secouer légèrement la bouteille en la faisant pivoter sur elle-même jusqu'à ce que le dépôt repose contre le bouchon

Millésimé
Champagne d'une bonne année de vendange qui a vieilli au moins trois ans

Pupitre
Casier servant au remuage du Champagne

Rosé
Fait à base de vins provenant de raisins rouges ou d'un mélange de raisins rouges et de raisins blancs

Les marques de Champagne connues

1. **Ayala Brut**
Champagne harmonieux au bouquet fin
2. **Taittinger**
Fruité et persistant au palais
3. **Salon**
1982, corsé et d'une fraîcheur surprenante. Champagne de grande classe
4. **Philipponat Royal Réserve**
Champagne élégant, avec de la race et un grand caractère
5. **Mercier brut**
Champagne équilibré et agréable
6. **Abel Lepitre**
Champagne très harmonieux et fin

7. **Heidsieck Monopole**
Très fort bouquet, bonne charpente
8. **Audoin de Dampierre**
Relevé, mûr, élégant et avec du caractère
9. **Henriot Souverain Brut**
Nez fin et très net, goût de vin et légère saveur de brioche
10. **Besserat de Bellefon**
Equilibré et frais
11. **De Venoge**
Champagne d'un fruité prononcé qui fait un bon apéritif
12. **Lanson**
Champagne très fruité avec un léger goût d'agrumes et d'une fine acidité

1   2   3   4   5   6   7   8   9   10   11   12   13   14   15

Lors du remuage, chaque bouteille est légèrement tournée tous les deux à trois jours et de plus en plus redressée pour rapprocher du col de la bouteille les résidus de leuvre.

Les résidus de levure sont la caractéristique de la méthode champenoise traditionnelle. Ils sont dégorgés avant la mise en bouteille définitive.

Ensuite, le champagne est additionné de liqueur de tirage – un vin mélangé de sucre – et mis en bouteille pour la commercialisation.

de la fraîcheur, du fruité et une exquise délicatesse. La situation et l'exposition des vignobles influencent considérablement les nuances de goût. Ils sont divisés en grands crus, premiers crus et autres catégories. Le prix décidé est celui des tout premiers crus qui ont droit à 100 % du tarif convenu. Le prix du raisin des autres localités est déterminé par le pourcentage attribué à ces crus. Le prix du raisin est recalculé chaque année. La plupart des vignerons de Champagne vendent leur vendange à des négociants ou à des coopératives. Les vendanges de Champagne ont du charme, mais il faut quand même se dépêcher de commencer la vinification dès la fin septembre, pour que les raisins ne s'oxydent pas et que le raisin rouge ne déteigne pas sur le moût. Quatre mille kilos de raisin forment ce qu'on appelle une charge. Il est actuellement fixé que cent soixante kilos de raisins pressés doivent donner cent litres de moût. Le pressage est suivi de la fermentation alcoolique à tempéra

ture contrôlée et donne le vin de base. L'art de faire le Champagne, crée par Dom Pérignon, caviste de l'abbaye de Hautvilliers, commence à ce moment précis. Divers vins, de sites différents et de plusieurs années, excepté les millésimes, sont assemblés en cuvée et mis en bouteille. C'est sur leur caractère et leur qualité toujours égale que s'établissent les marques, le succès et la renommée des maisons. Une liqueur de tirage ajoute 24 grammes de sucre à chaque bouteille, qui fermente sous l'action de levures. On choisit des variétés de levures particulières. Puis on capsule la bouteille. La refermentation en bouteille, méthode champenoise, qui fait naître la mousse, commence le printemps succédant à la récolte. Les Champagnes ordinaires doivent attendre un an, les millésimes au moins trois ans sur les dépôts de levure, dans les immenses caves de Reims ou d'Epernay, creusées dans la roche crétacée. Les meilleurs Champagnes y restent beaucoup plus longtemps.

A la fin de leur vieillissement, les vins sont prêts pour le remuage et le dégorgement, longue série d'opérations qui débarrasse la bouteille du dépôt. Après avoir remué ou secoué le dépôt dans le col de la bouteille, on glace le goulot. Le sédiment et une petite quantité de vin gèlent. C'est ce qu'on appelle le dégorgement. Quand on débouche, la pression chasse le dépôt. Le Champagne est sucré avec la liqueur d'expédition, petite quantité de sucre dissoute dans un peu de vin, dit dosage d'expédition. L'addition de liqueur d'expédition décide du type de Champagne que l'on obtiendra. S'il s'agit d'un vin sec, on aura un brut non dosé, un brut nature, un ultra brut, etc. Si le vin est moins sec, la gamme ira des bruts généralement peu dosés aux doux. Ce qui importe est que le produit fini soit rond et équilibré. Les Champagnes doux se boivent avec le dessert. Les Champagnes millésimés n'ont été mis en bouteille qu'une bonne sinon excellente année.

13 **Pommery**
Champagne au goût et au bouquet prononcés
14 **Veuve Cliquot Ponsardin**
Champagne aromatique, fruité très délicat, persistant au palais
15 **Laurent Perrier**
Champagne corsé et fruité prononcé

16 **Pol Roger**
Multiples arômes, très harmonieux et d'une grande élégance
17 **Deutz**
Champagne vif et nerveux qui accompagne bien les fruits de mer
18 **Piper Heidsieck**
Vin classique et équilibré

19 **Jacquart**
Bouquet corsé et persistant au palais
20 **Ruinart**
Champagne léger, nerveux et désaltérant
21 **Charles Heidsieck**
Champagne à la légère saveur de beurre très caractéristique et au goût fruité

22 **Perrier-Jouët**
Champagne agréable et harmonieux
23 **Mumm Cordon Rouge**
Nez très intense. Fin et persistant au palais
24 **Bollinger**
Cuvée de race et corsée, avec un arrière-goût persistant

25 **Gosset**
Champagne fruité, nerveux, volumineux
26 **Krug Grande Cuvée**
Excellent vin qui a beaucoup de caractère et de finesse
27 **Louis Roederer**
Champagne excellent, fin, fruité, très équilibré et élégant

28 **Moët & Chandon**
Fin et rectiligne, harmonieux et persistant
29 **De Castellane**
Champagne au bouquet floral, équilibré et d'une grande nervosité
30 **Bricout**
Champagne d'une fraîcheur agréable

16   17   18   19   20   21   22   23   24   25   26   27   28   29   30

421

Le Cognac

On est frappé, en longeant les rives de la Charente, par de longs bâtiments serrés les uns contre les autres et une odeur parfumée très caractéristique. Un champignon noir, de la consistance du coton, le *torula Cognaciensis*, ne prospérant qu'au contact des vapeurs d'alcool, habite les murs de ces entrepôts. Des milliers de fûts sommeillent dans l'obscurité de hauts chais aérés. L'humidité monte sensiblement du fleuve. Sa proximité est néanmoins propice à la réduction naturelle et à une maturation lente. L'eau-de-vie titre, au début de la procédure, soixante dix degrés et se transforme progressivement en une fine de vin mondialement connue, du nom de Cognac.

Cette région autour de la Rochelle et de l'embouchure de la Gironde attira très tôt les activités commerciales. Quand ils venaient chercher du sel sur la côte de Charente, les marins de la Hanse, se trouvant à quai, remontaient le fleuve jusqu'à la petite ville de Cognac. Ils chargeaient, en passant, un peu de vin sur leurs voiliers. Le vin, hélas, ne supportait pas toujours le transport. Pour le fortifier avant l'expédition, les Hollandais eurent l'idée d'en réduire le degré d'alcool en le faisant bouillir. L'acheteur rétablissait la teneur en alcool à l'arrivée par addition d'eau et aromatisait le vin à son gré.

Au 17e siècle, la région connut des troubles et par conséquent une mévente. Les fûts s'accumulèrent à Cognac. Le distillat vieillit, s'affina et devint le produit connu aujourd'hui sous le nom de la petite ville.

La région de Cognac est immense. Limitée à l'ouest par l'Atlantique, elle s'étend sur une grande partie des départements de Charente et de Charente-Maritime. Les îles de Ré et d'Oléron sont aussi déclarées. Sur six secteurs de la région de Cognac, quatre seulement produisent des qualités remarquables. Les Borderies font des fines moelleuses et bouquetées, les Fins Bois des distillats qui vieillissent plus vite. La Petite et la Grande Champagne, entre Cognac, Jarnac et Segonzac, sont les plus renommées. Le sol crayeux de cette région communique au Cognac toute sa finesse. La Fine Champagne comprend plus de cinquante pour cent de Grande Champagne, le reste est de la Petite Champagne. Le vin de base provient surtout de la variété Ugni Blanc, qu'on appelle, dans la région, Saint-Emilion. C'est un vin blanc faible, acide et neutre. La distillation fractionnée se fait dans un alambic de Charente. Le bouilleur de cru – vigneron indépendant qui distille pour son compte – recueille le brouillis titrant environ vingt huit degrés et le reverse dans un chaudron. La bonne chauffe élimine le premier produit de la distillation, la tête, et le dernier, la queue, et ne conserve que le coeur, un fin distillat cru, pur, incolore, titrant soixante-dix degrés. Le vieillissement commence aussitôt. Versé dans des

C'est dans cette distillerie caractéristique de Charente que la distillation du cognac est fractionnée.

Le distillat, pur comme de l'eau de roche, est mis dans des fûts en chêne où il s'imprègne des arômes du bois.

fûts neufs en chêne de la forêt de Tronçais ou du Limousin, dans le chai, le Cognac commence à s'imprégner des tanins et des arômes du bois, à s'arrondir et à développer son arôme propre, par évaporation et oxydation lentes. Le caviste le soutire souvent dans de plus vieux fûts. C'est l'occasion, pour lui, de surveiller le processus. Il faut une cinquantaine d'années pour affiner un Cognac. A ce stade, le Cognac n'est pas mis tout de suite en bouteilles, mais conservé dans des bonbonnes de verre clissées de cinquante litres. Dans le bois, il commencerait à se décomposer.

Tandis que les petits producteurs font des Cognacs qui ne sont ni réduits ni coupés, les grandes maisons de renommée mondiale sont fières de la continuité de leurs cuvées obtenues par assemblage. Chaque phase de veillissement d'une certaine qualité est améliorée avec des Cognacs en partie beaucoup plus vieux. Il faut beaucoup d'expérience pour assembler des Fines de plusieurs âges et d'origines différentes et réduire leur degré d'alcool afin de constamment retrouver, quel que soit son âge, le goût propre au Cognac de la maison.

En outre, il y a des cuvées de luxe, trésors bien gardés par les producteurs. Les Cognacs ne développent qu'au bout de plusieurs dizaines d'années leur bouquet, leur arôme floral ou fruité, leurs nuances, leur persistance et cette saveur incomparable de Rancio, propre à la vieillesse des vins de grande classe et qui rappelle les noix fraîches.

Le verre à cognac se réchauffe dans la main. En faisant pivoter le verre, le bouquet du cognac monte et se concentre dans la partie étroite du verre mais il est meilleur encore dans les petits verres de dégustation.

Les catégories de Cognac
- trois étoiles ; plus de deux ans d'affinement en fûts
- VSOP (Very Special Old Pale), VO, Réserve : plus de quatre ans d'élevage en fûts
- Napoléon, Extra, XO ou Vieille Réserve : plus de six ans de vieillissement en fût.

L'Armagnac

Les compatriotes de d'Artagnan ne connaissent pas les économies de bouts de chandelle. Il est même une famille de Gascogne pour qui le mariage d'une fille, le baptême d'un petit-fils, l'inauguration d'un nouveau bâtiment seraient inconcevables sans le précieux alcool d'or étincelant accumulé, comme des richesses, dans de gros fûts au fond de caves obscures.

Les limites de l'appellation d'origine Armagnac ressemblent, sur la carte géographique, à une gigantesque feuille de vigne. Elle s'étire, au Nord, de la région située entre Mont-de-Marsan et Agen, au sud de Auch, pour son bord inférieur. Le sol est un appoint décisif pour la qualité de l'Armagnac. Dans le Bas-Armagnac, il trouve des conditions idéales. Ses sols sablonneux donnent du corps et une grande finesse à l'eau-de-vie. Dans le Ténarèze, où le sol est argileux, l'Armagnac est léger et vieillit rapidement. Le Haut-Armagnac est surtout crayeux et, quoique le calcaire soit l'élément déterminant des meilleurs Cognac il a l'effet contraire sur l'Armagnac qui, sur ce sol, est d'un type plus grossier et de moindre qualité. Comme le Cognac, l'Armagnac est fait avec l'Ugni blanc, si puissant, qu'à côté de lui, seul l'hybride Baco 22A fut inclus parmi les raisins autorisés. Le Folle Blanche est connu pour être un raisin délicat qui se gâte facilement. Or, si un raisin pourri ne fait pas un bon vin, il donnera encore moins un bon Armagnac. La distillation est idéale à la mi-novembre avec des vins titrant huit à neuf degrés. Une fermentation plus avancée du moût et une teneur en alcool plus élevée n'est pas souhaitable puisqu'il s'agit de conserver dans l'eau-de-vie le plus possible de substances non alcooliques qui lui donnent goût et arôme. Beaucoup de producteurs ne jurent que par la méthode de distillation continue dans des colonnes constamment réapprovisionnées en vin de base. Ce procédé traditionnel, qui permet de conserver les impuretés aromatiques, demande de nombreuses années d'affinement, mais garantit un caractère individuel au produit. Depuis 1972, la double distillation de la méthode Cognac est de nouveau autorisée. Elle permet en particulier d'adoucir les jeunes Armagnacs. En vieillissant, l'Armagnac déploie complexité, générosité, finesse et persistance. Ce sont les fûts de chêne fabriqués avec le bois des forêts de Gascogne à l'effet d'y mettre le distillat incolore qui déterminent sa qualité. L'Armagnac doit cependant être soutiré à temps dans des fûts de vieux bois pour qu'il n'absorbe pas trop de tanin, ce qui l'assombrirait. La température et l'humidité du chai ont une influence capitale sur le vieillissement du produit. L'étiquette d'un Armagnac qui a vieilli un an dans le bois, porte trois étoiles, «VS» (initiales de Very Special) ou «Monopole». Pour les appellations «VO» (Very Old), «VSOP» (Very Special Old Pale) ou «Réserve», la période d'affinement com-porte au moins quatre ans. Cinq ans et plus d'affinement, donnent droit à l'appellation «Extra», «Napoléon», «XO», «Hors-d'âge» ou «Vieille Réserve». Le vieillissement optimum nécessite trente à quarante ans en fûts. Le caviste a deux tâches délicates à résoudre, qui constituent l'art de son métier. S'il ne veut pas garder le degré naturel d'alcool de l'Armagnac, il doit le faire réduire progressivement jusqu'au minimum prescrit de quarante degrés, et l'assembler avec des Fines provenant d'autres sols, d'autres cépages et d'années différentes, afin de lui donner le plus de rondeur et d'expression possible. Jusqu'alors, l'Armagnac était le seul Cognac pour lequel la mention de l'année de récolte était autorisée, à condition qu'elle soit vraie. Contrairement au vin, pour l'Armagnac, les différences se nivellent d'elles-mêmes à la distillation et au cours du vieillissement. Ce qui compte, en revanche, beaucoup plus est le nombre d'années de vieillissement en fûts et donc l'année de mise en bouteille, car une fois dans la bonbonne en verre, il ne vieillit plus. Ainsi, un Cognac de 1964, mis en bouteille en 1966 demeure un simple Trois-Etoiles. Si, en revanche, il a quitté le fût en 1994, il s'agit d'un produit précieux de trente ans d'âge. Prenez votre temps pour le boire.

Fine

Presque toutes les régions vinicoles font aussi de la fine, avec deux distillations, selon le procédé Cognac ou en méthode continue, comme l'Armagnac. Ces régions ont besoin, comme le Cognac et l'Armagnac, d'un élevage de fûts en bois pour obtenir des arômes corsés et ronds.

Marc

Contrairement à la fine, le Cognac ou l'Armagnac, le marc est obtenu par la distillation des résidus de pressurage des raisins et non du vin. Cependant, plus le raisin d'où proviennent ces résidus, est bon, plus le distillat est fin. C'est pourquoi de nombreuses régions vinicoles produisent du marc. Certaines régions distillent le marc depuis toujours. Le marc de Gewürztraminer d'Alsace, par exemple, est grandiose. On fait du marc aussi en Lorraine, en Savoie, en Champagne et notamment en Bourgogne. Les meilleurs marcs sont les marcs égrappés, après éraflage du raisin. Si la fermentation du raisin n'a pas encore eu lieu, on ne commence la distillation que quatre ou cinq semaines plus tard pour que le marc ait le temps de transformer son glucose en alcool, à l'abri de la pluie et de la lumière. La plupart du temps, le marc est fait par distillation simple continue à la vapeur et titre entre 65 et 70 %. Pour les fins alcools exceptionnels, on se sert d'alambics de Charente. La phase suivante est celle de la réduction progressive et du vieillissement, qui peuvent durer très longtemps. Pour le marc, elle a généralement lieu en fûts de chêne qui lui communiquent sa couleur, son arôme et sa finesse.

La fabrication de l'Armagnac se fait en alambic. Le vin est distillé deux fois.

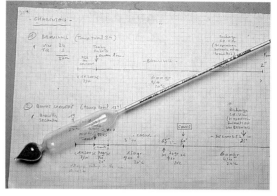

Le bouilleur de cru prend note de l'opération de distillation. Le brouillis se transforme en une fine titrant 70°.

L'aréomètre est un instrument indispensable mesurant le poids spécifique d'un mélange et donc sa teneur en alcool.

Avant d'être mis en bouteilles pour être vendu comme produit de haute qualité, le distillat vieillit de nombreuses années dans des fûts en chêne.

Les eaux-de-vie

Les alcools blancs sont connus et appréciés, en particulier le kirsch alsacien et la mirabelle lorraine. Avant la distillation, qui est la même pour les deux alcools, les fruits macèrent, puis fermentent lentement, pendant des semaines. Pour que l'eau-de-vie conserve sa blancheur, on la fait vieillir dans des demi-johns, de grosses bouteilles en verre, enrobées de sparterie, d'une contenance de cinq à cinquante litres. Les Français les appellent, pour plaisanter, dame-jeanne. Les baies n'ayant pas assez de sucre naturel pour faire du moût sont mises à macérer dans l'alcool pur, qui libère les effluves aromatiques. Une seconde distillation affine et concentre l'eau-de-vie davantage. L'alcool blanc peut se faire à partir d'autres fruits, comme l'alisier blanc, les baies de houx, le sureau, la prunelle ou la mûre. L'eau-de-vie de prune et de poire William – les poires doivent être très mûres pour pouvoir fermenter – se trouve aussi dans d'autres régions. Elle est fabriquée par des bouilleurs de cru comme Hardouin dans le Maine-et-Loire, Christian Labeau dans le Lot-et-Garonne, et Etienne Brana au Pays basque. L'eau-de-vie de poire distillée par sa fille Martine est inoubliable et vaut le déplacement.

Baies, baies sauvages et fruits employés dans l'eau-de-vie

Les chiffres entre parenthèses renvoient à l'illustration

Abricot
Alisier
Baies de houx
Cassis
Coing
Eglantier
Fraise (3)
Framboise
Genévrier
Gratte-cul
Kirsch
Mirabelle (4)
Mûre
Mûre sauvage
Muscat (6)
Myrtille
Nèfle
Pêche blanche
Poire Williams (1, 2)
(Pomme) golden
Pomme verte
Prunelle
Prune (5)
Quetsche
Reine-claude
Sorbier des oiseaux (oiseleurs)
Sureau

1

2

3

4   5   6

Petit glossaire des eaux-de-vie de fruits

Degré alcoolique
Pourcentage d'alcool pur, qui est généralement de 40° à 50°.

Distillation
Les eaux-de-vie de fruits sont généralement distillées deux fois, la première fois pour obtenir un brouillis de faible degré alcoolique et la deuxième pour obtenir la fine. Ce procédé s'appelle la distillation fractionnée.

Eau-de-vie
Nom donné à un breuvage distillé. L'Armagnac et le Cognac sont aussi des eaux-de-vie.

Eau-de-vie de fruit
Alcool distillé généralement à partir d'un seul fruit et qui concentre les arômes de ce fruit. On le boit en digestif. Les plus appréciées sont la poire Williams, la framboise, le kirsch, la mirabelle et la quetsche.

Elevage en fût
On ne le pratique qu'exceptionnellement pour les eaux-de-vie de fruit. Cependant, certains distillats, ceux de prune, en particulier, s'affinent au cours d'un vieillissement en fûts.

Fermentation
Les fruits contenant une quantité suffisante de sucre naturel sont écrasés et mis à fermenter. On attend, pour distiller, que la fermentation alcoolique de ce moût soit achevée.

Macération
Les fruits ou les baies n'ayant pas suffisamment de sucre naturel sont mis à tremper dans l'alcool, que l'on distille plus tard. On procède ainsi surtout pour la framboise et les baies de fruits sauvages.

Vieillissement
Les eaux-de-vie jeunes ont un arôme très puissant. Elles ont toutefois besoin de plusieurs mois de garde en bonbonne pour s'harmoniser. Le vieillissement ne convient pas à tous les alcools blancs. Le kirsch, par exemple, gagne à être consommé jeune.

Régions

Alsace
Fief de la fabrication de l'eau-de-vie. A côté des produits classiques, les distillateurs inventent d'étonnantes combinaisons qui donnent d'exquises spécialités d'Alsace.

Lorraine
Célèbre surtout pour la mirabelle de Lorraine.

Loire
Contrairement au reste de la France, où ne sont disséminés que quelques bouilleurs de cru, la vallée de la Loire compte un grand nombre de distillateurs qui font de la liqueur à partir des fruits de la région, poire, pomme, cerise, cassis.

Le cidre

Les pommiers, ces arbres au tronc haut et aux larges branches, datent de bien avant l'invasion des Normands et marquent encore maintenant le paysage de Normandie, avec ses prairies vertes et ses pâturages. Les botanistes en ont découvert des centaines de variétés. Pour la fabrication du cidre et du Calvados, on en a répertorié une cinquantaine qui semblent par nature prédestinés à être pressés, avec leurs petits fruits ratatinés. Le cidre est, telle une mosaïque, un assemblage de différentes variétés de pommes. Il y en a trois catégories : les pommes sucrées, les pommes amères et les pommes aigres. On compte une pomme aigre pour deux pommes sucrées ou amères. La pomme aigre communique au cidre sa fraîcheur et son agressivité, la pomme amère lui donne sa charpente et son cuir, les pommes sucrées, son moelleux et son degré d'alcool. Les bons cidriers apprécient la diversité et sont même, comme les vignerons, fiers de leurs grands crus, en particulier celui du haut-plateau de Gonneville, près de l'embouchure de la Seine, où le vent siffle en permanence à travers les branches de pommier. Le jeune Eric Bordelet, ancien sommelier et ingénieur viticole, fait valoir la supériorité du sol schisteux de Charchigné, à la limite entre la Normandie et la Bretagne, où il fait un « Sydre » mousseux de grande finesse, à partir de vingt variétés de pommes. La récolte commence au mois de septembre et dure trois mois. Les pommes s'amoncellent, mais les cidriers soucieux de qualité attendent les premières gelées pour que la fermentation ne commence pas trop tôt. Une fois lavés et triés, les fruits sont broyés en une pâte disposée en couches dans le pressoir. Le jus pressé fermente dans des foudres ou des cuves en acier au gré des températures hivernales, pendant un, deux ou trois mois. Les grands producteurs le filtrent, ensuite, le pasteurisent, le mettent en bouteilles et lui injectent parfois du gaz carbonique. Les petits cidriers ne filtrent pas, car une mise en bouteille au bon moment, c'est-à-dire quand le cidre contient encore un peu de sucre, qui se sépare, dans la bouteille, en alcool d'une part, et en acide carbonique, d'autre part, permet d'obtenir une mousse naturelle. En fin de fermentation, le cidre brut titre 4,5°. Certains cidres mûrissent plus d'un an en attendant de plus hautes destinées, celle, par exemple, de servir à faire le Calvados. Si pour faire leur cidre, les gros producteurs utilisent des cidres qu'ils achètent dans d'autres régions ou des jeunes alcools de pomme, on peut être sûr, par contre, que les fermiers le font avec leurs pommes ou celles du voisin.

Le pressoir hydraulique, plein de pommes écrasées, est manipulé à la main.

Le jus commence à couler dès que le pressurage a commencé.

A l'arrière-plan : la production du cidre commence après les premières gelées. Les fruits sont écrasés.

Le pressoir est débarrassé des résidus de pressage, puis le jus est versé dans des cuves.

Le « Sydre » est mis en bouteilles sans être filtré et sans additifs, puis fermente naturellement.

L'aspect noble que revêt le produit fini est, ici, justifié. Le « Sydre » d'Eric Bordelet est un produit naturel.

Les desserts aux pommes

La France est quatrième producteur mondial de pommes et première exportatrice. La variété dominante est la Golden, qui représente 64 % de la quantité globale et 50 % des plantations. Fruit de très longue conservation, on la trouve toute l'année. Après la Golden, vient la Granny Smith, une culture d'origine australienne, avec 11 %. La saison s'échelonne de novembre à avril. Les variétés rouges américaines, Starking et Red Delicious, font 10 % de la production française. Elles sont vendues d'octobre à avril. Une variété très appréciée est la Reine des reinettes, dont la maturité est échelonnée de fin août à fin octobre. Une bonne pomme à cidre est la Boskoop, que l'on cultive dans le nord de la France.

Symphonie autour d'une pomme

Françoise et Michel Bruneau tiennent, près du château de la vieille ville de Caen, l'un des meilleurs restaurants de Normandie : « La Bourride ». Les crustacés et le poisson, cuisinés avec grande finesse et beaucoup d'imagination, occupent une place importante sur le menu. Mais la spécialité de Michel Bruneau est le dessert aux pommes, un ravissement pour les fins gourmets. Nous vous présenterons sa célèbre « Symphonie » et quelques autres recettes.

Aumonières de pommes

2 pommes (Granny Smith)
beurre
sucre
4 cuil. à soupe de crème pâtissière (p. 435) parfumée au calvados
4 crêpes à l'ancienne (p. 432)
4 feuilles vertes de poireau

Eplucher et épépiner les pommes. Les couper en morceaux. Les faire revenir dans un peu de beurre et de sucre. Laisser refroidir et mélanger à la crème. Napper les crêpes.
Emincer les feuilles de poireau dans le sens de la longueur et les plonger dans un sirop bouillant. Replier les crêpes fourrées, les ficeler avec les lamelles de poireau et servir.

Tartelettes Tatin

pâte brisée
4 pommes (Granny Smith)
20 g de beurre
100 g de sucre

Faire une pâte brisée avec trois doses de farines, deux doses de beurre froid et une dose de sucre. La pétrir et ajouter un à deux œufs et une pincée de sel. L'entourer d'une feuille de cellophane et la laisser reposer au réfrigérateur pendant au moins une heure.
Eplucher et épépiner les pommes. Les couper en morceaux. Les faire revenir dans un peu de beurre et de sucre. Beurrer des petits moules à tarte, mettre un peu de sucre cristallisé au fond et les foncer avec la pâte. Faire cuire au four pendant huit à dix minutes à une température de 180° C. Mettre la compote de pommes au fond des tartes et servir.

Gâteau « Grand-mère »

10 g de gélatine en poudre
5 pommes (Granny Smith)
20 g de beurre
100 g de sucre
5 œufs
sucre en poudre

Dissoudre la gélatine dans 3 cuil. à soupe d'eau. Eplucher et épépiner les pommes. Les couper en morceaux. Les faire revenir dans un peu de beurre et de sucre. Retirer les pommes du feu et ajouter la gélatine aux pommes chaudes, puis les œufs un à un.
Beurrer un moule à pouding ou à soufflé et y saupoudrer un peu de sucre en poudre. Mettre la compote dans le moule et faire solidifier au bain-marie pendant 40 minutes à 170°.
Démouler, saupoudrer de sucre et glacer sous le gril.

Sorbet pomme verte

2 grosses pommes (Granny Smith)
100 g de sirop de sucre
1 jus de citron
1 pincée de poivre noir

Laver les pommes. Les couper en morceaux et les mettre au congélateur.
Quand elles sont congelées, les passer au mixer avec le sirop, le jus de citron et le poivre. Conserver au congélateur.

Sorbet pomme rouge

Ce sorbet se fait selon la recette du sorbet pomme verte mais avec des pommes rouges, par exemple l'Idared ou la Jubillé.

La *Symphonie autour d'une pomme* se compose d'une aumônière de pomme, d'une tartelette Tatin et d'un gâteau Grand-mère réchauffés au micro-ondes et disposés sur une grande assiette. A la sortie du micro-ondes, poser sur l'assiette deux cuillerées de compote, une petite boule de sorbet vert et une petite boule de sorbet rouge.
Servir chaud.

Le Calvados

On distille le Calvados quasi de Cherbourg au Mans et jusqu'à l'embouchure de la Seine. Une autre région de Calvados se trouve près de Beauvais. L'Appellation Calvados a des limites très précises. On distille habituellement le Calvados comme l'Armagnac, par la méthode continue. Le Calvados du Pays d'Auge, qui est un cru classé, a sa propre appellation. Il est domicilié autour de Lisieux, où sont également produits quelques fromages de renommée, comme le pont-l'évêque et le livarot. Noblesse oblige. Cette marque de distinction entraîne, pour les producteurs, l'obligation de respecter la distillation multiple et fractionnée, telle qu'elle est pratiquée pour le Cognac. Les petites eaux recueillies après la première distillation permettent l'obtention, à partir d'un faible cidre, d'un brouillis titrant 30º. La seconde distillation élimine les produits de tête et de queue et conserve le cœur. Le produit qui se déverse dans le serpentin est un pur alcool de pomme qui aura la même destinée que les eaux-de-vie de renom. Il est d'abord versé dans des fûts de chêne, où il absorbe quelques arômes et le tanin du bois, puis soutiré dans de vieux fûts, où il s'affine lentement d'année en année, au fil d'un long vieillissement.

Le classement du Calvados dans des catégories de qualité dépend de la durée de son vieillissement en fût.

- Trois Etoiles ou Trois Pommes : deux ans de vieillissement en fût.
- VO (Very Old) : quatre ans de vieillissement en fût.
- VSOP (Very Special Old Pale) : cinq ans de vieillissement en fût.
- Hors-d'Age, Extra ou Napoléon : six ans et plus de vieillissement en fût.

Pour faire absorber au Calvados encore plus de saveur fruitée, certains maîtres de chai remplissent les fûts de cidre pendant un an, avant d'y faire vieillir le Calvados. De plus en plus de producteurs accordent à leurs plus nobles alcools de pomme millésimés, un passage en fûts imprégnés de sherry ou de porto. Mais en règle générale, le Calvados est coupé avec des eaux-de-vie de différents âges et de diverses origines pour lui donner le plus de rondeur et de persistance possible.

Le Calvados vieillit lentement durant plusieurs années dans des fûts de bois et s'affine d'année en année.

À l'arrière-plan : un vieil alambic mobile qui exige du bouilleur de cru une maîtrise parfaite de l'art de régler la chaleur.

Les entremets

Les œufs à la neige

4 blancs d'œufs
1 pincée de sel
1 cuil. à café de sucre
3/4 l de lait

Crème anglaise

Suc d'une demi-gousse de vanille
4 jaunes d'œufs
100 g de sucre

Battre les œufs en neige très ferme avec le sel et le sucre. Faire chauffer le lait dans une grande casserole sans le faire bouillir.

Former à l'aide de deux cuillers, des morceaux de blancs battus en neige de la forme d'un œuf et laisser prudemment tomber trois à quatre cuillerées à la fois de blancs dans le lait bouillant. Laisser pocher une minute de chaque côté. Les sortir et les mettre à égoutter sur un essuie-tout.

Pour la crème, passer le lait dans une casserole plus petite et le faire réchauffer. Ajouter la vanille. Mélanger les jaunes d'œufs et le sucre dans une jatte et y verser le lait chaud progressivement, en ne cessant de remuer, lentement d'abord, puis plus vite. Reverser le mélange dans la casserole, la faire chauffer à feu doux en continuant de remuer, sans faire bouillir, jusqu'à obtention d'une crème épaisse. La passer au chinois et laisser refroidir. Servir les œufs à la neige sur la crème.

Bavaroise au chocolat

4 feuilles de gélatine
120 g de chocolat de ménage
1/2 l de lait
suc d'une demi-gousse de vanille
4 jaunes d'œuf
100 g de sucre

Faire tremper la gélatine dans l'eau froide. Faire fondre le chocolat au bain-marie. Faire bouillir le lait et la vanille. Mélanger les jaunes d'œufs et le sucre dans un récipient. Ajouter le lait bouillant peu à peu en remuant. Reverser le mélange dans la casserole, mettre à feu doux sans faire bouillir et continuer de remuer jusqu'à ce que la crème commence à épaissir. Retirer du feu et passer au chinois. Ecraser la gélatine, l'incorporer à la crème avec le chocolat fondu. Beurrer un moule à pouding, y mettre la crème, laisser refroidir, puis mettre au réfrigérateur. Démouler. Garnir à volonté de fruits et de crème fouettée.

Crème caramel
(Illustration ci-contre)

150 g de sucre
3/4 l de lait
100 g de sucre
1 paquet de sucre vanillé
6 œufs

Faire chauffer quatre cuil. à soupe de sucre et deux cuil. à soupe d'eau. Retirer la casserole du feu quand le sucre a bruni. Verser le caramel dans un moule à pouding allant au four en faisant pivoter le moule pour que le caramel se répartisse bien au fond. Attention de ne pas se brûler, c'est très chaud !

Porter le lait, le reste de sucre et le sucre vanillé à ébullition. Battre les œufs et y ajouter petit à petit le lait chaud en remuant.

Faire préchauffer le four à 225° C.

Remplir le moule de la crème d'œufs en la passant au chinois et mettre au four. Faire cuire 30 minutes au bain-marie. La crème doit être ferme. Laisser refroidir entièrement dans le moule, puis démouler sur une assiette plate.

Soufflé au Grand Marnier

3 cuil. à soupe de farine
300 ml de lait
50 g de sucre
3 jaunes d'œufs, 3 blancs d'œufs
50 g de beurre
3 cuil. à soupe de Grand Marnier
1 pincée de sel
2 cuil. à soupe de sucre glace

Mélanger la farine avec un peu de lait froid. Porter le reste du lait à ébullition avec le sucre et faire épaissir avec la farine.

Retirer le lait du feu, y incorporer les jaunes d'œufs et 30 g de beurre, puis le Grand Marnier. Battre les blancs en neige ferme avec le sel et les incorporer à la crème d'œufs.

Préchauffer le four à 200° C.

Beurrer quatre petits moules à soufflé et les saupoudrer de sucre glace.

Remplir les moules avec la crème. Lisser la surface et passer au four pendant 25 minutes. Saupoudrer de sucre glace et servir aussitôt.

Beignets de pommes

150 g de farine
2 jaunes d'œufs, 2 blancs d'œufs
1 cuil. à soupe d'huile de tournesol
1 pincée de sel
100 ml de lait
4 grosses pommes parfumées
3 cuil. à soupe de Calvados
huile de friture
sucre en poudre

Tamiser la farine dans un récipient. Ajouter les jaunes d'œufs, le sel, l'huile et bien malaxer avec la farine. Verser le lait progressivement sur le mélange. Laisser reposer la pâte couverte pendant une heure.

Eplucher les pommes, retirer le trognon et les couper en rondelles d'environ 5 mm d'épaisseur. Humecter de Calvados.

Battre les blancs d'œufs en neige ferme et les incorporer à la pâte. Plonger les rondelles de pommes une à une dans la pâte et les faire dorer dans l'huile de friture bouillante. Les égoutter et saupoudrer de sucre.

Tarte Tatin

600 g de pommes aigres
100 g de beurre
100 g de sucre
1 paquet de sucre vanillé
200 g de pâte brisée (voir tartelettes Tatin, p. 428)

Eplucher et épépiner les pommes. Les couper en rondelles. Faire fondre la moitié du beurre dans un moule plat et haut. Saupoudrer de sucre et de sucre vanillé. Foncer le moule avec les rondelles de pommes et superposer plusieurs couches de pommes dessus. Faire cuire 15 minutes. Retirer du feu. Préchauffer le four à 200° C.

Faire avec la pâte brisée une abaisse ronde et fine de la taille du moule. La poser dessus en pressant les bords contre le moule. Faire cuire au four pendant 30 minutes. Démouler la tarte prudemment. Disposer des flocons de beurre sur les pommes. Saupoudrer avec le reste de sucre et caraméliser au gril. La tarte Tatin se mange chaude.

Clafoutis aux cerises

500 g de cerises noires
150 g de farine
2 œufs
40 g de sucre
1 pincée de sel
350 ml de lait
sucre en poudre

Laver les cerises et les équeuter, mais ne pas les dénoyauter.

Mélanger la farine, les œufs, le sucre et le sel et ajouter le lait nécessaire pour obtenir une pâte de la consistance de la pâte à crêpes, lisse et au ruban.

Préchauffer le four à 175° C.

Beurrer un moule rond, répartir les cerises au fond et verser la pâte dessus. Faire cuire au four environ une heure. Laisser refroidir et démouler prudemment. Saupoudrer de sucre et servir le gâteau encore chaud.

Poires au vin rouge
(Illustration ci-contre)

4 poires mûres mais fermes
125 g de sucre
1/2 bouteille de vin rouge corsé
1 cuil. à soupe de jus de citron
1 zeste d'orange non traitée
1/2 gousse de vanille (suc)
1 pincée de cannelle
2 clous de girofle

Eplucher les poires en laissant les queues. Mélanger le sucre et le vin dans une casserole et faire chauffer jusqu'à dissolution du sucre. Ajouter le jus de citron, le zeste d'orange et les épices. Poser les poires dans ce sirop et faire cuire à feu doux pendant 30 minutes. Laisser refroidir dans le sirop.

Quand elles sont froides, mettre les poires dans des coupes. Passer la sauce au chinois et la verser sur les poires. Garnir à volonté de macarons et servir.

Poires au vin rouge.

Crème caramel.

Les crêpes

Les crêpes ne furent pas toujours comme nous les connaissons: fines, légères, dorées, accommodées de manières aussi variées. A l'origine, elles sont grises, à l'image de la grisaille des roches de Bretagne où, sur les sols de granit, ne pousse pas le froment, mais le sarrasin, que les Bretons appellent le blé noir.

On mélangeait autrefois la farine de sarrasin grise avec de l'eau et du sel et on faisait chauffer ces galettes sur des pierres chaudes. Elles remplaçaient le pain et formaient, avec une soupe au lait et des pommes de terre, la nourriture de base des Bretons. A certaines périodes, il n'y avait souvent rien d'autre à manger. Ces galettes savoureuses tiennent aujourd'hui encore la première place parmi les crêpes salées au jambon ou au fromage, au poisson ou à la viande, aux légumes ou aux champignons ou tout simplement à l'œuf. L'œuf se fige avant qu'on ait replié la pâte dessus. La pâte à crêpes est à base de farine de blé, d'œufs, de beurre et de lait avec souvent un soupçon de bière ou de cidre pour l'alléger. Les crêpes se font dans de lourdes poêles diffusant bien la chaleur et graissées au saindoux.

Elles ne commencèrent à couronner la fin de tous les bons repas que vers 1850, lorsque la haute cuisine se répandit en France. On n'imaginait pas encore, qu'un siècle plus tard, elles seraient offertes par des crêperies en restauration rapide.

La plus connue est la crêpe Suzette, créée indirectement par Edouard VII, qui l'adorait. Il n'était pas encore roi de Grande-Bretagne et d'Irlande, mais bon vivant et grand admirateur de la France et passait l'hiver sur la Côte d'Azur. Cela se faisait beaucoup au tournant du siècle. Un jour, il invita une jolie Française du nom de Suzette à déjeuner. En dessert, il y avait des crêpes, que le cuisinier prépara devant eux. Une erreur de manipulation fit que la liqueur d'orange s'enflamma. Le cuisinier eut la présence d'esprit de présenter son dessert comme nouvelle création et le Prince de Galles baptisa la crêpe flambée du nom de son invitée.

1

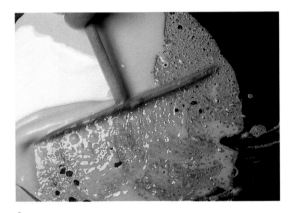

2

3

4

Recette de base des crêpes
(Illustration 1-4)

500 g de farine
6 œufs
2 zestes de citrons non traités
3 cuil. à soupe de sucre
100 g de beurre fondu
1 l de lait
beurre pour la cuisson

Tamiser la farine dans un récipient, creuser un puits, y mettre les œufs, les zestes de citron, le sucre et le beurre fondu, puis ajouter progressivement le lait afin de former une pâte au ruban. Laisser reposer la pâte à température ambiante pendant 30 minutes. Pour la cuisson, faire chauffer un peu de beurre dans une poêle, y étaler une petite louche de pâte (1) et répartir la pâte en faisant pivoter la poêle ou au moyen d'une racle (2). Faire fondre une noix de beurre en surface (3). Faire cuire jusqu'à ce que la face inférieure se colore de petites taches dorées, puis retourner (4) et faire cuire l'autre côté. Continuer ainsi jusqu'à épuisement de la pâte. Empiler les crêpes sur une assiette préchauffée. Les replier une ou deux fois (voir ci-contre).

Les crêpes courantes

Crêpes au sucre
Ce sont les crêpes classiques, les plus simples. Elles sont juste saupoudrées de sucre et humectées d'un filet de citron.

Crêpes à la confiture
Crêpes badigeonnées de confiture et roulées.

Crêpes aux marrons
Crêpes à la crème de marron et roulées.

Crêpes bretonnes
Crêpes au sarrasin et au rhum.

Crêpes fourrées
Crêpes badigeonnées de crème pâtissière, avec des raisins imbibés de rhum et des fruits secs et roulées.

Crêpes Georgette
Crêpes repliées sur une tranche d'ananas.

Crêpes soufflées
Une petite quantité de soufflé, de préférence au café praliné, replié et cuit 15 minutes au four.

Crêpes Suzette
La pâte est parfumée d'un jus de mandarine, de zestes de citron et de liqueur d'orange amère et les crêpes sont flambées.

Les galettes sont des crêpes salées au sarrasin. Il s'agit ici d'une galette sur laquelle on a figé un œuf et dont on a replié les bords, laissant l'œuf à découvert.

La pâtisserie

Les devantures des pâtisseries ressemblent souvent à celles des joailliers. Elles sont reluisantes d'or et de cristal, sauf que ces objets de valeurs sont comestibles et sucrés. Le client choisit sa pâtisserie avec circonspection, comme s'il achetait un bijou. Quel que soit le dessert choisi, une tarte, une tartelette, un petit ou un grand gâteau, une charlotte, une bavaroise ou une glace, des petits fours ou des chocolats, il devra toujours clore rondement un bon repas dans l'intimité ou chez des amis, et être bon et agréable à regarder. Les grands restaurants doivent avoir d'excellents pâtissiers pour ne pas s'exposer à la critique de leurs fins gourmets. La France ne serait pas le pays des plaisirs du palais si elle n'avait pas très tôt rendu hommage à tout ce qu'il y a de séduisant à base de sucre. Les marchands d'oublies eurent un statut officiel dès le 13ème siècle et purent vendre des gaufres les jours de fête. Les corps de métiers de la nourriture et du bien-être physique n'étaient pas encore clairement définis et les pâtéiers faisaient avant tout des tartes salées et des pâtés, mais les beignets eurent vite grand succès. Catherine de Médicis eut une part importante dans le développement soudain de la sucrerie. Quand elle épousa Henri II en 1533, elle amena dans sa suite, des pâtissiers et cuisiniers italiens à Paris. Ils firent les premières glaces et créèrent la pâte à chou. Le sucre et les amandes, bases essentielles de la pâtisserie, devinrent plus courants. Le métier de pâtissier fut créé en 1566. Des religieuses de Nancy inventèrent les macarons à la fin du 16ème siècle, le peintre Claude Lorrain la pâte feuilletée quelques dizaines d'années plus tard. On offrit au comte de Plessis-Praslin des amandes grillées qu'il appela pralines. Enfin, la fabrication du chocolat ne fut plus un secret pour les Français et, l'usage de la betterave à sucre découvert, le sucre se répandit à des prix abordables. Il n'y avait plus d'obstacle à la propagation de tout ce qui était de sucre. Le grand cuisinier Carême fixa les bases du métier dans son livre « Le pâtissier royal parisien ». L'invention de la machine frigorifique et des appareils à faire le chocolat, la glace et les dragées, allégea au 19ème siècle l'exercice de la profession. Les grands cuisiniers et pâtissiers rivalisèrent d'ingéniosité à la recherche de nouveaux délices. Aujourd'hui, un grand chef doit être maître de pâtisserie et de confiserie.

A l'arrière-plan : étalage d'une pâtisserie. La marchandise exposée pourrait être des bijoux de valeur.

Les principales crèmes de pâtissier

Les crèmes donnent leur goût à plupart des gâteaux.

Ingrédients de base
Œufs, lait, beurre, crème, crème fraîche, gousse de vanille, sucre.

Ingrédients aromatiques
Cacao, chocolat de ménage, café en poudre, pâte d'amandes, liqueurs ou marcs

Crème anglaise
Elles est faite de jaune d'œuf, de lait, de sucre glace, de vanille et peut être parfumée au cacao, au café, à la pâte d'amandes, à la liqueur ou au marc. Elle est utilisée pour les mousses, la bavaroise, les parfaits, les glaces.

Crème au beurre
Elle est faite de beurre, de sucre, d'eau, de jaune d'œuf, de vanille et peut être parfumée au cacao, au café, à la pâte d'amandes, à la liqueur ou au marc. Utilisée pour le biscuit roulé, les petits fours, les garnitures.

Crème bavaroise
Elle est faite de jaune d'œuf, de sucre, de vanille, de lait, de gélatine et de crème fouettée. On peut l'aromatiser avec de la vanille, du chocolat, de la poudre de café, des amandes, des fruits et des alcools.

Crème Chantilly
Faite à base de crème fraîche, de sucre et de vanille. Utilisée pour les choux, les savarins, la bavaroise, les glaces et les bombes glacées.

Crème d'amandes
Elle est faite de beurre, de sucre, d'œufs, d'amandes en poudre, de farine, de rhum et de vanille et utilisée pour les jésuites et les pithiviers.

Crème pâtissière
Elle est faite d'œufs, de lait, de farine, de vanille, de sucre et peut être parfumée au cacao, à la poudre de café, à la pâte d'amandes, à la liqueur ou au marc. Elle est utilisée pour les choux, les éclairs, les savarins, les millefeuilles, les soufflés. Elle forme la base de la crème saint-Honoré, de la crème frangipane, de la crème mousseline.

Crème ganache
Elle est faite de crème fraîche, de chocolat fondu, éventuellement de beurre ou de lait et peut être parfumée aux zestes d'orange et de citron, au thé, au café, à la liqueur, au marc. Elle est utilisée pour le glaçage ou la garniture des gâteaux.

Petit fours.

Succès au chocolat.

Eclairs au chocolat.

Choux à la crème.

Le chocolat de Lyon

Plus la variété de cacao est bonne, plus le chocolat est fin. Comme pour le café, c'est la torréfaction qui libère les arômes.

Le chocolat est malaxé pendant un, deux ou trois jours, jusqu'à ce que soient obtenus la consistance et le goût souhaités.

« Les amateurs de chocolat cherchent en lui le goût du cacao », disait Maurice Bernachon, grand maître des chocolatiers de Lyon, puriste qui faisait lui-même son chocolat avec des fèves de cacao. Cinq confiseurs français font encore vivre l'art du chocolatier. Seulement quatre cents chocolatiers étaient enregistrés dans toute la France, après la Seconde Guerre mondiale. Autour de 1900, il y en avait trois cents seulement à Lyon. Pour un petit commerçant, la fabrication demeure onéreuse.

Le cacaoyer fut cultivé d'abord par les Mayas, puis par les Aztèques pour qui il était sacré. Les fèves de cacao ne servaient pas seulement à la préparation de la boisson tonifiante que l'on connaît, mais aussi à payer ses redevances. Lorsque Christophe Colomb débarqua en 1502 sur l'île de Guaymas, il fut le premier Européen à goûter le cacao que lui offrirent les indigènes en guise de bienvenue. Hernando Cortés introduisit le cacao en Espagne. Il se répandit en France, à partir du 17e siècle. Rotterdam était un grand port de commerce pour les fèves de cacao et de café, mais Bordeaux, siège traditionnel des experts de cacao. Le cacao présente, comme le vin, de grands écarts de qualité dans les variétés et, comme lui, il a ses crus et ses régions médiocres. Il prospère dans les climats tropicaux et a besoin de sols propices à sa croissance. C'est le cas en Amérique centrale et en Amérique du Sud, aux Caraïbes ou à Madagascar, où l'on trouve les qualités supérieures.

Les cosses du cacaoyer contiennent, noyées dans une pulpe gélatineuse, des fèves que l'on retire de la cosse. La pulpe y adhérant est conservée. On laisse fermenter les fèves, puis elles sont lavées, mises à sécher sous terre ou au soleil et, déjà, elles sont prêtes à être exportées comme matière première. Elles sont torréfiées, triées, comme le café, pendant 20 minutes à 180-200° C, pour exalter leur saveur, puis décortiquées, pesées, mélangées dans un moulin et moulues. L'opération dégage une certaine chaleur qui fait fondre la matière grasse contenue dans les graines, le beurre de cacao, qui permet d'obtenir une pâte onctueuse à laquelle on incorpore le sucre et les bâtons de vanille. L'amertume et l'acidité sont éliminées dans des rotatives où le chocolat tourne pendant un, deux ou trois jours et s'assouplit. Cette opération a lieu en partie sous vide. Quand le chocolat de base est terminé, on le coule en grosses plaques dont la part de cacao comprend entre 63 et 70 %. Les chocolats de qualité ne peuvent être fabriqués qu'à partir d'excellentes fèves de cacao. Les fabricants en sont fiers, car elles sont la base du métier, que l'on fasse des tablettes de chocolat, des pralines, des crèmes ou des gâteaux. Mais elles sont également ce que préfèrent les vrais connaisseurs.

Chaque chocolatier donne libre cours à son imagination, qu'il s'abandonne aux associations classiques cannelle, thé et café, ou compose avec le gingembre, la réglisse et le poivre, qu'il recouvre de noix ou de fruits secs, qu'il fasse intervenir des crèmes ou un bon vin. La qualité des ingrédients, le doigté dans la préparation et l'intuition pour le mariage des arômes et des consistances détermineront son prestige auprès des connaisseurs. Comme dans toutes les autres branches culinaires, les Français savent fort bien reconnaître ce qui est bon. Ils savent que ces miniatures et ces objets d'art ont leur prix. Le chocolat se conserve trois semaines à 20° C. Au réfrigérateur, il blanchirait. Les véritables amateurs ne risquent d'ailleurs pas de se trouver devant le problème de la conservation.

Le chocolat de cuisson est employé pour couler toutes les formes. Ici, des noisettes sont disposées sur une tablette. Chez les grands chocolatiers, ce travail se fait encore à la main.

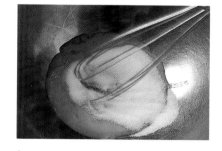

1

2

3

4

5

6

7

8

Mousse au chocolat
(Recette de Jean-Marie Patroueix)
(Illustration 1–8)

300 g de chocolat amer
4 jaunes d'œuf
130 g de sucre
50 ml de crème
250 g de blanc d'œuf

Faire fondre le chocolat au bain-marie.
Battre les jaunes d'œufs et le sucre jusqu'à obtention d'une mousse (1,2).
Incorporer la crème (3), puis le mélange jaunes d'œufs et sucre au chocolat (4).
Battre les blancs d'œufs en neige (5) et les incorporer au chocolat sans les casser (6,7).
Verser la mousse dans des verres ou des petits moules et mettre au frais.

Le nougat

«Tu nous gâtes» s'écrièrent les enfants quand leur grand-mère voulut, une fois de plus, leur préparer cette exquise confiserie de miel, de sucre et d'amandes. Telle serait l'origine de la spécialité de Montélimar. Les linguistes, eux, renvoient au terme latin qui désigne le gâteau de noix, *nux gatum*, mais les noix durent être remplacées par les amandes sans lesquelles le nougat blanc n'aurait pas son arôme si particulier.

L'amandier fut importé dans le sud de la France à la fin du 16e siècle par l'agronome Olivier de Serre de ses voyages en Asie occidentale. D'importantes plantations se développèrent très vite autour de la localité de Villeneuve-de-Berg dans l'Ardèche, à trente kilomètres de Montélimar. Il n'aura pas fallu longtemps pour que le premier confiseur mélangeât des amandes et du miel, qui, depuis l'Antiquité, sert de base à toute friandise. Pour faire connaître leur produit, les confiseurs en faisaient cadeau de quantités énormes, chaque fois que de hautes personnalités traversaient la vallée du Rhône. Les premiè-

res personnalités furent, en 1701, les ducs de Berry et de Bordeaux. Un certain Monsieur Miche fonda la première usine en 1778.

La qualité du nougat dépend de celle des ingrédients. Hormis les amandes, qui doivent être excellentes, le miel est primordial. Le miel de lavande fournit le parfum le plus délicat et le plus caractéristique. La fabrication commence toujours par le miel chauffé au bain-marie dans une chaudière pour faire évaporer l'eau qu'il contient. On y ajoute des blancs d'œufs et du sucre cuit auparavant avec du glucose, le glucose empêchant le sucre de cristalliser. Si la température du sucre ne dépasse pas 120º C, on obtiendra un nougat mou. Si elle monte à 150º C, on aura un produit dur. Il s'agit donc de déceler la bonne consistance à l'instant propice, quand la pâte est souple et légère. Albert Escobar, célèbre pour son nougat de grande finesse, contrôle la consistance du nougat dans le malaxeur avec ses doigts. Si elle est bonne, il réduit la vitesse et ajoute des amandes effilées ou des amandes en poudre, des pistaches, des noix ou des noisettes, des fruits secs, citrons ou oranges. Quand les ingrédients sont mélangés, cette masse épaisse de nougat est étalée dans des cadres munis de papier spécial. Le nougat est

enveloppé, coupé en dominos, en barres ou en dés. Si le nougat a trop de sucre et de glucose, il aura un goût trop sucré et aucun parfum. Les produits d'Escobar sont de vrais chefs-d'œuvre qui surprennent par leur consistance moelleuse, leur décente saveur sucrée, leur goût fin d'amandes et de pistaches et un parfum manifeste de lavande.

Le nougat est à base d'une pâte de miel, de blancs d'œufs et de sucre.

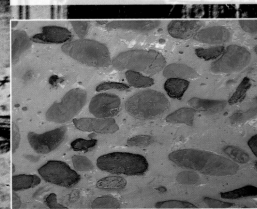

En travaillant la masse, les malaxeurs veillent à arrêter à temps quand la pâte est légère.

La vitesse est réduite au moment de l'adjonction d'amandes, de pistaches et de fruits secs.

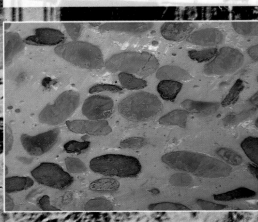

Le mélange malaxé est coulé dans un cadre et lissé.

En arrière-plan : un magasin du temps de l'époque de gloire du nougat (collection Patrick Morand).

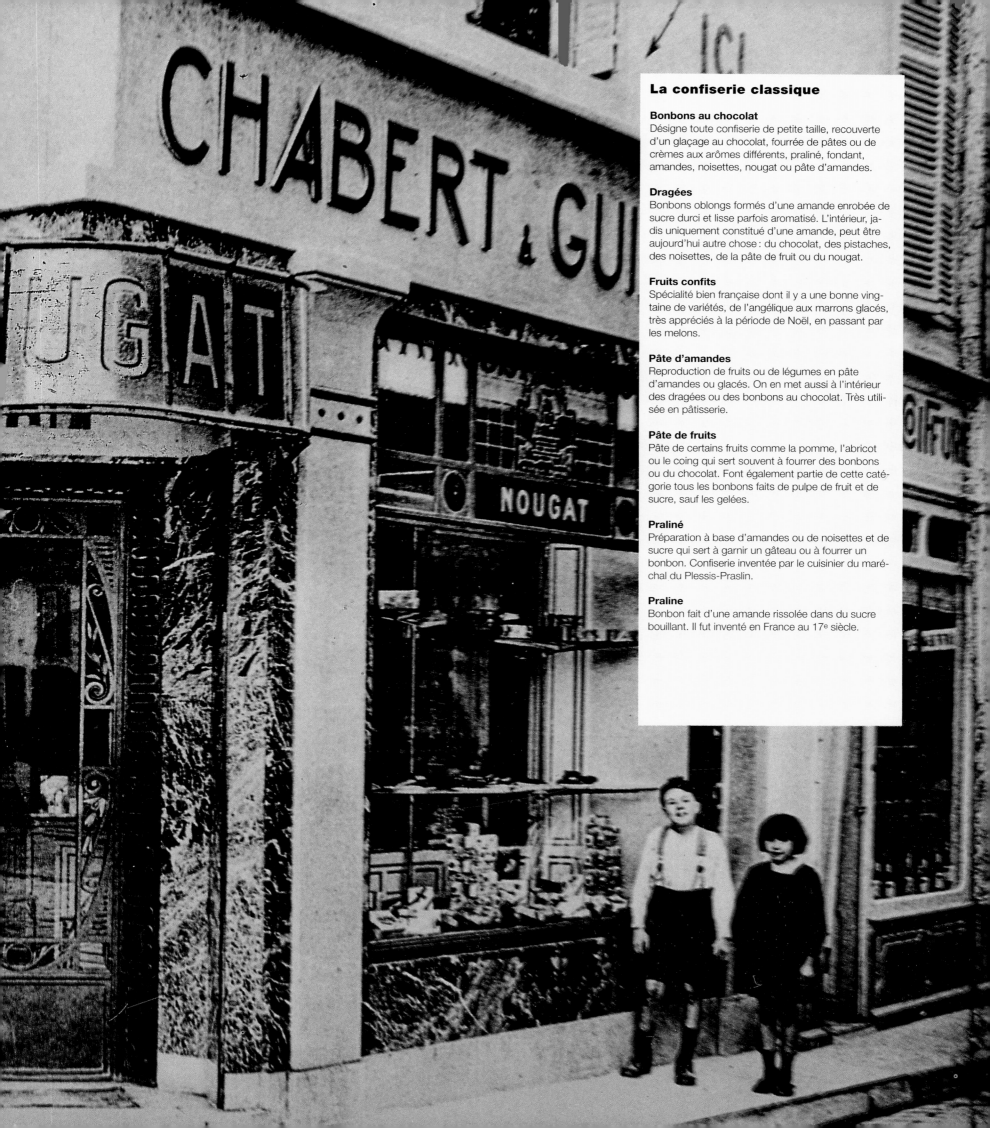

La confiserie classique

Bonbons au chocolat
Désigne toute confiserie de petite taille, recouverte d'un glaçage au chocolat, fourrée de pâtes ou de crèmes aux arômes différents, praliné, fondant, amandes, noisettes, nougat ou pâte d'amandes.

Dragées
Bonbons oblongs formés d'une amande enrobée de sucre durci et lisse parfois aromatisé. L'intérieur, jadis uniquement constitué d'une amande, peut être aujourd'hui autre chose : du chocolat, des pistaches, des noisettes, de la pâte de fruit ou du nougat.

Fruits confits
Spécialité bien française dont il y a une bonne vingtaine de variétés, de l'angélique aux marrons glacés, très appréciés à la période de Noël, en passant par les melons.

Pâte d'amandes
Reproduction de fruits ou de légumes en pâte d'amandes ou glacés. On en met aussi à l'intérieur des dragées ou des bonbons au chocolat. Très utilisée en pâtisserie.

Pâte de fruits
Pâte de certains fruits comme la pomme, l'abricot ou le coing qui sert souvent à fourrer des bonbons ou du chocolat. Font également partie de cette catégorie tous les bonbons faits de pulpe de fruit et de sucre, sauf les gelées.

Praliné
Préparation à base d'amandes ou de noisettes et de sucre qui sert à garnir un gâteau ou à fourrer un bonbon. Confiserie inventée par le cuisinier du maréchal du Plessis-Praslin.

Praline
Bonbon fait d'une amande rissolée dans du sucre bouillant. Il fut inventé en France au 17e siècle.

Fede Falces

L'Espagne

La structure de l'Espagne, qui occupe la majeure partie de la péninsule ibérique, est à l'origine de cette richesse de spécialités espagnoles qui donnent à la cuisine de ce pays un air d'authenticité absolument fascinant. Les côtes atlantiques du Nord-Ouest bénéficient d'un climat et d'une végétation différents de celles des confins de l'Andalousie, entre la route de Gibraltar et le Golfe de Cadix, bien que ces deux régions soient, l'une comme l'autre, sur l'Océan Atlantique. La végétation et l'élevage des animaux diffèrent d'une région à l'autre. Le poisson et les fruits de mer, sans nul doute frais partout, et aussi dans ces deux régions extrêmes, changent néanmoins de caractère selon l'endroit de leur dégustation et l'atmosphère qu'il dégage. Il en est ainsi des dix-sept régions d'Espagne qui contrastent comme le jour et la nuit, que ce soit la Catalogne et la Castille, la Manche et la Navarre !

Comme beaucoup de peuples méridionaux, les Espagnols ne s'attardent pas au petit-déjeuner, le *desayuno*. Le matin, ils prennent un chocolat chaud dans un café et mangent quelques churros frais, des petits gâteaux secs vendus partout. Dans les régions rurales, la pause du matin, *l'almuerzo* ou *las once*, est très importante. Pour les ouvriers, qui commencent aussi très tôt leur journée de travail, c'est la même chose. A cette heure, on a mérité un petit déjeuner plus consistant que le premier, avec du pain, des œufs et du saucisson. Le déjeuner, *comida*, repas principal de la journée, se prend assez tard, si l'on compare avec les autres pays d'Europe centrale. Les familles se mettent à table et commencent à déjeuner entre quatorze et quinze heures. C'est un repas complet, auquel ne manquent ni le vin ni le pain. Si l'appétit ou l'envie de grignoter se réveille en fin d'après-midi, la *merienda*, l'heure du goûter, est le moment idéal pour prendre un café noir ou au lait, avec un gâteau, des biscuits ou quelque pâtisserie, car, le soir, on dîne très tard. La *cena* est un repas léger. Pris chez soi, il peut se composer de soupe, de poisson, de légumes et de fruits, mais on le saute souvent pour aller prendre un verre et manger des tapas, ces irrésistibles petits hors-d'œuvre, ou autres spécialités espagnoles.

Commerçant de Barcelone avec du jambon de Serrano.

Les tapas

Il en existe des centaines et ils sont l'expression d'une vie en société très animée. Manger des *tapas* est un rituel quotidien avant chaque repas, midi et soir. Comme on mange très tard en Espagne, notamment les mois d'été, on a le temps pour l'heure du *tapeo* appelé aussi *tasqueo* ou, selon la région, *ir de vinos, poteo* ou *chiquiteo*.

Les Espagnols ne passent pas la soirée dans un seul café, mais vont souvent de café en café, de bistrot en bistrot ou font la tournée des *tascas* et des *mesones*, les spécialistes de tapas, avec des amis ou des collègues.

Certains de ces *tascas* ou *mesones* ont un grand choix de tapas. D'autres attirent le monde avec une seule spécialité, les *champiñones a la plancha*, les *calamares fritos*, ou les *pinchos morunos*, des brochettes de viande marinée. D'autres encore sont spécialistes des fruits de mers ou de plats braisés à l'ancienne. Même le plus humble des cafés a au moins des amandes fraîches, des olives, des moules, du thon en conserve ou des *tortilla española*, la fameuse omelette aux pommes de terre. La réputation de ces endroits s'appuie parfois aussi sur la qualité du *finos*, un sherry sec et léger, du *vino joven*, du vin jeune, ou du *sidra*, du cidre qu'ils servent.

L'influence mauresque se répandit dans tout le bassin méditerranéen, léguant à ses peuples un penchant pour les hors-d'œuvre variés. La coutume des *tapas* et du *tapeo* vit certainement le jour au milieu du siècle dernier en Andalousie. *Tapa* signifie couvercle. Dans le sud de l'Espagne, où il fait très chaud, les cafetiers et restaurateurs préservaient le sherry de la poussière et des mouches en recouvrant les petits verres d'une tranche de pain, de fromage, de saucisson ou de jambon. La bouchée prise après le *fino*, apaisait la faim, mais redonnait soif, étant donné que la charcuterie est salée. Les tapas plurent à tout le monde, aux clients comme aux cafetiers, qui commencèrent à rivaliser de qualité et d'originalité pour offrir des hors-d'œuvre uniques à leur clientèle. L'Andalousie reste, aujourd'hui encore, le fief des tapas. Il y en a un choix surprenant à Séville, Cordoue et Cadix.

La coutume des tapas s'est répandue depuis longtemps dans toute l'Espagne. Elle est une part importante de la vie quotidienne des Espagnols. Elle permet de communiquer et d'entretenir des relations amicales, ce qui est vital, en particulier dans les agglomérations. La consommation des tapas est prétexte à cette façon informelle de se retrouver à la pause de midi ou après le travail pour discuter, plaisanter, boire un verre et grignoter quelques olives ou davantage, peu importe. Manger n'est qu'un aspect de cet usage qui se pratique en gaîté et dans la communication.

Il y a deux catégories de tapas, les tapas chauds et les tapas froids. Le choix de tapas froids est vite repéré, car ils sont alignés derrière le comptoir dans des jattes ou des petites assiettes, à côté des autres plats froids. En parcourant la salle du regard, on notera les jambons et les saucissons suspendus au plafond. Eux aussi sont des tapas importants comme, du reste, le fromage.

Les tapas du jour sont notés sur un tableau, parfois sur un menu. Mieux vaut, cependant, demander conseil au patron ou au garçon qui vous recommanderont volontiers quelque

chose, si vous le leur demandez. Les délicieux petits plats en sauce, sont servis dans des *cazuelitas*, des jattes marrons en grès. Tout ce qui est fait au gril, comme les *pinchos*, les brochettes, les *costillas*, les côtelettes, est souvent servi sur du pain. Les fruits de mer grillés *a la plancha*, sur une plaque de fer, sont également très populaires.

Quel que soit l'endroit d'Espagne où l'on se trouve, pour manger de bons tapas, il suffit

d'entrer dans un café ou un petit restaurant où se pressent les Espagnols vers midi et le soir vers dix-neuf heures.

Ces cafés, où l'on propose les tapas sont bien ancrés dans la vie des Espagnols. Tous les délices qu'ils y trouvent donnent un peu de piquant au quotidien.

L'anchois, à peine plus petit que la sardine, fait toujours partie de la gamme proposée de tapas dans le nord de l'Espagne.

Les tapas ne sont pas forcément des plats cuisinés ou compliqués. Des olives et quelques tranches de chorizo peuvent suffire.

En arrière-plan : plus le choix de tapas offert au comptoir est grand, plus il ouvre l'appétit et attire le client. Les tapas font l'image de marque des cafés.

Albóndigas
Petites boulettes de viande hachée accommodées de sauces variées, souvent piquantes. Un classique.

Almejas
Praires marinées dans l'ail, le persil et le vin blanc.

Atún fresco con judías en escabeche
Thon frais mariné avec des haricots blancs.

Bacalao
La morue sèche entre dans de nombreuses préparations, mais est aussi utilisée comme farce ; le *pil pil*, avec un beurre d'ail, est très apprécié.

Berberechos – coques
Coques nature avec de l'ail et du persil, à la sauce tomate, aux herbes fines, au sherry, etc.

Boquerones
Anchois ou éperlans frits.

Buñuelos
Beignets soufflés aux légumes, au fromage, à la saucisse ou au jambon.

Calamares rellenos
En cornets farcis. Leur poche invite au remplissage, avec une farce de viande hachée, de jambon ou de champignons.

Champiñones
A la plancha, revenus sur une plaque en fer, farcis ou en salade.

Cigallas
Langoustines enduites à l'huile d'olive et grillées *a la plancha*.

Conejo
Lapin braisé dans une cocotte en terre cuite ou grillé.

Croquetas
Farine et mie de pain, avec légumes, poisson, viande, un œuf ou du fromage.

Anchoas
Filets d'anchois à l'huile, spécialité de la Costa Brava. Ils sont également marinés ou frits, garnis d'olives noires.

Aceitunas
Olives noires ou vertes de toutes les tailles. Les vertes sont farcies au beurre d'anchois, aux amandes ou au poivron et mises dans une marinade aux herbes.

Dátiles de mar – dattes de mer
Les dattes de mer, cuites à l'étuvée, sont une délicatesse.

Ensalada mixta
Salade composée de laitue, de tomates, d'olives et de thon.

Ensalada de salmón marinada
Saumon mariné disposé sur quelques feuilles de salade.

Esqueixada
Salade de morue sèche avec poivrons, tomate et oignon. Spécialité catalane.

Jamón
Jambon cru parfois mangé avec des légumes, du poisson ou une autre viande.

Mejillones
Moules préparées de diverses manières ou froides en conserve.

Navajas
Couteaux frais ou en conserve. Grillés jusqu'à ce qu'ils s'ouvrent, ils sont ensuite recouverts d'un filet de citron.

Pa amb tomáquet
Spécialité catalane. Pain grillé frotté d'huile d'olive, d'ail et de tomates.

Pescadito frito
Excellente friture de poisson (à droite), que l'on trouve en particulier dans les ports d'Andalousie et de Galice. D'autres tapas sont les *chipirones* frits, petits calmars, les *rabas*, des morceaux de calmar, les *pulpitos*, petits poulpes, les *calamares*, anneaux d'encornets (à gauche), les crevettes, les moules et autres fruits de mer.

Pimientos
Poivrons grillés farcis d'ail ou de morue.

Tortilla
Omelette aux pommes de terre. La plus répandue est *l'española*.

Atún
Le thon en conserve ou frais accompagné de plusieurs variétés de salade est une spécialité bien espagnole.

Gambas
Crevettes aillées, enduites d'huile d'olive et grillées *a la plancha*.

445

Le sherry

Le sherry provient de la province de Cadix, en Andalousie, une région qui confine à la côte atlantique et s'étend sur 23 000 hectares. Elle est précisément située dans le triangle dont les pointes sont Jerez de la Frontera (Xérès), qui donne son nom au vin, Puerto de Santa María, sur le Guadalete, et Sanlúcar de Barrameda, à l'embouchure du Guadalquivir. Les vignobles s'étendent sur des collines plates légèrement vallonnées dont les sols calcaires, les fameux *albarizas*, étincellent sous la lumière aveuglante du soleil brûlant. Plus de quatre-vingt-dix pour cent des vignobles de xérès sont cultivés de Palomino. Outre ce raisin, on plante aussi le Pedro Ximénez et le Moscatel servant tous deux à sucrer le vin.

Les vignobles d'Andalousie sont très anciens. Il est fort probable que les Phéniciens y plantèrent déjà des vignes reprises par les Romains, puis, les Wisigoths et répandues, dès lors, à travers le pays. Les Maures, qui régnèrent à partir du 8e siècle, amenèrent du Levant les secrets de la distillation. Ils distillaient l'« al-Kuhl », à usage médicinal et esthétique, dans des alambics et des alquitaras. Plus tard, les vignerons andalous comprendront que l'addition d'alcool conserve le vin. Le sherry était né.

La gloire du sherry commença au Moyen Age. Sir Francis Drake, qui avait pris Cadix en 1587, emporta trois cents fûts de vin en Angleterre. Toute l'Angleterre se mit à consommer du *Sack*, comme il s'appelait à l'époque. C'était probablement un vin lourd et très sucré. Plus tard ils l'appelèrent sherry, tel qu'ils prononcent Jerez de la Frontera (Xérès), sa terre d'origine.

On n'apprécie que depuis quelques dizaines d'années le xérès a sa juste valeur. Il n'y a donc pas si longtemps que ses particularités sont connues. Le secret du xérès est la *flor*, une pellicule blanche qui se forme, comme les fleurs, à la surface des xérès, dans certaines conditions, le préservant de l'oxydation.

La *flor* est délicate. Elle a besoin d'un milieu favorable pour ne pas s'éteindre. Elle n'aime que les vins qui ont achevé leur fermentation et dont le degré d'alcool a été élevé à 15° ou 16° maximum ainsi qu'un climat tempéré et humide. Les *bodegas*, ainsi appelle-t-on les chais en espagnol, sont construites de telle manière qu'elles tiennent compte des faiblesses de la *flor*. Les fûts de sherry sont conservés dans de grands chais frais et obscurs, tous orientés vers la mer pour laisser pénétrer l'humidité du *poniente*, un vent de l'Atlantique. Plus les *bodegas* sont près de la mer, plus la *flor* épaissit et communique des arômes au vin.

Quel que soit le type de sherry développé ensuite par les *bodegas*, également synonyme des firmes productrices de grands vins, au début, il y a d'abord fermentation de tout le moût issu du pressage du Palomino. La teneur en alcool du jeune vin sec est

élevée à 15,5° après quoi il est versé dans des fûts de chêne. Le maître de chai, le *capataz*, lui donne un an, puis il contrôle les fûts, un à un, examine la flor, abaisse sa *venencia* (tasse d'argent au long manche de baleine flexible ; à Sanlúcar, il est en bambou) sur la croûte blanche que forme la flor pour atteindre le vin qu'il goûte avant de décider du destin de chaque fût. Le *capataz* marque les fûts à la craie. Le vin qui a le plus fin bouquet et une belle flor sera transformé en *fino*. Le vin à la flor plus mince attendra encore qu'une décision soit prise à son sujet. Quant au vin sans flor, soumis à un plus long vieillissement, il fera un *oloroso* au fort bouquet, comme son nom l'indique. On lui

Les différents xérès. De gauche à droite : fino, amontillado, oloroso, Pedro Ximinez.

Ci-dessous : le fino est protégé par une mince pellicule blanche, la flor, qui lui communique son bouquet caractéristique et son goût frais.

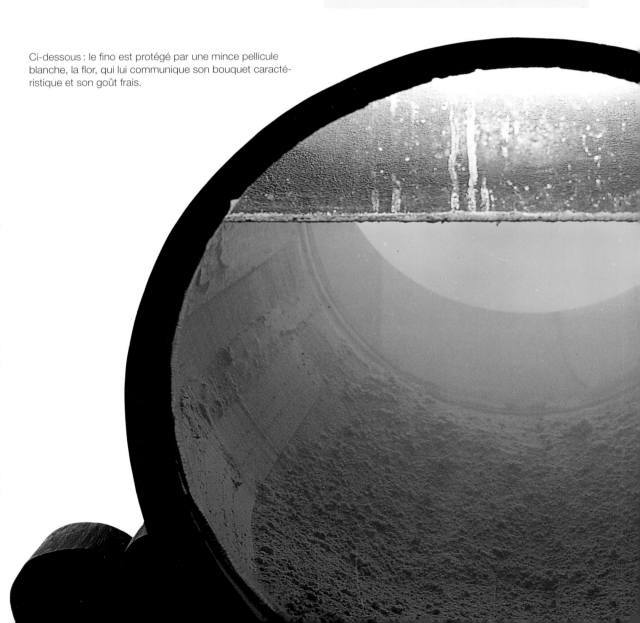

Les variétés de sherry

Almacenista
Produit rare de petits producteurs privés.

Amontillado
Fino vieilli en fût qui ne fut pas rafraîchi par un vin jeune. L'amontillado authentique est ambré, sec et vivace et a un goût caractéristique de noix.

Cream Sherry (xérès crème)
Ce xérès est un oloroso très doux auquel fut ajouté un Pedro Ximinez ou un moscatel. Il a de la rondeur et de la générosité.

Fino
Le fino est un xérès très clair, à peine doré, qui a mûri sous la flor ; l'idéal serait de le boire frais tiré au fût ou, au plus tard, six mois après sa mise en bouteille. On y perçoit une légère odeur de pomme fraîchement cueillie et un soupçon d'amande.

Manzanilla
C'est un xérès fino incroyablement léger et clair de la ville côtière de Sanlúcar de Barrameda. L'air marin lui confère un léger goût salé.

Oloroso
Vin corsé et vineux obtenu par une longue oxydation sans flor. Il a un fort bouquet de fruits séchés et une odeur de noix.

Palo Cortado
C'est un xérès rare, sec, extrêmement fin et corsé qui a vieilli sans flor et se situe entre l'amontillado et l'oloroso.

Pedro Ximinez
Rare vin à dessert très doux. On l'associe à l'oloroso.

donnera une plus forte dose d'eau-de-vie qu'au fino. L'eau-de-vie supprime la flor. Il titrera 18°. Les *amontillados* sont des *finos* conservés en fûts, dont la flor meurt au bout de quelques années. Pour obtenir des xérès doux, on mélange de l'amontillado ou de l'oloroso avec des vins doux spéciaux.

Les millésimes ne sont pas, pour le xérès, un critère de qualité. Important est de conserver une qualité constante pour satisfaire le client. Dans le système de la *solera*, grâce auquel un bon vieux xérès élève un vin plus jeune et cru, la notion d'âge disparaît. Les fûts de chêne de 500 litres sont rangés par ordre d'âge. La plus vieille classe est celle qu'on appelle *solera*. La seconde en âge est la première *criadera* (nurserie), celle qui vient immédiatement après la seconde *criadera*, et ainsi de suite. Quand on tire le vin de la solera, on prélève une quantité égale dans chaque fût. Puis on fait passer le vin de la première criadera dans la solera ; celui de la seconde criadera dans la première, etc. La merveille de ce système est que les plus vieux fûts contiennent perpétuellement du vin de même qualité. Le fino existe depuis que le xérès existe, mais, jadis, on le laissait s'ambrer en fût où il devenait presque de l'amontillado. Ce n'est qu'avec la viticulture moderne, qui créa de nouvelles perspectives, que les finos commencèrent à devenir des vins jeunes, frais et clairs et que leur odeur de levure et leur goût d'amandes fraîches les caractérisa nettement.

Brandy de Jerez

On produisit dès le 16e siècle des quantités considérables de brandy, indispensable à la production de sherry, mais on lui trouva bientôt de nouveaux débouchés. Des Hollandais, possédant un sens du commerce développé, avaient créé des eaux-de-vie et des liqueurs pour lesquelles ils avaient besoin d'un bon brandy, qu'ils trouvèrent à Xérès. Des vignerons de Xérès le baptisèrent « Holanda », d'après leur principal acheteur. Le commerce du holanda ne se passa pas sans accrocs. Un beau jour, Pedro Domecq Loustau, propriétaire de la plus vieille bodega de Xérès, resta sur 500 fûts de jeune brandy invendus. Ne sachant quoi en faire, le maître de chai les mit dans de vieux fûts ayant contenu du sherry auparavant et les oublia. Heureusement pour Xérès ! Cinq ans plus tard, il se souvint des fûts, y goûta et fit faire une dégustation à Pedro Domecq. Quel bouquet ! L'âpre holanda s'était transformé en fin brandy. Domecq avait compris. Il fonda la première grande marque de brandy, au début de 1874, et lui donna le nom de « Fundador ».

Le brandy fut d'abord distillé à partir de raisins à sherry. De nos jours, les bodegas se procurent de jeunes eaux-de-vie de raisins pressés notamment dans La Manche. La meilleure eau-de-vie, encore appelée Holanda, est distillée dans de vieux alambics en cuivre, selon la tradition. Elle a un fort bouquet et titre seulement 65°. Elle constitue la base de tous les brandies classés. Des eaux-de-vie de qualité inférieure ne vaudraient pas la peine qu'on les fasse vieillir à grands frais.

Le brandy de Jerez est, après le Cognac et l'Armagnac, la troisième eau-de-vie de vin d'Appellation. Il fut reconnu *Denominación especifica* en 1989. Contrairement au Cognac et à l'Armagnac, considérablement influencés par les sols, le brandy de Jerez ne commence vraiment à se former qu'au moment où l'eau-de-vie est mise en fût dans les bodegas de la région de Xérès. C'est ce vieillissement, unique en son genre, qui lui confère sa couleur, son bouquet et son goût. On utilise de préférence des fûts dans lesquels a vieilli l'oloroso, qui a imprégné le bois de ses arômes. On sait que le bois d'un fût de 500 litres a absorbé dix-sept litres de sherry. Le brandy doit titrer entre 36° et 45° d'alcool.

La Ina Bodega à Jerez de la Frontera, où vieillit l'un des plus célèbres finos.

Le verre de sherry idéal est un verre de dégustation haut et étroit. Les échantillons se prennent à l'aide d'une *venenzia*. A Xérès, elle est argentée.

D'un geste habile, le *capataz*, maître de chai, verse un échantillon de sherry dans le verre.

Le jambon ibérique

Cerdo ibérico, le porc ibérique, ainsi s'appelle cet animal haut sur pattes, sans lequel n'existerait pas l'une des spécialités de jambon les plus recherchées au monde : le *jamón ibérico*. C'est une race de porc méditerranéenne millénaire, proche du sanglier. Elle vit dans le Dehesa, vaste pénéplaine dans le sud-ouest de la péninsule, entre l'Andalousie, l'Estrémadure et les deux Castilles, couverte de forêts de chênes verts, des forêts claires d'environ trente-cinq arbres à l'hectare. Le porc ibérique s'est extrêmement bien adapté à son environnement naturel. Il est peu exigeant et supporte de longues périodes de sécheresse sans nourriture abondante. Il passe donc l'été sans problèmes, mais, à l'automne, les porcs se disputent la glandée. Chaque porc mange de six à dix kilos de glands par jour et ingurgite, par ailleurs, tout ce qu'il trouve. Ainsi sa chair est-elle extrêmement parfumée d'herbes et de racines. Autrefois, le porc ibérique était «sacrifié» au bout de deux ans. De nos jours, on l'abat âgé de 14 à 18 mois. Son poids vif d'abattage varie entre 160 et 180 kilos. Nourri l'été de quelques céréales supplémentaires, il entre à l'automne dans la *montanera*, période traditionnelle d'engraissement, avec un poids d'environ cent kilos. L'engraissement aux glands lui donne une épaisse couche de graisse qui, chez les bêtes les plus agiles, pénètre dans la musculature. Cette graisse veinera, plus tard, la viande de fines marbrures et lui donnera son goût incomparable.

Deux facteurs comptent énormément : les animaux doivent être de pure race ou au moins à 75 % de race *cerdo ibérico* et leur engraissement ne doit pas être poussé à plus de 30 % de fourrage supplémentaire.

Les porcs sont abattus à la fin de l'automne et en hiver. Après qu'ils ont été saignés, les jambons sont enrobés de gros sel marin. C'est la première phase de transformation, qui dure entre une journée, par kilogramme, dans les régions les plus froides et un jour et demi, là où il fait plus chaud. On les laisse ensuite de quatre à six jours dans des entrepôts frais avant de les suspendre dans des caves aérées, les *secaderos*, où ils sécheront.

Les principaux centres de la fabrication du jambon – Valle de los Pedroches, Sierra de Aracena, Dehesa de Extremadura et Guijuelo in Salamanca – sont situés en altitude, dans des régions montagneuses, où les jambons sèchent en plein air. Plus il fait chaud, plus la su-

dation, *sudado*, est forte et plus le jambon, en sécrétant toute son humidité et toute sa graisse, s'imprègne progressivement d'arômes. A la fin de l'été, il a perdu un tiers de son poids. A la baisse des températures, au début de l'automne, le jambon est mis, pour la phase finale de maturation, le *curado*, dans des caves sombres d'une température constante tournant autour de 10 °C. On laisse au moins six mois de temps au *penicillium roquefortis* pour contribuer à arrondir le bouquet très parfumé et l'odeur de noix du jambon. C'est à présent au *calador* de mettre en œuvre son outil, le *cala*, un poinçon de bois précieux, en os de lièvre ou de bœuf. En le piquant dans chaque jambon, à peu près à hauteur de l'articulation, il reconnaît à l'odorat, si le jambon est prêt à être consommé. Depuis le jour du «sacrifice», se sont écoulés de 18 à 24 mois. Le jambon arrivé à maturité a une forme caractéristique en V. Même le cuissot est tacheté de moisissures de couleur jaune clair à bleu-gris, attestant qu'il a conservé son goût caractéristique et qu'il fut fabriqué selon ce mode traditionnel. La couche de graisse extérieure doit céder à la moindre pression. Son poids est de 5,5 à 8 kilos. L'étiquette mentionne des données supplémentaires ayant trait au fourrage d'engraissement décisif pour la qualité :

• *bellota* sont des animaux dont la graisse ne provient que des glands.

• *recebo* vient de porcs nourris avec 30 % au maximum de céréales.

• *pienso* sont des jambons provenant de porcs ibériques engraissés seulement aux céréales. Ils sont plutôt l'exception.

Le terme de *pata negra*, souvent synonyme de jambon ibérique en Espagne, fait allusion aux pattes noires qu'ont certains porcs ibériques, pas tous. Ce n'est en aucun cas une marque de qualité officielle. Seulement 5 % des porcs abattus en Espagne sont des porcs ibériques. Il sont uniquement élevés pour la production du jambon et de la charcuterie. Le *Jamón serrano*, terme désignant tous les jambons de montagne, est fait également à l'ancienne, avec les porcs d'élevage courants qui doivent avoir au moins huit mois. Les jambons doivent sécher au moins pendant un an. Les meilleurs jambons serrano vieillissent 18 mois.

Ci-contre (de haut en bas) : les porcs de la race *cerdo iberico* vivent dans des forêts claires de chênes verts. Après le salage, les jambons sont mis à sécher dans des salles aérées. La moisissure se développe pendant le vieillissement dans des caves fraîches. Jambons suspendus dans une bodega.

La coupe du jamón ibérico et comment le manger

La *jamonera*, un étau en bois ou en métal, est utilisée, en Espagne, pour serrer le jambon, de manière à ce qu'un des deux côtés plats soit toujours tourné vers le haut. On se sert, en outre, pour le couper, d'un long couteau à la lame fine, étroite et souple. Après avoir enlevé la couenne et la graisse superflues, il faut couper des tranches aussi minces qu'un fil et si possible régulières, les *lonjas*, dans le sens de la fibre. Cela demande une certaine expérience. Si un jambon entier vous paraît trop gros, ou si vous manquez d'habileté, mieux vaut l'acheter en tranches. Attention ! Sur les marchés, les vendeurs n'ont pas toujours la patience de couper le jambon selon les règles de l'art et ils ne savent pas toujours le faire.

Un jambon entamé doit être consommé en l'espace de deux semaines. Autrement, il se dessèche et perd son arôme. Même un jambon non entamé ne se conserve pas au-delà de trois mois, car il continue à sécher au contact de l'air et perd son jus. Son goût en souffrirait.

Le *Jamón ibérico* est succulent, exceptionnel, un produit rare et inestimable. Le mieux est de le savourer sans autre accompagnement qu'une tranche de pain et pas à moins de 23 °C.

Il faut une lame de couteau longue et souple pour couper le jambon en fines tranches.

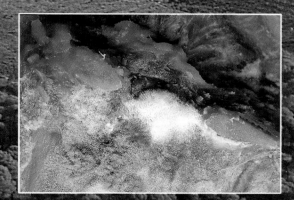

La charcuterie

Nous avons vu au chapitre précédent en parlant du *jamón ibérico*, que ce jambon, fait à partir du *cerdo ibérico*, le porc ibérique natif de la péninsule, était un produit de choix. Les jambons et les épaules soumis à une procédure spéciale de maturation ne représentent, cependant, qu'un quart du poids total de l'animal. Le reste est utilisé dans les mêmes régions pour fabriquer de la charcuterie. Les agriculteurs espagnols vivant dans les régions en bordure du Portugal, de Salamanque à l'Andalousie, savent que la qualité et le goût de leur viande de porc dépendent de la nourriture des animaux. L'irruption de méthodes d'élevage modernes et de fourrages sophistiqués qui tentèrent de saper l'élevage traditionnel du bétail, dans les années soixante-dix, ne réussit tout de même pas à éliminer le savoir accumulé pendant des siècles, et par le producteur et par le consommateur.

L'exemple des jambons et de la charcuterie ibériques, appréciés pour leur qualité, quel que soit leur prix, fit partout prendre conscience des fondements de la qualité des produits naturels régionaux. Les liens très forts qui subsistent avec les traditions se reflètent dans le fait que certaines fêtes populaires, comme la *matanza*, l'égorgement du porc, soient encore très vivantes dans beaucoup de régions. La langue espagnole fait bien la distinction entre la *charcuteria*, vendue dans le commerce et la *chacineria*, la cochonnaille faite chez soi.

L'un des saucissons les plus appréciés est le *chorizo*. Nous nous trouvons, là aussi, devant une multitude de variétés régionales et de qualités tout aussi diverses. Les ingrédients de base sont presque toujours le porc, la poitrine, le piment rouge, l'ail et l'origan. Le séchage et la maturation, au cours desquels il fermente, lui donne ce goût caractéristique légèrement acidulé. Il sèche plus ou moins longtemps, selon qu'on veuille obtenir un chorizo sec ou demi-sec et selon son emploi culinaire. Le chorizo ne se mange pas seulement cru, coupé en rondelles, comme on le rencontre fréquemment dans les tapas. De nombreux plats traditionnels, notamment les soupes épaisses, mais aussi les plats grillés ou en cocotte, utilisent comme l'un des principaux ingrédients le chorizo de cuisson.

La saucisse numéro deux est la *morcilla*, un genre de boudin qui entre dans la composition de nombreux plats braisés, cuits, grillés ou à la poêle, mais qui se consomme également crue. Elle comprend du riz ou des oignons, beaucoup de clous de girofle, de l'anis, de la muscade, du poivre et autres épices.

La charcuterie de Galice et des provinces du nord de l'Espagne, dans le Golfe de Biscaye – les Asturies, les Cantabres et les provinces basques – occupe une place particulière. Dans ces climats humides, la viande se fume, pour la conserver, d'une part, mais aussi pour en affiner le goût. *Embuchar* signifie en espagnol remplir un boyau de chair. *Embuchados* ou *embutidos* désigne le saucisson ou la saucisse en général, et certaines spécialités en particulier, comme *lomo embuchado*, l'une des plus exquises et des plus appréciées. Il s'agit d'une crépine de porc en boyau, marinée dans une décoction épicée à base de piment rouge et séchée dans une cave de séchage.

On rencontre aussi les *salchichones*, des saucissons secs fumés, les saucisses à griller, surtout connues à Salamanque, Boloñas, Lorca et Vic, dans l'arrière-pays catalan.

Variétés de saucisses

Ristras
Petites saucisses en forme de couronnes faites de petits boyaux rattachés les uns aux autres ; saucisse à griller.

Sarta
La forme en fer à cheval est très appréciée pour ce genre de saucisson mangé cru ou utilisé en cuisine.

Vela
Saucisson droit comme un « cierge », rempli de gros morceaux de viande ; mangé cru, coupé en rondelles fines. Excellent tapa.

Le goût particulier du saucisson espagnol est obtenu grâce à une longue maturation de plusieurs mois dans des chambres de séchage aérées.

Les grandes spécialités pur porc sont fumées à l'ancienne.

L'Espagne a beaucoup de charcuterie. Chaque région a ses spécialités de chorizos et de morcillas, de boudins et de saucisson au piment rouge.

Lomo embuchado, caña de lomo
Filet de porc mariné avec des épices et des herbes, puis séché dans un boyau. Les meilleures qualités proviennent de Salamanque et de Ségovie.

Jabuguito
Petit chorizo qui se fait à frire en apéritif ou se mange cru.

Morcilla au riz
Boudin comprenant 40 % de riz, 10 % d'oignons, du lard, des pignons et du poivre.

Asturiana
Boudin au sang de bœuf, assaisonné de lard et d'oignons.

Butifarra blanca
Spécialité catalane composée de haché de porc maigre, de tripes et de graisse.

Butifarra negra
Petit boudin noir catalan, bien épicé.

Bisbe, Biscot
Gros boudin catalan avec de la viande, de la langue et des abats de porc.

Rondena, malagueña
Boudin piquant, du Sud andalou il y en a dans la Sierra de la Hue va qui sont aussi excellents.

Chorizo iberico
Très bon saucisson pur porc ibérique avec quelques gros morceaux de viande.

Extremeña
Boudin noir avec viande hachée, pommes de terre ou citrouille.

Cecina
Spécialité régionale de León. Bœuf salé, mariné et parfois fumé ; séchage en plein air pendant environ six mois.

Fuet
Salchichón très fin, bien poivré et séché, plus ou moins longtemps ; spécialité de Vic.

Chistorra
Chorizo très fin de Navarre et du Pays basque, consommé frit ou cuit.

Cantimpalo
Petit chorizo.

Chorizo de Soria
Comme celui de Villarcayo, dans l région de Burgos, il peut contenir jusqu'à 15 % de bœuf.

Morcón
Saucisson de l'Estrémadure. Gros boyau rempli de viande hachée marinée. Il pèse jusqu'à deux kilos ; se mange en rondelles fines.

Sobrasada
Spécialité des Baléares mangée chaude sur du pain grillé. Pâté rond et d'un certain poids, fait de porc (ou, mieux encore, de porc ibérique) finement haché, de lard et de piment rouge.

Chorizo de Pampelune
Comme le chorizo de Villarcayo, dans la région de Burgos, il peut contenir jusqu'à 15 % de bœuf.

Salchichón
Saucisson fumé et saucisse à griller. Il est composé de hachis de porc maigre et gras, salé et poivré. En Catalogne, sur le littoral du Levant et sur les Baléares, on l'appelle aussi *llonganissa* ; suivi de *casero*, il est fait maison.

Chorizo de Galice
Chorizo très parfumé, fumé sur du chêne et des feuilles de laurier.

Morcilla
Boudin très popula fait de sang de por (ou de bœuf) bouill

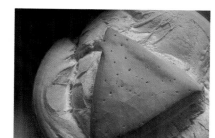

Le gazpacho, la soupe la plus désaltérante, est à base d'ail, de tomates et de mie
de pain.

Le gazpacho

Le gazpacho, potage de légumes froid, est une ré-
ponse des Andalous à la canicule souvent insupportable de leur région, en même temps qu'une
œuvre d'art culinaire, reflétant bien l'esprit de sa
région d'origine. C'est un repas simple, utilisant
peu d'ingrédients, facile à faire, qui épanche la soif
et donne au corps le sel dont il a besoin par grande
chaleur. L'été, vous verrez toujours, chez les familles andalouses, une soupière de gazpacho prête
à être consommée comme collation, comme rafraîchissement entre les repas, ou comme entrée avant
le repas.

Facile à faire n'est cependant pas forcément synonyme de vite fait. Au temps où les ingrédients devaient être encore pilés au mortier et mélangés à
la main, le gazpacho exigeait beaucoup de travail
et de temps.

Le gazpacho traditionnel est à base de gousses
d'ail, de sel, d'huile d'olive, de vinaigre de sherry,
de mie de pain et d'eau froide. La quantité de pain
détermine la consistance de la soupe dont on peut
varier à volonté l'épaisseur. La qualité du vinaigre
de sherry employé, qui lui donne ce goût rafraîchissant, aura une influence capitale sur la finesse
de la soupe.

Jadis, les ingrédients étaient pilés au mortier pour
former une pâte dans laquelle on pilait aussi les légumes. De nos jours, le mixer électrique facilite la
tâche, ce qui n'empêche pas qu'on utilise encore le
mortier dans certaines préparations, en particulier
dans le *gazpacho de almirez*.

Les tomates, le concombre et les poivrons sont des
ingrédients invariables du gazpacho, servi froid
avec, dans une petite coupe à part, des *tropezones*,
des croûtons, du concombre, des tomates, des piments rouges et des oignons, parfois un œuf dur.

Une variante plus simple de gazpacho est la *jerin-
guilla*, jadis la soupe des journaliers andalous. Elle
est composée des mêmes ingrédients mélangés, au
lieu d'être pilés, auxquels chacun ajoutait, dans
son bol, des tomates, des concombres, des poivrons et des oignons coupés en petits morceaux.
Une autre soupe froide délicieuse et originale
d'Andalousie vient de Málaga et s'appelle *ajo*

blanco. Son mélange de base comporte des amandes moulues, des gousses d'ail, du pain, de l'huile
d'olive et du vinaigre de sherry. Chaque assiette
est garnie de raisins de Muscat.

Dans l'Estrémadure, on ajoute à la soupe des œufs
battus. *Porra* et *salmorejo* désignent des gazpachos
assez épais qu'on a enrichis de petits dés de jambon de Serrano ou de thon. Les gazpachos de La
Manche font partie d'une autre tradition, celle des
bergers, qui faisaient des soupes de gibier.

Gazpacho

3 tranches de pain
3 gousses d'ail
sel, poivre noir
4 cuil. à soupe d'huile d'olive
500 g de tomates
1 poivron
1 concombre
1 oignon
2 cuil. à soupe de vinaigre de sherry ou de vin

Prendre une tranche de pain, en faire des croûtons et réserver. Piler l'ail dans un mortier avec une pincée de sel.
Emietter le reste du pain et l'ajouter à l'ail. Verser l'huile
progressivement en ne cessant de remuer pour former
une pâte homogène. Laisser reposer 30 minutes. Nettoyer ou éplucher les légumes, les égrener si nécessaire.
Couper un tiers des légumes en petits dés. Ecraser le
reste dans la pâte aillée. Passer au chinois et diluer avec
le vinaigre et un bon demi-litre d'eau. Faire macérer au
moins deux heures au réfrigérateur. Au sortir du réfrigérateur, bien remuer et assaisonner de sel et de poivre.
Servir froid avec les croûtons et les légumes réservés.

Le gazpacho est tellement populaire et apprécié en été que
la préparation au mortier est de
plus en plus remplacée par le
mixer ou un presse-purée électrique.

La viande

Si les légumes, les fruits et les olives poussent bien en Espagne, en revanche, les pâturages verdoyants ne sont pas nombreux. L'herbe n'est présente que dans les régions du nord-ouest de la péninsule. La viande est donc un produit rare. Manger de la viande demeure un peu une question de prestige social. Le bœuf et le veau furent longtemps réservés à qui se mouvait sur les échelons supérieurs de l'échelle sociale. Les taureaux, qui laissaient leur vie dans l'arène, ne se consommaient pas. Peu à peu, la viande de taureau remonte dans l'estime de la population.

L'agneau et le mouton, qui se contentent d'une nourriture maigre, occupent une place particulière. Ils trouvent toujours de quoi se nourrir sur les sols pauvres à l'intérieur des terres. La végétation aromatique de ces régions, avec ses herbes sauvages, donne à la viande un goût exquis. La viande d'agneau est, pour une autre raison, un plaisir incomparable. L'agneau de lait, dit *lechazo*, est abattu, en Espagne, à l'âge de trois ou quatre semaines, bien avant celui des autres pays. Les restaurants de cuisine traditionnelle les font encore braiser longuement à feu très doux dans de vieux fours en terre cuite alimentés de brindilles et de bois jusqu'à ce qu'il fonde dans la bouche. Le chevreau et le cochon de lait se cuisinent de la même manière.

Sauf exception, le porc ibérique n'est pas utilisé en cuisine. Il sert uniquement à faire le jambon et le saucisson. Le reste de l'élevage porcin et celui des volailles se sont adaptés aux méthodes européennes. L'Espagne demeure tout de même le paradis des chasseurs. Comme dans tout le bassin méditerranéen, la chasse au sanglier est très importante. La perdrix rouge, présente partout en Nouvelle Castille, dans La Manche et l'Estrémadure, attire en Espagne une forme de tourisme particulier: celle des amateurs des chasse. Les lapins et les lièvres, de tout temps populaires en Espagne, le demeurent invariablement.

Petit lexique de la viande

Albóndigas – godiveau
Ajillo – sauté andalou
Asado – rôti
Buey – bœuf
Cabrito – chevreau ou chevrette
Caldereta – sauté
Callos – tripes
Carne – veau ou bœuf
Cerdo – porc
Chuleta – côtelette
Cochinillo – cochon de lait
Conejo – lapin
Codorniz – caille
Cordero – agneau
Cordero lechal – agneau de lait
Corzo – chevreuil
Estofado – daube
Filetes – biftecks émincés
Gallina – poule
Hígado – foie
Lacón – jambonneau

Lechazo, cordero lechal – agneau de lait
Lengua – langue
Liebre – lièvre
Lomo – filet de porc
Magras – jambon à la poêle
Molleja – cervelle, ris de veau
Oca – oie
Pastenco – agneau pascal
Pato – canard
Pavo – dindon
Pelota – boulette
Perdiz – perdrix
Pichón – pigeon
Pierna – cuisse
Pinchito – brochette
Pollo – poulet
Rabo de toro – queues de taureau
Redondo – roulade
Riñones – rognons
Solomillo – filet
Ternera – veau
Toro – taureau
Tronzón – tranche, bifteck

COLE

Le cochon de lait rôti à la broche est un des plats préférés des Espagnols.

Cochinillo asado
Cochon de lait

Pour environ 12 personnes

¹/₂ l d'huile d'olive
5 gousses d'ail hachées
sel, poivre noir
1 cochon de lait

Farce

Le foie du porcelet
200 g de foie de porc
150 g de jambon fumé
sel, poivre noir
1 pincée de muscade
3 oignons
100 g d'olives noires, dénoyautées
3 œufs durs

Préparer un barbecue au charbon de bois, qui doit être au moins aussi grand que le porcelet.

Mélanger l'huile d'olive, l'ail, le sel et le poivre et badigeonner le cochon de lait avec ce mélange.

Pour la farce, hacher les foies et le jambon. Saler et poivrer et assaisonner de muscade.

Eplucher les oignons et les hacher finement. Hacher également les olives et les œufs, les ajouter au hachis et bien mélanger le tout.

Remplir le cochon de farce et le recoudre avec du fil. Le badigeonner une nouvelle fois avec le mélange huileux et l'embrocher.

Le faire griller pendant environ trois heures sur la braise en l'arrosant souvent, jusqu'à ce que la peau soit croustillante et dorée.

Il est mangé avec du pain et une salade composée, *ensalada mixta* (p. 445).

Boisson recommandée : la bière.

Remarque : à défaut de barbecue, on le fait au four à 180 ℃.

Les pois chiches, les carottes et les pommes de terre, la saucisse, le lard et la viande entrent presque toujours dans la composition des soupes épaisses. Le bouillon de légume est souvent enrichi de pâtes ou de riz.

Potages et soupes épaisses

La diversité de végétation et de populations espagnoles se reflète aussi dans les potages et les soupes. Comme dans tous les pays d'Europe, la population espagnole se nourrit jusqu'à la fin du siècle dernier d'un seul repas consistant par jour. Il était, ici comme ailleurs, constitué d'un plat unique réunissant dans une grande marmite tous les ingrédients disponibles, couverts d'eau et cuits pendant des heures à petit feu. Ces *potajes* ou *ollas* étaient par comparaison opulents quand on ne les laissait pas cuire trop longtemps. Don Quichotte de Cervantès apprit à ses dépens ce qu'est une *olla podrida*, une soupe ratée.

La *sopa de ajo*, la soupe à l'ail, est d'une simplicité exemplaire. Constituée de pain, d'huile d'olive, d'ail, de sel et d'une pincée de paprika, on y ajoutait, si on en avait, des œufs, du lard ou un bout de saucisse. Les habitants de régions légumières enrichissaient le potage de légumes. En revanche, s'il n'y avait pas de légumes, les soupes restaient pauvres ou à base de légumes secs, pois chiches, lentilles ou haricots blancs. Sur le littoral, on ajoutait du poisson ou des crustacés. Dans les régions porcines, les restes de jambon ou de saucisson, de saindoux ou de lard entraient dans la composition de la potée.

Olla, à l'origine, la marmite utilisée pour faire la soupe, lui donna son nom. Avant de consommer les légumes ou la viande, on buvait un bol de bouillon.

Ainsi mange-t-on encore aujourd'hui le *cocido*, le pot-au-feu espagnol, qui revêt les plus diverses formes régionales. La plus connue étant le *cocido madrileño*. L'humble soupe que les hommes emportaient le matin dans leur gamelle pour la faire réchauffer à midi, peut former aujourd'hui un menu complet, tellement elle est opulente. Les restaurateurs madrilènes ne s'en privent d'ailleurs pas. Le *cocido* se compose de plusieurs viandes, mais il faut qu'il y ait au moins un morceau de bœuf et de poulet, du lard, du jambon, une saucisse, *chorizo* ou *morcilla* et un os. Les pois chiches, les pommes de terre et le chou sont indispensables et l'ail manque rarement.

Comme pour *l'olla*, à l'origine, on faisait cuire la viande et les légumes dans la même marmite. Aujourd'hui, les légumes se font à part, sauf les pois chiches. On mange en entrée un bouillon ou un consommé aux nouilles, puis une assiette de légumes et, enfin, la viande servie en petits morceaux ou en tranches. Quelques Madrilènes préfèrent l'inverse, d'abord la viande, ensuite les légumes.

Sopa de ajo
Soupe à l'ail

250 g de pain blanc rassis
5 cuil. à soupe d'huile d'olive
jus de 5 gousses d'ail
1 l de bouillon de viande ou d'eau
4 œufs
sel, poivre noir

Préparer des croûtons de pain et les faire revenir dans l'huile. Ajouter le jus des gousses d'ail et mouiller avec le bouillon de légumes. Saler et poivrer. Laisser mijoter 20 minutes à couvert. Préchauffer le four à 200 °C. Répartir la soupe dans quatre bols allant au four, casser un œuf dans chaque bol. Mettre 15 minutes au four et servir.

Fabada asturiana
Cassoulet des Asturies

500 g de haricots blancs secs
2 oignons
6 gousses d'ail
3 cuil. à soupe d'huile d'olive
2 feuilles de laurier
200 g de petit lard
1 os de jambon
sel, poivre noir
1 g de safran
200 g de chorizo et de morcilla (p. 452)
1 pincée de piment fort en poudre

Faire tremper les haricots pendant toute une nuit. Eplucher les oignons et l'ail, les hacher finement et les faire revenir dans l'huile. Ajouter les haricots et les feuilles de laurier. Couper le lard en dés assez grossiers et mettre dans la casserole avec l'os de jambon. Saler et poivrer. Verser un litre et demi d'eau dans la casserole, porter à ébullition, écumer et laisser bouillir une heure, une heure et demie. Rajouter de l'eau chaude en cours de cuisson, si nécessaire.
Couper des tranches de chorizo et de morcilla et les mettre avec le safran dans les haricots. Laisser mijoter encore une heure. Epicer avec le piment, saler et poivrer. Retirer les feuilles de laurier et servir.

Cocido madrileño
Pot-au-feu madrilène

700 g de pois chiches
1 cuil. à café de bicarbonate de soude
1 os de jambon
500 g de bœuf
150 g de lard
1 oignon
1 carotte
8 gousses d'ail
1 feuille de laurier
1 cuil. à soupe de gros sel marin
poivre noir
3 pommes de terre
100 g de chorizo (p. 452)

Faire tremper les pois chiches avec le bicarbonate de soude dans l'eau tiède pendant une nuit. Jeter l'eau et égoutter. Couvrir les pois chiches de beaucoup d'eau froide. Ajouter l'os de jambon, le bœuf et le lard. Eplucher ou nettoyer l'oignon et la carotte, les couper en rondelles, les ajouter aux pois chiches avec l'ail, les feuilles de laurier, le gros sel et le poivre. Laisser mijoter à couvert pendant environ trois heures. Eplucher et couper en morceaux les pommes de terre. Couper les chorizos en morceaux. Les ajouter à la soupe et faire cuire encore 15 minutes. Servir la viande et les légumes séparément.

Les œufs

Tout livre de cuisine espagnole digne de ce nom consacre un chapitre aux œufs. Nous n'évoquerons que les *tortillas*. Le nom de *tortilla española* s'est établi à juste titre pour la *tortilla de patata*, car elle est vraiment devenue plat national. La traduction d'omelette aux pommes de terre est faible pour exprimer la saveur contenue dans cette crêpe épaisse à base de pommes de terres crues et d'œufs, rissolée et dorée à l'extérieur, moelleuse à l'intérieur.

Les œufs sont des aliments très populaires, que l'on mange seuls, au plat, conjugués à d'autres mets, en liaison, pour enrichir une sauce, incorporés crus aux aliments, ou durs et coupés en petits morceaux comme garniture. Les Espagnols peuvent discuter des heures sur l'art de faire des *tortillas* croustillantes.

Les œufs jouent un rôle important dans de nombreux autres plats en liaison avec des légumes ou de la viande. Quant aux desserts espagnols, ils seraient souvent impensables sans œufs.

Les tortillas les plus courantes

A la payesa
Omelette paysanne aux légumes, haricots verts et petits pois. On peut y ajouter du jambon, du chorizo ou de la morcilla

Al sacre-monte
Spécialité des gitans de Grenade, aux abats d'agneau ou de veau

Catalana
Aux haricots blancs avec de la botifarra

De alcachofas
Avec des cœurs d'artichaut et du jambon

De angulas
A la civelle, appréciée en Espagne. Elle se marie bien avec les œufs

De cebolla
Avec quelques oignons qui donnent à l'omelette du moelleux

De espárragos trigueros
Avec de petites asperges sauvages, qui lui donnent un arôme sublime

De espinacas
Spécialité de Catalogne aux épinards et aux pignons

De habas
Avec des fèves

De hierbas finas
Aux fines herbes

De jamón
Au jambon de Serrano

De lechuga
A la romaine cuite

De pimientos verdes
Aux poivrons verts en julienne

De riñones
Aux rognons de veau en tranches mouillés d'un soupçon de sherry

De setas
Aux pleurotes ou, mieux, aux champignons sauvages

De tomate y atún
Aux oignons, à la tomate et au thon blanc

De tres pisos
Trois tortillas les unes sur les autres à la mayonnaise

Española
Aux pommes de terre crues avec quelques oignons

Mariscos
Aux fruits de mer, généralement aux moules

Murciana
Très riche en légumes

La *tortilla española* se fait avec des pommes de terre, des oignons, des œufs, du poivre, du sel et de l'huile d'olive.

On fait revenir les pommes de terre crues à la poêle à feu moyen avec les oignons dans beaucoup d'huile.

Après avoir battu les œufs, on y ajoute les pommes de terre et les oignons.

On fait revenir le mélange à la poêle, qui doit être propre, dans très peu d'huile.

La tortilla se retourne à l'aide d'une assiette et on la fait dorer sur l'autre face.

Le poisson

L'Espagne possède, après le Japon, la plus grande flotte de pêche du monde. Les habitants du littoral atlantique ou méditerranéen surent de tout temps se nourrir des produits halieutiques et acquièrent même une grande habileté à préparer le poisson et les fruits de mer. En Espagne, où le Nord, le Sud et l'Est dénotent d'énormes différences régionales, le caractère de chaque région marque chaque spécialité d'une empreinte qui lui donne un charme particulier.

Les Basques aiment surtout le colin, le poisson préféré des Espagnols en général, ou la morue sèche *al pil pil*, à l'huile d'olive et à l'ail. Leur soupe *marmitako* est à base de thon, de poivrons et de tomates. Dans les Asturies, la soupe se fait avec des poissons à chair blanche, des moules ou des crustacés, cuits parfois à l'eau de mer. Pour la *caldeirada*, les Galiciens laissent mariner le poisson plusieurs heures avec des herbes, de l'huile d'olive et du vinaigre, avant de le pocher dans un peu d'eau. Le bouillon et le poisson sont servis séparément. En Catalogne, à la baudroie et à la seiche, qui composent la fameuse *zarzuela*, s'ajoute un grand choix de poissons, de moules et de crevettes. Un mélange d'amandes moulues, d'ail et d'herbes, fait la particularité de ce plat. En Andalousie, dont le littoral voit passer des bancs entiers de poissons par le détroit de Gibraltar, on maîtrise comme nulle part ailleurs l'art de la friture de poissons, d'où son nom de *zona de los fritos*. Une autre tradition est celle du poisson au four, dans une croûte de sel, qui conserve tous les arômes du poisson.

La cuisson la plus courante reste néanmoins le gril, un art que les Espagnols maîtrisent parfaitement. La cuisson du poisson est très importante si l'on veut qu'il soit à la fois croustillant à l'extérieur et moelleux à l'intérieur. La *parillada*, assiette de poissons, fait comprendre par sa beauté et son bouquet, pourquoi le poisson est si populaire en Espagne.

Poissons populaires

Anchoa, anxoa – anchois
Anguila – anguille
Angula – civelle
Atún – thon (rouge)
Atún blanco – petit thon blanc
Atún claro (albacares) – gros thon des eaux subtropicales aux nageoires jaunes
Bacalao – cabillaud, morue
Besugo – dorade
Bonito – bonite, variété de thon
Boquerón – anchois frais
Caballa verat (catalan) – maquereau
Cóngrio – congre
Dentón – dentillac
Dorada – dorade royale
Lenguado – sole
Lubina – loup de mer
Melva – petit thon à chair rose
Merluza – colin
Mero – mérou
Rape, pixin (Asturies) – lotte
Raya – raie
Reo – truite de mer
Rodaballo – turbot
Salmón – saumon
Salmonete – rouget barbet
Sardinas – sardines
Sardinillas – petites sardines (poutine)
Trucha – truite

Le plus grand étalage de poisson, moules et crustacés de Méditerranée et de l'Atlantique, au cœur de la Boqueria, le marché couvert de Barcelone.

Les fruits de mer

La Galice est mondialement connue pour ses élevages de crustacés, cultivés depuis une cinquantaine d'années dans les larges baies de Rías Bajas qui pénètrent sur des kilomètres dans l'arrière-pays. Il y a maintenant plus de 3000 *bateas*, des radeaux à barreaux, atteignant une superficie de 500 mètres carrés. Les larves de moules sont semées dans les premiers mois de l'année. Encore minuscules et incapables de se fixer seules, elles sont attachées avec du coton sur des cordages attachés aux radeaux et immergés par centaines. Les moules ne mettent pas longtemps à se fixer par leur byssus.

Le mélange des eaux dans ces vallées fluviales envahies par la mer est ressenti comme très agréable par les crustacés. Les moules, *mejillones*, qui peuvent absorber jusqu'à dix-huit litres d'eau en une heure, prospèrent en conséquence. Au bout de quatre mois, elles ont tellement grossi qu'elles ont peine à se tenir côte à côte sur la corde. Il faut immerger de nouveaux cordages à intervalles plus grands. Au bout de neuf mois ou un an, elles mesurent entre sept et onze centimètres et sont prêtes à la consommation. Malgré les rudes conditions atmosphériques auxquelles elles sont soumises au cours de leur croissance, elles ont une merveilleuse chair orangée. On comprend qu'elles aient meilleur goût que leurs rivales au teint pâle des mers du Nord.

La récolte annuelle de moules est, en moyenne, de 200 000 tonnes, qui représentent presque la totalité des tonnages espagnols et cinquante pour cent de l'élevage mondial. Cinquante pour cent de la production, soit 100 000 tonnes, est consommée fraîche, l'autre moitié mise en conserve. Un tiers des conserves est destiné à l'exportation.

Les huîtres, les praires, les coquilles Saint-Jacques, devenues rares et onéreuses, sont également élevées, comme d'autres crustacés, dans les eaux du littoral galicien. Outre l'élevage, économiquement très important, la pêche, dans les régions côtières de Galice offre une variété de poissons unique en Europe. Seuls les experts sont capables de mettre un nom sur toutes les familles de fruits de mer existantes (environ une cinquantaine) et sur toutes les espèces de poissons (le double). Les Galiciens sont parfaitement à leur aise dans cette richesse de goûts différents et s'y entendent à en distinguer les nuances.

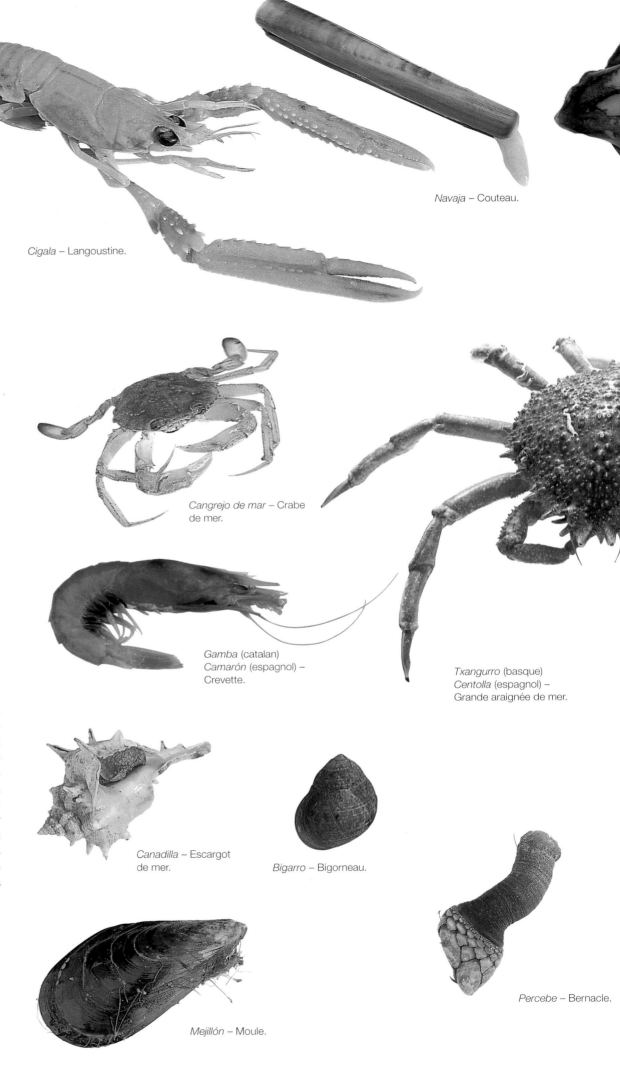

Cigala – Langoustine.

Navaja – Couteau.

Cangrejo de mar – Crabe de mer.

Gamba (catalan) *Camarón* (espagnol) – Crevette.

Txangurro (basque) *Centolla* (espagnol) – Grande araignée de mer.

Canadilla – Escargot de mer.

Bigarro – Bigorneau.

Percebe – Bernacle.

Mejillón – Moule.

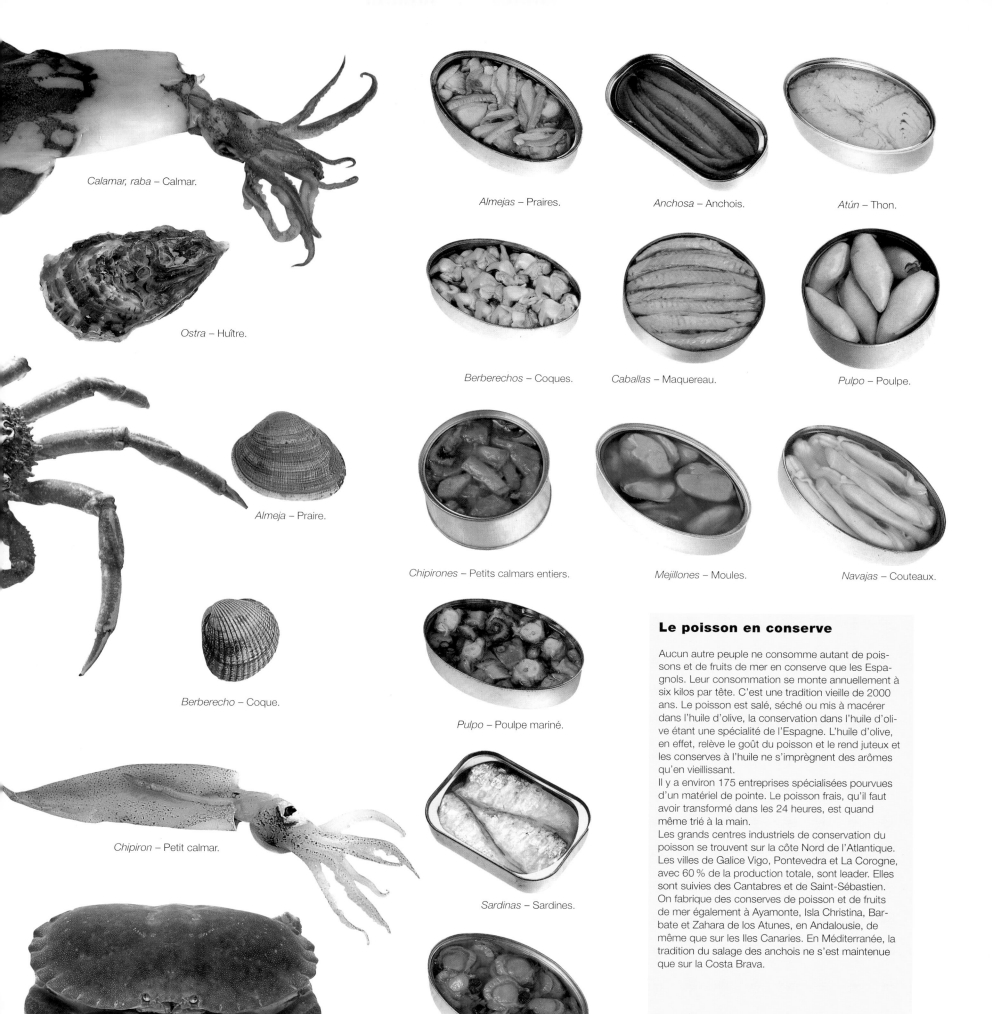

Calamar, raba – Calmar.

Ostra – Huître.

Almeja – Praire.

Berberecho – Coque.

Chipiron – Petit calmar.

Cambaro masero –
Tourteau.

Almejas – Praires.

Berberechos – Coques.

Chipirones – Petits calmars entiers.

Pulpo – Poulpe mariné.

Sardinas – Sardines.

Zamburiñas – Pétoncles.

Anchosa – Anchois.

Caballas – Maquereau.

Mejillones – Moules.

Atún – Thon.

Pulpo – Poulpe.

Navajas – Couteaux.

Le poisson en conserve

Aucun autre peuple ne consomme autant de poissons et de fruits de mer en conserve que les Espagnols. Leur consommation se monte annuellement à six kilos par tête. C'est une tradition vieille de 2000 ans. Le poisson est salé, séché ou mis à macérer dans l'huile d'olive, la conservation dans l'huile d'olive étant une spécialité de l'Espagne. L'huile d'olive, en effet, relève le goût du poisson et le rend juteux et les conserves à l'huile ne s'imprègnent des arômes qu'en vieillissant.

Il y a environ 175 entreprises spécialisées pourvues d'un matériel de pointe. Le poisson frais, qu'il faut avoir transformé dans les 24 heures, est quand même trié à la main.

Les grands centres industriels de conservation du poisson se trouvent sur la côte Nord de l'Atlantique. Les villes de Galice Vigo, Pontevedra et La Corogne, avec 60 % de la production totale, sont leader. Elles sont suivies des Cantabres et de Saint-Sébastien. On fabrique des conserves de poisson et de fruits de mer également à Ayamonte, Isla Christina, Barbate et Zahara de los Atunes, en Andalousie, de même que sur les Iles Canaries. En Méditerranée, la tradition du salage des anchois ne s'est maintenue que sur la Costa Brava.

461

Le poisson et les fruits de mer

Zarzuela

4 tranches de lotte
4 petits calmars
8 langoustines
100 ml d'huile d'olive
1 ½ kg de moules
1 gros oignon
500 g de tomates
4 gousses d'ail
1 g de safran
sel, poivre noir
10 ml de Cognac
200 ml de vin blanc sec
60 g d'amandes moulues
2 cuil. à soupe de persil haché
4 tranches de pain

Parer les poissons et les langoustines et les faire étuver dans un fond d'huile pendant dix minutes à couvert dans une grande casserole.

Brosser, laver et gratter les moules et les faire cuire séparément dans un peu d'eau à feu doux jusqu'à ce qu'elles s'ouvrent. Les égoutter et les retirer de la coquille. En réserver quelques-unes pour la garniture.

Eplucher les oignons et les hacher. Mettre 2 cuillerées à soupe d'huile d'olive dans une grande poêle et faire blondir les oignons. Retirer les poissons et les langoustines de la casserole et les mettre dans la poêle avec les moules. Peler, épépiner et couper les tomates en quartiers. Les ajouter dans la poêle avec deux gousses d'ail écrasées et le safran. Saler, poivrer et mouiller avec le cognac. Faire mijoter à feu doux pendant 15 minutes. Verser le vin blanc et faire réduire. Incorporer les amandes.

Frotter le pain d'ail et le faire griller dans le reste d'huile. Le poser dans les assiettes préchauffées, mettre la *zarzuela* dessus, saupoudrer de persil et servir.

Nous conseillons d'arroser cette soupe de poisson du blanc Pescador très sec et frais des Cavas del Ampurdán, le vin blanc le plus réputé de la Costa Brava.

Truchas a la Navarra
Truites au jambon

4 truites de 250 g, vidées
Sel, poivre noir
4 fines tranches de jambon de Serrano
3 cuil. à soupe de farine
70 g de petit lard
5 cuil. à soupe d'huile d'olive
Quartiers de citron

Laver et essuyer les truites. Saler et poivrer modérément. Mettre une tranche de jambon roulée dans chaque poisson. Rouler les truites dans la farine. Découper le lard en petits dés et le faire fondre dans l'huile. Mettre les truites dans la poêle et les faire cuire dix minutes de chaque côté à feu doux. Les arroser régulièrement de jus.

Disposer les truites sur des assiettes préchauffées, garnir avec les quartiers de citron et servir.

Boisson conseillée : Un rosé de Navarre fruité et frais.

Dorada a la sal
Dorade en croûte de sel
(Illustration)

1 dorade parée d'environ 1 ½ kg
1 jus de citron
3 gousses d'ail
1 branche de thym
2 à 3 kg de gros sel marin
2 citrons non traités

Sauce Romesco

50 g d'amandes
3 gousses d'ail
1 tomate
sel, poivre noir
5 cuil. à soupe d'huile d'olive
1 cuil. à soupe de vinaigre de vin

Préchauffer le four à 250 °C. Laver le poisson et assaisonner l'intérieur d'un jus de citron. Couper les gousses d'ail en deux et les mettre avec le thym à l'intérieur du poisson. Foncer un plat allant au four avec une couche de sel de l'épaisseur du doigt. Poser le poisson dessus et le recouvrir de sel.

Faire cuire au four pendant 40 minutes.

Casser la croûte de sel et en sortir le poisson avec précaution. Soulever la peau et fileter le poisson. Servir garni de quartiers de citron sur des assiettes chaudes.

On sert habituellement avec ce poisson une sauce *romesco*. Pour cela, monder les amandes, les faire griller et les piler dans un mortier avec l'ail. Peler et épépiner la tomate et l'ajouter aux amandes. Malaxer le tout en une pâte homogène. Saler et poivrer. Incorporer suffisamment d'huile d'olive et de vinaigre.

Bacalao pil pil
Morue sèche sauce piquante à l'ail

700 g de morue sèche
1 tête d'ail
1 piment rouge sec
5 cuil. à soupe d'huile d'olive
poivre noir

Faire tremper la morue sèche au moins 24 heures dans de l'eau froide en renouvelant l'eau de temps en temps. Couper le poisson en petits morceaux, bien le laver et l'égoutter.
Eplucher les gousses d'ail et les hacher finement, casser le piment rouge en plusieurs morceaux. Faire revenir l'ail et le piment dans l'huile puis enlever le piment rouge. Mettre les morceaux de poisson sur l'ail, la peau tournée vers le fond de la casserole et faire cuire 20 minutes à feu doux en ne cessant de remuer pour que l'huile, la gélatine de la peau du poisson et l'ail forment une sauce liée de la consistance d'une mayonnaise. Poivrer et servir avec des pommes de terre à l'eau.
Boisson conseillée : Le vin blanc basque Txakoli qui est frais et pétillant.

Marmitako
Sauté de thon

1 oignon
3 gousses d'ail
1 poivron rouge, 1 poivron vert
3 cuil. à soupe d'huile d'olive
400 g de tomates
sel, poivre noir
1 pincée de paprika en poudre
6 pommes de terre
200 ml de vin blanc sec
800 g de thon frais
1 jus de citron

Eplucher l'oignon et l'ail et les hacher finement. Laver les poivrons, les épépiner et les émincer. Faire chauffer l'huile dans une marmite et y faire revenir les légumes pendant cinq minutes. Peler les tomates, les égrener et les couper en petits morceaux. Les ajouter aux poivrons. Saler, poivrer et épicer avec la poudre de paprika. Faire cuire à feu doux à couvert pendant 15 minutes.
Eplucher les pommes de terre, les couper en morceaux et les ajouter aux légumes. Mouiller avec le vin blanc et faire cuire le tout pendant 30 minutes à couvert.
Nettoyer le thon et le laver à l'eau froide. Le couper en petit dés, l'humecter avec le jus de citron, saler et poivrer. Ajouter le thon aux légumes. Vérifier la cuisson. Il devrait être cuit au bout de cinq à dix minutes. Assaisonner et servir avec un rosé de Navarre.

Amejas a la marinera
Praires en matelote

1 oignon
2 gousses d'ail
2 cuil. à soupe d'huile d'olive
500 g de tomates
200 ml de vin blanc sec
1 feuille de laurier
sel, poivre noir
800 g de praires
2 cuil. à soupe de persil haché fin

Eplucher l'oignon et l'ail, les hacher fin et les faire revenir dans l'huile. Peler les tomates, les égrener et les couper en quartiers. Les ajouter à l'oignon avec le vin blanc, la feuille de laurier, le sel et le poivre. Faire mijoter à couvert pendant dix minutes.
Bien laver et brosser les moules, les ajouter au mélange oignon-tomate et faire cuire pendant dix minutes à feu doux, jusqu'à ce que les moules soient ouvertes. Jeter les moules restées fermées. Servir avec du persil saupoudré sur les moules.

Langostinos al ajillo
Langoustines à l'huile aillée

1 kg de langoustines fraîches
150 ml d'huile d'olive
sel, poivre noir
5 gousses d'ail
2 cuil. à soupe de persil haché

Préchauffer le four à 200 °C. Faire chauffer de l'huile dans une poêle et y faire revenir les langoustines à feu très vif. Saler et poivrer. Réserver au chaud dans un plat allant au four.
Hacher l'ail et le faire revenir dans l'huile de cuisson pendant cinq minutes en remuant.
Napper les langoustines avec l'huile aillée et les faire chauffer au four pendant dix minutes. Saupoudrer de persil et servir aussitôt.
Accompagner d'un cava ou d'un manzanilla.

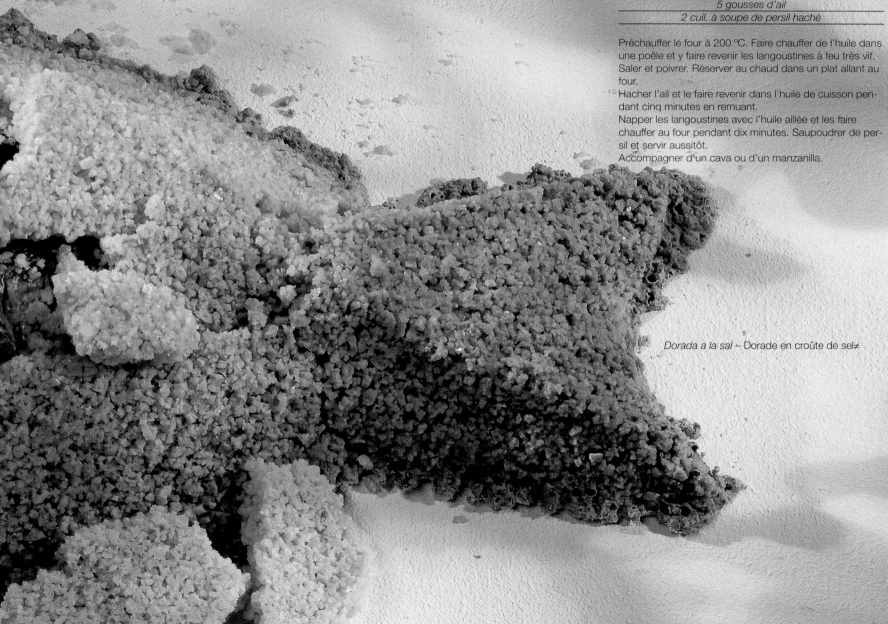

Dorada a la sal – Dorade en croûte de sel≠

Arroz negro –
Riz noir.

Le riz

Les Maures implantèrent le riz en Espagne au 8ème siècle dans les endroits qui présentaient, déjà à l'époque, les meilleures conditions naturelles. Rien n'a changé depuis. Le riz est toujours cultivé aux mêmes endroits propices et les canaux d'irrigation ou les règles de répartition installés par les Maures, il y a plus de 1200 ans, ont été conservés.

La culture du riz fut cependant limitée pendant longtemps, car en chassant les Maures après la Reconquista, au 13ème siècle, les dominateurs catholiques avaient aussi chassé les experts en cultures d'irrigation. En outre, la malaria sévissant, on interdit la culture du riz qu'on inculpa, pendant des siècles, d'être la cause de la fièvre. Or, dans les marécages de Catalogne et la lagune d'Albúfera, au sud de Valence, les moustiques trouvaient les conditions idéales à leur croissance. L'interdiction ne fut levée qu'en 1860.

La culture du riz s'était néanmoins répandue, près de Valence, et on assécha le Delta de l'Ebre pour y planter du riz. Les conditions de travail étaient extrêmement dures et la malaria sévissait. *« Terra de arroz, terra de plos »* – «Terre de riz, terre de pleurs » disaient les autochtones.

Le Levant espagnol, avec ses quatre provinces Murcie, Alicante, Valence et Castellón de la Plana, devint la plus importante région de culture du riz. Plus encore qu'Albúfera et le Delta de l'Ebre, Ca-

lasparra, sur le cours supérieur du Segula, dans la région montagneuse au nord-ouest de Murcie est considéré comme le paradis du riz. A cet endroit, les cultures mixtes traditionnelles donnent des sols équilibrés et sains et la régulation de l'eau s'y ajoute pour créer des conditions idéales. Avec des rendements beaucoup plus minimes, on produit, en partie en culture biologique, du riz de grande qualité, dont la vieille variété Bomba, devenue rare. En Andalousie et dans l'Estrémadure, où se créèrent de grandes cultures de riz, ces trente dernières années, on s'est spécialisé dans la culture du

riz à long grain pour l'exportation. Les Espagnols attendent du riz qu'il soit avant tout absorbant, car il doit s'imbiber de tous les arômes composant les plats. Le riz n'est pas, pour eux, une garniture, mais l'ingrédient central dans toutes les préparations de poisson, de viande, de légumes et même des desserts.

Le riz à grain rond était plus fidèle à la tradition, car il répondait le mieux à cette attente, mais il s'avéra trop fragile. On planta de nouvelles cultures de grain moyen, en veillant à ce qu'elles aient les propriétés requises pour la cuisine.

Manchego – le plus connu des fromages de brebis. Il provient de La Manche.

Idiazabal – Fromage à pâte dure basque.

Tetilla – Fromage de lait de vache crémeux de Galice.

Les variétés de fromage espagnol

Burgos
Fromage de brebis originaire des environs de Burgos et fabriqué aujourd'hui dans toute l'Espagne. C'est un fromage frais très humide et riche en matières grasses, mais peu salé. La pata de mulo, un fromage de lait d'ânesse, est très appréciée.

Cabrales
Fromage à pâte persillée des Picos de Europa dans les Asturies, productrices d'un choix très varié de fromages. Fabriqué artisanalement selon des formules variables quant aux proportions des laits de brebis, de vache et de chèvre. Affiné au moins trois mois en cave. Goût très prononcé et légèrement piquant.

Cantabria
Fromage doux, à pâte demi-dure, de lait de vaches ayant pâturé sur les grasses prairies des Cantabres, entre la côte atlantique et les régions montagneuses.

Cendrat, Montsec
Fromage de chèvre de Catalogne de Montsec, la chaîne de montagnes près de Lérida. Il est fabriqué dans le bourg de Clúa en meules de deux kilogrammes. Il est affiné pendant deux mois dans la cendre. Goût spécifique et consistance crémeuse.

Garrotxa
Fromage de chèvre catalan entouré d'une croûte grise recouverte d'un duvet de moisissure. Il est tendre, son goût de noix lui donne un surplus de finesse.

Ibores
Fromage de chèvre cylindrique de l'Estrémadure, au nord-ouest de Cáceres. Il pèse environ un kilo, il a été affiné au moins deux mois. Il a une croûte orange, très aromatique. Fromages analogues : Acehuche, Fredenal, Hurdes et Siberia.

Idiazabal
Fromage à pâte dure du Pays basque, de forme cylindrique plate. Il est principalement fait à base de lait cru des brebis de Latxa. On le fume parfois, mais fumé ou pas, il est très fort et légèrement piquant. On connaît mieux, dans la même famille de fromage, le Roncal, de la région historique du col de Roncevaux, et le Quesucos, qui pèse un kilo.

Mahón
Fromage de lait de vache de forme carrée, en provenance de l'île de Ménorque. On le mange frais, mais, après trois mois d'affinage, en huilant la croûte, la pâte s'affermit et il a une odeur très prononcée.

Majorero
C'est le meilleur des fromages de chèvre affinés des Canaries. Léger goût de noix très agréable. Les Canariens sont réputés pour être les plus gros mangeurs de fromage d'Espagne. Ils produisent de grandes quantités de fromage de chèvre pour leur propre usage.

Manchego
Le fromage de brebis espagnol le plus connu, à base de lait entier des brebis de Manchego qui broutent sur les plaines sèches de La Manche. C'est un fromage à pâte dure de structure très serrée. Bonne odeur fraîche.

Picón
Fromage à pâte persillée de trois laits crus différents, vendu enveloppé dans des feuilles et fabriqué dans la région du Parc national des Picos de Europa. Cette région est productrice de douzaines de fromages de fabrication artisanale extrêmement différents les uns des autres. Le Gamonedo en est un des plus connus. C'est une meule de 40 kilos marbrée de moisissures.

San Simón
A pâte demi-dure de lait cru de vache, deux mois d'affinage, provient de la cordillère cantabrique. Sa croûte est fumée et il a une forme de poire.

Serena
Fromage de tradition séculaire fabriqué artisanalement du lait de mérinos, dont la laine est aujourd'hui moins recherchée. Pressage et salage manuels. L'affinage dure un mois. Il n'est fabriqué qu'au printemps.

Tetilla
Jeune fromage très doux et crémeux de lait de vache, en provenance de Galice, nommé ainsi pour sa forme de pis. L'Ulloa est un fromage analogue, mais un peu plus affiné et, donc, plus fort.

Tronchón
Fromage de lait de brebis à pâte dure de Castellón, sur la côte Est et de Teruel, non loin de là. La particularité de ce fromage est sa forme conique ornée de motifs traditionnels.

Zamorano
Fromage à pâte dure de lait de brebis, principalement de la race Churra. Période d'affinage entre trois et douze mois. Il pèse de deux à trois kilos. Il a un goût caractéristique.
Il faut que ce soit du fromage de lait cru ! Il est de la région de Castille-León. Le Castellano lui ressemble.

Les fruits

Au 11ème siècle, les Maures amenèrent en Andalousie des oranges amères d'Asie du Sud-
Est pour décorer les jardins de leurs palais.
C'est pour cette raison que l'orange amère demeura longtemps symbole de luxe. Plus tard,
Christophe Colomb prit des bigaradiers à
bord de ses voiliers et les implanta en Amérique. On n'utilisait de l'oranger, qui prospérait
sur la côte méditerranéenne espagnole, que la
fleur et l'écorce séchée, à des fins médicinales.
La culture de l'oranger doux, et la récolte de
son fruit, ne commencèrent que vers 1780
dans la province de Valence. Quelques années
plus tard, les oranges couvraient 3000 hectares, vingt-cinq ans après, elles s'étendaient
sur 37 000 hectares, aujourd'hui sur plus de
200 000 hectares. Les trois-quarts de la production proviennent de Valence qui, depuis le
19ème siècle, est le principal centre de la culture de l'orange.
La mandarine est également importante en
Espagne. Quand une épidémie du nom de *tri-
steza* décima des milliers d'orangers de la région de Valence, peu après la Seconde Guerre
mondiale, les arboriculteurs tablèrent sur les
satsumas, une variété de mandarines sans
pépins originaire du Japon. Elle présentait
l'avantage de produire déjà au bout de sept
ans. Les navels demandaient le double. Presque la totalité des satsumas européennes sont
cultivées à Valence, dans de petits vergers familiaux, en activité secondaire. La saison des
mandarines s'échelonne d'octobre à janvier.
L'industrie des conserves de mandarines écoule plus de 300 millions de boîtes chaque année.

Grâce à de vastes cultures fruitières sur la côte méditerranéenne et en Andalousie, le choix de fruits est
étourdissant.

Les fruits en Espagne

Aguacate – avocat
Fruit andalou et canarien cultivé toute l'année. La variété Hass, à maturité tardive (jusqu'en juillet) et à la peau épaisse et ridée, est dominante.

Banana – banane
Spécialité des Canaries, en particulier de Ténériffe. Douce et savoureuse. On la cultive toute l'année.

Caqui – kaki
Il pousse tout le long de la Méditerranée ; c'est le plus souvent un arbre d'agrément, cultivé depuis longtemps à Grenade. Sa chair est fondante et agréable, mais elle a un curieux parfum. Cultivé d'octobre au Nouvel An.

Cerezas, mollares – cerises
Vendues avec ou sans queue, ces dernières s'appelant picotas ou garrafales.Saison: de mai à août.

Chirimoya – anone
Grenade fournit ce fruit charnu peu exporté, à la pulpe blanche parfumée et sucrée. Récoltée de septembre à mars. Ne pas la conserver au réfrigérateur.

Fresas – fraises
Huelva, province du sud-ouest andalou favorisée par les conditions climatiques, produit plus de 90 % des fraises, soit 200 000 tonnes, ce qui fait de l'Espagne le exportateur mondial de fraises. Elles mûrissent au début du printemps, avant tous les autres concurrents.

Granada – grenade
Cultivée au Levant et en Andalousie, provient surtour d'Alicante, baie très juteuse et rouge grenade.

Higo – figue
Les variétés de figues, des jaunes aux violacées, presque noires, sont nombreuses. On les cueille de juillet à la fin décembre.

Higo chumbo – figue de Barbarie
Genre de cactus qui pousse dans toutes les régions de climat méditerranéen. On tenta d'en cultiver le fruit. Pour ce faire, il fallut la dépouiller de ses épines. Depuis, elle a une pulpe légèrement rouge.

Limón – citron
Les régions principales de culture du citron sont la Murcie, Alicante et Málaga. De février à juillet, il y a la variété Verna à la pulpe abondante et jaune foncé. Les variétés plus claires mûrissent l'hiver.

Manzana – pomme
Les variétés Golden Delicious, Starking et Starkrimson mûrissent dans le nord de la Catalogne et à Saragosse.

Melocotón – pêche
Les pêches et les nectarines poussent surtout dans les provinces du nord-est du pays ainsi qu'à Murcie.

Melones – melon jaune brodé
Outre le melon d'or d'Espagne, amarillo liso, à chair blanc verdâtre et sucrée, mûrissant en été et à l'automne, et le melon tendral à l'écorce verte et cassante, le melon très sucré galia, de la famille des Cantaloup, devient de plus en plus populaire.

Nispero – nèfle
Ce fruit particulier, de goût très agréable et aromatique, de couleur jaune orange, de la taille d'un abricot au noyau oblong et brun, mûrit de mars à début juin.

Racimo – raisin
Cultivé dans les quatre provinces du Levant et à l'ouest du Badajoz. Les Espagnols apprécient beaucoup le muscat, dont la vente dure de juillet à février.

Sandía – pastèque
Elle provient surtout d'Almería, Valence et Séville. On la trouve à partir d'avril. Il existe maintenant une variété sans pépins.

Desserts, confiseries et patisseries

Les fruits, toujours mûrs et appétissants, ne manquent pas en Espagne et il paraît logique que les Espagnols finissent leur repas sur un fruit, dessert léger et rafraîchissant. Cela explique que le dessert ne soit pas un secteur développé de la cuisine espagnole, contrairement à la glace, implantée depuis longtemps et très populaire. Les Maures faisaient déjà transporter des blocs de glace des sommets de la Sierra Nevada vers la plaine, afin de préparer des granités, *granizados,* ou des sorbets.

La gamme de desserts est réduite. Quelques desserts classiques, qui ont toujours plu, ne perdront sans doute jamais leur popularité, par exemple les crèmes caramélisées à la vanille. La *crema catalana* est toujours caramélisée à l'ancienne, c'est-à-dire au fer rouge. Les pâtisseries faites maison, seront plutôt rissolées après avoir été roulées dans la farine et un jaune d'œuf, comme la *leche frita* ou *torrijas,* le pain perdu. Les fritures sucrées forment une catégorie à part. Les plus populaires sont les *churros,* des beignets de pâte à chou, formés dans une poche à douille étoilée et découpés en morceaux de la longueur du doigt. Ils sont emballés dans des cornets de papier et saupoudrés de sucre. Ils se mangent chauds, au petit déjeuner ou entre les repas.

Les Maures léguèrent d'autres confiseries au jaune d'œuf et au sucre, les *yemas,* ou le *tocino de cielo,* deux bonbons à l'œuf sublimes. Ils se font à Noël, à la saison des *turrones,* traditionnelle confiserie de pâte d'amandes, de miel et de sucre. Pour le *turrón duro,* le turrón dur d'Alicante, en tablettes de deux cent grammes, les amandes sont laissées entières. Pour le *turrón blando,* le turrón mou de Jijona, son berceau et son fief, près d'Alicante, le mélange est moulu et fondu en tablettes de trois cent grammes. Les turrones classiques contiennent des noix ou des noisettes, des pistaches, des fruits secs, du jaune d'œuf ou de la pâte d'amandes. Les Maures avaient commencé à fabriquer la pâte d'amandes à Tolède, son haut fief, aujourd'hui encore, et région productrice la plus importante d'Espagne.

Les Espagnols adorent les biscuits et les pâtisseries légères. Les tartes, comme la *tarta de Santiago,* à base de pâte d'amandes, décorée d'une croix de saint Jacques en sucre glace, sont réservées aux grandes occasions. Au quotidien, il y a les *marías* ou les madeleines à tremper dans son café au petit déjeuner. Autant de régions, autant de spécialités, par exemple *l'ensaimada mallorquina,* pâtisserie à base de pâte levée, rissolée dans le saindoux et saupoudrée de sucre glace. Elles sont parfois fourrées aux *cabell d'ángel,* les cheveux d'ange, une confiture de potiron et de crème, ou salées, comme la *sobrasada,* célèbre saucisse au paprika de l'île de Majorque.

Beaucoup de pâtisseries sont liées aux fêtes religieuses. A la Toussaint, on fait les *panellets,* une pâte constituée, pour les *panellets* catalans, de patates douces cuites, écrasées et d'amandes moulues, formée en petites boules roulées dans des pignons moulus et frites. Les Barcelonais ajoutent à la pâte de *panellets* des fruits secs, des épices, des châtaignes moulues ou du cacao. A Valladolid, on se recueille pour manger les *huesistos de santo,* les os de saint, minuscules cylindres de pâte d'amandes, de sucre et de miel.

Espejo de fresitas silvestras : crème renversée aux fraises des bois, couronnée d'un coulis à la pulpe de fraises.

Profiteroles con chocolate : les profiteroles au chocolat sont un dessert apprécié dans tous les restaurants.

Les petits fours inspirèrent les pâtissiers espagnols qui ont tous leurs spécialités de petits gâteaux.

Fresitas silvestras con nata : fraises des bois à la crème Chantilly. Les fraises mûrissent merveilleusement bien en Espagne et constituent un dessert très apprécié.

Crema catalana
(Illustrations ci-dessous)

1/2 l de lait
1 bâton de cannelle
1/2 zeste de citron non traité
3 jaunes d'œuf
150 g de sucre

Porter doucement le lait à ébullition avec le bâton de can-nelle et le zeste de citron. Retirer la casserole du feu. Bat-tre les jaunes d'œufs avec 100 g de sucre de manière à obtenir une crème onctueuse. Retirer la cannelle et le zeste de citron de la casserole de lait et verser peu à peu le mélange œufs et sucre, sans cesser de remuer. Re-mettre sur le feu et remuer à feu très doux jusqu'à ce que la crème épaississe.
Remplir des petits moules de crème, laisser refroidir et mettre au réfrigérateur au moins trente minutes. Au sortir du réfrigérateur, saupoudrer de sucre, mettre les moules quelques minutes sous le gril du four et glacer.
Remarque : à l'origine, on caramélisait au moyen d'un fer rouge rond en spirale.

Flan de naranja
Flan à l'orange

2-3 oranges
3 jaunes d'œufs, 3 blancs d'œufs
70 g de sucre
20 g de fécule
4 à 6 rondelles d'oranges confites

Presser les oranges et faire chauffer le jus. Retirer du feu. Battre les jaunes d'œufs avec le sucre et la fécule et in-corporer peu à peu ce mélange au jus d'orange chaud en remuant. Remettre la casserole sur la source de chaleur et continuer de remuer à feu très doux, jusqu'à obtention d'une crème épaisse. Retirer du feu et laisser refroidir. Battre les œufs en neige très ferme et les incorporer à la crème.
Mettre au frais. Servir froid décoré avec les oranges confi-tes.

Arroz con leche
Riz au lait

125 g de riz à grain rond
sel
700 ml de lait
1 zeste de citron non traité
70 g de sucre
20 g de beurre
1 cuil. à café de cannelle (facultatif)

Blanchir le riz pendant cinq minutes dans l'eau bouillante salée. Egoutter, rincer à l'eau tiède et égoutter de nouveau.
Faire chauffer le lait avec le zeste de citron. Faire fondre le beurre et le sucre dans le lait chaud. Retirer le zeste de citron. Jeter le riz dans le lait et faire bouillir. Réduire la chaleur, cou-vrir et laisser cuire sans remuer pen-dant 25 minutes. Mettre dans un plat et éventuellement saupoudrer de can-nelle. Servir chaud ou froid.

Quelques cuisiniers font encore caraméliser le sucre sur la *crema catalana* en posant dessus un fer rouge.

Crema catalana – Crème catalane.

Leche frita
Pouding frit

125 g de beurre
250 g de farine
100 g de sucre
1/4 l de lait
1 bâton de cannelle
1 zeste d'orange non traitée
1 zeste de citron non traité
4 jaunes d'œuf
4 blancs d'œuf
100 g de chapelure très fine
8 cuil. à soupe d'huile d'olive
Sucre glace et cannelle

Faire fondre doucement le beurre et y ajouter la farine ta-misée (en réserver 2 cuil. à soupe) et le sucre. Bien mé-langer le tout. Porter le lait à ébullition avec la cannelle et les zestes, puis retirer les aromates.
Verser lentement le lait dans le mélange à base de farine et bien malaxer. Ajouter un à les jaunes d'œuf en continuant de remuer.
Faire une abaisse de 3 cm et foncer une plaque beurrée. Laisser reposer au moins trois heures, mieux encore, tou-te une nuit.
Couper la pâte en carrés de 8 à 10 cm de côté et les re-plier en diagonale pour former des triangles. Battre les blancs en neige très ferme. Rouler les triangles dans la farine réservée, puis dans les blancs et enfin dans la cha-pelure. Faire frire des deux côtés dans une friture très chaude. Saupoudrer de sucre glace et de cannelle. Servir chaud ou froid.

Suspiros de monja
Soupir de religieuse

1/4 l de lait
150 g de beurre
1 pincée de sel
1 pincée de sucre
250 g de farine
6 œufs
huile de friture
sucre glace

Porter le lait à ébullition avec 1/4 l d'eau, le beurre, le sel et le sucre. Retirer du feu et in-corporer rapidement la farine. Remettre la casserole sur le feu et remuer jusqu'à ce que la masse se détache des bords de la casserole. Casser les œufs un à un en ne cessant de remuer.
Faire chauffer l'huile. Prendre des portions de pâte à la cuillère à café et les jeter dans l'huile de friture. Quand elles lèvent, aug-menter la chaleur et faire frire quatre à cinq minutes. Les retirer de l'huile à la louche et les égoutter sur un essuie-tout. Epuiser de cette manière toute la pâte. Servir aussitôt avec du sucre glace ou laisser refroidir.

477

Le Rioja

Les Espagnols, sont des buveurs exigeants et veulent pouvoir boire déjà vieilli le vin qu'ils achètent chez leur marchand de vin ou commandent au restaurant. Les bodegas et les caves se conforment presque toutes à cette entente tacite, quelle que soit leur place parmi les trente-neuf Appellations d'Origine Contrôlée (Denominaciones de Origen) existant aujourd'hui.

Le Rioja est ce qu'il est, grâce au phylloxéra qui sévit au siècle dernier. Quand les vignobles de Bordeaux furent victimes du fléau, les négociants, cherchant à les remplacer, trouvèrent dans la vallée de l'Ebre des conditions idéales. Ils fondèrent des caves et transmirent leurs connaissances. Les affaires cessèrent quand l'Espagne fut, elle aussi, touchée par l'insecte. Sous le régime de Franco, les vins de Rioja demeurèrent sans concurrence dans leur pays. Les bodegas, voulant satisfaire leur clientèle, ne vendaient que des vins légers ordinaires.

La situation se redressa grâce à une demande renouvelée, venant de l'étranger et au développement économique de l'Espagne. Dès 1970, des investisseurs espagnols portèrent leur attention sur cette région. De nouvelles caves impressionnantes virent le jour. La vinification fut modernisée, mais on conserva l'élevage et la vente traditionnels. Tandis que dans le monde entier, les viticulteurs laissent au client le soin de décider s'il veut prendre son mal en patience et faire vieillir ses bonnes bouteilles ou, au contraire, les ouvrir précocement, les régions vinicoles d'Espagne, y compris la région de Rioja, procèdent autrement. Les offres de service qu'elles font en mettant sur le marché des vins de qualités différentes sont uniques au monde. Les bouteilles peuvent toujours être ouvertes et consommées tout de suite. Quel que soit le stade du vin, il est à point. Le procédé de vente est le même pour le vin d'une bonne année de vendanges qu'on aurait pu faire vieillir (voir à droite). Dans la région de Rioja et au Pays basque, on aime le *vino joven*, un vin proche du Beaujolais nouveau, un rouge fruité mis en bouteilles par de petits viticulteurs indépendants, les *cosecheros*. Sa vinification, suivant des principes traditionnels, a lieu dans des cuves en béton ouvertes, les *lagos*, où fermentent les grappes entières non égrenées. L'acide carbonique qui s'en dégage entraîne une fermentation intracellulaire qui soutire sa couleur et ses arômes à la peau du raisin, mais qui a peu de tanin, exactement ce qu'attendent les amateurs de vin jeune. Cette macération dans l'acide carbonique est également pratiquée dans des cuves modernes par certaines bodegas afin de communiquer plus de fruité aux vins que l'on commercialise après un court vieillissement. Pour tous les autres vins rouges de Rioja, les bodegas font macérer le moût. La durée de cuvaison dépend de la grappe et de la qualité que l'on veut obtenir. L'élevage, étape suivante pour tous les vins de qualité supérieure, se fait dans des *barricas*, les barriques, ces fûts de chêne d'une contenance de 225 litres, fabriqués pendant longtemps avec du chêne américain. Vers 1970, les barriques françaises, imprégnées d'un parfum de vanille très prononcé, commencèrent à dominer le marché. Avant la mise en bouteilles, les vins sont soumis à un vieillissement prolongé en cuve.

L'infrastructure économique de la région de Rioja est proche de celle de la Champagne et tend à s'étendre à maintes autres régions d'Espagne. Les bodegas achètent une grande part de leur raisin, qui se paye au kilogramme, auprès de vignerons indépendants ou organisés en coopératives. Tandis qu'autrefois, on achetait au vigneron du moût ou du vin jeune, aujourd'hui, les bodegas, qui ont investi dans des équipements de vinification modernes, ne leur achètent plus que le raisin et font leur vin elles-mêmes, sous leur propre contrôle. Ce fut un progrès qui mena à une hausse et à une maîtrise de la qualité importante. Un grand nombre de bodegas achètent même des vignobles. Les caves appartiennent généralement à de puissantes sociétés d'autres branches de l'économie qui se chargent de la vente. Dans la région de Rioja, les domaines indépendants qui ne mettent en bouteilles que leur propre production sont l'exception. Très connus sont Remelluri, Contino, Barón de Ley, Amezola de la Mora et le vieux Marqués de Murrieta.

Les grandes années pour le Rioja

Dans la région du Rioja, les millésimés sont officielle-
ment classés selon leur qualité :
E ! = excellent – TB = très bon – B = bon –
M = moyen – I = insuffisant

1994	E !	1980	B	1966	M
1993	B	1979	M	1965	I
1992	B	1978	TB	1964	E !
1991	TB	1977	M	1963	M
1990	B	1976	B	1962	TB
1989	B	1975	TB	1961	B
1988	B	1974	B	1960	B
1987	TB	1973	B	1959	TB
1986	B	1972	I	1958	E !
1985	B	1971	I	1957	M
1984	M	1970	TB	1956	B
1983	B	1969	M	1955	E !
1982	E !	1968	TB	1954	B
1981	TB	1967	M		

Classements qualitatifs

• *Vino sin crianza :* le vin n'est pas élevé dans des
fûts de bois ; l'étiquette n'indique que l'année ou
vino de cosechero. Ce sont des vins fruités de vignerons indépendants, style primeur, mis en bouteille jeunes, comme le dit leur nom de *vino joven.*
• *Vino de crianza :* il vieillit au moins deux ans avant
d'être commercialisé. Il est élevé un an environ dans
des fûts en bois ; il est encore un peu fruité, mais
plus corsé, plus rond.
• *Reserva :* l'élevage dure au moins trois ans, dont
une année en fûts de chêne. Ils sont à base de vins
sélectionnés et de bonne structure, qui gagnent à
vieillir davantage. Ils ont déjà des bouquets développés avec des parfums de fruits mûrs, de sous-bois
ou de gibier. En font partie des rosés et des vins
blancs avec un élevage minimum de deux ans, dont
six mois en fûts.
• *Gran reserva :* vins rouges sélectionnés d'excellentes années au-dessus de la moyenne. Ils ont assez
de corps et de structure pour se développer au-delà
de deux ans au moins d'élevage en fûts et trois ans
de vieillissement en bouteille. Ils ont, dès la mise en
vente, un bouquet nuancé et un goût velouté. Les
vins des meilleures années peuvent se parfaire en
vieillissant encore plus longtemps. Ils sont les vins
de prestige d'une bodega.

En arrière-plan : dans la région de Rioja, le rendement est minime, ce qui donne aux plus célèbres
vins d'Espagne, leur force et leur expression.

Les vins de Rioja vieillissent en barriques, fûts de
chêne de 225 litres. Les caves, appelées *bodegas*,
sont à la mesure de leur taille, gigantesques.

Les Espagnols veulent un vin buvable aussitôt et ne
regardent pas à la dépense pour savourer une
Reserva ou une *Gran Reserva* un peu plus vieille.

Airen – donne, dans La Manche, d'agréables vins blancs.

Tempranillo – Vedette des variétés rouges espagnoles.

Cariñena – très répandu, donne au vin rouge belle couleur et structure.

Garnacha – rend les vins rouges généreux et les rosés, fruités et fins.

A l'arrière-plan : Palomino – Variété à base des vins secs de Xérès.

Cépages importants

Raisins rouges
Cariñena (Mazuelo)
De rendement moyen. Donne le Carignan, vin sombre et robuste.
Garnacha
Quantitativement la variété la plus importante d'Espagne. Supporte parfaitement la sécheresse. Forte teneur en alcool ; souvent utilisé comme vin de coupage.
Monastrell
Variété résistante et très répandue qui supporte très bien la chaleur ; donne des vins substantiels, forts, très clairs et parfois même des liqueurs.
Tempranillo (Cencibel, Ull de Llebre, Tinta del País etc.)
Cépage précoce très apprécié ; donne, sur des sols calcaires, des vins élégants et de grande longévité ; domine dans la Rioja et à Ribera del Duero.

Raisins blancs
Airen
Variété dominante dans l'énorme région vinicole de La Manche ; constitue trente pour cent de l'ensemble des vignobles espagnols ; très résistant à la sécheresse et à la canicule ; donne des vins destinés à la distillation.
Albariño
Vedette des variétés blanches de Galice ; fermente sans assemblage ; aromatique et nerveux.
Garnacha blanca
Variante blanche du grenache (garnacha) ; résistante ; répandue dans le nord de l'Espagne.
Macabeo (viura)
Variété blanche la plus fréquente dans le nord de l'Espagne ; supporte bien la sécheresse ; importante en Catalogne où elle est utilisée pour le cava et les vins blancs légers.
Moscatel
Donne des vins doux sirupeux, très forts en alcool, en particulier le Málaga.
Palomino
Variété andalouse unique pour la fabrication du sherry et ne s'exprimant que dans ce vin.
Parellada
Donne au cava et aux vins blancs secs du Penedés fruité et finesse ; meilleure en altitude.
Verdejo
Variété du Rueda, pleine de caractère et qui se développe bien en bouteille.

Le vin

El bierzo
Région à vin rouge intéressante au nord-ouest de l'Espagne, où la variété galicienne Mencia donne aux assemblages saveur et complexité.

Cariñena
Région des environs de Saragosse ; les vins rouges de Garnacha Tinta ont du corps et se conservent bien ; le Carignan y a peu d'intérêt.

Jerez (Xérès, Sherry)
Cru andalou mondialement connu ; 23 000 hectares de vignobles ; 90 % de Palomino Fino (voir p. 446-447).

La Mancha
La plus vaste région vinicole du monde. Située dans une zone de sécheresse au centre de l'Espagne, elle donne les vins de distillation du brandy de Xérès ; elle a aussi d'agréables vins blancs légers faits d'Airen et des vins rouges fruités de Tempranillo.

Montilla-Moriles
Région très chaude aux bons sols calcaires, située au sud de Cordoue ; produit des vins intéressants de l'espèce du sherry ; c'est un cru qui a des difficultés à se faire connaître ; prix relativement bas.

Navarra
Province voisine de Rioja qui s'étend au Nord jusqu'aux Pyrénées ; elle fait récemment partie des crus les plus couronnés de succès avec de bons vins rosés fruités et corsés et des vins rouges souples, de grand caractère.

Penedés
Ce n'est pas seulement la région du cava catalan, mais aussi celle de vins blancs très équilibrés de Macabeo, de Xarel-lo, de Parellada, un raisin très fin et de Chardonnay. Région de vin rouge qui regagne de l'importance grâce à l'expansion du Cabernet Sauvignon et du Merlot.

Priorato
Région de l'arrière-pays montagneux de Tarragone qui produit le fameux vin de dessert *vino generoso*. Elle est aussi connue pour ses vins rouges capiteux et ronds de Garnacha et de Cariñena.

Rías Baixas
Appellation de Galice très estimée et chère, comprenant trois secteurs : El Rosal et Condado del Tea dans le Sud, Valle del Salnés au nord de Pontevedra ; vins blancs frais, vifs, secs et légers issus d'un seul cépage, l'Albariño, sans coupage.

Ribera del Duero
Terroir du vin de culte Vega Sicilia composé des variétés françaises Tinto del País (Tempranillo) et du raisin blanc Albillo. Cette région, située au sud de Burgos, a beaucoup d'autres grands vins rouges, comme le Pesquera. Elle est très dynamique. Le Cabernet Sauvignon, le Malbec et le Merlot sont officiellement autorisés.

Rioja
C'est non seulement la région vinicole la plus célèbre, mais encore la plus importante d'Espagne ; 45 000 hectares de vignobles dans la vallée de l'Ebre, répartis en trois secteurs : le Rioja Baja, chaud et sec avec beaucoup de Garnacha à l'Est ; le Rioja Alta, à l'ouest de Logroño, au sud de l'Ebre, avec la célèbre petite ville de Haro ; au-dessus, le Rioja Alavesa, qui part du Pays basque, avec un pourcentage élevé de Tempranillo. L'assemblage traditionnel des vins de ces trois secteurs est en perte de vitesse. C'est, jusqu'à maintenant, la seule région titulaire du label de qualité supérieure Denominación de Origen Calificada (DOC).

Rueda
Célèbre cru de vin blanc au sud de Valladolid grâce au remarquable cep Verdejo qui lui donne une blancheur racée et persistante.

Somontano
Région d'importance accrue, sur les contreforts des Pyrénées, à l'est de Huesca ; vignobles de raisins méditerranéens et de Tempranillo ; son avenir pourrait résider dans le raisin français.

Valdepeñas
Région vinicole presque encerclée par La Manche, mais avec des vignobles aussi dans la province de Ciudad Real ; elle est orientée vers des vins blancs et rosés modernes, légers et fruités ; elle a une remarquable gamme de vins nouveaux, des rouges de Cencibel (Tempranillo) élevés en barrique, veloutés et aromatiques.

Le Cava

Cava, la cave, est le vin mousseux espagnol fabriqué d'après la méthode champenoise (p. 420). Il est abondamment bu en de nombreuses occasions. Dans son pays d'origine, la Catalogne, on ne le prend pas seulement en apéritif ou pour accompagner le dessert, mais on le boit parfois aussi à la place du vin, en mangeant. Le Cava Extra Brut ou Cava Brut se marie en particulier très bien avec les poissons et les fruits de mer, avec le *pa amb tomàquet*, du pain à la tomate, ou avec des produits fins, comme le foie gras. Les Xampagnerias, à Barcelone, sont des cafés où l'on sert à volonté différentes variétés de Cavas.

La fameuse maison Codorniu, attestée depuis 1551, appartient encore à la famille de José Raventos, qui mit en vente le premier vin mousseux, selon la méthode champenoise, en 1872. D'autres suivirent, en particulier le Freixenet, que l'on date de 1889, maintenant en tête devant le grand Codorniu.

Penedés, la plus importante Denominación de Origen, devint centre de la fabrication du Cava et la petite ville de Sant Sadurni d'Anoia, sa capitale. Plus de quatre-vingt-dix pour cent des Cavas y sont produits. Dans cette région vallonnée du sud-ouest de Barcelone, au pied du singulier Montserrat, le raisin mûrit bien et produit suffisamment de sucre naturel, contrairement au raisin de Champagne. En outre, on est, ici, à l'abri du mauvais temps pendant les vendanges.

En Catalogne, le Cava ne se fabriqua, d'abord, qu'à partir du Xarel-lo, un raisin substantiel et riche en alcool. Puis on y assembla du Macabeo, qui donna au vin un bouquet et un goût fruités. Le Parellada, appelé à l'origine, Montonac (des montagnes), qui donnait au Cava finesse et fraîcheur, fut redécouvert il y a quarante ans. En septembre, les caves revivent. Des milliers de vignerons livrent leurs raisins aux producteurs de Cava. Comme pour tous les bons vins mousseux, la réglementation prescrit comment éviter l'oxydation de la vendange. Après l'avoir pesée, en avoir mesuré la teneur en sucre et avoir contrôlé la bonne santé du raisin, il est jeté dans les pressoirs (en majeure partie continus). Avant de fermenter, sous surveillance, à température constante, pour donner des vins secs, classés par cépages, le moût est généralement décanté. Les cavistes, en composant les différents types de Cava à partir des vins de base du Xarel-lo, du Macabeo, du Parellada et du Chardonnay, ajoutent à certains d'entre eux un peu de vin de Réserve des années précédentes. Dès lors, le parcours du Cava rejoint celui de tous les mousseux de grande classe. Mis dans des bouteilles de verre épais auxquelles on administre une dose extrêmement précise de sucre et de levures, le vin est capsulé et entreposé dans les caves, où se produit la refermentation. C'est elle qui fera du vin un mousseux.

Après une fermentation minimum de neuf mois au moins des levures, qui forment le goût du vin, parfois même au bout de cinq ans pour les meilleures cuvées, le moment approche pour le Cava de voir le jour. Pour les qualités supérieures, le remuage se fait manuellement; pour les autres, on utilise des palettes de remuage, inventées par Manuel Raventos de Codorniu.

Au bout d'un mois et demi, les résidus de levures se sont déposés dans le goulot, que l'on glace, pour débarrasser la bouteille du dépôt. L'opération de dégorgement consiste à chasser le sédiment en débouchant la bouteille. On injecte ensuite au Cava une larme de « liqueur d'expédition », un mélange de vin et de sucre, qui déterminera s'il s'agit d'un vin doux ou sec. Enfin, on le couronne de son bouchon définitif, surmonté d'une capsule et entouré de fil de fer.

Les qualités de Cava

Extra Brut – moins de six grammes de sucre par litre
Brut – jusqu'à maximum 15 grammes de sucre par litre
Extra Seco – de 12 à 20 grammes de sucre par litre
Seco – entre 17 et 35 grammes de sucre par litre
Semi-seco – de 33 à 50 grammes de sucre par litre
Dolce – plus de 50 grammes de sucre par litre
Cava sans année – au moins neuf mois sur la lie
Cava avec année – au moins 24 mois sur la lie

Dans la cave, la température doit être d'une fraîcheur constante.

Les palettes de remuage sont indispensables à la refermentation.

Les dépôts de levure tombent dans le goulot de la bouteille.

Après dégorgement et addition de liqueur, on rebouche les bouteilles.

En arrière-plan : au cours du dégorgement, la pression catapulte les dépôts de levures glacés hors de la bouteille de Cava.

Le sidra

Le sidra, le cidre espagnol, est domicilié au nord-ouest de la péninsule ibérique, au Pays basque et dans les Asturies, où le climat atlantique favorise aussi bien la croissance des pommes sauvages naturelles que celle d'espèces plus sucrées. L'art de la cidrerie consiste à les mélanger. La saveur harmonieuse du cidre est liée à sa teneur en alcool de cinq à six degrés. La récolte des pommes s'échelonne de septembre à fin novembre, selon la rapidité de maturation des différentes variétés.

Les fruits sont lavés, puis réduits en morceaux que l'on fait gonfler en laissant tremper la pulpe une nuit dans l'eau. La pâte de pomme obtenue est mise dans les pressoirs, intercalée avec des couches de paille, de lin ou d'osier, pour éviter qu'elle prenne une consistance trop compacte ou qu'elle ne donne pas assez de moût. Le moût fermente, enfin, dans de grands fûts et des cuves ouverts, pendant deux mois. La température étant basse, la fermentation commence lentement. Peu à peu se forme à la surface de la cuvée, un chapeau, le *sombrero*. Les maîtres cidriers reconnaissent la qualité de leur cidre à sa coloration. Si la couleur varie entre le rouge foncé et le brun, ils sont satisfaits. Une coloration blanche ou jaunâtre est le signe d'une qualité médiocre.

Une fois la première fermentation close, quand une partie du sucre s'est transformée en alcool, le cidrier soutire le moût dans des fûts fermés en chêne ou en bois de châtaignier. Tandis que dans les Asturies on clarifie le moût, au Pays basque on le laisse sur les lies, ce qui donne au cidre plus d'arôme et de caractère. Il fermente jusqu'au mois de mai.

Le cidre nouveau coule tout l'été dans les sidrerias et les bars, accompagnant les tapas.

Dans les régions côtières du Nord, le cidre est la boisson traditionnelle depuis 2000 ans. D'un large geste, difficile à imiter, le bras tendu au-dessus de la tête, les cafetiers et les garçons de café lancent un mince jet de cidre ambré dans un demi tenu en contrebas, pour le faire mousser. Le cidre est frais, pétillant, légèrement âpre, mais agréable et n'est pas seulement bu en mangeant des tapas, mais aussi avec la morue, les sardines et le plat national des Asturies, le *fabada* (p. 456).

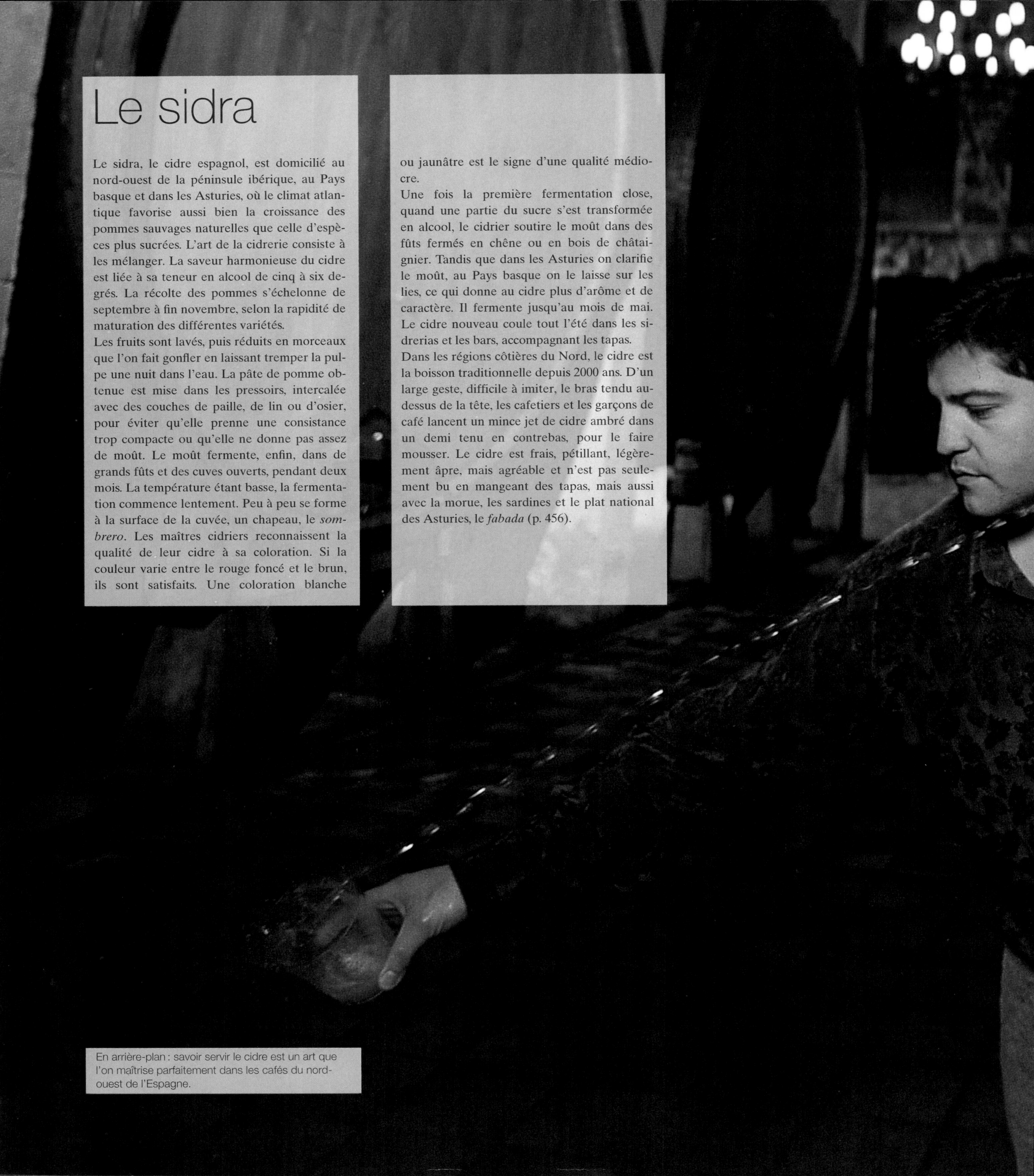

En arrière-plan : savoir servir le cidre est un art que l'on maîtrise parfaitement dans les cafés du nord-ouest de l'Espagne.

Quand le cidre a été lancé correctement dans le verre, les perles sont d'une beauté inégalée.

Boisson traditionnelle, le cidre est fabriqué artisanalement par des entreprises basques et des Asturies.

Fede Falces

Le Portugal

Si vous aimez la nature à l'état pur, la nourriture fraîche et naturelle et si vous êtes, en plus, bon vivant, vous aimerez le Portugal, où l'authenticité des espèces et des variétés s'est conservée durant des siècles dans tous les secteurs agricoles et où le progrès s'est installé en harmonie avec l'environnement naturel. L'art culinaire a suivi la même voie. Enracinés dans de vieilles traditions encore intactes, le jambon, la charcuterie, le fromage, les fruits secs et la confiserie se lovent naturellement dans de nombreuses recettes de cuisine. L'histoire du Portugal explique que la richesse culinaire de ce pays soit demeurée. Il fut isolé pendant plus de quarante ans. L'infrastructure rurale ne changea pas jusqu'à la fin de la dictature de Salazar, en 1974, et, durant cette période, les Portugais durent tous avoir recours à leurs propres ressources alimentaires. Depuis l'entrée du Portugal dans l'Union européenne, une part de l'agriculture portugaise se trouve soumise à l'uniformisation généralisée que cherche à imposer la bureaucratie de Bruxelles. Les produits de l'Europe standardisée n'atteignent cependant que très lentement l'arrière-pays du littoral portugais et l'intérieur des terres. La cuisine, dans les campagnes et les régions rurales, a, heureusement, conservé ses traditions. Elle est souvent meilleure que dans les villes du littoral, quoiqu'il y ait, là aussi, des différences. Celle de Porto, par exemple, est plus abondante et variée que celle de Lisbonne. On surnomme les habitants de Porto les *tripeiros*, mangeurs de tripes, ceux de Lisbonne les *alfacinhas*, les mangeurs de laitue. La gastronomie de l'Algarve souffre de l'orientation extrême du pays vers le tourisme de masse et d'un arrière-pays peu fertile. Le littoral, en revanche, dispose d'une gamme extrêmement variée de poissons et de fruits de mer dont la qualité reste inégalée. Les Portugais ne sont pas gros mangeurs le matin et n'attachent pas d'importance au petit déjeuner. A la campagne et dans les milieux ouvriers, un ou deux *petiscos* suffisent avant le déjeuner de midi. Ce sont de délicieuses petites entrées que l'on mange toujours avec un petit verre de vin tiré au fût. On se met à table pour dîner, *jantar*, entre dix-neuf et vingt et une heures. Le dîner est souvent le seul repas copieux pris en famille. Selon l'occasion qui fait sortir au restaurant, les menus sont plus ou moins riches, mais il ne manquera jamais ni le pain ni le vin.

Un restaurateur portugais expertise un homard et une langouste.

487

Petiscos et salgados

Les *Petiscos* sont des entrées comparables aux *ta-pas* espagnols. Le verbe *petiscar* désigne l'activité préférée des Portugais qui consiste à entrer dans un café pour manger une assiette de petiscos, le *pratinho*. Ce sont le plus souvent des portions si copieuses que deux petiscos suffisent à calmer la faim pour plusieurs heures.

Les cafetiers préparent leurs petiscos dès onze heures du matin mais les Portugais s'y rendent gé-néralement en fin d'après-midi. C'est l'heure où ils aiment s'installer dans un *tasca*, un bar tout simple, et commander un ballon de vin avec du poisson mariné, des haricots en salade, des oreilles de co-chon, du poulpe, de la viande ou du poisson, frits ou sautés, au choix.

Les *salgados* sont des beignets remplis de toutes sortes de bonnes choses salées, du poisson, de la viande, du saucisson ou des fruits de mer mélangés avec des pommes de terre ou des légumes, assai-sonnés de fines herbes et poivrés, enrobés de pâte à choux, de pâte feuilletée ou panés et cuits au four ou dans la friture. Ils relèvent du domaine des pâtissiers, les *pastelarias*. Les salgados sont tou-jours présents quand l'appétit s'éveille – du petit déjeuner au coucher.

Rissóis – petits beignets mangés à toute heure de la jour-née. Ce sont par tradition des beignets de crevettes, mais on les trouve avec du poisson ou de la viande hachée.

Salgados – pâtés et beignets

Bola de carne, de fiambre, de chouriça – pain à la viande hachée, au jambon de Paris ou à la saucis-se au paprika que l'on trouve aussi sous forme de petit pain, comme les *p(a)es de chouriço*

Bolinhos de bacalhau – petites croquettes ou boulettes de morue sèche, de pommes de terres et d'herbes fines (Illustration ci-contre, recette p. 497) ; connues aussi sous forme de *bolos*, des boules plus grosses ; certaines régions les appellent *pastel de bacalhau*, pâté de morue sèche

Chamuças – triangles frits de pâte fine et crous-tillante. Farce de poulet ou autres viandes hachées, épicée au curry, au piri-piri (piments) et à la menthe ; d'origine de Mozambique ; très répandus à Lisbonne

Croquetes – croquettes frites à la viande hachée

Empada et Folhado de galinha – pâté cuit ou bei-gnet de poulet de différentes formes

Rissóis – taie d'oreiller ; petit beignet de pâte à choux (illustration ci-contre) ; ce sont par tradition des beignets de crevettes, mais on les trouve au poisson, *rissoi de peixe*, parfois aux moules ou à la viande hachée et épicés, *rissóis de carne*.

Bolinhos de bacalhau – les amuse-gueule salés préférés des Portugais. Ce sont des petits beignets de boulettes ou de croquettes de morue sèche (recette p. 497).

Petiscos – amuse-gueule

Am(e)ijoas à bulhão pato – praires au court-bouillon, assaisonnées d'ail, de feuilles de coriandre, d'un jus de citron et poivrées

Azeitonas – petites olives noires farcies ou marinées

Berbigão – coques nature ou au court-bouillon ; petisco très bon marché et délicieux

Caracois – petits escargots sauce piquante avec piment, poivre, ail, oignon et herbes marinées à l'huile

Choquinhos fritos com tinta – petits calmars rissolés dans leur encre ; spécialité de l'Algarve

Enguias de escabeche – petites anguilles marinées aux épices avec des rondelles d'oignons sautés ; la même marinade est utilisée pour les sardines et la morue sèche

Espadarte fumado – espadon fumé coupé en tranches très fines ; c'est le saumon portugais

Figado ou iscas – fine tranche de foie revenue à la poêle et mangée froide sur du pain ; petisco très populaire dans tout le pays

Figo com presunto – figues fraîches au jambon cru ; spécialité de l'Algarve

Filete de pescada – morceaux de colin panés et frits ; servis froids avec du pain ; le même petisco existe avec de la morue

Grão com bacalhau – salade de pois chiches, de morue, d'oignons, à l'huile et au vinaigre

Melão com presunto – melon avec du jambon cru ; hors-d'œuvre très apprécié dans les restaurants et sur les tables riches

Moelas – gésiers de poulet très épicés

Pimentos assados – piments grillés, assaisonnés d'huile et de vinaigre, d'ail, de sel et épicés de paprika en poudre

Pipis de frango – abats de poulet revenus à la poêle, servis chauds et assaisonnés d'ail et de piri-piri

Salada de bacalhau – morue à l'huile et au vinaigre additionnée d'ingrédients variant d'une région à l'autre

Salada de feijão frade – salade de petits haricots blancs avec des oignons, un œuf, du persil, de l'huile et du vinaigre

Salada de orelha – salade d'oreilles de cochon finement coupées avec une vinaigrette ; très populaire

Salada de polvo ou Polvo com molho verde – petits morceaux tendres de poulpe en vinaigrette avec des oignons, du persil ou des feuilles de coriandre

Caldo verde

Le plat national des Portugais, *caldo verde*, la soupe verte vient du pays du *vinho verde*, le vin vert. Il est fait avec une variété de chou du nom de *couve galega*, le chou galicien, dominant dans la végétation du Minho et dans tout le nord du pays. Il pousse souvent sous les vignes. Dans les jardins, une place lui est toujours réservée et, à Lisbonne, il est même cultivé dans les arrière-cours. C'est un chou très vert aux longues tiges que l'on trouve toujours sur les marchés, également sous forme émincée en sachets, car, pour la soupe, il doit être coupé extrêmement fin. Le *Couve galega* ne se trouve qu'en Galice et au Portugal et n'est utilisé que pour la soupe verte.

Le caldo verde s'accompagne de *broa de milho* frais, un pain de maïs de pâte levée avec une croûte épaisse, une spécialité du nord du Portugal. On oublie rarement, avant de verser la soupe chaude dans le bol ou l'assiette, d'y parsemer quelques tranches de saucisson, de *chouriço* ou de *salpicão*.

Caldo verde
Soupe verte
(Illustrations 1–4)

300 g de chou galicien (à défaut de chou vert)
1 gros oignon
2 gousses d'ail
500 g de pommes de terre de consommation
3 cuil. à soupe d'huile d'olive
150 g de chouriço (p. 502)
Sel, poivre noir
Pain au maïs

Laver le chou, l'égoutter et l'émincer (1,2). Eplucher oignon et ail et les hacher finement.
Faire chauffer l'huile dans une grande marmite. Y faire blondir l'oignon et l'ail, ajouter les rondelles de pommes de terre et faire légèrement brunir en remuant de temps en temps. Couvrir les ingrédients d'eau.
Laisser mijoter à feu doux pendant 25 minutes environ. Les pommes de terre doivent être cuites.
Retirer la marmite du feu et écraser les pommes de terre.
Couper le saucisson en rondelles et le faire revenir 10 minutes. Egoutter la graisse.
Remettre la marmite sur le feu. Mettre le saucisson dans la soupe et faire chauffer lentement ; saler et poivrer.
Ajouter le chou et éventuellement un filet d'huile d'olive. Faire cuire 5 minutes. Mettre la soupe dans le bol ou l'assiette creuse (3,4) et servir avec du pain de maïs rompu.

En arrière-plan : les ingrédients du caldo verde, la soupe verte, sont le chou, le saucisson, les oignons, les pommes de terre et le pain de maïs *broa de milho*.

3   4

Petit glossaire des légumes

Agrião – cresson de fontaine. Se met dans la sala-de ou se mange en salade ; cultivé toute l'année

Abóbora – grosse variété de potiron orange à l'inté-rieur ; ne manque jamais aux soupes de légumes

Batata – pomme de terre ; variétés locales souvent violettes de haute qualité (la consommation annuelle par tête est d'environ 150 kg !)

Batata doce – patate douce. Elle se fait frire. Se mange rarement au restaurant

Bróculo – brocoli ; garniture appréciée pour tout. Assaisonné d'huile et de vinaigre, il est bon avec le poisson au court-bouillon

Cebola – oignon ; c'est un des légumes les plus uti-lisés. Emploi courant comme épice et comme garni-ture ; les variétés locales sont grosses et plates et excellentes dans la salade

Cenoura – carottes ; elles sont très douces. On les emploie aussi en pâtisserie et dans les desserts

Couve-flor – chou-fleur, simplement bouilli ou dans les mixed pickles faits maison

Couve galega – chou moellier galicien à grand dé-veloppement, émincé pour le caldo verde

Couve portugesa – chou portugais à moins grand développement que le précédent, aromatique ; em-ployé pour le cozido, soupe épaisse ; on cuit les feuilles entières. Accompagne viande et poisson.

Ervilhas – petits pois ; d'excellente qualité, frais de mars à mai ; accompagnent la viande ou se mêlent aux plats de viande

Espinafres – épinards ; se mangent seuls ou avec d'autres légumes verts à feuille ; on les fait en géné-ral dorer avec de l'ail

Fava – fèves ; très populaires dans le nord

Feijão verde – les variétés de haricots verts sont nombreuses ; employés, dans les soupes avec de la menthe ou bouillis avec de la coriandre

Feijão – haricots secs, blancs, noirs, brun rouge, à pois. Ils sont l'un des aliments de base des Portugais

Grelos – pousses de chou vertes avec boutons de fleur ; légume local très délicat ; on le fait en général dorer avec de l'ail

Nabiças – jeunes feuilles de petites raves ; cuites à l'étuvée, garniture très appréciée

Nabo – petit navet ; pour les soupes, les potages et en purée avec des pommes de terre

Pimento – piment verde (vert) ou vermelho (rouge) ; récolté toute l'année, mais de pleine terre seulement de fin juin à mi-novembre ; les piments doux et rou-ges sont très appréciés grillés en salade

Tomate – tomates ; dans les salades, dans de nom-breux plats et sauces ; culture importante de 170 000 hectares en pleine terre ; la saison s'éche-lonne de juin à octobre

Sopa de pedra – la soupe de pierre.

Caldeirada à algarvia –
soupe de poisson à la mode algarve.

Les soupes et les potages

Les soupes comptent beaucoup dans tous les repas des Portugais. Chaque matin, les ménagères et les cuisiniers des petits comme des grands restaurants nettoient, épluchent et coupent encore les légumes et les pommes de terre pour la soupe. Les soupes sont tellement fraîches, elles ont un goût tellement savoureux et rappellent tellement celles de nos grand-mères, qu'on ne peut jamais refuser d'en déguster une. Il y a, nous venons de le voir, le caldo verde et le bouillon de poule, très courant, la *canja,* mais la *sopa de legumes,* une soupe faite simplement de légumes écrasés, se mange aussi de plus en plus. Elle contient absolument tout ce qu'on trouve dans un jardin ou sur les marchés comme légumes de saison et, si la saison est maigre, on ajoutera des légumes secs. Comme pour le caldo verde, les pommes de terre servent souvent à épaissir la soupe. Sa couleur jaunâtre vient des carottes ou du potiron, un légume très employé, à la pulpe orange lumineuse. Le chou se met aussi dans beaucoup de soupes. A la campagne, pour que la soupe soit plus nourrissante, on y ajoute du riz ou des pâtes qui cuisent très longtemps, mais cela n'altère en rien le goût, loin de là. Un filet d'huile d'olive et à la soupe !

On distingue au Portugal deux catégories de soupes :
• *Sopas* – les soupes liées en purée ;
• *Caldos* – les bouillons clairs.
Quelques soupes forment l'exception. Le caldo verde est un velouté, la *sopa à alentejana* est un bouillon de viande, et la *sopa de cozido* est un potage extrait du plat national portugais, le *cozido à portuguesa* (recette ci-contre).
Les soupes épaisses ont trois dénominations courantes :
• *Cozido* – il s'agit, en fait, du bouilli de viande *cozido à portuguesa,* légèrement modifié.
• *Açordas* – dénomination pour les soupes au pain, d'une consistance qui peut varier entre la bouillie et le liquide. Avec une tranche de pain, elles étaient l'humble repas dans les régions pauvres, surtout de l'Alentejo. On y ajoute un peu d'huile d'olive, d'ail, de feuilles de coriandre fraîches et, si on en a, des œufs. Dans la région de Lisbonne, on y ajoutait des moules. Cette soupe peut aussi se faire à la mode luxueuse, avec du homard ou autres fruits de mer rares.
• *Caldeiradas* – englobe toutes les soupes de poissons, même si elles n'en contiennent qu'un, ce qui est plutôt rare. Ce sont des plats de résistance. Les soupes appelées soupes de poisson, *sopa de peixe,* sont succulentes bien que plus légères. La crème de crustacés ou de crevettes, *creme de mariscos,* ne fait pas toujours l'unanimité.

Sopa de pedra
Soupe de pierre
(Illustration ci-dessus à gauche)

Pour 8 personnes

1 oreille de cochon
150 g de lard
2 oignons
3 gousses d'ail
1 chouriço noir (boudin)
1 chouriço (p. 502)
500 g de haricots rouges ou bruns frais
2 feuilles de laurier
Sel, poivre noir
750 g de pommes de terre
1 carotte
1 navet
1 tomate
2 cuil. à soupe de coriandre hachée

Pocher les oreilles de cochon et le lard. Eplucher les oignons et l'ail, les hacher et les mettre dans une grosse marmite avec la viande, le lard, les saucisses, les haricots et les feuilles de laurier ; saler et poivrer. Couvrir d'eau et porter à ébullition. Laisser mijoter pendant 45 minutes à feu doux et à couvert.
Retirer la viande et le lard et réserver. Sortir à la louche une partie des haricots, les réduire en purée et réserver également. Eplucher les pommes de terre, la carotte et les navets et les couper en dés. Mettre les légumes dans la soupe et laisser mijoter encore 30 minutes.
Quand les légumes sont cuits, y incorporer la purée de haricots, porter à ébullition et assaisonner. Couper la viande, le lard et les saucisses en morceaux ou en rondelles et les mettre dans une terrine ; verser la soupe

Sopa à alentejana –
Soupe à la mode d'Alentejo.

chaude dessus. Ajouter la coriandre et laisser macérer quelques minutes.
Par tradition, on met, avant de servir, une grosse pierre soigneusement lavée dans la soupe. On accompagne de pain de maïs.

Sopa à alentejana
Soupe à la mode d'Alentejo
(Illustration ci-dessus)

Pour 4 personnes

4 tranches de pain au levain
2 bouquets de coriandre
4 gousses d'ail
Sel
100 ml d'huile d'olive pression à froid
4 œufs

Couper les tranches de pain en gros morceaux. Détacher les feuilles de coriandre de leurs tiges et les hacher. Hacher également l'ail et le mélanger à la coriandre, au sel et à l'huile. Mettre le pain dans une assiette à soupe avec quelques gouttes du mélange herbes et huile d'olive.
Porter 1 litre d'eau à ébullition. Faire glisser les œufs dedans et pocher 3 minutes ; réserver.
Verser l'eau bouillante sur le pain dans les assiettes à soupe et mélanger avec les ingrédients. Mettre prudemment les œufs dans la soupe et la saler légèrement.
Couvrir et laisser macérer 5 minutes.
Remarque : au Portugal, le pão caseiro est du pain blanc au levain.

Caldeirada à algarvia
Soupe de poisson à l'Algarve
(Illustration ci-dessus)

Pour 6–8 personnes

2 kg de variétés de poissons frais
(Lotte, raie, loup de mer, requin)
Gros sel marin
750 g de praires
3 gros oignons
800 g de tomates mûres
1 poivron vert
5 gousses d'ail
750 g de pommes de terre
2 cuil. à soupe de persil
1/4 l d'huile d'olive
1 ou 2 piri-piri (piments)
1 pincée de muscade
Poivre blanc
200 ml de vin blanc sec
2 feuilles de laurier

Nettoyer, écailler et laver les poissons, les couper en gros morceaux de 5 cm et saupoudrer de sel de mer. Brosser et laver les praires, jeter les praires ouvertes. Eplucher les oignons et les couper en rondelles. Laver les tomates et les poivrons et les couper pareillement. Hacher les gousses d'ail, éplucher les pommes de terre et les couper aussi en rondelles.
Mettre dans une grosse marmite d'abord une couche d'oignons, de tomates, de poivrons, un peu d'ail et de persil, puis une couche de pommes de terre. Ajouter les poissons et les praires et les couvrir d'une nouvelle couche de légumes et de pommes de terre. Mélanger de l'huile d'olive avec le piri-piri pilé (sans graines, il est moins fort), la muscade et le poivre et mouiller avec le vin. Répartir sur la soupe et poser les feuilles de laurier dessus.
Faire cuire à couvert pendant 35 minutes. Basculer de temps en temps la marmite pour que le bouillon se répartisse. Servir aussitôt. Nous conseillons avec ce plat un Bairrada blanc.

Cozido à portuguesa
Bouilli de viande à la portugaise

Pour 8 personnes

1 kg de poitrine de bœuf
500 g de poitrine de porc
1 oreille de cochon
200 g de lard
1 poularde d'environ 1,5 kg
1 tête de chou blanc
2 têtes de chou galicien (p. 210–211)
3 navets
5 carottes de taille moyenne
8 grosses pommes de terre
2 chouriços (p. 222)
2 chouriços noirs (boudin)
2 saucissons à l'ail
500 g de riz blanc
Sel, poivre noir

Mettre le bœuf, le porc, le lard et la poule dans une grosse marmite. Recouvrir d'eau salée et faire cuire à couvert pendant deux heures et demie. Au bout d'une heure et demie de cuisson, prélever un peu de bouillon à la louche et le mettre dans une autre casserole. Nettoyer le chou et le couper en lamelles. Eplucher les navets, les carottes et les pommes de terre ou les nettoyer, les couper en morceaux et les mettre dans le bouillon avec le chou.
Au bout de 45 minutes pocher les saucisses, les ajouter aux légumes et laisser cuire le tout encore 15 minutes.
Au moment de mettre les saucisses dans les légumes, prélever 1 l de bouillon de la marmite de viande, le porter à ébullition et mettre le riz à cuire dedans. Saler éventuellement.
Retirer la viande de la marmite et la saucisse de la casserole. Couper la viande en morceaux et les saucisses en rondelles et découper la poule en huit morceaux. Mettre le riz, quand il est cuit, dans un plat et garnir avec les rondelles de saucisse. Disposer la viande sur un plat chauffé. Retirer les légumes du bouillon à la louche et les disposer autour de la viande ; mouiller le tout avec le bouillon. Vin conseillé : un Ribatejo rouge.
Remarque : le bouillon de viande et de légumes, forme la célèbre *sopa de cozido*, souvent servie en hors-d'œuvre.

Les sardines

Le roi du Portugal Jean II le Parfait, homme d'esprit qui régna à la fin du 15ème siècle et aimait la bonne chère, dit, en parlant de la sardine : « Il y en a assez, elle est bonne et ne coûte rien ». En une phrase, il avait résumé les raisons qui poussèrent les Portugais à adopter la sardine comme leur poisson préféré. La constatation du Parfait, comme le nommaient ses sujets, reste actuelle. Certains poissons sont devenus chers, même au Portugal, mais les sardines demeurent abordables. La pêche à la sardine, avec environ 100 000 tonnes par an, représente quarante pour cent de toute la pêche portugaise. Les Portugais adorant les sardines, ils savent aussi quand elle est fraîche et quel est le meilleur moment pour la pêcher. Elle a un goût extraordinaire quand les bancs de sardines se rapprochent du littoral en avril, après avoir passé l'hiver dans des eaux plus profondes du Sud et que sa chair est grasse et aromatique. La saison de la sardine commence à ce moment-là et s'échelonne jusque fin octobre. Elle se pêche sur tout le littoral, du Nord au Sud, de l'Algarve au Minho. Les sardines se consomment surtout à proximité des côtes, car elles ne sont bonnes que fraîches. Dans l'arrière-pays, on achètera plutôt de la morue salée, du colin (aussi congelé) ou des sardines à l'huile.

Une grande partie de la pêche portugaise est mise en conserves. L'industrie de transformation se forgea une excellente réputation à l'époque où les sardines n'étaient conservées que dans l'*azeite*, l'huile d'olive, comme le sont aujourd'hui encore les produits de qualité supérieure.

Les sardines fraîches se font généralement grillées au charbon de bois. Elles sont auparavant vidées, écaillées et mises à macérer au moins deux heures dans du gros sel, puis lavées, essuyées et badigeonnées d'huile d'olive. Ces sardines, les *sardinhas assadas*, sont grillées deux à trois minutes de chaque côté sur la braise, selon la grosseur. Les sardines sont également succulentes grillées avec des poivrons bien mûrs et humectées, en fin de cuisson, d'un filet d'huile d'olive et de vinaigre. Les *sardinhas fritas*, roulées dans la farine et un œuf, selon les goûts, puis frites, sont très populaires. Les *carapaus*, une espèce de maquereau, remplacent souvent les sardines sur le littoral de l'Algarve. Quand les poissons sont petits, on les surnomme du tendre nom de *carapauzinhos*. Les plus gros, de plus de 25 cm de longueur, s'appellent *chicharro*.

Dans les localités du littoral, il arrive de voir des femmes préparer des sardines sur des grils en terre cuite. Le soir de la Saint-Antoine, le 12 juin, les vendeuses de *sardinhas* fraîches ou de *carapaus*, munies d'une caisse en bois pleine de poissons, attirent l'attention des passants, sur le bord des trot-

Une grande partie de la pêche de sardines est transformée en conserves. Ici, les poissons sont vidés.

La fabrication des sardines à l'huile est encore un travail manuel et assure beaucoup d'emplois dans les localités du littoral.

Avant la mise en boîte, les sardines sont écaillées et nettoyées.

Les sardines à l'huile ont un goût très fin.

Ci-contre : en avril, les bancs de sardines approchent de la côte. La pêche à la sardine est ouverte. A cette saison, les poissons ont une chair grasse et aromatique.

toirs dans les rues de Lisbonne. Si le poisson est frais, il est vite vendu. Un peuple expert en matière de poisson ne passe pas, impassible, à côté de succulentes sardines.

Sardinhas assadas com pimentos
Sardines grillées aux piments

Pour 6 personnes

2 kg de sardines moyennes et grosses
Gros sel marin
Huile d'olive
4 piments verts ou rouges
1 oignon
Vinaigre de vin

Ecailler les sardines sans les vider. Les laver dans de l'eau salée et les enduire de sel marin. Laisser reposer au moins deux heures. Gratter un peu de sel et badigeonner les poissons d'huile d'olive.
Laver, égrener et émincer les piments, les huiler et les saler. Faire griller les poissons et les piments sur un gril alimenté au feu de bois. Eplucher les oignons et les couper en rondelles. Disposer les sardines sur des assiettes préchauffées, les garnir de rondelles d'oignons et de lamelles de piments grillés. Humecter d'un filet d'huile d'olive et de vinaigre, selon le goût. On accompagne ce plat de pommes de terre à l'eau et de salade verte, ainsi que d'un vin blanc sec et frais d'Alentejo.

Sardinhas de escabeche
Sardines marinées

Pour 4–6 personnes

1 kg de sardines petites à moyennes
Huile végétale de friture

Marinade

3 oignons
1 tomate
5 cuil. à soupe d'huile d'olive
1 botte de persil commun
2 gousses d'ail
2 feuilles de laurier
100 ml de vin blanc sec
2 cuil. à soupe de vinaigre de vin
Sel, poivre noir
1 cuil. à café de paprika en poudre

Ecailler, vider, laver et essuyer les sardines. Les faire frire par petites portions. Les égoutter et les laisser refroidir.
Pour la marinade, éplucher les oignons et les couper en rondelles. Peler, épépiner et couper les tomates en quartiers. Hacher l'ail et le persil. Faire chauffer l'huile dans une poêle et faire d'abord dorer les oignons, puis ajouter l'ail, le laurier, la tomate, et le persil. Saler légèrement et déglacer avec le vin et le vinaigre. Pocher 5 minutes et laisser refroidir.
Mettre les sardines dans un plat, les saler, les poivrer et les saupoudrer de paprika. Napper avec la marinade et laisser mariner pendant deux jours au réfrigérateur.
Avant de servir, garnir les sardines de rondelles d'oignons et de persil et couvrir chaque portion d'un peu de marinade. Comme boisson, nous conseillons un Vinho verde bien frais.

La morue sèche est livrée entière aux commerçants qui la coupent au fur et à mesure du débit.

Les morceaux préférés sont ceux du milieu. Ils sont plus gros et la chair plus épaisse.

Le commerçant pèse la quantité désirée par le client.

La morue séchant au soleil est devenue un tableau rare.

En arrière-plan : le *bacalhau* présente d'énormes écarts de qualité. Un bon commerçant en a toujours un choix varié. Ici, un commerçant de Lisbonne.

Le bacalhau

Les pêcheurs portugais commencèrent à sonder les eaux de Terre-Neuve avec leurs chalutiers et à en ramener de la morue et du cabillaud, *bacalhau*, peu après la découverte de l'Amérique par Christophe Colomb. Ils transformaient le produit de leur pêche sans attendre. Aussitôt capturés, les poissons étaient étêtés, vidés et salés. Conservé dans le sel, le poisson ne risquait pas de se gâter et les chalutiers pouvaient attendre au large du littoral canadien de pouvoir rentrer à plein chargement. La morue n'était mise à sécher au soleil qu'au retour au pays.

Dix ans à peine après la découverte de l'Amérique, le cabillaud représentait un dixième du total des pêches vendues dans les ports du nord du Portugal. Il faisait partie des victuailles de base des flottes marchandes et des aventuriers sur leur voiliers. Les pêcheurs portugais vont encore maintenant pêcher le cabillaud ou d'autres variétés de morue. Le mode de transformation à bord n'a pas changé. La majorité des morues consommées au Portugal provient toutefois depuis longtemps de Norvège, d'Angleterre et du Canada.

Au Portugal, le cabillaud est généralement vendu entier (bien que, contrairement à la morue, le stockfish soit séché aussitôt, mais pas salé, le mot stockfish désigne aujourd'hui couramment le cabillaud salé et séché) :
- *Especial* sont les plus gros, les plus grands et les plus beaux. Ils pèsent environ cinq kilogrammes.
- *Graúdo* désigne la qualité la plus mince.
- *Lombo* ou *meio* sont les gros morceaux du milieu qui se vendent le mieux.
- *Barbatanas* sont les nageoires. Elles sont bon marché et on en fait des plats succulents.

Avant de cuisiner la morue, il faut la dessaler à l'eau froide, de préférence au réfrigérateur, pendant au moins vingt quatre heures en renouvelant l'eau quatre à cinq fois. Le temps de dessalage varie extrêmement selon la grosseur des morceaux. Pour des morceaux minces, douze heures peuvent suffire. Pour de très gros morceaux, il faut parfois compter au-delà de trente heures. Si la morue n'est pas bien dessalée, elle est immangeable, si elle est restée trop longtemps dans l'eau, elle n'aura aucun goût. On s'aperçoit à la dernière eau de trempage si elle est dessalée ou pas. Le cabillaud frais n'est pratiquement pas vendu au Portugal.

Bacalhau com natas
Stockfish à la crème

750 g de stockfish	
500 g de pommes de terre	
5 cuil. à soupe d'huile d'olive	
3 oignons	
Poivre noir	
40 g de beurre	
2 cuil. à soupe de farine	
600 ml de lait	
300 ml de crème	
1 feuille de laurier	

Faire tremper le stockfish durant 24 heures dans l'eau froide et renouveler l'eau plusieurs fois. Rincer le poisson, le dépouiller, enlever les arêtes et l'effeuiller. Eplucher les pommes de terre, les couper en rondelles fines et les faire dorer dans 3 cuil. à soupe d'huile d'olive. Les égoutter.

Eplucher les oignons, les couper en rondelles et les faire blondir dans le restant d'huile. Ajouter les morceaux de poisson et poivrer.

Préchauffer le four à 180 °C.

Faire fondre le beurre, y ajouter la farine, verser peu à peu le lait en ne cessant de remuer et porter à ébullition. Retirer de la source de chaleur et incorporer la crème.

Mettre le stockfish et les oignons dans un plat allant au four et les couvrir de pommes de terre. Mouiller avec la sauce à la crème et ajouter la feuille de laurier. Faire cuire au four pendant 30 minutes et servir chaud.

Bolinhos de bacalhau
Croquettes de morue
(Illustration p. 489)

300 g de stockfish	
250 g de pommes de terre de consommation	
1 oignon	
2 gousses d'ail	
2 cuil. à soupe de persil commun haché	
1 pincée de poivre de Cayenne	
1 pincée de muscade	
4 œufs	
Sel, poivre noir	
Huile d'olive pour la friture	

Faire tremper le stockfish durant 24 heures dans l'eau froide en renouvelant l'eau plusieurs fois.

Mettre le poisson dans une casserole, l'ébouillanter et pocher 10 minutes. Le retirer, le dépouiller, enlever les arêtes, l'effeuiller et le passer au hachoir. Faire cuire les pommes de terre en robe des champs, les éplucher et faire une purée.

Eplucher les oignons et l'ail, les hacher et les mettre dans un récipient avec le persil, les épices, la purée de pomme de terre et de morue et bien mélanger le tout. Incorporer les œufs un à un. Saler et poivrer. Prendre deux cuillères, passées auparavant à l'eau froide, et former des "œufs" de pâte. Plonger les croquettes dans l'huile de friture bouillante. Servir les croquettes froides comme petiscos ou chaudes comme plat principal avec de la salade.

Le *vinho verde* convient le mieux aux plats de cabillaud.

Les poissons et les fruits de mer

Le Portugal est un paradis pour les amateurs de poisson, non seulement pour les nombreuses manières qu'il a d'accomoder la morue, ou pour les sardines fraîches, mais aussi pour sa multitude de poissons, de crustacés et de fruits de mer! La qualité des produits halieutiques portugais est connue des experts de toute l'Europe. Les bars, les lottes, parfois même les rougets que l'on mange dans les grands restaurants français, italiens et allemands viennent souvent du Portugal.

Le saint-pierre et la dorade manquent au Portugal pour la bonne raison qu'ils sont exportés vers des pays comme la France, dont la cuisine raffinée ne peut se passer d'aussi fins poissons. En dehors de ces poissons, qui manqueraient ailleurs s'ils étaient consommés sur place et qui ne figurent pas sur les menus, reste sur la côte portugaise un choix imposant de poissons et de produits de la mer. Les meilleurs restaurants présentent le poisson sur un lit de glace derrière des vitres. Le client choisit son poisson et le mode de cuisson:

- *assado na brasa*   grillé sur la braise de charbon de bois
- *assado no forno*   cuit au four
- *cozido*   au court-bouillon
- *frito (na frigideira)*   rissolé à la poêle
- *frito (na fritadeira)*   frit
- *grelhado*   grillé
- *guisado*   à l'étuvée

Le prix se calcule à partir d'une liste indiquant le prix au kilo. Les garnitures ou les légumes sont généralement compris dans le prix.

Pescada, le colin, qui faisait autrefois partie des poissons bon marché, est devenu un poisson cher, en vertu de sa qualité et de sa popularité. Quand il figure au menu d'un restaurant à un prix dérisoire, c'est qu'il est congelé. L'Algarve est célèbre pour ses moules et ses eaux, paradis pour les crustacés. Les villes de Sezimbra, Setubal, Cascaias et Ericeira, autour de Lisbonne, jouissent d'une excellente réputation pour la qualité de leurs crustacés.

Peniche et Matosinhos sont plus au Nord, près de Porto, le plus grand port de pêche du Portugal. Le nord du Portugal est également connu pour ses poissons d'eau douce. La lamproie fluviale, un poisson qui ressemble à l'anguille, ne survit que dans les eaux fluviales européennes propres. Aussi est-elle devenue une spécialité qui se paye cher et incite souvent les fins gourmets de la capitale à parcourir 400 kilomètres, le week-end, en direction du Nord, uniquement pour savourer une *lampreia à bordelesa*, de la lamproie au vin rouge.

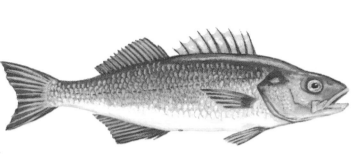

Robalo – Bar commun.

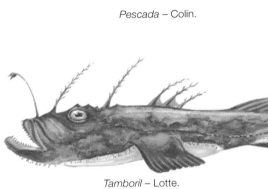

Pescada – Colin.

Tamboril – Lotte.

Faneca – Tacoud.

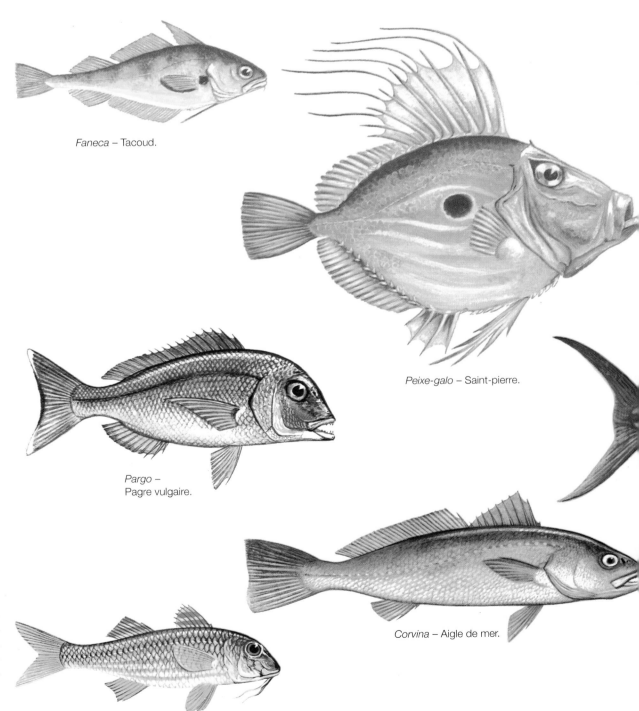

Peixe-galo – Saint-pierre.

Pargo – Pagre vulgaire.

Corvina – Aigle de mer.

Salmoneta – Rouget.

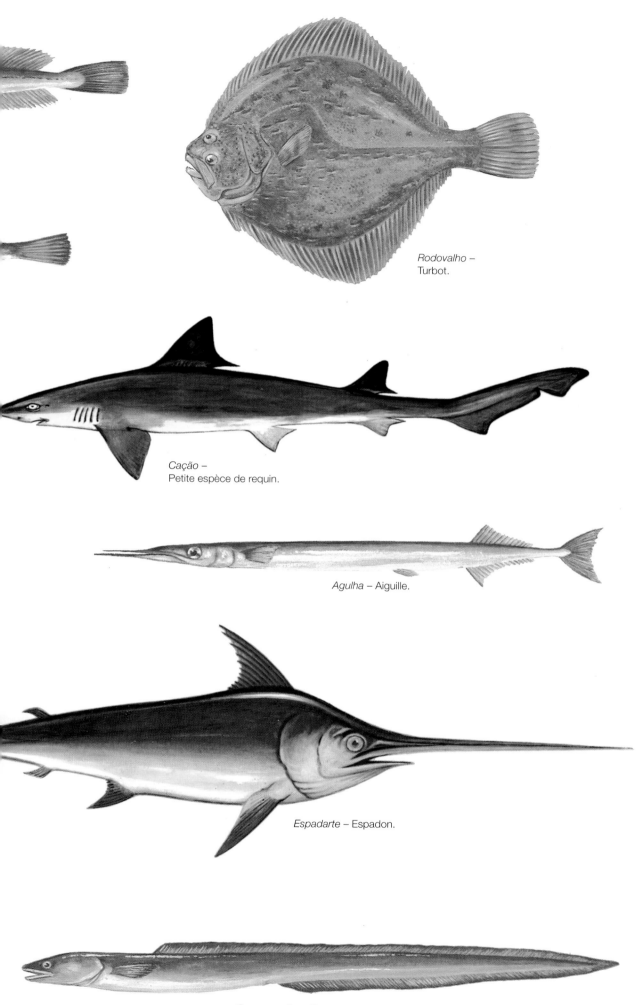

Rodovalho –
Turbot.

Cação –
Petite espèce de requin.

Agulha – Aiguille.

Espadarte – Espadon.

Congro, safio – Congre.

Poissons et fruits de mer des eaux portugaises

Amêijoas – praires ; se mangent seules ou incorporées à divers plats de poisson et même de viande.
Berbigão – coque ; peu coûteuse ; comme petisco ou hors-d'œuvre, souvent en sauce piquante
Besugo, goraz – perche grise
Búzios – bigorneaux très populaires en Algarve
Cabras cegas – toutes petites crevettes, rares, chaire fine et chères
Cação – petite variété de requin ; poisson très utilisé dans les soupes de poisson, *caldeiradas*
Camaroes de costa – petites crevettes très recherchées et chères ; se font en beignets
Carapau – espèce de maquereau aussi bon et peu cher que la sardine
Cherne – perche argentée ; le poisson le plus précieux du Portugal avec le loup de mer et le turbot ; région principale de pêche autour de Lisbonne et dans l'Algarve
Choco – seiche ; presque toujours grillée ou à la poêle ; souvent préparée à l'encre
Choquinhos – petite seiche ; souvent mangée comme petisco
Congro, safio – congre ; pour les soupes épaisses
Corvina – aigle des mers ; davantage estimé qu'autrefois ; il a bon goût ; environ 60 cm
Dourada – dorade royale ; excellent poisson ; destiné surtout à l'exportation
Enguias – civelle ; très appréciée ; célèbre à Aveiro ; cuisinée surtout comme *caldeirada de Enguias*
Espadarte – espadon ; on l'aime fumé
Faneca – tacoud ; bon marché ; chair fine ; à l'étuvée
Gamba – gamba ; grosse crevette très populaire ; souvent importée
Lampreia – lamproie fluviale ; poisson rare qui se trouve dans les eaux fluviales du nord du Portugal ; très bon goût ; prix à l'avenant
Lavagante – homard ; devenu rare ; pêche annuelle de seulement cinq tonnes
Lagosta – langouste ; excellente qualité ; la plus célèbre est celle d'Ericeira, près de Lisbonne
Lagostim – langoustine ; essentiellement de l'Algarve ; souvent plus chère que les langoustes
Linguado – sole ; grillée ou au beurre
Lula – calmar ; plus rare que le poulpe ou la seiche ; nombreuses cuissons ; souvent farci
Navalheira, caranguejo – petites écrevisses
Pargo – pagre ; corps légèrement rouge ; saveur fine ; mode classique de cuisson : au four
Peixe-espada preta – espadon ; seulement grillé ou à la poêle ; très bonne chair et pourtant abordable
Peixe-galo – saint-pierre ; excellent ; très rare au Portugal ; destiné à l'exportation
Perceves – espèce de barnache devenue rare et donc chère, mais à la chair délicieuse
Pescada – colin ; très apprécié
Polvo – poulpe ; excellent en salade avec une vinaigrette aux fines herbes, *molho verde*
Robalo – bar d'excellente qualité ; côte atlantique nord du Portugal
Rodovalho – turbot ; excellente qualité
Salmoneta – rouget ; presque toujours grillé ; se trouve surtout à Setúbal et sur les côtes de l'Algarve
Santola – grosse araignée de mer ; excellente qualité ; surtout au nord-ouest de Lisbonne
Sável – omble chevalier ; poisson très fin qui, comme la lamproie, vient de la mer et remonte les fleuves
Tamboril – lotte ; autrefois pour les soupes de poisson ; souvent dans le riz aux fruits de mer ou en brochettes ; nouvellement à la mode et cher
Truta – truite ; au nord du Portugal ; se trouve encore en partie dans les eaux sauvages

La viande

Deux conditions remarquables font que les plats de viande du Portugal sont une aventure culinaire et un plaisir peu commun. Dans une tradition pastorale de montagne encore intacte, les vieilles races se sont conservées telles quelles. Chose malheureusement exceptionnelle dans l'Europe moderne. Dans ce pays pauvre que la nature, la végétation, le climat, et la politique n'ont jamais favorisé, les hommes ont su tirer profit des bas morceaux de viande pour en faire d'excellents repas. Ils surent utiliser les abats, le sang, les pieds et les oreilles, les vieux animaux, les poules, les chèvres et le mouton. Nombreux sont les plats qui doivent leur saveur au concentré d'ingrédients naturels qui les composent : les *ranchos*, soupe aux pois chiches, les *feijoadas*, soupe aux flageolets, les *ensopados*, les sautés, ou le célèbre bouilli de viande national, le *cozido*.

Le terme de *solar* désigne en Portugais aussi bien l'élevage du bétail que la production de viande, surtout bovine, les *inhos* sont les bœufs. C'est bien la preuve qu'au Portugal, ces deux aspects de la même filière sont considérés sous le même angle. *Solar*, comme le terroir pour les vins, désigne une qualité de viande qui englobe tous les facteurs naturels concourant à élever un animal en préservant l'espèce. Cela se traduit dans une qualité de viande très spécifique. Sous cet aspect, non seulement la race joue un rôle, mais aussi l'espace vital, le climat, la végétation, le fourrage et d'autres facteurs. La qualité exceptionnelle de la viande de bœuf portugaise fut déjà vantée au siècle dernier. L'Angleterre importait jadis des bœufs Barrosão qui, vendus à Londres sous la dénomination de *portuguese beef*, représentaient le nec plus ultra de la viande bovine. Le savoir et le respect des acquis agricoles traditionnels est, par bonheur, demeuré vivant et répandu au Portugal. Ainsi la Denominação de Origem (DO) ne fut-elle pas seulement attribuée à certaines variétés de fromage, mais aussi à plusieurs vieilles races d'animaux de qualité supérieure.

Les races animales portugaises titulaires du label de qualité Denominação de Origem (DO)

Vaca – bœuf
Alentejana
Race d'Alentejo ; la race bovine portugaise la plus connue avec une viande de première qualité
Arouquesa
Vieille race du nord du Portugal ; petit animal qui ne pèse que 300 kg en fin de croissance
Barrosão
Célèbre race bovine ; cheptel de 5 000 à 6 000 bœufs ; très exportée en Angleterre au XIXème siècle
Cachena
Très petite race rare des montagnes d'Arcos de Valdevez au nord du Minho ; cheptel de 200 bœufs ; ils ne pèsent que 150 kg en fin de croissance ; lait riche en matières grasses
Marinhoa
Race exquise et rare de la région de Bairrada
Maronês
Race excellente et rare au nord du Portugal
Mertolengua
Petits animaux rares de l'Alentejo
Mirandesa
Petit bovin du nord du Portugal. Poids d'abattage minime

Borrego – mouton
Terrincho
Agneaux de la race Churra de Terra Quente de Trás-os-Montes. Poids d'abattage de douze kilogrammes
Serra da Estrela
Moutons de la race adaptée Bordaleira qui donnent le meilleur fromage de lait de brebis

Cabrito – chevreau
Cabrito Serrano Transmontano
Chevrette produisant le lait servant à la fabrication du célèbre fromage de chèvre
Cordeiro Bragançano
Chevreau de la race Churra Galego Bragançano, du nord du Portugal ; des deux sexes ; âge d'abattage : trois à quatre mois

D'autres races se virent attribuées une Indicação Geográfica, le degré précédant la DO.

Ensopada de borrego
Sauté d'agneau
(Illustration ci-dessous)

Pour 8 personnes

2 kg de viande d'agneau
100 ml d'huile d'olive
5 gousses d'ail
Sel, poivre noir
3 oignons
1 cuil. à soupe de paprika en poudre
2 feuilles de laurier
1 cuil. à soupe de vinaigre de vin blanc
1/4 l de vin blanc sec
1/2 l de bouillon de viande
8 tranches fines de pain blanc au levain

Couper l'agneau en morceaux d'environ 50 grammes. Eplucher l'ail et le hacher. Mettre la viande et l'ail dans une grande marmite avec l'huile d'olive. Saler et poivrer et faire chauffer.
Eplucher les oignons, les hacher et les ajouter à la viande dès qu'elle est dorée de tous les côtés. Saupoudrer de poudre de paprika, mettre également les feuilles de laurier, le vinaigre et le vin et mouiller avec la moitié du bouillon de viande. Remuer et faire mijoter à feu doux pendant 30 minutes. Remuer à nouveau et mouiller avec le reste de bouillon. Laisser mijoter encore 20 à 30 minutes et assaisonner.
Mettre une tranche de pain dans chaque assiette creuse. Poser les morceaux de viande dessus et napper avec la sauce qui doit être restée assez liquide. Nous conseillons un jeune vin rouge de l'Alentejo.

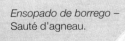

Ensopado de borrego –
Sauté d'agneau.

Bife à café –
Bifteck à la mode des cafés de Lisbonne.

Bife à café

Bifteck à la mode des cafés de Lisbonne
(Illustration ci-dessous)

Pour 1 personne

40 g de beurre
1 entrecôte d'environ 200 g
Gros sel marin, poivre noir
1 cuil. à soupe de fécule de pommes de terre
3 cuil. à soupe de lait
1 cuil. à soupe de moutarde
Quelques gouttes de jus de citron

Faire fondre la moitié du beurre dans une poêle en fonte.
Faire rapidement dorer la viande de chaque côté. Saler et
poivrer.
Réduire le feu. Mélanger la fécule et le lait et les ajouter à
la viande avec le reste de beurre. Laisser cuire le temps
nécessaire, selon qu'on veuille une viande saignante, à
point ou bien cuite. En fin de cuisson, incorporer la moutarde et le jus de citron à la sauce. Servir avec des frites
coupées à la main.
Un Reserva rouge du Douro accompagnera très bien.

Iscas com elas

Foie de veau mariné
(Illustration ci-dessous)

Pour 3–4 personnes

500 g de foie de veau
2 gousses d'ail
Sel, poivre noir
1 feuille de laurier
1 cuil. à soupe de vinaigre de vin
100 ml de vin blanc sec
500 g de pommes de terre
40 g de saindoux
1 cuil. à soupe de persil commun haché grossièrement

Couper le foie en tranches très fines et les étaler sur une
grande planche (pas de métal). Hacher l'ail et l'étaler sur
le foie, saler et poivrer. Ajouter la feuille de laurier et mouiller le tout de vinaigre et de vin. Laisser mariner au moins
deux heures, mieux encore toute une nuit. Retourner le
foie à plusieurs reprises.
Faire cuire les pommes de terre en robe des champs,
puis les éplucher et les couper en rondelles. Faire chauffer le saindoux dans une poêle, y mettre les tranches de
foie non égouttées et les faire revenir rapidement de chaque côté. Les retirer aussitôt.
Retirer la feuille de laurier de la marinade. Mettre la marinade dans la poêle et faire réduire. Rouler les tranches de
foie dans la sauce et les disposer sur un plat préchauffé.
Rouler les pommes de terre dans la sauce et les répartir
autour du foie. Saupoudrer de persil et servir avec un Dão
rouge.

Petit glossaire des termes de viande

Boi – bœuf
Borrego – agneau
Cabrito – chèvre
Carneiro – mouton
Codornizes – cailles ; appréciées comme petiscos ;
   grillées, elles font un plat principal couramment
   mangé
Coelho – lapin, de bonne qualité surtout dans le
   nord ; cuisiné de nombreuses manières
Frango do campo – poulet d'élevage à l'air libre
Galo – coq. S'il est au menu, il s'agit d'un vrai coq.
Galinha do campo – grosse poule d'élevage fermier
Ganso – oie ; rarement consommée
Javali – sanglier ; d'excellente qualité, généralement
   en ragoût
Leitão – cochon de lait ; plat très apprécié
Novilho – jeune bovin ; pas plus âgé que 30 mois,
   pas plus lourd que 300 kilogrammes
Pato – canard ; populaire accompagné de riz, *arroz
   de pato* mais rare
Perdiz – perdrix ; gibier cher de première qualité, cui-
   siné dans les très grands restaurants
Peru – dinde ; plat de réveillon de Noël portugais
Vaca – vache, bœuf
Vitela – veau de lait de six mois, en général, mais par-
   fois jusqu'à neuf mois et pesant 150 kilogrammes

Iscas com elas – Foie de veau mariné.

501

Le saucisson
et le jambon

Le porc occupe au Portugal une place de choix. Il est, depuis des siècles, le principal fournisseur de nourriture, autant dans les régions montagneuses du Nord que dans les plaines chaudes du Sud. L'élevage porcin est pratiqué dans les domaines agricoles à grande échelle et, dans les forêts de chêne-liège, le porc est gardé par les porchers. Dans les régions rurales, presque chaque famille tenait un ou deux cochons pour son usage personnel et se transmettait de génération en génération la façon de conserver le porc par le salage et en le fumant.

Le Portugal, inscrit dans la tradition de la péninsule ibérique, concentre sa production de charcuterie sur les saucissons au piment et les boudins. Il a, néanmoins, une multitude de spécialités régionales qui lui sont propres. Le saucisson est encore souvent fait à la maison, par exemple à Barrancos, une enclave au bord oriental de l'Alentejo, dont la pointe perce l'Espagne. On y élève des porcs noirs de pure race qui donnent les meilleurs jambons et les meilleures saucisses du Portugal. Ils se trouvent dans le commerce depuis que quelques producteurs se sont associés pour les vendre sous l'étiquette « Casa do Porco Preto ». Au nord de l'Alentejo, dans la région de Portalegre, également connue pour sa charcuterie, le porc noir local, nommé *porco alentejano* connaît un regain de popularité.

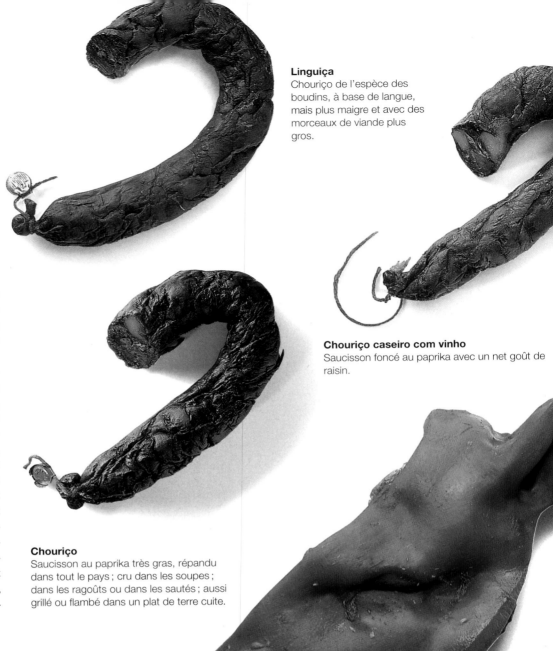

Linguiça
Chouriço de l'espèce des boudins, à base de langue, mais plus maigre et avec des morceaux de viande plus gros.

Chouriço caseiro com vinho
Saucisson foncé au paprika avec un net goût de raisin.

Chouriço
Saucisson au paprika très gras, répandu dans tout le pays ; cru dans les soupes ; dans les ragoûts ou dans les sautés ; aussi grillé ou flambé dans un plat de terre cuite.

Ouvido beira la mego
Tête de porc désossée, séchée et fumée pour les soupes ou ragoûts.

Chouriço caseiro
Saucisson au paprika très clair ; viande finement hachée.

Morcela
Saucisson dur fumé, fait de sang de porc, de viande maigre, de graisse et de pain ; très épicé ; plusieurs variantes ; cuit, grillé, à la poêle ou au four.

Salpição
Saucisson fumé au porc et autres viandes maigres marinées auparavant dans le vin blanc, l'ail et des épices.

Paio
Gros saucisson légèrement fumé de morceaux de filets de porc ; discrètement épicé.

Orelheira
Oreille de cochon largement découpée ; fumée dans le nord ; Ingrédient important pour les ragoûts.

Paio de Barrancos
saucisson de porc noir ; épicé au paprika ; excellente qualité.

Paio de lombo
Saucisson de filet de porc ibérique séché dans du boyau naturel ; spécialité de Barrancos.

Pézinho do porco
Pieds de porc fumés ; très appréciés dans les ragoûts.

Salsichão
Saucisson fin de la famille des salamis ; chair de porc ibérique ; avec peu de graisse et des grains de poivre entiers ; spécialité de Barrancos.

503

Le pain

Le pain, *pão*, est un aliment essentiel. Il n'est pas un pays de l'Europe du Sud qui ait un pain aussi naturel et, au fond, aussi primitif. Sa place de choix n'est disputée ni par la pomme de terre ni par le riz, qui accompagnent pourtant presque chaque plat. *Pão caseiro*, le pain traditionnel fait maison est un délice. A la campagne, il est chose quotidienne. A la ville, des pancartes ou des feuilles de papier griffonnées signalent souvent, qu'ici, le pain est cuit au bois, *pão cozido na lenha*. Les feux alimentés de bois de pin, donnent au pain un parfum sublime.

Le pain n'est pas seulement fait de farine de blé, mais de mélanges avec de la farine de seigle. Pour faire lever la pâte, on utilise de la levure ou du levain naturel, ou les deux. La pâte est longuement pétrie à la main. Les fours à très hautes températures, alimentés de bois, donnent des pains très croustillants. La spécialité du Minho, la région du

Ci-dessus : *Pão*, pain portugais, symbolise l'art culinaire archaïque du pays. Ses formes sont variées : *pão caseiro*, pain fait maison qui prend toujours de nouvelles formes ; *broa de avintes*, une petite miche haute très compacte entourée de papier ; *broa de milho* (entamé).

vinho verde, le *broa de milho*, est le pain jaune au maïs, mangé avec le caldo verde, la célèbre soupe verte. Chaque bourg a sa propre recette de pain. *Broa de a intes*, d'une forme inhabituelle, occupe une place particulière : il ressemble à une petite tour arrondie au sommet. Sa pâte, dans laquelle il y a un peu de miel, est noire. On le coupe en tranches très fines. En vertu de son goût naturel fort, il accompagne merveilleusement le saucisson et le jambon.

Le *piri-piri* est une épice à base de piment rouge très répandue au Portugal.

L'huile d'olive

Les Portugais adorent leur huile d'olive qui, non seulement est utilisée en cuisine pour les rôtis et les ragoûts, mais encore comme assaisonnement du poisson et des légumes pendant le repas. L'huile d'olive fut sans doute déjà pressée avant les Romains. Les oliveraies prospérèrent sous leur règne, puis sous la domination mauresque. Enfin, les Templiers firent avancer la production de l'huile en construisant des pressoirs. Les oliveraies étaient souvent à usage multiple. On cultive, aujourd'hui encore, le blé, les pommes de terre, le maïs et le chou sous les oliviers.

Une trentaine de variétés d'oliviers s'étendent sur une superficie de 316 000 hectares d'oliveraies exploitées par 190 000 fermiers. Les trois quarts des cinquante millions d'oliviers sont très vieux. Dans les montagnes, les oliviers sont abandonnés à leur sort et la cueillette des olives se fait uniquement à la main.

Les régions les plus importantes pour *l'azeites extra irgem* avec Denominação de Origem (DO), appellation d'origine sont :
• Trás-os-Montes – de la vallée du Douro, où prospère le raisin servant à faire le Porto ; grande qualité ; huile légère, très fine, parfum d'olives fraîches et d'herbes sauvages ; goût très fruité ;
• Beira Alta et Beira Baixa ou Beira Interior – au sud-est du Douro, région comprenant entre autres les régions vinicoles Pinhel et Castelo Rodrigo ; jaune-vert, très aromatique et fruitée ;
• Ribatejo – des crus du Ribatejo ; région historiquement célèbre sur les rives du Tage avec des qualités renommées ; production minime ; ton jaune d'or, légèrement épaisse ; très fruitée ;
• Norte Alentejo – comprend les régions vinicoles de Portalegre, Borba et Redondo ; plantations régulièrement renouvelées avec de nouvelles variétés ; légèrement épaisse ; goût corsé ;
• Moura – communes aux alentours de la ville de Moura et de la circonscription de Serpa ainsi que de la région vinicole de Granja, dans le sud de l'Alentejo ; elle est faite avec les variétés Galega et Verdeal ; jaune-vert ; odeur intense d'olive ; légère amertume

Gallo – Azeite Novo – Colheita 94·95 : bouteille « millésimée » ; plus l'huile d'olive est jeune, plus elle est aromatique.

Romeu, Casa Menéres : huile des oliveraies de culture biologique du célèbre domaine familial.

Moura, Cooperativa Agricola de Moura e Barrancos : une virgem extra especial de l'Alentejo.

Vilaflor : fine huile ne contenant que 0,5 degré d'acidité.

Santa Rosa : de Terra Quente, la meilleure région d'olives ; purifiée selon des méthodes traditionnelles.

Quinta Domoste : qualité plus courante, comportant 0,7 degré d'acidité, produite par un seul domaine.

Piri-Piri et autres épices

Le piri-piri, le petit piment rouge fort d'Angola, est l'une des épices les plus populaires du Portugal. Au début, il s'agissait de minuscules graines de Malagueta, comme elles sont encore cultivées dans de nombreux jardins. Le piri-piri s'utilise surtout pour épicer les fruits de mer, mais aussi la volaille, les ragoûts ou les marinades. En outre, mélangé à de l'huile d'olive, du vinaigre et du gros sel, c'est un condiment présenté à table pour relever la saveur des aliments. On trouve cette préparation toute faite en bouteille dans le commerce (Illustration ci-contre). La longue histoire coloniale du pays explique que les Portugais aient pris goût aux arômes exotiques. *Caril*, le curry, trouve un emploi parcimonieux, mais fréquent. Au lieu de la vanille, c'est la cannelle qui domine dans les desserts et la pâtisserie. Parmi les fines herbes, ce sont les feuilles de coriandre frais, les *coentros*, qui dominent, mais on utilise aussi beaucoup la menthe, *hortelã*, le laurier, *louro*, l'origan, *oregão*, et le persil commun, *salsa*. La viande s'épice avec de la noix de muscade, *nozmoscada*, du cumin sauvage, *cominho*, ou des clous de girofle, *cravinho*. L'ail, *alho*, bien entendu, ne manque jamais.

Les fromages artisanaux du Portugal sont un vrai trésor. On fait souvent cailler le lait avec une espèce de chardon. C'est le cas de l'Amarelo (en haut, à gauche), très fait, mais doux ; ou du fromage pur lait de brebis de la région de Castelo Branco (en haut, à droite) ; et aussi du fromage à pâte demi-dure de Nisa, au nord de l'Alentejo (en bas, à droite). Le Queijo da Serra Estrela (en bas, à gauche) est très connu. C'est un fromage d'alpage, de l'espèce des *amanteigado*, d'une saveur très fine, qui coule merveilleusement et que l'on mange à la cuillère.

Les fromages

Les fromages fermiers de lait cru connaissent une renaissance. Cette tradition séculaire du Portugal, menacée par le déferlement des produits standardisés de l'Union européenne, fut protégée en 1985 par l'attribution de dix appellations d'origine. Il y a encore quelques années, on ne les trouvait qu'au hasard des marchés au fromage régionaux ou dans quelques *charcutarias* bien achalandées de Lisbonne. Quand la saison a été bonne et s'il y a assez de fromage, les grands supermarchés, comme Pingo Doce ou Continente, organisent au mois de mars, à la saison du fromage, une foire au fromage, la *Feira de Queijo*. Une cinquantaine de fromages de lait cru est exposée pendant deux ou trois semaines. La foire aux fromages est intéressante en ce qu'elle présente, en un seul lieu, un tableau général du domaine très particulier qu'est le secteur fromager portugais. Les fromages de lait de brebis sont les plus réputés, mais tous ont la qualité que permet d'obtenir leur région et, comme tous sont garantis faits à la ferme, ils sont remarquables.

Les variétés de fromage du Portugal

Azeitão
Célèbre fromage de lait de brebis des Monts Arrábida, près de Setúbal ; produit rare fait par quatre producteurs ; caillé avec un ferment d'une espèce spécifique de chardon ; meilleure saison entre janvier et avril ; il est ensuite vendu sous le nom d'*amanteigado*, fromage à pâte molle coulant, pesant entre 100 et 250 g.

Cabreiro
Fromage de chèvre ou avec une part de lait de chèvre de Castelo Branco et Beira Baixa ; très apprécié frais et salé ; spécialité régionale ; aussi consommé plus fait et fort.

Evora
Fromage de lait de brebis de l'Alentejo ; présenté généralement sous forme de mini-fromage de 60 à 90 grammes ; ferme et fait ; apprécié par les ouvriers pour une collation ; on le trouve aussi plus gros, de 300 g, frais et légèrement salé.

Nisa
Fromage de brebis à pâte demi-dure du Nord de l'Alentejo ; caillé au *cardo*, une variété de chardon ; pèse 200 à 400 ou 800 à 1300 grammes.

Ovelheira
Nom courant donné aux fromages faits pur brebis des communes autour de Castelo Branco et des environs de la Beira Baixa ; croûte dure ; goût piquant ; utilisé comme fromage râpé.

Queijo amarelo da Beira Baixa
Fromage jaune foncé ; pur brebis ou mi-lait de brebis mi-lait de chèvre ; fait, d'une saveur forte, mais doux avec une consistance de beurre.

Queijo da Ilha ou São Jorge
Seul fromage de lait de vache connu au Portugal ; à pâte pressée ; friable ; vient des Açores ; porte le label DO du lait cru ; forme cylindrique ; de huit à dix kilogrammes ; très piquant ou au contraire, doux ; utilisé souvent comme fromage râpé.

Queijo da Serra Estrela ou Queijo da Serra
Vedette des fromages de brebis ; il vient du haut plateau à 2 000 mètres d'altitude de la serra da Estrela ; fromage d'alpage du lait des moutons Bordaleira ; pèse 1 à 1,7 kilogrammes – même consistance de beurre que l'*amanteigado* ; structure crémeuse et fine, saveur discrète et acide ; coulant ; tenu par des rubans de toile de lin ; souvent mangé à la cuillère – *meio – curado*, mi-fait à partir de mai, ensuite déjà dur – *curado*, fait au bout d'un an d'affinement, goût plus intense. mais garde une note crémeuse.

Queijo de cabra Serrano Transmontano
Fromage de chèvre très dur du nord du Portugal, du lait des races locales ; poids de 600 à 900 grammes ; très peu connu. D'ordinaire, sous la dénomination de *cabras*, on comprend des fromages frais de chèvre surtout populaires dans l'Alentejo.

Queijo de Castelo Branco
Fromage de brebis de la serra da Estrela ; caillé au *cardo*, une espèce de chardon ; consommé essentiellement mi-fait en tant que *meio-curado* ; entre la pâte molle et la pâte demi-dure ; ou vieux et utilisé comme fromage à râper.

Queijo picante da Beira Baixa
Fromage mélangé à pâte dure ou demi-dure ; comme l'indique son nom, il est fort et piquant ; souvent très salé ; pèse de 400 à 1 000 grammes.

Rabaçal
Produit au sud de Coimbra ; 80 % de lait de brebis et 20 % de lait de chèvre ; caillé à la présure de chèvre ; pèse 300 à 500 grammes ; très bon au stade mou en mars, avril ; piquant discret très caractéristique.

Serpa
Pur brebis des Mérinos des environs de la ville de Serpa dans le Baixo Alentejo ; diverses formes ; le plus souvent de 1,5 à deux kilogrammes ou de 250 grammes : *merendeira* ; de janvier à avril ; apprécié coulant et mou : *amanteigado*, mais aussi demi-dur : *meio-curado*, ou dur : *curado*. Goût complexe, marquant, mais très crémeux ; on l'emploie pour la fabrication des étoffes de laine blanche.

Terrincho
Fromage de couleur blanche, crémeux de Trás-os-Montes ; uniquement fait du lait de la race Churra da Terra Quente ; pèse 800 à 1200 grammes.

Pâtisserie et confiserie

Les Portugais ont un faible pour la pâtisserie. Vous trouverez à peine un autre secteur de cuisine portugaise dénotant d'une telle activité et d'un tel effort d'imagination que celui des *doces*. La pâtisserie connaît d'innombrables variations, à base de jaune d'œuf et de sucre. Cette prodigalité de jaune d'œuf a une explication simple. On a longtemps utilisé des quantités de blanc d'œuf pour clarifier le vin rouge et enduire le gréement des voiliers ; le jaune étant de trop, il fallu l'incorporer quelque part pour qu'il ne se perde pas. La pâtisserie en hérita.

L'art de la pâtisserie est né dans les couvents de religieuses, qui étaient répandus dans tout le pays. Les pieuses religieuses mettaient leur imagination au service du jaune d'œuf et du sucre pour attirer l'attention de certaines personnalités sur leur couvent ou agrémenter leur vie monacale. A la fermeture des couvents, leurs recettes souvent séculaires tombèrent dans le domaine publie. Le secret des sucreries se transmettait, de génération en génération jusqu'au jour où, toujours bien gardé, il se transformait en spécialité d'une localité. Presque chaque ville et village tire sa fierté culinaire de ces sucreries uniques à base d'œuf, les *doces de o os*. Les gâteaux ne se trouvent nulle part ailleurs.

Les régions et les campagnes portugaises se font ainsi connaître et accèdent à d'autres honneurs à travers la *pastelaria*, la pâtisserie. Souvent, elles sont même jugées d'après la qualité de leur pâtisserie et de leur confiserie. Les critères englobent tout, y compris le plaisir de la sensation tactile, la structure de la pâte, le glaçage, la crème, sa légèreté ou, au contraire, sa lourdeur. Certains cafés de Lisbonne affichent des spécialités de pâtisseries régionales pour attirer le client. La pâtisserie, livrée fraîche chaque jour depuis tout le pays, est sans concurrence. Les pâtissiers de métier ne sont pas en mesure d'imiter cette profusion d'œuvres d'art. De plus, souvent complexes, elle seraient trop longues à confectionner, sans compter que le secret des recettes est gardé jalousement, même si les livres de cuisine portugaise donnent plus de place aux *doces* qu'aux autres rubriques.

Hormis les innombrables *doces de o os*, le *pudim*, les crèmes et les flans sont aussi très populaires. Le niveau d'un restaurant se mesure souvent à l'aune de la qualité de ses crèmes. Entre le simple flan, *pudim flan*, le flan à la crème caramel, *pudim de leite*, au sucre caramélisé et au citron, l'éventail est

large. Le *pudim de abóbora*, au potiron orange, le *flan de limão*, à la limette, ou le *flan de laranja*, à l'orange, n'en sont que quelques-uns.

L'un des favoris est le *pudim de amêndoa*, la crème d'amandes et, dans le nord du pays, le *pudim do abade de prisco*, avec du lard fumé, de la cannelle, un zeste de citron et du Porto. L'*arroz doce*, le riz au lait, moins sucré que le reste, est servi généralement dans des bols en terre cuite. La simple *leite creme*, crème à base de lait, de jaune d'œuf, de sucre et de zeste de citron râpé, concurrence le flan, le *pudim flan*. Parmi les gâteaux, beaucoup de ré-

gions font les *broas* sucrés, à base de farine de maïs. Une spécialité de Madère est le *bolo de mel*, enrichi d'épices, de noix, de fruits secs et de vin de Madère. A Pâques, tout le pays contribue aux innombrables pâtisseries légères, le *pão de ló*. A Noël, on fait la galette des rois, *bolo rei*. Celui qui trouve la fève, le jouet ou le bijou mis dans cette galette de pâte levée avec des fruits secs et des noix, est l'heureux gagnant de la cérémonie. C'est à lui d'inviter ses amis à tirer les rois, l'année suivante.

Pâtisseries fines et petits gâteaux

Les chiffres entre parenthèses renvoient aux illustrations ci-contre.

Bolinhos de amêndoa
Petits gâteaux aux amandes ; nombreuses variantes

Bolo de coco
Petits gâteaux à la noix de coco

Dom Rodrigo
Spécialité de l'Algarve ; à base de jaune d'œuf et de pâte d'amandes râpées

Morgado
A base de jaune d'œuf, de sucre, d'amandes et parfois de figues ; spécialité de l'Algarve

Ovos moles (1, 2)
Spécialité de Aveiro ; gaufrette fourrée d'une pâte à base de jaune d'œuf, de sucre, parfois de riz et de cannelle ; sous toutes les formes, moules, escargots, poissons, tonneaux ; elles sont emballées dans des boîtes en carton ; la pâte se vend aussi seule dans des tonneaux de bois peint, de 100 g à plusieurs kilogrammes

Papos de anjo (4)
« Estomacs d'anges » ; moules remplis d'une pâte de jaune d'œuf et de sucre recouverte de coulis

Pastel de nata (5)
Moule foncé de pâte légèrement feuilletée et rempli d'une crème à base d'œufs, de crème fraîche, de sucre ; à Lisbonne ils s'appellent *pastel de Belem*, d'après le quartier où ils furent créés, il y a des siècles, dans le célèbre monastère Jerónimo

Pastéis de brasão (9)
« Armoiries » ; marque de pastelaria connue pour ses *Pastéis de feijão*, pâtés de haricots

Pastéis de cenoura (3)
Pâte fourrée d'un mélange à base de carottes, d'œufs, de sucre et parfois de noix

Pastéis de feijão (9)
Petits gâteaux aux haricots blancs ; très connus à Torres Vedras, près de Lisbonne, parfois aussi avec des amandes

Pastéis de grão
Petits gâteaux de farine de pois chiches

Pastéis de laranja (7)
Petits gâteaux de pâte brisée dont l'intérieur à base d'œufs et de sucre est aromatisé de zestes d'orange

Pastéis de Santta Clara ou de Tentugal
Célèbres gâteaux longs et fins, avec un glaçage transparent et fourrés d'*ovos moles*, au riz ; ils crissent dans la bouche comme du papier

Pinhoadas
Gâteaux de pignons avec une liaison de miel, de sucre et de beurre ; spécialité de Alcácer do Sal dans l'Alentejo

Queijadas
Petits gâteaux de fromage frais et de jaune d'œuf ; dans les environs de Lisbonne, il y a d'excellents *queijadas de sintra* avec des amandes râpées, de la noix de coco et de la cannelle

Rabanadas
Petits pains ou tranches de pain à la poêle plongés auparavant dans une pâte à base de lait, d'œufs, de sucre, de miel, de zestes de citron râpé et de vin

Tarte de amêndoa (8)
Tartelettes ou tartes aux amandes effilées

Tigeladas (6)
Sorte de crêpe fourrée d'une pâte à base de lait, d'œufs, de sucre, cuite au four dans des petits moules en terre cuite

Toucinho do céu
« Lard céleste » ; on vend sous ce nom, dans tout le pays, des pâtisseries à base d'œufs, d'amandes, de courge et de beurre, plus rarement de lard

9

Les noix et autres friandises

Les chiffres entre parenthèses renvoient aux illustrations ci-dessous.

Amêndoa (3, 5) – amandes ; produit caractéristique du Portugal ; excellentes qualités de la région du Douro avec appellation d'origine ; aussi dans l'Algarve et l'Alentejo ; en tout 43 000 hectares et 19 000 tonnes ; employées essentiellement dans la pâtisserie ; grillées et salées, friandise très populaire

Azeitona de mesa – olives comestibles ; 12 500 hectares en tout à tràs-os-Montes, Beira Interior et Alentejo ; production de 16 500 tonnes, dont 23 pour cent pour l'exportation ; plusieurs variétés autonomes ; intérieurs variés ou marinés ; les plus fréquentes sont les petites variétés noires

Castanha – châtaignes ; 17 500 hectares ; essentiellement à Trás-os-Montes et Beira Interior ; trente pour cent au moins de la récolte annuelle de 13 000 tonnes sont exportées à la fin de l'automne ; c'est le fruit le plus exporté ; dans le pays, elles sont surtout employées dans les soupes ; à l'automne, elles sont vendues grillées à la douzaine dans du papier journal ou des pages d'annuaire dans toutes les rues de Lisbonne

Fava frita (6) – fèves frites ; salées et généralement épicées de piri-piri ; friandises très appréciées

Miolos de pinhão – pignons des forêts de pins avoisinantes ; l'un des plus grands produits d'exportation parmi les fruits portugais ; les pommes de pin sont décortiquées à la main presque partout ; goût fort ; salés ou en pâtisserie

Les fruits et les noix

Le Portugal a aussi conservé son originalité dans le domaine des fruits frais et secs, où il est très créateur. Les variétés locales d'oranges et de châtaignes, pommes et olives, cerises et pignons, abricots et amandes sont très nombreuses. Leur goût, bien supérieur à celui des fruits des cultures modernes, est incomparable, mais les rendements sont très inférieurs. Les fruits du pays ne suffisent pas à satisfaire la consommation locale et sont en partie importés. Sur les marchés, les fruits du pays, cultivés sans engrais chimique et avec des rendements minimes, sont souvent disgracieux à la vue et plus chers que les produits d'importation. Les arômes, par contre, sont bien mieux conservés. La culture des fruits demande une main-d'œuvre complexe. Le client pour qui la qualité est encore un critère saura apprécier. La dessiccation des fruits est une tradition au Portugal. L'Algarve, avec son climat très chaud, maîtrise tout particulièrement l'art de sécher les fruits. A l'image des constructions mauresques, les maisons sont bâties avec un toit plat en terrasse. L'*açoteia* est idéale pour faire sécher les figues, le raisin, les abricots et autres fruits. L'Algarve est aussi connue pour ses amandes.

Les *tremoços*, une variété de haricot mariné, sont des friandises très appréciées.

Ces figues exquises poussent sur l'Algarve et sèchent au soleil.

1 Graines de courge épluchées et salées.

2 Graines de courge non épluchées.

3 Amandes grillées dans l'huile d'olive et salées.

Mel – miel

Une flore remarquable couvre les régions les plus sauvages et retirées de l'arrière-pays portugais. Privilégiées par le soleil, les fleurs des herbes sauvages dégagent du nectar et des arômes en abondance. Les abeilles de ces régions du Portugal ont la plus forte production de miel d'Europe Occidentale. 210 000 sont pris en charge par 70 000 apiculteurs.

Les meilleurs miels proviennent des sites protégés. Ainsi la Serra da Malcata, dans la région de Beira Baixa, produit-elle un excellent miel de lande. Les miels les plus connus sont ceux de Trás-os-Montes, de Beira, de l'Estrémadure, de l'Alentejo et de l'Algarve. C'est aussi l'Algarve, région de l'hydromel, qui produit les fameuses miellées de fleurs d'orangers. Treize appellations d'origine ont été introduites jusqu'à maintenant.

Le Portugal doit à ses paysages sauvages des qualités excellentes de miel, souvent mis dans des pots comme ceux-ci.

Le miel de romarin sauvage a une saveur incomparable.

Dans la Serra da Malcatat, pousse une variété de bruyère qui donne cette miellée, aux effets thérapeutiques bien connus.

Les plantes sauvages des landes de la Serra da Estrela donnent à ce miel un goût très intense.

Amandes au miel – deux spécialités délicieusement conjuguées.

Les gourmands ne résistent pas à ces pignons au miel.

4 Pignons.

5 Amandes non écalées.

6 Fèves frites.

Vinho verde

Le vin blanc le plus populaire du Portugal est apprécié dans le monde entier pour sa fraîcheur et sa légèreté. Il titre entre 8,5° et 11,5° d'alcool et sa haute teneur en acide carbonique le rend très vivace, mais un vin vivace étant âpre au palais, les vins de marque sont tous vendus demi-secs. Seuls les domaines qui mettent eux-mêmes en bouteille produisent des verdes secs. Le « vin vert » n'est pas nommé ainsi en vertu de son caractère vert, acide, et parfois trop jeune, mais à cause de la nature verte de son terroir, le Minho. Le nord-ouest du Portugal, avec ses nombreuses précipitations, réunit les conditions idéales de croissance du raisin. La culture de la vigne fut interdite pendant des années, pour assurer l'alimentation de la population de cette région, la plus dense du Portugal. Dans le Minho, elle n'était autorisée que pour délimiter les champs ou les parcelles agricoles. Les viticulteurs exploitèrent au maximum la culture permise et plantèrent des ceps de vigne autour des peupliers,

des platanes ou des châtaigniers, auparavant ébranchés. Les ceps fusaient le long de l'arbre et formaient une vigne en vrille, *u eiras*. On imagina, selon le même principe, un système élaboré de charmilles, sur lesquelles la vigne s'entortillait, couvrant les chemins et les routes. Les vignobles de surface se sont maintenant implantés. Les cépages grimpants, qui peuvent atteindre jusqu'à dix mètres de hauteur, marquent toutefois encore le paysage et la viticulture d'une empreinte presque indélébile. Les vendanges sont souvent un sport d'acrobatie, mais l'élevage de la vigne dans ce climat humide présente un certain nombre d'avantages, en particulier celui de l'air pur des régions montagneuses immunisant les feuilles et les raisins contre les maladies. Les amateurs de vinho verde sont toujours étonnés d'apprendre que les cépages blancs ne l'emportent sur la production de vin rouge que depuis seulement quelques années. Il y a encore cinquante ans, le vin rouge représentait quatre-vingt-dix pour cent de la quantité de vin produite. Il est opaque, mousseux, il a une couleur noire-violette et un goût âpre et acidulé.

Le vinho verde prospère dans une vieille contrée

viticole, ce dont témoignent les grands domaines. Sa région s'étend au-delà de Porto vers le Sud et occupe une partie du littoral du Dour. Elle est divisée en six secteurs : Amarante, Basto, Braga, Lima, Penafiel et Monçao. A Monçao (et Melgaço) tout au Nord, prospère le raisin Alvarinho, qui donne un vin d'une verdeur très vivace et atteint de forts degrés d'alcool (de 11,5° à 13°). Les vins sont frais, ils ont de la persistance et une grande élégance. Qualitativement, ils sont supérieurs aux Vinhos Verdes d'Azal, d'Avesso, de Loureiro, de Pederna et de Trajadura. Ils sont toutefois moins vifs, secs et légers, moins *verde*. Tandis que l'Albarinho gagne à vieillir deux ans en bouteille, un simple Vinho Verde est meilleur à un an. L'année, portée sur l'étiquette signale que le producteur est soucieux de qualité et l'addition de *seco* donne la certitude que l'on débouche une bouteille de vin sec, sans résidus de sucre.

Le Vinho Verde blanc accompagne merveilleusement les poissons et les fruits de mer. Il est bu aussi en apéritif, car il stimule l'appétit et, comme il est désaltérant, on le boira aussi tout simplement en bavardant à la terrasse d'un café.

Les crus portugais

Vinho verde et Rios de Minho
Avec 38 000 hectares, c'est la région d'Appellation d'Origine Contrôlée la plus au Nord et la plus vaste. Elle ne produit pas seulement des vins blancs, mais aussi 50 % de vins rouges légèrement mousseux et acides ainsi que des eaux-de-vie. Il est identique au le vin de la région vinicole Rios do Minho.

Douro et Trás-os-Montes
La région du Porto (p. 514) produit maintenant cinquante pour cent de vins rouges et blancs auxquels fut attribuée la DOC Douro en 1982. Plus de 100 encépagements locaux. Fait partie de la grande région vinicole Trás-os-Montes qui s'étend plus au Nord et à l'Est et inclut les IPR Chaves, Valpaços et Planalto Mirandês. Pays du Matéos Rosé.

Dão, Bairrada et Beiras
Cru le plus célèbre, déjà délimité en 1907, renommé pour ses vins rouges de première qualité, à maturation lente provenant de sols de granite et schisteux. Comprend 20 000 hectares, mais seulement trente pour cent de la production porte le label DOC. Le Dão Nobre, vieux d'au moins quatre ans, est d'excellente qualité. Un quart de vins blancs. Se trouve dans le cru régional de Beirras qui s'étend au Nord jusqu'au Douro, à l'Est jusqu'à la frontière espagnole et au Sud au-delà de Coimbra. Inclut les DOC Bairrada et les IPR Encostas da Nave, Varosa, Pinhel, Castelo Rodrigo, Lafoes et Cova da Beira. – Au nord de Coimbra se trouve la DOC Bairrada dans la province de Beira Litoral avec une importante production de vins mousseux à fermentation en bouteille.

Estremadura (Oeste)
Région de vins du pays d'une étendue totale de 60 000 hectares, au-dessus de Lisbonne le long de la côte Atlantique. Elle comprend du Nord au Sud les IPR Encostas de Aire, Alcobaça, Obidos, Alenquer, Arruda et Torres Vedras ainsi que les DOC Bucelas avec ses agréables vins blancs, la DOC Colares dont les vignes poussent dans le sable des dunes et la DOC Carcavelos au pied de Lisbonne, où prospère sur vingt hectares de la vigne à vin de liqueur.

Ribatejo
Grand cru de 50 000 hectares le long du Tage, au nord-est de Lisbonne. Beaucoup de vin blanc, mais des rouges plus intéressants. IPR Tomar, Santarém, Chamusca, Cartaxo, Almeirim et Coruche.

Alentejo
Depuis les années quatre-vingt des coopératives ont su mettre à profit des domaines en partie énormes dans les zones arides du Sud-Est : Elles réussissent à produire par des méthodes modernes des vins aromatiques et solides agréables à boire dès leur jeunesse. Au début de 1995, Portalegre, Borba, Redondo, Reguengos et Vidigueira furent déclarés DOC.

Setúbal et Terras do Sado
La presqu'île de Setúbal au sud de Lisbonne et le littoral de l'Alentejo sont unis dans le cru de vins du pays de Terras do Sado. La plus célèbre DOC est néanmoins le Moscatel de Setúbal, un vin de dessert capiteux en vieillissant. Les IPR Arrábida et Palmela, renommées pour leurs vins rouges, sont voisines.

Algarve
L'Algarve est connue comme région de vins de pays. Elle possède les quatre DOC Lagos, Portimão, Lagoa et Tavira, surtout d'importance touristique.

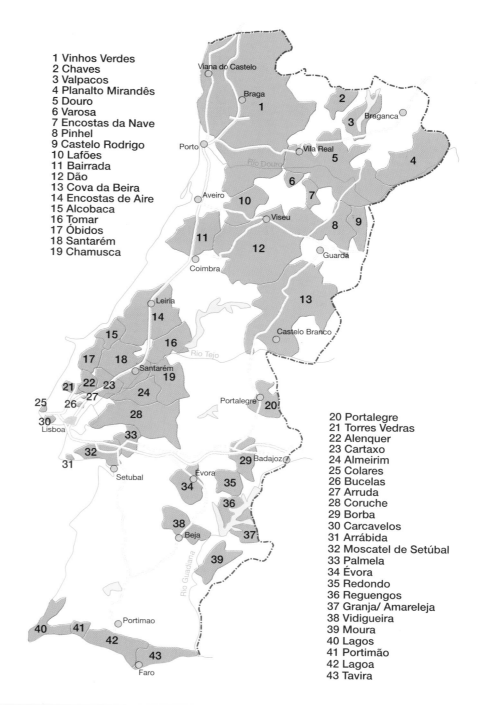

1 Vinhos Verdes
2 Chaves
3 Valpacos
4 Planalto Mirandês
5 Douro
6 Varosa
7 Encostas da Nave
8 Pinhel
9 Castelo Rodrigo
10 Lafões
11 Bairrada
12 Dão
13 Cova da Beira
14 Encostas de Aire
15 Alcobaca
16 Tomar
17 Óbidos
18 Santarém
19 Chamusca

20 Portalegre
21 Torres Vedras
22 Alenquer
23 Cartaxo
24 Almeirim
25 Colares
26 Bucelas
27 Arruda
28 Coruche
29 Borba
30 Carcavelos
31 Arrábida
32 Moscatel de Setúbal
33 Palmela
34 Évora
35 Redondo
36 Reguengos
37 Granja/ Amareleja
38 Vidigueira
39 Moura
40 Lagos
41 Portimão
42 Lagoa
43 Tavira

Catégories de vins

Quarante-quatre régions furent déclarées productrices de vins de qualité et le Portugal fut réparti en 1991 en huit régions de vins de pays :

Denominação de origem controlada, DOC
Dix-huit régions font partie jusqu'à présent de l'Appellation la plus haute, imposant un taux minimum d'alcool, une surface de vignoble et des rendements maxima.

Indicação de proveniência regulamentada, IPR
Cette deuxième catégorie est le stade précédant la DOC et correspond au VDQS (vin délimité de qualité supérieure) français. Elle comprend vingt-six régions.

Vinhos de qualidade produzidos em região determinada, VQPRD
Désignation regroupant les deux premiers stades.

Vinhos regionais
Désignation portugaise des vins de pays avec huit régions principales et cinq secteurs. Elle est utilisée par tous les producteurs en dehors des régions VQPRD ainsi que pour des vins dont la superficie des vignobles n'est pas soumise à la réglementation DOC.

Appellations garantissant une qualité de choix et des vins d'élevage :
• *Reserva* – âge minimum avant la mise en vente, pour le vin blanc un an, pour le vin rouge, deux ans ; souvent plus vieux.
• *Garrafeira* – littéralement : « cave à bouteilles » ; désigne des vins élevés plus longtemps et qui ont vieilli au moins un an en bouteille. Les vins blancs doivent vieillir au moins deux ans en tout, les vins rouges au moins trois ans, souvent beaucoup plus longtemps ; ils se conservent longtemps.

Autres appellations et termes importants :
• *Superior* – indication sur les étiquettes ; signifie une qualité supérieure avec un pour cent de plus d'alcool.
• *Velho* – deux ans d'affinement pour les vins blancs, trois pour les rouges ; souvent pas de millésimé.
• *Vinho de mesa* – vin de table, souvent coupé.
• *Vinho leve* – vin léger qui titre neuf degrés.

Le Porto

Les Portugais ne boivent du Porto que lors des grandes occasions comme Noël et certaines autres fêtes. Le Porto fut, dès sa naissance, un article d'exportation. Il ne fut jamais conçu pour la consommation locale.

Au milieu du XVIIe siècle, la Grande-Bretagne s'était assuré beaucoup de privilèges dans le commerce avec le Portugal. La consommation du Claret de Bordeaux étant soit strictement interdite, soit politiquement importune (quoique toujours très populaire), on voulut le remplacer par un rouge portugais. Or, à l'époque, il ne valait rien. Le Marquis de Pombal fit changer cet état de choses et instaura, en 1756, un classement des crus. C'était la première fois qu'était introduite une classification, encore valable aujourd'hui. A l'époque, les négociants vinifient le Porto par addition d'eau-de-vie, pour qu'il se conserve mieux. Le Porto doux que nous connaissons ne vit néanmoins le jour qu'un siècle plus tard.

Le Porto a cette extraordinaire capacité de qualité, grâce à la qualité de ses vendanges, à son degré de maturité, comme tout autre vin. Les vignes sont cultivées dans les gorges du Douro et ses vallées transversales, sur des coteaux schisteux abrupts ou en terrasses accrochées aux falaises, jusqu'à sept cent mètres. La région actuelle du Haut-Douro

A Vila Nova de Gaia, en face de Porto, les vins vieillissent en fûts dans les *Caves*, de grandes caves perchées sur les côteaux.

Le Porto peut vieillir pendant des décennies et obtient ainsi d'extraordinaires arômes très concentrés.

Ci-dessous : le commerce du Porto s'est concentré dès le début sur l'exportation et beaucoup de maisons ont été fondées par des Anglais.

couvre une centaine de kilomètres en longueur à partir de Régua, à l'est de Porto, jusqu'à la frontière espagnole. Le schiste protège dans la journée de la chaleur extrême du soleil en été et dégage, au contraire, la chaleur emmagasinée le jour, pendant la nuit. Le schiste est le sol idéal pour une maturation homogène du raisin. Sur les sols cailouteux, les rendements sont minimes. Au milieu d'une profusion de raisins, cinq rouges se détachent : le Touriga Nacional, le Touriga Frencesa, le Tinta Roriz, le Tinta Barroca et le Tinto Cão. Les vendanges commencent, en général, fin septembre. Le raisin atteint alors un taux virtuel d'alcool titrant entre douze et quatorze degrés.

Trois phases sont capitales pour la vinification du Porto : la mouture du raisin, la fermentation du moût et la vinification par addition d'eau-de-vie. La macération, toutefois, est décisive, car c'est elle qui, au cours de la fermentation du vin, lui communique les arômes, les substances colorantes et les tanins des peaux du raisin. Elle dure au plus quarante-huit heures. Le pressurage avait lieu autrefois dans de larges cuves ouvertes et basses faites de lames de granite, appelées *lagares*. Elles présentent l'avantage, par rapport aux cuves modernes, que leur large surface permet un contact plus étroit entre la peau de la baie et le jus de raisin. De plus, sa température de fermentation demeure limitée. Enfin, le raisin est pressé dans les *lagares* sous les pieds de fouleurs. Le foulage permet d'extraire un maximum de jus de raisin, mais le pressurage mécanique, moins coûteux que la méthode du foulage, s'est vite répandu. Parmi les meilleurs vintages, ceux dont le raisin à été foulé dans les *lagares* ont toutefois plus de charpente, de race et de tanin.

Quand le vin a fermenté, au bout d'un à deux jours, il est soutiré et additionné d'une jeune eau-de-vie insipide titrant 77 degrés. La teneur en alcool approche de 20°, la fermentation cesse et le sucre naturel reste dans le vin de Porto.

Le vin est transporté, à partir de janvier, de la vallée du Douro à Vila Nova de Gaia. La petite flotte de *barcos rabelos*, ces péniches archaïques qui transportaient le vin autrefois et sont encore amarrées sur le fleuve, n'évoque plus que des temps révolus. Vila Nova de Gaia dont les caves, parsemées au gré des côteaux, font face à Porto, est le véritable berceau du Porto, du Vinho do Porto. C'est là que se décide le sort des vins. C'est là qu'ils sont élevés, dans la pénombre de grandes salles. C'est là que leurs différents caractères sont pris en compte. C'est là qu'ils vieillissent et c'est de là qu'ils sont vendus dans le monde entier.

Le Madère

Zarco, capitaine portugais au service d'Henri le Navigateur, aborda en 1420 sur l'île volcanique « enchantée », à 600 kilomètres au large de la côte marocaine, sur l'Atlantique. Elle était alors inhabitée et couverte de denses forêts. Il défricha par le feu l'île montagneuse, dont les sommets atteignaient 4000 mètres au-dessus niveau de la mer et 1861 mètres pour le sommet le plus élevé. On y planta la canne à sucre et la vigne de Malvoisie, un cépage très doux rapporté de Crête, devenu plus tard le Malmsey. Après la découverte de l'Amérique, Madère fut une escale d'approvisionnement stratégique sur l'Atlantique, puisque c'était la meilleure route maritime. Les navires anglais avaient juste le droit de s'y approvisionner. On se rendit très vite compte que le vin de Madère s'affinait de manière étonnante dans ce climat subtropical. Des négociants anglais qui avaient pris en main le commerce du vin, voulurent en avoir le cœur net. En 1750, ils embarquèrent les fûts de vins vinés, par prudence, à concurrence de 20° par addition d'eau-de-vie, et leur firent faire l'aller-retour des Indes orientales. Le Madère devint dès lors une boisson de luxe. De nos jours, il y a longtemps que les huit fabricants de vin demeurés à Madère (il y en eut soixante-dix), simulent l'effet tropical dans les *estufas*, étuves, de vastes celliers à chauffage central, dans lesquels les fûts de vin passent de trois à cinq mois à une température de 45 degrés Celsius. L'élevage commence, ensuite, dans des fûts de bois souvent énormes. Sur les 2100 hectares de vignobles répartis sur l'île et qui rendent chaque année environ dix millions de litres, un dixième seulement est planté avec les quatre variétés de raisin blanc sélectionnées Sercial, Verdelho, Boal et Malvasia, les seules à produire de grands vins. L'élevage paraît archaïque. Les ceps de Madère sont souvent cultivés sur des terrasses de pergolas, ce qui permet aux quelque quatre mille viticulteurs de Madère de faire un autre usage du sol précieux de l'île. Les vendanges se font le dos courbé ou genou à terre. Le raisin doit parfois être porté sur deux ou trois cent mètres jusqu'à la route. Il est pressé dans des pressoirs continus primitifs. Une vinification soignée est, ici, moins importante que la durée de l'élevage. Hélas, le cépage Negra-Mole peut être employé par chaque viticulteur, par chaque entreprise à volonté pour fabriquer du Madère à bas prix, celui qui domine.

A l'arrière-plan : les vignes les plus spectaculaires sont situées au Nord, exposé à un climat rude, parfois à quelques mètres au-dessus de l'Atlantique.

Des Madères extraordinaires

Boal ou Bual
Madère assez doux ; cépage toujours plus rare avec des feuilles extrêmement velues ; comparativement, il exhale très tôt son bouquet caractéristique mêlé de senteurs d'abricots, de raisins secs, de noix, de caramel et de Rancio, ainsi qu'un net goût de madérisation.

Malvoisie
Vin extrêmement sucré ; moins fréquent que le Verdelho ; liqueur très populaire dans les pays anglo-saxons ; vin généreux et persistant qui, en vieillissant, prend un bouquet de chocolat.

Sercial
Le meilleur des Madères secs développe au bout d'une dizaine d'années un bouquet élégant et un nez magnifique qui, au cours d'un long vieillissement, deviennent encore plus subtils et fins ; vin rare.

Terrantez
Cépage légendaire exterminé quand sévit le phylloxéra ; très vieux vins rares d'une incroyable finesse et vivacité ; le plus célèbre est l'incomparable Terrantez 1795 de Barbeito.

Verdelho
Vin de Madère semi-sec ; cep précoce très répandu ; vin agréable qui laisse dans la bouche un goût sec. Vieux, il peut prendre des saveurs d'iode et de grillé.

VORAZIONE
ALUMI
TIPICI DI GREVE
ANTICA
MACELLERIA FALORNI

Bettina Dürr
L'Italie

L'Italie présente de grandes différences de végétation et de climat favorisant des formes d'agriculture très diverses. Ces écarts géographiques expliquent qu'il y ait d'excellents fromages de lait de vache dans le nord du pays et des fromages de chèvre d'aussi bonne qualité dans le Sud. Les Italiens du Nord cuisineront davantage au beurre et à la crème alors que l'huile d'olive dominera au Sud. Les Italiens du Nord surent transformer le risotto et la polenta en mets délicieux et leurs compatriotes du Sud se livrèrent à l'art d'inventer les gammes de *pasta* les plus succulentes. Tous les Italiens ont en commun l'art de vivre. On n'attache aujourd'hui pas moins de valeur qu'autrefois à un bon repas. La vie moderne dans les villes et l'émancipation de la femme n'ont rien changé à cela. La cuisine est fondée sur le respect du produit de base ainsi que sur un sens développé du produit frais et de la qualité. C'est ce qui la rend si vivante et intéressante. La gamme de produits présentés est en conséquence abondante et toujours de très bonne qualité. La cuisine italienne se distingue par sa simplicité. Elle est naturelle et, quand elle cherche à faire l'économie de quelque chose, elle le fait avec finesse. A la ville, le petit déjeuner n'est guère plus qu'un express pris sur le pouce. En revanche, la première pause de la matinée, vers dix heures, est beaucoup plus importante. On descend généralement prendre un *spuntino* dans le café le plus proche. Le déjeuner de midi était autrefois le repas le plus important de la journée et le seul pris en famille. Le mot qui le désigne, *pranzo*, suggère, à lui seul, l'abondance. Le terme de *seconda colazione*, employé aujourd'hui, est plus approprié pour cette seconde collation moins copieuse que l'était autrefois le *pranzo*. Néanmoins, dans les faubourgs et à la campagne, on prend encore le temps de manger, de bien manger, de manger copieusement. Dans les régions rurales, la pause de midi, de treize à seize heures, n'a jamais été abandonnée. Les repas plus copieux, avec hors-d'œuvre, *antipasti*, et dessert, *dolci*, sont réservés au dimanche et à certaines occasions. A la ville, le repas du soir est pris vers vingt heures. C'est un repas chaud, mais léger. On prend de plus en plus souvent une dernière collation vers minuit, avant d'aller se coucher. Il n'est jamais trop tard pour une bonne tranche de jambon ou de *salumi*.

Le propriétaire d'une charcuterie sur le seuil de son magasin, à Greve, dans le Chianti.

Le pain

Un repas sans pain, *pane*, est impensable en Italie. Le pain accompagne tout : la soupe, les légumes, le poisson, la viande. Dans le sud de l'Italie, le pain est omniprésent et se mange même avec les pâtes, le raisin et le melon.

La mie du pain italien, surtout dans le Nord, est blanche, tendre et de structure fine. Il faut pétrir longtemps la pâte pour obtenir cette souplesse. La pâte levée est parfois enrichie d'un filet d'huile d'olive ou de saindoux.

Les Italiens se sont rendus maîtres dans l'art d'employer le pain et la pâte à pain. Ils savent les utiliser de multiples façons toujours plus raffinées, non seulement dans la pizza, mondialement connue. On fait griller le pain en tranches ou gratiner au four, on en fait des poches farcies et des galettes aux herbes, à l'huile d'olive ou au fromage. On aromatise le pain de sauge ou de romarin. Le pain est mou, croustillant, blanc ou bis, salé et non salé, sans parler de la multitude de pâtisseries légères, à base de pâte levée. Le pain rassis ne s'utilise pas seulement en chapelure, mais aussi dans les soupes et dans la salade.

Comme en France, la bonne pâte désigne, en Italie, une personne généreuse et gentille, *buono come il pane*. Une comparaison qui fait honneur à l'homme.

Bruschetta
Pain grillé à l'ail

4 tranches de pain de campagne blanc italien
2 gousses d'ail pilé
4 cuil. à soupe d'huile d'olive pression à froid
Sel, poivre noir.

Faire griller les tranches de pain au four des deux côtés. Les frotter d'ail et les enduire d'un filet d'huile. Bien saler et poivrer et servir chaud.
Remarque : on met souvent sur chaque tranche de pain une tomate de taille moyenne, pelée, épépiuée et écrasée.

Pour faire les Crocette, le *panettiere*, le boulanger enroule une abaisse de biais.

Il en fait habilement des petits croissants minces.

Il noue plusieurs croissants entre eux.

Ici, il forme une étoile. Les croix ou les boules sont également appréciées.

Spécialités de pain

Les chiffres indiqués entre parenthèses se rapportent aux numéros des illustrations, ci-contre à droite, en bas.

Biovetta (10), **Filonciono** (7), **Mantovana** (9), **Montasù** (3), **Rosetta** (8), **Soffiato** (11) – petits pains en pâte levée, de formes différentes
Bruschetta – tranches de pain de campagne aux pores dilatés, grillées, puis frottées d'ail et enduites d'huile d'olive (recette ci-dessous)
Carta da musica (6) – « papier à musique » ; galettes ultra-fines et rondes en semoule de blé dur ; spécialité de Sardaigne
Cilindrati – croissants de pâte à pain abaissée plusieurs fois, puis roulée ; spécialité de Ferrara ; les petits pains ronds faits de la même pâte s'appellent *carzottini*
Crocette (4) – « croix », très artistique pâtisserie fine en pâte à l'huile
Crostini – morceaux de pain blanc gratinés avec du foie, de la sauge, des olives noires, etc.
Filascetta – galette levée plus épaisse, couverte d'oignons grillés et mise au four ; parfois caramélisée ; spécialité de Lombardie
Focaccia – galette fine de pâte levée, assaisonnée avec de l'huile, des herbes, du sel et des olives ; spécialité de Ligurie ; on la trouve aussi avec deux couches de galettes l'une sur l'autre et diverses farces ; il y a aussi des variantes sucrées.
Grissini (12,13) – bâtons de pain de Turin ; ils sont cuits jusqu'à ce que la pâte, farine et eau, forme une croûte ; les plus gros *grissini del pannetiere*, les grissini du boulanger, sont abaissés à la main
Michette – petits pains de Milan avec une belle croûte ; creux à l'intérieur ; remplis de fromage ou de salami
Pan Sciocco – pain classique sans sel de Toscane ; rassis, il est mangé à la place des pâtes ; la *panzanella*, une salade de pain mouillé, de tomates, d'oignons et autres ingrédients, est connue.
Pane (1,2) – ce pain quotidien est à base d'une simple pâte levée souple, de farine de blé ; au centre et dans le sud de l'Italie, d'aspect rustique à l'extérieur mais clair à l'intérieur ; à Naples gros pain à la croûte foncée
Pane alla salvia – pain de sauge ; apprécié en Toscane, où on pétrit la pâte levée avec un peu de vin blanc et de la sauge rissolée à l'huile ; souvent aussi au romarin, il s'appelle alors *pane al rosmarino*
Pane casareccio (5) – « pain fait maison » ; désigne le pain rond très léger de la Pouille, croustillant et clair
Pane di segale – pain de seigle
Pane nero – pain bis ; mélange de seigle et de blé ; spécialité du Val d'Aoste
Panzarotti – coussinet de pain ; en pâte levée ou en pâte brisée, selon la région ; comme pain, toujours rectangulaire aux diverses farces
Piadina – galette de l'Emilie-Romagne ; généralement mangée chaude avec du jambon ou une saucisse ; en partie farcie
Schiacciata – galette ronde et « plate » de pâte levée à la farine de blé, additionnée d'huile ; souvent couverte de gros sel, badigeonnée d'huile et cuite au four ; spécialité de Toscane

Le boulanger sort son pain croustillant et doré du four.
Ici : *pane casareccio*.

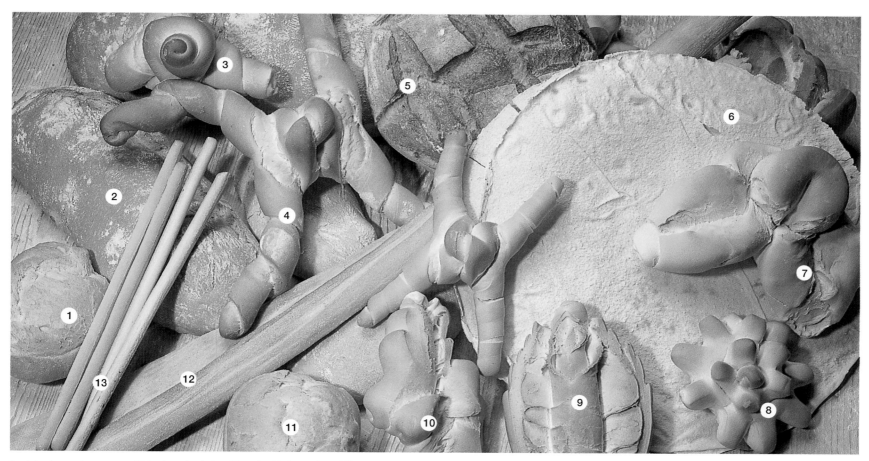

Il existe de nombreuses variétés de pain et de pâtisseries légères – les chiffres
renvoient au tableau récapitulatif des spécialités de pain sur la page de gauche.

La pizza

Le Napolitain en mal du pays qui ouvrit la première pizzeria en 1895 à New York n'aurait jamais imaginé que la galette de pain levé de son pays subjuguerait un jour le monde entier. A peine 60 ans plus tard, tandis que la majorité des Italiens ne connaissaient guère plus que par ouï-dire la galette quotidienne des Napolitains, les Américains, les Australiens et les Européens du Nord étaient déjà friands de pizzas. En Italie même, elle ne fut vraiment connue que vers 1970. En peu de temps, elle est devenue un sérieux adversaire du hamburger et le seul à défier son invasion sous nos latitudes. Elle a, d'ailleurs, bien plus de débouchés gastronomiques et de force de persuasion. A Naples, cette délicieuse galette du peuple connue depuis deux siècles était faite dans de petits fours alimentés au bois, avec des herbes, un filet d'huile d'olive et quelques anchois. Le 1er juin 1889, le couple royal italien se rendit à Naples. Soucieux de se montrer proche du peuple, le roi et la reine commandèrent une pizza. Le boulanger à qui fut confié le soin de la préparer fit une abaisse de pâte fine garnie de mozzarelle, le fromage blanc de lait de bufflesse, de tomates bien rouges et de feuilles de basilic vertes. Les couleurs de l'Italie resplendissaient. La pizza fut non seulement admise à la cour, ce jour-là, mais aussi dans le monde entier.

La pizza aux couleurs de l'Italie n'est plus toujours le même régal pour la vue, mais les saveurs harmonisent si bien entre elles qu'elles ont fait de cette pizza, baptisée du nom de Marguerite de Savoie, la plus appréciée dans les 30 000 pizzerias d'Italie.

Recette de base de la pâte à pizza

Pour 3–4 fonds de tarte

25 g de levure de boulanger
1 pincée de sucre
350 ml d'eau tiède
500 g de farine
1/2 cuil. à café de sel

Préparer la pâte en émiettant la levure dans un petit récipient. Parsemer un peu de sucre dessus. Mélanger avec 5 cuil. à soupe d'eau tiède et 3 cuil. à soupe de farine. Couvrir avec un torchon propre et faire lever dans un endroit chaud à l'abri des courants d'air pendant 30 à 60 minutes. Tamiser le reste de farine sur la table de travail, creuser un puits et y mettre le morceau de pâte préparé. Saler. Ramener la farine des bords vers le centre en ajoutant le reste d'eau tiède – la quantité d'eau dépend en fin de compte du type de farine utilisé – et travailler la pâte. Quand tout est incorporé, pétrir la pâte pendant au moins 15 minutes à la main, en l'aplatissant et l'étirant en longueur, de la paume de la main puis en la rabattant de nouveau, repétrir et ainsi de suite jusqu'à obtention d'une pâte lisse et élastique.

Former une boule et la laisser lever couverte dans une terrine pendant une heure ou deux dans un endroit chaud. Repétrir la pâte sans la travailler trop longtemps, la diviser en portions et faire des abaisses rondes. Les mettre sur une plaque beurrée et former un bourrelet sur les bords.

Badigeonner d'une mince couche d'huile et garnir à souhait. Faire cuire dans le bas du four pendant 15 à 20 minutes à une température de 250 ºC.

La pizza est naturellement bien meilleure cuite dans un four à l'italienne en pierre et alimenté au bois. La chaleur monte dans ces fours jusqu'à de 340 ºC. A cette température, la pizza n'est cuite que 4 à 5 minutes.

Pizza alla napolitana – **Pizza napolitaine**
Avec tomates, mozzarelle, filets d'anchois, origan et huile d'olive.

Pizza alla romana – **Pizza romaine**
Avec tomates, mozzarelle, origan (comme la napolitaine) et anchois, le plus classique des ingrédients de la pizza.

Dans les fours de pierre des pizzerias, la pâte est cuite en quelques minute à très haute température.

Calzone – **Pizza rabattue comme une omelette**
Pizza rabattue en forme de demi-lune, fourrée au jambon, à la mozzarelle, souvent aussi à la ricotta avec de l'origan.

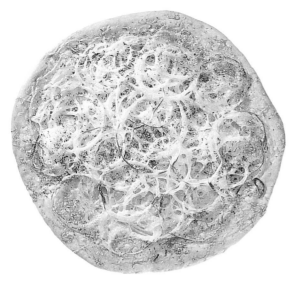

Pizza pugliese – Pizza de la Pouille
Avec oignons finement coupés, origan, du pecorino râpé et de l'huile d'olive.

Pizza calabrese – Pizza calabraise
Avec tomates, thon, anchois, olives, câpres et – dans la pizza originale – du saindoux au lieu d'huile d'olive.

Pizza alla vongole – Pizza aux moules
Avec tomates, origan, moules, persil et ail.

Pizza spinacchi – Pizza aux épinards
Avec des épinards frais et beaucoup d'ail.

Pizza al prosciutto – Pizza au jambon
Avec tomates, mozzarelle et jambon de Paris.

Pizza con funghi – Pizza aux champignons
Avec tomates, mozzarelle, des rondelles de champignons, ail et persil.

Pizza quattro stagioni – Pizza quatre saisons
Avec tomates, mozzarelle et, sur chacun des quatre quarts, respectivement des champignons, du jambon de Paris, des cœurs d'artichaut coupés fins et des olives.

Pizza alla siciliana – Pizza sicilienne
Avec tomates, mozzarelle et lamelles de poivrons rouges, jaunes et verts revenues dans un peu d'huile, des rondelles de salami et de champignons.

Pizza Margherita – Pizza Marguerite
Avec tomates, mozzarelle et basilic. Les couleurs de l'Italie doivent ressortir.

521

Prosciutto di Parma

Sa couenne porte la couronne à cinq pointes de l'ancien Comté de Parme. Le jambon le plus célèbre d'Italie est originaire de la Province du même nom, au nord-ouest de Bologne. Son territoire, strictement délimité, commence cinq kilomètres au sud de la Via Emilia et pénètre jusque dans les premiers monts de l'Appenin, à une altitude de 900 mètres. Le centre et point de départ historique du jambon de Parme est Langhirano, une localité de trois mille habitants à vingt cinq kilomètres du chef-lieu de province, à la sortie de la vallée de la Parma, affluent du Pô. L'aspect extérieur de la localité est caractérisé par d'énormes entrepôts dominant le paysage. Les façades présentent de longues rangées de hautes fenêtres étroites, montées de stores vénitiens, laissant passer l'air parfumé de Parme dans l'entrepôt, à plus ou moins grosses bouffées, selon leur position. L'air de Parme caresse, en passant, des millions de jambons en train de mûrir et de développer leur parfum. A l'origine de la qualité du jambon de Parme, il y a la patte du porc auquel il a appartenu, et l'alimentation abondante de l'animal, à base d'orge, de maïs et de fruits. Les porcheries du nord et du centre de l'Italie sont très contrôlées. L'âge minimum d'abattage des porcs est de dix mois. Ils ont une chair ferme et rose, entourée d'une couche de graisse considérable, servant d'enveloppe protectrice. Le jambon doit rester tendre au bout d'un an de séchage et de maturation.

Le jambon cru est d'abord salé. Il pèse dix kilogrammes. La première phase de salaison a lieu dans des cellules réfrigérantes à une température de zéro à quatre degrés Celsius pendant six à sept jours. Une seconde phase de salaison, qui dure de 15 à 18 jours, succède à la première. Le froid et le sel conjugués soutirent à la chair son humidité, pour qu'elle se conserve. Ensuite le jambon est battu. De nos jours, le battage, qui a pour but de faire pénétrer le sel plus rapidement dans la chair, est mécanique. Après le battage, le jambon a mérité un séjour de 60 à 70 jours dans des cellules de repos. Il subit encore un lavage à l'eau tiède puis commence le véritable séchage (*prosciutto* est dérivé de *prosciugare*, sécher). Pendant six mois, les jambons de Parme vont suivre un parcours complexe dans des couloirs échafaudés avec précision, des chambres froides, des pièces de séchage tempérées et des entrepôts aérés. Les parties dépourvues de couenne sont colmatées avec une pâte à base de saindoux, de farine de riz et de poivre protégeant la chair pour l'empêcher de s'assécher et de durcir. Après ce bourrage, les jambons circulent dans des caves où n'entre que très peu d'air à une température fraîche. C'est là que s'accomplissent les transformations naturelles biochimiques qui lui donnent un goût si délicat.

Au bout de dix mois pour un poids de sept à neuf kilos ou de douze mois pour un poids de plus de neuf kilos, le jambon de Parme est prêt à la consommation. Selon ses conditions de stockage, il peut encore s'affiner durant quatorze mois. La dernière phase d'affinage prévoit des contrôles réguliers au moyen d'un os de cheval semblable à une aiguille, enfoncé dans la chair du jambon. Les minuscules particules qui se déposent sur sa surface poreuse permettent au maître-charcutier de reconnaître à l'odorat si le jambon est mûr.

La moitié des jambons de Parme est consommée par les Italiens eux-mêmes. L'autre moitié est destinée à l'exportation. Contrairement à leur pays d'origine, à l'étranger, les jambons sont presque toujours exigés désossés.

Prosciutto di San Daniele

La pointe de l'Italie au nord-est est détentrice de la seconde spécialité de jambon, le San Daniele, dans le Frioul, à vingt-cinq kilomètres d'Udine. C'est aussi un jambon de longue tradition, sauf que son succès commercial a commencé plus tard que celui du jambon de Parme. Le San Daniele est fait à partir de jambons de onze à quinze kilogrammes, en moyenne treize kilos. Les jambons proviennent de plusieurs régions d'Italie. Leur goût très fin et douceâtre et leur forme caractéristique ont plusieurs raisons :

- Le salage du jambon dure très peu de temps, en principe, autant de jours que son poids. On rajoute en général deux jours, ce qui fait environ quinze jours.
- Le pressage a pour but de lui donner cette forme caractéristique de guitare et de répartir la graisse à travers tout le jambon.
- Pour que les parties inférieures ne sèchent pas, on laisse le pied.
- Sa maturation dure au moins dix, sinon douze à treize mois.

Il se reconnaît au monogramme SD et à sa forme allongée tirant un peu sur la droite.

Chaque jambon de Parme porte comme signe de distinction et garantie la couronne à cinq dents et le nom de sa région natale.

Le maître-charcutier enfonce une sorte d'aiguille en os de cheval dans le jambon. Il reconnaît à l'odeur si le jambon est mûr.

La moitié des jambons de Parme sont consommés en Italie même. Le reste est destiné à l'exportation. A l'étranger, on réclame le jambon désossé.

Le goût du jambon de Parme et du San Daniele ressort bien mieux quand ils sont coupés en fines tranches.

Antipasti

Les hors-d'œuvre italiens sont non seulement l'ouverture d'un repas, mais encore une mise en condition psychologique des invités, de sa famille ou de ses amis.

Les antipasti, pas toujours bon marché, sont toutefois généralement assez simples. Ce sont des olives ou des légumes marinés, crus, bouillis et frits, des tranches de pain grillé, des salades, du saucisson ou du jambon en tranches fines, seul ou accompagné de melon ou de figues, etc.

Les antipasti n'ont d'autre fonction que de faire venir l'eau à la bouche par des agencements originaux, beaux à voir et alléchants. Plus le plat de résistance est consistant, plus les antipasti sont légers. Si, au contraire, le *primo* et le *secondo piatto* – pâtes ou riz et plat principal – ne sont pas très originaux, des antipasti très divers feront pardonner à l'avance.

Caponata
Aubergines aigres-douces
(Illustration ci-contre)

4 aubergines
Sel, poivre noir
1 gros oignon
6 cuil. à soupe d'huile d'olive
4 branches de céleri
500 g de tomates
100 g d'olives noires
2 cuil. à soupe de câpres
50 g de pignons
3 cuil. à soupe d'aceto balsamico
1 pincée de sucre

Couper les aubergines en rondelles d'environ 2 cm d'épaisseur, les couvrir de sel et les laisser dégorger 60 minutes. Bien les presser pour en faire sortir toute l'eau et les essuyer. Eplucher les oignons, les couper en rondelles, les mettre dans une grosse poêle et les faire dorer dans 2 cuil. à soupe d'huile d'olive. Les retirer et réserver. Remettre 2 cuil. à soupe d'huile d'olive dans la poêle. Nettoyer le céleri, le couper en morceaux et le faire revenir environ dix minutes dans l'huile. Peler, épépiner et couper les tomates, les ajouter au céleri et les faire revenir ensemble encore dix minutes.

Dénoyauter les olives, les couper en deux et les mettre dans la poêle avec les câpres, les pignons, les aubergines et les oignons. Faire chauffer et ajouter le vinaigre ; poivrer, saler, sucrer et mélanger. Faire macérer environ deux heures et servir froid.

Cipolline al vino bianco
Oignons au vin blanc

30 g de beurre
3 cuil. à soupe d'huile d'olive
500 g d'oignons blancs
150 ml de vin blanc sec
Sel, poivre noir
1 bouquet de persil commun

Faire fondre le beurre dans une terrine, ajouter l'huile. Eplucher les oignons et les disposer côte à côte dans la terrine. Mouiller avec le vin blanc et mettre au four pendant 30 minutes à une température de 180 °C. Tourner les oignons et verser éventuellement encore un peu de vin ou d'eau. Faire cuire encore 30 minutes au four. Saler et poivrer. Laver le persil, le hacher finement et le parsemer sur les oignons.

Finocchi stufati
Fenouil à l'étouffée
(Illustration ci-contre)

4 fenouils
100 ml de bouillon de légumes
100 ml de vin blanc
1 feuille de laurier
4 cuil. à soupe d'huile d'olive
Sel, poivre noir

Nettoyer le fenouil et le couper en quartiers. Le mettre avec le bouillon, le vin, le laurier et l'huile d'olive dans une casserole plate. Porter à ébullition et laisser frémir pendant 20 à 30 minutes sans couvercle jusqu'à ce que tout le liquide soit évaporé. Saler et poivrer avec du poivre frais moulu.

Carpaccio
Carpaccio de filet de bœuf
(Illustration p. 552-553)

500 g de filet de bœuf qu'on a bien laissé reposer
150 ml d'huile d'olive pression à froid
1 jus de citron
Parmesan râpé
1 botte de Rucola (rouquette)

Envelopper le filet de bœuf dans une feuille de papier aluminium et laisser pendant 60 minutes au congélateur. Le couper en tranches ultra-fines et dresser sur un plat. Faire une sauce avec l'huile d'olive, le jus de citron, le sel et le poivre et la verser sur la viande. Mettre pendant 15 minutes au réfrigérateur. Parsemer de parmesan et garnir de rouquette.

Scampi alla griglia
Langoustines grillées
(Illustration ci-contre)

24 langoustines
10 cuil. à soupe d'huile d'olive
1/2 jus de citron
1 gousse d'ail
1 cuil. à soupe de persil commun haché fin
1 citron coupé en huit

Ouvrir les langoustines avec une paire de ciseaux du milieu du ventre à la tête et faire mariner dans 6 cuil. à soupe d'huile d'olive. Les faire griller sur un gril chaud pendant 8 minutes en ne cessant de les retourner. Faire une sauce avec l'huile d'olive, le jus de citron, l'ail pilé avec du sel et le persil. Assaisonner les langoustines avec la sauce. Garnir de tranches de citron.

Fritto misto di pesce
Friture de poissons
(Illustration ci-contre)

250 g de petites sardines
4 petits rougets
250 g de calmars
250 g de crevettes moyennes non décortiquées
1 l d'huile végétale
Farine
Sel
1 citron non traité

Ecailler, vider et laver les sardines et les rougets. Parer le calmar (enlever les tentacules, les yeux, les organes masticateurs, l'os, les entrailles et la poche d'encre), le laver et le couper en rondelles. Laver les crevettes. Faire chauffer l'huile dans une casserole haute et large ou dans une friteuse. Essuyer les poissons, le calmar et les crevettes avec un essuie-tout, les rouler dans la farine et faire frire par petites portions. Saler et dresser avec une garniture de tranches fines de citron.

Seppie ripiene
Seiches farcies
(Illustration ci-contre)

800 g de seiches
400 g de praires
3 branches de persil commun
1 gousse d'ail
2 cuil. à soupe de pecorino râpé
1 œuf
3–4 cuil. à soupe de chapelure
Sel, poivre noir
5 cuil. à soupe d'huile d'olive
1/4 l de vin blanc sec

Parer les seiches. Laver les praires, les brosser et les faire pocher environ 5 minutes en ne cessant d'agiter la casserole ; jeter l'eau de cuisson. Jeter les praires qui ne se sont pas ouvertes, retirer les autres des coquilles et les hacher finement. Laver le persil et le hacher fin, piler les gousses d'ail. Faire une farce avec le persil et l'ail, les praires, le pecorino, l'œuf et la chapelure ainsi que beaucoup de poivre et une bonne pincée de sel.

Remplir les seiches avec la farce et les fermer avec du fil à coudre ou avec un cure-dent.

Faire chauffer l'huile dans une grande poêle, y mettre les seiches et les faire revenir de tous les côtés. Poivrer, saler et déglacer avec le vin. Laisser mijoter à couvert environ 30 minutes, jusqu'à ce que les seiches soient cuites.

Gamberetti aglio e olio
Crevettes huile et ail
(Illustration ci-contre)

800 g de petites crevettes
5 cuil. à soupe d'huile d'olive
1/2 jus de citron
2 cuil. à soupe de persil commun finement haché
2 gousses d'ail
Sel, poivre blanc

Mettre les crevettes dans une casserole pleine d'eau salée et faire bouillir à gros bouillons pendant 3 minutes, jeter l'eau de cuisson, passer les crevettes sous l'eau froide et les décortiquer.

Faire une sauce avec l'huile d'olive, le jus de citron, le persil, l'ail pressé, le poivre et le sel. Napper les crevettes avec la sauce ; les mettre 60 minutes au réfrigérateur. Assaisonner et dresser.

Finocchi stufati – Fenouil à l'étouffée
(recette ci-contre).

Caponata – Aubergines aigres-douces
(recette ci-contre).

Peperoni Imbottiti – Poivrons farcis
(recette p. 563).

Fritto misto di pesce – Friture de poissons
(recette ci-contre).

Seppie ripiene – Seiches farcies
(recette ci-contre).

Gamberetti aglio e olio – Crevettes huile et ail
(recette ci-contre).

Vongole in padella – Praires à la poêle.

Scampi alla griglia – Langoustines grillées
(recette ci-contre).

Insalata frutti di mare – Salade de fruits de mer
(recette p. 560).

Pasta secca

Que serait un repas italien sans *il primo*, le premier plat ? Et que serait ce premier plat sans les pâtes ? Chaque Italien consomme en moyenne vingt cinq kilos de pâtes alimentaires (*pasta secca*) par an, sans compter les pâtes fraîches. Les Américains en consomment (statistiquement) huit kilos et les Allemands cinq kilos six cent.

L'Italie a environ 300 variétés de pâtes et distingue trois catégories de pasta, terme désignant toutes les pâtes à base de semoule de blé dur :

• *Pasta corta* – les pâtes courtes, le vermicelle, les *penne*, et toutes ces pâtes en forme d'oreilles, de coquillages, de spirales, de roues, d'étoiles, d'escargots et de petits tubes ;

• *Pasta lunga*, les pâtes longues, les spaghettis et les tagliatelles, toutes les pâtes qui mesurent à partir de dix centimètres de long ;

• *Pasta ripiena* – les nouilles farcies. Les plus connues sont les tortellini et les ravioli.

L'origine de la pasta est discutée. On dit que les Etrusques étaient des *mangia maccheroni*. Ils n'en étaient évidemment pas, mais pendant longtemps, le mot *maccheroni* désignait les nouilles en général. Le mot viendrait du grec *macarios*, qui veut dire « heureux ». L'histoire moderne des macaronis commence en Sicile, où des reproductions montrent des fils de pâte séchant déjà au soleil aux 12ᵉ et 13ᵉ siècle. De là à la péninsule, il n'y avait qu'un saut. Naples devint le fief des pâtes alimentaires. La propagation à partir du 15ᵉ siècle de la semoule de blé dur, le *grano duro*, fut capitale pour leur triomphe définitif.

La Sicile, la Pouille et la Calabre fournissent aujourd'hui la majeure partie de cette céréale ayant besoin de soleil et qui se prête à faire les pâtes, grâce à un pourcentage élevé en gluten. C'est le gluten qui maintient les pâtes dans l'eau, sans gélifiant, garantissant la « bonne tenue » de la pâte pendant la cuisson et leur consistance *al dente*.

Quand fut inventée la *trafila*, la filière, au 18ᵉ siècle, qui forme les pâtes alimentaires, les spaghettis se répandirent vite dans tout le pays. Leur nom, dérivé de *spago* (ficelle) vit le jour à peine cent ans plus tard.

Le succès des pâtes alimentaires, *pasta secca*, a plusieurs raisons :

• elles se gardent jusqu'à trois ans ;

• elles se font simplement, à l'eau bouillante salée, à concurrence d'un litre par cent grammes de pâtes ;

• selon leur grosseur, elles ne cuisent que de quatre à douze minutes ;

• 100 grammes de pâtes de semoule de blé dur présentent 346 calories au kilo, les pâtes fraîches n'en ont que 140 ;

• faites en sauce, *in sugo*, une sauce aux légumes, à la bolognaise, *ragù alla bolognese*, ou une sauce tomate, elles permettent d'utiliser tout ce qu'on a sous la main ;

• accomodées des façons les plus simples, au beurre ou à l'huile, avec du fromage, des herbes et du poivre, elles sont un délice ;

• enfin, le vin se marie si bien avec les pâtes, qu'il serait dommage d'y renoncer au profit d'un verre d'eau. Quelle idée !

Les sauces de pâtes

Salsa di pomodoro
Sauce tomate

1 oignon
1 gousse d'ail
3 cuil. à soupe d'huile d'olive
1 kg de tomates mûres
1 cuil. à café de basilic haché finement
Sel, poivre noir

Eplucher les oignons et l'ail, les hacher finement et faire revenir dans l'huile. Couper les tomates en menus morceaux et les ajouter.
Porter à ébullition, couvrir et laisser mijoter à feu doux pendant 45 minutes. Passer la sauce, mettre le basilic et épicer. Faire macérer encore 10 minutes. Cette sauce de pâte est classique et convient à toutes les variétés de pâtes. On sert par assiette de pâtes 3 à 4 cuil. à soupe de sauce et un morceau de beurre de la grosseur d'une noix.

Pesto alla genovese
Sauce génoise au basilic

1 petit pot de basilic frais
4 gousses d'ail écrasé
50 g de pignons
150 ml d'huile d'olive
Sel
50 g de pecorino râpé ou de parmesan

Ecraser les feuilles de basilic, l'ail et les pignons. Incorporer lentement au fouet l'huile d'olive, une pincée de sel (attention, le fromage est déjà salé) puis le pecorino et remuer jusqu'à obtention d'une sauce crémeuse.
Les pâtes classiques liguriennes que l'on mange avec cette sauce verte au basilic sont les *trenette*, les *spaghettis*, les *tagliatelles* et les *fettucine*. Faire cuire les pâtes al dente. Mettre le *pesto* dans un plat préchauffé et le délayer dans 4 cuil. à soupe d'eau bouillante de cuisson des pâtes. Ajouter les pâtes égouttées, bien mélanger et servir.
Remarque : le *pesto* se conserve plusieurs semaines au réfrigérateur dans un verre hermétiquement fermé. Remettre suffisamment d'huile d'olive après chaque prélèvement pour que le basilic soit toujours couvert. Il risque sinon de s'oxyder et de prendre une couleur sombre peu appétissante et même de moisir. On peut aussi épicer les minestrone et les gnocchi avec le pesto ou l'étaler sur des toasts comme antipasto.

Ragù alla bolognese
Sauce bolognaise

1 petit oignon
1 gousse d'ail
1 carotte de grosseur moyenne
1 branche de céleri
2 cuil. à soupe de beurre
50 g de gros lard
100 g de jambon cru
100 g de foie de volaille
100 g de hachis de porc
100 g de viande hachée
200 ml de vin rouge
200 ml de bouillon de viande
3 cuil. à soupe de concentré de tomates
1 cuil. à café d'origan
Sel, poivre noir

Eplucher ou nettoyer et couper finement l'oignon, l'ail, la carotte et le céleri. Faire fondre le beurre dans une casserole, couper le lard en petits dés et le faire revenir avec les légumes et l'ail. Couper le jambon en petits morceaux, hacher finement le foie de volaille et mettre dans les légumes avec le hachis. Faire revenir en ne cessant de remuer.
Ajouter le vin, le bouillon, le concentré de tomates et l'origan. Porter à ébullition ; saler avec parcimonie et poivrer. Faire mijoter à feu très doux et à couvert pendant 2 heures. Assaisonner.
La sauce convient à presque toutes les variétés de pâtes et est utilisée comme farce pour les lasagnes et les cannellonis.

Quelle sauce pour quelles pâtes?

Les pâtes ne nagent que dans les bouillons ou dans certaines soupes. Autrement, la quantité de sauce doit être calculée pour que les pâtes choisies absorbent entièrement la sauce – plus la sauce est liquide, plus les pâtes sont absorbantes et creuses.

Aglio e olio – gousses d'ail écrasé, persil et huile d'olive pression à froid ; pour les spaghettis, les *spaghettinis,* les *vermicellis,* les *linguine*

Ai frutti di mare – aux fruits de mer ; pour les *capelli d'angelo,* les *fidelini,* les spaghettis, les *lingue*

All'amatriciana – sauce tomate au lard ; pour les *bucatini,* les spaghettis et les *gramigna*

Alla napolitana – voir *sugo di pomodoro*

Alla panna – à la crème; *tortellini* et *rigatoni*

Alla siciliana – sauce tomate avec sardines fraîches ; pour les *vermicelli* et *bucatini*

Allo spezzatino – avec de la viande bouillie ; pour les *maccheroni,* les *marelle,* les *fusilli,* les *penne,* les *rigatoni,* les *pappardelle* et autres nouilles plates

Burro e salvia – au beurre de sauge ; fait de beurre et de feuilles de sauge grillées croustillantes ; convient à toutes les variétés de pâtes

Carbonara – au lard, fromage et œufs ; pour les spaghettis et autres longues pâtes minces

In brodo – bouillon généralement de poule ; pour les *anolini,* les *cappelletti, tortellini* mais aussi *capelli d'angelo* ou *tagliolini*

Pesto – sauce au basilic ; pour les pâtes farcies ou simples pâtes, en particulier pour les *trenette, fettucine, tagliatelle,* linguine et *farfalle*

Ragù alla bolognese – sauce bolognaise, à la viande hachée ; sauce universelle pour toutes les variétés de pâtes longues comme les spaghettis, les tagliatelles ou macaronis, mais aussi comme sauce pour les lasagnes

Salsa cruda – sauce crue avec des œufs crus et des tomates, du persil, du basilic et du parmesan ; pour les nouilles plates

Salsa di noci – sauce à la *ricotta* et aux noix ; pour les *fettuccine* et autres nouilles plates

Sugo d'agnello – sauté d'agneau ; pour les *penne,* les *rigatoni,* les *marelle,* les *orecchiette,* les *pappardelle,* les *tortiglioni*

Sugo di asparagi – sauce aux asperges ; pour les tagliatelles fraîches ou autres nouilles moins plates ; convient aussi aux *gnocchetti*

Sugo di pesce – sauce au poisson avec tomates ; pour les *macaronis,* les *penne,* les *rigatoni*

Sugo di pomodoro, alla napolitana – sauce tomate ; convient à toutes les pâtes de toutes formes et de toutes consistances

Arrière-plan : séchage des pâtes sur un échafaudage dans une usine de pâtes napolitaine.

Anelli
Petits anneaux, comme les Stellini (petites étoiles), en version semi (semences) ou rotellini (petites roues), convenant bien dans des consommés clairs.

Bavette
Pâtes plates, étroites et longues.

Bucatini
Longues nouilles lisses semblables aux spaghettis, sauf qu'elles sont percées d'un mince canal.

Cannelloni
Cylindres faciles à remplir de farce.

Chiocciole
Petites nouilles en coque aux bords frangés, portant aussi d'autres noms suivant les régions ou les fabricants : *chifferi, lumachine, pipe rigate, gobetti*.

Conchiglie
Pâtes en forme de coquillage, très prisées comme supports de sauces.

Ditali
Ces dés à coudre originaires de Naples sont de petites nouilles cylindriques.

Faresine
Nouilles plates livrées emmêlées en paquets allongés.

Farfalle
Pâtes qui ont l'allure de papillons.

Fedelini
Spaghettis très fins.

Fettuccine
Pâtes plates souvent fabriquées avec des œufs, livrées sous forme de nids qui s'ouvrent à la cuisson. Souvent colorées en vert par incorporation d'épinard.

Gnocchetti
Petites nouilles en forme de *gnocchi*.

Gnocchi
Pâtes ainsi nommées parce qu'elles ressemblent aux *gnocchi* de pommes de terre.

Lasagne
Pâtes en larges feuilles longues, les vertes étant colorées à l'épinard. Il existe une version (à l'image) aux bords crantés.

Lingue di passero
Appelées « langues de moineau », ces nouilles sont plates, minces, et de la longueur de spaghettis.

Linguine
Longues nouilles plates minces, aussi longues que des spaghettis.

Maccheroni
Les macaronis sont des nouilles creuses plus ou moins longues, dont la forme classique vient de Naples.

Orecchiette
Nouilles en forme d'oreilles, d'où le diminutif oreillettes mais portant aussi le nom de *baresi*, d'après la ville de Bari dans la Pouille, dont elles sont originaires.

Pappardelle
Les plus larges des nouilles plates, elles aussi fabriquées avec des œufs.

Penne lisce
Pâtes cylindriques courtes aux bouts coupés en biais.

Penne rigate
Nouilles cylindriques courtes cannelées, aux bouts coupés en biais.

Rigatoni
De *riga*, qui veut dire ligne. Nouilles cylindriques courtes toujours cannelées ; pâtes typiques de la cuisine romaine.

Riscossa
Coquillages crantés, pâtes de stylistes.

Sedani
Nom tiré du céleri parce que ces nouilles, cannelées à l'extérieur et lisses à l'intérieur, ressemblent aux côtes de ce légume.

Spaghetti
Pâtes droites, longues à extra-longues, de section circulaire pleine, l'appellation recouvrant toutes les variétés longues et minces.

Spaghettini
Spaghettis extra fins.

Spirale
Deux spaghettis enroulés en hélice l'un sur l'autre.

Tagliatelle
La plus prisée des pâtes livrées sous forme de nids, plus mince que les fettuccine, différentes colorations obtenues par incorporation d'épinard, de safran ou de jus de betterave rouge.

Taglierini
Minces bandelettes de trois millimètres de large, souvent livrées au titre de pâtes sèches aux œufs.

Tortellini
Petites poches en anneau farcies, célèbre spécialité de Bologne, fraîches ou sèches, remplies de viande ou de fromage.

Tortiglioni
Petites pâtes creuses cannelées, en spirale, de moyenne longueur et légèrement incurvées.

Tubetti
Petits morceaux de nouilles cylindriques lisses, appelées *tubettini* lorsque le diamètre est très petit.

Pasta fresca

Les pâtes fraîches faites maison, *pasta fresca*, sont surtout une spécialité du nord de l'Italie, tandis que la *pasta secca* vient du sud de l'Italie. Un livre de cuisine florentin prend note des premières recettes de pâtes fraîches à base de farine de blé, d'œufs et de sel en 1300.

Les femmes forment des cônes et des poches qu'elles remplissent de sauces aux légumes et à la viande, de ricotta, de fromage frais, ou d'épinards avec une incroyable dextérité.

Il serait inconcevable de fêter un mariage, un baptême ou de faire un réveillon de Noël sans pâtes fraîches farcies. Chaque ville du nord de l'Italie a ses propres formes de pâtes et des farces qui ne se trouvent nulle part ailleurs. Ces particularités régionales ou même communales sont maintenues et même cultivées consciemment. On compte plus de 110 recettes de tortellinis. Elles viennent de Bologne, la ville des bons vivants et sont sensées représenter le nombril de Vénus. Est-t-il manière plus tendre de dire que l'amour est toujours étroitement lié aux plaisirs de la table ?

Recette de base pour pâtes fraîches

Pour 6–8 personnes

500 g de farine de blé
5 œufs
½ cuil. à café de sel

Tamiser la farine au-dessus de la table de travail. Faire un puits au milieu, ajouter sel et œufs. Incorporer la farine progressivement à partir du bord et préparer une pâte grossière. Pétrir cette pâte 15 minutes à la main, jusqu'à ce qu'elle soit souple et brillante. Envelopper dans une feuille plastique de cuisine et laisser reposer pendant une heure.

Fariner la table de travail et étirer la pâte avec un rouleau à pâtisserie fariné, en tournant plusieurs fois la position pour que la pâte soit étirée régulièrement de tous côtés.

On peut maintenant poursuivre avec cette pâte :
• pour obtenir des nouilles plates, comme les tagliatelles, on roule la pâte sur un support, et on taille au couteau de fines bandelettes de 5 mm de large.
• Lorsque les nouilles doivent être mangées fraîches, on les plonge de suite dans de l'eau bouillante salée. Selon l'épaisseur, la cuisson prend 2 à 4 minutes. Les pâtes fraîches ont en gros besoin de la moitié du temps de cuisson nécessaire aux pâtes sèches industrielles.
• Si l'on veut utiliser les pâtes fraîches quelques heures plus tard, on déroule les bandelettes et on les garde au frais entre deux linges propres saupoudrés de farine.
• Au cas où l'on souhaite par contre conserver ces pâtes plusieurs jours, on déroulera les bandelettes, puis on les entortillera précautionneusement sous forme de nids, ce qui leur évite de se briser. Deux à trois heures plus tard, après avoir retourné les nids une première fois sur un linge saupoudré de farine, les pâtes sont suffisamment sèches pour pouvoir être conservées 4 à 5 jours dans un récipient bien fermé.
• Pour faire des pâtes vertes, on réduira la proportion d'œufs à trois unités et on ajoutera à la pâte 10 g d'épinards blanchis, bien égouttés et réduits en purée.
• Pour obtenir des pâtes rouges, on ajoute à la pâte deux cuillerées à soupe de purée de tomates.
• A titre de repère pour les pâtes que l'on fait soi-même, on admet qu'il faut un œuf complet pour 100 g de farine.

A gauche : à l'aide d'un long rouleau à pâte, on étale la pâte à nouille bien étirée, comme on le ferait avec une bande de tissu, pour préparer sa transformation.

Pour la confection de raviolis, on placera un petit tas de farce au milieu de carreaux réguliers tracés au préalable, puis on abaissera un second voile de pâte en couverture, avant de découper chaque ravioli à la roulette.

Il faut beaucoup d'adresse pour modeler en tortellinis les petits croissants de pâte remplis de farce.

Comment fait-on des raviolis ?

Bien étaler de la pâte à nouilles fraîche pour en faire une plaque rectangulaire de 2 mm d'épaisseur environ que l'on partage ensuite en deux.
Sur l'une des moitiés, déposer à intervalles réguliers – l'intervalle étant fonction de la taille souhaitée – un petit tas de farce préparée au préalable. Ensuite, enduire d'œuf le pourtour du monticule, puis déposer sur le tout la seconde moitié de la plaque et presser avec précaution tout autour de la farce. Une fois l'opération menée à bien, découper les raviolis en passant une roulette dentée.
Plonger les raviolis obtenus dans de l'eau bouillante salée et laisser cuire 2 à 4 minutes, selon la taille.

Tagliatelle coi tartufi
Tagliatelles aux truffes

400 g de pâte fraîche pour nouilles (voir ci-contre)
50 g de beurre
50 g de parmesan râpé
50 g de truffes blanches hachées

Etaler la pâte en feuille mince et l'enrouler sur elle-même. Avec un couteau bien affûté, couper des tranches fines de 4 à 5 mm (tagliatelli) dan le rouleau de pâte. Les laisser reposer 10 minutes.
Faire bouillir de l'eau salée, puis y cuire les tagliatelles 5 minutes environ, verser l'eau et bien égoutter. Remettre les nouilles dans la marmite, ajouter du beurre et faire sauter jusqu'à ce que les pâtes soient bien beurrées. Mélanger le parmesan et les nouilles. Servir en portions dans l'assiette et saupoudrer avec le hachis de truffe. Ce mets s'accompagne parfaitement d'un vieux Barolo ou d'un Amarone.

Orechiette coi broccoli
Oreillettes au brocoli

Orechiette
200 g de farine
100 g de semoule de blé dur
1 prise de sel
2 cuil. à soupe d'huile d'olive
200 ml d'eau chaude

500 g de brocoli
5 cuil. à soupe d'huile d'olive
3 gousses d'ail
1 peperoni
2 filets d'anchois
poivre noir

Pour faire les oreillettes, mélanger farine et semoule, creuser un puits au milieu, ajouter sel, huile d'olive et eau. En partant du bord, incorporer la farine et pétrir la pâte pendant au moins 10 minutes ; laisser reposer 30 minutes à couvert.
Prendre un peu de pâte que l'on étire pour obtenir une bande à section carrée de 1 x 1 cm. Avec un couteau, tailler des cubes de 1 cm dont on fait ensuite des boules dans lesquelles on presse ensuite le pouce pour leur donner la forme approximative d'un pavillon d'oreille. Laisser un peu sécher quelques heures sur un linge saupoudré de farine, après les avoir couvertes.
Ebranchez le brocoli pour avoir les rosettes, puis tailler en petits morceaux les tiges. Faire bouillir beaucoup d'eau salée (3 l env.). Plonger d'abord le brocoli haché dans l'eau bouillante, puis les rosettes. Au bout de 5 minutes, retirer le brocoli à l'écumoire et surprendre à l'eau froide.

La fabrication des tortellinis

Dérouler une mince couche de pâte à nouilles fraîche d'environ 2 mm d'épaisseur. Découper des lamelles de 5 à 6 cm de large avec la petite roue à pâte. Y découper des cercles d'environ 5 cm de diamètre et placer au milieu de chacun une demi-cuiller à thé de farce. Humecter d'œuf ou d'eau la pâte autour de la farce. Refermer les cercles en un croissant contenant la farce. Incurver les croissants l'un après l'autre sur la pointe de l'index et pincer fermement les extrémités.
Plonger les tortellinis dans de l'eau bouillante salée et laisser cuire environ 6 minutes.

Faire repartir le bouillon et cuire les oreillettes al dente. Entre-temps faire chauffer l'huile d'olive, hacher l'ail, le peperoni et les filets d'anchois, faire un peu ressuer le tout dans l'huile, puis mouiller avec un peu de l'eau de cuisson du brocoli.
Vider l'eau, bien égoutter les oreillettes et les ajouter, ainsi que le brocoli réservé, au mélange d'anchois. Bien mélanger le tout et assaisonner de poivre suivant le goût.

Linguine rosse con aglio e olio
Linguines rouges à l'ail et l'huile d'olive

400 g de pâte à nouilles fraîche (recette ci-contre) colorée en rouge à la tomate
5 cuil. à soupe d'huile d'olive première pression
5 gousses d'ail
poivre noir
1 cuil. à soupe de basilic haché fin

Etaler la pâte en feuille fine, l'enrouler et au couteau bien affûté couper des languettes de 2 mm de large (linguine). Faire chauffer l'huile. Peler l'ail et le faire prudemment blondir dans l'huile, puis réserver.
Cuire les linguines al dente 1 à 2 minutes dans l'eau bouillante salée, puis verser l'eau et bien égoutter. Ajouter à l'huile chaude, poivrer, ajouter du basilic et bien mélanger.

Conchiglie alle noci
Nouilles coques et sauce aux noix

150 g de noix épluchées
30 g de beurre
200 ml de crème
1/4 l de marjolaine sèche
Sel, poivre noir
500 g de nouilles-coques
100 g de parmesan râpé

Hacher grossièrement les noix. Faire fondre le beurre à la poêle, y griller rapidement les noix et déglacer à la crème, puis ajouter la marjolaine. Laisser réduire la sauce d'un bon tiers et assaisonner.
Cuire les nouilles al dente dans de l'eau bouillante salée, mettre dans un plat approprié, en mélangeant avec la sauce et environ 4 cuillerées à soupe de parmesan râpé. Servir le reste de parmesan en accompagnement.
Un Cabernet est le vin idéal pour ce mets.

Lasagne al forno
Soufflé de lasagnes

Pour 6 personnes

300 g de pâte à nouilles fraîche (recette ci-contre)
Ragù à la bolognese (recette p. 526)
3 cil à soupe de farine
6 cil à soupe de beurre
1/2 l de lait
Sel, poivre noir
100 g de parmesan râpé

Bien étaler la pâte en feuille dans laquelle on découpe de grands rectangles réguliers (lasagne). Mettre à bouillir de l'eau salée avec un peu d'huile et cuire les plaquettes de lasagne pendant 5 minutes environ. Retirer prudemment de l'eau et laisser égoutter sur du papier crêpe.
Pour faire une sauce béchamel, faire suer la farine dans 3 cuillerées à soupe de beurre. Ajouter progressivement le lait sans cesser de tourner. Laisser bouillir un peu, puis assaisonner au sel et au poivre.
Préchauffer le four à 200 °C.
Bien beurrer un plat à soufflés rectangulaire de taille basse. Déposer une couche de lasagnes sur le fond en la recouvrant régulièrement de béchamel. Mettre par dessus une couche de ragù a la bolognese et saupoudrer de parmesan. Refaire cette superposition et terminer par une couche de lasagnes. Verser dessus le reste de béchamel saupoudrée de parmesan et du reste de beurre raclé en flocons.
Passer au four 30 à 40 minutes et servir. Nous conseillons un vin comme un Refosco ou un Barbero.

Canneloni ripieni
Cannelonis farcis

Pour 6 personnes

600 g de pâte à nouilles fraîche (recette ci-contre)
1 oignon
2 gousses d'ail
3 cil à soupe d'huile d'olive
400 g de hachis de veau
Sel, poivre noir
1 cuil. à soupe d'origan sec
200 g de jambon cuit
600 g de tomates
2 œufs
100 g de parmesan râpé
30 g de beurre

Etaler la pâte en feuille fine dans laquelle on découpe douze carrés de 8 cm de côté. Cuire ces carrés dans de l'eau bouillante salée additionné d'un peu d'huile, pendant 4 à 5 minutes. Retirer prudemment et laisser égoutter. Peler oignon et ail, hacher menu et faire revenir dans l'huile. Ajouter le hachis de veau, faire revenir et assaisonner avec le sel, le poivre et l'origan.
Couper le jambon menu, peler les tomates, enlever les graines et couper en petits morceaux. Ajouter le jambon et les tomates à la viande. Faire revenir 20 minutes et goûter, puis laisser refroidir. Mélanger en dessous les œufs et la moitié du parmesan. En se servant d'une cuillère, déposer une longueur de farce le long du bord intérieur de chaque carré de pâte, rouler pour former le cannelloni et pincer les deux extrémités.
Porter le four à 200 °C. Bien beurrer un plat à soufflés et y déposer les cannelloni l'un à côté de l'autre. Recouvrir avec le reste de hachis de viande, saupoudré du reste de parmesan. Poser par-dessus le reste du beurre en flocons et laisser cuire 30 minutes. Cet plat s'accompagne bien d'un Merlot.

Cappelletti
Petits chapeaux farcis à la viande et/ou au fromage que l'on mange soit dans un bouillon clair, *in brodo*, avec du beurre ou une sauce à la viande.

Tortelli
Pâte à nouille remplie d'une farce en général, ou petites poches de cinq centimètres de côté, en particulier.

Lasagne
Plaque rectangulaire d'environ 8 x 12 cm ; la plus simple des pâtes fraîches faites maison, servant à divers types de soufflés. Existe aussi sous forme de pâtes sèches.

Pansôti
Poches en pâte fraîche remplies de Ricotta, d'œuf, de parmesan et de fines herbes ; se mangent avec du beurre de sauge et du parmesan.

Panzarotti di magro
Originaire de la région de Piacenza, préparées seulement avec de l'épinard et du Ricotto, sans viande, d'où *di magro*, pour maigre. Se font gratiner au four, recouvertes de beurre et de parmesan.

Ravioli
Coussinets de pâte ; la plus prisée de toutes les variétés. Se farcit de hachis de viande et se sert accompagnée de sauce tomate.

Ravioli alle noci
Raviolis remplis d'une farce aux noix.

Tortellini
La plus célèbre des formes de pâtes farcies de hachis de viande ou de fromage. Existe aussi en pâtes sèches.

Triangoli al salmone
Une intéressante variété de *pasta negra*, colorée à l'encre de seiche et rempli de saumon.

Gnocchi

Les Italiens ont la passion des gnocchis. Il y a beaucoup de façons de les faire mais les plus courants sont constitués de pommes de terre écrasées encore chaudes et de farine. Les œufs sont facultatifs. Les gnocchis se mangent avec beaucoup de parmesan, à la sauce tomate ou à la bolognaise.

Les gnocchis ne sont pas toujours faits avec des pommes de terre. Les quenelles de semoule de blé dur sont aussi bonnes. D'autres préparations utilisent la farine de maïs ou de châtaigne. Une spécialité de Mantoue remplace les pommes de terre par les courges.

Gnocchi di patate
Gnocchi à la pomme de terre

Pour 6 à 8 personnes

1,5 kg de p. de terre à cuisson farineuse
2 œufs
Sel
300 g de farine, environ

Cuire les pommes de terre dans leur peau, jusqu'à ce qu'elles soient bien molles. Laisser un peu refroidir, peler et passer à la presse à pommes de terre. Mélanger cette masse avec les œufs et le sel, ajouter la farine et pétrir le tout pour avoir une pâte ferme.

Partager la masse en dix portions égales dont on fera à la main des cylindres de la grosseur d'un bon pouce. Couper au couteau des longueurs de 3 cm et les saupoudrer de farine. Avec le dos d'une fourchette, tracer le dessin typique.

Cuire les gnocchis terminés par petites portions dans une eau salée légèrement frissonnante. La cuisson est parfaite lorsque le gnocchi remonte à la surface. Les retirer à l'écumoire et laisser bien égoutter.

Servir accompagné de beurre de sauge, de sauce à la tomate ou à la viande (p. 527).

Remarque : la quantité de farine est fonction de la variété de pomme de terre. Les pommes de terre dites nouvelles absorbant plus de farine, elles conviennent mal à la préparation de gnocchi.

Gnocchi à la romana
Gnocchis à la romaine

Pour 4 personnes

1 l de lait
1 cil à café de sel
300 g de semoule de blé dur
3 jaunes d'œuf
125 g de beurre
125 g de parmesan râpé

Faire bouillir de lait avec le sel. Sans cesser de tourner, ajouter la semoule. Cuire à petit feu pendant 20 minutes, ensuite laisser refroidir dans la marmite.

Incorporer les jaunes d'œuf et le beurre. Etendre ensuite la bouillie de semoule en épaisseur de 1 cm sur une tôle de pâtisserie humide. Lorsqu'elle a refroidi, découper avec un verre à eau des rondelles d'environ 5 cm de diamètre.

Faire préchauffer le four à 180 ºC.

Beurrer un moule à soufflés, y poser les gnocchis comme les tuiles d'un toit et saupoudrer avec le reste de parmesan. Faire fondre le reste de beurre et le couler sur le tout. Faire gratiner au four pendant 45 minutes et servir dans son moule. Bon vin d'accompagnement : un Frascati bien frais.

Malfatti
Gnocchi ricotta-épinards

Pour 6 personnes

800 g d'épinards
1 oignon
125 g de beurre
200 g de ricotta
100 g de parmesan râpé
3 œufs
1/4 de cil à café de noix muscade
Sel, poivre noir
250 g de farine

Nettoyer les épinards, les laver et les laisser cuire encore chargés d'eau dans un faitout. Les reprendre dans une passoire, bien égoutter, presser, puis hacher. Peler l'oignon, le hacher lui aussi menu et le blondir dans 50 g de beurre. Ajouter ensuite les épinards, faire revenir 2 minutes et laisser refroidir.

Mélanger le ricotta avec 50 g de parmesan et les œufs, la noix de muscade, puis assaisonner. Ajouter les épinards et bien mélanger le tout. Ajouter enfin la farine et travailler le tout pour obtenir une bonne pâte souple.

Dans une marmite plate de grand diamètre, faire bouillir de l'eau salée. Avec une cuillère à café, prendre de petites portions de la pâte et jeter dans l'eau bouillante. Réduire le feu et laisser cuire les malfatti jusqu'à ce qu'ils remontent à la surface. Les sortir à l'écumoire et les laisser égoutter.

On aura préchauffé le four à 200 ºC. Beurrer un ramequin et y déposer les *malfatti*. Faire fondre le reste de beurre et couler sur les boulettes, puis saupoudrer de parmesan et gratiner au four 5 à 8 minutes. Un Cabernet sera le bienvenu.

Remarque : *malfatti* veut dire mal fait, ce qui s'applique ici au manque de régularité des formes.

Gnocchi alla zafferano
Gnocchis au safran mode sarde

Pour 4 personnes

Pâte
100 g de farine
300 g de semoule de blé dur
1 g de fils de safran

Sauce
1 oignon
3 cil à soupe d'huile d'olive
200 g de saucisson sarde à l'ail
2 gousses d'ail
500 g de tomates
1 bouquet de basilic
Sel, poivre noir
60 g de Pecorino râpé

Mélanger la farine et la semoule. Dissoudre le safran dans 4 cuillerées à soupe d'eau tiède, ajouter au mélange de farine, ainsi que le sel, et pétrir le tout pour obtenir une pâte à nouilles bien lisse. Partager la masse en portions avec lesquelles on fera de petits rouleaux de 5 mm de diamètre. Couper ces ficelles en morceaux de 1 cm et saupoudrez ces derniers de farine. Du pouce, presser chaque morceau et le faire passer par un tamis à grosses mailles pour que les gnocchis prennent leur forme et leur dessin typiques. Laisser reposer toute une nuit sur un linge saupoudré de farine.

Pour la sauce, peler l'oignon, le hacher menu et le blondir dans l'huile chaude. Couper le saucisson en tranches. Hacher menu l'ail et le basilic. Ajouter à l'oignon. Peler les tomates, épépiner et couper en morceaux. Ajouter à l'oignon et au saucisson, saler, poivrer ; Faire cuire à petite flamme, jusqu'à ce que la sauce s'épaississe.

Porter à ébullition de l'eau salée et y cuire les gnocchis 12 à 15 minutes, jusqu'à ce qu'ils soient *al dente*. Reprendre dans une passoire et laisser égoutter. Mettre les gnocchis au safran dans la sauce chaude, bien mélanger le tout et servir. Accompagner de pecorino et d'un vin rouge sarde, par exemple un Cannonau.

Remarque : à Sassardi, ville du Nord de la Sardaigne dont est originaire cette préparation, les gnocchis au safran accompagnent un hachis frit de lard, d'agneau et de porc et s'appellent *ciciones*.

Gnocchi di patate – Gnocchi de pomme de terre.

La polenta

La polenta était déjà la base de la nourriture dans le nord de l'Italie, avant que le maïs ne soit introduit en Europe par Christophe Colomb. La population rurale devait souvent se contenter de céréales écrasées, le millet, le sarrasin ou l'épeautre, bouillies à l'eau ou elle faisait une espèce de polenta avec des pois chiches ou des fèves des marais.

L'épi de maïs, avec ses graines jaunes et fermes, trouva dans le nord de l'Italie un climat propice et assez d'eau. Là où d'autres céréales poussaient difficilement, il donnait de bons rendements, ce qui le rendit très vite abordable.

Il se répandit d'abord moulu fin, en Vénétie. Puis il gagna la Lombardie, moulu plus grossièrement. Le Piémont et les autres provinces du nord de l'Italie ont suivi. La polenta commença à remplacer le pain et les pâtes. Chaque région créait ses propres variantes selon les ingrédients dont elle disposait.

Au-delà des différences régionales, toutes les polentas avaient en commun qu'elles étaient toujours cuites dans le *paiolo*, un grand chaudron en cuivre suspendu au-dessus du feu dans la cheminée. Quand l'eau bouillait, on y répandait la farine de maïs. Puis commençait le dur labeur. Il fallait que les femmes aient de l'huile de coude, *olio di gomito*, et un solide battoir en bois (*bastone*). La polenta ne supporte pas qu'on cesse de la remuer.

Cette bouillie, un peu bourrative jaune d'or devint si quotidienne au Nord que les Italiens du sud se moquaient de leurs compatriotes en les traitant de *polentoni*, mangeurs de polenta. Ceux-ci se rebiffèrent en appelant, à leur tour, les Italiens du Sud les *mangia-maccheroni*, mangeurs de macaronis.

Au cours de son histoire, il arriva que la polenta fût considérée comme nourriture des pauvres mais il y a longtemps qu'elle a trouvé de nouveau ses fidèles adhérents. Les vrais amateurs de polenta boudent la cocotte minute et s'obstinent à la faire à l'ancienne, en la tournant à la main.

Quand la pâte se détache des bords de la bassine, la polenta est renversée sur une planche en bois et coupée en tranches avec un fil. Elle est généralement mangée chaude, à la place du pain. La polenta est excellente avec les ragoûts de lapin, avec l'agneau, le gibier ou les champignons. Elle se mange aussi avec des saucisses ou du fromage frais. En Vénitie, elle accompagne toujours le poisson. C'est également un très bon *primo* avec un morceau de beurre et du parmesan râpé. Les restes de polenta se font griller, à la poêle ou en soufflé avec une sauce.

Le maïs est surtout répandu dans le Nord de l'Italie, avec de récoltes plus importantes qu'ailleurs.

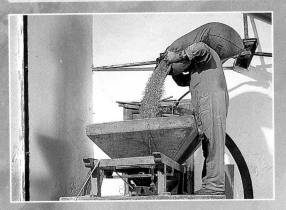

Les grains jaunes sont concassés en semoule, dont la grain détermine la texture de la polenta.

Dans la préparation de la polenta, on se sert d'une marmite haute et d'un fort bâton de bois.

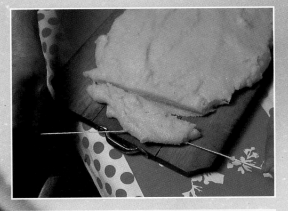

Lorsque la polenta est refroidie, on en coupe des tranches de 1 cm d'épaisseur environ, avec un fil.

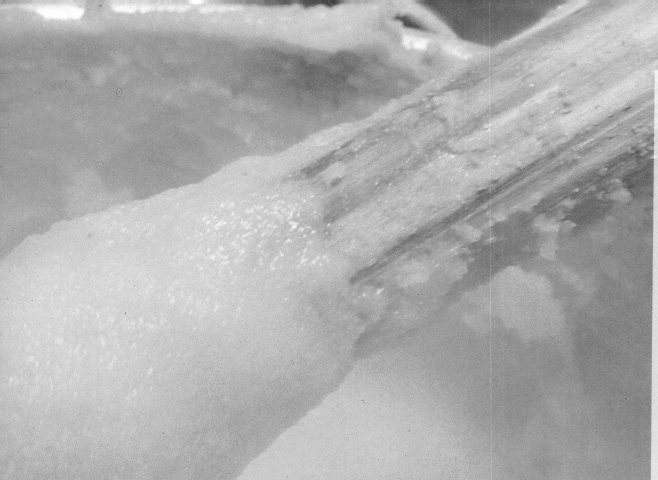

Recette de base de la polenta

Pour 8 personnes

Les quantités peuvent être au besoin divisées par deux ou par quatre.

Pour éviter la formation ultérieure de grumeaux, faire bouillir 1,5 l d'eau salée et une prise de semoule dans une marmite lourde. Ajouter progressivement à l'eau bouillante 500 g de semoule, sans cesser de tourner. Plus la polenta s'épaissit et plus il faut tourner. S'il se forme cependant des grumeaux, on les écrasera contre le bord de la marmite.
Une fois que l'on a incorporé toute la semoule, réduire la flamme et, toujours en remuant, faire cuire 45 minutes. Attention : la bouillie devient très chaude et, pendant la cuisson, il se forme des bulles qui éclatent et peuvent projeter du liquide brûlant vers celui qui tourne le bois.
A la longue, il se forme une croûte sur le fond de la marmite, ce qui est normal. La polenta est fini, lorsqu'elle se détache de la croûte.
Verser alors sur une planche de bois et étaler en feuille avec le dos d'un couteau. La polenta chaude se coupe au fil, froide, au couteau.

Polenta con gorgonzola
Polenta au gorgonzola

Polenta
40 g de beurre
200 g de gorgonzola

Avec 250 g de semoule de maïs et ³/₄ de litre d'eau, faire une polenta comme indiqué plus haut et laisser refroidir.
Préchauffer le four à 180 °C. Beurrer un ramequin, couper la polenta en tranches de 1 cm d'épaisseur environ et les poser dans le ramequin l'une à côté de l'autre. Emietter un peu de gorgonzola sur chaque tranche et recouvrir d'un seconde tranche. Déposer sur le tout le reste de beurre, en flocons. Faire gratiner au four 15 à 20 minutes et servir chaud. Bon accompagnement, un Soave bien frais.

Polenta e fontina
Polenta avec fontina

Polenta
150 g de fontina
100 g de beurre

Couper le fromage en petiots morceaux. Avec 250 g de semoule de maïs et ³/₄ de litre d'eau, faire une polenta comme décrit ci-dessus. Lorsqu'elle commence à se détacher de la marmite, ajouter le fromage et 50 g de beurre et tourner encore 5 minutes. Verser dans une assiette et lisser avec un couteau humide. Laisser brunir un peu le reste de beurre et le verser sur la polenta. On peut très bien déboucher à l'occasion du rouge Bardolino.

A l'arrière-plan : cuire la polenta représente un effort considérable, car il faut remuer la bouillie sans arrêt.

Le Parmigiano Reggiano

Le célèbre fromage italien qui, sous le nom de parmesan, a trouvé de nombreux imitateurs, est fabriqué de la même manière depuis sept siècles. On suppose même que les Etrusques le connaissaient déjà. Fromage garanti d'origine, il ne peut être fabriqué que dans une certaine région qui comprend les provinces de Parme, de Reggio nell'Emilia, de Modène et de Mantoue sur la rive droite du Pô et de Bologne sur la rive gauche du Reno.

La qualité supérieure du Parmigiano Reggiano est garantie par un certain nombre de dispositions légales. La première de ces dispositions est que les vaches à lait ne doivent pas être nourries à l'ensilage, mais à la luzerne ou tenues en plein air sur les pâturages.

Le lait du soir repose une nuit; le matin, il est écrémé et mis avec le lait du matin dans les traditionnels chaudrons de cuivre en forme de cloche. On lui ajoute un peu de petit-lait de précédentes fabrications de fromage, qui formera le lactoserum de fermentation. Le maître-fromager chauffe le lait à 33 degrés Celsius, en remuant doucement, pour le faire coaguler par addition de présure, un ferment provenant de la caillette des jeunes veaux.

Le lait coagule en l'espace de douze à quinze minutes. Le caillé, *cagliata*, est découpé au *spino*, à l'épine, jusqu'à ce que son grenu ait la grosseur d'un grain de blé. Le maître-fromager chauffe à nouveau le chaudron pour faire monter peu à peu la température à 45 degrés Celsius, puis encore un peu plus jusqu'à 55 degrés Celsius. Une fois la source de chaleur éteinte, la pâte de fromage se dépose au fond du chaudron. Elle est soulevée à l'aide de toiles de lin et mise avec la toile dans les *fasceri*, les caserettes, des moules en bois ou en métal. Un léger pressage accélère l'écoulement du petit-lait qui serait resté. Au bout de quelques heures, on remplace la toile par une matrice qui grave dans la croûte l'appellation d'origine « Parmigiano Reggiano » ainsi que les dates de fabrication.

Le fromage passe encore quelques jours dans les moules. Quand il a gonflé au point de devenir un gros cylindre ventru, on le met pendant vingt à vingt cinq jours dans une solution alcaline salée. Après un court séchage au soleil, il est entreposé à la ferme. Le fromage s'affine lentement sur des étagères en bois. Il doit être retourné régulièrement et souvent brossé.

A la fin de l'année, le fabricant de fromages porte sa production annuelle dans des entrepôts aménagés à cet effet, pouvant contenir entre 50 000 et 100 000 meules. Les propriétaires sont souvent des banques ou des coopératives qui accordent également des aides financières. La région transforme annuellement 1,44 milliard de litres de lait, à raison de seize litres pour un kilo de parmesan. Elle produit 90 000 tonnes de Parmigiano Reggiano, soit 2,4 millions de cylindres du prestigieux fromage. Le Parmigiano Reggiano est un fromage à pâte pressée cuite, à croûte brossée et graissée. Il est fabriqué entre le 1er avril et le 11 novembre. L'affinage a lieu dans des conditions naturelles et doit durer au moins jusqu'à la fin de l'été suivant la production, si ce n'est plus longtemps. Le Parmigiano Reggiano a les caractéristiques suivantes:

• poids de 24 kg minimum à 44 maximum, généralement entre 33 et 36 kilogrammes ;
• diamètre de 35 à 45 centimètres ;
• hauteur de 18 à 24 centimètres ;
• épaisseur de la croûte d'environ 6 millimètres ;
• proportion de graisse dans la matière sèche: au moins 32 % ;
• couleur de la croûte: foncée avec paraffinage ou jaune d'or naturel ;
• couleur de la pâte: jaune clair à jaune paille ;
• structure de la pâte: de fine grenure ; segmentation en écailles ; minuscules perforations à peine visibles ;
• arômes fins et parfumés, jamais piquants;
• âge à l'état frais (*fresco*) – moins de 18 mois; vieux (*vecchio*) – 18 à 24 mois; très vieux (*stravecchio*) – 24 à 36 mois.

Page de droite: après des mois de maturation, le fromage a développé son arôme et une croûte naturelle s'est constituée.

A la louche, le fromager vérifie que le caillé a bien la consistance voulu pour être coupé en morceaux.

Après un nouveau réchauffement, le fromage – encore couvert de caséine – se dépose au fond, comme on le montre ici avec une bassine.

Avec un linge, on relève la pâte de fromage hors de la cuve.

Ensuite, on place la masse dans un moule en pressant un peu pour accélérer la sortie du reste de petit lait.

Dans la *fasceri*; forme de bois ou de métal, le Parmigiano Reggiano prend sa forme définitive.

Enfin, le maître fromager estampille le célèbre fromage de sa marque de fabrique.

Le Pecorino

On trouve dans toute l'Italie des fromages appelés "Pecorino". Personne n'impose aux fermiers ou aux laiteries à partir de quel lait ni comment ils ont à le fabriquer. C'est pourquoi les Pecorinos pullulent. Il y en a des frais et des vieux, des doux et des piquants. Au sens strict du terme, le Pecorino est un fromage de lait de brebis à pâte dure. Les pecorinos les plus connus proviennent par conséquent de l'Italie centrale et du Sud, ainsi que de Sardaigne et de Sicile où paissent les plus gros troupeaux de moutons.

Le lait est additionné de présure pour que se forme le gel de caséine. Les fromagers fractionnent le caillé, puis ils le chauffent à un peu moins de 50 degrés Celsius. Il est mis ensuite dans des moules cylindriques qui, en Sardaigne, sont tressés. L'affinage du Pecorino dure plus de huit mois. Il est souvent lavé à l'eau salée et retourné. Quand il est fait, sa croûte, presque toujours foncée et dure, est huilée. La pâte claire, parfois grisâtre, a un goût agréablement piquant. Les plus connus sont le Pecorino romano (ou latiale), le Pecorino toscano, le Pecorino siciliano et le Pecorino sardo ou Fiore sardo.

Le jeune Pecorino est consommé comme fromage de table, le vieux comme fromage râpé. Dans le sud de l'Italie, on l'utilise à la place du Parmesan.

Le Pecorino est bon jeune et doux, mais, pour le râper, il faut qu'il ait vieilli. Sa consistance doit être ferme. Le Pecorino vieilli a bon goût et il est fort.

Le Pecorino est à base de lait entier de brebis. Les brebis se contentent de maigres pâturages.

Le Pecorino est fabriqué dans beaucoup de régions, sous des formes diverses. Son poids varie de 1 kg 500 à 22 kilogrammes.

Le Gorgonzola

Fait à l'origine dans la petite ville du même nom, près de Milan, le Gorgonzola est fabriqué aujourd'hui dans des provinces piémontaises et lombardes. C'est un fromage de lait de vache entier et pasteurisé.

Le lait est chauffé de 28 à 32 degrés et coagulé avec de la caillette de veau. On y met les ferments lactiques en même temps que la présure et on ensemence le lait de spores de *penicillium glaucum*, afin qu'une moisissure se forme. Après la séparation du caillé et du lactoserum, le fromage est mis en moules de 25 à 30 centimètres de diamètre et salé. Il a deux semaines pour se développer.

Afin de favoriser le développement des moisissures internes de la pâte, on la transperce de longues aiguilles d'acier, la première semaine d'un côté, la seconde de l'autre.

Le fromage est placé dans des caves spéciales où l'on simule la température et l'humidité de l'air des grottes naturelles de la vallée de Valsassina. Il s'affine jusqu'à trois mois, selon la qualité que l'on veut obtenir :

- *bianco* – très jeune fromage au stade précédant le développement des moisissures ;
- *dolce* – très doux, présentant une légère marbrure ;
- *piccante* – fromage bien affiné aux moisissures vertes et au goût parfumé caractéristique.

Le fromage se conserve frais, mais son arôme n'est mis en valeur qu'à température ambiante.

Le gel de caséine s'est formé dans la grande chaudière par addition d'agents de coagulation. Il est maintenant fractionné, pour obtenir le caillé.

Le maître-fromager roule le cylindre de fromage pressé dans le sel.

La meule est perforée avec de fines aiguilles qui aèrent la pâte afin que la moisissure se répande mieux.

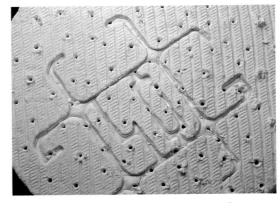
Chaque fromage est marqué des armoiries de Gorgonzola, garantissant son authenticité.

Dans ces caves au climat idéal, sur des étagères en bois, l'affinage peut durer jusqu'à trois mois.

Ce Gorgonzola présente une marbrure exemplaire et une onctuosité qui fait venir l'eau à la bouche.

Les variétés de fromages italiens

Les chiffres entre parenthèses renvoient aux illustrations ci-contre sur la page de droite.

Asiago d'Allevo
Fromage compact à pâte demi-dure ou dure de huit à douze kilogrammes ; originaire des hauts-plateaux alpins ; petite et moyenne formation de trous ; couleur paille ; jeune, il est doux ; il prend un goût fort au bout de neuf mois et plus ; au-delà, il est surtout utilisé comme fromage râpé.

Asiago pressato
Jeune fromage laiteux avec plus ou moins de matières grasses, mi-cuit et pressé de Vicence et de Trente.

Bel Paese
Fromage gras à pâte pressée fabriqué depuis 1929 à base de lait pasteurisé ; pâte jaune tendre, douce.

Caciocavallo (3)
Fromage à pâte dure fait de *pasta filata*, pâte « filée », cuite à l'eau bouillante et élastique. Il est très répandu dans le centre et le sud de l'Italie ; croûte lisse, souvent jaune d'or ; fromage de table doux utilisé comme fromage râpé quand il est plus vieux. On le fait aussi cuire à la poêle ou griller, avec du riz, des œufs et des légumes.

Caciotta (9)
Petit fromage gras à pâte demi-dure, du centre de l'Italie ; souvent de lait de vache et de brebis ; croûte fine, doux.

Crescenza
Fromage cru à pâte molle, très gras, sans croûte ; pâte tendre et homogène ; saveur fraîche, douce et fondante ; se trouve aussi en petits emballages.

Fiore sardo
Spécialité de Sardaigne ; fromage cru à pâte dure de lait de brebis ; croûte jaune foncée ou couleur noix ; s'il est affiné, il garde une saveur douce jusqu'à six mois ; est ensuite utilisé comme fromage râpé.

Fontina (2)

Fromage gras de lait entier du Val d'Aoste ; croûte fréquemment de couleur orange ; pâte tendre et fondante avec de petits trous ; affinage de trois mois.

Gorgonzola (1)

Tendre fromage à pâte persillée nommé d'après la commune du même nom près de Milan ; fabriqué dans certaines parties de la Lombardie et du Piémont ; la pâte est ensemencée de *penicillium glaucum* ; plus tard, il est troué avec des aiguilles pour que la moisissure verte se répartisse ; très crémeux (voir page de gauche).

Grana padano

Fromage demi-gras, cuit, à pâte dure et maturation lente ; il est le pendant du Parmigiano Reggiano du côté vénétien et lombardien de la vallée du Pô ; croûte jaune or, sombre, paraffinée ou naturelle ; marqué d'une Appellation d'Origine ; originaire de 26 provinces d'Italie ; affinage d'un ou deux ans ; fromage râpé, mais aussi bon fromage de table, saveur douce, parfum vigoureux.

Marzolino (12)

Fromage de lait de brebis fabriqué en Toscane ; saveur douce à légèrement forte ; fabriqué aussi à partir d'un mélange de lait de vache et de brebis.

Mascarpone

Fromage frais de consistance crémeuse ; fabriqué à partir de la crème du lait ; souvent employé en cuisine à la place de la crème.

Montasio

Fromage gras de lait de vache cuit et pressé ; originaire de la plaine et des Alpes du Frioul et de Vénétie ; jusqu'à cinq mois d'affinage consommé comme fromage de table avec une légère saveur piquante ; autrement comme fromage râpé.

Mozzarella

Fromage frais de lait de bufflesse de Campanie et du Latium ; cuit à l'eau ; *pasta filata* élastique ; se conserve au frais ; se met sur la pizza ; fait de lait de vache, il s'appelle *fior di latte*.

Paglietta (10)

Fromage à pâte molle du Piémont.

Parmigiano Reggiano (4)

Fromage demi-gras, cuit, à pâte dure à affinage lent et naturel ; gros cylindres de généralement 33 à 36 kilogrammes ; le plus réputé des fromages à râper italiens (p. 536).

Pecorino romano

Fromage gras, cuit, à pâte dure de lait de brebis sous forme de hauts cylindres d'environ 17 kilogrammes ; affinage d'au moins cinq mois ; originaire de Sardaigne (pecorino sardo) et de l'arrière-pays de Rome ; fromage râpé ; utilisé jeune comme fromage de table ; très exporté.

Pecorino siciliano (6)

Fromage non-cuit, à pâte dure de lait de brebis et de couleur blanc-jaunâtre fabriqué uniquement en Sicile ; saveur piquante.

Pecorino sardo (5)

Voir Fiore sardo et pecorino romano.

Provolone

Fromage à pâte demi-dure de *pasta filata*, caillé, qui prend une structure élastique, plongé dans l'eau bouillante ; il est ficelé, sous forme de poire, de melon ou de saucisson et s'affine suspendu ; jeune, il est très doux ; au bout de trois mois, plus fort.

Ragusano

Fromage à pâte dure sicilien, de *pasta filata* cuite ; de huit à dix kilogrammes en meules rectangulaires ; mangé jeune comme fromage de table, saveur douce ; saveur forte au bout de six mois d'affinage.

Ricotta (7)

Fromage frais fabriqué à partir de petit-lait dans beaucoup de régions ; blanc comme neige, tendre consistance ; saveur de lait un peu acide ; vendu frais ou légèrement salé ; souvent employé en cuisine pour farcir les pâtes et comme base de crème de gâteau.

Scamorza (11)

Fromage de lait de vache en forme de poire ; croûte lisse et fine ; se fait également avec un mélange de lait de brebis.

Taleggio (8)

Fromage à pâte molle gras, non-cuit ; forme classique de brique ; fabriqué en Lombardie, dans le Piémont et en Vénétie ; croûte tendre, rougeâtre ; saveur douce.

*Pasta e fagioli –
Pâtes et flageolets.*

*Minestrone alla milanese –
Minestrone à la mode
de Milan.*

Les soupes

Les soupes représentent les différents paysages de l'Italie et les saisons qui déterminent le choix et la gamme de légumes. Beaucoup de soupes de légumes trahissent leurs origines par les ingrédients qui les composent. Les soupes de Toscane sont garnies de haricots blancs secs et de tranches de pain grillé. Dans les soupes des régions méridionales, ce sont les tomates, l'ail et l'huile d'olive qui dominent. Les recettes de Ligurie utilisent beaucoup d'herbes fraîches ou de pesto. Dans la région de Milan, le riz fait partie des minestrones tandis qu'en Vénétie, on y ajoute des pâtes. Les Italiens aiment en général enrichir la soupe avec des pâtes de formes diverses. Ce ne sont ni les formes ni les pâtes qui manquent ! L'arrivée des légumes secs en Europe, d'abord en Espagne et en Italie, après la découverte de l'Amérique, en fit très vite, en vertu de leur propriété de rassasier, la composante principale des soupes de légumes. Dans le nord de l'Italie, on préfère, pour le potage aux haricots, les *borlotti* tachetés bruns et, dans le Sud, les petits *cannellini* blancs, mais il y a tellement de spécialités régionales ! Au sud, la *zuppa di ceci*, la soupe aux pois chiches, la *zuppa di lenticchie*, la soupe aux lentilles, et la *jota* de Trieste, inconnue dans tout le reste de l'Italie. Il s'agit d'une soupe de choucroute avec des haricots blancs et du saucisson à l'ail.

alla milanese
Minestrone à la mode de Milan
(Illustration)

3 cuil. à soupe d'huile d'olive
150 g de petit lard
50 g de gros lard
1 cuil. à soupe d'oignons hachés
1 cuil. à soupe de persil commun haché
1 cuil. à café d'ail finement haché
2 branches de céleri
2 carottes
3 pommes de terre de consommation
2 courgettes
500 g de tomates
1 cuil. à soupe de basilic grossièrement haché
250 g de haricots Borlotti frais écossés
1 petite tête de chou de Milan
250 g de petits pois frais écossés
150 g de riz Arborio ou Vialone
80 g de parmesan râpé
Sel

Faire chauffer l'huile dans un grand faitout. Faire revenir le petit lard, le gros lard, les oignons, le persil et l'ail dans l'huile.
Nettoyer le céleri et les carottes, éplucher les pommes de terre et couper les légumes en menus morceaux. Laver les courgettes et les couper en dés, peler, épépiner et couper les tomates en petits morceaux.
Mettre les légumes avec le basilic et les haricots dans le faitout et remplir de 2 l d'eau bouillante ; faire mijoter pendant deux heures à couvert.
Nettoyer le chou, le découper en fines lamelles et le mettre dans le faitout avec les petits pois, ajouter le riz au bout de 15 minutes. Faire cuire encore pendant 20 minutes, jusqu'à ce que le riz devienne grenu. Incorporer le parmesan et saler le minestrone. Le minestrone se mange chaud, en été tiède.
Boisson recommandée : un Soave frais ou un Pinot grigio.

Zuppa pavese
Soupe de Pavie

1 l de bouillon de bœuf
60 g de beurre
4 tranches de pain de mie
4 œufs
4 cuil. à soupe de parmesan râpé

Faire chauffer le bouillon de bœuf. Faire fondre le beurre dans une poêle et faire dorer les tranches de pain de mie des deux côtés. Mettre les tranches de pain dans des bols et faire glisser prudemment un œuf sur chaque tranche de pain.
Préchauffer le four à 200 °C. Mettre les bols au four et les laisser jusqu'à ce que les œufs se figent. Sortir les bols, parsemer les œufs de parmesan et mettre dans chaque bol 1 à 2 louches de bouillon très chaud.
Boisson conseillée : un Franciacorta Pinot blanc.

Pasta e fagioli
Pâtes et flageolets
(Illustration ci-contre sur la page de gauche)

500 g de flageolets Borloti
2 gousses d'ail
2 cuil. à soupe de romarin séché
1 gros oignon
1 branche de céleri
1 petite carotte
5 cuil. à soupe d'huile d'olive
Sel, poivre noir
200 g de brisures de linguine ou des petites pâtes creuses

Laisser tremper les haricots pendant une nuit dans beaucoup d'eau tiède. Jeter l'eau de trempage, mettre les flageolets dans un grand faitout et le remplir d'eau fraîche tiède de manière à recouvrir de 4 cm les haricots. Eplucher l'ail et le mettre avec le romarin dans un œuf à épices ou dans une mousseline et le suspendre dans le

faitout. Eplucher l'oignon, laisser la racine pour qu'il ne s'ouvre pas. Nettoyer le céleri et la carotte, les couper en dés et les mettre avec l'oignon dans les haricots. Ajouter l'huile et porter le tout à ébullition. Laisser mijoter à couvert pendant 2 h 1/2 à 3 heures jusqu'à ce que les haricots soient cuits (le temps de cuisson dépend de la fraîcheur des haricots). Retirer l'œuf à épices et l'oignon du faitout. Retirer un tiers des haricots de la soupe, les passer et les remettre dans le faitout. Saler et poivrer. Reporter la soupe à ébullition, ajouter les pâtes et les faire cuire al dente. La soupe est mangée chaude, en été, parfois froide. Nous recommandons ici un Cabernet.

Les tripes

On allait jadis manger des tripes dans les restaurants de Gênes après une nuit de beuverie pour soigner une gueule de bois avec une bonne tasse de bouillon de tripes chaud. Le bouillon de tripes se buvait aussi le soir, quand on revenait du théâtre, ou dans la nuit de la Saint Sylvestre. Il a constitué longtemps la première collation au matin du premier janvier. Les ouvriers du port le prenaient tous les jours comme petit déjeuner.

Il n'existe guère plus de ces restaurants. La préparation des tripes est longue et laborieuse. Pour le bouillon, il faut faire bouillir de la panse de caillette soigneusement nettoyée et du feuillet pendant au moins trois heures.

Aujourd'hui, les tripes, redevenues à la mode dans les bons restaurants, sont au menu sous la rubrique des spécialités régionales, à Rome, Florence, Bologne, Milan, Gênes ou dans le Haut-Adige.

Minestra di trippa alla piemontese
Soupe de gras-double piémontaise
(Illustration)

50 g de lard
1 branche de céleri
2 poireaux
2 pommes de terre de consommation
2 oignons
1 feuille de laurier
6 feuilles de sauge
50 g de beurre
2 l de bouillon de viande
700 g de gras-double de veau pré-cuit
400 g de chou de Milan
2 cuil. à soupe de parmesan râpé
Sel, poivre noir

Couper le lard en dés, nettoyer le céleri et les poireaux et les couper en rondelles. Eplucher les pommes de terre et les oignons et les couper en dés. Emietter la feuille de laurier, hacher finement les feuilles de sauge.
Faire revenir dans un grande marmite le lard avec le céleri, la sauge et la feuille de laurier dans le beurre en remuant. Ajouter les pommes de terre, les oignons et les poireaux et faire également revenir. Faire chauffer le bouillon de viande et le verser dessus.
Couper le gras-double en fines lamelles et le mettre dans le bouillon, poivrer légèrement et laisser mijoter une heure à couvert.
Nettoyer le chou de Milan, le couper en lamelles fines et l'ajouter au gras-double. Laisser mijoter à couvert pendant 60 minutes. Incorporer le parmesan à la fin. Saler et poivrer la soupe.
Boisson recommandée : un Dolcetto du Piémont.

Minestra di trippa alla piemontese – Soupe de gras-double à la piémontaise.

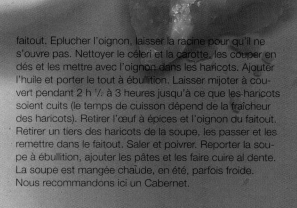

Le riz

L'Italie est non seulement le plus gros producteur de riz d'Europe, mais aussi le pays du monde occidental à avoir inventé le plus de recettes à base de riz. Alexandre le Grand rapporta bien du riz de ses campagnes, mais ce furent les Arabes qui ont découvert les premiers les propriétés culinaires du riz et les ont mises à profit, en Sicile. En Toscane, on mangeait déjà vers 1300 le blanc-manger, *biancomangiari*, une crème de riz nourrissante. La culture du riz ne se développa néanmoins qu'au 15ᵉ siècle et ne prospéra qu'au 19ᵉ siècle.

La culture du riz s'étend sur 245 000 hectares en tout et se concentre presque exclusivement dans la plaine du Pô. Dans le triangle compris entre Vercelli, Novara et Pavia, au sud-ouest de Milan, on submerge les champs en mars après les semis et on fait écouler l'eau quand les petites plantes vert clair sortent, fin mai. Au moment de la récolte en septembre, la plante de riz est touffue, brune et sèche.

Le riz joue un rôle important surtout dans la cuisine du nord de l'Italie où il est à égalité avec la pasta, dans les entrées, *primi piatti*. Il est également apprécié dans les soupes et les salades, en garniture, dans les entremets ou les pâtisseries légères. La consommation annuelle moyenne par tête est de cinq kilogrammes.

Les Italiens maîtrisent l'art d'utiliser le riz. Les diverses variétés ont, en cuisine, des propriétés différentes qu'il faut savoir adapter à chaque préparation. Les cultures de la variété *oryza sativa japonica*, essentiellement de grain rond, ont grande importance. Le riz à long grain, *oryza sativa indica*, est moins répandu.

Le riz d'une certaine variété est, d'après la loi italienne, toujours le même. Les différentes variétés sont classées dans les quatre catégories établies par l'Institut italien du riz qui a testé jusqu'à présent plus de 25 000 variétés.

Irrigation des rizières dans la plaine du Pô après les semis au printemps.

Dès que les tiges sortent de l'eau, on laisse l'eau s'écouler. La récolte a lieu en septembre.

Le riz est décortiqué dans ce moulin.

Les variétés de riz

En Italie, le nom de la variété est toujours inscrit sur l'emballage. On distingue les catégories suivantes :
- **Riso comune** – Avec les subdivisions Originario et Balilla ; petit grain rond ; non résistant à la cuisson ; cuisson de 13 à 14 minutes ; surtout employé pour les entremets ;
- **Riso semifino** – Avec les subdivisions Padano, Lido, Rosa Marchetti ; grain rond allongé ; 15 minutes de cuisson ; pour les minestrones et autres soupes ;
- **Riso fino** – Avec les subdivisions Vialone nano, Ribe, R.B., Sant'Andrea et Ringo ; grain rond mi-long ; résistant à la cuisson et cuisson homogène ; 16 minutes de cuisson ; bonnes variétés de risotto ;
- **Riso superfino** – Avec les subdivisions Arborio, Roma, Baldo et Carnaroli ; grand grain rond et long ; 18 minutes de cuisson ; variété à risotto la plus répandue.

Spécialités :
Carnaroli – grain rond et long ; culture complexe sans engrais ni désherbants ; première qualité et très résistant à la cuisson ; 18 minutes de cuisson ; excellent pour le risotto ;
Indica ou Thai – petit grain long ; riz à long grain avec bonne résistance à la cuisson ; représente maintenant 1/5 des riz cultivés en Italie ; essentiellement destiné à l'exportation ; 18 à 20 minutes de cuisson ; pour les plats de riz internationaux.

Risotto di gamberetti
Risotto aux crevettes
(Illustration ci-dessous)

1 l 1/4 de bouillon de viande
1 échalotte
100 g de beurre
400 g de riz Arborio
250 g de crevettes de Méditerranée décortiquées
200 ml de vin blanc
1 cuil. à soupe de persil commun haché

Faire chauffer le bouillon de viande. Eplucher l'échalotte, la hacher finement et la faire dorer dans 50 g de beurre. Ajouter le riz et le faire blondir. Laver les crevettes, les ajouter au riz et faire revenir 1 à 2 minutes. Déglacer avec le vin blanc.

Quand le riz a entièrement absorbé le vin, ajouter peu à peu le bouillon en ne cessant de remuer. Le riz est al dente (au bout d'environ 18 minutes). Incorporer alors le reste de beurre et le persil. Faire macérer le riz terminé pendant 2 minutes à couvert et servir sur des assiettes préchauffées.

Boisson recommandée : un Bianco Colli Euganei.

Remarque : on ne met presque jamais de parmesan dans le risotto aux fruits de mer ou au poisson.

Risotto di gamberetti – risotto aux crevettes.

Risi e bisi
Riz aux petits pois

800 g de jeunes petits pois frais
75 g de lard frais
1 oignon
75 g de beurre
300 g de riz Arborio
2 cuil. à soupe de persil haché fin
100 g de parmesan râpé

Ecosser les petits pois et les réserver. Faire cuire les cosses pendant 60 minutes dans 1 l ½ d'eau salée, les égoutter et maintenir le bouillon au chaud.

Couper le lard en dés, éplucher l'oignon et le hacher finement. Faire fondre le beurre dans une casserole assez grande, y faire dorer le lard et les oignons. Ajouter le riz et le faire blondir en ne cessant de remuer. Ajouter deux louches de bouillon de petits pois et les petits pois ; faire bouillir 5 minutes. Quand le riz a absorbé tout le liquide, ajouter le bouillon de petit pois en ne cessant de remuer, jusqu'à ce que le riz soit al dente au bout d'environ 18 minutes. A la fin, incorporer la moitié du parmesan et le persil.

Laisser reposer le risotto terminé pendant 1 à 2 minutes et saupoudrer du reste de parmesan.

Boisson recommandée : un Tocai del Piave.

Risotto alla milanese

1 l ¼ de bouillon de poule
1 g de safran
2 gros os de bœuf à moelle
80 g de beurre
1 cuil. à soupe d'oignons hachés
400 g de riz Vialone
200 ml de vin blanc sec
100 g de parmesan râpé

Faire chauffer le bouillon de poule. Prélever 2 cuil. à soupe de bouillon et faire tremper le safran dedans. Détacher la moelle des os et la faire fondre dans 60 g de beurre, ajouter les oignons et faire revenir.

Ajouter le riz et le faire blondir en remuant, mouiller avec le vin et le faire entièrement réduire. Ajouter une à une quelques louches de bouillon de poule chaud en ne cessant de remuer.

Au bout d'environ 10 minutes, ajouter le safran et son eau de trempage. Quand le riz est al dente (au bout d'environ 16 minutes), retirer la casserole de la cuisinière et incorporer le reste de beurre et la moitié du parmesan. Parsemer l'autre moitié sur le risotto et servir.

Vin recommandé : par exemple un Barbaresco dell'Oltrepà Pavese.

Risotto con asparagi verdi
Riz aux asperges vertes

1 l ½ de bouillon de viande
500 g d'asperges italiennes vertes
1 cuil. à soupe d'oignons hachés
75 g de beurre
400 g de riz Vialone
200 ml de vin blanc sec
100 g de parmesan râpé

Faire chauffer le bouillon de viande. Eplucher les asperges, couper les têtes et les réserver, couper les tiges en morceaux d'environ 2 cm de long.

Faire blondir les oignons dans le beurre. Ajouter les morceaux d'asperge et faire revenir. Ajouter le riz. Quand le riz a blondi, le mouiller avec le vin. Quand le riz a entièrement absorbé le vin, ajouter une à une des louches de bouillon chaud en ne cessant de remuer.

Au bout d'environ 10 minutes, ajouter les pointes d'asperges. Quand le riz est al dente (au bout d'environ 16 minutes), incorporer la moitié du parmesan. Parsemer l'autre moitié sur le risotto et servir.

Vin recommandé : un Sauvignon Colli Berici.

Variétés de riz
(Voir le tableau ci-contre, sur la page de gauche)
1 R. B.
2 Riso brillato
3 Riso sbramato
4 Roma
5 Riso parboild
6 Balilla
7 Vialone nano
8 Arborio

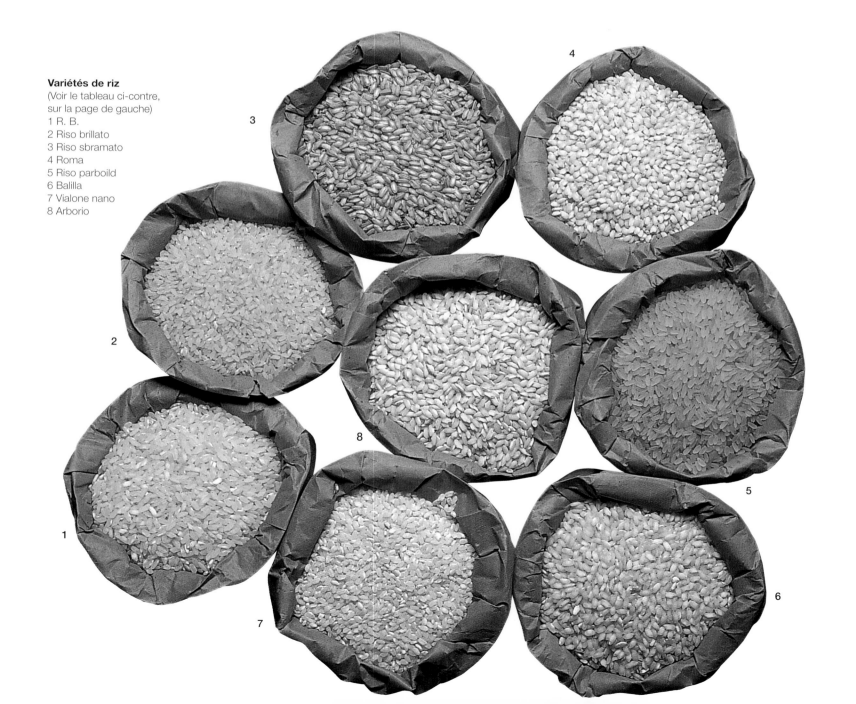

545

Salumi

L'Italie est extrêmement riche en charcuterie. Le terme de *salume*, dans lequel il y a *salare*, saler, englobe toutes les variétés de saucisses fraîches, de saucissons et de jambons. La charcuterie est tellement populaire en Italie que certaines races de porcs sont élevées uniquement pour la charcuterie. En Italie, la viande de porc fraîche joue un rôle secondaire.
Les saucissons et les jambons sont subdivisés en deux catégories :
• Les produits crus et affinés – fabriqués à partir de viande fraîche ; plus ou moins salés et mûrissant surtout par séchage ; après cette maturation, ils peuvent être conservés à température ambiante. Les jambons crus de Parme et de San Daniele, les saucissons secs, *salami* ou *soppressa*, la *coppa* ou la *bresaola* font partie de cette catégorie.
• Les produits cuits – à l'origine bouillis ou chauffés dans des fours modernes à air pulsé et mijotés ; ils doivent toujours être conservés au frais et consommés assez vite. Font partie de cette catégorie la mortadelle, le *cotechino* et le *zampone* ainsi que le *prosciutto cotto*, le jambon cuit le plus consommé.

1 **Coppa** – célèbre spécialité pur porc faite avec la musculature du paleron ; il mûrit enveloppé dans un linge imbibé de vin blanc
2 **Bresaola** – saucisson sec de viande de bœuf. Très proche du jambon suisse des Grisons
3 **Mortadella** – cervelas originaire de Bologne ; la mortadelle a diverses qualités
4 **Zampone** – pied de cochon farci ; spécialité de Modène ; la farce est composée de jambonneau et d'épaule finement hachés et bien épicés
5 **Soppressa veneta** – fromage de tête à structure grossière de Vénétie ; séché jusqu'à concurrence de six mois dans des chambres sombres
6 **Bondiola** – saucisson consistant et fort de Vénétie
7 **Soppressata** – fromage de tête de goût piquant ; souvent légèrement fumé, puis pressé et séché
8–10 **Salame** – saucisson sec très connu qui a de trois à six mois de maturation ; au Nord, il est plus doux, dans le sud du pays, il est piquant et fort

Le salami

La base du salami est la viande crue, en particulier le porc, mais on utilise aussi le bœuf, l'âne, le sanglier ou l'oie. Selon l'espèce de salami que l'on désire obtenir, il faut habituellement cinquante à cent pour cent de viande maigre. Pour le pur porc, l'échine, la palette et eventuellement du petit lard. La viande est grossièrement hachée au hachoir. Pour obtenir une texture plus fine, on la passe une deuxième fois à travers un disque plus petit.

Les viandes, maigres et grasses, sont mélangées, épicées – avec de l'ail haché fin, du poivre moulu ou non moulu, des herbes séchées, des graines de fenouil, éventuellement un peu de vin, et surtout assez de sel. Les ingrédients sont soigneusement mélangés jusqu'à obtention d'une pâte homogène, bien épicée. Le boyau nettoyé est fermé à une extrémité, l'autre extrémité est mise au bout d'un entonnoir d'où la chair pressée remplit le boyau. Il ne doit pas y avoir de bulles d'air. L'extrémité ouverte du boyau est fermée à la longueur désirée.

Le salami est soumis à un séchage de quelques heures dans une salle chauffée, puis il mûrit dans une salle fraîche ni trop sèche ni trop humide. Au cours de cette maturation naturelle, qui dure de trois à six mois, une moisissure farineuse se forme sur la peau du salami. Elle est régulièrement enlevée, mais c'est elle, en définitive, qui donne au salami son arôme.

Les porcins italiens

En Italie, les porcs sont élevés en première ligne pour la fabrication du jambon et du saucisson et répondent à d'autres critères et exigences que les porcs du nord de l'Europe. Ces derniers sont sacrifiés à peine ont-ils atteint le poids plume de 100 kilogrammes. Les fabricants italiens de saucisson et de jambon élèvent des animaux trapus, d'un poids d'abattage de 160 kilogrammes. Pour que la viande de porc soit utilisable, l'engraissement doit être progressif. L'âge d'abattage varie entre neuf et douze mois.

Un repas composé de farine de maïs, d'orge, de soja, de son et de petit-lait fait partie d'une alimentation équilibrée, qui donne à la chair ses arômes et sa consistance ferme, condition sine qua non d'un jambon de qualité.

Le sanglier est une proie de chasse très recherchée. Il donne de très bons ragoûts et de bons salamis. Le saucisson de sanglier est une spécialité de Toscane.

La viande est hachée dans le hachoir plus ou moins fine ou grossière.

Chaque charcutier a son mélange d'épices.

La pâte homogène est mise dans de longs boyaux.

Le salami de sanglier est souvent lié à intervalles plus rapprochés.

Spécialités de salami

(Voir aussi p. 546-547)

Salame al sugo

Son goût particulier vient de la langue et du foie et des nombreuses épices et herbes, surtout à l'ail, qui le composent (on rapporte que Lucrèce Borgia inventa la recette) ; maturation de six mois. Il est mangé cuit ; pendant la cuisson se forme une sauce assez forte, le *sugo* ; spécialité de Ferrare, dans l'Emilie-Romagne.

Salame di Felino

Le village, non loin de Parme, s'est fait connaître par son saucisson de viande de porc et de lard haché mi-fin ; peu salé ; épicé d'ail écrasé dans du vin blanc et de poivre.

Salame di Milano

Variété la plus célèbre ; d'un mélange très homogène de porc maigre, haché très fin ou d'un mélange de porc et de bœuf avec au plus vingt pour cent de gras de porc ; temps de maturation au moins trois mois, souvent jusqu'à six mois ; poids différents, jusqu'à quatre kilogrammes.

Salame di Montefeltro

Saucisson de grand caractère des meilleurs morceaux de chair des porcs aux soies noires : filet et jambon, épicé au poivre moulu ou concassé.

Salame di Napoli

Salami mélangé de chair des plus petits porcs du sud de l'Italie et de bœuf haché, épicé d'ail et de piment ; légèrement fumé et séché à l'air.

Salame di Varzi

Saucisson de porc haché grossièrement, mélangé avec du vin blanc, épicé à l'ail et à la muscade avec trente pour cent de lard ; en général, trente centimètres de longueur ; originaire de la région limitrophe entre la Lombardie et l'Emilie.

Salame d'oca

Le goût de l'oie est dominant, mais c'est un mélange à parts égales d'oie, de porc maigre et de lard ; le salami d'oie originaire de Mortara, village de Lombardie, est le plus connu.

Salame gentile

Ce salami de l'Emilie-Romagne est un mélange de porc maigre et de lard. Il est mis dans un très gros boyau. Réputé pour sa tendresse.

Salame nostrano veneto

On aime en Vénétie ce salami à gros grain, mélange de porc maigre et de porc gras, préparé au poivre concassé. Il existe avec ou sans ail. On le coupe au couteau en rondelles épaisses.

Choix de spécialités de salamis régionales de grains différents et de saveurs variant du doux au fort.

549

La viande

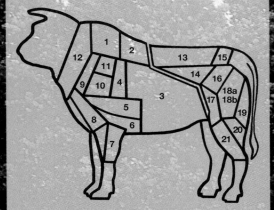

La découpe italienne du bœuf

Quarto anteriore – quartier antérieur :

1 Costata – côte, entrecôte
2 Sottospalla – basse côte
3 Pancia – flanchet
4 Fesone di spalla – macreuse à bifteck
5 Reale – plat de côtes
6 Petto – poitrine
7 Muscolo anteriore – gîte
8 Polpa di spalla – épaule
9 Girello di spalla – jumeau
10 Copertina – macreuse
11 Copertina di sotto – pabron
12 Collo – collier

Quarto posteriore – quartier postérieur :

13 Lombata – faux-filet
14 Filetto – filet
15 Scamone – rumsteck
16 Fianchetto – aloyau
17 Noce – bavette
18 a) Fesa – noix, culotte interne
18 b) Sottofesa – gîte à la noix, culotte externe
19 Girello – rond de gîte
20 Campanello – gîte
21 Muscolo posteriore – jarret arrière

Vitello tonnato
Veau sauce au thon

Pour 6 personnes

1 kg de noix de veau
1 oignon
1 carotte
1 branche de céleri
1 feuille de laurier
1 boîte de thon à l'huile
4 filets d'anchois
2 œufs durs
2 cuil. à soupe de câpres
200 ml d'huile d'olive
Sel, poivre noir
1 cuil. à soupe de jus de citron
Rondelles de citron, persil

Ficeler la viande en forme de rôti et le mettre dans une casserole. Éplucher ou nettoyer l'oignon, la carotte et le céleri, les ajouter à la viande et couvrir la viande d'eau. Porter à ébullition. Couvrir et faire cuire à feu doux pendant deux heures. Laisser refroidir la viande dans le bouillon.

Bien égoutter le thon et l'émietter grossièrement. Laver les anchois et les essuyer. Réduire le thon, les anchois, les œufs et 1 cuil. à soupe de câpres en purée au mixer. Ajouter lentement l'huile d'olive et quelques cuillères à soupe de bouillon, de manière à ce que la sauce devienne crémeuse. Saler, poivrer et ajouter le jus de citron.

Déficeler le veau, l'émincer et le dresser sur un plat ; napper avec la sauce au thon.

Garnir avec les rondelles de citron, le reste de câpres et un bouquet de persil.

Laisser macérer au moins deux heures au réfrigérateur avant de servir.

Boisson conseillée : un Cabernet ou un Bardolino.

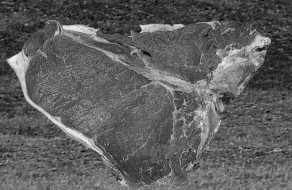

La *fiorentina*, l'entrecôte de Toscane la plus appréciée, coupée dans le filet et l'aloyau du bœuf Chianina.

L'*ossobuco* est presque déjà légendaire. Coupé dans le jarret arrière du veau avec l'os à moelle, il est bouilli à feu doux et servi avec de la polenta.

Petit glossaire de la viande

Agnello – agneau

Les Italiens mangent de l'agneau de lait, *agnello di latte*, à Rome, *abbacchio*, à Pâques. On fait aussi des sautés d'agneau avec des légumes, des petits pois ou des artichauts. Le gigot, *cosciotto d'agnello* ou les côtelettes d'agneau, les *costolette di agnello*, sont également populaires, surtout dans le Piémont, en Ligurie et à Rome. Il y a en Sardaigne de la très bonne viande d'agneau.

Capretto – chevreau

Le chevreau provient de régions montagneuses du centre et du sud de l'Italie ; beaucoup plus rare que l'agneau, il se prépare néanmoins de la même façon, souvent accompagné de jambon, mijoté dans du vin (dans le Piémont, du Barolo) ; épicé à l'origan.

Coniglio – lapin

On mange du lapin dans toute l'Italie, mais les Marches ont le plus grand nombre de recettes ; on le fait souvent farci – *ripieno* ou *farcito* – ou roulé – *arrotolàto*, sauté au vin blanc avec de la sauge, de l'ail et des tomates ; il est généralement épicé de romarin ; dans le nord-est de l'Italie, on le fait mariner avant de le cuisiner. Dans le sud, il est souvent agrémenté de pignons et de raisins secs.

Maiale – porc

Le porc fut de tout temps apprécié dans les régions de jambon et de saucisson, comme l'Emilie-Romagne avec Bologne et en Ombrie. L'Ombrie est réputée depuis le Moyen Age pour sa charcuterie, surtout le cochon de lait rôti, désossé, un plat exquis. En Ombrie vit dans la nature une race spéciale de porc noir maigre. Il est souvent fait au gril, en brochettes bardées.

Manzo – bœuf

Le bœuf se mange le plus souvent dans la plaine du Pô, où les pâturages sont nombreux ; le bœuf le plus connu pour être souvent utilisé en cuisine est le Chianina, à la robe blanche, provenant de la vallée de Chiana, en Toscane ; son meilleur morceau s'appelle, en gastronomie, la *fiorentina*, une coupe qui comprend l'aloyau, l'os et le filet, de quelques centimètres d'épaisseur et d'au moins 400 à 500 grammes.

Vitello – veau

Le veau est mangé très jeune ; le *vitello da latte*, le veau de lait, est une spécialité qui se trouve rarement. Il n'a jamais plus d'un an et ne pèse jamais plus de 180 kilogrammes ; son grand frère, déjà nourri d'herbe, peut faire monter la balance jusqu'à 230 kilogrammes.

Vitellone – génisse, jeunes bovins

Les jeunes bovins pèsent au maximum de 500 à 600 kilogrammes et sont âgés entre 16 et 18 mois ; ils sont subdivisés comme suit : le *vitello leggero*, le veau léger (pas plus de 500 grammes) et le *vitello pesante* (poids permis de 500 à 600 kilos). La part de *vitellone* dans la consommation de viande des Italiens est de soixante pour cent. Les escalopes, *scaloppine*, prises dans la culotte, la noix et la selle, sont une spécialité italienne ; ainsi que l'*ossobuco* (« l'os à trou »), tranches de jarret arrière ; *spezzatino*, le ragoût, le sauté ou la daube sont très souvent du *vitellone*. Les fins gourmets italiens apprécient les abats de veau, surtout le foie de veau et les tripes.

Saltimbocca alla romana
Escalope de veau au jambon et à la sauce
(Illustration)

Pour 2 personnes

2 escalopes fines
2 tranches de jambon de Parme
4 feuilles de sauge
70 g de beurre
Sel, poivre noir
100 ml de vin blanc sec

Couper les escalopes et le jambon en deux, taper la viande à plat avec précaution. Fixer à l'aide d'un cure-dent une tranche de jambon avec une feuille de sauge sur une moitié d'escalope.
Faire chauffer 40 g de beurre dans une grande poêle et faire revenir les escalopes à feu vif 2 minutes de chaque côté. Poivrer, saler à peine, verser le vin et faire réduire. Ajouter le reste de beurre et mélanger au jus de viande. Dresser les escalopes sur des assiettes préchauffées et verser quelques gouttes de sauce dessus.
Servir un Frascati sec et bien frais.

Ossobuco alla milanese
Ossobuco à la milanaise
(Illustration ci-contre, page de droite)

4 grosses tranches de jarret de veau
Sel, poivre noir
4 cuil. à soupe de farine
5 cuil. à soupe d'huile d'olive
40 g de beurre
2 oignons
2 gousses d'ail
2 carottes
1 branche de céleri
2 branches de thym
1 feuille de laurier
1 zeste de citron non traité
200 ml de vin blanc sec
200 ml de bouillon de viande ou de poule
3 tomates
1 cuil. à soupe de concentré de tomate

Gremolata

4 gousses d'ail
1 zeste de citron non traité râpé
2 cuil. à soupe de persil haché

Saler et poivrer les tranches de viande et les rouler dans la farine. Faire chauffer l'huile et le beurre dans une grande marmite et y faire dorer la viande des deux côtés ; la réserver et maintenir au chaud. Eplucher ou nettoyer les oignons, l'ail, les carottes et le céleri et les mettre hachés dans la marmite. Faire revenir en remuant. Ajouter le thym, le laurier et le zeste de citron. Mouiller avec le vin et le bouillon.
Peler, épépiner et couper les tomates en petits morceaux et les mettre dans les légumes avec le concentré de tomates. Bien mélanger le tout et remettre la viande dans la marmite. Couvrir et laisser cuire à feu doux pendant 90 minutes.
Pour la gremolata, hacher finement l'ail et le mélanger au zeste de citron et au persil. Dresser les tranches de viande sur un plat préchauffé, saupoudrer de gremolata et verser la sauce. Comme garniture, on sert généralement un *risotto alla milanese* (recette p. 544). Un Barbera d'Asti convient parfaitement comme boisson.
Remarque : l'*ossobuco* est encore meilleur réchauffé. Il est donc conseillé de le faire la veille. La gremolata, par contre, ne doit être mise sur la viande que peu avant de servir.

Carpaccio
De filet de bœuf
(recette p. 524).

Saltimbocca alla romana – Escalopes de veau au jambon et à la sauce.

Scaloppine di maiale al marsala
Escalopes de porc au marsala

4 escalopes de porc
Sel, poivre noir
2 cuil. à soupe de farine
60 g de beurre
100 ml de marsala sec

Battre les escalopes à plat. Saler, poivrer et saupoudrer de farine. Faire chauffer 30 g de beurre dans une poêle et faire dorer les escalopes une minute et demie de chaque côté. Mouiller avec le marsala et laisser macérer cinq minutes. Sortir les escalopes et les maintenir au chaud sur une plaque chauffante.

Gratter le fond de la poêle et incorporer les flocons de beurre restants. Assaisonner et verser sur les escalopes. Accompagner d'un Frascati sec bien frais.

Fegato alla veneziana
Foie de veau à la vénitienne

3 cuil. à soupe d'huile d'olive
3 oignons blancs
200 ml de vin blanc sec
30 g de beurre
500 g de foie de veau
Sel, poivre noir
2 cuil. à soupe de persil finement haché

Faire chauffer l'huile, éplucher les oignons, les couper en rondelles et les faire blondir dedans. Mouiller avec le vin et les faire cuire 20 minutes jusqu'à ce que l'alcool se soit évaporé. Retirer les oignons et les réserver.
Faire fondre le beurre, émincer le foie, le mettre dans le beurre chaud et le faire cuire pendant 4 minutes en ne cessant de remuer. Ajouter les oignons, les faire chauffer ; saler et poivrer. Parsemer de persil et servir aussitôt.

Agnello arrosto
Gigot d'agneau

Pour 6 personnes

1 gigot d'agneau (environ 1,5 kg)
1 branche de romarin
4 gousses d'ail
Sel, poivre noir
3 cuil. à soupe d'huile d'olive
100 g de gros lard
200 ml de vin blanc sec
1 cuil. à soupe de persil haché finement
1 cuil. à soupe de chapelure
2 cuil. à soupe de parmesan râpé

Inciser le gigot en plusieurs endroits avec un couteau et le piquer d'ail et d'aiguilles de romarin. Saler et poivrer. Préchauffer le four à 200 ºC.
Faire chauffer 2 cuil. à soupe d'huile d'olive dans une grosse marmite, couper des dés de lard et les faire revenir dans l'huile. Mettre le gigot piqué dans la marmite et le saisir de tous les côtés. Mouiller avec le vin et faire réduire le liquide de moitié. Le faire cuire au four environ 75 minutes en l'arrosant souvent de son jus.
Mélanger le persil, la chapelure, le parmesan et le reste d'huile d'olive. Badigeonner le gigot avec cette sauce, le remettre au four et le faire griller 15 minutes sans couvercle. En fin de cuisson, laisser reposer le gigot 10 minutes, puis le découper, dresser les morceaux sur un plat préchauffé et napper avec le jus de cuisson.
Le Montepulciano d'Abruzzo est un vin idéal.

Ossobuco alla milanese –
Jarret de veau à la milanaise.

Pollastro in squaquaciò –
Poulet vénitienne à la sauce tomate

La volaille

La volaille, ou plus exactement la poule et la pintade, comptent parmi les plats préférés des Italiens
et les plus fréquents sur les menus des restaurants.
La variété de poule la plus courante, la poule de
Méditerranée, a un plumage de la même couleur
que celui de la perdrix. La plus connue est la poule
de Padoue, particulièrement forte et lourde. L'imagination des cuisinières et des cuisiniers italiens ne
connaît guère plus de bornes dans le domaine de
la volaille et du poulet grillé que dans d'autres spécialités. D'innombrables préparations raffinées
font l'objet d'aussi nombreuses recettes. Pour
qu'une volaille ait une chair fine, il faut qu'elle ait
vécu « heureuse », dans de bonnes conditions et de
préférence à l'air libre. Encore maintenant, dans
les régions rurales, le poulet est acheté vivant,
abattu et plumé par le particulier.

Petit lexique de la volaille

Anatra – canard
Beccaccia – bécasse
Cappone – chapon
Fagiano – faisan
Faraona – pintade
Galletto – poulet
Gallina – poule
Oca – oie
Pernice – perdrix
Piccione – pigeon
Pollastra, pollastro – jeune poule, poulet
Pollastro da ingrasso – poularde
Pollo – poule
Quaglie – caille
Tacchina, tacchino – dinde, dindon

Polastro in squaquaciò
Poularde vénitienne à la sauce tomate
(Illustration)

10 g de cèpes séchés
1 poularde parée (environ 1 kg 500)
1 oignon
1 boîte de tomates
2 gousses d'ail
Quelques feuilles de basilic
¼ l de Cabernet (rouge)
Sucre
Sel, poivre noir
50 g de beurre
4 cuil. à soupe d'huile d'olive

Préchauffer le four à 200 °C.
Faire tremper les champignons pendant 15 minutes dans
l'eau tiède. Découper la poularde en quatre. Eplucher les
oignons, les couper en quartiers, couper les tomates en
menus morceaux. Mettre l'oignon, les tomates, les champignons avec leur eau de trempage, l'ail, le basilic, le vin
rouge et une pincée de sucre dans une cocotte et bien
mélanger tous ces ingrédients.
Saler et poivrer les morceaux de poularde et les mettre
dans la cocotte, côté peau vers le haut. Ajouter beurre et
huile d'olive. Faire cuire la poularde pendant 60–90 mn au
four. Retirer la viande de la sauce et la maintenir au chaud.
Passer la sauce, éventuellement l'épaissir, assaisonner et
servir séparément. Comme garniture, on sert de la polenta grillée et comme vin, le vin employé pour la cuisson.

Pollo alla diavola
Poulet à la diable
(Illustration)

1 jeune poule parée d'environ 1 kg 200
2 petits piments secs
8 feuilles de sauge
1 branche de romarin
6 cuil. à soupe d'huile d'olive
Jus d'un citron
Sel

Couper la poule en deux au sécateur dans le sens de la
longueur et bien l'aplatir. Hacher finement les piments, la
sauge et le romarin et mélanger avec l'huile, le jus de
citron et une pincée de sel.
Badigeonner la poule avec la moitié de cette sauce et la
laisser macérer 1 heure.
Préchauffer le four à 200 °C.
Mettre la poule sur une feuille d'aluminium. Relever celle-
ci de tous les côtés et mettre sur la plaque du four.
Faire rôtir la poule dans le four pendant environ 1 heure
en badigeonnant de temps en temps avec le restant de
sauce. Si la poule dore trop vite, baisser la température.
Boisson recommandée : un jeune Chianti.

Pollo alla diavola –
Poulet à la diable.

Faraona al vino bianco –
Pintade au vin blanc.

Faraona al vino bianco
Pintade au vin blanc
(Illustration)

1 pintade d'environ 1 kg 200
Sel, poivre noir
1 oignon
2 gousses d'ail
8 pommes de terre de taille moyenne
1 branche de romarin
5 feuilles de sauge
40 g de beurre
4 cuil. à soupe d'huile d'olive
¼ l de vin blanc sec (Soave)
¼ l de bouillon de poule

Préchauffer le four à 200 °C.
Découper la pintade en quatre, saler et poivrer. Eplucher l'oignon et le couper en quartiers. Couper l'ail en deux, éplucher les pommes de terre.
Mettre l'oignon, l'ail, le romarin et la sauge dans un plat allant au four. Placer les morceaux de pintade dessus, côté peau vers le fond. Disposer les pommes de terre autour de la viande et ajouter beurre et huile.
Mettre le plat au four. Quand la graisse commence à grésiller au bout d'environ 15 minutes, mouiller avec le vin et la moitié du bouillon de poule. Retourner les pommes de terre et la viande au bout d'environ 40 minutes de cuisson et verser éventuellement le reste de bouillon. Au bout d'une heure et demie de cuisson, il ne devrait plus rester que la graisse de cuisson. Dresser la pintade et les pommes de terre sur un plat et maintenir au chaud. Passer la sauce et la servir séparément. Accompagner du Soave qui a servi à la cuisson.

Pollo alla Marengo
Poulet Marengo

1 jeune poule parée d'environ 1 kg 200
Sel, poivre noir
6 cuil. à soupe d'huile d'olive
400 g de tomates
2 gousses d'ail pressé
150 ml de vin blanc sec
150 ml de bouillon de poule
250 g de champignons
200 g de petits oignons blancs
3 cuil. à soupe de beurre
3 cuil. à soupe de jus de citron
4 grosses crevettes ou écrevisses à pattes rouges
4 à 8 tranches de baguette
4 œufs
Quelques feuilles de basilic
1 cuil. à soupe de persil commun finement haché

Découper le poulet en plusieurs morceaux, saler et poivrer. Faire chauffer 5 cuil. à soupe d'huile d'olive dans une grande poêle et faire dorer les morceaux de poulet pendant dix minutes de tous les côtés. Mettre le blanc de côté et maintenir au chaud.
Peler, égréner et couper les tomates en quartiers ; les mettre dans le poulet avec l'ail. Cuire un peu et mouiller avec le vin blanc et le bouillon de poule. Laisser cuire à couvert environ 45 minutes.
Nettoyer les champignons, peler les oignons blancs. Faire fondre 2 cuil. à soupe de beurre dans une seconde poêle, y faire revenir les champignons et les oignons environ dix minutes. Assaisonner avec 2 cuil. à soupe de jus de citron, sel et poivre.
Préchauffer le four à 200 °C.
Prendre une troisième poêle. Faire revenir les crevettes cinq minutes dans le reste d'huile. Mouiller avec 1 cuil. à soupe de jus de citron. Faire griller les tranches de pain sur une plaque de four graissée pendant dix minutes (les retourner une fois). Retirer la viande de la poêle, réduire la sauce et assaisonner. Mettre les champignons, les oignons, le poulet et le blanc dans la sauce et faire chauffer. Faire fondre le reste de beurre, mettre les œufs dedans, assaisonner et les laisser prendre en remuant. Dresser le poulet, les légumes et les crevettes sur un grand plat préchauffé. Disposer les tranches de pain grillé tout autour et répartir les œufs dessus. Garnir avec le persil et le basilic et servir. Boisson conseillée : un Barbera.

555

Le gibier

Les Italiens sont des chasseurs passionnés. Bien des espèces d'animaux sont en voie de disparition, mais ce n'est pas encore le cas du lièvre ni du sanglier. La population de sangliers a même considérablement augmenté. Aussi trouve-t-on de nouveau, à la saison de la chasse, à la fin de l'automne et au début de l'hiver, dans des régions comme la Toscane, le Latium, les Abruzzes, et la Calabre, des plats de sanglier préparés à l'ancienne. Le fin gourmet aura toutefois besoin d'un peu de chance pour trouver, dans les restaurants, du faisan, de la perdrix ou de la foulque. Les cailles, dont il existe maintenant des élevages, sont plus fréquentes. Dans les régions du Nord, à la saison de la chasse (d'août à janvier), il y a aussi des daims.

Fagiano tartufato
Faisan truffé

Pour 2 personnes

1 jeune faisan
2 cuil. à soupe d'eau-de-vie
1 cuil. à soupe de Marsala sec
1 petite truffe noire
Sel, poivre noir
6 tranches de gros lard frais
3 cuil. à soupe d'huile d'olive
1 gousse d'ail
1 branche de romarin
100 ml de bouillon de poule

Parer le faisan. Mélanger le Marsala et l'eau-de-vie. Couper les truffes en rondelles fines et les faire mariner 1 heure dans cette marinade.
Retirer les rondelles de truffes de la marinade, réserver celle-ci et inflitrer les rondelles de truffes sous la peau du faisan. Laisser reposer le faisan couvert toute une nuit au réfrigérateur, pour que les truffes parfument la chair. Préchauffer le four à 180 °C.
Saler le faisan, le poivrer et le recouvrir des tranches de lard. Faire chauffer l'huile dans une marmite. Hacher finement l'ail et le romarin et les faire revenir dedans (l'ail ne doit pas se colorer). Mettre le faisan dans la marmite, couvrir, et le faire étuver au four pendant une demi-heure. Verser la marinade de truffes et le bouillon de poule. Arroser de temps en temps le faisan du jus de cuisson. Retirer, au bout de 15 minutes, les tranches de lard de la viande, augmenter la température et faire dorer le faisan pendant un quart d'heure. Retirer le faisan de la marmite et le réserver au chaud. Passer la sauce, la dégraisser et la faire réduire éventuellement jusqu'à ce qu'il en reste au plus 6 cuil. à soupe. Découper le faisan et mettre quelques gouttes de sauce dessus. Servir chaud.
Vin recommandé : un Barolo

Cinghiale al barolo
Sanglier au vin rouge

1 kg d'épaule de sanglier
Sel, poivre noir
3 cuil. à soupe d'huile d'olive
50 g de beurre
1 cuil. à soupe de concentré de tomates

Marinade

1 oignon
1 carotte
1 branche de céleri
2 gousses d'ail
5 clous de girofle
10 grains de poivre noir
1 feuille de laurier
1 branche de romarin
1 branche de thym
1 bouteille de Barolo rouge

Dépouiller éventuellement la viande et la mettre dans un casserole haute et étroite.
Pour la marinade, éplucher ou nettoyer l'oignon, la carotte et le céleri et les couper en petits morceaux. Les ajouter à la viande avec les épices et les herbes. Mouiller avec le vin et laisser mariner un ou deux jours.
Retirer la viande de la marinade. Bien la sécher. Saler et poivrer. Passer la marinade.
Faire chauffer l'huile et le beurre dans une grosse cocotte et faire dorer la viande sur toutes ses faces. Verser la moitié de la marinade, ajouter le concentré de tomates et faire cuire la viande à feu doux. Retourner de temps en temps le rôti et rajouter de la marinade si besoin est. Temps de cuisson : de 2 à 3 heures.
Retirer le rôti de la cocotte et le laisser reposer 10 minutes. Pendant ce temps, passer la sauce, éventuellement la faire réduire et assaisonner. Decouper le rôti et servir la sauce séparément. On sert en garniture une tendre polenta fraîche et un vieux Barolo.

Lepre in salmi
Civet de lièvre
(Illustration)

1 lièvre d'environ 1 kg 500
Sel, poivre noir
Farine
50 g de beurre
3 cuil. à soupe d'huile d'olive
1 cuil. à soupe de concentré de tomate

Marinade

1 oignon
1 carotte
1 branche de céleri
2 gousses d'ail
1 feuille de laurier
10 grains de poivre noir
6 baies de genièvre
1 branche de romarin frais
1 branche de thym frais
6 feuilles de sauge
1 bouteille de Chianti

Parer le lièvre et le découper. Réserver les abattis dans un récipient au réfrigérateur. Mettre la viande de lièvre dans une casserole.
Eplucher ou nettoyer l'oignon, la carotte et le céleri et les couper en morceaux. Les ajouter à la viande avec les épices et les herbes. Mouiller avec le vin et laisser mariner pendant deux jours dans un endroit frais.
Retirer la viande de la marinade, l'essuyer, saler, poivrer et saupoudrer légèrement de farine. Passer la marinade.
Faire chauffer le beurre et l'huile dans une grande cocotte en fonte et faire dorer les morceaux de lièvre sur toutes leurs faces. Hacher finement les abattis, les ajouter et les faire cuire 5 minutes. Mouiller avec la marinade et ajouter le concentré de tomates. Faire mijoter le lièvre pendant 2 h 30 / 3 heures à feu doux.
Retirer la viande de la cocotte et la maintenir au chaud. Passer la sauce et faire réduire si nécessaire. Remettre les morceaux de lièvre dans la sauce, faire chauffer et servir très chaud. Une polenta fraîche s'accomode très bien au civet de lièvre.
Servir un Chianti.

Lepre in salmi – Civet de lièvre.

Les Italiens, jeunes et vieux, sont de grands chasseurs. On chasse le sanglier dans beaucoup de régions.

Les pois-sons et les fruits de mer

Un des charmes particuliers de l'Italie ne réside pas en dernier lieu dans son littoral, d'une incroyable richesse. Est-il un autre pays possédant un aussi long littoral par rapport à sa superficie ? Sans oublier la Sardaigne et la Sicile. Les eaux siciliennes sont fécondes et riches en espèces et le Golfe de Venise est réputé pour détenir une abondance de poissons et de fruits de mer.

Rien d'étonnant à ce que les Italiens aient des milliers de recettes de poisson puisque chaque fruit de mer, chaque poisson, de chaque région côtière, qui ne jure que par sa recette, contribue à enrichir infiniment le fond commun. Les différences sont parfois minimes, mais elles s'accordent toutes sur un point: que ce si beau cadeau fait par la Méditerranée ne doit pas être gâché par des préparations sophistiquées.

En arrière-plan : les mollusques sont triés et mis en place dans des constructions sur pilotis.

Les moules d'élevage se regroupent autour des pals, d'où leur nom de moules de pals.

Le mitiliculteur débarque avec sa récolte dans des corbeilles.

Petit lexique des poissons et des fruits de mer

Acciuga, alice – anchois
Anguilla – anguille
Aragosta – langouste
Astice – homard
Baccalà – morue sèche ; stockfish
Bianchetto, spratto, sarda papalina ; gianchetto (gênois) – petite friture (blanchaille) ; sprat ; sardine
Branzino, spigola – loup de mer ; bar
Calamaretto – petit calmar
Calamaro – calmar
Canocchio – crabe de l'Adriatique
Cannolicchio – cigale de mer
Capa santa, conchiglia di San Giacomo – coquille Saint-Jacques
Carpa, carpione – carpe
Cernia – mérou

Ciecha – civelle
Cocciola, vongola – coques
Cozza, mitilo – moules
Dattero di mare – datte de mer
Gamberetto – petite crevette (200 à 250 crevettes au kilo)
Gambero – homard, écrevisse
Gamberone – gros homard, grosse écrevisse
Grancevola, granceola – araignée de mer
Granciporro – crabe
Grongo – congre
Lampreda – lamproie fluviale
Luccio – brochet
Lumaca di mare – bigorneau
Merluzzo – cabillaud
Muggine – muge, mulet
Nasello – colin
Orata – dorade
Ostrica – huître
Pesce cappone – grondin

Pesce San Pietro, sampiero – saint-pierre
Pesce spada – espadon
Polpetto – petit poulpe
Razza – raie
Riccio di mare – ourson
Rombo – turbot
Rospo, rospo marino – lotte, baudroie
Salmone – saumon
Sarda, sardina – sardine
Scampo – langoustines
Seppia – seiche
Sgombro – scombre, maquereau
Sogliola – sole
Stoccafisso – stockfish
Tellina – telline
Tinca – tanche
Tonno – thon
Triglia – rouget barbet
Trota – truite
Vongola – praire

Sur les marchés italiens, surtout dans les villages de pêcheurs, on débite une quantité de fruits de mer. Les plus appréciés sont :
1 *chicciole di mare* – bigorneaux ; 2–4 Différentes praires : *vongola minore* (2), *vongola grigia* (3), *vongola fasolara* ou *noce* (4) ; 5 *lumace di mare* – petits escargots de mer.

Coda di rospo in umido
Lotte au vin blanc

4 filets de lotte d'environ 250 g
1 oignon
2 gousses d'ail
1 branche de céleri
1 branche de romarin
3 tiges de persil commun
6 cuil. à soupe d'huile d'olive
Sel, poivre blanc
Farine
¼ l de vin blanc sec

Laver les filets de poisson et les essuyer. Eplucher l'oignon et l'ail, nettoyer le céleri et hacher le tout avec les herbes. Faire revenir tous les ingrédients dans l'huile d'olive. Utiliser pour ce faire une poêle allant au four. Préchauffer le four à 200 °C. Saler et poivrer le poisson, le rouler dans la farine et le faire dorer des deux côtés. Mouiller avec le vin et mettre au four pendant 20 minutes. Dresser les filets de poisson sur un plat et les maintenir au chaud. Réduire le court-bouillon à feu vif, le passer et le verser sur le poisson. Servir aussitôt très chaud. Boisson recommandée : un Vermentino de Ligurie.

Insalata frutti di mare
Salade de fruits de mer
(Illustration)

500 g de calmars frais
250 g de poulpe frais
400 g de crevettes fraîches
750 g de praires fraîches

Sauce
5 cuil. à soupe d'huile d'olive
¼ cuil. à café de poudre de moutarde
Jus d'un citron
1 gousse d'ail
1 botte de persil commun
Sel, poivre blanc

Nettoyer les calmars (détacher les tentacules, enlever les yeux, les organes masticateurs durs, l'os et les entrailles) et réserver le sac d'encre. Attention de ne pas le crever. Laver les calmars et les couper en rondelles. Laver les poulpes, décortiquer les crevettes et leur enlever l'intestin noir.
Mettre 1 l ½ d'eau à bouillir et blanchir pendant 5 minutes les rondelles de calmars, les poulpes et les crevettes. Les retirer et les passer sous l'eau froide.
Laver et brosser les praires et les mettre dans une casserole avec un peu d'eau. Quand elles se sont ouvertes, les égoutter et les décortiquer. Jeter les praires qui ne se sont pas ouvertes.
Pour la sauce, mélanger l'huile d'olive, la poudre de moutarde et le jus de citron. Presser l'ail et ajouter le jus à la sauce. Laver le persil, le couper très finement et l'incorporer également à la sauce. Saler et poivrer.
Mettre les fruits de mer dans un saladier et les mélanger à la sauce. Laisser macérer au moins pendant deux heures au réfrigérateur. Ajuster l'assaisonnement avant de servir. Servir la salade garnie de tranches de citron et de tiges de persil avec un Chardonnay bien frais.

Insalata frutti di mare –
Salade de fruits de mer.

Calamaretti alla napoletana
Calmars à la napolitaine

800 g de petits calmars
30 g de raisins secs
¼ l de vin blanc sec
1 cuil. à soupe d'oignons hachés
1 gousse d'ail pilé
5 cuil. à soupe d'huile d'olive
300 g de tomates
100 g d'olives noires
30 g de pignons
2 cuil. à soupe de persil commun
Sel, poivre blanc

Parer les calmars, les laver et les couper en rondelles. Faire tremper les raisins secs dans 3 cuil. à soupe de vin. Faire chauffer une grosse poêle, faire blondir l'oignon et l'ail dans l'huile, verser le reste de vin et réduire de moitié. Peler, égréner et couper les tomates en morceaux et laisser mijoter 20 minutes dans le vin. Ajouter les rondelles de calmars et les raisins secs. Couvrir et laisser cuire pendant 30 minutes.
Dénoyauter les olives et les couper en deux. Faire griller les oignons dans une poêle sans gras. Ajouter les olives et les pignons avec le persil aux rondelles de calmars. Bien mélanger, porter à ébullition, saler et poivrer. Servir un vin blanc de Capri ou d'Ischia.

Grigliata mista di pesce
Poissons grillés
(Illustration)

4 petites soles
4 petits rougets
4 filets de lotte
8 crevettes de taille moyenne non décortiquées
8 cuil. à soupe d'huile d'olive

Sauce
2 gousses d'ail
1 cuil. à soupe de persil haché
6 cuil. à soupe d'huile d'olive
Jus d'un demi-citron
Sel, poivre blanc
Rondelles de citron

Préchauffer le gril. Ecailler, vider et nettoyer les soles et les rougets, laver les filets de lotte et les crevettes et bien les sécher. Badigeonner les poissons et les crevettes avec 4 cuil. à soupe d'huile d'olive et laisser reposer 10 minutes.
Pendant ce temps, préparer la sauce. Couper finement l'ail, le mélanger au persil, à l'huile d'olive, au jus de citron, saler et poivrer.
Griller le poisson de chaque côté environ 10 minutes, les crevettes au plus 5 minutes de chaque côté.
Dresser les crevettes et les poissons sur un plat et garnir de tranches de citron. Servir la sauce à part. Comme garniture, nous recommandons une polenta grillée et comme vin, un Riesling Italico.

Grigliata mista di pesce – Poissons grillés.

Tonno stufato – Thon à l'étouffée.

Tonno stufato
Thon à l'étouffée
(Illustration)

1 oignon
1 gousse d'ail
2 branches de romarin
6 cuil. à soupe d'huile d'olive
1 kg de thon en morceau
Sel, poivre noir
200 ml de vin blanc sec
1 cuil. à soupe de persil commun haché

Eplucher l'oignon et l'ail et les hacher finement ainsi que le romarin et les faire revenir dans l'huile.
Préchauffer le four à 170 °C.
Laver le thon, l'essuyer, saler et poivrer et le faire dorer de tous les côtés dans l'huile. Mouiller avec le vin et le porter à ébullition. Faire cuire le thon au four pendant 40 minutes. Le retirer de la cocotte et le maintenir au chaud.
Faire réduire la sauce, y ajouter le persil et la verser sur le thon.
Servir avec un Cabernet légèrement frais.

Les légumes

Peperoni imbottiti – Poivrons farcis.

Entre les Alpes et la pointe de la botte poussent en Italie tous les légumes possibles et imaginables. L'agriculture répertorie officiellement une cinquantaine de variétés. La reine incontestable du royaume des légumes est la tomate. Elle ne jouit nulle part ailleurs d'une telle hégémonie – dans les sauces pour les pâtes et gnocchis, comme base de pizza, dans la salade ou tout simplement avec la mozzarelle. Elle est aussi condiment de nombreuses soupes et poissons, dans les ragoûts de viande et de volaille et divers autres plats. Pour pouvoir la savourer toute l'année, on conserve la tomate en boîte ou en bocal, entière ou concentrée.

Les Italiens font un usage judicieux des légumes. Ils les font à peine cuire afin qu'ils conservent arôme, couleur et fermeté.

Bagna caôda – fondue aux légumes

La fondue aux légumes est le hors-d'œuvre traditionnel du Piémont. Les ingrédients sont différents selon la localité, la maîtresse de maison ou le restaurant. On utilise, pour la sauce, plus ou moins d'anchois ou plus ou moins d'ail. Les légumes peuvent être crus ou cuits ou une combinaison des deux. La saison est déterminante pour le choix des légumes. Le principal est que les légumes soient frais et de qualité supérieure. On les plonge dans une sauce à l'ail et aux anchois maintenue chaude sur un réchaud. Dans le Piémont, c'est un plat mangé l'hiver, en entrée, avec des amis ou en famille.

Bagna caôda
Fondue de légumes

Assortiment de légumes différents parés et émincés

Sauce
6–8 gousses d'ail
60 g de beurre
$^1/_4$ l d'huile d'olive
100 g de filets d'anchois à l'huile

Dresser les légumes décorativement sur un plat. Piler l'ail et le faire revenir dans le beurre sans le faire dorer. Verser progressivement à feu doux l'huile d'olive dans la casserole d'ail en ne cessant de remuer. Faire attention que l'ail ne dore pas, auquel cas il deviendrait amer. Retirer la casserole de la source de chaleur. Ajouter les filets d'anchois et les écraser à la fourchette. Remettre la casserole sur le feu et remuer à feu doux jusqu'à obtention d'une pâte crémeuse. Poser la casserole sur un réchaud au milieu de la table pour que chacun puisse tremper ses légumes dans la sauce chaude. Attention: la sauce ne doit jamais bouillir !
La fondue s'accompagne de baguette. Comme boisson nous recommandons un jeune vin rouge fruité, par exemple un Bonarda Piemontese pétillant ou un Dolcetto.

Parmigiana di melanzane – Gratin d'aubergines.

Parmigiana di melanzane
Gratin d'aubergines
(Illustration ci-contre, page de gauche)

1 kg d'aubergines
Sel, poivre noir
4 cuil. à soupe d'huile d'olive
2 gousses d'ail pilé
2 cuil. à soupe de basilic haché fin
1 kg de tomates
Huile végétale de friture
Farine
3 mozzarelles
150 g de parmesan râpé

Couper les aubergines dans le sens de la longueur pour former des tranches d'environ 1 cm d'épaisseur. Les saler et laisser reposer environ 1 heure. Bien les presser et les essuyer.
Pendant ce temps, faire chauffer l'huile d'olive et y faire revenir l'ail et le basilic. Peler, égrener et couper les tomates en petits morceaux, les mettre dans l'huile et faire mijoter pendant 20 minutes. Saler et poivrer.
Faire chauffer de l'huile végétale en quantité suffisante dans une grande poêle. Saupoudrer légèrement les aubergines de farine et les faire frire jusqu'à ce qu'elles se colorent. Les égoutter sur un papier absorbant. Couper la mozzarelle en rondelles.
Préchauffer le four à 180 °C.
Graisser un plat à gratin. Faire alterner une couche d'aubergines, un peu de sauce tomate, une couche de mozzarelle et 2 cuil. à soupe de parmesan. Terminer par une couche de mozzarelle et de parmesan.
Faire gratiner au four environ 30 à 40 minutes. C'est un plat qui se mange tiède accompagné d'un Chianti Classico.

Peperoni imbottiti
Poivrons farcis
(Illustration ci-contre, page de gauche)

2 poivrons rouges
2 poivrons jaunes
3 tomates
Sel, poivre noir
2 gousses d'ail
8 filets d'anchois à l'huile
3 cuil. à soupe d'huile d'olive pression froide
1 cuil. à soupe de persil commun haché

Préchauffer le four à 200 °C.
Laver les poivrons, les couper en deux et les épépiner. Les mettre dans un plat à gratin.
Couper les tomates en rondelles. Mettre deux rondelles sur chaque poivron, saler et poivrer. Emincer l'ail et le répartir avec un anchois sur chaque moitié de poivron. Humecter d'huile d'olive et faire cuire une demi heure au four. Saupoudrer de persil et servir chaud.
Comme boisson, nous recommandons un Trebbiano frais.

Carciofi alla veneziana –
Fonds d'artichauts à la vénitienne.

Fiori di zucchini fritti
Beignets de fleurs de courgette

2 jaunes d'œuf, 2 blancs d'œuf
100 ml d'eau minérale
100 ml de vin blanc
Huile végétale de friture
Sel, poivre noir
200 g de farine
16 fleurs de courgette montrant un début de fruit
1 citron coupé en huit

Battre les jaunes d'œuf avec l'eau minérale, le vin, 1 cuil. à soupe d'huile d'olive, le sel et le poivre et ajouter peu à peu la farine. Faire gonfler la pâte environ 20 minutes. Battre les blancs en neige très fermes avec une pincée de sel et les incorporer à la pâte.
Faire chauffer l'huile de friture, nettoyer avec précaution les fleurs de courgette – ne pas les laver, seulement souffler un peu dessus pour leur enlever les impuretés éventuelles – Les plonger dans la pâte à frire et les frire par petites quantités. Les égoutter sur un papier absorbant. Garnir de tranches de citron et servir aussitôt.

Peperonata
Poivrons à la provençale

1 kg de poivrons verts et jaunes
500 g de tomates
100 ml d'huile d'olive
2 cuil. à soupe d'oignons hachés finement
1 cuil. à café d'ail
Sel, poivre noir

Laver les poivrons, les épépiner et les émincer. Peler les tomates et les couper. Faire chauffer l'huile, y faire blondir les oignons et l'ail. Ajouter les légumes, couvrir et laisser cuire 20 à 30 minutes en remuant de temps en temps. Si la sauce est encore trop liquide, la faire réduire. Saler et poivrer.

Carciofi alla veneziana
Fonds d'artichauts à la vénitienne
(Illustration)

8 fonds d'artichauts
Jus de citron
3 gousses d'ail
1 botte de persil commun
50 g de beurre
3 cuil. à soupe d'huile d'olive
Sel, poivre noir

Mettre les fonds d'artichauts dans une eau citronnée jusqu'à utilisation, pour qu'ils ne noircissent pas. Piler l'ail, laver le persil et le hacher finement. Faire chauffer le beurre et l'huile d'olive, y faire revenir l'ail et le persil, mettre enfin les fonds d'artichauts. Verser environ 100 ml d'eau et faire mijoter les légumes environ une demi heure. Saler et poivrer. Accompagner de baguette et boire un Sauvignon du Frioul.

Petit lexique des légumes

Aglio – ail
Asparago, bianco e verde – asperges d'Argenteuil et vertes ; aussi asperges sauvages
Bietole, erbette – bette, blette
Broccoli – brocoli
Carciofi – artichauts
Cardi – cardes
Carota – carotte
Castagne, marroni – châtaignes, marrons
Cavolfiore – chou-fleur
Cavolo – chou
Cavolo capuccio – chou pommé blanc
Cavolo verza – chou de Milan
Ceci – pois chiches
Cipolle – oignons blancs
Fagioli – haricots
Fagiolini – haricots verts
Fave – fèves
Finocchio – fenouil
Fiori di zucchini – fleurs de courgettes
Funghi – champignons, généralement cèpes (p. 564-565)
Funghi prataioli – champignons, rosés des prés
Indivia riccia – frisée
Indivia scarola – scarole
Lattuga – laitue
Lattuga brasiliana – reine des glaces
Lattuga capuccia – laitue pommée
Lattuga romana – romaine
Lenticchie – lentilles
Melanzane – aubergines
Patate – pommes de terre
Peperoncini – piments
Piselli – petits pois
Pleutrotus – pleurotes
Pomodoro – tomate
Radicchio – chicorée rouge
Radicchio rosso di chioggia – Chicorée Chioggia
Sbrisa (langage courant), pleutrotus – pleurotes
Scorzobianca – salsifis
Scorzonera – scorsonères, salsifis noirs
Sedano – céleri
Spinaci – épinards
Zucca – courge
Zucchini – courgette

Qu'est-ce qu'une frittata ?

Une *frittata* est une sorte d'omelette plate, très populaire dans toutes les régions d'Italie.
Elle n'a cependant pas tout à fait la consistance d'une omelette. Elle est sèche et ferme. Elle n'est pas non plus rabattue comme une omelette, mais frite avec divers légumes mélangés aux œufs. Les ingrédients se lient aussitôt dans l'huile avec les œufs et leur communiquent leur saveur. La *frittata* est coupée comme une tarte et servie en hors d'œuvre.

Les ingrédients peuvent être par exemple des artichauts, des cèpes ou autres champignons, des petits pois, des restes de viande, des haricots verts, des pommes de terre, du fromage, du jambon, des asperges, des épinards, des courgettes, des oignons.

Les cèpes

Les *Funghi porcini* sont une passion des Italiens. La vedette des champignons sauvages est répandue partout où poussent ses arbres préférés, le chêne, le hêtre, le marronier, l'épicéa et le sapin. Le bolet aimant autant la proximité des racines de résineux que celle des feuillus, il se trouve dans les forêts à dominance de ces arbres ou, de préférence, dans les forêts à peuplement mixte.

On se rend à la cueillette des bolets avec autant d'enthousiasme en Ligurie et dans le Piémont qu'au sud de l'Appenin. C'est toutefois la Toscane qui dépasse toutes les attentes de qualité en matière de *porcini*. Le champignon est vénéré au point qu'il n'est plus nommé par son nom. On va aux champignons, un point c'est tout.

Dans la famille du bolet, le cèpe granulé (*suillus granulatus*) a presque aussi bon goût que les bolets dits nobles. Son chapeau est visqueux, plus clair et irrégulièrement hémisphérique, son pied plus mince et plus fin.

• Jeune, le vrai cèpe a une tête hémisphérique ferme, d'une couleur brune plus ou moins foncée. Les plus petits ont des chapeaux d'environ six centimètres de diamètre. Le chapeau d'un cèpe adulte peut mesurer plus de vingt centimètres.

• Le cèpe granulé, comme tous les champignons de la famille, n'a pas de lamelles mais des tubes formant sous la cuticule de petites granulations tendres lui donnant un aspect d'éponge sèche. D'abord clair et pâle, il fonce en vieillissant. A l'âge mûr, il a la couleur d'une bonne huile d'olive.

• Les cèpes se reconnaissent à leur gros pied ventru ou en forme de massue portante. Le pied est parfois plus charnu que le chapeau lui-même.

• Leur chair très ferme quand ils sont jeunes et plus tard filandreuse, est blanche sauf la coloration bruneâtre juste sous le bord du chapeau.

• Plus la région est chaude, plus leur odeur complexe mais décente de moisi et de noisette est agréable et forte.

• Ils se trouvent déjà en été, mais leur pleine saison est la fin de l'automne. Il y en a encore au cœur de l'hiver, quand les températures restent douces.

Les cèpes se préparent de diverses manières, en salade, à la poêle, grillés ou en sauce, marinés dans le vinaigre de vin blanc comme antipasti, en garniture de viandes et séchés comme aromate pour les sauces, les soupes et les omelettes.

Les morilles séchées ont une odeur très particulière.
Elles sont appréciées dans les sauces.

Les truffes

On trouve, dans les environs de la petite ville d'Alba dans le Piémont, une truffe unique au monde, la *tuber magnatum*. C'est une truffe blanche de forme arrondie irrégulière, avec une surface lisse et de couleur gris-brun. Ouverte, elle découvre une chair d'un ton brunâtre qui rappelle la noisette. Elle est striée de marbrures blanches. La truffe vit en symbiose avec le chêne et forme avec ses racines le mycorhize.

La truffe blanche, qui prospère merveilleusement sur les collines boisées des Langhe, parfait la réputation d'Alba, déjà connue pour ses vins et sa gastronomie. Le Piémont n'est cependant plus tout à fait l'endroit idéal pour chercher la truffe. Dans la Province de Pavie, on aura plus de chance d'en trouver.

Dans les Langhe, la saison s'étend de début octobre, quand les premières truffes mûres exhalent leur parfum à travers une épaisseur de dix à quarante centimètres de terre, au 31 décembre. Les chiens dressés à les repérer à l'odeur n'ont aucune peine à les trouver. Les chercheurs de truffe piémontais travaillent souvent la nuit car les chiens, moins distraits par d'autres perceptions visuelles, se concentrent mieux sur leur odorat. Au petit matin, les maîtres portent leur butin terreux à Alba et négocient avec les cuisiniers, les commerçants et quelques particuliers friands de truffes. Les tubercules ne sont pas beaux. Leur taille varie entre celle d'une noix et celle du poing. Leur poids est en moyenne de 50 à 100 grammes. Si la récolte a été maigre, leur prix peut monter à un millier de francs français les cent grammes. Avant de la déguster, il faut bien nettoyer la truffe, la brosser énergiquement, éliminer toute la terre.

La truffe blanche d'Alba conserve pendant dix jours sa fraîcheur et ses arômes. Sur place, certains restaurants essayent de conserver la truffe et ses fugaces arômes sous vide, dans l'huile ou le beurre, dans le risotto prêt à consommer ou dans les tagliatelles à l'œuf. Les vrais connaisseurs, eux, préfèrent parcourir le Piémont à la saison de la truffe et s'emplir les poumons des forts arômes qu'elle dégage, empreints d'une note d'ail et d'une très nette pointe de vieux fromage stimulant l'appétit. Cette gamme de parfums s'épanouit à merveille quand la truffe est râpée en copeaux ultra-fins sur le risotto, les pâtes ou les œufs brouillés. Cuite, elle perd son sublime parfum et son goût, contrairement à la truffe noire de l'espèce *tuber melanosporum*, qui ne développe qu'à la cuisson tout son parfum. On la trouve aussi à Norcia et Spoleto, en Ombrie.

ello Sport

Roth

Rothm

Ecco il mo
cui tutta l'Ita
tirato un sos
sollievo: Dino
all'83', raccog
una respinta e
segna il gol che
piega il Portogal

Le parfum intense des truffes blanches d'Alba, qui poussent sous terre, ravit tous les fins gourmets. Les chiens dressés pour les repérer sont les meilleurs chercheurs de truffes.

L'huile d'olive

Le culte de l'olivier en Italie vient du temps des Romains, pour qui l'olivier était sacré et symbole de paix et de fécondité. L'huile d'olive servait à l'onction. C'était, en outre, une source de lumière, un remède et une précieuse marchandise. Mieux que n'importe quelle autre nation, les Italiens ont su conserver à l'huile d'olive son auréole. De nos jours, elle n'est plus que de type culinaire, mais les Italiens se savent soutenus dans cet effort par la diététique :

• L'huile d'olive est très digeste et, en général, son effet thérapeutique sur l'estomac et les intestins est très positif.

• Le taux élevé (80 %) d'acides gras non saturés, excède celui de toutes les autres huiles animales et végétales et diminue le risque des maladies du cœur et des troubles de la circulation.

• En vertu de sa haute teneur en antioxydants, l'huile d'olive résiste à la chaleur sans se diviser en substances nuisibles à la santé, comme cela se produit souvent avec les autres huiles animales et végétales.

• Bref, de toutes les huiles de consommation usuelles, l'huile d'olive est la plus saine et la mieux assimilée par l'organisme humain.

La culture des oliviers s'étend en Italie sur 1,2 million d'hectares, dont les trois quarts se trouvent dans des régions de collines, en légère altitude, où les rendements sont moindres, mais la qualité supérieure. La récolte des olives commence au mois de novembre, quand les fruits encore verts et petits, commencent à se violacer. C'est le moment où leurs arômes et leur bouquet sont les plus forts et leurs substances nutritives les plus équilibrées. La récolte d'olives noires et très mûres, qui peut s'étendre jusqu'au début du printemps, donne des huiles moins aromatiques, mais harmonieuses et légères.

Pour la fabrication des huiles de qualité supérieure, la cueillette des olives est faite à la main. Un bon cueilleur récolte 40 kilogrammes d'olives par jour, soit environ 20 000 olives, qui donnent huit litres d'huile, les bonnes années. Pour les autres bonnes qualités d'huile, les olives sont gaulées comme les noix et recueillies dans des filets, afin de préserver les fruits. Comme pour le vin blanc, il est important de ne pas perdre de temps. Le pressage doit être commencé aussitôt après la récolte.

La production de l'huile d'olive est techniquement maîtrisée depuis longtemps. L'Italie est en tête en l'Europe pour les technologies agricoles spécifiques, comme celles de l'extraction de l'huile et de l'oléiculture. La technique de pointe met à disposition des pressoirs et des centrifugeuses très efficaces, mais les olives sont encore très souvent moulues dans des broyeurs à meules de granit verticales. Bien que, pour toutes les qualités d'huiles ou presque, l'huile soit filtrée, les connaisseurs apprécient les huiles non filtrées, légèrement opaques et très corsées.

La récolte des olives se fait en secouant les arbres énergiquement pour faire tomber les fruits sur un filet.

La couleur des olives varie du vert au noir en passant par le violet indiquant le stade de mûrissement.

De lourdes meules broient grossièrement les fruits oléagineux.

La pâte est étalée sur des nattes soumises dans le pressoir à une pression de plusieurs tonnes.

Olio d'oliva extra vergine

Huile vierge extra
Huile de la première pression ; meilleure qualité

Olio d'oliva vergine – Huile vierge
Huile de la seconde et de la troisième pression ; de qualité fine et semi-fine ; qualité au-dessus de la moyenne

Olio d'oliva – Huile d'olive (ou huile d'olive pure)
Mélange d'huile d'olive vierge et raffinée

Olio di sansa d'oliva – Huile de marc d'olives
Huile de marc d'olives raffinée, extraite de la deuxième pression des résidus dissous aux solvants

Le goût des huiles d'olive vierges est soumis à des contrôles. Les huiles obtenues par première pression à froid sont de toute première qualité et ne devraient s'utiliser que pour les plats froids. Pour la cuisson, il est recommandé de prendre de l'huile d'olive vierge.

Des appellations d'origine sont maintenant aussi attribuées aux huiles d'olive. Elles sont liées à un contrôle de la culture et de la transformation. Les régions de culture de l'olivier se divisent, en gros, en trois grands centres : le Nord, le Centre et le Sud :

• Au Nord, la riviera ligurienne est célèbre pour la variété d'olive Taggiasco qui domine et donne des huiles très claires, fines et fluides. Elles ont un goût délicat d'amandes ; plus au Sud, la région du lac de Garde, en Vénétie, produit aussi des huiles très délicates. En Lombardie, on presse, à partir des variétés d'olives Casaliva, Leccino et Moraiolo, des huiles verdâtres, plus vigoureuses et fruitées qui ont souvent un goût d'herbes sauvages.

• Au Centre, en Toscane, en Emilie-Romagne, en Ombrie, dans les Marches et dans le Latium, poussent un grand nombre d'oliviers de différentes variétés. Or, dans les régions d'appellation d'origine, dominent les olives Toscano et Umbria Frantoio, Leccino et Moraiolo. Selon les conditions spécifiques de croissance des oliviers – sol, climat, humidité, altitude – les huiles prennent des arômes très parfumés, empreints de l'odeur des herbes sauvages, ou ont un goût de noix et parfois de poivre.

• Au Sud, où se produit la majeure partie de l'huile d'olive italienne, chaque région a ses principales variétés, dans les Abruzzes l'olive Gentile di Chieti, dans la Pouille la Cima del Bitonto, en Calabre l'Ottobratica, en Sicile la Nocellara, en Sardaigne la Palma, pour n'en nommer qu'une par région. La gamme de variétés est très étendue, mais presque toutes les huiles sont jaunes or, vigoureuses de caractère, avec des arômes d'olive très prononcés, un goût fruité et souvent un léger arrière-goût de noix.

Les grandes différences de bouquet et de goût des huiles ont débouché en Italie sur une culture gastronomique particulière. L'huile d'olive est utilisée comme condiment. On en verse un filet sur chaque plat cuisiné, pour établir, comme dans le vin, une harmonie entre l'huile et le plat. Les bons restaurants proposent au client une carte des huiles ou lui amène une table roulante avec différentes huiles au choix. A lui de choisir la bonne huile, convenant à son repas. Le maître d'hôtel ou le garçon aident souvent à faire ce choix.

Attention : l'huile d'olive est fragile. Elle peut s'altérer au contact de l'air, à la chaleur ou à l'humidité. Il faut la conserver dans une bouteille bien fermée et dans un endroit sec, sombre et frais.

Insalata – la salade

L'assaisonnement des salades italiennes

La salade en Italie est faite de légumes crus ou cuits. Elle se compose d'une ou plusieurs variétés de légumes assaisonnés d'huile d'olive et d'un bon vinaigre de vin ou d'un jus de citron, salés et poivrés. Ici aussi, la saison détermine le choix. Au printemps, par exemple, on combinera les asperges avec les haricots verts ou des courgettes cuites avec des dés de pommes de terre. En été, les salades vertes prédominent, mêlées de lamelles de fenouil et de poivron, de tomates, de concombre, de carottes râpées et ainsi de suite.

Les *insalata* sont servies en garniture ou comme légume. Les nombreuses autres salades de viande et de poisson ne sont pas classées parmi les insalata. Ce sont des plats à part entière de la catégorie hors-d'œuvre, de même que les salades de riz aux fruits de mer ou au poulet.

Les salades s'assaisonnent presque toujours à table, individuellement.

Les dolci

Les Italiennes ne font pas de grande pâtisserie. La nature offre tellement de fruits en toutes saisons, qu'ils suffisent largement. Point n'est besoin d'autre dessert. La saison des fraises des bois, au printemps, puis des fraises, cède le pas au temps des cerises et des melons, à la fin de l'été. A l'automne mûrissent les pêches, le raisin et les poires, en hiver, les oranges et les mandarines en Sicile. Pour les soirs d'hiver froids, il y a des châtaignes grillées. Les fruits ne créent aucun travail et sont délicieux. Il faut une occasion très particulière pour qu'après le plat principal, on serve un entremets ou un dessert autre qu'un fruit. Les sucreries s'achètent chez le pâtissier où l'on trouve de merveilleux *dolci*. La quantité de sucre varie très nettement entre le Sud et le Nord. Plus la région est au Sud, plus les entremets et pâtisseries sont sucrés.

Tiramisù

200 ml de crème
5 cuil. à soupe de sucre
4 jaunes d'œuf
500 g de mascarpone
200 g de biscuits à la cuillère
4 cuil. à soupe d'express tassé
4 cuil. à soupe d'Amaretto
Poudre de cacao

Fouetter la crème avec 1 cuil. à soupe de sucre. Battre très vite au mixer un mélange crémeux avec les jaunes d'œuf et le reste de sucre. Incorporer une cuillérée après l'autre le mascarpone puis la crème en réduisant la vitesse.
Foncer un moule plat avec les boudoirs. En garder quelques uns pour la décoration. Mélanger l'express et l'Amaretto et humecter les biscuits avec. Mettre une couche de crème dessus, la recouvrir d'une couche de boudoirs, l'humecter avec le mélange express-Amaretto et répartir le reste de crème dessus. Saupoudrer de poudre de cacao. Laisser au moins une heure au réfrigérateur avant de servir.
Un Marsala all'uovo est parfait avec ce gâteau.

Zabaione
Sabayon

4 jaunes d'œuf
4 cuil. à soupe de sucre
La moelle d'un bâton de vanille
4–6 cuil. à soupe de Marsala

Battre un mélange écumeux avec les jaunes d'œufs, le sucre et la moelle de la vanille. Mettre la crème au bain-marie. Ajouter peu à peu le Marsala en ne cessant de remuer jusqu'à obtention d'une crème ferme et épaisse. Le sabayon ne doit pas bouillir, sinon il coagule. Remplir tout de suite les verres et servir sans attendre, car il peut retomber aussi vite qu'il a monté.
On peut boire du Marsala ou un Prosecco.

Les fruits confits sont une confiserie populaire et un ingrédient apprécié dans les gâteaux.

Ces *frutta di Martorana* – nommés d'après un monastère de Sicile – sont de fidèles reproductions de fruits, ici de fruits de mer, en massepain.

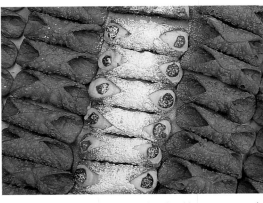

Les *cannoli*, de petits rouleaux de pâte frite avec une crème ricotta et des morceaux de fruits au chocolat ou confits font partie des plus fins gâteaux.

A droite : la cassata a conquis le monde entier mais nulle part ailleurs elle n'a la forme originale qu'elle revêt les jours de fête en Sicile.

d'amande ; reproductions d'après nature, aux couleurs nature

Gelato – glace (voir p. 572-573)

Krapfen – beignet venu d'Autriche par Trente et qui plut aux Italiens ; appelé également *castagnole fritte*

Macedonia di frutta – macédoine de fruits avec divers fruits de saison coupés et préparés au sucre et au Marasquin

Monte bianco – « Montblanc » ; crème de marrons garnie de crème fraîche

Panna cotta – crème renversée au caramel

Pastiera – gâteau de Pâques napolitain aromatisé de zestes d'oranges et d'eau de fleur d'oranger

Pesche ripiene – pêches fourrées aux macarons, cuits dans le Marsala

Semifreddo – gâteau à la crème à moitié gelé

Strudel di mele – strudel aux pommes du Haut-Adige

Tiramisù – crème de mascarpone aux boudoirs parfumés

Zabaione – sabayon ; mousse froide à l'œuf aromatisée de Marsala

Zucotto – gâteau glacé à la crème d'amandes au chocolat ; spécialité de Toscane

Zuppa inglese – biscuit imbibé de rhum et fourré à la crème à la vanille ; spécialité de Rome

Zuppa romana – biscuit fourré à la crème à la vanille et aux fruits confits et macérés

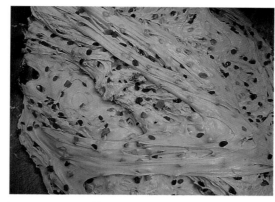

Le panettone, ce délicieux gâteau léger de pâte levée, est toujours présent durant les fêtes de fin d'année italiennes.

Le moule en papier brun qu'utilisent les pâtissiers empêche la pâte de s'étaler et la fait lever en hauteur.

Le panettone sort bruni du four avec sa « ceinture » caractéristique.

Le panettone

Le *Panettone* « grand pain » était à l'origine un simple pain sucré, tel qu'on le trouve souvent en Lombardie. Cette célèbre spécialité de Milan, où on le mange souvent fourré à la glace, est, chaque année, à la période de Noël, la brioche des fêtes de Noël et du Jour de l'An, pour l'Italie entière, du Nord au Sud. Les pâtissiers vendent 30 millions de kilogrammes de panettone chaque année.

Le panettone est très difficile à faire. Il faut beaucoup d'application pour le réussir. La pâte, modérément sucrée, se fait lever à la levure de boulanger pendant dix à vingt heures jusqu'à ce qu'elle soit haute et légère. On ajoute des raisins secs, des fruits confits et des zestes de citron confits. Peu avant la fin de sa fermentation, le panettone est mis dans un moule rond et haut pour qu'il monte et prenne son aspect de haut-de-forme. Les pâtissiers le mettent, à ce stade, directement dans le moule en papier prévu pour la vente.

Le panettone ne se mange pas à la fourchette. Il ne s'émiette pas. Son tissu élastique s'effeuille en petites bouchées. Il est excellent avec un spumante brut frais et pétillant.

Panettone

Pour 10–12 personnes

50 g de levure
4 cuil. à soupe d'eau tiède
600 g de farine
150 g de sucre
1 pincée de sel
5 œufs
200 g de beurre
1 zeste de citron non traité
250 g de fruits confits et de citronat en dés
150 g de raisins secs
1 cuil. à soupe d'huile de tournesol

Mélanger la levure avec un peu de farine dans l'eau tiède et faire lever une demi-heure sous un torchon. Mélanger la farine, le sucre et le sel et creuser un puits dans ce mélange. Mettre la levure et les œufs dans le puits et pétrir la pâte jusqu'à ce qu'elle soit souple. Ajouter le beurre en flocons, le zeste de citron, les fruits confits et les raisins secs et bien les incorporer à la pâte.

Pétrir la pâte en forme de boule, la couvrir et la laisser lever à un endroit chaud et à l'abri des courants d'air pendant huit heures. Former ensuite un long cylindre de pâte et le mettre dans un moule à brioche ou à charlotte bien huilé auparavant. Le laisser lever encore deux heures. Préchauffer le four à 220 °C. Inciser le dessus de la pâte en forme de croix et mettre le gâteau au four pendant 50 minutes. Retirer aussitôt du moule et le mettre sur une grille. Laisser reposer au moins douze heures avant de l'entamer.

Gelati,
les glaces

La glace, pour beaucoup indissociable du goût italien, est originaire de Sicile, où les Arabes démontrèrent de quelle exquise manière les neiges de l'Etna pouvaient être mises à profit.

Les Siciliens nommaient cette glace légère et fondante à base de jus de fruits *Sorbetto*. C'est également un Sicilien, du nom de Francesco Procopio de' Coltelli, qui marqua l'histoire moderne de la glace, en ouvrant à Paris, en 1668, le premier glacier « Procope », qui existe encore aujourd'hui. Il désaltérait sa clientèle avec toutes sortes de délicieux sorbets et granités.

La conquête de l'Europe du Nord et de l'Europe centrale par la glace eut toutefois son point de départ dans les vallées vénitiennes des Dolomites. La montée de l'industrialisation avait ruiné le traditionnel corps de métier des forgerons qui, soudain sans débouchés, en trouva un dans la fabrication de la glace. Ils partaient l'été avec leurs voitures à glace, s'installaient à la ville, dans les stations balnéaires et les stations thermales. Le commerce des *gelati* promettait un avenir si glorieux qu'à la fin du siècle dernier, il y avait, dans le Valzoldana, le haut fief des glaces, plus d'un millier de fabricants. Le marché italien ne suffisait plus à écouler le produit. Des marchands de glaces entreprenants, les *gelatieri*, tentèrent une percée à Vienne, où ils ont vite trouvé une clientèle enthousiaste. Les marchands ambulants étant mal vus à Vienne, les Italiens y ont ouvert les premiers cafés-glaciers. Les marchands de glace n'avaient plus qu'à conquérir le reste de l'Europe.

La voie des glaciers fut toute tracée après la Seconde Guerre mondiale du fait que seuls les Pays-Bas et l'Allemagne délivraient des permis de séjour aux Italiens. Les glaciers des Dolomites représentent 80 % de la totalité des fabricants de glace et semblent être encore dominants sur ce marché. On distingue trois catégories de glaces :
gelati mantecati – la crème glacée à base de lait, de jaune d'œuf et de sucre avec divers parfums ;

La glace italienne et ses parfums

Amaretto – Glace à base de liqueur d'amandes.

Caffè – Café.

Cioccolato – Chocolat.

Gelati mantecati – glace à la crème de lait

Pistacchio – Pistache.

Stracciatella – Glace à la vanille avec des morceaux de chocolat.

Yogurt – Yaourt.

gelati sorbetti – les sorbets à base de jus de fruits ou de légumes, de sirop de sucre et de liqueur ou de vin;

gelati perfetti e bombe – les parfaits, à base de crème, de jaune d'œuf et de sirop de sucre d'un certain parfum et les bombes, à base des même ingrédients, mais en tranches de divers parfums les unes sur les autres, comme la célèbre cassate.

Les glaces classiques demeurent éternelles. Les autres, comme tous les produits, sont soumises aux lois de la mode. Le granité, une glace au sirop ou au café, peu sucrée, servie cristallisée et le *frappé*, milk-shake parfumé au café ou à la vanille, sur de la glace cristallisée sont aussi très appréciés. Le mélange de lait et de fruits ou glace aux fruits, s'appelle *frulàtto*, fruitshake.

Recette de base pour la glace

4 jaunes d'œufs
100 g de sucre
¹/₂ l de lait ou de crème

Battre les jaunes d'œuf avec le sucre de manière à obtenir une crème mousseuse. La mettre dans une casserole et faire chauffer à feu doux avec précaution en ne cessant de tourner.
Ajouter peu à peu le lait en ne cessant de remuer. Laisser complètement refroidir. Remuer de temps en temps.
Mettre la crème dans une sorbetière ou au congélateur et la surgeler. Selon le goût, l'augmenter d'une mousse ou d'une crème aromatisée.

Zabaione – Glace à la crème de lait avec un doigt de Marsala.

Fragola – Fraise.

Lampone – Framboise.

Gelati sorbetti – sorbets

Limone – Citron.

Menta – Menthe.

Mora (di rovo) – Mûre.

Le vinaigre balsamique

Ce liquide filant, d'un brun luisant, d'une odeur très corsée, n'a rien de commun avec d'autres variétés de vinaigres. A peine l'a-t-on goûté que se révèle cette remarquable harmonie mêlée de douceur et d'acidité, de velouté et de senteurs balsamiques qui le rend unique et inimitable. Notons que nous parlons ici du vrai vinaigre balsamique, ce précieux produit désigné à juste titre de *tradizionale* ou de *naturale*, et non pas d'imitations à bon marché se trouvant dans tous les supermarchés.

Quand on connaît l'évolution de l'Aceto balsamico, on sait que seuls sont authentiques ces flacons que l'on paye très chers quand ils sont à vendre. C'est, au fond, un produit hors commerce.

Les ducs d'Este et d'autres familles nobles des alentours de Modène et de Reggio nell'Emilia fabriquaient du vinaigre il y a déjà neuf cents ans. Grâce à ses propriétés fortifiantes, il était employé comme remède et condiment et il était apporté en cadeau à des personnages importants, comme marque de faveur.

A la différence d'autres vinaigres, le vinaigre balsamique est à base de jus de raisin et non pas de vin. Il est fait à partir du Trebbiano, de goût neutre, qui mûrit sur les coteaux de Modène ou de l'Emilie-Romagne. Après le pressurage, par lequel on a obtenu 70 litres de jus de 100 kilogrammes de raisin, le moût est concentré par la méthode dite « au ralenti » à une température maximum de 80 degrés Celsius, jusqu'à évaporation d'un tiers ou même de la moitié du liquide. Le moût qui n'est pas utilisé tout de suite est conservé jusqu'au printemps dans des demi-johns fermés, de grosses bonbonnes de verre couvertes de sparterie, d'une contenance de cinq à cinquante litres.

Des greniers aérés, nommés *acetaia*, accueillent enfin l'Aceto balsamico pour sa phase de vieillissement en fûts. Exposé, en ce lieu, des années et des décennies durant aux humeurs du temps et des saisons, c'est en souffrant alternativement du froid et de la chaleur, de la sécheresse et de l'humidité, qu'il développera le plus de qualités. Une batterie de fûts, la *batteria*, comprend plusieurs fûts de différents volumes, la plupart du temps de cinq à douze fûts de quinze à cent litres. Les fûts ne sont remplis qu'aux trois quarts pour laisser suffisamment d'air aux bactéries du vinaigre. L'Aceto balsamico n'est soutiré que du fût le plus petit, qui contient le plus vieux vinaigre, en très petite quantité. Le vinaigre tiré est remplacé par du vinaigre du fût suivant, rempli, à son tour, avec du vinaigre tiré du fût suivant et ainsi de suite, jusqu'à ce que le dernier fût, le plus grand, se libère pour recueillir le nouveau moût dont la la seconde fermentation sera achevée environ trois ans plus tard. Le sucre se transforme d'abord en alcool et l'alccol tourne au vinaigre. Dix pour cent de liquide s'évaporent chaque année.

L'Aceto n'acquiert pas ses qualités balsamiques ni cette gamme inouïe d'arômes par le seul fait d'un long vieillissement. Le bois, dans lequel les fûts sont taillés, joue un rôle important. Outre le chêne, on utilise le châtaignier, le cerisier et le frêne pour les gros fûts. Le mûrier et le genévrier sont réservés aux petits fûts et communiquent à l'Aceto sa dernière note de parfum.

L'appellation « Aceto balsamico tradizionale di Modena » est protégée par la loi depuis 1983, celle de « di Reggio Emilia » depuis 1987. Les deux vinaigres sont mis en flacons de 100 millilitres. Leur âge minimum est de douze ans, âge auquel ils ne sont pourtant encore que dans les limbes. Les meilleurs vinaigres balsamiques restent plusieurs décennies en fûts et ne sont que rarement à vendre.

On comprendra facilement qu'il faille l'utiliser avec tout le respect qu'exige ce long labeur. Devenu un pur concentré d'arômes, quelques gouttes suffiront à donner un goût inoubliable à la salade, au Carpaccio, au poisson, à la viande de veau et même à la glace.

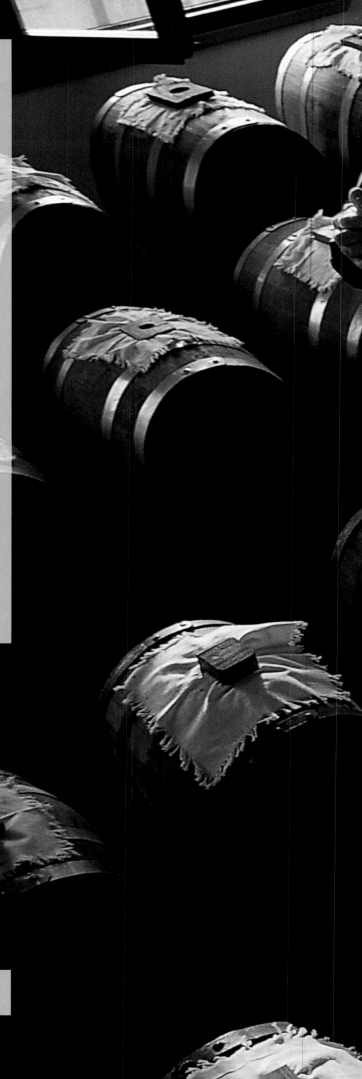

En arrière-plan : mis en fûts fermés, le vinaigre vieillit dans des greniers exposés aux écarts de températures.

La mère de vinaigre, une pâte un peu gélatineuse qui se forme dans les fûts, provoque la fermentation.

Comme pour le vin, on prélève les échantillons à la pipette.

Le Consorzio de Aceto balsamico contrôle chaque vinaigre avant de le mettre en vente.

Le vin

La Toscane est exemplaire dans le domaine des vins italiens. Elle produisait des quantités industrielles de bonbonnes de Chianti, les *fiaschi*, il y a encore 25 ans. Ces fiasques étaient très populaires, mais la qualité de leur contenu plutôt un fiasco, comme le suggère curieusement leur nom. Aujourd'hui, non seulement le Chianti est le vin italien le plus connu, mais, à côté de bonnes qualités communes, les crus du Chianti donnent un grand nombre d'excellents vins d'appellation d'origine garantie. Il existe en outre un certain nombre d'excellents vins de Toscane, dont les producteurs ne voulurent pas se soumettre aux directives très strictes concernant les cépages et l'élevage, et ce, consciemment. Ces *vini da tavola*, vins de table, symbolisent le dynamisme et la créativité d'une nouvelle génération de vignerons, de viticulteurs et d'œnologues italiens. Quelques vins, comme le Sassicaia et les Tignanello, sont devenus légendaires. Il y a maintenant, dans presque toutes les régions, des vignerons, des coopératives et des négociants qui ont su reconnaître les signes du temps. Ils limitent les rendements et travaillent en cave en tenant compte d'un certain nombre d'acquis sur la culture du vin et les techniques modernes de viticulture. Quoique l'Italie dispose d'une grande richesse de cépages locaux, le nombre de variétés courantes et surtout convaincantes reste restreint. Les différences régionales sont néanmoins très nettes. Il n'est pas rare qu'une gamme locale de variétés soit complétée par de très vieilles variétés françaises éprouvées.

Nul autre pays européen de culture du vin ne présente des différences aussi flagrantes. Qu'y a-t-il d'étonnant à cela ? Les vignobles s'étendent des premiers versants des Alpes aux côtes siciliennes, face à l'Afrique. Les régions du nord de l'Italie, avec le Piémont, regroupant le plus grand nombre de régions vinicoles classées, étaient le moteur de la viticulture qualifiée. Le Sud, bénéficiant d'un climat chaud, tablait sur la quantité. Il faut dire que, depuis quelques années, un certain nombre de jeunes vignerons et de jeunes viticulteurs acharnés surprennent avec des vins délicieux. Les vignerons du Piémont, de la Toscane et d'autres régions d'Italie, ne font peut-être pas des vins aussi élaborés et aussi bons que les crus d'autres pays, en particulier de la France. La viticulture italienne moderne a toutefois des vins agréables, abordables et bien présentés. Voilà ce qui fait toute leur force.

Les Romains étaient déjà des viticulteurs de génie auxquels n'échappa aucun cru de valeur. Dès leur époque, ils surent limiter les régions cultivables. Il fallut néanmoins attendre 1963 pour que les régions vinicoles fussent enregistrées et soumises à des décrets légaux.

Catégories de vins

D'après la nouvelle loi sur le vin, adoptée en 1992, on distingue les catégories suivantes :

Denominazione di origine controllata e garantita, DOCG
Appellation d'origine contrôlée et garantie fixant, contrôlant et surveillant strictement (par la dégustation) la région, le cépage, les rendements, l'élevage etc. Il arrive que le label soit refusé à un vin ; c'est la plus haute catégorie ; introduite en 1980. Attribuée seulement à 13 régions comme Barolo, Barbaresco, Brunello di Montalcini, Vino Nobile di Montepulciano, Chianti, Torgiano Rosso Riserva et autres.

Denominazione di origine controllata, DOC
Appellation d'origine contrôlée fixant, contrôlant et surveillant strictement la région, aussi le cépage, les rendements, l'élevage etc. Attribuée à 240 régions comprenant plus de 1000 vins différents.

Vino da tavola con indicazione geografica
Vins de table originaires d'une région géographiquement fixée ; l'étiquette a le droit de porter l'origine, le cépage et l'année. C'est une catégorie comprenant tous les *vini da tavola* originaux qui n'ont cure des règles DOC. Ils sont souvent d'excellente qualité.

Vino da tavola
Catégorie la plus basse regroupant tous les autres vins ; résulte souvent de coupages ; n'a le droit de nommer ni son origine géographique ni l'année.

Cépages importants

Raisins blancs

Catarratto
Vieux raisin sicilien de grande étendue ; plus de 80 000 hectares ; plusieurs variantes ; robuste et à fort rendement ; essentiellement utilisé pour le Marsala.

Chardonnay
Célèbre cep à vin blanc de Bourgogne ; il fut d'abord cultivé dans le Nord, mais il est de plus en plus répandu.

Cortese
Cep traditionnel fragile ; il donne au plus célèbre vin blanc du Piémont, le Gavi, son caractère frais et acide, d'un léger fruité qui persiste au palais.

Garganega
C'est le principal cépage du Soave ; attesté très tôt en Vénétie ; donne des vins pouvant être aussi bien frais et secs que doux et fruités.

Malvasia bianca
Vieux cépage très aromatique et de grand caractère, répandu sur presque l'intégralité du territoire italien ; souvent utilisé en assemblage ; se prête à toutes les vinifications du sec au doux ; de nombreuses variétés ; n'a aucune parenté avec le Malvasia rouge.

Moscato bianco
Muscat aux petites baies cultivé dans toute l'Italie ; il a l'arôme caractéristique du Muscat ; il comporte, du sec au doux, toutes les gammes ; vin doux vinifié en liqueur ; utilisé pour les mousseux.

Pinot grigio
C'est la variante grise du Bourgogne blanc, le Pinot bianco ; plus important que lui ; connu dans le monde entier comme vin blanc italien non coupé des régions vinicoles du Nord de l'Italie ; manque un peu d'acidité.

Prosecco
Raisin blanc du Frioul et de Vénétie ; utilisé pour des vins secs ou légèrement liquoreux et plats, mais surtout pour les vins mousseux.

Trebbiano
Cépage aux grappes très abondantes, répandu dans 40 provinces et dans le monde entier également sous le nom de Ugni blanc ; couvre avec toutes ses variantes 130 000 hectares en Italie ; fréquent surtout en Toscane, dans l'Emilie-Romagne et le Latium ; généralement seulement en coupage ; arôme neutre, acidité bien présente.

Raisins rouges

Aglianico
Introduit par les Grecs dans le bas de la botte ; donne en variété pure, deux grands vins rouges riches en tanins et vieillissant bien, le Taurasi de Campanie et l'Aglianico.

Barbera
Numéro deux en Italie mais variété rouge italienne répandue dans le monde entier ; cep du Piémont d'une certaine acidité, de couleur intense et à fort rendement ; souvent utilisé pour les assemblages ou bu jeune ; vin de caractère ; il vit un retour surtout dans le Barbera d'Alba.

Cabernet
Le Cabernet Sauvignon et le Cabernet franc étaient déjà au siècle dernier répandus ; aujourd'hui, le Cabernet Sauvignon, vin à la mode, se cultive dans beaucoup de régions, également dans le Sud.

Dolcetto
Variété piémontaise très fragile et exigeante ; donne des vins secs un peu fruités qui se laissent bien boire, contenant peu de tanins et qui devraient être bus jeunes.

Lambrusco
Très vieux raisin de l'Emilie-Romagne ; résistant ; grappes charnues ; vinifié en vin rouge, rosé et même blanc, sec ou liquoreux légèrement mousseux.

Merlot
Le célèbre cep de Bordeaux occupe la troisième place parmi les raisins à vin rouge ; vinifié sans coupages, il donne dans le Sud des vins agréablement ronds et généreux, dans le Nord des vins légers et fruités.

Montepulciano
Variété très répandue ; tardive et robuste ; vigoureux et agréables surtout au centre et dans le Sud ; en tant que rosé, connu dans les Abruzzes sous le nom de Cerasuolo.

Nebbiolo
Le roi des raisins rouges d'Italie ; exigeant, peu répandu, a besoin de la chaleur de l'été, tardif à l'automne, ne mûrit qu'aux premières brumes, d'où son nom (*nebbia* = brume) ; donne des vins très sombres, forts, acides, riches en tanins et de très longue vie ; arômes caractéristiques de violette et de goudron ; marque le Barolo et le Barbaresco ; appelé Spanna dans le nord du Piémont.

Nerello
Très répandu en Sicile ; la variante Mascalese est présente dans de nombreux vins de table ; fait partie du coupage du Corvo Rosso ; existe sans coupage dans le Nord-Est, sous le nom de Nerello Capuccio.

Primitivo
Raisin dominant, à côté du Negro Amaro, dans la Pouille ; donne des vins rouges aromatiques, harmonieux et fruités. Ancêtre du Zinfandel californien.

Sangiovese
Classé en tête de liste des ceps de vin rouge d'Italie ; très ancien raisin, résistant, mais à la peau très fine ; d'origine de Toscane ; ses variantes couvrent aujourd'hui toute la botte, sur 180 000 hectares ; le Sangiovese piccolo, variété principale du Chianti, domine néanmoins ; la version Grosso donne le Brunello et le Vino Nobile di Montepulciano ; excellents vins rouge de très longue vie.

Vernatsch
Variété de vin rouge dominante dans le Haut-Adige ; on le rencontre aussi sous le nom de Schiava grosso ou, comme en Allemagne, de Trollinger ; répandu sous quatre variantes, souvent assemblées les unes avec les autres ; donne des vins aromatiques, fruités et à boire jeunes.

Le choix de vins italiens s'est accru considérablement entre 1975 et 1995 et présente aujourd'hui une gamme fascinante dans toutes les régions.

Régions vinicoles italiennes

Valle d'Aosta
Val d'Aoste, chef-lieu Aoste, à peine 1 000 hectares parmi lesquels les vignobles les plus en altitude d'Europe ; c'est le plus petit secteur d'Italie, il est montagneux et s'élève jusqu'aux frontières suisses et françaises ; vins de caractère, capricieux ; petites quantités ; portent souvent des noms de résonance française ; les plus connus sont les DOC Donnaz et Enfer d'Arvier ; intéressants sont les vins blancs Blanc de la Salle et Blanc de Morgex vinifiés à partir du raisin local Valdigne.

Piemonte
Le Piémont, chef-lieu de région Turin, compte environ 60 000 hectares de vignobles, dont 36 000 hectares répartis en trois régions DOCG et 35 régions classées DOC. La plus grande appellation DOC est au Nord-Ouest, dans le pays du grandiose Nebbiolo qui donne le Barolo, le Barbaresco et autres vins issus d'un seul cépage, à maturation lente, d'une profondeur remarquable. Les vignobles, protégés par les Alpes et l'Appennin ligurien, ne sont cultivés qu'avec du raisin piémontais, qui marquent les vins d'une empreinte caractéristique comme le Barbera, le Dolcetto, le Grignolino, le Freisa et les blancs Arneis et Cortese. Les secteurs les plus connus sont Alba et Asti avec son Spumante de renommée mondiale.

Lombardia
La Lombardie, capitale Milan, a 30 000 hectares de vignobles. Ses 13 DOC représentent la moitié de cette superficie ; les régions sont très éloignées les unes des autres ; ses vins mousseux de Franciacorta sont intéressants, mais on utilise surtout le Pinot nero de Oltrepò Pavese pour faire le mousseux d'Asti ; les meilleurs rouges proviennent de Valteline.

Trentino-Alto Adige
Le Trentin et le Haut-Adige, capitale Trente, région du Nord avec 1 300 hectares de vignobles dont plus de 12 000 hectares sont classés DOC ; douze régions DOC. Les plus connus sont les vins de Vernatsch comme le Sankt Magdalener ou le populaire Kalterersee ; la région devint célèbre par ses vins rouges de Merlot et de Cabernet issus d'un seul cépage, faits avec des méthodes modernes de vinification et par ses vins blancs issus de cépages allemands ou français ; les rouges Teroldego et Lagrein ont beaucoup de corps.

Liguria
La Ligurie, capitale Gênes ; paysage ravissant autour du Golfe de Gênes ; la plupart des 6 000 hectares formés souvent par des vignobles abrupts en terrasses se trouvent à l'Ouest, sauf Cinque Terre avec son remarquable vin blanc et vin à liqueur et Colli di Luni autour de La Spezia ; un autre vin important est le Rossese di Dolceacqua, un rouge fin, floral, entièrement de l'Ouest.

Emilia-Romagna
L'Emilie-Romagne, capitale Bologne est, avec 76 000 hectares, la cinquième région vinicole ; quinze DOC, mais essentiellement des vins produits en masse ; deux régions distinctes ; au Nord-Ouest, l'Emilie avec une abondante production de Lambrusco dont une infime partie est du DOC sec et fruité ; au Sud-Est, la Romagne avec le célèbre blanc Albana du cépage du même nom. Les autres sont des rouges assez ronds de Sangiovese et de raisins français.

Veneto
La Vénétie, capitale Venise, dispose de 80 000 hectares dont 36 000 de DOC ; en tout 13 régions, dont le Valpolicella et le Soave, près de Vérone, ainsi que le Colli Berici et le Piave ; elle n'a pas seulement les lourds Amarone ou le populaire Bardolino, mais aussi le Prosecco frais et pétillant ; de plus en plus de raisins français et tendance vers la qualité.

Friuli-Venezia Giulia
Le Frioul et la Vénétie Julienne, capitale Trieste, est région limitrophe au Nord-Est ; avec ses 20 000 hectares de vignobles et sept DOC sur au moins 13 000 hectares en tout, parmi lesquelles le Collio et Grave del Friuli, l'une des régions vinicoles les plus intéressantes d'Italie ; vins blancs modernes, frais, aromatiques, issus d'un seul cépage, de la vigne locale Tocai Friulano ou de variétés internationales ; a de bons merlots ; un effort est fait récemment pour obtenir des coupages de cépages locaux.

Toscana
La Toscane, capitale Florence, a 72 000 hectares de vignobles dont 31 500 classés DOCG ou DOC ; ces 26 régions produisent, après le Piémont, la plus grande quantité de bons vins de qualité ; par exemple dans la catégorie DOCG, le grandiose Brunello di Montalcino, le rare Carmignano, vin velouté, le Chianti et le Vino Nobile di Montepulciano ; ces vins rouges proviennent de l'excellent raisin Sangiovese ; la région de Chianti, en particulier, connut récemment une révolution unique en faveur de la qualité ; cette percée dans le domaine des vins de qualité se reflète dans les excellents *vini da tavola*, de cépages internationaux.

Umbria
L'Ombrie, capitale Pérouse, 21 000 hectares, une région DOCG et huit régions DOC qui forment ensemble 6000 hectares ; le vin le plus connu est l'Orvieto, vin blanc souvent excellent de Procanico, comme s'appelle ici le Trebbiano et de Malvasia ; des vins de liqueur intéressants sont pressés à partir du Malvasia et du Grechetto local ; le meilleur vin est le rouge à maturation lente Torgiano Rosso Riserva de Sangiovese.

Marche
Les Marches, capitale Ancône, sur l'Adriatique, comprennent 27 000 hectares de vignobles, dont 10 DOC représentant un tiers de la superficie totale. Le vin principal est le blanc Verdicchio dei Castelli di Jesi et di Matelica ; mais il y a aussi des vins rouges fiables et de caractère, surtout de Montepulciano ou de Sangiovese comme Rosso Conero et Rosso Piceno.

Lazio
Le Latium, capitale Rome, environ 60 000 hectares avec 16 régions DOC de 17 500 hectares ; vins blancs secs et légers de Malvasia et de Trebbiano dont le célèbre Frascati mais aussi le Marino et l'Est di Montefiascone ; Aprilia, au sud-est de Rome, produit beaucoup de vins rouges dont le Merlot ; on fait avec de très vieux raisins italiens rouges le rare Cecubo, connu déjà dans l'Antiquité.

Abruzzo e Molise
Les Abruzzes et Molise, régions voisines sur l'Adriatique près de Pescara et de Térmoli. Molise avec 9000 hectares possède nettement moins de vignobles en comparaison des 30 000 hectares des Abruzzes ; le vin le plus consommé est le rouge Montepulciano d'Abruzzo du cépage du même nom ou le Trebbiano d'Abruzzo, blanc harmonieux, les deux seules DOC des Abruzzes.

Campania
La Campanie, capitale Naples, la plus célèbre région vinicole des Romains avec leur vénéré Falernum ; 43 000 hectares de vignobles ; surtout de simples vins de table ; onze DOC se partagent seulement 2 000 hectares, le Vesuvio (autrefois Lacrima Christi) sur les coteaux du Vésuve et le blanc Fiano di Avellino, avec une séduisante saveur de noix ; un Greco di Tufo blanc très agréable du très vieux raisin du même nom et un excellent rouge, le Taurasi des raisins Aglianico ; les DOC Ischia et Capri comptent également parmi les vins de Campanie.

Puglia
La Pouille, capitale Bari, 120 000 hectares de vignobles le long du talon de la botte, dont 22 000 sont classés en 24 DOC ; région la plus productrice d'Italie en quantité ; surtout des vins rouges et rosés ; du Nord vient le Castel del Monte, rouge, rosé et blanc le plus connu ; le rosé, agréable, représente à lui seu 50 % ; au Sud, de la presqu'île Salento, viennent des rouges et des rosés de Salice Salentino du raisin Negro amaro ; en outre, le raisin Primitivo, proche du Zinfandel est très répandu ; les vins rouges atteignent des degrés d'alcool assez élevés.

Basilicata
Basilicate, capitale Potenza, 14000 hectares de vignobles souvent en altitude dont 12000 enfin reconnus DOC Aglianico del Vulture ; ce cépage, importé par les Grecs, donne un vin rouge excellent de grande race et à maturation lente ; en dehors de ce vin, seuls les deux vins rares Moscato et Malvasia sont intéressants.

Calabria
La Calabre, capitale Catanzaro, 26 000 hectares à la pointe de la botte, dont 3500 hectares comprennent huit DOC ; les vins les plus connus sont le rouge velouté Cirò du raisin grec Gaglioppo, une variété de l'Aglianico et le Greco di Bianco, odorant la fleur d'oranger, un vin doux du raisin du même nom.

Sardegna
La Sardaigne, capitale Cagliari, 46 000 hectares, surtout au sud de l'île ; 18 régions DOC ; grands écarts entre les vins, du blanc léger au vin rouge de dessert lourd du raisin Cannonau, proche du Garnacha espagnol ou le Vernaccia di Oristano, qui ressemble au Sherry ; viticulture très ancrée dans les traditions ; les deux tiers des vins sont des blancs ordinaires du raisin neutre Nuragus ou du plus vigoureux Vermentino. Au nord-est du pays, le Vermentino di Gallura a sa propre DOC.

Sicilia
La Sicile, capitale Palerme, avec 150 000 hectares de vignobles, la plus grande superficie vinicole de l'Italie ; 22 000 hectares reviennent à neuf DOC ; à part quelques bons vins à dessert, le Marsala ou le Moscato, il y a de grandes quantités de simples vins de table ; mais on trouve de plus en plus de rouges et de blancs à vinification moderne provenant de raisins locaux ou internationaux ; le plus connu est le Cerasuolo di Vittoria, spécialité de vin à maturation lente ; la marque de vin la plus connue – elle a cent soixante ans d'âge – est le Corvo, fondé par les ducs de Salaparuta.

Brunello di Montalcino

L'appellation d'origine contrôlée la plus connue en Italie, la première à qui l'on ajouta en 1980 l'additif de *e garantita* (DOCG) ne fut pas attribuée à un vin historique du temps des Romains, mais à l'œuvre de la famille Biondi-Santi. Ferruccio Biondi-Santi pressa en 1888 le premier Brunello di Montalcino à partir de la variété de cépage très spéciale, *Sangiovese Grosso*, que son grand-père avait plantée dans les années cinquante du siècle dernier.

Contrairement à d'autres vins rouges de Toscane, il n'utilisa pas le coupage usuel de plusieurs raisins, mais éleva une seule variété sans assemblage. De-puis lors, la famille n'eut de cesse de parfaire sa méthode, demeurée, au fond, invariablement fidèle à cette tradition.

Le Brunello se fit connaître en Italie et à l'étranger après la guerre, quand les dégustations des premiers millésimés prouvèrent combien il était doué de longévité. La gloire qu'il récolta, inspira les habitants de cette charmante petite ville fortifiée au sud de Sienne et des investisseurs venus d'ailleurs. On compte maintenant soixante producteurs de Brunello. Ce vin rouge, dur et riche en tanins, vieillit très lentement. Il faut attendre plusieurs dizaines d'années avant de le boire avec plaisir. Sa vente légale n'est d'ailleurs permise qu'à l'issue, de quatre ans de fût.

Le travail qu'exige un élevage de cette durée minimum n'est rentable que les bonnes années. C'est pourquoi il y a une tendance vers un nouveau style de vin tel le Rosso di Montalcino, du domaine Il Poggione, devenu D.O.C. en 1984, un jeune Brunello plus léger, moins cher, fait uniquement de Sangiovese Grosso et qui ne doit pas vieillir en barriques. A côté du domaine Il Greppo, appartenant à la famille Biondi-Santi, d'autres excellents producteurs sont (par ordre alphabétique) Altesino, Caprili, Cerbaiona, Case Basse, Costanti, Lisini, Il Poggione, Villa Banfi.

Le Vin santo

Le Vin santo – nom pouvant signifier vin pour les saints parce qu'on l'utilisait pour la messe – est une spécialité de la Toscane. Dans les petits domaines, il est toujours produit pour usage domestique ou offert à des occasions particulières. Certains producteurs se soucient, toutefois, de le faire connaître aux amateurs de vin. Le Vin santo est un apéritif capiteux et un vin de liqueur apprécié. En Toscane, on trempe des petits gâteaux secs aux amandes, les *cantucci*, dans son verre. Ce «canard» au Vin santo qui fond à merveille sur la langue est un vrai plaisir, même s'il enlève au vin un peu de sa pureté.

Le Vin santo est produit par la vinification des raisins Malvasia et Trebbiano, séchés avec soin à l'ombre, sur des nattes ou suspendus aux poutres des greniers. Le séchage prend plusieurs mois au bout desquels, le jus s'étant en grande partie évaporé, le raisin est presque sec et la teneur en sucre proportionnellement élevée. Chaque semaine, il faut trier les baies et retirer celles qui pourrissent.

Au pressurage, sur un quintal, il reste entre quarante et vingt litres de jus très riche, versé dans de vieux fûts de petite taille en chêne ou en châtaignier, les *caratelli*, ayant généralement déjà contenu auparavant du Vin santo et imprégnés de levures. Si ce n'est pas le cas, on ajoute au moût une dose de résidu de levure, la *madre*, la mère, d'un vin précédent.

Les fûts, emplis aux trois quarts seulement, sont bouchés au ciment. Au grenier, la *Vinsanteria*, commence, dès lors, le long pélerinage du Vin santo. La fermentation se produit aussitôt, mais dans ce milieu fermé du fût, les levures mettent du temps à transformer le sucre en alcool. Les changements de saisons et les variations de températures favorisent ou, au contraire, freinent leur action. Fermentation et vieillissement du Vin santo durent de deux à six ans et se produisent avec de légères variations dans chaque fût. Dans un fût, la fermentation se sera achevée et le vin sera sec; dans un autre, il restera doux; dans un troisième, il sera nettement sucré. Dans l'un, il aura un ton ambré et présentera des marques typiques d'oxydation. Un autre vin sera jaune paille et fruité. A compter de ce moment, c'est l'art et le nez du viticulteur qui jouera. C'est à lui qu'incombe la tâche d'assembler les fûts pour donner à son vin le caractère voulu. Le Vin santo a toujours un caractère exceptionnel.

On trempe les amaretti, des biscuits aux amandes très populaires, dans le Vin santo, le vin de messe « pour les saints », une boisson divine.

La grappa

C'est le seul spiritueux traditionnel européen qui connut un tel essor. Du marc grossier qu'il était à l'origine, avec lequel les paysans des Alpes et Préalpes se réchauffaient et s'égayaient, la Grappa est devenue un fin spiritueux à l'heure du digestif, lorsque les maîtres d'hôtel font royalement avancer sur des tables roulantes, et la présentent dans leurs bouteilles spécialement créées par des designers.

On ne sait pas exactement à dater de quand le marc fut distillé, mais, en 1451, un certain Enrico du Frioul léguait à ses héritiers par testament une eau-de-vie et précisait en marge : *grape*. Ce terme peut aussi bien être dérivé de *rapus* ou *rappe*, raisin, que de *graspa*, raisin pressé.

La grappa est obtenue par la distillation du résidu de pressoir, donnant le marc de vin, nommé *vinaccia*. Les raisins rouges sont d'abord dépouillés de la rafle, au cours d'une opération que l'on appelle "éraflage". Pour les raisins blancs, le procédé est plus complexe. Tandis que le pressurage des raisins rouges a lieu après la fermentation alcoolique et que le résidu de pressoir a donc, lui aussi, déjà fermenté, les raisins blancs sont pressés avant la fermentation. Le marc doit subir une nouvelle fermentation en cuve, où il attend sa distillation, tassé avec très peu d'eau.

Il est permis d'ajouter au marc jusqu'à 20 % de la lie de levure déposée au fond des cuves après la fermentation. Si le marc n'est pas immédiatement distillé, il est soigneusement entreposé pour qu'il ne moisisse pas ou ne soit pas contaminé par les bactéries acétiques. Il en faut des quantités, car 100 kilogrammes de résidus ne donnent que trois à sept litres de distillat titrant de 60° à 80°.

Il y a deux méthodes de distillation de la Grappa – la distillation continue et discontinue. Pour cette dernière, la chaudière est remplie de marcs chauffés à la vapeur ou au bain marie, *bagnomaria*. L'alcool et autres substances volatiles s'élèvent et condensent dans un serpentin. L'art de la distillation consiste à recueillir et à séparer au bon moment l'alcool de tête, *testa*, et l'alcool de queue, *coda,* qui ne contiennent pas seulement des sous-produits indésirés, composés alcooliques et huiles, mais aussi la majeure partie des arômes. Seule l'expérience, et peut-être aussi le nez, permet de dégager le cœur, *cuore*, de la meilleure manière qui soit et de donner à la Grappa le petit « quelque chose » qui déterminera sa valeur marchande et d'apporter la gloire à son producteur. Une fois la distillation achevée, la chaudière est vidée et remplie de nouveau. Toutes les bonnes Grappa sont distillées d'après ce principe.

Cette distillation ne s'applique néanmoins pas aux grandes quantités. C'est pourquoi la distillation continue fut introduite en 1960, quand la demande s'accrut. Les appareils à vapeur sont continuellement alimentés de marcs et la séparation des pro-

La qualité de la Grappa se décide dès le pressurage. Un bon marc provient uniquement de bons raisins nobles et juteux.

Le marc est distillé directement dans l'alambic dont on referme prudemment le couvercle.

On utilise de vieux marcs comme combustible. La cendre sert d'engrais pour les vignes.

Le distillat se dépose dans le condenseur.

duits de tête et de queue est assurée, même si ce n'est pas avec la même subtilité qu'avec l'autre méthode.

Hormis la distillation, deux facteurs jouent un rôle important dans la fabrication de la Grappa : le marc de raisin et le vieillissement.

• Le marc de raisin, qui devrait être absolument pur et juteux, a une action – selon la variété de raisin ou de vin – décisive sur les arômes. On fait en gros la distinction entre les Grappa de variétés non aromatiques et de variétés aromatiques comme le Muscatel ou le Traminer.

• Le vieillissement, qui doit durer un an minimum, dont six mois en fût de bois, et être noté sur la bouteille, avec indication de l'âge et du chai – par exemple Riserva ou Stravecchia – équilibre et affine l'alcool. Dans les fûts de chêne, il s'ambre, tandis que dans les fûts de frêne, il reste incolore. Les Grappa qui ont vieilli plusieurs années sont particulièrement recherchées.

Comparée aux eaux-de-vie, la Grappa déploie néanmoins un remarquable bouquet et goût qui lui donne un caractère exceptionnel seulement quelques mois après la distillation. Les jeunes Grappa devraient être servies fraîches avec huit à dix degrés Celsius dans de hauts verres à digestif. Les vieilles Grappa, au contraire, déploient mieux leurs arômes à seize ou dix-huit degrés Celsius dans des verres de dégustation ou à Cognac. Les Grappa sont classées d'après leur terre d'origine :

· Grappa de Frioul-Vénétie Julienne ;
· Grappa de Lombardie
· Grappa du Piémont et du Val d'Aoste ;
· Grappa du Trentin-Haut-Adige
· Grappa de Vénétie.

D'autres Grappa, comme celles d'Emilie-Romagne, de Toscane, de Ligurie, de Sardaigne et du Latium sont rares. La dénomination « Grappa italienne » recèle des coupages d'eaux-de-vie de plusieurs régions.

· Grappa di Monovitigno, grappa issue d'un seul cépage, provient de distillateurs orientés sur la qualité. La plus connue est la Grappa di Picolit, d'une variété à bas rendement fournissant un raisin très concentré et sucré. Les variétés Barolo, Verduzzo ou Moscato sont aussi très appréciées.

Les Grappa aromatisées forment une catégorie à part. La Grappa *alla ruta*, Grappa à la rue, est la plus connue. On utilise cependant une multitude d'arômes à base de plantes, d'épices et de fruits, par exemple la menthe, l'armoise, la gentiane, le cumin, l'anis et aussi la framboise, la myrtille, l'orange, l'amande, le miel et même le café.

Les échantillons ne sont pas seulement prélevés des fûts (arrière-plan), mais de chaque bouteille de Grappa.

Les étiquettes des Grappa nobles sont écrites à la main.

A l'arrière-plan : l'intérieur du Camparino, le célèbre café milanais.

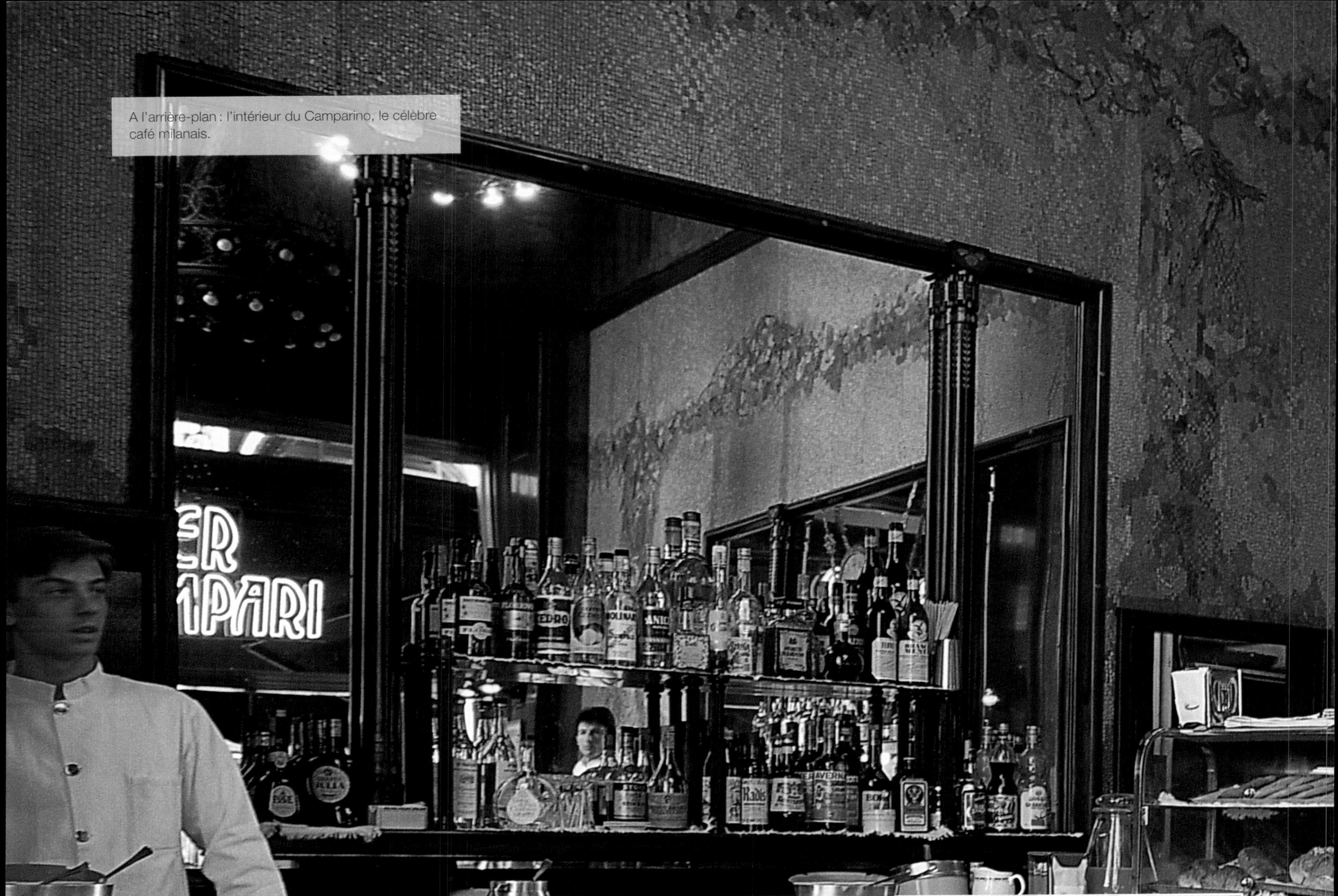

Le Campari

Au « Caffè Campari » ouvert en 1867 dans la Galleria Vittorio Emanuele II, sur la place de la cathédrale de Milan, le propriétaire, Gaspare Campari, servait à ses clients une boisson rouge resplendissante qu'il appelait « Bitter all'uso di Hollanda », Bitter à la mode hollandaise. Comme tous ses collègues de l'époque, Campari fabriquait lui-même ses breuvages, vermouths et apéritifs, comme le Kinal, le Cedro ou l'Americano, le Fernet, le Grappa Moscato, le Latte di Vecchia, l'Assenzio et même le kirsch de Forêt-Noire. Son élégante clientèle, elle, appréciait plus que tout, cet apéritif un peu amer et âpre et réclamait son Bitter Campari.

Les bitters sont une catégorie de boisson à part, généralement à base d'alcool, d'eau, souvent de caramel en guise de sucre, et de matières végétales. Fabrication et ingrédients sont, au fond, les mêmes que pour les liqueurs. Mais, en Italie comme en France, on entend par bitter principalement des apéritifs qui doivent leur amertume subtilement dosée au quinquina et à l'écorce d'orange amère. Il y a certainement des deux aussi dans le Campari. A Sesto San Giovanni, l'usine-mère de Milan, aucun des ingrédients n'est nommé par son nom. On fait infuser des herbes, des fruits et certaines parties de plantes pendant plusieurs jours. L'addition d'alcool extrait d'autres agents de sapidité par un système de circulation. Les arômes ont fini de se concentrer au bout de trois semaines. Dosé électroniquement, le mélange d'alcool, de sucre, d'eau distillée et de carmin donne naissance à l'apéritif du nom de Bitter. Le colorant provenait à l'origine d'une cochenille. Aujourd'hui, on le fabrique avec des produits chimiques.

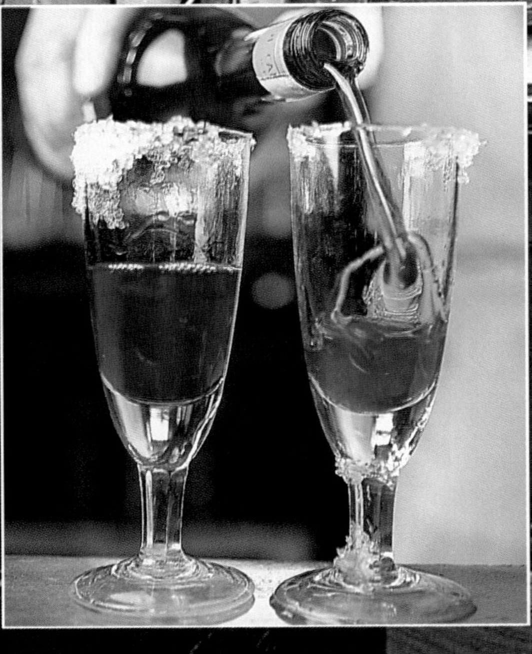

On sert le Campari, apéritif d'une âpreté très délicate et rouge carmin, dans des verres à pied.

Apéritifs et spiritueux

Les chiffres renvoient aux marques illustrées ci-dessous.

Amaro et Bitters forts (1, 6, 7, 8)

Les spiritueux parfumés aux herbes sont une spécialité italienne. Ils sont de degré alcoolique et d'amertume variables et sont appelés, selon l'usage, apéritifs ou Bitters. Les Amari sont presque exclusivement bus en digestif.

Americano

Mélange de vermouth et de Bitter ; très apprécié dans les cafés de Turin vers 1850 ; on pense que c'est la difficulté de prononcer le mot *amaricante*, signifiant amer, qui fit naître ce nom ; presque tous les producteurs de vermouth produisent aussi de l'Americano.

Aperitivo

Dénomination populaire utilisée par beaucoup de firmes pour leurs Bitters ou Americano ; Le breuvage le plus typique est l'Aperol de seulement onze degrés. Il est fabriqué depuis 1919 à partir de quatre douzaines de plantes aromatiques, entre autres le quinquina, la rhubarbe, la gentiane et les oranges amères.

Brandy (5)

Le Trebbiano de Romagne et de Toscane ainsi que l'Asprigno de Vénétie sont les deux variétés dominantes pour la distillation du Brandy distillé deux fois selon la méthode Cognac pour les meilleures qualités, ou fait en distillation continue ; maturation d'au moins six mois ; pour les qualités supérieures de plusieurs années. Le Vecchia Romagna est leader sur le marché ; il vieillit dans des fûts d'après le système espagnol de la solera, selon laquelle la quantité de vieux Brandy prélevée dans un fût est remplacée par du vin plus jeune.

Liquori (4, 8)

Catégorie comprenant nombre de spécialités régionales ; les plus connues sont l'Amaretto, liqueur sucrée à base d'amandes amères, la Strega jaune or et la Liquore Galliano dans une longue bouteille également jaune et qui sent la vanille ; les Nocini, les liqueurs de noix, viennent du Piémont, de Vénétie, d'Emilie, des Abruzzes et de Campanie ; les liqueurs de rose comme Rosolio di Rose, Tè Rose et Amarella sont sans doute d'origine arabe ; Centerbe (cent herbes) et Mentuccia, liqueur à la menthe, viennent des Abruzzes.

Sambuca (2)

Liqueur claire très populaire originaire du Centre de l'Italie ; distillée à la vapeur à partir de graines d'anis et d'autres aromates végétaux ; elle est servie après le repas soit avec des glaçons, flambée à température ambiante soit *con la mosca*, avec la mouche, c'est à dire avec un nombre impair de grains de café surnageant à la surface.

Vermouth (3)

On suppose que le vermouth était connu avant, mais il fut lancé pour la première fois sous ce nom en 1786 par Antonio Benedetto Carpano dans sa bottega de Turin. Devenu immédiatement très apprécié comme breuvage de luxe, d'autres liquoristes suivirent l'exemple de Carpano ; le premier fut Cinzano ; Martini arriva sur le marché en 1863. D'autres marques connues sont le Gancia, le Filipetti, le Riccadonna, le Stock, le Lombardo et le Cora. Le Vermouth est composé de vin blanc parfumé avec les essences infusées d'un assortiment d'herbes et de plantes, entre autres les feuilles d'absinthe. D'autres composantes sont le sucre, l'alcool et, pour le vermouth rouge, le caramel comme colorant.

1 2 3 4 5 6 7 8

L'espresso

La manière italienne de savourer le café a séduit le monde entier. Dans nul autre pays, le café ne tient une place aussi importante en société. Neuf milliards de tasses de *caffè* sont bues annuellement des Alpes à la pointe de la botte, dont un tiers est consommé au zinc des quelque 134 000 bars où il est toujours bon de faire un saut.

La place qu'occupe le café express est inséparable de l'évolution des machines à café à vapeur et à pression. Ces machines permettent une chose qui fut essentielle pour le progrès culturel que représente le café : le *caffè* est frais moulu, mis dans un filtre individuel et préparé frais pour chaque client. Luigi Bezzera est l'inventeur de ce système qu'il se fit patenter à Milan en 1901. Dès 1905, Desiderio Pavoni commença à produire des machines qui se fondaient sur l'invention de Bezzera. D'autres fabricants suivirent les années suivantes. C'est cette technique qui fit naître le vrai *caffè espresso*, l'express. Sa qualité dépend de plusieurs facteurs :

• Le café – les torréfacteurs italiens préfèrent les variétés brésiliennes à partir desquelles ils composent leurs propres mélanges. Ils penchent davantage pour le robusta que pour l'arabica, bien que celui-ci soit plus fin ;

• La torréfaction – En Italie, les grains de café sont torréfiés avec une force considérable, de six à vingt minutes à 180–240 °C ; cette torréfaction brun foncé, beaucoup plus forte que dans d'autres pays, donne un arôme très fort au café ;

• La mouture – indépendamment du fait que le café doit être moulu frais, son grenu doit permettre à l'eau de passer dans la machine en l'espace de 25 à 30 secondes ; si elle met plus longtemps, le café devient amer et si elle met moins longtemps, il est trop clair ;

• La quantité par tasse – elle comprend entre six et sept grammes de poudre de café ;

• La machine – le café idéal est obtenu dans une machine qui presse l'eau à 90 ou 95 degrés Celsius et avec une pression de neuf atmosphères en 25–30 secondes, à travers le café dans une tasse contenant 25 millilitres ; si la température est trop basse ou la pression trop haute, la crème devient trop claire ; si elle est trop foncée, la température est trop haute ou la pression trop faible.

On reconnaît l'express parfait à sa couleur presque noire dissimulée sous une couche de crème brun clair.

Les filtres contiennent juste la bonne mesure de café nécessaire pour faire l'express.

Le filtre est accroché à la machine. La réussite de l'express dépend de la pression.

Le robinet à vapeur fait écumer le lait.

Les pièces d'une machine à express

1 buse à vapeur
2 réglage de la pression
3 interrupteur
4 support à filtre
5 manomètre
6 arrivée d'eau
7 récipient à café
8 préchauffage des tasses
9 support à petites cuillères
10 moulin à café électrique

André Dominé

La Grèce

Le charme de la cuisine grecque réside en ce qu'elle est très méditerranéenne. Les cuisiniers grecs de l'Antiquité, qui avaient des condiments à profusion, connurent la gloire du temps de l'hégémonie d'Athènes et de Sparte, autant que les poètes, les philosophes et les artistes. Les commerçants grecs rapportaient de voyage des épices, des fruits, des légumes, de la volaille, des porcs, des bœufs et du vin. Des succursales éparpillées dans tout le bassin méditerranéen assuraient le réapprovisionnement. Sous l'occupation turque, en particulier, qui dura quatre cents ans, commença une période d'oppression et de pauvreté. La viande devint un produit rare et, pour beaucoup de gens, les seuls produits abordables étaient ceux de la mer. De nos jours, les marchés et les commerces de Grèce font étalage de la même richesse que partout ailleurs en Europe. L'art et la tradition culinaires sont toutefois fondés sur de longues périodes de pénurie. Les heures des repas sont souples. Le petit déjeuner ne joue pratiquement aucun rôle, mais on prend volontiers une petite collation vers onze heures ou on s'offre, au moins, un sachet de pistaches, de graines de courge ou de tournesol. La pause de midi est plus longue, en tout cas en été, le repas peut être copieux ou ne se composer que de salade et d'olives. En revanche, le soir, on préfère renoncer à un repas copieux et sortir prendre un verre dehors et quelques mezédes. Le choix est saisonnier. Le mouton et le chevreau des troupeaux du pays ont un arôme tout particulier. Dans la cuisine grecque, les herbes sont employées avec parcimonie, si bien que les aliments gardent leur goût naturel. La féta et autres fromages de lait de brebis affinent les mets et leur donnent cette saveur très particulière à la cuisine grecque. En Europe, les Grecs sont, après les Français, les plus gros consommateurs de fromage. En dehors du résiné, le *retsína*, il y a un grand nombre de vins secs bien vinifiés qui, de nouveau, attirent le regard sur le plus vieux pays viticole du monde.

l'agneau à la broche compte
parmi les summums culinaires de la Grèce.

589

Mezédes

Quelle que soit l'heure à laquelle le petit creux se fait sentir, en Grèce, on ne meurt jamais de faim. Les fameuses « petites bouchées », *mezédes*, sont omniprésentes. Les *mezédes* comprennent tout ce qui peut se dresser sur une petite assiette. Au restaurant, ils se rangent dans la catégorie des entrées, sous le nom de *orektiká*. Mais, sauf les jours de fête, les Grecs n'ont pas, comme beaucoup d'autres populations, ce penchant pour les menus fixes. Ils préfèrent se partager à plusieurs diverses

assiettes de mezédes le soir en sortant avec des amis. Plus que de manger, ce qui compte, c'est de se retrouver à une terrasse de taverne. On commande plusieurs petites assiettes toutes servies en même temps, s'il n'a pas été précisé qu'on les voulait autrement. Les assiettes sont mises sur la table et chacun mange ce qu'il veut. On discute et on se détend. L'appétit venant en mangeant, on commande souvent quelques assiettes supplémentaires de mezédes, mais jamais personne n'éprouve le besoin de manger plus copieux. Dans les bonnes tavernes, le choix de mezédes est grand et diversifié, mais même le plus petit *kafeníon* sera en mesure de proposer du pain, de la salade et des œufs.

Tzatzíki
Yaourt aux concombres

500 g de yaourt
1 concombre
3 gousses d'ail
1 cuil. à soupe d'aneth finement haché
2 cuil. à soupe d'huile d'olive
1 cuil. à soupe de vinaigre de vin
Sel
Feuilles de menthe pour la garniture

Mettre le yaourt sans le petit-lait dans un saladier. Eplucher le concombre, le couper en deux, l'épépiner, le râper et l'ajouter au yaourt. Bien mélanger avec l'ail pilé, l'aneth, l'huile d'olive et le vinaigre et saler. Servir bien frais décoré de feuilles de menthe.

Biftéki – Petites boulettes de viande hachée.

Dolmadákia – Feuilles de vignes farcies.

Féta – Fromage de brebis.

Gígantes Plakí – Haricots frits au beurre.

Horiátiki saláta – Salade paysanne avec féta.

Melitzanosaláta – Purée d'aubergines.

Melitzanosaláta
Purée d'aubergines

1 kg d'aubergines
2 cuil. à soupe de jus de citron
1 oignon
3 gousses d'ail
1 cuil. à soupe de persil haché
100 ml d'huile d'olive
Sel, poivre noir
Olives noires

Faire cuire les aubergines entières au four à 200º C pendant 45 minutes jusqu'à ce que la peau se plisse et prenne une coloration brune. Couper les fruits en deux, retirer la chair avec une cuiller en bois et la mettre dans le mixer ; verser quelques gouttes de jus de citron dessus. Eplucher l'oignon et l'ail, les ajouter aux aubergines avec le persil ; réduire en purée. Incorporer peu à peu l'huile d'olive. Saler et poivrer la purée. Servir bien frais garni d'olives.

Saganáki
Fromage frit

300 g de fromage de brebis ferme
Farine
5 cuil. à soupe d'huile d'olive
2 citrons non traités, en quartiers

Couper le fromage en tranches d'un centimètre d'épaisseur. Le rouler dans la farine et le faire frire dans l'huile de chaque côté. L'égoutter sur un essuie-tout et servir garni de quartiers de citrons. Aromatiser éventuellement d'origan frais.

Taramosaláta
Tarama

4 tranches de mie de pain
1 oignon
100 g de rogue de carpes ou de caviar de saumon
100 ml d'huile d'olive
5 cuil. à soupe de jus de citron
Persil et rondelles de citron

Tremper la mie de pain dans l'eau et bien la presser. Eplucher l'oignon et le hacher finement, le réduire en purée au mixer avec les oeufs de poisson ou le caviar. Incorporer peu à peu l'huile d'olive et le jus de citron et battre les ingrédients de manière à obtenir une pâte onctueuse. Servir frais garni de persil et de tranches de citron.

Oktapódi xitádo – Poulpe mariné dans du vinaigre.

Saganáki – Fromage frit.

Sardélles – Anchois au sel ou à l'huile.

Souvlákia – Petites brochettes de viande.

Taramosaláta – Tarama.

Tzatziki – Yaourt à l'ail et aux concombres.

591

Fasoláda – Soupe aux haricots blancs.

Les soupes

On aurait tort de croire, à en juger par les menus, que les soupes ne jouent aucun rôle dans la cuisine grecque. Les soupes constituent, pour de nombreuses familles, le repas principal de la journée et sont même souvent copieuses. Ce sont fréquemment des bouillons de viande à base d'os et de bas morceaux, épaissis de légumes secs – lentilles, haricots, pois – de pommes de terre écrasées ou de riz. La soupe peut se parfaire, juste avant de servir, avec un filet de citron, ou, mieux encore, avec la fameuse sauce à l'œuf citronnée, *avgolémono*.

Dans les ports, insulaires ou péninsulaires, les pêcheurs font la *kakaviá*, une soupe de poissons généralement à base de rascasse, *scorpena*. Les oignons et les tomates font toujours partie de la soupe et elle est souvent enrichie de pommes de terre et de carottes. On assaisonne avec un filet de citron. Contrairement aux conseils prodigués par toutes les recettes de cuisine fine sur la cuisson du poisson qui doit conserver sa chair ferme, les pêcheurs font cuire leur soupe très longtemps, certains même pendant deux ou trois heures, jusqu'à ce que la chair, presque en bouillie, se fonde au reste en une sorte de potage. Le nom de la soupe vient de *kakávin*, une traditionnelle marmite en terre cuite.

Kotósoupa avgolémono – Poule au pot avec une sauce à l'œuf citronnée.

Kakaviá – Soupe de poissons.

Fasoláda
Soupe aux haricots blancs
(Illustration ci-contre, sur la page de gauche)

500 g de haricots blancs secs
1 oignon
3 cuil. à soupe d'huile d'olive
4 tomates
1 carotte
1 cuil. à soupe de concentré de tomates
1 cuil. à soupe de céleri-rave finement haché
Sel, poivre noir
1 cuil. à soupe de persil finement haché

Faire tremper les haricots pendant une nuit, jeter l'eau de trempage, les laver, les égoutter.
Éplucher l'oignon, le hacher finement et le faire blondir dans l'huile. Peler les tomates, les épépiner et les couper en quartiers, nettoyer la carotte et la couper en dés. Ajouter tomates et carotte avec le concentré de tomates et le céleri dans les oignons. Saler et poivrer.
Ajouter les haricots et recouvrir les légumes d'eau. Porter à ébullition et faire mijoter à couvert pendant une heure et demi. Les haricots doivent être tendres. Rajouter éventuellement de l'eau. Assaisonner et servir avec du persil.

Kotósoupa avgolémono
Poule au pot avec une sauce à l'oeuf citronnée
(Illustration ci-contre, sur la page de gauche)

1 poule parée d'environ 1 kg 500
1 oignon
1 carotte
1 feuille de laurier
Sel
125 g de riz à long grain
2 oeufs
5 cuil. à soupe de jus de citron
2 cuil. à soupe de persil finement haché

Mettre la poule, l'oignon, la carotte, le laurier et le sel dans une marmite, couvrir d'eau et porter à ébullition. Faire cuire à couvert pendant deux heures en écumant régulièrement.
Retirer la poule du bouillon, la désosser, la dépouiller et la réserver.
Passer le bouillon et reporter à ébullition. Ajouter le riz. Le faire cuire environ vingt minutes. Mettre la poule dans la soupe, faire bouillir et retirer de la source de chaleur.
Battre les oeufs au fouet, ajouter peu à peu le jus de citron, continuer à battre en incorporant progressivement plusieurs cuillérées de bouillon. Retirer la marmite du feu et mettre la sauce à l'oeuf citronnée dans la soupe. Saupoudrer de persil. Servir chaud.

Kakaviá
Soupe de poissons
(Illustration)

2 oignons
4 cuil. à soupe d'huile d'olive
3 tomates
2 carottes
3 petites pommes de terre
2 gousses d'ail
1 cuil. à soupe de céleri-rave finement haché
1 feuille de laurier
Sel, poivre noir
1 kg 500 de petite friture mixte de Méditerranée
1 cuil. à soupe d'aneth finement haché
1 cuil. à soupe de persil finement haché
3 cuil. à soupe de jus de citron

Éplucher les oignons, les couper en rondelles, mettre l'huile à chauffer dans un faitout et les faire blondir. Peler les tomates, les épépiner et les couper en quartiers, nettoyer les carottes et les couper en rondelles, éplucher les pommes de terre et les couper en quartiers, hacher l'ail finement et mettre le tout dans les oignons. Ajouter le céleri, la feuille de laurier. Saler et poivrer. Mouiller avec 1 l 1/2 d'eau, porter à ébullition et faire mijoter pendant 30 minutes.
Écailler, vider, laver les poissons et les couper en morceaux. Mettre les morceaux de poisson avec l'aneth et le persil dans la soupe et faire macérer à feu doux pendant dix minutes.
Assaisonner d'un jus de citron, saler et servir très chaud.

Píta et fíllo

Il ne s'agit pas des petits pains ronds et plats pleins de salade, mais de ce bijou de la cuisine grecque, les *pítes*. La píta est généralement faite à base de pâte *fíllo*, qui serait originaire de Perse et composée d'un petit peu de farine de blé, d'eau et de sel, avec, éventuellement, un filet d'huile d'olive. L'abaisse de la pâte, pour faire certains pâtés comme les *tirópites*, que l'on prend en apéritif ou les pâtisseries du genre *baklawás*, doit être d'une extrême finesse. Elle exige une grande expérience et de l'habileté. La plupart des Grecs préfèrent donc l'acheter toute faite. On la trouve dans toutes les épiceries, emballée en paquets de douze ou vingt-quatre feuilles carrées de trente centimètres de côté ou rectangulaires de trente sur cinquante centimètres. Quand on les achète congelées à l'étranger, il est recommandé de les laisser décongeler pendant deux heures dans l'emballage, avant l'usage. Les feuilles de píta non utilisées d'un paquet entamé se conservent dans un linge humide pour éviter qu'elles ne se dessèchent ou ne se cassent. L'utilisation de la pâte fíllo rappelle celle de la pâte feuilletée. On l'enroule autour d'une farce, on s'en sert de base, d'intermédiaire ou pour couvrir un mets. La pâte fíllo qui dépasse du moule ne se coupe jamais, on l'enduit de beurre et on la rabat. Les pítes sont généralement remplies de légumes, de fromage, d'œufs et d'herbes, rarement de viande. Juste avant de la mettre au four, on la pique en plusieurs endroits sur la partie supérieure afin de laisser s'évaporer la condensation susceptible de se former à l'intérieur. Il est conseillé de l'humecter un peu avant de la mettre au four. La píta est bonne également froide. Certains la mangent même au petit déjeuner.

Tirópita – Fíllo avec farce au fromage.

Les légumes

Les Grecs sont les plus gros mangeurs de légumes d'Europe. La croyance orthodoxe grecque comporte, en tout, répartis sur toute l'année, au moins quatre mois de carême. Les mercredis et les vendredis sont jours maigres. Les jours de carême, *nastie*, il est interdit de manger de la viande, du poisson saignant et des produits contenant des graisses animales, le lait, le fromage et les œufs. Si le *nistísima*, ce qu'il est permis de manger pendant le carême, n'a pas triste mine, il le doit au grand mérite des femmes grecques et à leur talent culinaire. Il faut dire aussi que les Grecs ont la passion de la nature et de son règne végétal, les asperges, le pissenlit, la chicorée, les cardes, les oignons et les herbes. Excepté dans les grandes villes, à Athènes et à Thessalonique, où le carême n'est pas pris à la lettre, il est généralement respecté et beaucoup de Grecs s'en tiennent aux interdits. Croyants ou pas, les Grecs adorent tous, en tout cas, les *laderá*, les légumes cuits. Dans les restaurants, les légumes, qui font l'objet d'une rubrique à part sur la carte, ne sont pas des garnitures, mais des plats à part entière. En revanche, les salades sont considérées comme mezédes ou elles accompagnent les viandes et les poissons, quoique, avec le poisson, on préfère les légumes.

Kolokithokeftédes
Beignets de courgettes
(Illustration 1–4)

500 g de petites courgettes
1 oignon
1 cuil. à soupe d'huile d'olive
100 g de kefalotiri râpé
150 g de chapelure
1 oeuf
1 cuil. à soupe de persil finement haché
1 cuil. à soupe de menthe finement hachée
Sel, poivre noir
Huile végétale de friture

Laver les courgettes, les nettoyer, les couper en morceaux et les faire blanchir. Les égoutter (1). Eplucher l'oignon, le hacher finement et le faire blondir dans l'huile. Réduire les courgettes en purée au mixer, bien mélanger avec le fromage, l'oignon, la chapelure, l'oeuf, le persil, la menthe, le sel et le poivre (2). Mettre pendant une demi-heure au frais. Former à la main des petites boulettes de purée de courgettes (3), les rouler dans le reste de chapelure et les faire frire dans l'huile (4). Les retirer de la friture et les égoutter sur un essuie-tout. Servir chaud.

1

2

3

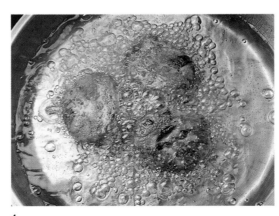

4

Angináres alá politá
Artichauts à la Constantinople

8 artichauts frais
4 cuil. à soupe de jus de citron
5 cuil. à soupe d'huile d'olive
1 oignon
4 carottes nouvelles
8 oignons blancs
8 petites pommes de terre
1 cuil. à soupe d'aneth finement haché
Sel, poivre noir

Couper les artichauts aux trois quarts de leur hauteur et jeter les tiges. Couper les bouts pointus des feuilles et retirer le foin. Mettre les coeurs dans une coupe, humecter de 3 cuillérées de jus de citron et les couvrir d'eau pour qu'ils ne noircissent pas.

Horriátiki saláta – Salade paysanne.

Eplucher les oignons, les hacher finement, mettre l'huile à chauffer dans une cocotte et faire blondir les oignons. Nettoyer les carottes et les couper en deux dans le sens de la longueur, nettoyer les oignons blancs et les couper en rondelles ainsi que les poireaux. Mettre les carottes et les oignons blancs dans la cocotte et les faire revenir. Eplucher les pommes de terre. Les ajouter aux légumes avec les fonds d'artichaut et l'aneth. Saler, poivrer et mouiller avec 200 ml d'eau chaude. Couvrir et faire cuire à feu doux pendant une heure.

Dresser dans un plat et assaisonner avec le reste de jus de citron. Servir chaud ou froid.

Horiátiki saláta
Salade paysanne
(Illustration)

2 grosses tomates fermes
1 concombre non traité
1 poivron vert
1 oignon
150 g de cubes de féta
½ cuil. à café d'origan finement haché
1 cuil. à café de thym frais émietté
5 cuil. à soupe d'huile d'olive
2 cuil. à soupe de vinaigre de vin rouge
Sel, poivre noir
Olives noires

Laver, puis sécher les légumes. Couper les tomates en huit et le concombre non épluché en cubes, égréner le poivron et l'émincer, éplucher l'oignon et le couper en rondelles. Mettre les légumes et quelques cubes de féta dans un saladier. Réserver les oignons. Ajouter les fines herbes.

Faire une vinaigrette, la verser sur la salade, remuer et disperser le reste de féta dessus. Garnir avec les rondelles d'oignon et les olives noires.

Briámi
Légumes frits

2 aubergines
3 courgettes
300 ml d'huile d'olive
2 oignons
2 gousses d'ail
2 poivrons verts
5 tomates
1 cuil. à café d'origan séché
1 cuil. à soupe de persil finement haché
400 g de petites pommes de terre
200 g de haricots verts
Sel, poivre noir

Couper les aubergines et les courgettes en morceaux, les saler et les laisser dégorger séparément pendant une demi-heure. Les nettoyer et les presser légèrement. Mettre un peu d'huile dans une poêle. Faire revenir les aubergines et les courgettes. Eplucher les oignons et les couper en rondelles, hacher l'ail, nettoyer les poivrons, les égréner et les émincer. Peler, épépiner et couper les tomates en morceaux. Mettre les légumes avec l'origan et le persil dans la poêle et faire revenir le tout pendant 10 minutes.

Préchauffer le four à 180° C.

Eplucher les pommes de terre et les couper en deux. Nettoyer les haricots verts et les couper en menus morceaux. Mettre les pommes de terre, les haricots verts et les autres légumes dans une terrine et épicer. Verser le reste de l'huile d'olive dessus et mouiller avec 150 ml d'eau. Couvrir et faire cuire au four pendant environ une heure, une heure dix. Remuer les légumes une ou deux fois au cours de la cuisson. Servir chaud ou froid.

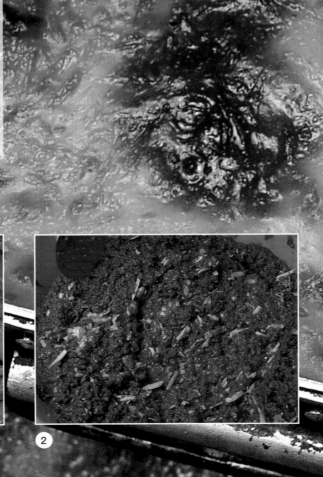

Moussakás
Soufflé d'aubergines

Pour 8 personnes

2 kg d'aubergines
2 oignons
1 kg de hachis de mouton maigre
4 gousses d'ail
Sel, poivre noir
750 g de tomates
200 ml de vin blanc sec
2 cuil. à soupe de concentré de tomates
1 cuil. à café d'origan séché
1 cuil. à soupe de persil haché
50 g de chapelure
60 g de beurre
6 cuil. à soupe de farine
1 l de lait
1 pincée de muscat
2 jaunes d'oeuf
75 g de kefalotiri râpé

Laver et sécher les aubergines et leur enlever les tiges. Les couper dans le sens de la longueur en tranches de 1 cm d'épaisseur. Les saler et les faire dégorger une heure. Enlever le sel, les presser et les essuyer.
Faire légèrement revenir les aubergines dans l'huile chaude des deux côtés et les égoutter (1).
Eplucher les oignons, les hacher et les faire blondir. Faire revenir la viande hachée. Hacher finement l'ail et le mettre dans la viande. Saler et poivrer. Peler et épépiner les tomates, les incorporer à la viande et laisser cuire cinq minutes. Mouiller avec le vin mélangé au concentré de tomates. Laisser mijoter une demi-heure à feu doux jusqu'à ce que la sauce liquide ait entièrement réduit (2). Incorporer les fines herbes et assaisonner.
Préchauffer le four à 180° C. Badigeonner un plat à gratin avec de l'huile d'olive, saupoudrer le fond de chapelure. Faire alterner des couches d'aubergines et de sauce tomate-viande hachée. Terminer par une couche d'aubergines (3). Faire un roux avec la farine et le beurre, le laisser un peu blondir et ajouter peu à peu le lait en ne cessant de remuer. Porter lentement à ébullition et laisser frémir pendant cinq minutes jusqu'à obtention d'une sauce onctueuse (4). La retirer du feu, l'épicer avec la muscade, saler et poivrer. Lier la sauce avec les jaunes d'oeufs battus avec le fromage. Napper les aubergines (5).
Faire gratiner les moussakás au four pendant environ une heure. Faire un peu refroidir et servir (6).

1

2

3

Le poisson et les fruits de mer

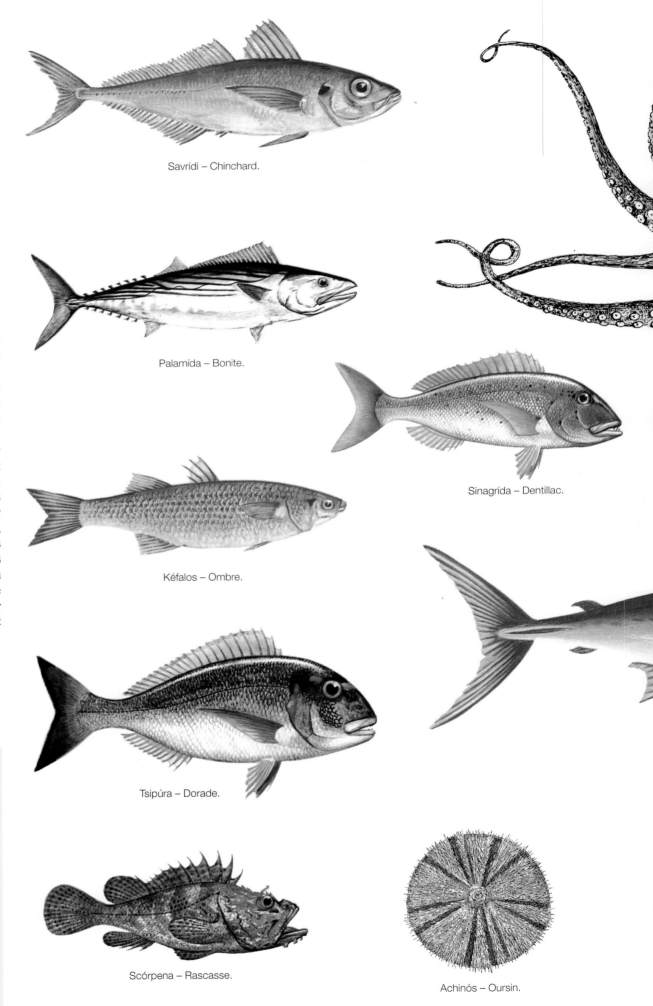

Savrídi – Chinchard.

Palamída – Bonite.

Sinagrída – Dentillac.

Kéfalos – Ombre.

Tsipúra – Dorade.

Scórpena – Rascasse.

Achinós – Oursin.

Les poissons et les fruits de mer ont toujours fait partie de la nourriture essentielle des Grecs. Beaucoup d'insulaires dépendaient même souvent de la Méditerranée. La croyance orthodoxe qui interdit les poissons saignants pendant les jours maigres et de carême stimula, peut-être, la préférence des Grecs pour les coquillages, les crustacés et les mollusques. Les *ktapódia*, les poulpes à huit tentacules, et les *kalamarákia*, les calmars, dont la forme et la poche se prêtent aux farces, sont cuisinés des plus diverses manières. Les poulpes peuvent atteindre une grandeur inouïe et leurs tentacules mesurer jusqu'à quatre mètres. Les calmars, les poulpes et les seiches de la mer Egée ou de la mer Ionienne ont, en règle générale, des tentacules mesurant de cinquante centimètres à un mètre et leur chair est coriace. Il faut lui faire subir un sérieux traitement pour l'attendrir et la rendre comestible. Les pêcheurs battent les mollusques des dizaines de fois sur les rochers. Il faut quand même calculer un temps de cuisson assez long pour les *ktapódia*, les calmars et les petites seiches, aux bras plus courts. Les toutes petites seiches ou les tout petits calmars, en revanche, ne se font cuire que deux ou trois minutes pour ne pas perdre leur tendresse naturelle. Autrefois, on étendait les calmars sur des cordes à linge pour les faire sécher. Ils étaient mis en conserves pour la période du carême.

Les différentes cuissons du poisson

Krassáto	cuit au vin
Marináta	mariné, le plus souvent dans le jus de citron, l'huile d'olive et les fines herbes
Ostraka	crustacés frits
Psári plaki	poisson frit au four
Psitó	à la poêle
Savóre	poisson mariné
Souvláki	brochettes de poisson
Spetsiótiko	au four dans une sauce au vin avec de l'ail et du persil
Sto foúrno	sorti du four
Sta kárvouna	grillé au charbon de bois
Sti skára	au gril
Tiganitá	roulé dans la farine ou la pâte et frit
Vrastó	bouilli
Yemistó	farci

Ktapódi – Poulpe.

Lithríni – Dorade.

Xifías – Espadon.

Drákena – Vive.

Tónnos – Thon.

Seláchi – Raie.

Ktapódi krassáto
Poulpe au vin

1 kg de poulpe	
100 ml d'huile d'olive	
3 oignons	
3 gousses d'ail	
1 feuille de laurier	
2 tomates	
2 cuil. à soupe de concentré de tomates	
400 ml de vin rouge sec	
Sel, poivre noir	

Acheter le poulpe paré chez le poissonnier. Si ce n'est pas possible, procéder de la manière suivante : couper la tête entre les bras et le tronc. Dépouiller le tronc, le retrousser et le vider. Etaler les bras et enlever les organes masticateurs.
Bien laver le poulpe, le sécher et le battre énergiquement pour l'attendrir. Le couper en petits morceaux.
Faire chauffer l'huile et faire revenir les morceaux de poulpe. Eplucher les oignons et les couper en rondelles. Les ajouter au poisson et les faire blondir. Hacher l'ail finement et l'ajouter au poisson avec la feuille de laurier. Faire revenir à feu doux pendant 15 minutes, en remuant plusieurs fois.
Peler les tomates, les épépiner et les couper en morceaux. Les mettre avec le concentré dans le poulpe. Saler et poivrer. Mouiller peu à peu avec le vin et porter à ébullition. Couvrir et faire cuire au moins une heure et demie.
Servir le poulpe chaud ou tiède avec du pain frais.

La viande

La Grèce, pays montagneux avec des sols pauvres ne réunit pas les conditions naturelles favorables à l'élevage du bétail. Les moutons et les chèvres s'adaptent bien aux pâturages montagneux abrupts, pierreux et arides, qui forment les deux cinquièmes de la végétation du pays. En Grèce, on adore l'agneau et le chevreau, mais les troupeaux de caprins et d'ovins sont en premier lieu l'origine du lait qui servira à fabriquer le yaourt et le fromage, éléments primordiaux de l'alimentation. La transformation de la laine et des peaux est encore une filière importante. Dans les régions plus vertes, au nord du pays, on trouve quelques élevages de bovins.

Les Grecs aiment la viande tendre, le veau, l'agneau, le chevreau ou le cochon de lait. Le mouton et la chèvre ne sont pas leurs viandes préférées. La viande ayant été longtemps un produit rare et cher, d'importation – ce qu'elle est encore en partie – de nombreux plats de viande ne se cuisinent que les jours de fête et sont traditionnellement liés à une certaine fête religieuse. Bien souvent, d'ailleurs, le barbecue lui-même est une partie de plaisir qui prend un air de fête. Quand on est pauvre, il faut se débrouiller avec les moyens du bord. C'est ainsi qu'on inventa les soufflés, les gratins, les pâtés de viande et la viande en sauce, archicuite et fondante, comme l'aiment les Grecs. En revanche, la poule et le poulet ne manquent pas.

Le gyros est mondialement connu et fait partie des mets les plus connus de la cuisine grecque. Cette viande au délicieux fumet, tournant autour de son axe sur une broche verticale est émincée au moyen d'un long couteau. Le nom de cette spécialité est dérivé de *gyre*, l'axe de rotation.

Arní kléftiko – Agneau en papillote aux légumes (petits pois, carottes, tomates et pommes de terre).

Keftédes – Fricadelles de viande hachée.

Kotópoulo me bámies – Poulet aux gombos.

Kotópoulo piláfi – Pilaf de volaille.

Souvlákia
Brochettes
(Illustration ci-contre, sur la page de droite)

800 g d'agneau ou autre viande tendre
Sel, poivre noir
1 cuil. à soupe d'origan séché
100 ml d'huile d'olive
Jus d'un citron
2 oignons
2 poivrons verts
2 grosses tomates fermes
Brochettes en bois

Couper la viande en carrés d'environ 3 centimètres et la mettre dans un récipient. Bien poivrer sur tous les côtés et saupoudrer d'origan. Arroser la viande de jus de citron et d'huile d'olive.

Laisser mariner au moins pendant six heures dans un endroit frais. Eplucher les oignons et les couper en quartiers, laver les poivrons et les tomates, les épépiner ou égréner et les couper en menus morceaux.
Retirer la viande de la marinade, la sécher et l'embrocher sur les baguettes en alternant avec les légumes.
Mettre les brochettes sur un gril de feu de bois chaud et les faire griller environ 15 minutes en les retournant plusieurs fois. Saler avant de servir avec de la pita ou du riz.

Pastítsi – Soufflé de nouilles à la viande hachée et avec une sauce au fromage.

Sutzukákia – Petites saucisses de viande hachée.

Kotópoulo me avgolémono – Poulet en sauce à l'oeuf citronnée.

Pastítsi – Soufflé de pâtes à la viande hachée et à la sauce au fromage.

Sutzukákia – Petites saucisses de viande hachée.

Stifádo – Sauté de boeuf ou de veau aux oignons.

Souvlákia – Brochettes de viande, généralement d'agneau. Il est mariné avant d'être grillé.

Souvlákia – Brochettes de porc et de légumes.

Youvarlákia – Soupe aux oeufs et au citron avec boulettes de viande et de riz.

Le fromage

Les Grecs mangent beaucoup de fromage. La Grèce est, après la France, le pays européen consommant le plus de fromage. La *féta* l'emporte de loin sur l'échelle de popularité. C'est un fromage pressé en blocs, que l'on ne peut jamais utiliser entier, mais seulement en morceaux, d'où son nom. Féta signifie « morceau ».

La féta est un fromage de berger à pâte molle, fait de lait de brebis ou de chèvre. Les bergers ont dû se trouver très tôt face au problème de la conservation de leur fromage. N'ayant généralement pas la possibilité de vendre leur produit sur place, ils devaient parcourir de longues distances jusqu'aux plus proches marchés. De plus, la féta était si appréciée que les gens réclamaient leur fromage blanc frais. Il fallait donc, non seulement produire et vendre au jour le jour, mais aussi réserver certaines quantités de féta pour les périodes sans lait, afin que les gens n'en manquent pas. Dans la saumure, la plus vieille méthode, il se conserve pendant des mois. Elle se prête bien aux produits d'exportation. Les qualités destinées à l'étranger sont donc particulièrement salées. La féta a meilleur goût quand elle est bien dessalée à l'eau froide pendant quelques heures avant d'être consommée. Un morceau de féta avec quelques olives noires et un bout de pain est un des mezédes les plus courants. Elle agrémente comme condiment toutes les salades paysannes grecques. Elle a, en outre, un rôle primordial en cuisine, pour les gratins et dans de nombreuses farces. La vraie féta est uniquement à base de lait de brebis, éventuellement en léger mélange avec du lait de chèvre. Il faut y veiller à l'achat. Sa teneur en matières grasses doit être de 45 à 50 pour cent. La féta de lait de vache a un tout autre goût.

Féta
Bloc de fromage de lait de brebis à pâte molle ou demi-dure, mariné et conservé dans une saumure.

Kasséri
Fromage facilement reconnaissable, car remarquablement jaune et quelque peu luisant. Il rappelle le Cheddar.

Myzíthra
Fromage frais à pâte molle. Il est surtout employé pour la fabrication de gâteaux secs.

Kefalotíri
Fromage salé de lait cru à pâte dure, surtout utilisé en cuisine comme fromage râpé ; le meilleur kefalotíri est un fromage de lait de mélange (brebis et chèvre).

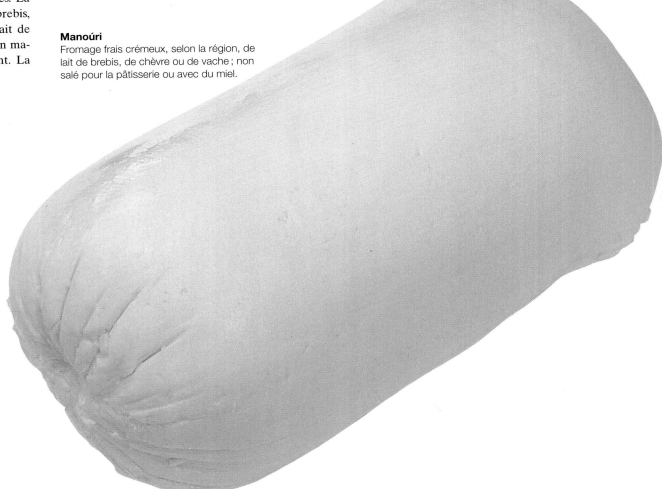

Manoúri
Fromage frais crémeux, selon la région, de lait de brebis, de chèvre ou de vache ; non salé pour la pâtisserie ou avec du miel.

Les Pâques grecques

Pâques est pour les Grecs la fête la plus importante. La résurrection du Christ est fêtée dans la joie, avec passion et des feux d'artifice. C'est une grande fête de famille à laquelle on se fait des cadeaux. Pâques est également l'un des sommets culinaires de l'année. Après des semaines d'abstinence, sans viande, sans poisson, sans graisses animales, tout a un goût incomparable. Les femmes investissent, à cette occasion, beaucoup de temps et d'amour dans la préparation des menus. Quelques-unes des spécialités les plus connues de Grèce sont liées à Pâques.

Le début de l'année religieuse de l'Eglise orthodoxe grecque étant décalé par rapport à celui de l'Eglise catholique romaine, les Pâques de l'Eglise d'Orient peuvent différer de cinq semaines. Pâques ne tombe en même temps dans les deux Eglises que tous les trois ans. Pendant la période de jeûne et d'abstinence de 40 jours, qui commence le Mercredi des cendres, le seul aliment permis, provenant de graisses animales, est le fromage. Un pique-nique très populaire a lieu le lundi veille de notre Mardi gras, avec du pain azyme, *lagána*, de la seiche, *taramosaláta*, et beaucoup de douceurs, *halwá*. C'est le premier jour d'observance des pratiques rigoureuses du carême. Le Vendredi saint, avec la descente de croix et la mise au tombeau, symbolise l'apogée de la Passion du Christ. On se rend en famille à la messe célébrée dans la nuit du vendredi au samedi. A minuit, au passage des ténèbres à la lumière, précédé par la bénédiction du feu nouveau, les cloches sonnent. On s'embrasse en disant: « le Christ est ressuscité ». Le feu d'artifice commence, en même temps que la fête. On mange la fameuse soupe pascale, la *majirítsa*, faite une seule fois par an, à Pâques, avec les entrailles de l'agneau pascal immolé. On ajoute à la soupe la sauce à l'œuf citronnée, *avgolémono*, tant appréciée. Le dimanche de Pâques, on fait griller des agneaux entiers à la broche sur la braise, *arní sti soúvla*. La cuisson commence pratiquement dès la fin du culte du matin. Chacun reçoit ses œufs durs, *kokkina avgá*, qui ont toujours été rouges, la couleur de la coquille symbolisant le sang du Christ et l'œuf la vie éternelle. On joue avec les œufs, au *a tsoúgrism*. Chacun prend un œuf en main et « trinque » avec son voisin. Le dimanche de Pâques s'achève avec des mezédes, sur de la musique et des danses.

La traditionnelle fête de Pâques commence, dès la sortie de la messe, avec des oeufs durs rouges.

Un grand festin de Pâques est organisé en plein air avec un agneau à la broche (cf. photo).

Le dimanche de Pâques se termine sur des chants et des danses, dont le sirtáki, mondialement connu.

L'oúzo

Comme tous les riverains de la Méditerranée, les Grecs ont un penchant pour l'anis, qui rappelle la réglisse. La plante aux petites fleurs blanches disposées en ombelles, est originaire de l'Est du Bassin méditerranéen et d'Asie mineure. L'anis était sacré pour les Egyptiens et les Grecs. C'est une des plus vieilles panacées. Lorsque l'art de la distillation se répandit en Méditerranée, amené par les Arabes, on fit un peu partout gonfler de l'anis dans l'eau pour en distiller le marc et en faire une liqueur tonifiante. Les Grecs purent mettre à profit leur longue expérience en matière de vinification. Pour dégager tout l'arôme des graines d'anis, il faut les faire macérer dans une solution d'eau et d'alcool. Les agents de sapidité ne ressortent qu'après deux distillations.

L'oúzo est fabriqué dans presque toute la Grèce, généralement en petites quantités et de manière artisanale. Chaque distillateur, petit ou grand, tient à sa recette comme à la prunelle de ses yeux. Les grandes marques d'oúzo gardent le secret tout aussi jalousement que les petites. Pour ne pas risquer des écarts de goût, les gros fabricants calculent chaque mélange avec une extrême précision. L'essence d'anis, mélangée à de l'alcool blanc neutre, avec addition de sucre et d'eau distillée, donne enfin la liqueur d'anis. L'oúzo se boit froid avec de la glace et dilué avec de l'eau. L'addition d'eau isole l'essence d'anis en fines gouttelettes, entraînant la réaction d'une coloration blanche laiteuse. La bouteille d'oúzo de 0,2 litres est en Grèce la plus appréciée. Elle suffit à deux amis prêts à s'accorder deux apéritifs et quelques mezédes. L'oúzo ne serait cependant pas la liqueur nationale grecque sans le geste de beaucoup de restaurateurs d'en offrir un à la fin du repas.

Digestifs

Metaxá
La marque de spiritueux la plus célèbre de Grèce fait partie de la catégorie des eaux-de-vie, bien que ce ne soit pas purement une eau-de-vie. C'est un assemblage d'eau-de-vie, d'esprit-de-vin, d'arômes naturels et d'eau distillée, dérivés naturellement du vieillissement en fût. La qualité de base est un Cinq-Etoiles et titre 38°. L'Amphora vieillit sept ans dans sa bouteille spéciale de Sept-Etoiles et titre 40°. Au-dessus, il y a le Grand Olympian Reserve et l'exquis Centenary, mis en bouteille lors de son centenaire.

Tsípouro
Distillé à partir de marc ou de raisins, originaire de Macédoine, le tsípouro cherche de plus en plus à égaler la Grappa italienne. Cependant, les fins distillats, issus d'un seul cépage, sont encore rares jusqu'à présent. Dans la version aromatisée d'anis, les limites avec l'oúzo s'estompent.

Tsikoudiá
Marc de Crète, souvent désigné par le terme générique de ce genre de liqueurs : rakíya.

L'anis est une plante aux petites fleurs blanches disposées en ombelles, originaire du bassin méditerranéen.

L'arôme des graines d'anis se gagne par macération dans une solution d'eau et d'alcool.

L'oúzo, liqueur nationale grecque, se boit pur avec de la glace ou dilué avec de l'eau fraîche.

Retsína

Les Grecs et, par conséquent, tous les Européens doivent le vin à Dionysos, le dieu du vin et de l'ivresse. Une jatte en terre cuite dans laquelle on pressait le vin, est conservée en Crète. Elle est pourvue d'un bec par lequel le moût coulait dans une jarre de fermentation placée en dessous. On estime son âge à 3600 ans. A cette époque, déjà, la culture de la vigne et le pressage des raisins étaient répandus sur la péninsule grecque et sur les îles. Des résidus de résine ont été décelés dans de vieilles amphores. Les Grecs de l'Antiquité, qui ajoutaient au vin des herbes et du miel, se servaient de la résine du pin d'Alep, substance de conservation naturelle, pour enduire les jarres de terre cuite dans lesquelles ils conservaient leurs vins. Il est même probable que ce fût Dionysos qui le découvrit, car il portait, comme attribut, le Thyrse, constitué par une tige souple surmontée d'une pomme de pin. En tout cas, les Grecs ont conservé un penchant pour le goût caractéristique de la résine, qui couvre tous les autres arômes.

Le résiné est de loin le vin préféré des Grecs. La production, d'un demi-million d'hectolitres représente plus de dix pour cent de la production globale en vin du pays, qui compte 4,5 millions d'hectolitres. Une grande part du résiné est produite dans la région de l'Attique non loin d'Athènes. On utilise surtout le vin blanc du Savatiano, résistant à la sécheresse. On ajoute des cristaux de résine au moût pendant la fermentation. Ils préservent le vin de l'oxydation et lui confèrent son goût caractéristique. Le résiné est un « vin traditionnel » unique, qui jouit d'un statut particulier. C'est ce statut qui définit sa vinification et précise les limites des trois régions de résiné : l'Attique, Viotia et Eubée. Un résiné déclaré vin du pays, correspond, en plus, aux exigences fixées à son sujet, comme celle, plus stricte, de l'origine contrôlée, et garantit une qualité de vin supérieure.

La culture de la vigne

La culture grecque de la vigne se trouve en mutation, depuis l'entrée du pays dans la Communauté européenne, en 1979. Dès 1971, on conféra des appellations d'origine contrôlée à des régions bien définies. Entre-temps, il y a 28 appellations, pour lesquelles la gamme de variétés, le rendement et la vinification sont définis. Grâce à de considérables subventions, la vinification, assurée en grande partie par les coopératives – et des firmes moins puissantes – fut entièrement modernisée. Dans ce pays aux grandes chaleurs, c'est sur le domaine de la technique du froid qu'il a fallu se concentrer. Depuis que la fermentation ne se fait plus à haute température pour que le moût se conserve mieux et que la vinification est confiée à des œnologues qualifiés, on assiste à la renaissance de toute une

Le goût caractéristique du Retsína provient de la résine de pin coulant de l'écorce fendillée, et recueillie dans des boîtes.

La résine est ajoutée au vin pour éviter qu'il s'oxyde.

Le vin de Retsína est fait avec du raisin Savatiano, cultivé en grande partie dans les environs d'Athènes.

Le vin de Retsína existe aussi dans des bouteilles capsulées.

gamme de vins blancs et rouges bien faits et agréables. Les régions viticoles les plus importantes sont le Péloponnèse, l'Attique et la Crète qui, ensemble, forment 80 % des 70 000 hectares cultivés pour la production du vin. On suppose néanmoins que la Macédoine, au nord du pays, possède les conditions naturelles les plus propices à donner de grands vins, mais il y a encore du travail à accomplir sur les vignobles. Il est fort probable que, sur l'énorme quantité de cépages, très peu soient aptes à produire des vins de qualité. Les critères traditionnels de choix du raisin s'orientent souvent vers la production de vins rustiques et lourds. Pour ces vins, le marché est saturé et régresse, même en Grèce. On assiste cependant, depuis longtemps, à des efforts conjugués pour cultiver des vins de valeur comme l'Agiorítiko de Némée, le Xynómavro de Náoussa ou les vins blancs de Robóla, sur l'île de Céphalonie, ainsi qu'Assyrtiko, sur l'île de Santorin.

Les adeptes des vins grecs, de plus en plus nombreux dans le monde entier, doivent une fière chandelle au dynamisme des viticulteurs. L'un des pionniers de cette évolution positive fut l'Allemand Gustav Clauss, qui fonda en 1861 le domaine Achaia Clauss dans la traditionnelle région vinicole située au-dessus de Patras. En 1902, Achaia Clauss mit le fameux rouge Deméstica sur le marché. Il fut le seul, pendant des décennias, à travailler selon des critères rigoureux de qualité et de rentabilité. Encore maintenant, le domaine est une des entreprises vinicoles novatrices obtenant le plus de succès. Son nouveau vin de pays, Peloponnesiakós, un blanc produit pour la première fois en 1991 à partir du *Rodítis* et du *Chardonnay,* est exemplaire. Trois autres entreprises se sont ajoutées au nombre des principaux négociants en vins. Boutáris table sur les vins d'appellation et s'est affirmé surtout dans le Nord, en Macédoine. La firme met tous ses espoirs dans le Náoussa, issu du Xynómavro, un raisin de caractère et d'une acidité prononcée. Sa Grande Reserve Naoussa est un des meilleurs vins de Grèce. Le Santoríni blanc est aussi un vin intéressant. Le célèbre producteur d'Oúzo, Tsántalis, commença à étendre sa production de vins depuis 1980. Dans le monachisme du mont Athos, il a créé un domaine exemplaire de cent hectares, planté presque uniquement d'Agiorgítiko. Il exporte avec grand succès le Retsína et l'Imíglykos. Le quatrième larron est Kourtákis, un géant du résiné, qui investit dans une grande cave techniquement à la pointe du modernisme. Des vins trouvant beaucoup d'amateurs sont les vins de pays de Crète, rouges et blancs, faits à partir de variétés de raisin traditionnelles. Le domaine privé le plus grand fut fondé par Reeder John Carrás il y a 25 ans, dans les Côtes de Meliton, au nord de l'île. L'image de marque Château Carras correspond à un assemblage de plusieurs raisins du Bordelais. D'autres viticulteurs grecs se sont faits, entretemps, une réputation: les châteaux Calligas, Lazaridis, Matsa ou Pegasus, les domaines Cambas, Hatzimichalis, Parpatoussis et Semeli, pour n'en citer que quelques-uns parmi les plus intéressants.

Le raisin Mavrodáphne atteint de fortes teneurs en sucre et est idéal pour les liqueurs.

Pour obtenir de la rondeur, les vins de Mavrodáphne vieillissent des années en fûts ou foudres.

Les vins de liqueur

La culture du vin de Sámos date du IXème siècle avant notre ère. Le muscat, un raisin répandu dans tout le bassin méditerranéen, était déjà cultivé à cette époque, sous le nom de Muscatel, le même raisin de qualité supérieure, mais blanc et aux baies plus petites. Aujourd'hui, à Sámos, le vin de muscat est cultivé sur 1 500 hectares. Les vignobles sont souvent aménagés en étroites terrasses ne permettant qu'un travail à la main. Certains vins sont élevés secs, mais le vrai Sámos est un vin doux naturel. Dans ce climat méditerranéen très chaud de la mer Égée, le moût des raisins de muscat est très lourd. La fabrication de ce vin, l'un des plus anciens, se faisait autrefois en mettant le raisin à sécher au soleil, sur de la paille ou de la toile de lin, pour le concentrer encore plus sous l'effet de la chaleur. On travaille, aujourd'hui, selon la même méthode, mais en faisant sécher le raisin sur des lés de papier ou de plastique. La teneur en sucre monte à tel point que les levures ne peuvent en transformer que la moitié en alcool. Ce Sámos, appelé nectar, titre 14 degrés pour des valeurs de sucre allant jusqu'à 250 grammes. La fermentation des autres vins doux ou semi-doux est freinée par addition d'alcool, quand le moût atteint le taux de glucose naturel que l'on veut conserver. Les vins sont depuis toujours élevés dans des tonneaux de chêne. Ils prennent très vite une couleur foncée, jaune d'or ou un ton qui rappelle l'ambre. On retrouve chez tous les vins de Sámos le goût et le bouquet accentué du muscat se mêlant à des notes de miel, de cire, de raisin sec et d'autres fruits séchés ou confits. On arrive, maintenant, à mieux prémunir certains vins de l'oxydation, en les mettant plus tôt en bouteille. Ils ont une couleur jaune or nettement plus claire. Les meilleurs d'entre eux sont imprégnés d'arômes plus fruités, plus frais et d'une douceur plus décente. D'autres vins de muscat bien admis proviennent de Patras et de Ríon ainsi que des îles de Céphalonie, de Rhodes et de Límnos.

Il existe un pendant de ce muscat d'or en blanc, fait avec le raisin Mavrodáphne (laurier noir). Il peut être élevé comme vin sec, avec du corps et fort, mais il existe aussi en vin doux naturel, dans deux appellations : le Mavrodáphne de Patras et celui de Céphalonie. Il est vinifié de la même manière, à savoir que la fermentation est freinée avec de l'alcool de vin pour lui faire conserver son glucose. Il est élevé en fûts, la première année en plein air, où la chaleur et les variations de températures accélèrent son vieillissement. Le Mavrodáphne donne un vin doux naturel lourd convenant parfaitement au fromage de chèvre ou de brebis.

Ci-contre, à gauche : un vieux vin doux naturel rouge de Patras ou de Céphalonie reflète dans la richesse de ses arômes le paysage sauvage dans lequel il a poussé et mûri. C'est pour tout amateur de vin un plaisir pour le nez et le palais.

Encépagements, vins et régions vinicoles

Agiorgítiko – très bon raisin rouge grec qui ne donne des vins bien structurés qu'à bas rendement et sur des sites élevés ; région principale : Neméa

Assyrtiko – raisin blanc sur l'île de Santorin cultivé pour des vins fins, frais et d'une bonne acidité

Cáva – ce ne sont pas des vins mousseux, mais des vins de table rouges et blancs avec deux ou trois ans d'élevage. L'élevage, au moins pour les vins rouges, doit avoir lieu en fût

Chíma – terme générique pour le vin en tonneau

Epitrapézio – vin de table généralement présenté sous un nom de marque

Gouménissa – région vinicole du nord où le Xynómavro domine

Kántza – c'est le meilleur Savatiano blanc sec, non résineux et pauvre en acidité, du centre de la Grèce

Kefalloniá – île de la mer Ionienne avec trois vins de qualité, le bon Robóla blanc sec, le sombre et lourd Mavrodáphne et le Muscat

Kokkinélli – rosé foncé et résineux

Kotsifáli – cep rouge dominant sur l'île de Crète qui marque le Pezá et l'Archánes ; arômes agréables

Kreta – région importante avec quatre appellations : l'Archánes, le Dafnés, le Pezá et le Sitía

Mantínia – vins mousseux et vins blancs fruités faits essentiellement à partir du raisin Moscho et Filero qui pousse sur le haut-plateau Mantínia au centre du Péloponnèse

Mavrodáphne – raisin rouge essentiellement pour les vins doux naturels ; appellations de Patras et de Céphalonie

Muskat – vins fameux déjà dans l'Antiquité, faits à partir du Muscatel, raisin blanc aux petites baies ; en dehors de Sámos, produits à Límnos et Céphalonie et dans le Péloponnèse à Patras et à Ríon

Náoussa – région de Macédoine où le Xynómavro obtient de très bons résultats

Neméa – la plus grande région du Péloponnèse d'un seul tenant où l'on produit encore quelques vins veloutés intéressants à partir de l'Agiorítiko rouge, mais où dominent, sinon, les qualités médiocres, appelées « Sang d'Hercule »

Patras – chef-lieu de Province et ville portuaire dans le golfe du même nom ; importante région vinicole, dans le nord du Péloponnèse renommée tant pour ses vins de liqueur que pour ses vins secs

Rapsáni – vin rouge rustique de la région de l'Olympe

Retsína – vin blanc résiné ; provient généralement du Savatiano

Rodítis – raisins roses qui donnent les résinés Kokkinéli ou, en particulier, les vins secs agréables de Patras

Sámos – célèbres vins de Muscat doux du même nom que l'île de la mer Égée

Topikós oínos – désignation grecque pour des vins de pays

Vilaná – cep blanc de Crète duquel on presse des vins de pays équilibrés ou le blanc Pezá

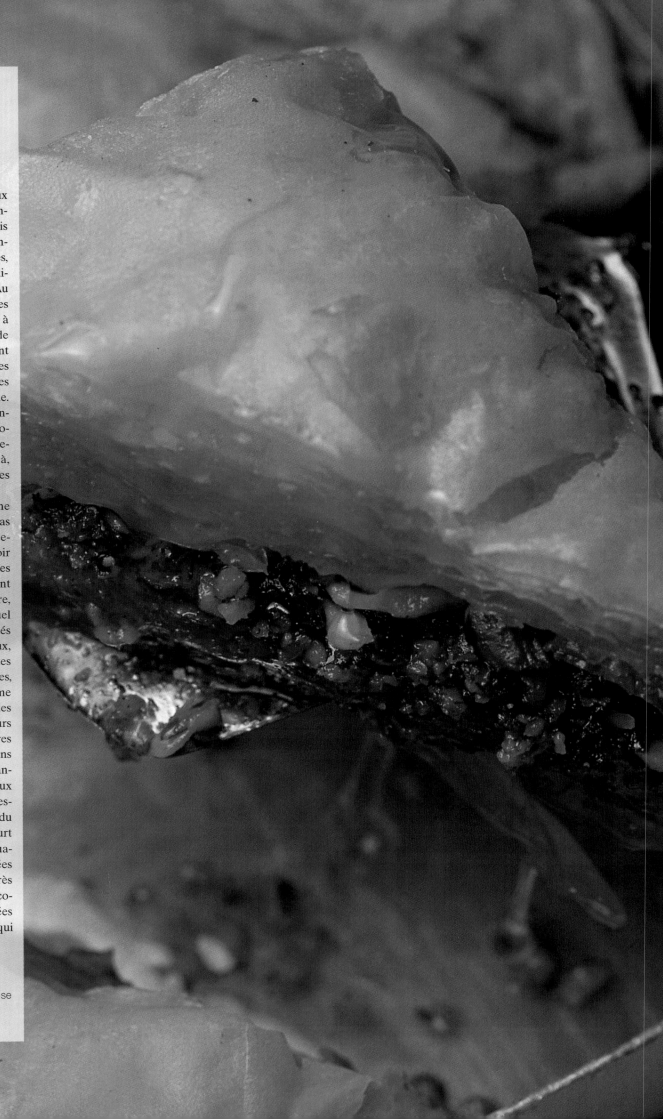

Les entre-mets

Au dessert, les Grecs préfèrent un fruit aux gâteaux, crèmes ou pâtisseries. Cela se comprend si bien quand on connaît le paradis qu'ils représentent ! Après la saison des oranges et des mandarines en hiver, les nèfles, déjà, annoncent le printemps. Suivent les fraises, puis les cerises, que les Grecs adorent. Au début de l'été, c'est au tour des abricots, des prunes et des premières pêches d'arriver à profusion sur les marchés. La pleine saison de la pêche est le mois de juillet. Puis s'élèvent partout des pyramides de melons. Les petites bananes sont très parfumées. Les pommes, les poires et le raisin suivent de près à l'automne. La culture des raisins de Smyrne et de Corinthe, qui s'étend sur 60 000 hectares de vignobles, est encore très importante. On fait également sécher les figues, dont les Anciens, déjà, faisaient des couronnes. Les figues fraîches sont exquises !

La Grèce dispose aussi, bien entendu, d'une multitude de pâtisseries, mais elles ne sont pas consommées en dessert. On mange la pâtisserie plutôt dans l'après-midi, au goûter, le soir tard, ou encore avec le café, si des amis ou des voisins passent à l'improviste. On sert souvent ce qu'on appelle les pâtisseries à la cuillère, *gliká koutalioú*, dans un plat en argent auquel sont suspendues des cuillères. Les invités prennent une cuiller pour manger les gâteaux, comme ce fut toujours la tradition. Ce sont des fruits confits macérés dans le sirop, des figues, des cerises, du raisin ou des abricots ou même des tomates vertes, des oranges amères ou des mini-aubergines. On les accompagne toujours d'un verre d'eau comme, du reste, les autres desserts ou gâteaux. Les Grecs entrent dans une pâtisserie, ou restent devant, pour manger, avec des amis, un des nombreux gâteaux ou tartes, gâteaux de Fíllo ou brioches. Presque toutes les pâtisseries sont faites avec du miel. L'entremets traditionnel grec, le yaourt au miel, est toujours aussi populaire. Les qualités du miel de thym attique furent vantées dès l'Antiquité, quand le miel était déjà très recherché pour sucrer les aliments. Il est encore très apprécié en Grèce malgré les miellées de citronnier, de fleur d'oranger ou de pin qui sont venues se joindre à lui aujourd'hui.

En arrière-plan : les pâtisseries, comme les Bakláwas, un genre de chaussons aux fruits confits, ne se prennent pas en dessert après le déjeuner, mais à n'importe quelle heure de la journée.

Baklawás
Gâteaux aux amandes (ou aux noix)

250 g de beurre
500 g de feuilles de Fillo (p. 593)
1 kg d'amandes finement moulues
3 cuil. à café de cannelle en poudre
625 g de sucre
1 zeste d'orange non traitée
3 clous de girofle
1 bâton de cannelle
125 g de miel
1 cuil. à soupe d'eau de rose

Faire fondre le beurre. Beurrer un moule rectangulaire, le foncer avec une feuille de fillo. Badigeonner la feuille de fillo de beurre. Poser neuf feuilles de fillo les unes sur les autres et les beurrer toutes. Couvrir le reste de la pâte avec un linge humide pour ne pas qu'elle sèche.
Faire préchauffer le four à 160° C.
Mélanger les amandes, la cannelle en poudre et 125 grammes de sucre. Enduire la pâte d'une mince couche de pâte d'amandes et recouvrir de trois couches de feuilles de fillo respectivement enduites de beurre. Rajouter une couche de pâte d'amandes, la recouvrir de feuilles de fillo et ainsi de suite jusqu'à épuisement de toute la pâte. Terminer avec une couche de pâte. Badigeonner la pâte débordant avec du beurre et la rabattre. Marquer des portions en forme de losange. Beurrer à nouveau le dessus et humecter avec un peu d'eau.
Faire dorer au four environ 75 minutes.
En attendant, mélanger le reste de sucre avec le zeste d'orange, les clous de girofle et la cannelle dans 400 ml d'eau et porter le mélange à ébullition sans cesser de tourner. Laisser frémir 15 minutes. Enlever les épices et le zeste d'orange. Ajouter le miel et l'eau de rose et mélanger. Laisser refroidir. Verser le sirop sur le gâteau terminé et laisser reposer 24 heures, mais ne pas le mettre au réfrigérateur. Le découper et servir.
Remarque : les Baklawás se font aussi bien avec des noix ou un mélange de plusieurs sortes de noix ou d'amandes.

Les gâteaux préférés

Amygdalotá – petites boules de pâte d'amandes parfumées d'eau de rose ou d'eau de fleur d'oranger
Baklawás – gâteaux de fillo aux noix et aux amandes et arrosés de sirop
Díples – beignets en forme de nœud, arrosés de sirop et saupoudrés de noix effilées
Galaktoboúreko – fillo à la crème vanille
Gliká koutalioú – fruits conservés dans le sirop et mangés à la cuillère
Halwás – pâte de semoule généralement enrichie d'amandes effilées ou moulues, de noix, de pistaches ou de pignons ; composée aussi d'un mélange de graines de sésames, concassées et de sirop de sucre ou de miel
Karidópita – gâteau aux noix, arrosé de sirop à l'eau-de-vie
Kataïfí – petits rouleaux de « cheveux d'ange » (pâte filandreuse) aux noix et arrosés de sirop de citron
Kourabiédes – biscuit aux amandes parfumé à l'Oúzo ou à l'eau-de-vie ; mangé les jours de fête
Loukoumádes – beignets de boules de pâte levée trempées dans un sirop au miel et épicées de cannelle
Moustalevriá – crème des vendanges faite de moût de raisin
Tiganítes – petit beignet, généralement parfumé à l'orange

Pour un café grec, on verse tout d'abord le sucre dans la petite tasse.

Ensuite, la poudre de café est mesurée exactement et ajoutée.

Maintenant, verser la qualité d'eau nécessaire et la faire bouillir.

Le café terminé doit reposer un instant pour que le marc puisse se déposer sur le fond de la tasse.

Gliká koutalioú
Gâteau à la cuillère

Pour 2–3 verres

1 kg de fruits (cerises, abricots, raisins, figues, tomates vertes)
1 kg de sucre
Le jus d'un citron
Zeste de citron non traité

Bien laver les fruits, éventuellement les dénoyauter et les peler.
Porter $1/2$ l d'eau avec le sucre à ébullition en remuant. Mettre les fruits dans le sirop, ajouter le jus et le zeste de citron et laisser frémir pendant 10 minutes. Mettre dans un saladier et laisser macérer toute une nuit.
Reporter à ébullition et laisser cuire à feu doux pendant cinq minutes. Laisser de nouveau reposer pendant 12 heures. Refaire bouillir, laisser refroidir, enlever le zeste de citron et mettre les fruits dans des bocaux à couvercle vissé préchauffés et stérilisés. Conserver au frais et à l'obscurité.

Loukoumádes
Beignets

Pour 8 personnes

400 g de farine
30 g de levure
1 cuil. à café de sucre
100 ml de lait tiède
1 cuil. à café de sel
1 l d'huile d'arachide pour la friture
250 g de miel
1 cuil. à soupe de jus de citron
Cannelle en poudre

Tamiser la farine dans un récipient. Creuser un puits au milieu. Emietter la levure, saupoudrer de sucre et ajouter le lait. Mélanger avec un peu de farine. Couvrir et faire lever 30 minutes.
Ajouter le sel et, peu à peu, 300 ml d'eau tiède. Bien pétrir la pâte jusqu'à obtention d'une consistance souple. Couvrir et faire lever pendant deux heures.
Faire chauffer l'huile d'arachide. Prendre des boules de pâte à la petite cuillère et les faire glisser dans l'huile à l'aide d'une seconde cuillère. Ne pas en mettre trop à la fois. Les faire frire environ 4 minutes. Quand elles sont dorées d'un côté, les retourner. Les retirer à l'écumoire et les égoutter.
Faire un sirop en portant le miel, 300 ml d'eau et le jus de citron à ébullition. Plonger les beignets un à un dans le sirop. Les empiler sur une assiette et saupoudrer de cannelle. Mettre le reste de sirop dans un bol et le servir avec les beignets.

Halil Gülel

La Turquie

La Turquie dispose d'un étonnant héritage culinaire.
Nous savons, grâce à de nombreux écrits qui parlent très
tôt de sa cuisine et des mets turcs en détail, que certaines spécialités encore populaires aujourd'hui, étaient
déjà appréciées il y a 700 ans. La *Helva* ou le riz de noces au safran en sont un exemple. Sous l'Empire otto-
man, la « cuisine du palais » élabora des spécialisations
aux effets durables sur l'art et l'artisanat culinaire.
Aussi, pour chaque domaine culinaire se créa-t-il un
corps de métier : les fritures étaient faites par le *lokmaci*,
le pâté par le *börekci* et le riz par le *pilavci*. Grâce à la
structure du pays, qui présente de nombreuses zones
côtières fertiles et fécondes, la Turquie dispose d'une
gamme très variée de fruits et de légumes, de viandes et
de poissons. Sur les côtes de la mer Noire, où la pêche
est primordiale, sont aussi cultivés toutes sortes de
vergers, le thé et le tabac. Les noisettes représentent
un facteur économique important. Le centre de la
viticulture se situe en territoire européen de la mer de
Marmara, en particulier dans la Thrace orientale. La
partie de la Turquie tournée vers la mer Egée, produit la
majorité de l'huile d'olive et les meilleures figues. Sur la
côte méditerranéenne, en revanche, on s'est spécialisé
dans les agrumes, les fruits (bananes) et les légumes
(tomates, poivrons et autres) ainsi que dans le coton. A
l'intérieur du pays, le tableau est différent. L'Anatolie
est une terre pauvre essentiellement pastorale. La
Cappadoce et la ville de Kayseri sont connues pour
leurs tapis, mais aussi pour la viande séchée, la pastirma,
et le saucisson à l'ail (*sucuk*). A l'est de l'Anatolie,
l'élevage du bétail est prédominant. C'est lui qui fournit
les meilleurs Kebabs de Turquie. Avec ses légumes, ses
épices, ses cuissons et ses habitudes culinaires particulières, ses sauces rafraîchissantes et ses grillades
aromatiques, sa profusion de hors-d'œuvres et ses
excellents gâteaux, la Turquie offre un avant-goût de
l'Asie.

Groupe de Turcs fumant le narguilé. Ils remplissent la pipe
de tabac humide et y posent des braises de charbon de bois.

Le pain

Le pain remonte pratiquement aux origines de la tradition culinaire de la Turquie. Il était déjà part importante de la nourriture chez les tribus de nomades et au temps de la domination des Seldjoukides du 11e à la fin du 13e siècle. Des sociétés religieuses d'Anatolie qui entretenaient jadis des cuisines et des auberges servaient à leurs membres et aux voyageurs de passage les deux principaux repas fixés par le Coran et leur donnaient quatre pains par personne comme provision de route. Le four n'était pas au centre d'une cuisine turque. La pâte sans levain, faite uniquement de farine, d'eau et de sel, permettait de mettre le pain simplement sur une plaque ronde, appelée le *saç*, et de le mettre sur le feu. Il se conservait pendant des semaines. Ce pain azyme peut être considéré comme la forme originaire du *yufka*, constitué de feuilles de pâte minces comme un fil. On lui donne parfois le nom de la plaque elle-même, sur laquelle il est cuit : *saç ekmeği* ou *yufka ekmeği*.

Le *pide*, connu dans le monde entier comme pain turc est particulièrement bon. En Turquie, il n'est consommé que pendant la période de jeûne du Ramadan. C'est un des éléments obligatoires du repas d'iftar, pris chaque soir au coucher du soleil, quand l'abstention est levée.

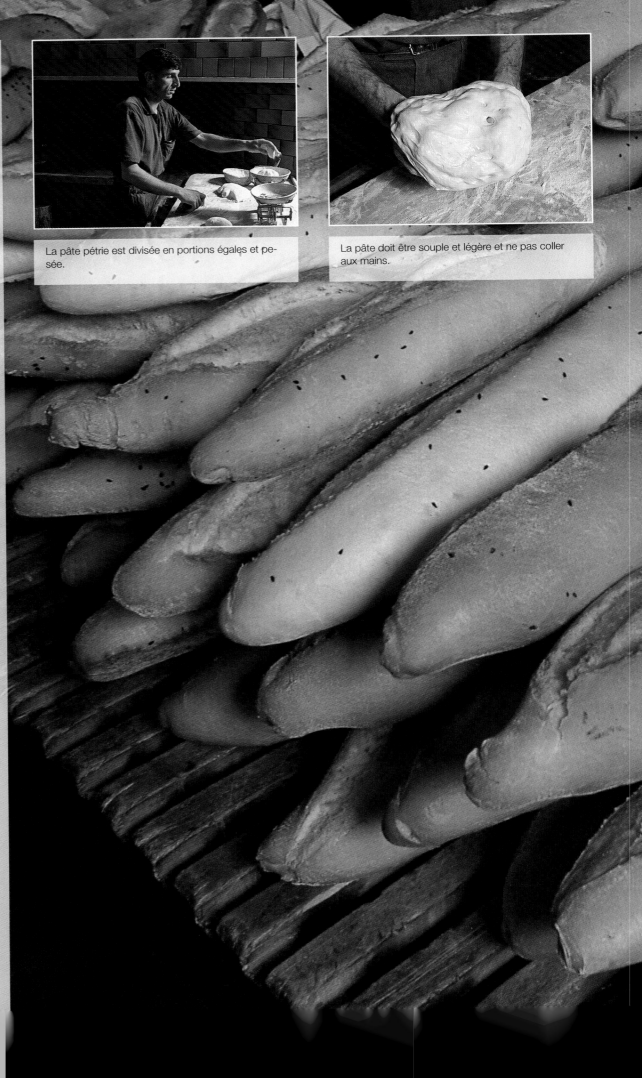

La pâte pétrie est divisée en portions égales et pesée.

La pâte doit être souple et légère et ne pas coller aux mains.

Pide
Pain azyme

30 g de levure	
Sucre	
1/4 l d'eau tiède	
500 g de farine	
1 cuil. à café de sel	
1 jaune d'oeuf	
1 cuil. à café d'huile d'olive	
30 g de graines de sésame	

Dissoudre la levure avec une pincée de sucre dans 1/8 l d'eau tiède. Tamiser la farine dans une jatte, ajouter le sel et la levure et bien mélanger.
Ajouter encore 1/8 l d'eau tiède et pétrir la pâte de manière à obtenir une pâte légère et souple qui ne colle pas aux mains. Faire lever la pâte pendant au moins 20 minutes dans un endroit chaud.
Préchauffer le four à 200° C.
Abaisser la pâte avec les mains et lui donner une forme de galette ronde. L'aplatir un peu plus au milieu avec la paume de la main. Tremper le doigt dans l'huile et laisser dans la pâte l'empreinte de losanges. Mettre la pâte sur une plaque huilée. Mélanger le jaune d'oeuf, de l'huile d'olive et 1 cuil. à café de sucre et badigeonner le pain. Eparpiller les graines de sésame à la surface. Faire cuire au four pendant environ 20 minutes. Le pain doit être bien doré.

Le boulanger met ses galettes dans le four sur des pelles en bois.

Voilà du pain exquis qui a bien levé pendant la cuisson et a pris une belle croûte.

En arrière-plan : le pain croustillant est l'un des aliments préférés des Turcs.

Chaque pain est fendillé pour qu'il lève mieux et que se forme une belle croûte.

Il y a un très grand choix de pain : pain azyme ; pain long ; petits pains et pains de toutes les formes.

Meze

Les *meze*, les hors-d'œuvres, font état d'une richesse tout à l'honneur de la cuisine turque. En certaines occasions, les jours, en tout cas, où l'on sort un peu du quotidien, que la fête soit de plus ou moins grande importance, les restaurants proposent un grand choix de petites entrées. Toutes ensemble, on les appelle « plateau rakı » parce que la fameuse liqueur d'anis se boit en les mangeant. A Istamboul et autres grandes villes, il y a des restaurants spécialisés dans le « plateau raki ». Un restaurant qui se distingue par son choix de meze n'aura toutefois pas seulement cela à proposer. En général, les plats de résistance à la viande, au poisson et à la volaille, accompagnés de légumes ou de pâtes, de même que les desserts, les fruits et le café ne manquent pas. Attablé devant un plateau raki, on a l'impression de voir revivre la fine cuisine extrêmement variée qui était celle des souverains ottomans.

Domates Salatasi
Salade de tomates

2 tomates fermes de variété Marmande
1 oignon
1 cuil. à soupe de menthe finement hachée
2 gousses d'ail
6 cuil. à soupe d'huile d'olive
2 cuil. à soupe de jus de citron
2 cuil. à soupe de vinaigre de vin
Sel, poivre noir

Peler les tomates et les couper en rondelles. Eplucher les oignons et les couper également en rondelles. Mettre les oignons dans les tomates, remuer et saupoudrer de menthe. Pour la sauce, presser l'ail et le mélanger aux autres condiments jusqu'à obtention d'une sauce homogène.
Verser la sauce sur les tomates et servir.

Humus
Purée de pois chiches

250 g de pois chiches
150 g de crème de sésame (Tahin)
2 jus de citron
3 gousses d'ail
1 cuil. à café de sel
6 cuil. à soupe d'huile d'olive
1 cuil. à café de paprika
Persil

Faire tremper les pois chiches toute une nuit. Les rincer et les faire cuire pendant 60 minutes dans l'eau salée. Les égoutter et les laisser refroidir. Enlever la peau (elle se détache facilement) et les réduire en purée.
Ajouter le tahin, le jus de citron, l'ail, le sel et 5 cuil. à soupe d'huile d'olive et bien mélanger tous les ingrédients. Mettre l'humus dans un saladier et le lisser. Mélanger le paprika avec le reste d'huile d'olive et répartir sur la purée de pois chiches. Garnir de persil.

Hors-d'oeuvres typiquement turcs
(Illustration ci-dessous)

1 **Bezelyeli havuçlu patates yemeği** – macédoine de légumes (pommes de terre, petits pois et carottes)

2 **Karnabahar köftesi** – boulettes de chou fleur

3 **Haydari** – crème de fromage de lait de brebis aux herbes

4 **Salatalik köftesi** – cornichons macérés

5 **Soğiuk mantar buğiulama** – champignons macérés

6 **Karides güveci** – crevettes en petits pots de grès

7 **Cacik** – yaourt au concombre ; avec de l'ail et du fenouil bâtard

8 **Turşu** – assiette de légumes macérés dans le vinaigre (carottes, poivrons, aubergines, haricots, fèves ou concombres)

9 **Imam bayildi** – « Ravissement de l'imam » ; aubergines au gratin

10 **Beyin köftesi** – cervelle de veau

11 **Midye dolmasi** – moules farcies

12 **Domatesli kari(s)nik kizartma** – légumes revenus à la poêle et à la sauce tomate

13 **Beyaz Peynir** – fromage de lait de brebis

14 **Mücver** – beignets de courgettes à la menthe et au fenouil bâtard

15 **Çiğ köfte** – boulettes de viande hachée crue à la sauce piquante

16 **Patates Piyazi** – salade de pommes de terre et d'oignons

Yufka, bulgur et riz

La cuisine turque utilise trois ingrédients de base donnant aux plats un charme particulier. Ce sont :
• les yufka, des feuilletés faits d'une abaisse de pâte très fine, un peu comme celle de la pâte fíllo grecque (p. 593). Il arrive que les femmes turques la préparent elles-mêmes, ce qui exige beaucoup de temps. Elle est généralement confiée aux *yufka-ci*. Les feuilles toutes faites se trouvent dans les épiceries turques ou arabes. Les emballages de 500 grammes comportent en règle générale cinq feuilles de cinquante centimètres. L'emploi le plus courant des feuilles de yufka, est la *baklava*, le dessert national turc, mais on utilise aussi les feuilles pour confectionner une multitude de petits pâtés ou beignets salés constituant les plateaux de raki.

• Le *bulgur* est un gruau obtenu à partir de blé bouilli séché et égrugé. Le gruau est utilisé cuit comme garniture de la viande hachée ou des kebabs ou préparé en plat principal avec des légumes et des cubes de viande. La semoule de bulgur, plus fine, est utilisée dans un mélange d'ingrédients, formé en rouleaux crus ou frits, en salade ou dans les soupes.

• Le riz, en Turquie, compose la plupart des plats principaux. Il est cuit à la manière du riz pilaf ou par la méthode d'absorption (comme la semoule de gruau ou le froment). Dans cette méthode, tout dépend de la quantité de liquide. Le riz utilisé doit être de préférence un riz à long grain. On le fait dorer quelques minutes dans un peu de beurre, puis on le recouvre de bouillon. Quand le liquide est complètement absorbé, du beurre très chaud est versé sur le pilaf, que l'on recouvre d'un linge ou de papier sulfurisé. La casserole est refermée. On laisse gonfler le riz sous le couvercle pendant 15 minutes dans un endroit chaud pour qu'il absorbe toute l'humidité superflue. Cuit de cette manière, il ne colle pas et reste souple. Le savoir-faire d'un cuisinier ou d'une bonne cuisinière se juge à la qualité de son pilaf.

Ispanak böreği – pâté (börek) fourré aux épinards et au fromage de lait de brebis.

A gauche : *su böreği* – feuilleté fourré d'épinards et de fromage de lait de brebis.

A droite : *pide böreği* – pâté en croûte (pâte à pain) fourré de viande hachée (celui de gauche) et de fromage de lait de brebis (celui de droite).

Kısır
Bulgur en salade

150 g de bulgur fin
2 oignons
2 tomates
1 poivron jaune turc
2 petits piments verts doux (de Turquie)
2 cuil. à soupe de persil finement haché
1 cuil. à soupe de menthe finement hachée
1/2 cuil. à café de paprika
3 cuil. d'huile d'olive
3 cuil. à soupe de jus de citron
Sel, poivre noir

Mettre le bulgur dans une jatte et le mélanger progressivement avec 150 ml d'eau bouillante. Faire gonfler 20 minutes. Eplucher les oignons et les hacher finement, peler les tomates et les couper en dés, laver le poivron et les piments et les couper également en dés.
Ajouter les légumes au bulgur avec les autres ingrédients et bien mélanger. Laisser macérer pendant 15 minutes et assaisonner. Dresser le kisir sur des feuilles de salade.

Sigara Böreği
Cigares börek

250 g de fromage de lait de brebis
1 oeuf
2 cuil. à soupe de persil finement haché
1 cuil. à soupe de fenouil bâtard finement haché
Poivre noir
2 feuilles de Yufka

Emietter le fromage dans une jatte, ajouter l'oeuf, les fines herbes et un peu de poivre et bien mélanger. Couper respectivement les deux feuilles de pâte fine en quatre morceaux égaux. Couper chaque part comme une tarte en trois triangles de la même grandeur.
Mettre 1 cuil. à soupe de mélange de fromage sur le long côté de chaque triangle et enrouler comme un cigare. Humidifier les bords avec de l'eau et presser légèrement. Faire dorer les « cigares » environ 5 minutes dans l'huile très chaude. Egoutter et servir chaud comme hors-d'oeuvre.

İç pilaf
Riz pilaf

200 g de riz à long grain
60 g de beurre
1 oignon
30 g de pignons
150 g de foie d'agneau ou de volaille
Sel, poivre noir
30 g de raisins de Corinthe
1/2 cuil. à café de cumin sauvage
300 ml de bouillon de poule
1 cuil. à soupe de fenouil bâtard

Ebouillanter le riz à l'eau salée, laisser refroidir et jeter l'eau. Faire fondre la moitié du beurre. Eplucher l'oignon, le hacher et le faire rissoler dans le beurre. Ajouter les pignons et les faire légèrement dorer.
Couper le foie en petits dés, l'ajouter à l'oignon et le faire revenir. Poivrer, saler et réserver. Faire fondre le reste du beurre, ajouter les raisins de Corinthe et le cumin et verser le bouillon dessus. Porter à ébullition et ajouter le riz, mélanger et faire cuire pendant 10 minutes.
Incorporer doucement le foie et le fenouil et laisser cuire encore 10 minutes. Couvrir la casserole avec un torchon et laisser macérer le riz 10 minutes.

Le raki

Un bon dîner turc sans raki est impensable. Cette eau-de-vie parfumée à l'anis au goût caractéristique de réglisse, se boit de coutume pendant ou entre les repas ou encore entre les plats. Certains le boivent pur en avalant une gorgée d'eau par-dessus. La majorité le boit toutefois sous forme de *aslan sütü* (lait de lionne), comme on appelle poétiquement le raki devenu laiteux par addition d'eau.

La méthode traditionnelle de fabrication du raki consiste à laisser tremper, puis fermenter des figues et du raisin sec coupés dans une cuve avec quatre fois plus d'eau que de fruits. La fermentation est déclenchée par la levure. En quatre ou cinq jours, le fructose transformé en alcool donne un moût de sept à huit degrés d'alcool. Par une première distillation continue, on obtient un distillat clair très fort en alcool, appelé le *soma*. On fait tremper des graines d'anis dans du *soma* et de l'eau, puis on procède à la seconde distillation. Un peu d'eau distillée aide à abaisser à 40–45 degrés la teneur en alcool du second distillat. Il est modérément sucré et macère un à deux mois en tonneaux avant d'être mis en bouteilles.

La première distillerie de raki officiellement permise, Bomomti Nektar, a ouvert en 1912 à Izmir Halka Pazar. Aujourd'hui, les distilleries sont des entreprises nationalisées. Le raki est maintenant distillé en grande partie à partir de vins turcs.

On distingue deux variétés de raki :

• Yeni Raki : 80 grammes de graines d'anis par litre et quatre grammes de sucre, macération en tonneau au moins un mois ;

• Kulüp Raki : 100 grammes de graines d'anis par litre et six grammes de sucre, macération en tonneau au moins deux mois.

Les Turcs raffolent du goût agréable d'anis du « lait de lionne » comme ils appellent le raki, leur boisson nationale. Ils le boivent aussi bien en mangeant qu'entre les repas.

Les légumes

Il y a beaucoup de légumes en Turquie. Non seulement les légumes se mangent comme garniture avec les plats de viande, mais encore ils constituent souvent des plats à part entière préparés avec l'huile d'olive du pays. Ils se servent froids en hors-d'œuvre ou entre deux plats. Beaucoup de recettes commencent avec le mot *zeytinyağli*, qui signifie « à l'huile d'olive ». Les légumes macérés au vinaigre, *turşu*, très appréciés, enrichissent souvent les menus d'hiver.

Karışık Turşu
Légumes macérés
(Illustrations)

6 carottes
1/4 de céleri rave
3 poivrons rouges, 3 verts et 3 jaunes
12 cornichons
6 petites tomates très fermes
12 gousses d'ail
2 cuil. à soupe de pois chiches
6 branches de fenouil bâtard
6 feuilles de menthe
50 g de feuilles de vigne
1 l de vinaigre de vin blanc
125 g de sel

Laver, nettoyer ou éplucher les légumes. Couper les carottes, le céleri et les poivrons en petits morceaux faciles à manger. Piquer les cornichons et les tomates en plusieurs endroits, éplucher l'ail.

Faire décorativement alterner des couches des différents légumes dans des bocaux. Répartir l'ail, les pois chiches, le fenouil et la menthe entre les couches. Couvrir avec une couche de feuilles de vigne.
Faire bouillir 2 l d'eau vinaigrée et salée et couvrir les légumes avec le liquide. Remuer un peu le bocal pour faire sortir les bulles d'air.
Boucher le bocal avec une assiette de la grandeur de son col et mettre une pierre dessus pour que les légumes ne sortent pas de la saumure. Fermer le bocal et le laisser pendant 5 semaines dans un endroit frais et sombre. Ouvrir les pots au fur et à mesure de l'emploi, conseillé en hors-d'oeuvre ou avec de la viande grillée.

Karışık Turşu – Légumes macérés.

Zeytinyağlı Pırasa
Poireaux à l'huile d'olive

1 kg de poireaux
2 oignons
100 ml d'huile d'olive
2 carottes
3 cuil. à soupe de riz à long grain
1 cuil. à café de sucre
2 cuil. à soupe de jus de citron
Sel
Rondelles de citron

Couper le vert du poireau, bien le laver et l'égoutter. Couper le blanc des poireaux en morceaux de 5 cm de long. Eplucher les oignons, les couper et les faire blondir dans l'huile. Nettoyer les carottes, les couper en fines rondelles et ajouter au poireau. Faire revenir pendant 10 minutes en remuant de temps en temps.

Ajouter le riz, le sucre, le jus de citron et le sel et mouiller avec environ 150 ml d'eau.

Couvrir et faire mijoter à feu doux pendant environ 25 minutes. Mettre dans un plat, laisser refroidir et garnir de rondelles de citron.

Yoğurtlu Kabak Kızartması
Beignets de courgettes sauce yaourt

500 g de petites courgettes
125 g de farine
150 ml de bière
Huile de friture
Sel
1 gousse d'ail
250 g de yaourt

Laver les courgettes, les essuyer et couper les bouts. Les couper en tranches de 5 mm d'épaisseur dans le sens de la longueur. Tamiser la farine dans une jatte et préparer avec la bière une pâte à beignet.

Plonger les courgettes dans la patte à beignet et les faire dorer dans l'huile environ 3 minutes.

Dresser les courgettes sur un plat préchauffé et saler. Presser l'ail, le mélanger avec le yaourt et un peu de sel. Servir séparément dans un bol.

İmam Bayıldı
« Ravissement de l'imam »
Aubergines à l'huile d'olive

4 aubergines de taille moyenne
Sel, poivre noir
150 ml d'huile d'olive
4 oignons
4 gousses d'ail
2 tomates
1 cuil. à café de sucre
2 cuil. à soupe de persil haché finement
1 cuil. à café de paprika
4 petits piments verts doux (de Turquie)
2 branches de persil commun

Laver les aubergines, couper les tiges et éplucher des bandes dans le sens de la longueur à intervalles de 2 cm d'espacement. Mettre 15 minutes dans l'eau salée et essuyer.

Inciser les aubergines sur un côté dans le sens de la longueur afin d'obtenir une poche. Les faire revenir pendant 5 minutes dans 100 ml d'huile. Les sortir de l'huile et les placer dans un plat à gratin graissé, l'ouverture vers le haut.

Eplucher les oignons et les couper en rondelles fines, hacher l'ail, peler les tomates et les couper en dés. Faire revenir les oignons et l'ail dans le reste d'huile. Retirer de la source de chaleur et ajouter les tomates, le sucre, le persil et la poudre de paprika. Saler et poivrer. Préchauffer le four à 180° C.

Fourrer les aubergines du mélange de légumes, répartir dessus ce qui reste de légumes et décorer chaque aubergine de deux moitiés de piments égrénés. Mélanger le jus de légumes qui se trouve dans la poêle avec 1/4 l d'eau et mettre dans le moule. Faire cuire les aubergines de 30 à 40 minutes dans le four, les faire refroidir dans le moule, garnir de persil et servir dans le moule.

Le poisson

La Turquie est entourée de trois côtés par la mer. Elle est limitée, au Nord, par la mer Noire, dont la spécialité sont les anchois, *hamsi*. Une multitude de recettes utilisent l'anchois, poisson de saveur exquise et peu coûteux, comme condiment principal. Ces poissons, proches de la sardine, sont prisés sur la côte de la mer Noire au point que ses habitants sont raillés. On raconte qu'ils vont jusqu'à faire de la confiture d'anchois. Certains poissons comme le turbot, *kalkan*, le serran, *levrek*, et le brochet de mer se raréfient. L'esturgeon, *mersin balığı*, dont plusieurs espèces vivent dans les eaux plus fraîches de la mer Noire, occupe une place particulière non seulement pour ses œufs, mais aussi pour son excellente chair.

Dans la mer de Marmara, entre le Bosphore et les Dardanelles, beaucoup de crustacés, en particulier les crevettes, *karides,* et les moules, *midye,* trouvent les conditions favorables à leur épanouissement. Tous les bancs de poissons se mouvant de la Méditerranée à la mer Noire et vice-versa, doivent la traverser et se frayer un chemin par le détroit du Bosphore. C'est pourquoi les villages de pêcheurs sont si nombreux des deux côtés de ce «chas d'aiguille» entre les continents. Il n'est pas étonnant, dans ces conditions, qu'Istamboul connût de tout temps une grande richesse en poissons et que la population y soit exigeante. La mer Egée est connue pour ses nombreuses espèces de dorades et de calmars, mais, comme en Méditerranée, les pêcheurs ramassent aussi dans leurs filets du thon et de la bonite, qui est très recherchée, de l'espadon, qui est très apprécié, la fine ombre, les sardines et les maquereaux. La Méditerranée constitue la frontière Sud de la Turquie. Izmir peut, elle aussi, être fière de ses très séduisants marchés de poissons et de nombreuses spécialités dans ses restaurants, reflétant la richesse des spécialités de poisson turques. Le poisson est souvent grillé sur la braise, rehaussé d'un filet de citron et garni de tomates et de salades. On les fait presque toujours mariner auparavant, badigeonnés à l'intérieur et à l'extérieur d'un mélange d'huile d'olive, de jus de citron et du jus d'un oignon pressé et râpé. On fait soit des brochettes de poisson mariné en morceaux soit on le fait cuire dans du papier sulfurisé, surtout les plus gros poissons ou les filets de *levrek*, la perche de mer si appréciée. Toutes les préparations ont ceci de commun que les poissons sont faits simplement et qu'ils gardent leur goût de fraîcheur.

Poissons des trois mers

Ahtapot – seiche
Ayna – grande araignée de mer
Barbunya – rouget
Berlam – rouget
Böcek – langouste
Çipura – dorade
Deniz kestanesi – oursin
Dil (ballığı) – sole
Dülger – saint-pierre
Fenerballığı – lotte
Hamsi – anchois
İskorpit – rascasse
İstakoz – homard
Kalamar – calmar
Kalkan – turbot

Karides – crevettes
Kefal – ombre
Kılıç (ballığı) – espadon
Kırlangıç – grondin
Levrek – serran
Lüfer – poisson bleu
Mercan – dorade
Mersin ballığı – esturgeon
Midye – moule
Magri – congre
Morina – cabillaud
Orkinos – thon
Palamut – bonite
Sardalye – sardine
Som – saumon
Uskumru – maquereau
Yengeç – crabe
Zargana – brochet de mer

En arrière-plan : une bonne pêche devant la silhouette d'Istanbul. Les bancs de poisson passent nombreux par le détroit du Bosphore.

La viande

La croyance islamique en Turquie veut que la viande soit traitée de manière particulière. Elle impose quatre règles à respecter rigoureusement. L'une bannit la consommation de viande de porc, l'autre celle du sang. Les deux autres commandent d'abattre les animaux selon le rite musulman, en l'égorgeant au nom d'Allah. En Turquie, la viande est très prisée. Les viandes préférées sont l'agneau, en particulier l'agneau de lait, abattu au printemps et âgé de deux à trois semaines, et le mouton. On mange aussi beaucoup de veau, de bœuf et de poulet. Les queues de mouton, qu'on ne coupe pas, en Turquie, et dans lesquelles se dépose de la graisse, sont utilisées comme graisse de cuisson pour leurs arômes.

L'amour des abats est un héritage du passé nomade des Turcs. Les têtes de mouton cuites sont, dans ce pays, un spectacle normal et quotidien. A la campagne, pour faire honneur à ses hôtes, on leur sert des «cloches du bonheur», des testicules d'agneau grillés. En ville, on termine souvent la soirée sur une assiette de soupe aux tripes. Mais, comme la viande ne fut pas de tout temps abondante et qu'encore maintenant, elle ne l'est pas toujours, la cuisine turque se caractérise par un emploi économique et judicieux de ce précieux aliment. La viande est souvent coupée en petits dés comme avaient déjà coutume de le faire les tribus nomades, il y a des millénaires. Cette unité de viande de la grosseur d'une bouchée facile à mettre dans la bouche s'appelle *kebap*. Le kebap a d'innombrables modes de cuisson. *Sis kebabi* n'en est qu'une, la plus connue à l'étranger. Ce sont des brochettes grillées avec de la viande, des poivrons, des tomates et des oignons.

La cuisine turque combine particulièrement bien les légumes et la viande. Cet art de la combinaison s'exprime dans tous les mets farcis, aubergines, poivrons, tomates, courgettes, feuilles de vigne ou artichauts, mais aussi dans la façon de préparer les sautés de viande avec des légumes. Afin que ces mets restent juteux, il est conseillé de ne pas utiliser de viande trop maigre. La viande séchée, *pastirma*, en revanche, faite à partir des meilleurs morceaux de bœuf, est maigre. Le filet et l'entrecôte sont enduits de *çemen*, une pâte épicée de poudre de paprika, de piment, de cumin sauvage, de poivre, d'ail et de sel et mis à sécher. On mange la *pastirma* coupée en tranches extrêmement fines avec un verre de raki, on l'utilise comme farce de *börek*, dans les soupes ou on la fait frire à la poêle avec des œufs.

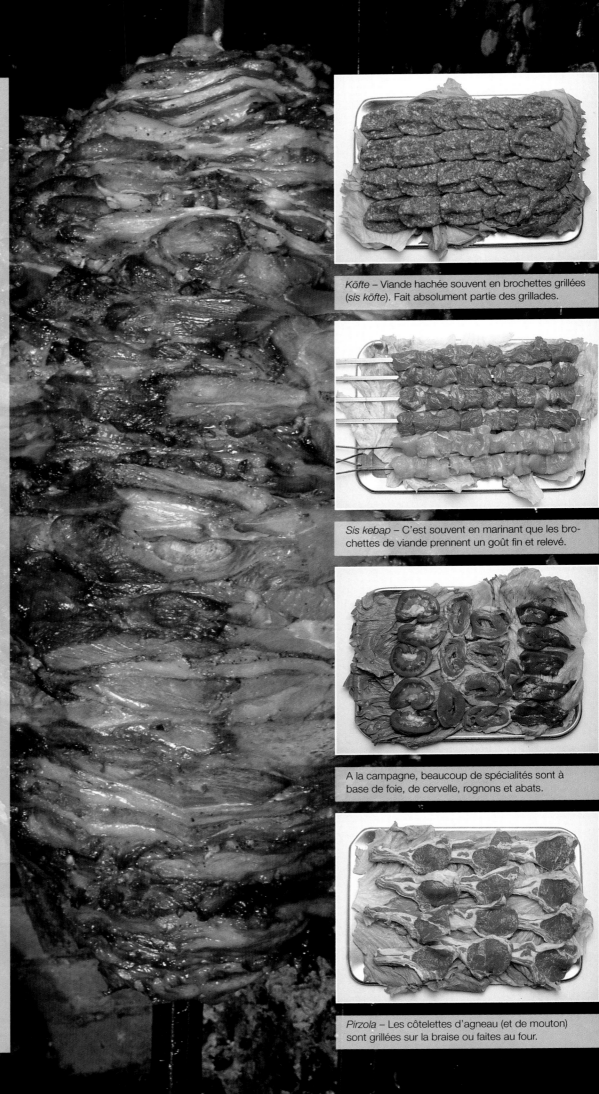

Köfte – Viande hachée souvent en brochettes grillées (*sis köfte*). Fait absolument partie des grillades.

Sis kebap – C'est souvent en marinant que les brochettes de viande prennent un goût fin et relevé.

A la campagne, beaucoup de spécialités sont à base de foie, de cervelle, rognons et abats.

Pirzola – Les côtelettes d'agneau (et de mouton) sont grillées sur la braise ou faites au four.

Şiş Kebap – Cubes de viande grillés en brochettes et généralement servis avec de la salade.

Page de gauche (arrière-plan): le *döner kebap* se compose de tranches de mouton ou d'agneau extrêmement fines longuement marinées. Elles sont mises en gros fuseaux autour de la broche et rôtissent à la verticale.

Koyun pirzolasi – Côtelettes d'agneau à la poêle, un mets classique de la cuisine turque.

Sebze soslu köfte – Fricadelles à la ménagère ; boeuf en sauce avec des légumes.

Hünkar Beğendi – « Joie du sultan » ; sauté d'agneau avec de la purée d'aubergines.

Coban saç kavurmasi – Viande grillée à la pastorale ; carrés de viande avec divers légumes.

Yoğurt Tatlısı – Gâteau au yaourt.

Ayran – Boisson au yaourt.

Cacık – Œufs pochés au yao[...]

Le yaourt et le fromage

Le yaourt est l'un des aliments les plus caractéristiques de la cuisine turque, qui proviennent également de ces temps lointains où les Turcs étaient encore nomades. Le yaourt est essentiellement utilisé pour les sauces ou pour adoucir tout ce qui est fort et piquant. On le fait généralement soi-même avec du lait de brebis, de chèvre ou de vache. On fait chauffer un litre de lait. Quand il commence à bouillir, on le laisse frémir 10 minutes à feu très doux, puis on le met dans une jatte. On le laisse tiédir, puis on mélange deux cuillerées de yaourt avec un peu de lait chaud et on verse ce mélange dans la jatte. Couvert et enveloppé dans un linge, mis dans un endroit chaud, le yaourt doit se développer en cinq heures de temps environ. On obtiendra un yaourt assez liquide, le *sivi tas yoğurt*. En le laissant égoutter deux à trois heures dans un linge de coton, on obtiendra un yaourt avec davantage de consistance, le *süzme yoğurt*, mangé en dessert avec des fruits.

Çılbır – Œufs pochés au yaourt.

Yoğurt Tatlısı

Gâteau au yaourt
(Illustration ci-contre, sur la page de gauche)

Pour 6 personnes

250 g de yaourt de lait entier
3 oeufs
200 g de sucre glace
1 cuil. à café de zeste râpé de citron non traité
75 g de beurre
250 g de farine
1 sachet de levure
500 g de sucre
5 cuil. à soupe de jus de citron
3 cuil. à soupe de pistaches finement hachées

Mélanger dans une jatte le yaourt avec les oeufs, le sucre glace et le zeste de citron. Faire fondre 60 g de beurre et l'incorporer à la masse de yaourt. Ajouter progressivement la farine et la levure et travailler la pâte.
Préchauffer le four à 180° C.
Beurrer avec le reste du beurre un moule rectangulaire et haut. Mettre la pâte dans le moule et faire cuire environ 45 minutes au four.
Pendant ce temps, porter le sucre et le jus de citron avec 600 ml d'eau à ébullition en ne cessant de remuer jusqu'à ce que le sucre se soit complètement dissous ; laisser frémir encore 10 minutes. Imbiber le gâteau dans le moule avec le sirop et laisser refroidir. Le couper en carrés et parsemer de pistaches.

Ayran

Boisson au yaourt
(Illustration ci-contre, sur la page de gauche)

Pour 4 personnes

1 kg de yaourt
$^1/_2$ l d'eau glacée
1 cuil. à café de sel

Bien faire refroidir le yaourt et le lisser. Ajouter progressivement l'eau glacée et le sel. Battre au mixer ou au fouet. Assaisonner, saler si nécessaire ou, au contraire, rallonger. – On boit souvent l'Ayran en mangeant.

Çılbır

Oeufs pochés au yaourt
(Illustration ci-dessus)

Pour 2 personnes

2 gousses d'ail
Sel
300 g de yaourt de lait entier
3 cuil. à soupe de vinaigre
4 oeufs
30 g de beurre
1 cuil. à café de poudre de paprika
1 pincée de poivre de Cayenne

Presser l'ail avec le sel, le mettre dans le yaourt et mélanger. Mettre dans un saladier et le placer dans un endroit chaud.
Porter de l'eau salée à ébullition avec le vinaigre. Faire glisser les oeufs dedans et pocher 3 minutes. Les sortir avec une écumoire et les poser sur le yaourt. Faire fondre le beurre, incorporer la poudre de paprika et le poivre de Cayenne. Répartir ce mélange sur les oeufs et le yaourt. Servir aussitôt.

Cacık

Yaourt au cocombre
(Illustration ci-contre sur la page de gauche)

Pour 4 personnes

1 grand concombre
Sel
600 g de yaourt au lait entier
3 gousses d'ail écrasées
3 cuil. à soupe d'huile d'olive
2 cuil. à soupe de fenouil bâtard haché finement
1 cuil. à soupe de menthe finement hachée
Poudre de paprika

Eplucher le concombre, l'épépiner, le couper en très petits dés ou le râper et le saler. Au bout d'une heure, le presser et le mettre dans un saladier avec le yaourt. Ajouter l'ail, le fenouil, la menthe et 2 cuil. à soupe d'huile d'olive et éventuellement diluer avec un peu d'eau froide. Tout bien mélanger et assaisonner.
Répartir dans des ramequins et mettre au froid. Avant de servir, verser quelques gouttes d'huile d'olive dessus et saupoudrer de poudre de paprika.

Les sucreries

La somptuosité et la variété culinaires turques se surpassent dans les sucreries. Il n'est donc pas étonnant que toutes ces douceurs ne se limitent pas au seul dessert. On les mange aussi bien l'après-midi, à l'heure du thé, que le matin au petit-déjeuner. L'estime dont jouissaient en général les sucreries leur ont donné une autre fonction. On les offre en signe de remerciement ou d'affection. Il est courant d'apporter des sucreries à quelqu'un que l'on va voir et d'en offrir à ses invités quand on reçoit. Et enfin, on partage la joie de ses amis ou de ses voisins en leur offrant des sucreries à l'occasion d'un événement digne d'être fêté.

Les hauts fiefs des sucreries et des desserts

• Tatlici – pâtisserie : on y trouve le *baklava*, enrichi de noix, imbibé de sirop, dessert national très riche sous diverses formes ; du *lokum*, confiserie faite d'une pâte sucrée à base de farine de riz et parfumée aux noix, et la halva ainsi que des spécialités aux noms orientaux comme « nombril de femme », « poitrine de jeune fille », « nids d'hirondelle » ou « lèvres de femme » ;

• Pastahane – la pâtisserie est avant tout spécialisée dans les gâteaux, les biscuits et les gâteaux secs et ne dispose que d'un choix limité d'autres sucreries ;

• Muhallebici – magasin de produits laitiers ; propose des sucreries, entremets et desserts à base de lait ; le plus connu est la spécialité de dessert d'Istamboul, *tavuk göğsü* ou *kazandibi*, à base de blanc de poulet, de riz, de lait et de sucre.

• Iskembeci – dans ce lieu, spécialisé dans les abats et la soupe aux tripes, on sert comme dessert, les *zerde*, un « riz de noces » aromatisé de safran, et l'*asure*, la « crème de Noé », nommée d'après la fête célébrant Noé sauvé des eaux du Déluge.

Helva – halva – Confiserie à base de graines de sésame et de sucre.

Sekerpare – Confiserie à base de semoule et d'amandes.

Baklava – Feuilleté, ici avec du miel et des pistaches.

Lokoum – Loukoum – confiserie faite d'une pâte sucrée à base de farine de riz et parfumée aux noix.

Bülbülyuvasi – « Nids de rossignols » – pâte feuilletée avec des pistaches, imbibée dans un sirop parfumé à l'eau de rose et au citron.

Muhallebili baklava – Feuilleté fourré d'une crème sucrée et passé dans le sirop.

Sade lokum
Loukoum

Pour environ 1 kg 200

250 g de farine de riz
1 kg de sucre
1/4 cuil. à café de cristaux d'acide citrique (en pharmacie)
250 g de graines de pistache
3 cuil. à soupe d'eau de rose

Foncer un moule carré de 25 cm de côté avec une mousseline qui déborde de tous les côtés et y mettre environ la moitié de la farine de riz. Porter le reste de la farine de riz à ébullition dans une grande casserole avec le sucre et 1 l 1/4 d'eau. Ajouter l'acide citrique et faire bouillir en ne cessant de remuer. Quand la masse de sucre commence à écumer, réduire la chaleur et laisser frémir, en remuant ré-

gulièrement afin que le sucre ne caramélise pas.
Retirer la casserole de la source de chaleur au bout de deux heures et faire un essai de consistance en mettant 1 cuil. à café de masse sucrée dans de l'eau glacée. Si la balle qui se forme est élastique et molle, le loukoum est terminé.
Faire griller les graines de pistache et les mettre avec l'eau de rose dans la masse de sucre. Mélanger et verser la pâte très chaude dans le moule préparé et lisser. Laisser reposer au moins 24 heures, puis renverser la pâte sur une plaque de four enduite d'une épaisse couche de sucre glace. Couper avec un couteau bien aiguisé des carrés ou des rectangles et les rouler dans le sucre glace.
Remarque : à la place des graines de pistaches, on peut aussi utiliser des noix ou des noisettes. Si l'on veut que le loukoum ait une consistance un peu plus dure, on ajoute en fin de cuisson 1 cuil. à café de poudre de mastic et on porte de nouveau à ébullition.

Boules de miel au sirop.

Gözleme Tatlisi – Pâte roulée et frite imbibée de sirop.

Tulumba Tatlisi – Échaudé frit et imbibé de sirop.

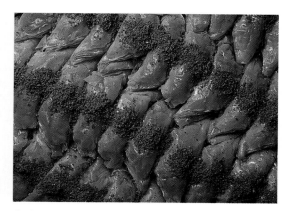

Cevizly Ay – Gâteau en demi-lune aux raisins de Smyrne et aux noix.

Baklava – Feuilleté avec du miel, des noix et des noisettes.

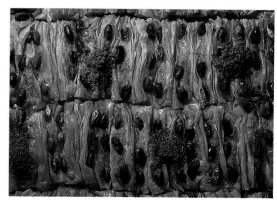

Tel Kadayif – Gâteau de vermicelle, trempé dans le sirop et saupoudré de noix et de pistaches.

A gauche : il y a de nombreuses manières de faire la halva, non seulement en raison des différences régionales, mais aussi parce que ce sont toutes des spécialités confectionnées avec des ingrédients déterminés lors de certaines fêtes religieuses. L'une des meilleures variétés est celle qui emploie les graines de sésame.

Le thé et les salons de thé

Les confins de la Turquie, au Nord-Est, sur la mer Noire, et l'arrière-pays de Rize jouissent d'un climat humide tropical. Les précipitations y sont presque quotidiennes et la brume chaude enveloppe les contreforts des Chaînes pontiques. Le thé trouve, ici, les conditions idéales à son épanouissement.

Le thé, *çay*, non seulement fait partie de la vie quotidienne des Turcs, mais encore il est servi en toutes occasions. On sert du thé à tous les échelons dans les réunions d'affaires. On trouve du thé dans les administrations quand on va faire une démarche. Le thé, enfin, est toujours présent dans les magasins pour accueillir le client. Le salon de thé, *çayhane*, est un endroit où se rencontrent les hommes entre eux. On y échange les dernières nouvelles, on discute, on joue, en égrenant son chapelet et on boit du thé. Les femmes ne se voient jamais dans les salons de thé, la croyance islamique leur interdisant de se trouver face à un étranger dans une pièce. Les *çaybahçesi* accueillent les familles sur leurs terrasses, où l'on prend le thé.

Quand le thé n'est pas préparé avec un samovar, il est fait à la bouilloire dans une théière. Pendant que l'eau chauffe dans la bouilloire, la théière est mise dessus avec les feuilles fraîches de thé, ce qui permet de préchauffer le thé et la théière. Les feuilles sont à peine ébouillantées, puis on remet la théière sur la bouilloire et on baisse la chaleur. Le thé infuse entre huit et dix minutes. On en sert un peu dans les petits verres à thé et on allonge avec de l'eau bouillante. Chaque verre est servi sur une soucoupe avec deux morceaux de sucre et une petite cuillère.

Le meilleur thé de Turquie pousse près de Rize, dans l'arrière-pays immédiat du littoral de la mer Noire.

Le moment de la récolte est venu lorsque les buissons laissent s'épanouir leurs boutons.

En arrière-plan : le salon de thé, *çayhane*, est une institution inamovible dans la vie en société – mais seuls les hommes y ont accès.

TOZU
YOK.
DEMİ
ÇOK

Le thé très concentré est ébouillanté avec beaucoup de feuilles, puis versé dans des verres.

Selons les goûts, on allonge le concentré avec plus ou moins d'eau bouillante.

Le thé est omniprésent dans la vie quotidienne des Turcs et ce, dans toutes les situations.

Glossaire

Abaisse
Morceau de pâte sur lequel on a passé le rouleau pour lui donner l'épaisseur voulue et qui fait le fond de beaucoup de pâtisseries.

Abattis
Pattes, ailerons, cou, tête, foie et gésier d'une volaille.

Affinage
Phase finale de la fabrication du fromage durant laquelle il acquiert ses qualités de consommation ; signifie aussi vieillissement du vin en bouteille.

Aiguillettes
Tranches de chair minces et longues que l'on détache du ventre d'une volaille.

Al dente
Mot italien. Désigne des aliments (riz, pâtes, légumes) cuits de manière à rester ferme sous la dent.

Amuse-gueule
Menue friandise (petit gâteau salé, canapé, olive etc.) consommée en prenant l'apéritif.

Arroser
Ajouter à un rôti son propre jus ou un autre liquide pour qu'il ne sèche pas.

Arrière-goût
Terme technique décrivant la persistance d'un vin au palais.

Assaisonner
Incorporer ou réajuster un assaisonnement (sel, poivre, épices, aromates) à un mets après l'avoir goûté.

Assemblage
Opération qui consiste à mélanger les vins provenant de différents vignobles ou les cuves (ou barriques) avec des vins issus de cépages différents.

Bain-marie
Bain d'eau bouillante recevant un récipient contenant une préparation à cuire ou à réchauffer.

Barder
Envelopper un morceau de viande ou une volaille de bardes.

Bardes
Minces tranches de lard gras ou maigre, destinées à recouvrir une pièce ou à foncer une casserole.

Béchamel
Sauce blanche composée à partir d'un roux blanc additionné de lait.

Beurrer
Couvrir de beurre un moule, par exemple.

Blanchir
Plonger dans l'eau bouillante, avant toute autre préparation, légumes ou viande, pour les attendrir, les nettoyer ou les débarrasser d'un excès de sel.

Blondir
Faire légèrement rissoler dans un corps gras un mélange de farine et de beurre (pour le roux) ou des oignons, de l'ail, etc.

Bouquet
Arôme d'un vin, perçu quand on le boit.

Bouquet garni
Petit paquet ficelé, composé de persil et de thym, de laurier et d'une gousse d'ail. S'ajoute aux sauces et aux bouillons.

Braiser
Cuire doucement dans un récipient fermé avec du jus comme liquide.

Brider
Passer une ficelle à l'aide de l'aiguille à brider pour attacher les membres d'une volaille et les maintenir pendant la cuisson.

Caraméliser
Au sens strict, foncer un moule de caramel et plus généralement dorer un mets avec un mélange à base de beurre et de sucre.

Carcasse
Corps d'une volaille sans les cuisses ni les ailes, employé pour les fonds de sauce ou grillé (dans le sud-ouest de la France).

Ciseler
Inciser en biais une pièce (viande, poisson) qui ne doit pas se déchirer pendant la cuisson.

Clarifier
Liaison et clarification d'un bouillon trouble par addition d'un peu de blanc d'œuf légèrement chauffé et passé.

Concasser
Piler grossièrement.

Confit
1. Conservé dans le sucre, dans du vinaigre, dans de la graisse, etc. (fruits, cornichons …)

2. Morceau de viande cuit et conservé dans sa graisse (confit d'oie, de canard, de porc)

Coulis
Sauce obtenue avec une purée de fruits ou de légumes.

Court-bouillon
Liquide aromatisé dans lequel on fait cuire le poisson ou la viande.

Cuvée
En Champagne, le vin de cuvée est celui du premier pressage et une cuvée est un certain mélange de Champagne ou une fraction déterminée du vin en stock dans les cuves ou les fûts.

Darne
Tranche de poisson épaisse.

Déglacer
Dissoudre le jus qui s'est échappé d'une pièce pendant sa cuisson et s'est caramélisé dans le fond du plat ou de la poêle en ajoutant de l'eau, du bouillon ou du vin et en remuant.

Dégorgement
Elimination du dépôt des bouteilles de Champagne et autres vins mousseux, en remuant la bouteille pour que le dépôt aille dans le goulot.

Dégustation
Permet de juger la qualité et les caractéristiques d'un vin par le goût et l'odorat.

Dorer
Enduire à l'aide d'un pinceau le dessus d'une pâtisserie ou autre mets avec un mélange d'eau et de jaune d'œuf pour le colorer.

Dresser
Disposer avec goût sur un plat les aliments qui doivent être présentés à table.

Ecumer
Débarrasser les viandes, les fruits ou le beurre de l'écume ou des impuretés de l'écume pendant la cuisson, en utilisant de préférence une écumoire.

Egrappage
Séparation des raisins et des pédoncules avant de presurer le fruit et de verser le moût dans la cuve de fermentation.

Elevage
Ensemble de soins apportés au vin pour son vieillissement.

Etouffée, à l' (aussi : étuvée, à l')
Mode de cuisson des viandes, des poissons ou des légumes à la vapeur, en vase clos.

Farcir
Remplir avec de la farce (hachis d'herbes, de légumes et de viande) l'intérieur d'une pièce de viande, de volaille, d'un poisson ou d'un légume.

Flamber
1. Passer dans une flamme claire une volaille plumée pour enlever le duvet.

2. Arroser un mets d'un alcool que l'on fait brûler pour affiner son goût.

Fondre,
faireFaire devenir liquide sous l'action de la chaleur.

Fond
Bouillon ou jus qui sert de base à une sauce, à un ragoût, etc.

Frémir
Se dit d'un liquide qui commence à bouillir.

Frire
Faire cuire un aliment dans une graisse bouillante.

Friture
Aliment frit, en particulier petits poissons frits ou à frire. En Belgique : baraque à frites, friterie.

Fumet
1. Odeur agréable des viandes cuites ou des vins.

2. Sauce à base de jus de viande, de poisson etc.

3. Odeur du gibier.

Glacer
1. Etaler sur le mets à servir un jus ou une gelée, ou un sirop de sucre épais.

2. Saupoudrer de sucre une pâtisserie et caraméliser à feu nu ou à la chaleur du four.

Gratiner
Accomoder un plat ou un mets au gratin, préparation culinaire recouverte de chapelure ou de fromage râpé et cuite au four.

Griller
1. Cuire au gril, soumettre à sec à un feu vif.
2. Torréfier (griller du café, des arachides).

Hacher
Couper, réduire en menus morceaux avec un instrument tranchant (couteau, hachoir).

Incorporer
Mêler une substance, une matière à une autre avec précaution sans tourner ni remuer.

Julienne
Légumes (carottes, navets, céleri, blanc de poireau) coupés en minces lanières.

Larder
Traverser la viande à intervalles égaux pour y introduire, dans le sens des fibres, des lardons.

Liaison
Epaissir (« lier ») ou rendre homogène une sauce ou un potage qui manque de consistance, de velouté, par l'adjonction d'une substance qui l'épaissit (farine, fécule, jaune d'œuf, etc.).

Macédoine
Mélange de légumes ou de fruits.

Macérer
Laisser des substances en contact prolongé avec un liquide à froid, jusqu'à ce que les parties solubles soient dissoutes ou à chaud pour terminer la cuisson en douceur juste avant de servir.

Mariner
Faire macérer la viande crue (gibier, poisson ou autres aliments) dans un mélange aromatique pour l'attendrir ou lui donner une saveur spéciale.

Mirepoix
Préparation composée de légumes et d'aromates et parfois d'un peu de jambon cru, pour corser le jus et les sauces.

Mouiller
Ajouter du liquide à une sauce ou liquide (eau, lait, bouillon) ou à un mets pour faire une sauce.

Napper
Recouvrir un mets d'une sauce consistante.

Paner
Saupoudrer de mie de pain rassis ou de chapelure.

Parer
Enlever à un comestible ce qui lui est inutile ou le dépare.

Parfait
Crème glacée.

Passer
Filtrer dans un chinois, une passoire ou un linge.

Persillade
Persil haché souvent additionné d'ail, que l'on ajoute en fin de cuisson à certains plats.

Piquer
Garnir la partie superficielle d'une volaille de lardons pour la rendre moins sèche.

Pocher
Maintenir en ébullition douce quelques minutes, casserole ouverte.

Prendre
Epaissir, se figer.

Puits (aussi fontaine)
Tas de farine au centre duquel on creuse un trou.

Purée, réduire en
Ecraser des légumes cuits à l'eau ou autres ingrédients de consistance molle pour en faire une masse homogène.

Rancio
Goût, bouquet et saveur, surtout de noisette, caractéristique des vins et eaux-de-vie après maturation et long vieillissement.

Réduire
Faire bouillir une sauce ou un jus afin de l'épaissir par évaporation et d'en diminuer le volume.

Revenir
Passer dans un corps gras très chaud de la viande ou des légumes pour raffermir et colorer la surface.

Rissoler
Exposer une viande, des légumes etc., soit à feu vif soit à température élevée, de manière à en dorer et griller la surface et à la rendre croustillante.

Rôtir
Faire cuire de la viande à la broche ou au four, à feu vif et sans sauce.

Roux
Préparation faite avec de la farine roussie, dans du beurre, et qui sert à lier les sauces.

Sabayon
Crème liquide à base de vin ou de liqueur, d'œufs et de sucre.

Sauter
Secouer une casserole pour remuer l'aliment qu'elle contient afin de lui permettre de dorer sans attacher.

Saupoudrer
Poudrer de sel, de farine, de sucre, d'amandes etc. un aliment, un gâteau.

Soutirer
Transvaser doucement (le vin, le cidre...) d'un récipient à un autre de façon à éliminer les lies et les dépôts qui doivent rester dans le premier.

Tamiser
Passer une substance au tamis pour en séparer certains éléments.

Tanin
Un des principaux composants du vin, provenant des pellicules et pépins des raisins et dissous dans le liquide pendant sa fermentation. Le tanin donne au vin son caractère et sa longévité.

Tremper
Laisser des légumes ou des fruits secs dans un liquide pour le faire gonfler ou l'attendrir.

Vinaigrette
Sauce froide préparée avec du vinaigre, de l'huile et des condiments, servant à accompagner les salades, les crudités.

Bibliographie

Accademia Italiana della Cucina : Cucina Italiana, Das große Buch der Italienischen Küche. Cologne 1993

Albonico, Heidi et Gerold : Schweizer Tafelfreuden. Zurich 1974

Alexiadou, Vefa : Greek Cuisine. Thessalonique 1989

Anderson, Burton : Atlas der italienischen Weine. Berne – Stuttgart 1990

Anderson, Jean : The Food of Portugal. New York 1994

Andrae, Illa : Alle Schnäpse dieser Welt. Herford 1988

Aris, Pepita : Rezepte aus einem spanischen Dorf. Munich 1991

Arnaud, Tony : Wildtiere. Stuttgart 1975

Ayrton, Elizabeth/Fitzgibbon, Theodora : Traditional British Cooking, Londres 1985

Bailey, Adrian : Die Küche der Britischen Inseln, Time Life International, 1974

Bailey, Adrian : Die Speisekammer, Munich 1993

Bati, Anwer : Zigarren – der Guide für Kenner und Genießer, Munich 1994

Beer, Otto F. : Wien – Reise durch eine Stadt, Munich 1977

Bernard, Françoise : Le livre d'or, Paris 1985

Beyreder, Adelheid : Küchen der Welt – Österreich, Munich 1993

Beyreder, Adelheid : Böhmisch kochen, Munich 1994

Bobadilla, Vicente F. de : Brandy de Jerez, Madrid 1990

Bocuse, Paul : Bocuse dans votre cuisine, Paris 1982

Bocuse, Paul : La renaissance de la cuisine française, Munich 1991 (édition allemande)

Brown, Catherine : Scottish Cookery, Edinbourgh 1985

Brown, Dale, la cuisine scandinave, Time Life International, 1971

Bugialli, Giuliano, Classic techniques of italian cooking, New York 1989

Buren, Raymond : Le jambon, Grenoble 1990

Cadogan, Mary : Delikate Meeresfrüchte, Hambourg 1992

Campbell, Georgina : Good Food from Ireland, Londres 1991

Cantin, Christian : Les fromages, Paris 1978

Carluccio, Antonio : Passion for Pasta, Londres 1993

Casas, Penelope : Tapas, New York 1991

Casparek, Gustav : Das Kochbuch aus dem Rheinland, Münster 1976

Casparek-Türkhan, Erika : Küchenlexikon für Feinschmecker, Munich 1989

Casparek-Türkhan, Erika : Kulinarische Streifzüge durch die Türkei, Künzelsau 1989

Casparek-Türkhan, Erika : Kulinarische Streifzüge durch Europa, Künzelsau 1994

Casparek-Türkhan, Erika : Griechisch kochen, Munich 1994

Chaudieu, Georges : Le livre de la viande, Paris 1986

Christl-Licosa, Marielouise : Antipasti, Munich 1991

Connery, Claire : In an Irish Kitchen, Londres 1992

Cousteaux/Casamayor : Le guide de l'amateur d'Armagnac, Toulouse 1985

Cùnsolo, Felice : Italien tafelt, Munich 1971 (édition allemande)

Darwen, James : Das Buch vom Whisky, Munich 1993 (édition allemande)

Das große Buch vom Kochen, Cologne 1986

Das große Koch- und Backbuch, Francfort sur le Main 1983

Das Land Bremen. Monographien deutscher Wirtschaftsgebiete, Oldenbourg 1984

Davids, Kenneth : Espresso – Ultimate Coffee, Santa Rosa 1993

Davidson, Alan : Mediteranean Seafood, Middlesex 1981

Davidson, Alan/Knox, Charlotte : Seafood, Londres 1989

Degner, Rotraud : Fische und Meeresfrüchte, Munich 1989

Döbbelin, Hans Joachim : Kulinarische Streifzüge durch Skandinavien, Künzelsau 1990

Dominé, André : Die Kunst des Aperitif, Weingarten 1989

Döpp, Elisabeth : Griechisch kochen, Munich 1993

Dr. Oetker : Lexikon Lebensmittel und Ernährung, Bielefeld 1983

Duch, Karl : Handlexikon der Kochkunst, Linz 1989

Enciclopedia della cucina, Novara 1990

Engin, Funda : Türkei, Munich 1994

Erdei, Mari : Ungarisch kochen, Munich 1993

Eren, Neset : The Art of Turkish Cooking, New York 1969, 1993

Faist, Fritz : Fondue und Raclettes, Niedernhausen/Ts. 1986

Falkenstein, Peter-Paul : Das Wein-Buch, Cologne (sans année de parution)

Ferguson, Judith : Polish Cooking, New York 1991

Freson Robert : Italien – Eine kulinarische Entdeckungsreise, Munich 1992

Freund, Heidemarie : Backen mit Obst, Munich 1993

Gay, Lisa : Eloge de l'huître, Paris 1990

Gericke, Sören : Smörrebröd und rote Grütze, Berlin 1993 (édition allemande)

Getränke (Boissons), Time Life International, 1982

Gööck, Roland : Ein kulinarisches Rendezvous mit Deutschland, Künzelsau 1985

Gorys, Erhard : Das neue Küchenlexikon, Munich 1995

Grösser, Hellmut : Tee für Wissensdurstige, Gräfelfing 1992

Großbritannien – Landschaften und Rezepte, Londres 1991

Halici, Nevin : Das Türkische Kochbuch, Augsbourg 1993

Hamann, Ulla : Norddeutscher Kuriositätenführer, Königstein/Ts. 1981

Haroutunian, Arto de : Middle Eastern Cookery, Londres 1992

Harris, Andy : Grèce gourmande, Paris 1992

Hering, Richard : Lexikon der Küche, Gießen 1978,1987

Hess/Sälzer : Die echte italienische Küche, Munich 1990

Hillebrand/Lott/Pfaff : Taschenbuch der Rebsorten, Mayence 1990

Horvath, Maria : Spanische Küche, Munich 1964

Imhoff, Hans : Kakao – Das wahre Gold der Azteken, Düsseldorf 1988

Inzinger, Max : Die gute deutsche Küche, Cologne 1991

Jackson, Michael : Bier international, Berne 1994

Jackson, Michael : Das große Buch vom Bier, Berne 1977

Jacobs, Susie : Die schönsten Rezepte aus der griechischen Inselwelt, Cologne 1992

Johnson, Hugh : Der große Weinatlas, Berne – Stuttgart 1995

Johnson, Hugh : Der neue Weinatlas, Berne 1994

Juling, Petra : 100 schwedische Gerichte, Cologne 1994

Kaltenbach, Marianne : Ächti Schwyzer Kuchi, Berne 1977

Kloos, W. : Bremer Lexikon, Brême 1977

Knich (éd.), Hubert : Türkisch kochen, Munich 1993

Ková, Eva Hany : Westböhmisches Kochbuch, Berlin 1992

Kramer, René : Büffets und Empfänge in der internationalen Küche, Munich 1977

Kramer, René : Wild und Geflügel in der internationalen Küche, Munich 1974

Lang, George : Die klassische ungarische Küche, Budapest 1993

Le Divellec, Jacques : Les poissons, Paris 1990

Lechner, Egon : Jagdparadiese in aller Welt, Munich 1991

Lempert, Peter : Austern, Düsseldorf 1988

Likidis-Königsfeld, Kristina : Griechenland, Munich 1994

Lissen/Cleary : Tapas, Londres 1989

Löbel, Jürgen : Parmaschinken & Co., Düsseldorf 1989

Loberg, Rol : Das große Lexikon vom Bier, Wiesbaden (sans année de parution)

Lombardi, Liliana : Le ricette regionali italiane, Milan 1969

Luard, Elisabeth : The La Ina Book of Tapas, Cambridge 1989

Luján, Néstor et Tin : Spanien – Eine kulinarische Reise durch die Regionen, Munich 1991

Marcenta, A. : Suppen, die die Welt bedeuten, Munich 1978 (édition allemande)

Marchesi, Gualtiero : Die große italienische Küche, Munich 1984 (édition allemande)

Marstrander, Sigrid : Norwegian Recipes, Iowa 1990

Maxwell, Sarah : Meze Cooking, Londres 1992

McLeod-Grant, Ameli : Scottish Cookbook, Münster 1979

McNair, James : Pizza, berlin 1990

Medici (éd.), Lorenza de' : Italien – Eine kulinarische Reise, Munich 1989

Mehlspeisen und Teigwaren von A bis Z , Cologne 1985

Meurville/Creignou : Les fêtes gourmandes, Paris 1989

Meuth/Neuner-Duttenhofer : Toskana, Munich 1993

Meyer-Berkhout, Edda : Die spanische Küche, Munich 1985

Meyer-Berkhout, Edda : Kulinarische Urlaubserinnerungen, Munich 1981

Mitchell, Alexandra (entre autres) : Frankreich – Das Land und seine Küche, Munich 1992

Mittelberger, Karl : Das Aachener Printenbuch, Aix-la-Chapelle 1991

Moisemann, Anton/Hofmann, H. : Das große Buch der Meeresfrüchte, Füssen 1989

Monti, Antonia : Il nuovissimo cucciaio d'argento, Rome 1991

Musset, Danielle : Lavandes et plantes aromatiques, Marseille 1989

Norman, Jill : Das große Buch der Gewürze, Aarnau 1993

Ojakangas, Beatrice : Fantastically Finnish, Iowa 1985

Olivier, Jean-François : Huiles et matières grasses, Paris 1992

Ott, Alexander : Fische, Künzelsau 1981

Papashvily, Helen et George : Die Küche in Rußland, Time Life International 1971

Paradissis, Chrissa : Das beste Kochbuch der griechischen Küche, Athènes 1972

Pebeyre, Pierre-Jean et Jacques : Le Grand Livre de la Truffe, Paris 1987

Perry, Sara : The Tea Book, San Francisco 1993

Priewe, Jens : Italiens große Weine, Herford 1987

Read, Jan : Sherry and the Sherry Bodegas, Londres 1988

Reck, Heinz : Käse-Lexikon, Munich 1979

Rezepte aus deutschen Landen, Herrsching (sans année de parution)

Rios/March : Große Küchen – Spanien, Munich 1993

Riza Kaya, Ali : Die Türkische Küche, Munich 1995

Rob, Gerda : Ein kulinarisches Rendezvous mit Griechenland, Künzelsau 1990

Rob, Gerda : Kulinarische Streifzüge durch Österreich, Künzelsau 1990

Rob, Gerda/Teubner, O. : Ein kulinarisches Rendezvous mit Portugal, Künzelsau (sans année de parution)

Robinson, Jancis : Reben, Trauben, Weine, Berne – Stuttgart 1987

Röger, Michael : Alles aus Lebkuchen, Augsbourg 1990

Römer, Joachim/Schmidt, Gérard : Kölsch Kaviar un Ähzezupp, Cologne 1990

Römer, Joachim : Kölsches Kochbuch, Cologne 1994

Rossi Callizo, Gloria : Las Mejores Tapas, Barcelone 1985

Samalens, Jean et Georges : Le livre de l'amateur d'Armagnac, Paris 1975

Scheibenpflug, Lotte : Das kleine Buch vom Tee, Innsbruck 1992

Schindler, Hedwig : Die unbekannte türkische Küche, Berlin 1990

Schmöckel, Peter : Das große Buch der Getränke, Munich 1993

Schokolade und Kakao. Über die Natur eines Genusses, Neuwied 1991

Schoonmaker, Frank : Das Wein-Lexikon, Francfort-sur-le-Main 1990

Schuhbeck, Alfons : Das neue bayerische Kochbuch, Steinhagen 1990

Schwäbisch-alemannische Küche, Offenbourg 1982

Schwarzbach, Berti : Das Kochbuch aus Wien, Tyrol 1978

Scott, Astrid Karlsen : Ekte Norsk Mat. Lake Mills, Iowa 1983

Stender-Barbieri, Uschi : Wanderung durch Italiens Küche, Herrsching 1974/75

Steurer, Rudolf : Vino – Die Weine Italiens, Rüschlikon-Zurich (sans année de parution)

Steurer, Rudolf/Thomann, Wolfgang/Schuller, Josef : Welt Wein Almanach, Vienne – Munich – Zurich 1992

Supp, Eckhard : Enzyklopädie des italienischen Weins, Offenbach 1995

Taubert, H.G. : Kaviar, Düsseldorf 1989

Teubner, Christian : Die 100 besten Kochrezepte, Füssen 1994

Teubner, Christian : Das große Buch vom Fisch, Füssen 1987

Teubner (éd.), Christian : Das große Buch vom Käse, Füssen 1990

Teubner, Christian/Wolter, Annette : Spezialitäten der Welt – köstlich wie noch nie, Munich 1982

Theoharous, Anne : Griechisch kochen, Munich 1981

Thurmair, Elisabeth : Teigtaschen aus allen Ländern, Munich 1988

Torres, Marimar : The Spanish Table, Londres 1987

Toussaint-Samat, Maguelonne : La cuisine de Maguelonne, Paris 1988

Uecker, Wolf : Brevier der Genüsse, Munich 1986

Uecker, Wolf : Deutschland, deine Küchen, Steinhagen 1988

Volokh, Anne : The Art of Russian Cuisine, New York 1983

Walden, Hilaire : Portugese Cooking, Londres 1994

Ward, Susann : Russische Küche, Cologne 1995

Widmer, Peter/Christ, Alexander : Schweiz – Kulinarische Tafelfreuden, Künzelsau 1993

Wien und Umgebung, Guides Grieben

Willan, Anne : Die Große Schule des Kochens, Munich 1990

Willinsky, Grete : Gemüse – international serviert, Berlin 1976

Wolter, Annette (entre autres) : Spezialitäten der Welt – köstlich wie noch nie, Munich 1993

Wolter, Annette : Geflügel, Munich 1987

Zoladz, Marcia : Portugiesisch kochen, St. Gall – Berlin – Sao Paulo 1987

Remerciements

L'éditeur remercie les personnes sous-mentionnées pour leur appui généreux et leur concours. Nous remercions également toutes les personnes et institutions qui ont contribué à la réalisation du projet et dont le nom n'est pas connu personnellement de l'éditeur.

Birgit Beyer, Cologne
Ilona Esser Schaus, Cologne
Rebecca Hübscher, Cologne
Peter Khow, Cologne
Annette Nottelmann, Cologne
Julia Mok, Cologne
Andreas Pohlmann, Cologne

Allemagne
Aachener Printen- und Schokoladenfabrik Henry Lambertz, Aix-la-Chapelle
Auswertungs- und Informationsdienst für Landwirtschaft und Forsten (AID)
Boulangerie Allkofer, Ratisbonne
Institut pour l'élevage de truites, Lindlar
Hans Dieter Blume, Lohne
Centrale Marketinggesellschaft der deutschen Agrarwirtschaft (CMA)
Deidesheimer Hof, Deidesheim
Deutscher Brauerbund
Deutscher Weinfonds/Deutsches Weininstitut
Deutsches Teigwaren-Institut
Dikhops Hof, Wesseling
Boucherie Hans Dollmann, Ratisbonne
Boulangerie-pâtisserie Fassbender, Siegburg
Restaurant Friesenhof, Kiel
Vignoble Gunderloch, Nackenheim
Brasserie Heller, Cologne
Vignoble Juliusspital, Würzburg
Horst Mayer, Hôtel Steigenberger Graf Zeppelin, Stuttgart
Fürst von Metternich, Johannisberg
Microgrill, Cologne
Niederegger Marzipan, Lübeck
Päffgen, Cologne
Simex, Jülich
Verband der deutschen Binnenfischerei
Vereinigung Getreide-, Markt- und Ernährungsforschung (GMF)
Weißbräu, Cologne
Viandes fumées Wiese, Kiel

Angleterre
Mitch Farquharson, The Cheese Company, Melton Mowbray
Chris Lynch, Colman's of Norwich
The Coronation Tap, Bristol
Fortnum & Mason, Londres
Shaun Hill, Gidleigh Park
Lea & Perrins International, Worcester
Meat and Livestock Commission, Milton Keynes
Jason Hinds, Neal's Yard Dairy, Londres
Patak's (Spices) Ltd., Haydock
Harry Ramsden's, White Cross
Bill Scott, The Riverhouse, Thornton-le-Fylde
Smiles, Bristol
Simpson's-in-the-Strand, Londres
Ann Taylor, Taunton Cider Company, Taunton
Paula MacGibbon, The Tea House, Covent Garden, Londres
Thornton's, Cheapside, Londres
Twinings, Andover

Autriche
Café Hawelka, Vienne
Mme Jell, Gasthaus Jell, Krems / Danube
Hietzinger Bräu, Vienne
Josef Jamek, Domaine viticole Jamek, Joching, Wachau
Heurigen Maier-Resch, Stein / Danube
Barbara et Manfred Pichler, Krems / Danube
Heinz Prokop, Traismauer
Café Reuter, Stein / Danube
Bailoni, Stein / Danube
Hôtel Sacher, Vienne

Belgique
Fabienne Velge, Bruxelles, pour sa collaboration, en particulier pour les recettes et les informations fournies, mais aussi pour l'aide inestimable qu'elle apporta à l'organisation des recherches

André Leroy, Charleroi, pour sa chaleureuse hospitalité et son appui lors de l'organisation des recherches ainsi que pour les recommandations de vins fournies avec les recettes

Abbaye Notre-Dame-de-Scourmont, Chimay
Bières de Chimay ; Michael Weber
Brasserie Lindemanns ; Gert Lindemans, Vlezenbek
Brugge Tourist Office
Cange Jacquy, Péruwelz
Chocolaterie Sukerbuyc ; M. Depreter, Bruges
Danval Marc, Bruxelles
De Gouden Boom ; Paul Vanneste, Bruges
Detry Frere, Aubel
Ferme Colyn, Bruyères-Herve
Fritterie Eupen
Fromagerie Vanderheyden, Pepinster
Gaufrerie La Doyenne Liégeoise ; F. Joiris, Herstal
Gobert Dominique, Oigniès-en-Thiérache
Godiva, Chocolats, Bruxelles
Herve Société, Herve
Hostellerie Pannenhuis, Bruges
Hotel- en Toerismeschool ; Eddy Govaert, Bruges
Maison Dandoy ; Jean Rombouts, Bruxelles
Maison Matthys & Van Gaever ; Patrick van Gaever, Bruxelles
Office National des Débouchés Agricoles et Horticoles, Jambes
Office des Produits Zallons, Montigny-sur-Samble
Pub Aquarell, Eupen
Restaurant Le Brabançon ; Marie-Jeanne Lucas, Bruxelles
Restaurant Café des Arts, Bruges
Restaurant Le Joueur de Flûte ; Philippe van Capellen, Bruxelles
Restaurant Le Sanglier des Ardennes ; Jacky Buchet-Somme, Oignies-en-Thiérache
Ryckmans M., Kortenberg
Ryckmans L., Aubel
Siroperie Nyssen, Aubel
Van De Goor, Leevdaal

Danemark
Brasserie Carlsberg, Copenhague
Ambassade du Danemark en Allemagne
Hjorth's Røgeri, Ansdale, Bornholm
Gert Sørensen et employés, Konditoriet i Tivoli, Copenhague

Ecosse
The Aberfeldy Water Mill, Aberfeldy
C. Alexander & Son, Lanark
Mr. Young, The Breadalbane Bakery, Aberfeldy
Denrosa Apiaries, Coupar Angus
Dunsyre Blue Cheese, Carnwath
Glenturret Distillery, Crieff
John Meterlerkamp, The Chesterfield Hotel, Mayfair, Londres
John Milroy, Londres
Nancy Ewing et Arthur Bell, The Scottish Gourmet, Thistle Mill, Biggar

Espagne
Maité Schramm, Calce, pour les recettes

Bodegas Marques de Caceres, Cenicero, Rioja
Cava Freixenet, San Sadurni de Noya
Charcuteria La Pineda ; Antonio Segovia, Barcelone
Pedro Domecq S.A., Xérès
Fábr5ca de Sanchez Romero Carvajal, Huelva, Jabugo
Hostal Montoro ; Rafael Majuelos y Bartolomé Garcia, Cordoue
Angel Jobal S.A., Barcelone
Klemann SARL, Wachenheim
El Mirador De Las Cavas, San Sadurni de Anoy
Patrimonio Communal Olivarero, Montoro, Cordoue
Pescaderia Garcia, Mercado Galvany, Barcelone
Restaurant Cal Pep ; Josep Manubens Figueres, Barcelone
Restaurant Los Caracoles, Barcelone
Don Manue Roldan, Séville
Sidra Escanciador, Villaviciosa
Sidra Trabanco, Lauandera, Gijon
Consulat Général d'Espagne ; département commercial, Vicente Salort, Juan Carlos Sanz et Barbara Wehowsky, Düsseldorf
Oliver Strunk, Barcelone
Tapas Bar El Xampanyet, Barcelone

Finlande
Boulangerie Annan Kotikukko, Sorsasalo
Ambassade de Finlande, service presse et culture ; Marita Schulmeister
Elevage de truites Lohimaa, près de Kuopio
Hotel Rahalaati, Kuopio

France
M. Astruc, Roquefort
Auberge de la Truffe ; Mme Leymar, Sorges
Guy Audouy, Ansignan
Roland Barthélemy, Paris
M. Bernachon, Lyon
René Besson, Saint-Jean d'Ardière
Gabriel Boudier, Dijon
Boulangerie-pâtisserie Jean Baptiste Waldner, Erstein
Bureau Interprofessionnel des Vins de Bourgogne ; Dominique Lambry, Beaune
La Cargolade ; Monsieur et Madame Fourriques, Argelès-sur-Mer
Le Chalut ; Jean-Claude Mourlane, Port-Vendres
Le Chardonnay ; Jean-Jacques Lange, Reims
Château de Monthélie ; Eric de Suremont, Monthélie
Chocolaterie Valrhona, Tain-l'Hermitage
Cidrerie Château d'Hauteville ; Eric Bordelet, Charchigné
La Cognathèque, Cognac
Jeanne et Michel Colls, Perpignan
Comité Interprofessionnel de la Volaille de Bresse, Louhans
Comité Interprofessionnel des Vins du Languedoc ; Christine Behey-Molines, Narbonne
Coumeilles, Boucherie du Faubourg
Au Couscoussier D'Or, Lyon
Crèmerie Henri Reynal, Perpignan
Crêperie Ty-Coz ; famille Lejollec, Locronan
Cru Minervois ; Yves Castell, Olonzac
Martine Cuq, Roquefort
Distillerie des Fiefs Sainte Anne ; Christian Drouin, Calvados
Ecole Hôtelière de Moulin-à-vent, Perpignan
Ecomusée de la Truffe, Sorges
Albert Escobar, Montélimar
L'Estaminet au Bord L'Ill, Erstein
Edmont Fallot, Beaune
Ferme Auberge du Grand Ronjon ; Pierre Emanuel Guyon, Cormoz
Anse Gerbal, Côte Catalane, Port-Vendres
Claude Gineste, Izarra, Bayonne
Gérard Hulot, Paris
Laiterie de Saint-Hilaire-de-Briouze ; Jacques de Longcamp, Gillot
La Littorine ; Jean-Marie Patroueix et Jean Sannac, Banyuls
Maison Samalens ; Philippe Samalens, Laujuzon
Maurice de Mandelaeré, Flörsheim-Dalsheim
Moët & Chandon ; Laurence Le Cabel et Philippe de Roys de Roure, Epernay
Marie de Montélimar
Patrick Morand, Montélimar
Gérard Mulot, Paris
Pierre et Dominique Noyel, St. Claude Huissel, Amplepuis
Les Pêcheries Côtières ; Daniel Huché, Paris
Restaurant Auberge de Bergeraye ; Pierrette Sarran, Saint-Martin d'Armagnac
Restaurant La Bourride ; Michel Bruneau, Caen
Restaurant Chez Philippe ; Philippe Schadt, Blaesheim
Restaurant Robin ; Daniel Robin, Chénas
M. Rivière, Anjeal-Charente
Roque, Collioure
Claude Rozand, Montrevel-en-Bresse
Sopexa ; Katja Bremer, Brigitte Engelmann et Christa Langen, Düsseldorf
Robert Telegoni, Montbrun-Les-Bains
La Tremblade ; François Patsuris
Union Interprofessionnelle des Vins du Beaujolais ; Michel Deflache, Villefranche
Le Vintage, Reims

Grèce
Achaia Clauss, Patras
Simos Countouris, Markagoulo, Attika
Dimitriadis, Attika
Consulat général de Grèce ; département commercial, Monsieur Alexandrakis, Bonn
Hotel Poseidon, Patras
Taverne Delphi ; Monsieur et Madame Pavegos, Cologne

Hongrie
Flotille de pêche au sandre Balaton, Kesztheim
Barneval, Kishunhalas
Restaurant Fogas, presqu'île de Tihany
Magda Molnár et Gabór Vince, Kulturtrade
Thomas Niederreuther GmbH, Munich
Moulin à paprika, Kalocsa
Domaine du Tokay Gundel, Mád

632

Italie

Uschi Stender-Barbieri, Herrsching, pour les recettes, les rensei-
gnements, les corrections et les apports ; Nico Barbieri pour les
innombrables informations et recommandations

Acetaia Raffaele Piccirilli, Cavriago (R.E.)
Al Castello Romano, Cologne
Al'Dorale Ristorante, Cologne
Antica Macellaria Falorni, Greve, Chianti
Antica Sciamadda, Gênes
Associazione dei trifulai ; Agostino Aprile, Montà, Alba
Azienda Agricola Corbeddu Santino e Pasqualino, Castelnuovo
Berardenga (SI)
Azienda Agricola Oberto Egidio, La Morra (CN)
Azienda Turistica ; Federica Bono, Vercelli
Bar Camparino, Milan
Barilla Alimentare S.P.A., Parme
Giuditta Besana, Calce
Camera di Commercio, Modène
Castello di San Paolo in Rosso, Stefan Giesen, Gaiolo in Chianti
Conservifizio Allevatori Mollusqui, Chioggia
Consorzio del Parmigiano Reggiano ; Leo Bertazzi, Reggio Emilia
Consorzio per la tutela dell'Aceto Balsamico tradizionale di
Moden, Modène
Consorzio per la tutela del formaggio Gorgonzola ; Novara
Distillerie Sibona, Piobesi d'Alba
La Fungheria, Milan
Gastronomie Service Dahmen GmbH, Cologne
Gelateria Mickey Mouse, Parme
Gelateria Pasticceria Etnea, Bergame
Frantoio Giachi, Mercatale Val di Pesa (FI)
Ghibellino, Castelnuovo Berardenga (SI)
Italienisches Institut für Außenhandel, ICE (Institut pour le Com-
merce extérieur ; Gertrud Schmitz et Dr. Vittorio Taddei,
Düsseldorf
Romano Levi, Neive
Lidero Truccore, Montà
Macelleria Falcinelli, Arezzo
Marcella Tognazzi, Radda
Mario Marchi, San Casciano
Mazzucchelli Goretti Piero, Bologne
Molino Sobrino, La Morra (CN)
Moto Nautica Nordio, Chioggia
Panetteria Paolo Atti e Figli, Bologne
Pasticceria Panarello ; Francesco Panarello, Milan
Pizzeria La Conchiglia, Novellara, Reggio Emilia
Prosciuttificio Pio Tosini, Langhirano (près de Parme)
Riseria Tenuta Castello, Desan, Vercelli
Ristorante Picci, Cavriago
Salsamenteria Bolognese Tamburini, Bologne
San Giusto A Rentennano ; Bettina et Luca Martini, Gaiole, Chianti
Sansone, Cologne
Michele Scrofani, Bergame
Serafina Laboratorio Artigianale, Gênes
La Sfolgliatella, Bologne
A.B. Sre tripperia, Gênes
Tartuflanghe Bertolussi, Piobesi d'Alba
Torrefazione Faelli ; Angela Biacchi, Parme
Uniteis, Seligenstadt

Irlande

Maureen O'Flynn, R. & A. Bailey & Co., Dublin
Maureen O'Flynn, Boxty House, Dublin
John Meterlerkamp, The Chesterfield Hotel, Londres
Guinness Ireland, Dublin
McCartney's Family Butchers, Moira, Co. Down
Patrick Doherty, Mulligan's of Mayfair, Londres
Jason Hinds, Neal's Yard Dairy, Londres
Sheila Croskery, The Old Bushmills Distillery, Bushmills, Co.
Antrim
Scally's Supermarket, Clonakilty, Co. Cork
Veronica et Norman Steel, Eyeries, Co. Cork
Michael Stafford, Co. Cork
Ulster-American Folk Park, Omagh, Co. Tyrone

Norvège

Jens-Harald Jenssen, Finnmark Travel Association, Alta
Norske Meierier, Oslo
Torger Pedersen, City Café, Alta
SAS Hotel, Varasjok
Vinmonopolet, Oslo
Harald Volden, Volden Fiskeoppdrett

Pays-Bas

Abrahams Mosterdmakerij, Eenrum
Restaurant Auberge Maritim, Maroel, Ziriksee
Droppie, Groningue
Marché au poisson, Scheveningue
Fassbender, Siegburg
Hooghoudt, Groningue
Pâtisserie Theo Könegracht, Maastricht
Muschelkantor, Yerseke
Fromagerie J.T. Neeleman, Scheemda
Office néerlandais des produits laitiers
Van De Lei, Groningue

Pologne

Boucherie « Beim Schlesier », M. Wieschollek, Kerpen
Restaurant Dwór Wazów, M. Malec, Wroctaw
Mme et M. Klesk, Duszniki Zolrój
KPPL « Las », M. l'ingénieur Marek Rojek-K*l*oc'zko
Dr. Henryk Rola, Duszniki Zolrój

Portugal

Joachim Krieger, Piesport, qui fournit des spécialités originales,
entreprit beaucoup de recherches et formula un premier jet de
certains passages
Cervejaria da Trindade, Lisbonne
Cockburn Smithes 1 Comp. ; Gina Nonteiro, Villa Nova de Gaia
Isabella Gambero, Trêves
Usine de conserves Idamar, Matosinhos
Manteigaria Silva, Lda., Lisbonne
Consulat Général du Portugal ; département commercial, António
Teixera, Düsseldorf
Quinta de Ancede, Amares (Braga)
Restaurant Búzio ; Luis Matens, Sintra

République tchèque et Slovaquie

Juraj Heger, Bratislava

Russie et pays voisins

Swetlana Dadaschewa, Moscou
Hôtel Lux, Cologne

Suède

Lauri Nilsson et Karl-Heinz Krücken, Ulriksdals Wärdshus, Solna
Boulangerie Vete-Katen, Stockholm
Vin + Sprithistorika Museet, Stockholm
Wasa, Celle

Suisse

Viandes séchées Brügger, Parpan
Boulangerie Landsbeck, Aarau
Leckerli Hus, Bâle
Kuttel-Tabaco, Berne
Pâtisserie Meier, Zug
Confiserie Schiesser, Bâle
Raclette-Stube, Zurich
Fromagerie de démonstration Switzerland, Seenen près de Schwyz
Zunfthaus Zur Waage, Zurich

Turquie

Bazar Kebap, Cologne
Çinar Restorant, Istanbul
Grillrestaurant Bandirma, Cologne
Ahmet Yavas, Istamboul

Traductions vers l'allemand :

De l'anglais : Dorle Merkel
Du danois : Angela Djuren
Du polonais : Ursula Baierl
Du hongrois : Hannelore Schmör-Weichenhain
Du néerlandais : Sabine Holthaus

Crédits photographiques

Toutes les photos sont de Günter Beer, sauf :
Food Foto Cologne, Brigitte Krauth et Jürgen Holz : 12-13, 18-19
(grande photo), 50/51, 58-61, 68-69 (grande photo), 78-79, 81-
85, 102-103, 106-107, 108-109, 112-113, 120-121, 124-125,
129-130, 132-133, 135, 137 (petite photo), 139 (petite photo),
140-143, 146-147, 150 (bouteilles), 160-161, 168, 177, 184-
185, 189, 200-201, 210-211, 236-237, 244-245, 256-258, 262-
266, 278-279 (bouteilles), 288-289, 298-299 (grande photo),
314-317, 340-341, 352-353, 358-359, 362-363, 370-373,
382-383, 385, 396-397, 424-425, 430-431, 462-465, 488-489,
492-493, 500-501, 504-505, 506-511, 542-543, 552-555,
560-563, 572-573, 590-593, 618-619, 624-625
agrar-press, Fachbildagentur für Agrar- und Naturfotografie
Dr. Wolfgang Schiffer : 253 (grande photo)
Andrej Reiser-Bilderberg : 134 (toutes les photos)
© Johannes Booz-Benedikt Taschen Verlag, Cologne : 144-145
(toutes les photos)
Mary Evans Picture Library : 30-31
Dr. Rainer Berg - Fischereiforschungsstelle des Landes Baden-
Württemberg : 121 en haut, milieu, 121 en haut, à droite, 222
(lotte de rivière, ombre de rivière, ablette, féra), 223 (brochet)
© Garden Picture Library-Brian Carter : 19 (N° 6)
© Garden Picture Library-Vaughan Fleming : 19 (N° 7)
© Garden Picture Library-Lamontagne : 19 (N° 1, 4, 5)
© Garden Picture Library-Clive Nichols : 19 (N° 3)
© Garden Picture Library-J.S. Sira : 19 (N° 8)
© Garden Picture Library-Brigitte Thomas : 19 (N° 2)
© Raimund Cramm-Verlags-Service K.G. Hütten : 34 (coq de
bruyère), 121 (en haut, à gauche), 222 (tanche), 222-223 (om-
ble chevalier)
© Kriso-Verlags-Service K.G. Hütten : 222 (gardon, brème), 223
(Carpe dite à plumet rouge, perche de rivière ou egli)
© Horst Niesters-Verlags-Service K.G. Hütten : 199 (N° 7, 9)
© Hans Reinhard-Verlags-Service K.G. Hütten : 222 (carpe squa-
meuse), 223 (silure, féra bleu), 604 (plante d'anis)
© H. Schrempp-Verlags-Service K.G. Hütten : 155 (bolet des
vaches, helvelle, bolet bai, bolet des chèvres ou bolet à chair
jaune, morille conique)
© Günther Schumann-Verlags-Service K.G. Hütten : 198 (grande
photo et N° 1–6, 8, 10)
© The Hulton Deutsch Collection : 34-35 (arrière-plan), 40-41
Jürgens Ost u. Europa-Photo : 148 (toutes les photos)
© G.J. Keizer : 154 (toutes les photos), 155 (bolet rude, bolet
roux, craterelle ou corne d'abondance ou trompette des morts,
bolet doré, bolet tâcheté ou bolet des sables, lactaire délicieux,
golmotte ou amanite rubescente, armillaire, rosé ou champi-
gnon des prés, chanterelle, morille comestible)
Kelterei Possmann KG : 274-275
Archiv Brigitte Krauth : 258
Magyar Nemzeti Muzeum Történeti Fényképtára : 188-189
(grande photo)
Österreich Werbung : 204 (grande photo)
Fachbuchverlag Dr. Pfanneberg & Co., aus « Lexikon der Küche »
von Richard Hering, Gießen 1987, 23e édition, p. 744 : 196
(dessin)
Christl Reiter : 277, en haut
Scandinavian Fishing Year Book, Baekgaardsvej,
DK-2640 Hedehusene : 96-97, 498-499, 600-601
Hans Schmied : 277, en bas
Ruprecht Stempell : 254-255, 389 (fenouil), 410, 411 (5 bouteilles
de vin), 604 (graines d'anis)
Thomas Veszelits : 171 (Trěbôn – pêche de carpes)
Vinmonopolet : 99 (petite photo et carte)
VISUM-Günter Beer : 116-117
VISUM-Gerd Ludwig : 126-127, 138-139, 149
Christa Wendler : 135 (toutes les photos)
© WILDLIFE-K. Keilwerth : 223 (sandre)
Till Leeser-Bilderberg : 392-393
© Claus Photography 1994 et 1995 : 416-417, 418-419
André Dominé : 496, 513
Bishop-FOCUS : 588-589
Kalvar-magnum-FOCUS : 610-611
Manos-magnum-FOCUS : 603 (petites photos)
Snowdon-Hoyer-FOCUS : 603 (grande photo)
Consulat Général d'Espagne ; département commercial,
Düsseldorf : 480
(© Carlos Navajas : Palomino, Tempranillo)
SOPEXA : 59 (les trois huîtres en haut), 347, 350-351, 381, 384,
385, 407 (Vacherin de Mont d'Or)

Index

Les chiffres renvoient à la page correspondante. Les pays sont ainsi abrégés (ordre alphabétique international) :

A = Autriche
B = Belgique
CH = Suisse
CZ = République tchèque
D = Allemagne
DK = Danemark
E = Espagne
ENG = Angleterre
F = France
GR = Grèce
H = Hongrie
I = Italie
IRL = Irlande
N = Norvège
NL = Pays-Bas
P = Portugal
PL = Pologne
RUS = Russie et pays voisins
S = Suède
SCO = Ecosse
SK = Slovaquie
TR = Turquie

Abondance 405, 408
Absinthe 336
Aceto balsamico 574-575
Äggstanning 410
Agneau
  généralités : FIN 123
  préparation : 123
  spécialités : 114
Agnello arrosto 553
Aïoli 354
Ajo blanco 454
Al i Karrysovs 79 (illustration)
Alexandre le Grand 544
Alioli 469
Almejas a la marinera 463
Altbier 277, 278
Amandes
  généralités : 229 ; D 268
  spécialités : D 268
  recettes : D 267, 268 ; NL 298, 299
Amarelo 506
Anchois
  généralités : E 459 ; F 350,356 ; TR 620
  pêche : 356
  conservation : 356-357, 461
  spécialités : E 443, 444 ; F 357
  recettes : E 413
Angináres alá politá 594
Anguille au vert 305 (illustration)
Anguille
  généralités : 36-38, 65 ; B 305 ; E 459 ;
  F 350 ; P 499 ;
  spécialités : F 350 ; P 489;
Anguille au curry 79 (illustration)
Anis 336-337
Antipasti 524, 525
Apéritifs
  généralités : E 482 ; F 336-338 ; GR 604 ;
  I 584-585
  spécialités : F 336, 338, 340, 341 ; I 585
Appelpannekoek 289
Appenzell 215, 216
Aquavit 98, 99
Ardi-gasna 405, 409
Armagnac 423
Armer Ritter - pain perdu à la sauce soufflée au vin

237 (illustration)
Arroz negro E 465 (illustration)
Arroz con leche 477
Arroz con costra 465 (illustration)
Artichauts
  artichauts à la Constantinople GR 594
  fonds d'artichauts à la vénitienne I 563
  (illustration)
Asiago pressato I 540
Asiago d'Allevo I 540
Aslan sütü 617
Asperges 258 (illustration)
Aspic de pied de porc 160 (illustration)
Aspic de carpe 171
Ättigströmming 107
Aubergines
  soufflé d'aubergines : GR 596 (illustration)
  gratin d'aubergines : I 563 (illustration)
  aubergines aigres-douces : I 524
  aubergines à l'huile d'olive : TR 619
  purée d'aubergines : GR 591 (illustration)
Avalon 39
Avgolémono 593
Avoine
  généralités : ENG 12, 13 ; IRL 56 ; SCO 52
  spécialités : ENG 12, 13 ; N 91
  recettes : SCO 46, 48, 53
Ayran 625 (illustration)
Azeitão 507

Bacalhau com natas 497
Bacalhau 497
Bacstaí 57
Bagna caôda I 562
Baguette 332-334
Baies, voir aussi eau-de-vie de fruits
  généralités : 146, 149
  confitures : 18-19
  spécialités : RUS 145
  recettes : ENG 41 ; IRL 68, 73 ; SCO 46
Bailey's Irish Cream 68
Baklaschnnaja ikra 130
Baklava 616, 626, 627
Baklawás 609
Ballekes à la bière 316
Bamberger Rauchbier 278
Banbhianna 70
Bannocks 52
Barack pálinka 179, 191, 212
Bavarois au chocolat 430
Beaufort 405, 408
Beef trolley 22-23
Beenleigh Blue 30
Beignets 211
  beignets tyroliens 211
  beignets de carnaval 211 (illustration)
  beignets de fleurs de courgette I 235
  beignets de pommes 126
  beignets (de pâte levée) GR 609
  beignets de courgettes sauce yaourt TR 619
Bel paese 540
Benoît XIV, pape 191
Berliner Weisse 278
Bethmale 405, 409
Beurre d'œufs de poissons 120
Beurre 70, 333, 342
Beyaz Peynir 624
Bezzera, Luigi 586
Bidos - ragoût de renne I 101
Bière au malt 38, 65-66, 277
Bière fumée de Bamberg 278
Bière bock 177
Bière au froment : D 277, 278, 279
Bière
  généralités : ENG 14, 36-38 ; IRL 65-66 ;
  D 277-279 ; DK 82 ; FIN 108; N 98; S 111 ;
  B 303, 316, 318-320 ; A 210 ; CZ 167 ; PL 164 ;
  RUS 145
  brasseries : ENG 36, 38 ; IRL 66 ; D 277-279 ; DK
  87 ; B 318-321; CZ 175-177 ; SK 175
  fabrication : IRL 66 ; D 277-279 ; DK 87 ;
  B 319-321 ; CZ 176
  musée 65

  marques : ENG 36-38 ; IRL 65 ; D 278, 279 ;
  DK 87 ; B 318-321 ; CZ 175-177 ; SK 177
  obligation de pureté : 277
  variétés : ENG 36-38 ; IRL 65 ; D 277-279 ;
  DK 87
  spécialités pour accompagner la bière :
  IRL 60 ; D 279
  recettes avec de la bière : SCO 46
Bières fruitées 319
Bife à café 501 (illustration)
Biff Lindström 108
Bifteck à la mode des cafés de Lisbonne P 501
(illustration)
Bigos 159
Bigos 154, 158
Biscuits et petits gâteaux
  généralités : CH 226 ; 266, 267 ; DK 88 ; NL 295 ; S
  110 ;
  variétés : Printen d'Aix-la-Chapelle 266-267 ; Bretzel 88 ;
  gâteaux au miel 146 ; Biscuits 228 ; Lebkuchen 266-
  267 ;
  feuilletés 88 ; speculaas 298, individuels 88 ;
  pâtisserie de Noël 267, 298, 299
  spécialités : CH 226, 228 ; DK 88 ; S 110
  recettes : CH 226 ; DK 89 ; NL 295, 298-299
Bisque 358
Black Bun 18
Blanquette de veau 373
Bleu (voir aussi à fromages)
  généralités : ENG 30-31 ; F 398 ; I 540
  fabrication : F 402, 403 ; I 540
  variétés : ENG 30-31 ; IRL 72 ; E 473 ;
  F 405, 408; I 540
Bleu des Asturies 473
Bleu de Gex 405, 408
Bleu de Septmoncel 405, 408
Bleu des Causses 405, 408
Bleu d'Auvergne 405, 408
Bleu du Haut-Jura 405, 408
Blinis 137
Blue Stilton 30
Bockbier 177, 277, 278
Boerenkaas 282
Bœuf et veau
  généralités : A 196 ; E 456, 472 ; ENG 314 ; F 380-
  381 ; H 184 ; I 543, 551 ; IRL 70 ; PL 162 ; P 500 ;
  TR 622
  conservation : CH 225
  races : ENG 22-23 ; F 380-381 ; IRL 70 ;
  P 500
  découpe : anglaise 22 ; autrichienne 197 ; française
  380 ; italienne 550
  spécialités : A 195 ; CH 224-225 ;
  D 279 ; ENG 22-23 ;
  recettes : CH 143 ; D 236, 244 ; ENG I/27 ; ; NL
  286 ; S 108-109 ; A 196-197 ; H 184 ; PL 154, 159-
  160 ; RUS 133, 142
Bœuf braisé 142
Bœuf Stroganoff 142 (illustration)
Bœuf à la Lindström 108
Bœuf à la ficelle 383 (illustration)
Bogràcs 184
Bográcsgylyás 184
Bolinhos de bacalhau 183 (illustration)
Bols, Lucas, 300
Bols, liqueurs, 300
Borchtch 140 (illustration)
Borjúpörkölt 184
Borrel 300
Boû d'fagne 325
Bouchées à la reine 372
Bouchi hvosti s kachei 142
Bouillabaisse 354
Bouillie d'avoine 53
Bouilli de viande à la portugaise 493
Bouillon 358
Boulette en serviette 208
Boulettes au fromage blanc 209
Boulettes aux abricots 209
Boulettes à la pâte levée 209
Boulettes 208-209
Boulettes de viande (suédoises) 108 (illustration)

Boxty Pancakes 57
Boxty Bread 57
Boxty 57
Bramborová polévka 177
Brandy de Jerez 447
Brännvinsbord 106
Brasserie (voir bière)
Bretzel au flan 335
Bretzel 234, 235
Brezen, cf. Bretzel
Briámi 595
Brie de Melun 405, 406
Brie de Meaux 405, 406
Brienzer Mutschli 216
Brillat-Savarin 405, 406
Brochet
   œufs 120
   recettes : S 107 ; H 181
Brochettes GR 600
Brundza 484, 485
Budvar 175, 176
Budweiser 175, 176
Budyn gryczany 157
Bulgur 616
Bulgur en salade 616
Burgos 473
Burns, Robert 48

Cabécou 405, 407
Cabillaud, cf. morue
   généralités : N 94-95 ; P 497
   espèces : 94
   conservation : 94, 95
   préparation : 94, 95, 97
   spécialités (et recettes) : N 94, 95
   recettes : ENG 13 ; IRL 60 ; DK 85 ;
   N 95
Cabrales 473
Cabreiro 507
Cacao 229
Cacik 625 (illustration)
Caciocavallo I 540
Caciotta I 540
Caerphilly 30
Café
   généralités : ENG 13, 14, 36 ; A 193 ;
   F 338 ; I 320
   spécialités : IRL 69 ; A 194, 195
Cahill's Irish Porter 72
Calador 449
Calamaretti alla napoletana
Caldeirada 458
Caldeirada à algarvia 493 (illustration)
Caldero murciano 465 (illustration)
Caldo verde 490 (illustration)
Calmars à la napolitaine I 561
Calvados 426, 429
Camembert 400, 401, 405, 406
Campari 584
Canapé hambourgeois, 237
Canapés 374
Canard à l'orange 371 (illustration)
Canard à la sauce aux câpres 161 (illustration)
Canard, voir aussi volaille
   généralités : F 364, 367, 369
   engraissement, foie gras 364
   canard sauvage B 315 ; 198-200
   recettes : B 315 ; F 370, 371 ; PL 161
Cannelloni ripieni 531
Cannellonis farcis I 531
Cantabria 473
Cantal 405, 409
Caponata 524
Carbonnades Flamandes 316 (illustration)
Carciofi alla veneziana 563 (illustration)
Carême, Antoine 342, 434
Carême
   généralités : GR 594, 598, 603
   spécialités : PL 158
Carlsberg 87
Carottes à l'étuvée au gingembre 139
Carottes au gingembre, à l'étuvée 139
Carpaccio 524 (illustration 552-553)

Carpe
   généralités : 170-171
   prise : 170-171
   préparation 171
   spécialités : CZ 171 ; D 279
   recettes : CZ 171 ; H 181
Carpe panée 171
Carpe marinée 171
Carrageen 60
Carrelet
   généralités : D 249-251
   recette : D 251
Carrelets de mai à la Finkenwerder 251
   (illustration)
Cashel Irish Blue 72
Cassoulet des Asturies E 456
Catherine de Bragance 14
Caulders 52
Cava 482, 483
Caviar 135-137
Caviar des pauvres gens 130
Çayhane 628
Cebreiro 473
Cendrat 473
Chabichou du Poitou 405, 407
Chaliapine, Fedor 147
Champagne 46 , 307, 420-421
Champignons marinés 130
Champignons à la crème acidulée 130
Champignons à la grecque 372
Champignons, voir aussi truffes
   généralités : PL 154 ; RUS 130 ; FIN 123
   préparation 154 conservation : 130, 154
   variétés : A 201 ; PL 154-159 ; RUS 130-133 ; RUS
   130 ; FIN 123
   recettes : FIN 123
Chaource 405, 406
Charcuterie
   généralités : D 243 ; DK 80
   spécialités et variétés : D 243, 279 ; DK 80
   recettes : D 237 ; NL 286
Charles II roi 14, 40
Charlottka 147 (illustration)
Cheddar 30
Cheshire 30, 31
Chester 31
Chestnut and apple stuffing 41
Chips 34, 35
Chocolat, voir aussi nougat
   généralités : CH 229
   fabrication : CH 229
   pralinés : CH 229
   spécialités : CH 229
   recettes : H 188
Chou v. aussi légumes
   généralités : D 245-255 ; DK 80 ; PL 158 ;
   RUS 138
   conservation : 138, 158
   choucroute : D 254 ; RUS 138
   recettes : ENG 29 ; IRL 62 ; D 254, 256, 274 ;
   NL 286 ; PL 159 ; RUS 138-140 ; SK 173
   spécialités : N 91
Chou, farci 138
Chou vert aux *Pinkel* 256 (illustration)
Choucroute d'Offenburg 254
Choucroute, comment faire soi-même sa 138
Christmas Pudding 40, 41
Chutney 26, 28-29
Chutney de pommes 29
Cidre
   généralités : ENG 39 ; E 442, 484 ; F 426
   fabrication : 39 ; 426-427 ; Sidra 484
   variétés de cidre et ce qui se mange avec le cidre :
   E 442-445, 484
Cigares
   généralités : CH 230-231
   Cohiba : 230
   Davidoff : 230
   formats : 230-231
   fabrication : 231
   Cuba : 230-231
   conservation : 231
   marques : 230, 231

Cigares börek TR 616
Çilbir 625 (illustration)
Cinghiale al barolo 556
Cipolline al vino bianco 524
Civet de lièvre I 556
Clafoutis aux cerises 430
Clapshot 42
Clairieux 324
Cochinillo asado 455
Cochon de lait E 455
Cocido madrileño 456
Cock-a-Leekie 51
Coda di rospo in umido 560
Coddler 13
Cœur de renne fumé à la crème 101
Cognac 116
Cohiba, cigarres, 230, 231
Colcannon 62
Collation sur la planche 204, 205
Colman, Jeremiah 26
Collioure 356
Commissie Kaas 284
Communard 340
Comte Andreas Sigismund 263
Comté 405, 408
Conchiglie alle noci 531
Confiserie
   généralités : CH 229
   spécialités (et recettes), CH 229 ; D 185
Confit de canard 371
Confitures, voir aussi marmelades 20-21, 260
Consommé 358
Coolea 72
Cooleeney 72
Coq au vin 371
Coq, voir aussi poule
   recettes : H 187
Coques 60
Coques au lard 61
Coquilles Saint-Jacques sautées 352 (illustration)
Coquillettes aux noix I 531
Cornflakes 12
Cortés, Hernando 436
Costoletta milanese 197
Côtelettes de cerf aux cèpes 201
Côtes de marcassin au Maury du Mas Amiel 314
Côtes de porc en papillote 385 (illustration)
Côtes de porc à la Leffe 316
Coulibiac 132
Courgettes
   beignets de courgettes sauce yaourt TR 619
Couronne de Francfort 264 (illustration)
Cozido à portuguesa P 493
Cratloe Hills 72
Cranberry Sauce 41
Crema catalana 477 (illustration)
Crème au beurre 265
Crème caramel 430 (illustration)
Crème de Cassis 338-341
Crème russe 453 (illustration)
Crème 358
Crème anglaise 430
Crème Dubarry 359
Crêpes aux pommes 289
Crêpes au sirop 288
Crêpes, voir aussi entremets
   généralités : NL 288, 188 ; RUS 137 ; F 432
   spécialités : NL 287-289 ; F 432
   recettes : A 207 ; H 188 ; RUS 137 ; F 428, 432
Crêpes au lard 288
Crêpes au gingembre 289
Crêpes de sarrasin 137
Crescenza I 540
Crevettes huile et ail I 524
Croissant 335
Cromwell, Oliver 40, 55
Crotin de Chavignol 405
Croûte au jambon 237 (illustration)
Crowdie 30
Crudités 389
Crumpets 13
Csemege paprika 186
Csirskepörkölt 185 (illustration)

Cuisses d'oie 183
Cuisson des écrevisses 117
Cuissot de chamois à la sauce au vin 201
Culotte de bœuf à la viennoise 196 (illustration)
Curry 28, 243

Danbydale 31
Dand, David 68
Danish Pastry 88 (illustration)
Darjeeling 16, 17
Davidoff, Zino 230
Desarmeniens, Marc 394
Desmond 72
Desserts et douceurs
    généralités : A 210 ; RUS 146 ; DK 75 ;
    FIN 123 ; S 110
    recettes : A 209, 210 ; H 188-189 ; PL 157 ;
    RUS 146-147 ; D 262 ; FIN 123 ; S 110
Devilled Kidneys 13
Digestifs
    généralités : F 423
    variétés : F 423 ; GR 604
Dil peyniri 624
Dillsill 106 (illustration)
Dinde
    généralités : ENG 40 ; F 367, 369
    recettes : ENG 41
Distilleries (voir spiritueux)
Dom Pérignon 421
Domates Salatasi 614
Dorada a la sal 462 (illustration)
Dorade rose à la provençale 352 (illustration)
Dorade en croûte de sel E 462 (illustration)
Double Gloucester 30, 31
Drenter aux herbes 284
Drentse Kruidenkaas 284
Dublin Coddle 58
Dublin Lawyer 61
Dundee Cake 15, 18

Earl Grey 14
Eau-de-vie de fruits, aussi alcools et spiritueux
    généralités : NL 300 ; A 212 ; H 191
    fabrication : 191, 212
    marques : A 212 ; H 191 ; NL 300, 301
    spécialités de : pomme 212, 301 ; abricot 179, 191,
    212 ; genièvre 300 ; framboises : 301 ; gen-
    tiane 212 ; sureau 212 ; poire 212 ; raisin muscat
    212 ; coing 212 ; griotte 212
Ebbelwoi 274, 275
Eccles Cakes 18
Ecrevisses et crustacés
    généralités : FIN 117
    recettes : FIN 117
Edam 282, 284
Edesnemes paprika 186
Edouard VII, roi 432
Elan 100
Emincé à la zurichoise 221 (illustration)
Emmental 216, 217, 218, 219
Emmental 216
En-cas du vigneron 237 (illustration)
Ensopada de borrego 186 (illustration)
Entrecôte bordelaise 382 (illustration)
Entremets pascal russe 146
Epaule aux légumes 196 (illustration)
Epinards aux raisins secs et pignons E 471
Epoisses 405, 407
Escalivada 471
Escalope viennoise 196, 197 (illustration)
Escalope de poulet à la Kiev 142
Escalopes de foie gras 370
Escalopes de chou 138
Escoffier, George 361
Espinacas con pasas y piñones 471
Esturgeon au champagne 135
Esturgeon
    généralités : RUS 135-137
    sortes : 135
    caviar : 134, 135, 136-137
    spécialités (v. aussi recettes) : RUS 135
    recettes : RUS 135
Evora 191

Fabada asturiana 456
Fagiano tartufato 556
Faire soi-même les pains suédois 113
Faisan truffé I 230
Faisan au lard 200 (illustration)
Far i kal 91
Faraona al vino bianco 507
Farce de viande à la sauge et aux oignons 41
Farchirovannaïa kapousta 138
Fasoláda 593
Fenouil à l'étouffée I 524
Féta 602
Feuilleté au miel TR 616, 626, 627
Feuilleté aux pommes et au rhum 263
Feuilletés 88, 89
Feuilletés danois 88
Filet de bœuf aux champignons 160
Filet de bœuf Stroganoff 142 (illustration)
Filet de perche au vin blanc 222
Filets de lièvre à la sauce Madère 201
Filets de lièvre farcis à la sauce Madère 201
Filets de poisson sur épinards 50 (illustration)
Fíllo 593
Fine 423
Finocchi stufati 524
Fiore sardo I 540
Fiori di zucchini fritti 563
Fiskeboller 93
Fiskepudding 97
Flaeskesteg med svaer 80 (illustration)
Flan de naranja 477
Fogas 179, 181
Fogas Gundel módra 181
Fogas egészben sütve 181
Foie gras à la poêle 183
Foie gras 364, 365
Foie d'oie (voir aussi foie gras) 182, 183
Fondue 18, 218, 219
Fondue aux légumes I 562
Fondue au fromage 215, 218-219 (illustration)
Fontal I 541
Fontina 535, 541
Formosa Oolong 17
Fourme de Montbrison 405, 408
Fourme d'Ambert 405, 408
Fraises en neige 123
François Joseph, empereur 195, 197
Frankfodder Gebabbel 274
Fricandeaux 236
Friese Nagelkaas 284
Fritto misto di pesce 524
Friture de poissons I 524
Fromage de brebis
    généralités : SK 172
    fabrication : SK 167, 172, 173
    sortes : SK 172
Fromage de chèvre
    fabrication 404, 405
Fromages, voir aussi les noms de spécialités
    généralités : ENG 30-31, 32 ; IRL 70 ;
    NL 280-281, 282 ; CH 216-219, N 100, 103 ; SK 172
    fabrication : en général F 401, 405 ; NL 282 ; spé-
    ciale : camenbert 400, 401 ; cheddar 30 ; emmental
    216 ; gorgonzola 540 ; gouda 282 ; herve 322 ; mil-
    leens 71 ; parmigiano-reggiano 536 ; pecorino 538 ;
    roquefort 402-403 ; stilton 31 ; vacherin Mont d'Or II
    401
    variétés : ENG I/30, 31 ; IRL I/71, 72 ; A 205 ; SK
    172 ; CH 216, 217 ; N 100, 102, 103 ; NL 198, 284,
    285
    spécialités au fromage : CH 217, 219 ; D 242 ; SK
    172
    recettes : CH 217, 219 ; D 259 ; NL 283 ;
    SK 173
Fromage frison aux clous de girofle 284
Fromage frais aux clous de girofle 284
Fromage frais voir aussi les noms des produits
    variétés : A 205
Fromage blanc aux fraises 259
Fromages suisses, 216
Fruits (baies), voir aussi liqueurs et eaux-de-vie
    généralités : E 475 ; GR 608 ; I 570

spécialités : E 476 ; I 570
Fruits voir aussi pommes ; baies ; liqueurs ; eaux-de-
vie de fruits ; agrumes
    généralités : D 260-262, 265 ; FIN 123 ;
    A 212 ; CZ 167 ; SK 167
    spécialités : A 206 ; D 260, 279
    recettes : D 262-263, 264-265 ; FIN 123 ;
    NL 289 ; A 207, 209 ; H 189 ; RUS 146
Fruits de mer
    généralités : IRL 60 ; NL 292
    variétés : IRL 60 ; NL 292
    conservation : 292
    élevage, moules 292
    recettes : IRL 60-61 ; NL 293
Fry, Joseph 229

Galettes 103 (norvégienne) ; 125 (finlandaise)
Gamalost 102, 103
Gamberetti aglio e olio 524
Gâteau aux amandes (ou aux noix) GR 609
Gâteau aux pommes et pommes de terre 62 (illus-
tration)
Gâteau aux raisins 287 (illustration)
Gâteau aux amandes (ou aux noix) GR 609
Gâteau de Noël 40
Gâteau aux cerises Zuger 227
Gâteau au miel 226 (Leckerli de Bâle, illustration)
289 (hollandais)
Gâteau
    généralités : RUS 146
Gâteau au yaourt TR 625
Gâteau au fromage 110 (suédois) 265 (allemand)
Gâteau aux fruits 18, 40, 41
Gâteau de Linz 210
Gâteau Forêt noire aux cerises 264 (illustration)
Geitekaas 284
Geitost 103
Gelée
    généralités : ENG 20, 21
Gelée de groseilles à la vanille 110
Gelée de pommes aux amandes 262
Gemberpannekoek 289
Genièvre 300, 301
Gibier v. aussi élan, lapin, renne
    généralités : A 198
    sortes : A 198
    chasse : A 198, 199
    préparation : 200
    recettes : A 200, 201
Gigot du Mecklembourg 244
Gigot d'agneau I 553
Gingembre
    généralités : NL 289, 296
    spécialités : ENG 29 ; NL 296
    recettes : NL 289 : RUS 139
Glace
    généralités : E 476 ; I 572, 573
    recettes : I 573, 611 (illustration)
Glasmästaresill - harengs salés marinés 107
Gnocchi di patate 533
Gnocchi alla zafferano 533
Gnocchis aux épinards et à la ricotta I 533
Gnocchis de pommes de terre I 533
Gnocchis au safran à la sarde I 533
Gnocchis à la Romaine I 533
Gogol Mogol 147 (illustration)
Golabki 159
Gomser 219
Gorgonzola I 541
Gouda fermier (vieux) 284
Gouda 282, 284
Goudse Boerenkaas (oud) 284
Goulache
    généralités : H 179, 184
    recettes : A 196 ; H 184, 185
Goulache de Bohême 177
Goulache de bœuf 196 (illustration)
Goulache au chaudron 184
Goutap 128
Goviadina touchonaïa 142
Grana padano I 541
Grande piérogue sibérienne de poisson 132
Gratin de Klippfisk 95

Gravet Laks 92-93 (illustration)
Gretchenevaïa kacha 145
Griby v smetane 130
Grigliata mista di pesce 561
Grillade Esterházy 197
Grillade aux oignons 197
Gruau 156, 145
Gruau de sarrasin aux champignons et aux oignons 145
Gruyère (Greyerzeer ; Gruviera) 216, 217
Gudbrandsdalost 102, 103
Guinness 38, 60, 65
Gulyás 179, 184
Gundel, Karoly 181, 188
Gundel-Palatschinken 188 (illustration)
Gur Cake 73

Haggis 43, 48
Halászlé 181
Haloween 62
Halusky 173
Ham and Eggs 13
Ham and Haddock 50
Hamper 32
Handkäs mit Musik 274
Hansen, Emil Christian 277
Hareng à la tomate 107 (illustration)
Hareng au vinaigre 107
Hareng à l'aneth 106 (illustration)
Hareng
généralités : ENG 13 ; D 251 ; DK 76, 82 ; N 96, 97, 102 ; NL 290 291 ; S 105, 106
périodes de pêche : 290-291
conservation : 76-77, 106, 291
spécialités : D 249, 251, 279 ; DK 76, 77 ; NL 290, 291 S 106
recettes : D 251 ; NL 291, S 106, 107 ; RUS 128
Harengs marinés au sel 107
Harengs aux haricots verts 291
Henry II, roi 67
Het Pint 46
Heuriger 204, 205
Hidelchäs 217
Highland Cordial 46
Hivaleipä - pain de seigle 125
Hogget 58
Homard
recettes : IRL 61
Homard mode Dublin 61
Honigmet, voir aussi Hydromel :
généralités : PL 164-165
fabrication 164
Horiátiki saláta 595 (illustration)
Hors-d'œuvre v. sakouska
Hot Cross Buns 13
Hot Mustard Pickle 29
Hot Pot 24 (illustration)
Hotch Potch 50 (illustration)
Houten, C.J. 229
Huîtres au champagne 307
Huîtres à la bière Guinness 60 (illustration)
Huîtres
généralités : ENG 24 ; E 460, 461 ; F 344, 346, 347
variétés : 346, 347
parcs : 346
écaillage 346, 347
élevage 346, 460
recettes : IRL 60 ; B 307
Hutspot met klapstuk 286 (illustration)
Hydromel DK 87
recettes : CH 226

Iç pilaf 616
Imam bayildi 619
Irish Coffee 69
Irish Fruit Delight 68
Irish Stew 58 (illustration)
Irish Whiskey Trifle 69 (illustration)
Italico 541

Jacobsen, J.C. 87

Jambon forestière 168
Jambon gratiné aux asperges 168
Jambon de Prague au bourgogne 168
Jambon de Prague 168, 169
Jambon
généralités : CZ 168
spécialités et sortes : CZ 168 ; ENG 13 ; PL 162, 163 ; FIN 116
recettes : CZ 168 ; SCO 50 ; SK 168 ; D 237 ; DK 80
Jambon aux asperges, gratiné 168
Jambon d'Ardennes 312
Jambon et morue 50
Janhagel 299
Jansson's Frestelse 109 (illustration)
Jarlsberg 102, 103
Jarret de veau à la brune 244 (illustration)
Jeûne
généralités : GR 594, 598, 603 ; TR 612
Joululimppu - pain finlandais de Noël 125

Kaasaardappeln 283
Kacha
généralités : PL 156 ; RUS 145
Kacha de Cracovie 157
Kaczka pieczona 161 (illustration)
Kalakukko, 122 (illustration)
Kapoustnye kotlety 138
Kapr v aspikou 171
Kapr smazeny 171
Kapr marinovani 171
Karişik turşu 618
Kartofelnyi salat po-rousski 128
Kasar peynir 624
Kasséri 602
Kasza krakowska 157
Kasza v. kacha
Kedgeree 13
Kefalotíri 602
Keiller, James 20, 21
Kernheimer 284
Kernhemmer Kaas 284
Ketchup 26
Kipper 13, 290
Kirsch 286
Kisir 616
Kislye chtchy 140
Kissel iz tcherniki 146
Kissel aux myrtilles 146
Klippfisk 95
Klippfiskegratin 95
Knäckebrot 112-113
Koks Laks - saumon poché 93 (illustration)
Kölsch 277, 278
Kopenhagener 88 (illustration)
Kotlety po-Kiewski 142
Köttbullar - boulettes de viande 108 (illustration)
Kransekage 75, 89
Krenteweggen 295
Krimskoe 146
Krupnik 157
Kulebjaka 132
Kurnik 132
Küstnachter 217
Kvas 144-145
Kvass domachnii 145

Lait de lionne 617
Lambertz, Henry 267
Lancashire 30
Langostinos al ajillo 463
Langoustines grillées I 524
Langoustines à l'huile aillée E 463
Langue de cabillaud 95
Lapin
gibier : 200
recettes : SCO 51, 245
Lapin du brasseur 316
Lapin rôti 244
Lard
généralités : H 213 ; DK 80
recettes : NL 288
Lasagne al forno 531

Lasagnes au four I 531
Laugenbrezel 235
Lebkuchen Elise 267 (illustration)
Lebkuchen 266, 267
Leckerli de Bâle 226 (illustration)
Leerdamer 284
Lefse 103
Légumes macérés TR 618
Légumes et pommes de terre
généralités : D 254-256 ; DK 80 ; PL 158 ; RUS 138, 139
spécialités : D 236, 279 ; N 91
conservation : 28, 29 ; 138, 158
recettes : ENG 29 ; IRL 62 ; SCO 50, 51, 58 ; PL 159 ; RUS 138-140 ; SK 173
Légumes d'été E 471
Légumes frits GR 595
Légumes au four E 471
Leicester 31
Leiden, fromage de 284
Leipziger Allerlei 256 (illustration)
Leisdse Kaas 284
Lepre in salmi 556
Lescó 187
Libacomb 183
Libamáj 183
Limburgse Vlaai 295 (illustration)
Linde, Carl 277
Lindström, Carl-Gustav 108
Lindt, Rudolf 109
Linguine rouges à l'huile d'olive et à l'ail I 531
Liptauer 172, 173, 205
Liptovsky sir 173
Liqueur, voir aussi aux noms de produit
généralités : IRL 68 ; A 212 ; RUS 150 ; FIN 123 ; NL 300
fabrication : 68, 150, 300
marques : IRL 68 ; A 212 ; NL 300
spécialités de : abricots 212, 300 ; baies 65 ; baies sauvages 123 ; cacao 68 ; café 68 ; kirsch 212 ; herbes 150 ; eau-de-vie de fruits 212 ; noix 212 ; œufs 300 ; genièvre 300 ; orange amère 300 ; vodka 150 ; whiskey 68
recettes à la liqueur : IRL 68 ; D 262 ; NL 300
Lotte au vin blanc I 560
Loukoum TR 626
Loukoumádes 609
Lutefisk 95

Maasdammer Kaas 291
Maatjes met groene Bonen 291
Maatjessla 291
Macédoine de Leipzig 256 (illustration)
Magret de canard sauvage B 315
Malfatti 533
Manoúri 602
Mansikkalumi 123
Marie Antoinette, reine 263
Marie-Thérèse, impératrice 191
Marinovannyje Griby 130
Marmelade
généralités : ENG 15, 20, 21
fabrication : 21
spécialités : ENG 20, 21
Marmelade d'oranges 20, 21
Marmelos 20
Marmitako 463
Marzolino I 541
Mascarpone I 541
Maslenitza 137
Massepain de Lübeck 268
Massepain
généralités : D 268
fabrication : 268, 269
spécialités (et recettes) : CH 229 ; D 268
recettes : D 268
Mätivoi 121
Matcha 17
Maugham, Somerset 12
Melitzanosaláta 594 (illustration)
Messelen in witte Wijn 293 (illustration)
Miel
généralités : PL 156, 164

hydromel : PL 164, 165
    sbiten 149
Milleens 71
Mimolette 284
Mince Pies 40
Minestrone à la mode de Milan I 542
Minestrone alla milanese 542
Mon Chou 284
Montasio I 541
Morkov s imbirem 139
Morue sèche sauce piquante à l'ail E 463
Morue en croquettes P 183 (illustration)
Morue
    généralités : 94, 95
Moules
    généralités : NL 292
    élevage : NL 292
    recettes : NL 293
Moules sauce au vin 60
Moules au vin blanc 293 (hollandaises)
Moussakás 596 (illustration)
Mousse irlandaise 60
Mousseux de Crimée 146
Moutarde
    généralités : ENG 26 ; F 394 ;
    variétés : 394
    musée : 26
    poudre : 26
    sauce : 26
    traitement : 26, 394
    spécialités : ENG 26 ; F 394, 395
    recettes : F 373 ; IRL 59 ; N 93
Mouton, voir aussi brebis, agneau
    généralités : IRL 58 ; SK 172 ; FIN 123
    spécialités : D 279 ; FIN 123 ; N 91
    recettes : ENG 13 ; IRL 58 ; SCO 50 ;
    D 244 ; DK 85 ; SK 172
Mouton aux câpres 58
Mozzarella I 217
Mysost 103
Myzíthra 602

Nadziewany rostbef 160
Näkkileipä 125
Nalivka 150
Nastoïka 150
Niederegger, Johann Georg 268
Noël
    généralités : PL 153 ; NL 298, 299
    spécialités : CZ 171 ; PL 158
    recettes : FIN 125 ; NL 298, 299
Noisettes
    généralités : CH 229
Noix
    spécialités aux noix : A 212
Nózki wieprzowe w galarecie 162

Obligation de pureté (bière) 277
Œufs
    généralités : RUS 128 ; E 457-476 ;
    GR 603
    recettes : ENG 13 ; SCO 46 ; H 188 ;
    RUS 128-129 ; F 361, 430 ; GR 593 ;
    I 570, 573 ; TR 625
    spécialités : ENG 13 ; D 115 ; N 94 ;
    E 445, 457, 476 ; I 563, 570, 571 ;
    P 508, 509

Œufs pochés 50
Œufs pochés au yaourt TR 625 (illustration)
Œufs russes 129
Œufs de poisson
    généralités : RUS 120, 136-137 ; FIN 120, 591
    poissons : 120-121, 135-136
    conservation : 136
    spécialités : RUS 137 ; FIN 120
    recettes : D 237, 247, 274 ; IRL 60 ; FIN 120
Œufs de poissons à la poêle 120
Œufs de poisson en apéritif 120 (illustration)
Œufs à la mode de Minsk 129
Œufs brouillés aux sprats de Kiel 246
Ohraleipä - pain à l'orge 125
Oie, voir aussi volaille

généralités : H 183 ; PL 153 ; DK 80
    sortes : H 183
    spécialités : D 279
    gavage : 183
    foie gras : 183
    recettes : H 183 ; D 279
Oie de la Saint Marin 244
Oignons au vin blanc I 524
Oignons en conserve 29
Omble chevalier à la genevoise 223
Omelette rissolée 207
Ontbijtkoek 299
Oreillettes au brocoli I 531
Osetrina varionaïa 135
Ostkaka 110
Oucha 140, 141

Pacha 146
Paëlla valenciana 467
Paglietta I 541
Pain azyme TR 612
Pain et boulangerie fine, voir aussi pâtisserie
    généralités : IRL 62, 73 ; D 234-236 ;
    FIN 122 ; N 100 ; S 112-113 ; RUS 145 ;
    F 332, 333, 334 ; I 518 ; P 490 ; TR 612
    baguette 332, 333
    ballast : 113
    canapés : 83-85
    céréales : 52, 113-124
    fabrication : D 234 ; FIN 124 ; S 113 ;
    P 504 ; TR 612
    knäckebrot : 112, 113
    pâte fermentée : 235
    spécialités : IRL 73 ; D 234, 235, 236, 239, 279 ; FIN
    124-125 ; N 100, 103 ;
    CZ 168 ; RUS 145 ; F 334 ; I I518-519 ;
    P 488, 489, 490, 492, 504 ; TR 612-613
    recettes : IRL 57, 62, 73 ; S 236-237 ;
    CZ 177 ; RUS 145 ; SK 177 ; I 518 ;
    P 493 ; TR 612
Pain aux fruits 62
Pain de pommes de terre 57
Pain de seigle 125
Pain grillé à l'ail 177
Pain viennois 88
Pain à l'orge 125
Pains aux raisins 295 (hollandais)
Paistettu Mätiä 121
Palacsinta Gundel módra 188 (illustration)
Palacsinta 188
Palatcinky 188
Palatschinken 188
Palets aux amandes et aux épices 299
Palets de pommes de terre 252 (illustration)
Panse de mouton farcie 43, 48
Paprika (épice)
    généralités : H 179, 186, 187
    fabrication : 186, 187
    sortes : 186, 187
    recettes : H 180, 183-185, 187
Paprikás 184
Paprikás csirke 187
Pâques
    généralités : RUS 127, 146
    recettes : RUS 146
Parmigiana di melanzane 563 (illustration)
Parmigiano-reggiano I 541
Pastirma 622
Pâte à pannekoeken 288
Pâte à pain viennois 89 (illustration)
Pâté de campagne 363 (illustration)
Pâté de viandes, terrines et pâtés en croûte
    généralités : ENG 32 ; CZ 168 ; F 363 ;
    FIN 122 ; GR 593 ; RUS 132-133
    spécialités : CZ 168 ; F 364, 374-375 ; P 488 ; TR
    616
    recettes : B 314 ; ENG 25, 40 ; F 363, 372 ; FIN
    122 ; GR 609 ; RUS 132 ; TR 616
Pâtes
    généralités : A 208
    recettes : A 209
Pâtisserie
    généralités : D 263, 265 ; DK 75, 109 ;

NL 294-295 ; S 110 ; A 206 ; RUS 146
    spécialités : D 265 ; DK 75, 88;
    NL 294, 295 ; A 206, 207 ; B 326 ; F 334 ;
    I 518, 519 ; P 488
    recettes : D 263, 265 ; NL 294, 295 ; S 110 ; A 206,
    211 ; F 361
Pâtisseries légères et petits pains
    généralités : I 518
Pearoche 31
Pecorino romano I 541
Pecorino siciliano I 541
Pecorino sardo I 540
Pelmieni sibériens 133
Pelmieni s gribami 133
Pelmieni aux champignons 133
Pelmieni 133
Pelmieni sibirskie 133
Pesto alla genovese 526
Petit déjeuner
    à l'anglaise (breakfast) 12, 13
    buffet : N 102 ; S 106-110
Petits gâteaux
    généralités : ENG 13, 15 ; IRL 62 ; SCO 52 ; A
    206 ; RUS 146
    sortes : gâteau au miel 146 ; beignets 211 ; petits
    gâteaux 88, 206, 207
    spécialités : ENG 13, 15, 22 ; SCO 52 ;
    A 206, 207
    recettes : ENG 13, 18, 40 ; IRL 62 ;
    SCO 53 ; A 207, 211
Petits pains
    généralités : ENG 13, 15 ; D 234, 235
    fabrication : 235
    spécialités (et recettes) : D 234, 235
    recettes : D 236, 237 ; NL 295 ; A 208
Petits pains aux raisins secs 13
Petits pains aux truffes 361
Piccalilli 28, 29
Pickled Onions 29
Pickled Red Cabbage 29
Pickles 28, 29
Pichelsteiner Topf 256
Pide 612
Piérogue de poisson, grande, sibérienne 132
Pils 87, 175, 176, 277, 278, 279
Pilsener Urquell 175, 176
Pilsener 278
Pintade au vin blanc I 555
Pique-nique et instruments 32, 33
Pirogi 132
Pirogues 132
Pirogues à la viande hachée 132
Pirojki au fromage blanc 132
Pirojki 132
Pirojki au hachis 132
Piroschki s miasom 132
Piroschki s tworogom 132
Pisto manchego 471
Pivní gulás 177
Plat national
    anglais 11, 22 ; belge 306 ; écossais 48 ;
    irlandais 58, 59 ; norvégien 91 ; portuguais 492 ;
    turc 616
Plensky Prazdroj 175, 176
Poches aux herbes et aux œufs 128
Poêlée suédoise, 108
Poffert - gâteau aux raisins secs 287 (illustration)
Poffertjes 287
Poireaux à l'huile d'olive TR 619
Poires, farcies 189 (illustration)
Poires au vin rouge 431 (illustration)
Poires garnies 189 (illustration)
Poisson (voir aussi aux noms des poissons)
    généralités : ENG 34 ; B 305 ; E 458 ;
    F 354 ; H 179 ; CH 222 ; D 248, 251,
    DK 75-82, N 90 ; S 105 ; GR 592-594, 598 ; I 558 ; P
    498 ; TR 620
    variétés et espèces : E 459 ; F 350, 351 ;
    GR 598-599 ; CH 222, D 247, 248-251 ; FIN 118 ; N
    92-94, 96, 97 ;
    P 495-497, 498, 499 ; TR 620 ;
    préparation : 458, 495, 498, 598, 620 ; 171, 180
    spécialités : E 443-445, 458, 466 ; F 350, 357, 375 ;

GR 591 ; CZ 171 ; I 532 ; P 488, 489, 492
recettes : ENG 13, 34-35 ; SCO 50 ; B 305 ; E 462-
465, 467 ; F 352-354 ; CZ 171 ;
H 180 ; RUS 132, 141
GR 591, 593, 599 ; I 524, 550, 560-563 ;
P 493, 495, 497
calendrier des poissons 97
conservation : 76, 77, 92, 94, 95, 106, 246, 247, 291
préparation : 92, 94-97, 118, 119
spécialités (et recettes) : D 246-251, 279 ;
DK 76-77, FIN 118 ; N 92, 94, 95 ;
NL 290, 291 ; S 106
Poisson-frites 34-35 (illustration)
Poissons séchés 94-95
Poisson Tobermory 50 (illustration)
Poissons grillés I 561
Poivron (légume)
généralités : H 186
recettes : H 187
Poivrons, farcis 187
Poivrons farcis 187
Poivrons-tomates 187
Pommes de terre sautées 252 (illustration)
Pommes
généralités : IRL 73 ; F 428 ; GR 608
conservation : 29
variétés : ENG 39 ; E 474 ; F 428
sirop 327
cidre : E 484, 485 ; F 426,427
stroudel : 206, 571
spécialités : ENG 29 ; A 197, 206 ; F 335 ;
I 571
recettes : ENG 29 ; IRL 62 ; A 207 ;
F 428 ; F 430
Pommes de terre
généralités : 34 ; IRL 55, 56, 57 ; CH 220 ;
D 252 ; A 208
culture : IRL 56 ; D 252, 253
plante : 252-253
variétés : IRL 56, 57 ; D 253
préparation : D 252
recettes : ENG 35 ; IRL 57 ; A 209 ;
CZ 177 ; RUS 128 ; SK 173, 177
spécialités : SCO 48 ; CH 220, 221 ; D 252 ; N 103,
NL 283 ; S 109
Pommes rôties sauce abricots 259 (illustration)
Porc, cf. jambon, lard, charcuterie
généralités : H 179, 184 ; D 241, 243 ; DK 75
conservation : 80
morceaux : D 240
spécialités : D 243, 279
recettes : D 236, 241, 237 ; DK 80 ;
FIN 122 ; NL 286
Pörkölt 184, 185
Pörkölt de poulet 185
Pörkölt de veau 184
Porridge 12-13, 43, 52, 53
Porridge aux prunes 40
Porter 38, 65
Pot-au-feu madrilain E 456
Potée de canard 161
Potée de Leiden 286
Potée au chou 286
Potée aux lentilles 256
Potées, cf. légumes
généralités : NL 286
spécialités (et recettes) : D 256, 279 ; N 91, 100
recettes : D 256-257 ; NL 286
Poteen 67
Poule, voir aussi volaille
gibier 198, 200
spécialités voir aussi recettes : RUS 132
recettes : SCO 51 ; H 185, 187 ; RUS 142
Poule au pot avec une sauce à l'œuf citronée 593
Poulet au paprika 187
Poulet grillé, farci 51 (illustration)
Praires à la matelote 463
Praliné
généralités : CH 229
Prazká sunka 168, 169
Printen d'Aix-la-Chapelle 267
Produits laitiers, voir aussi fromage
généralités : F 333 ; FIN 120, 121 ; GR 514 ;

IRL 70 ; N 92, 102 ; TR 624
recettes : D262 ; E 477 ; GR 590 ;
RUS 130, 146, 147 ; TR 619, 624, 625
Provolone I 541
Pub 37-39, 44, 65
Pudding aux mûres 73
Pudding de Noël 40, 41
Pudding de sarrasin 157
Pultost-Hedemark 102
Pultost-Loiten 102
Punch 111
Purée de poisson 97
Pytt i Panna 108

Quargel 205
Quenelles de poisson 97
Queue de bœuf épicée au gruau 142
Queue de bœuf aux épices et au sarrasin 142

Raclette 217, 219
Ragoût de renne des Sames 101
Ragoût de légumes de La Manche E 471
Ragoût de queue de bœuf 58
Ragù alla Bolognese 526
Ragusano I 541
Rakoerret 92
Raleigh, Sir Walter 56
Räksallad 107
Ramadan
généralités : TR 612
Ravissement de l'imam 619
Recette de base des Rösti 220 (illustration)
Recette de base pour la fondue au fromage, 219 (illu-
stration)
Red Windsor 31
Réglisse 296, 297
Relish 28, 29
Renne 100
Ricotta I 541
Ristet Laks 93 (illustration)
Riz
riz en croûte E 465
riz au lait E 477
riz noir E 465 (illustration)
Riz pilaf TR 616
Rödbetsallad 107
Roekt Reinsdyrherte i floetesaus 102
(illustration)
Roemme 92
Rognons d'agneau sauce piquante 13
Rollmops 251 (illustration)
Rosbif farci 160
Rossolnik 161
Rösti de Berne 161 (illustration)
Rösti 220
Rôti de porc avec sa couenne 80 (illustration)
Rôti aigre-doux rhénan 245 (illustration)
Rôti de porc à l'allemande 241
Roulades farcies aux champignons 154
Roulades de chou 159
Rouleau d'anguille 79 (illustration)
Rueblitorte de l'Aargau 227 (illustration)
Ruisleipä 121
Rulleal 79 (illustration)
Rybnaïa Solianka 141 (illustration)

Sachertorte 213 (illustration)
Sade lokum 626
Sakouska 106, 128, 134, 136
Salade paysanne GR 595 (illustration)
Salade de crevettes 107 (illustration)
Salade aux harengs 291
Salade de bœuf 128
Salade de champignons des bois 123
Salade de chou rouge 29
Salade de fruits estivale 262
Salade de betteraves rouges 107
Salade de tomates TR 614
Salade de pommes de terre, russe 128
(illustration)
Salade de pommes de terre, allemande 252
(illustration)

Salades
recettes : RUS 129
Salami 179
Salat is Goviadiny 128
Salzburger Nockerln 210 (illustration)
Samfaina 471
Samovar 148, 149
Sandre Gundel 181
Sandre, entier grillé 181
Sandre
généralités : H 179, 180 ; CH 223
œufs : 120
préparation : 180
recette : H 181
Sandwichs 15, 32
Sanglier au vin rouge I 556
Sanglier à la mode de Lainz 201
Sardines grillées aux piments P 495
Sardinhas assadas com pimentos P 495
Sauce aux airelles 41
Sauce au rhum et au chocolat 188
Sauce bolognaise I 526
Sauce hollandaise 258
Sauce au vin 201
Sauce gênoise au basilic I 526
Sauce verte de Francfort 274
Sauce tomate E 471
Sauces
variétés : sauces aux abricots 262 ; sauce verte de
Francfort 274 ; sauce blanche 257 ; sauce hollandai-
se 258 ; sauce à la crème 101 ; sauce moutarde 93 ;
sauce tomate 107 ; sauce Worcester 26, 27
spécialités : ENG 26, 27, 29, 40 ; N 94, 96 ;
A 197
recettes : D 237, 257, 258, 262, 374 ; ENG 41 ; IRL
59 ; N 93 ; A 201 ; H 188 ; PL 158
Saucisse, voir aussi aux viandes
généralités : A 205 ; H 179 ; PL 162
fabrication : 162
spécialités et sortes : A 195 ; PL 153, 162, 163
recettes : PL 159
Saumagen ou panse de porc du Palatinat, 244
(illustration)
Saumon grillé 93
Saumon poché 93
Saumon
généralités : ENG 32 ; N 92-93
conservation : 92
spécialités (et recettes) : N 92
recettes : ENG 13 ; DK 84 ; N 93
Sauna 116
Sauté d'agneau P 500 (illustration)
Sauté de thon E 463
Sbitjen 149
Scamorza I 541
Scampi alla griglia 524
Schabzinger 216
Schrippen (petits pains) 234
Scotch Flip 47
Scotch Sour 46
Scrumpy 39
Seiches farcies I 524
Seliodki 128
Selle de cerf à la mode de Montafon 201
Semmeln (petits pains) 234
Seppie ripiene 524
Sienisalaati 123
Sigara böre I 616
Sjömansbiff 109
Smetana 120, 121
Smetana 120, 121
Smoergasbord 105, 106-110
Smoerrebroed 82-85, 87
Snert 286
Snoefrisk 102
Sofrito 471
Solianka 140, 141
Solianka de poisson 141 (illustration)
Sopa à alentejana 493
Sopa de ajo 456
Sopa de pedra 492
Soufflé aux œufs de morue 60
Soufflé du marin 109

Soufflé
    recettes : A 210
Soupe
    généralités : RUS 140, 141
    spécialités : H 184 ; PL 154
    recettes : CZ 177 ; PL 157 ; RUS 140, 141 ; SK 177 ;
    D 236, 257 ; NL 286
Soupe verte P 490 (illustration)
Soupe de poireaux à la poule 51
Soupe de poisson à l'Algarve P 493 (illustration)
Soupe de Pavie I 542
Soupe aux haricots blancs GR 593
Soupe au chou 140 (illustration)
Soupe au pain 236
Soupe de pierre P 492
Soupe à l'ail E 456
Soupe à la mode d'Alentejo P 493
Soupe aux pois 257 (allemande, illustration),
    286 (hollandaise)
Soupe aux légumes avec viande de mouton 50
    (illustration)
Soupe de pommes de terre 177
Soupe à la choucroute 140
Soupe de poisson 181 (hongroise)
Soupe à l'orge mondé 157
Soupe de poissons, claire 141
Souvlákia 600
Spaetzle 259 (illustration)
Spaetzle au fromage 259
Speculaas 298 (illustration)
Spekpannekoek 288
Spiritueux, voir aussi aux noms de produits
    généralités : A 212 ; CZ 167 ; RUS 128 ;
    SK 150 ; D 167 ; DK 82 ; FIN 117 ;
    N 98 ; NL 300 ; S 106, 111
    distilleries : A 212 ; D 286 ; N 98 ; NL 300
    fabrication : vodka 150 ; aquavit 98 ;
    genièvre 300
    marques : A 212 ; RUS 150 ; N 98 ; NL 300
    sortes : A 212 ; RUS 150
    recettes à base de spiritueux : D 264-265, 268 ;
    NL 300
Sprats de Kiel 247
Stamppot 286
Starkbier 87, 277-278
Stekt Gädda 107
Stockfish à la crème P 497
Stout 38, 65, 87
Strammer Max 237 (illustration)
Strapacky 173
Streusel au fromage blanc 263
Strooppannekoek 288
Stroudel aux pommes 206, 207 (illustration)
Surströmming 106
Svechie chtchy 140 (illustration)

Tabac, cf. cigares
Tagliatelle coi tartufi 531
Tagliatelles aux truffes I 531
Taleggio I 541
Tarte tatin 430
Tarte aux prunes 263 (illustration)
Tartelettes du Limbourg 295
Tartelettes suisses au fromage 217
Tentation de Jansson 109 (illustration)
Terrine de poisson 97
Thé des bois 149
Thé
    généralités : ENG 13, 14, 17, 36 ; RUS 149 ;
    TR 628
    préparation : ENG 14 ; RUS 148-149 ;
    TR 628-629
    arômatisé : 14, 16, 17
    service à thé : 15, 148, 149
    thé vert : 16-17
    origines : 14, 16, 17, 127, 149, 610, 628
    thé noir : 14-17
    variétés : 4, 16, 17
    appellations : 16, 17
    plantes : 16
    dégustation : 17
Thé de l'après-midi 15
Thistle 46

Tisanes 16
Toddy 46
Toffees 18, 19
Tokány 184
Tokay 179, 191
Töltött paprikà 187
Töltött körte 189 (illustration)
Tomates-poivrons 187
Tomatsill - hareng à la tomate 107 (illustration)
Topinky 177
Torsketunge 177
Tourte au poison et à la viande 122
Tourtes
    généralités : FIN 122
    recettes : FIN 122
Tresses à la pâte levée 110
Truite
    généralités : CH 222 ; D 250-251 ; FIN 118 ;
    N 92 ; E 459
    espèces : CH 222 ; D 250 ; FIN 118 ; N 92
    œufs : 120, 136
    spécialités : D 462, FIN 118 ; F 351
    recettes : D 250 ; E 462 ; F 351
Truite saumonée 118, 119, 120
Truite au bleu 250
Tulum peyniri 624
Twining, Thomas 14

uisge beatha 44, 67

Veau, voir aussi bœuf
    généralités : A 197
    spécialités : A 195 ; D 279
    recettes : A 197 ; H 184 ; CH 221 ; D 244
Vetelängd 110 (illustration)
Viande séchée TR 622
Viande, voir aussi à bœuf, mouton, porc, gibier
    généralités : RUS 128 ; E 454 ;
    GR 594, 600 ; P 500 ; TR 622 ; S 105
    glossaires : E 454 ; I 551 ; P 501
    spécialités : ENG 23 ; E 444, 445, 456, 467 ;
    FB 358 ; GR 590, 601 ; I 532 ; P 488, 492 ;
    TR 614, 616, 622, 623 ; A 205 ; D 279
    recettes : ENG 41 ; E 456 ; GR 591, 600 ;
    P 492, 493, 500, 501 ; PL 157, 159 ; RUS 132 ;
    D 256, 274 ; FIN 122
Viande séchée des Grisons 224, 225
Victoria, reine 15
Vin mousseux, voir aussi vin et noms propres
    généralités : A 202-205 ; H 191 ; SK 167 ;
    RUS 146
    spécialités au vin mousseux : RUS 133, 135
    recettes au vin mousseux : RUS 135
    vin nouveau : A 205
    classification/catégories : A 203
    cépages : A 203 ; H 191 ; RUS 146
    spécialités et sortes : A 203 ; H 191
    spécialités pour accompagner le vin : A 205
    recettes au vin mousseux : A 201 ; CZ 168 ;
    SCO 46
Vin, voir aussi vins liquoreux, vins mousseux
    généralités : CH 218 ; D 271, 272 ;
    FIN 117 ; N 98 ; S 111
    appellations et catégories : D 272
    cépages : D 271, 273
    vignobles : D 271, 273 ; S 111
    vinification : D 271 ; Ebbelwoi 274 ; Federweisser
    272
    spécialités : D 237, 245, 254, 258, 262, 265
Vinaigre
    Vinaigre balsamique 574, 575
    Variétés de vinaigre F 391 ; I 574
Vinbärskräm med vaniljsas, 110
Vins liquoreux 191
Vlaai, Limburgse 294, 295
Vodka
    généralités : PL 153, 164 ; RUS 150
    spécialités pour accompagner la vodka :
    PL 154, 158
Volaille de Bresse 366, 367
Volaille, voir aussi aux espèces
    généralités : ENG 40 ; H 183 ; PL 153 ;
    DK 80

sortes : A 198, 200
    gavage 183
    gibier 198, 200
    spécialités : RUS 132 ; D 279
    recettes : ENG 41 ; SCO 51 ; A 200 ;
    H 183 ; PL 161 ; RUS 128 ; D 245

Waterzoi 305
Wecken (petits pains) 234
Weizenbier 277, 278, 279
Whisky et whyskey
    généralités : ENG 36 ; IRL 67 ;
    SCO 43, 44 ; S 111
    distilleries : 44-45, 66, 67
    fabrication : 44-45, 67
    musée : 66
    marques et variétés : 44, 66, 67
    recettes de boissons : 46, 47, 69
Wienerbrød 88
Wienerbroedsdej 88
Wilhelm IV, duc de Bavière 277
Wolowina z grzybami 160
Worcestershire (sauce) 26, 27

Yaïtsa po-rousski 129
Yaïtsa po-minski 129
Yaourt
    boisson au yaourt TR 625 (illustration)
    yaourt au concombre TR 625 (illustration)
Yo urt tatlisi 625
Yo urtlu kabak kizartmasi 619

Zapecená sunka plnená chrestem 168
Zeytinya li pirasa 619
Zrazy dusdone z grzybami 154
Zuppa pavese 542